JENNIFER DONNELLY

L'ANGE DE WHITECHAPEL

Traduit de l'américain
par Florence Hertz

belfond

Titre original :
THE WINTER ROSE
publié par HarperCollins Publishers, Londres.

Ce livre est une œuvre de fiction. Les noms, les personnages et les événements sont le fruit de l'imagination de l'auteur. Toute ressemblance avec des personnes réelles, vivantes ou mortes, des événements ou des lieux, serait pure coïncidence.

Le papier de cet ouvrage est composé de fibres naturelles, renouvelables, recyclables et fabriquées à partir de bois provenant de forêts plantées et cultivées durablement pour la fabrication du papier.

ISBN : 978-2-266-19191-3

En souvenir de Fred Sage et du Londres qu'il a connu.

Prologue

Londres, mai 1900

Frankie Betts repérait les agents de police en civil au premier coup d'œil. Ils empestaient la bière et le gin. Ils marchaient du pas prudent des gens serrés dans leurs chaussures. Dans les quartiers pauvres, remplis de crève-la-faim, ils étaient les seuls gras comme des oies, repus des repas qu'ils se faisaient offrir.

Ce genre-là donnait à Frankie l'envie de tout casser. Justement, il y en avait un, assis à côté de lui au comptoir du Barkentine, le quartier général de la Firme. Un cogne camouflé en gars ordinaire. Mine de rien, il buvait un coup et s'était commandé un plat du jour.

Quel sacré culot !

Frankie écrasa sa cigarette, remonta ses manches et se leva, prêt à faire passer au type le goût de la provocation. Mais, avant d'avoir eu le temps de lui régler son compte, il vit apparaître une chope de bière sur le zinc. Desi Shaw, le cabaretier, la poussa vers lui.

— Tu te barres pas déjà, mon gars, j'espère ? Tu viens juste d'arriver.

Il plaisantait, mais son regard lançait un avertissement.

— Merci, dit Frankie, dents serrées, en hochant la tête.

Il se rassit. Desi avait eu raison de l'arrêter. Sid aurait été furieux, et Frankie ne voulait surtout pas décevoir Sid. Personne ne voulait décevoir Sid.

Il avala une lampée de bière et alluma une cigarette. Toute la bande était à cran depuis l'attaque du convoi de fonds. Le coup leur avait fait empocher mille livres mais avait mis en alerte le député de la circonscription, Freddie Lytton, qui était parti en guerre contre eux. Il avait fait arrêter Sid, Ronnie et Desi par l'inspecteur Donaldson, sans trop de conséquences d'ailleurs, car le juge les avait libérés, faute de preuves. Il y avait des témoins, mais ils avaient tous renoncé à déposer en apprenant qu'il s'agissait de Sid Malone. Un trou de mémoire collectif qui avait fait grincer bien des dents.

— Encore une bévue de la police, avait déclaré Sid à la presse en descendant les marches de l'Old Bailey le jour de sa libération. Je ne suis pas un bandit. Je ne suis qu'un homme d'affaires qui gagne honnêtement sa vie.

Il employait cette formule à chaque descente de police, que ce soit dans son chantier naval ou dans ses pubs. C'est pourquoi il était surnommé « le Patron », et son organisation criminelle, « la Firme ».

Sid était devenu la bête noire de Lytton, qui avait juré de le faire tomber. Un jour, disait-il, il trouverait quelqu'un, un honnête homme, qui n'aurait pas peur de Malone et de sa bande de malfrats, et accepterait de témoigner. Ce jour-là, il l'enverrait pourrir sur la paille humide des cachots jusqu'à la fin de sa vie.

— Tout ça, c'est de l'esbroufe, jugeait Sid. Lytton veut sa photo dans les journaux pour les élections.

L'argument avait beau être rassurant, Frankie ne savait plus trop ce qu'il fallait croire. En tout cas, un flic était là, parmi les buveurs. Frankie le dévisagea par l'intermédiaire du miroir accroché au-dessus du bar. Comme on ne voyait jamais un agent de police sans qu'il en grouille des dizaines autour, il ne devait pas être seul.

Frankie fouilla la salle du regard. Le Barkentine était un bouge sombre, bas de plafond, un vrai repaire de bandits coincé entre deux entrepôts de Limehouse, sur la rive nord de la Tamise. L'entrée donnait sur Narrow Street, la façade arrière bordait le fleuve. À marée haute, on entendait l'eau clapoter contre le mur du fond. Frankie connaissait toutes les têtes. Trois gars du coin près de la cheminée se passaient des bijoux de la main à la main. Dans un coin, quatre autres jouaient aux cartes, et un cinquième aux fléchettes. Des groupes se serraient autour des tables branlantes ou le long du bar. Ils fumaient, buvaient, beuglaient, riaient fort, faisaient les fiers-à-bras. Du menu fretin. Ce type était seul, ce n'était donc pas un vrai flic. Un mouchard envoyé par Lytton, peut-être, et sûrement un fou pour oser s'aventurer seul sur le territoire de Sid Malone, un des plus puissants chefs de bande de Londres, et des plus redoutés. S'il avait un brin de jugeote, il partirait tant qu'il en était encore capable.

Frankie surveillait toujours son homme quand Lily, la serveuse, sortit en trombe de la cuisine et posa brutalement un bol de soupe devant l'inconnu. Une giclée passa par-dessus le bord et aspergea son journal.

— Une bouillabaisse de Limehouse, une !

Les yeux ronds, l'homme considéra l'infâme potage qu'elle venait de lui servir.

— Du poisson, commenta-t-il sans enthousiasme.

— Ah, mais je vois que nous avons affaire à un vrai

Sherlock Holmes ! Et tu voulais quoi ? Une côtelette d'agneau, peut-être ?

— Je ne sais pas, une côte de porc, au moins.

— Dis donc, on n'est pas chez les rupins. Ça fera deux pence.

L'homme déposa la pièce sur le comptoir, puis tourna sa soupe grisâtre avec la cuillère sale. Des arêtes et des lambeaux de peau tourbillonnaient dans le bol, des débris de pomme de terre, un tronçon de céleri, et un morceau de poisson peu engageant.

De la carpe, pensa Frankie. Il en voyait souvent dans la Tamise à marée basse. D'énormes bestioles noires aux yeux globuleux, qui battaient mollement de la queue dans la gadoue. Régale-toi, ricana-t-il intérieurement, ça te donnera la courante.

Desi approcha.

— Y te plaît pas, ton dîner ? Tu manges pas ?

L'inconnu reposa sa cuillère, hésitant.

— Je sais pas ce que j'ai, y a rien qui passe. J'arrive à prendre que de la bière, autrement, ça repart par où c'est entré.

— Quoi ? Rien de rien ?

— Du porridge. Du lait. Des fois, un œuf. C'est la faute aux matons. Ils m'ont démonté l'estomac à force de me cogner dans le ventre. Je me remets pas.

Frankie n'en perdait pas une miette, se retenant de rire.

Desi, lui, restait sérieux comme un pape.

— T'as fait de la taule, alors ?

— Ouais. Je suis tombé pour un casse dans une bijouterie du côté de Camden. J'avais un canif dans la poche, alors les cognes ont raconté que j'étais armé. J'ai écopé de cinq ans de placard.

— Tu viens de sortir ?

L'inconnu fit signe que oui et retira sa casquette pour montrer son crâne tondu de détenu.

Desi eut un sourire.

— Mon pauvre, tu crois qu'y t'ont amoché le bide, mais t'as pas vu ta tronche ! T'étais où ? À Reading ?

— Non, Pentonville.

— J'ai passé du temps au ballon là-bas. Y a un maton qu'est pas piqué des vers. Willock, qu'y s'appelle. Toujours aussi casse-burnes ?

— Toujours.

Pauvre nase, pensa Frankie. Il n'y a pas de Willock à Pentonville. Tu n'y as jamais fichu les pieds.

Desi lui resservit une bière.

— Tiens, mon gars, c'est la maison qui régale.

En s'éloignant vers un autre client, il croisa le regard de Frankie et lui envoya un message silencieux : « Occupe-toi de lui. »

Frankie attendit une ou deux minutes en vidant sa chope et en tirant sur sa cigarette. Puis, comme par accident, il heurta le bras de l'homme, qui renversa de la bière sur son journal.

— Pardon, mec. On dirait que tout le monde veut te faire éponger le comptoir avec ton canard, ce soir.

— Y a pas de mal. De toute façon, c'est un vrai torchon. Il est bon qu'à ça.

Frankie rit avec une fausse jovialité que l'homme prit pour un encouragement à lier connaissance.

— Michael Bennett ! Comment va ?

— Au poil ! Roger Evans.

— T'as entendu parler de ça ? demanda Bennett en montrant un article en première page. Une attaque de convoi de fonds. On dit que c'est un coup de Malone. Il se serait empoché dix mille livres.

Faut pas rêver, pensa Frankie. Ces saletés de journaux exagéraient toujours.

Bennett lui tapa sur le bras avec le dos de la main.

— Y paraît que Malone planque sa braise dans une péniche sur la Tamise. On dit aussi qu'il en a dans des entrepôts.

— Ah bon ?

— Ouais, et aussi ici, au Barkentine. Si ça tombe, on est même assis sur son magot, ajouta-t-il en frappant la semelle sur le plancher. T'as pas un pied-de-biche ?

Frankie fit semblant de rire.

— En tout cas, il doit lui falloir de la place pour fourrer ses billets. La Firme déborde de pognon, à ce qu'y paraît. J'ai entendu que le casse des lingots d'or leur a rapporté des milliers de livres. Ça, c'est quelque chose !

Frankie bouillait. Ça le démangeait de faire passer à ce saligaud l'envie de se mêler des affaires des autres.

Bats-toi avec ta tête, Frankie, pas avec tes poings, lui aurait recommandé Sid, comme toujours.

Bennett lui toucha de nouveau le bras.

— Il paraît que Malone vient beaucoup ici. Même que ça serait son quartier général.

— J'en sais rien, moi.

Le mouchard se pencha pour lui parler de plus près.

— Il faut que je lui cause. J'en aurai pas pour longtemps. Tu sais pas où je pourrais le trouver ?

— Comment je saurais ça, moi ?

Bennett plongea la main dans sa poche et posa un billet de dix livres sur le bar. Pour les gens de Limehouse, dix livres, c'était une fortune. Frankie fit comme s'il était impressionné et se dépêcha de l'empocher.

— On se retrouve derrière le pub dans un quart d'heure.

Il sortit du Barkentine par la porte de devant, mais

seulement pour y entrer de nouveau par la cave. Il monta quatre à quatre les marches étroites d'un escalier qui aboutissait dans la cuisine, puis d'un autre qui menait à l'étage. Il prit un couloir miteux et frappa deux coups à une porte fermée à clé.

Elle fut ouverte par un malabar portant chemise et gilet, qui ne cachait pas la matraque qu'il tenait à la main. Derrière lui, au milieu de la pièce, un autre homme était assis à une table, occupé à compter des billets de vingt livres. Il leva son regard vert vif sur Frankie.

— Il y a un mouchard en bas, Patron. Sûrement un envoyé de Lytton. Il dit qu'il s'appelle Bennett. Il sera derrière dans un quart d'heure.

L'homme aux yeux verts hocha la tête.

— Occupe-le, ordonna-t-il en se remettant à compter.

Frankie redescendit et sortit.

Dans le bar, Michael Bennett surveillait l'horloge murale. Il était presque deux heures du matin. Il vida son verre et laissa quelques pièces sur le comptoir.

— Bonne nuit, dit-il en faisant un signe de tête au patron.

Desi leva vaguement la main.

— Où sont les gogues ? demanda Bennett.

— On n'est pas au palais de Buckingham, ici ! T'as qu'à pisser dans la flotte comme tout le monde.

Bennett sortit, contourna le pub et descendit les marches de pierre qui menaient aux berges.

Caché derrière un pilier, Frankie le regarda se déboutonner et se soulager longuement. La marée était basse. On voyait à peine l'eau tant il faisait noir, mais on l'entendait cogner contre les péniches amarrées au milieu du fleuve, siffler le long des filins et des flotteurs, gargouiller dans les tourbillons. Quand Bennett eut terminé, Frankie émergea de sa cachette.

— Bon sang ! s'écria Bennett. Tu m'as fichu la trouille. Il fait noir comme dans un four. Où est Malone ?

— Il arrive.

— Sûr ?

— Si je l'ai dit, c'est qu'il vient.

— S'il ne vient pas, je reprends mon pognon !

Frankie s'étonna d'avoir si bien joué son rôle de bon gars, l'autre le croyait vraiment inoffensif.

— Il va venir, je t'assure.

Ils attendirent encore dix minutes en parlant de la pluie et du beau temps. Bennett commençait à s'impatienter quand une allumette s'enflamma derrière eux. Ils se tournèrent vers la lumière.

Sid, accompagné de Desi, était en bas des marches, et Desi allumait une lanterne.

— Alors… monsieur Bennett, si j'ai bien compris ? commença Sid.

Bennett le fixait sans ouvrir la bouche.

— Réponds quand le Patron te pose une question ! gronda Frankie.

Bennett se tourna vivement vers lui.

— Comment, le Patron ? Je croyais que tu…

— Qu'est-ce que tu veux ? aboya Frankie en abandonnant son rôle de benêt. Qui t'envoie ?

Bennett recula d'un pas.

— Je ne cherche pas d'ennuis, bégaya-t-il. Je suis juste venu apporter un message. Une dame demande à voir Sid Malone. Elle accepte de le rencontrer n'importe quand, n'importe où, mais elle tient absolument à le voir.

— C'est Lytton qui t'envoie ? tonna Frankie.

— Non, je suis détective privé, et je vous ai dit que c'était une dame.

Malone l'observait.

— Vous feriez mieux d'accepter, lui dit Bennett. Cette dame, elle ne s'en tiendra pas là. Elle viendra, que vous le vouliez ou non.

Malone se taisait toujours, mais il écoutait. Bennett s'enhardit.

— Elle n'est pas commode ! Je ne peux pas vous donner son nom, mais cette poufiasse ne lâchera pas le morceau ! ajouta-t-il avec un rire.

Plus tard, Frankie devait se souvenir de l'expression qu'avait eue Sid en entendant Bennett traiter sa cliente de « poufiasse ». On aurait dit l'amorce d'un sourire. Il s'était approché de Bennett d'un pas tranquille comme s'il allait lui serrer la main pour le remercier, puis il lui avait empoigné le bras et, d'un mouvement rapide et efficace, le lui avait cassé.

La douleur avait jeté Bennett à genoux et, en voyant l'os percer sa chair, il s'était mis à hurler. Sid l'avait attrapé par les cheveux et lui avait tiré la tête en arrière pour que ses cris s'étouffent dans sa gorge.

— Dis à Fiona Finnegan que l'homme qu'elle cherche est mort. Et le même sort t'attend si je te revois.

Sid avait relâché Bennett, le laissant s'effondrer dans la vase, puis il avait tourné les talons, suivi par Frankie et Desi, qui avait alors éteint la lanterne.

— Qui c'est, Patron, une folle ? demanda Frankie.

Pas de réponse.

— Alors vous vous connaissez ?

Dans le noir, Frankie ne distinguait pas le visage de Sid. Il ne put donc pas voir la douleur intense qui marquait ses traits.

— Non, Frankie. Nous ne nous sommes jamais rencontrés. Je ne la connais pas.

Première partie

Mai 1900

1

— Jones !

India Selwyn Jones pivota sur ses talons en entendant son nom. Elle dut plisser les yeux pour voir celui qui l'appelait, car Maud lui avait volé ses lunettes. Un homme chauve et barbu fendait le groupe des étudiantes pour arriver jusqu'à elle.

— Professeur Fenwick !

— Jones, bravo, mon petit ! Le prix Walker, le prix Lister et le prix Dennis, tout à la fois ! Vous avez tout raflé !

— Hatcher a remporté le prix Beaton.

— Le prix Beaton ? Une obole pour les simples d'esprit. N'importe quel âne peut apprendre par cœur l'anatomie. Pour un médecin, l'essentiel, ce ne sont pas les connaissances qu'il emmagasine, c'est sa capacité à savoir les utiliser. Hatcher est à peine capable de poser un garrot.

— Chut, professeur ! Elle est derrière vous, souffla India, très gênée.

La remise des diplômes venait de s'achever. Les étudiantes étaient descendues de l'estrade de l'amphithéâtre au son d'une musique martiale et posaient maintenant pour les photographes tout en recevant les félicitations de leur entourage.

Fenwick n'était pas homme à s'embarrasser des convenances. Il disait haut et fort ce qu'il pensait, et critiquait qui bon lui semblait quand bon lui semblait. India avait suffisamment été victime de sa virulence pour le savoir. Elle gardait encore un cuisant souvenir de sa première semaine de cours. Fenwick lui avait demandé d'interroger un malade qui souffrait de pleurésie et il lui avait fait lire ses notes pendant le cours pour décrire les symptômes. Un hurlement avait accueilli la première phrase qui commençait par « J'ai senti… »

— Comment ça, Jones, vous sentez ? Vous n'êtes pas dans ma classe pour avoir des états d'âme. Nous n'analysons pas les poètes romantiques ! Nous établissons des diagnostics. Nous étudions les pathologies des patients. Les étudiants ne peuvent qu'observer, car ils sont bien trop ignorants pour faire autre chose. Le sentiment est l'ennemi de l'intelligence. Avez-vous compris, Jones ? Répétez !

— Oui, professeur. Le sentiment est l'ennemi de l'intelligence, avait bégayé India, les joues en feu.

— Très bien. Quand on se laisse aveugler par la compassion, on court au désastre. Les patients, il faut les voir, et non les plaindre. On vous demande de savoir distinguer l'œdème dû à la maladie cardiaque d'une insuffisance rénale, c'est tout. De différencier une colique néphrétique d'un empoisonnement par le plomb. Il faut observer les patients avec objectivité et détachement, Jones, c'est la seule façon de les guérir.

Fenwick s'intéressait à présent davantage à son diplôme.

— Montrez-moi un peu cela, dit-il en désignant d'un geste impatient le carton qu'elle tenait sous le bras.

Elle l'ouvrit, révélant un rectangle de papier de l'épaisseur et de la couleur d'un parchemin, qui portait son nom écrit à l'encre en pleins et en déliés, ainsi que la date du 26 mai 1900, son titre de docteur et le sceau de la faculté de médecine de Londres pour les femmes. Elle était maintenant autorisée à pratiquer.

— Docteur India Selwyn Jones. Voilà qui sonne bien, il me semble, fit remarquer Fenwick.

— Je trouve aussi. Je pourrais même m'y habituer si on me le répète assez souvent, mais je n'arrive pas encore à y croire.

— Allons donc ! Dans votre promotion, certaines auront peut-être besoin de regarder leur diplôme pour se prouver qu'elles sont médecins, mais pas vous.

— Professeur Fenwick ! Venez voir ! cria une voix nasillarde.

— Ah, tiens ! Mme le doyen, dit Fenwick. Je crois qu'elle désire me présenter au directeur de l'asile de Broadmoor, le pauvre homme. Elle veut le convaincre d'engager nos nouvelles diplômées. Sans aucun doute, vous avez de la chance d'avoir décroché ce poste au cabinet du Dr Gifford.

— C'est vrai, professeur. J'ai hâte de commencer.

Fenwick eut un ricanement.

— En êtes-vous bien sûre ? Vous connaissez le quartier de Whitechapel ?

— J'ai assuré des consultations au London Hospital.

— Des visites à domicile ?

— Non, professeur.

— Alors, c'est Gifford qui a de la chance de vous avoir attirée dans ses filets.

— Cela ne me rebute pas. J'ai effectué des visites

dans d'autres quartiers pauvres de Londres : Camden, Paddington, Southwark…

— Whitechapel est un cas à part, Jones. Préparez-vous au pire. Vous allez apprendre quantité de choses, c'est certain, mais avec votre intelligence, votre savoir-faire, vous auriez pu décrocher un bon poste de recherche dans un hôpital universitaire tout en recevant dans un cabinet privé. Comme Hatcher. Ce serait beaucoup mieux pour vous.

— Je ne suis pas assez riche pour ouvrir un cabinet, professeur.

Fenwick l'observa longuement.

— Même si vous en aviez les moyens, je doute que vous le feriez. On vous donnerait les clés d'un cabinet de luxe dans Harley Street que vous fileriez soigner les pauvres dans leurs taudis.

— Vous n'avez pas l'air de trouver mon idéal très honorable, professeur !

— Des rêves que tout cela, des rêves…

— Je ne songe qu'à réaliser un projet qui me tient à cœur.

— Votre dispensaire pour les femmes et les enfants ?

— C'est cela.

— Je me souviens de vous avoir entendu en parler avec Hatcher, mais je ne vous pensais pas aussi décidées.

— Harriet n'est pas sûre d'elle, mais moi, je le suis.

— Jones, vous rendez-vous compte des difficultés ?

— Un peu.

— Trouver le financement, le lieu adéquat, procéder à l'installation. La gestion à elle seule est une tâche herculéenne. Il faut du temps pour fonder un dispensaire, beaucoup de temps, et votre travail au cabinet ne vous laissera pas une seconde. Gifford va vous épuiser. Comment allez-vous vous en sortir ?

— Je me débrouillerai. Je veux aider les gens, changer les choses dans la mesure de mes moyens.

— Ah ! Vous êtes bien restée la même depuis six ans. Vous souvenez-vous de vos débuts à la faculté ? Je ne comprends toujours pas ce qui vous pousse à cultiver de telles idées.

— Mais pourquoi ?

— Une jeune femme issue de l'aristocratie comme vous, membre de l'une des plus riches familles de Grande-Bretagne… et vous voulez sauver le monde !

India s'empourpra.

— Vous savez, professeur, je ne suis pas… Je ne…

— Professeur Fenwick ! Par ici !

C'était le doyen, une nouvelle fois.

— Impossible de me dérober plus longtemps, regretta Fenwick.

Il se tut quelques secondes, embarrassé, puis ajouta :

— Je dois admettre que vous allez me manquer, Jones. Vous êtes l'étudiante la plus douée que j'aie eue jusqu'à présent. Rationnelle, logique, objective. Un brillant sujet comparé à toutes ces oies blanches. Je voudrais pouvoir vous dire que vous avez parcouru la plus dure partie du chemin, cependant vous ne faites que commencer. Vous voulez changer le monde, mais c'est peut-être le monde qui vous changera. Vous en avez conscience, j'espère ?

— Oui, professeur.

— Très bien. Sachez en tout cas que, quoi qu'il arrive, vous êtes médecin. Et un très bon. Personne ne pourra jamais vous ôter cela. Et non pas parce que c'est écrit ici, ajouta-t-il en tapotant le diplôme, mais parce que c'est imprimé là, acheva-t-il en lui touchant le front. Ne l'oubliez jamais.

India eut du mal à dominer son émotion. Elle baissa les yeux.

— Je n'oublierai pas, professeur…

Elle ne savait comment le remercier pour tout ce qu'il avait fait pour elle. Il avait bien voulu enseigner son savoir à une petite ignorante de dix-huit ans et en faire un médecin. Il avait fallu six ans. Six longues années de labeur pénible, de doutes. Si elle était arrivée au bout de ce difficile parcours, c'était grâce à lui. Elle aurait bien du mal à lui exprimer toute sa gratitude.

— Professeur Fenwick…

Lorsqu'elle releva la tête en prononçant ces mots, elle vit qu'il était parti.

Un profond sentiment de solitude l'envahit. Tout autour, ses condisciples riaient, bavardaient, entourées de leur famille et de leurs amis. Elle, elle n'avait personne. Maud était là, certes, mais Freddie avait été convoqué à une réunion de son parti. Wish était en Amérique. Ses parents n'avaient pas bougé de leur domaine de Blackwood. Le pays de Galles était très éloigné de la capitale, mais cela ne changeait pas grand-chose. Auraient-ils séjourné dans leur hôtel particulier de Londres qu'ils ne se seraient pas dérangés pour autant.

Elle eut une pensée pour la seule personne qui aurait tout sacrifié pour ne pas manquer l'occasion. Un garçon qui serait venu à pied du bout du monde, s'il avait fallu, pour être à son côté en ce beau jour. Hugh. Elle le revit, courant dans les collines galloises, riant aux éclats. Perché sur Dyffyd's Rock, tendant les bras vers les cieux tourmentés. Elle voulut chasser ces souvenirs, mais n'y parvint pas. Les larmes lui montèrent aux yeux.

Vite, elle les essuya, sachant que Maud devait la chercher. Sa sœur n'aimait pas la sensiblerie. Comme le Pr Fenwick, elle était d'avis que les émotions nuisaient à l'exercice de l'intelligence.

— Alors, prête à sabler le champagne ? tonna une voix masculine à son oreille, la faisant sursauter.

— Wish ! s'exclama-t-elle alors que son cousin la serrait dans ses bras, que fais-tu ici ? Je te croyais en Amérique !

— Je viens de rentrer. Nous avons accosté hier. J'ai récupéré mon automobile dans la soute et j'ai conduit toute la nuit. Je n'aurais voulu manquer la cérémonie pour rien au monde, Indy. Tu ne m'as pas vu au fond de la salle ? J'applaudissais comme un fou. Et Bingham aussi.

— Bing est là ? s'étonna India en regardant autour d'elle.

George Lytton, douzième comte de Bingham, se cachait derrière Wish et leva la main pour la saluer.

— Bonjour Indy. Félicitations.

— Quelle bonne surprise ! Je ne vous avais vus ni l'un ni l'autre. Maud m'a enlevé mes lunettes de force. Alors, Wish, ton voyage s'est-il bien passé ? Tu as l'air en grande forme. As-tu enfin fait fortune dans le Nouveau Monde ?

— Pas encore, ma chère, pas encore, mais ça ne saurait tarder !

— Voyons, chérie, intervint Maud surgissant devant eux, ne l'encourage pas, il se fait bien assez d'illusions comme cela.

— Maud, rends-moi mes lunettes !

— Il n'en est pas question. Elles sont d'une laideur ! Ça gâcherait les photographies.

— Mais je n'y vois rien !

— Si tu y tiens, les voilà, soupira Maud, mais je te répète qu'elles te donnent l'air d'une taupe. Vous ne voulez pas partir ? Ça ne sent pas très bon, ici.

— Écoute ta grande sœur, et en avant, professeur ! s'écria Wish.

— Ne m'appelle pas comme ça, protesta India.

— Tu te souviens ? Je t'ai donné ce surnom quand tu avais dix ans et que tu nous assommais de conférences sur la nidification des roitelets. Tu as toujours été un puits de science !

— Maintenant, il faudra l'appeler docteur, affirma Bingham d'un ton bonasse.

La remarque fut accueillie par des rires qu'India savait gentiment moqueurs. Ils avaient grandi ensemble et retrouvaient leur complicité enfantine dès qu'ils étaient réunis. L'arrivée de ses amis avait chassé sa mélancolie. Quel bonheur de les voir ! Autrefois, ils avaient été inséparables, mais, à présent, les réunions étaient plus rares. Maud, la mondaine écervelée, partait en voyage dès que l'occasion se présentait. Wish courait après la fortune. Ancien banquier devenu spéculateur, il gagnait des millions en quelques jours et les reperdait aussitôt. Bingham, lui, ne quittait presque jamais Longmarsh, préférant la tranquillité des bois et des prés de son domaine aux rues bruyantes de Londres. Freddie, son frère cadet, était le fiancé d'India. Le titre de comte lui ayant échappé, il assouvissait ses ambitions en se consacrant à la politique.

— Alors, nous t'appellerons lady Indy, si tu préfères, reprit Wish.

— Non, je déteste ça aussi !

— Peu importe. Va vite chercher tes affaires ou nous serons en retard pour le déjeuner. Nous avons une réservation au Connaught à une heure et demie pour célébrer ton triomphe.

— Wish, c'est trop…

— Ne t'inquiète pas, c'est l'ami Lytton qui invite.

— Bing, il ne fallait pas !

— Pas moi, mon frère.

— Freddie ? Mais il ne peut pas venir ! Il travaille avec C. B. jusqu'à dimanche !

C. B. était le surnom donné à Henry Campbell-Bannerman, le chef de l'opposition. On disait que lord Salisbury, le Premier ministre en exercice et chef du Parti conservateur, dissoudrait la Chambre des communes pour organiser des élections à l'automne. Campbell-Bannerman rassemblait donc son état-major pour préparer le programme du Parti libéral. Il avait aussi fait appel à quelques jeunes parlementaires moins expérimentés mais prometteurs, dont Freddie.

— Eh bien, je pense qu'il a eu une permission, dit Wish avec un haussement d'épaules. Je suis passé chez lui au moment où il sortait, alors je l'ai embarqué.

— Il est là ?

— Il est allé chercher l'auto pour la conduire devant la porte.

— Me voilà, me voilà ! cria en les rejoignant un jeune homme blond.

Il était grand, mince et vêtu d'une élégante jaquette et d'un pantalon en cheviotte. Aucune jeune femme ne pouvait rester indifférente à sa belle allure. Il arrivait qu'une vieille femme ou une toute jeune fille ignorent qui il était, mais il commençait à être connu grâce à la presse. Membre du Parlement depuis peu, c'était l'étoile montante du Parti libéral, qu'il avait rallié après son départ fracassant du Parti conservateur. Malgré son statut de frère cadet, sa brillante personnalité faisait un peu d'ombre au timide Bingham, son aîné.

— Tu en as mis du temps ! s'exclama Wish, je m'inquiétais.

— Bien aimable, mon cher, bien aimable.

— Pas pour toi, ballot, pour l'auto !

Wish était l'heureux propriétaire d'une Daimler flambant neuve.

— J'ai en effet eu le plus grand mal à passer la marche arrière. Et je ne suis pas parvenu à l'arrêter, non plus.

Freddie ignora les hauts cris de Wish en embrassant India sur la joue.

— Bravo, ma chérie. Toutes mes félicitations.

— Freddie ! Triple buse ! bramait Wish. Comment peux-tu ne pas l'avoir arrêtée ? Tu ne l'as pas laissée rouler toute seule pour venir nous retrouver, tout de même !

— Ne crains rien. J'ai demandé au portier de monter en marche. Il se dirigeait vers King's Cross quand je suis entré dans la faculté.

Wish, au comble de l'inquiétude, sortit de l'amphithéâtre en courant. Bingham le suivit.

Freddie éclata de rire.

— L'auto est bien sagement garée devant l'université. Vous avez vu sa tête ?

— Tu exagères, pauvre Wish ! protesta India.

— Oh ! Il le mérite, persifla Maud. Il nous rebat les oreilles de ses histoires d'automobiles. Venez, partons, je n'en peux plus. Je vous assure que l'odeur ici est infecte. Peux-tu me dire ce qui sent si mauvais ?

India renifla l'air.

— Quoi ? Je ne sens rien.

— Tu plaisantes, ça empeste !

India reprit une inspiration.

— Ah ! L'odeur de c...

Elle allait dire « de cuisine », car il y avait une soupe populaire dans l'église voisine, qui répandait ses effluves alentour. Mais Freddie compléta à sa place.

— ... de cadavres. Indy ne t'en a pas parlé ? Les morts frais sont pour la faculté des hommes, et celle des femmes ne récupère que les plus décomposés.

Maud devint livide.

— Des morts ? souffla-t-elle. Freddie, la plaisanterie est exécrable.

— Mais c'est vrai, pour une fois, je t'assure.

— Je ne me sens pas bien. Je sors.

Maud les quitta, sa main richement pourvue de bagues plaquée sur la bouche. India se tourna vers son fiancé.

— À nous entendre, on croirait que nous avons encore douze ans.

— Nous ne changerons jamais !

Il lui lança un sourire charmeur, et elle pensa, comme chaque fois, qu'il était infiniment séduisant.

— Freddie, tu es incorrigible.

— C'est vrai, mais c'était la seule façon de rester cinq minutes seul avec toi, dit-il en lui prenant la main. Allons chercher tes affaires, nous sommes attendus au Connaught.

— Mais tu vas t'attirer des ennuis si tu désertes ta réunion.

— Pas du tout, je suis libre. Et puis, ce n'est pas tous les jours qu'on devient médecin.

— Quelle chance ! Je ne m'attendais pas à te voir. Je te croyais retenu par C. B. jusqu'à dimanche.

— Le grand manitou a annulé, expliqua Freddie. Il ne se sentait pas bien.

— Depuis quand le sais-tu ?

— Deux jours.

— Et tu ne m'as pas prévenue ?

Elle était peinée qu'il n'ait pas songé à la rassurer.

— Je voulais te faire la surprise, chérie, répondit Freddie, contrit. Je me le reproche, maintenant. Ne me lance pas ce regard noir, je t'en supplie ! Les autres nous attendent. Allons chercher ton manteau.

India regretta sa réaction trop vive, Freddie était si prévenant... Elle sortit avec lui de l'amphithéâtre et le guida dans un étroit couloir qui menait à une salle de classe où les étudiantes avaient posé leurs affaires. Ils la trouvèrent vide et très silencieuse. Freddie s'assit sur une chaise et entreprit d'ouvrir une bouteille de champagne qu'il avait subtilisée au passage sur une table du cocktail. India regarda autour d'elle pour dire adieu à ce lieu si cher à son cœur. Les bancs, les planches anatomiques, les spécimens, les bibliothèques pleines à craquer d'épais manuels. C'était la dernière fois qu'elle entrait ici. Attristée par cette pensée, elle alla prendre la main de Ponsonby, le squelette, accroché à sa potence.

— Je n'arrive pas à croire que c'est terminé, que je ne m'assiérai plus à ces pupitres.

— Pardon ? demanda Freddie, absorbé par l'ouverture du champagne.

— J'ai passé tellement d'années dans cette faculté... Et maintenant, il ne me restera que des souvenirs...

Elle se tut, se revoyant, avec Harriet Hatcher, penchée sur un cadavre dans le laboratoire d'anatomie.

Elles enlevaient le derme, dessinaient les muscles et les os aussi vite que possible pour tâcher de devancer la corruption des chairs. Les cours d'« anatovomi », comme les appelaient les étudiantes, avaient été éprouvants. Le Pr Fenwick les supervisait, les traitant de maladroites et leur apportant du bicarbonate de soude et des cuvettes quand le besoin s'en faisait sentir.

Cet homme était leur ange gardien. Il les avait sauvées un jour, Harriet et elle, d'une bande d'étudiants de première année de Guy's, l'une des facultés masculines, qui les entouraient à la sortie de l'université. Ils déboutonnaient leur pantalon, exigeant d'elles une auscultation très particulière.

— Quel dommage, messieurs, que mes étudiantes ne puissent accéder à votre demande, avait rugi le Pr Fenwick en surgissant. Il leur est interdit de sortir les microscopes des laboratoires !

Il y avait aussi Mme le doyen, le Dr Garrett, une véritable légende. Elle était la première Anglaise à avoir obtenu son diplôme de médecine et était une des fondatrices de la faculté féminine. Énergique, brillante, elle avait été un modèle pour India tout au long de ses études. À elle seule, elle faisait mentir les rétrogrades qui prétendaient que les femmes étaient trop faibles et trop peu intelligentes pour exercer la médecine.

— Je n'arrive pas à enlever ce maudit fil de fer, maugréa Freddie, arrachant India à ses pensées. Ah ! Nous y voilà !

Elle se tourna vers lui, voulant partager sa mélancolie.

— Freddie… laisse le champagne…

Trop tard. Le bouchon sauta et rebondit sur le crâne du squelette.

— Pauvre Ponsonby ! s'écria India. Tu lui as fait mal.

— Sornettes ! Il est mort, ton copain. Il ne sent plus rien. Viens boire un verre.

Freddie tapotait la chaise à côté de lui. Quand elle fut assise, il lui tendit une coupe.

— Au Dr India Selwyn Jones ! Je suis fier de toi,

chérie, dit-il en trinquant avec elle avant de vider son verre. Tiens, ajouta-t-il en lui tendant un écrin de cuir.

— Qu'est-ce que c'est ?

— Ouvre, tu verras.

India souleva le couvercle et découvrit une magnifique montre de gousset à cadran serti de diamants. Freddie la sortit de sa boîte et la tourna pour lui montrer l'inscription qu'il avait fait graver au dos : *Pense à moi.*

— Freddie, comme elle est belle ! Je ne sais pas quoi dire.

— Dis que tu vas m'épouser.

Elle lui sourit.

— Je te l'ai déjà promis.

— Alors, rends-moi heureux tout de suite. Marions-nous demain.

— Mais je prends mon poste au cabinet du Dr Gifford la semaine prochaine.

— Qu'il aille au diable !

— Freddie, voyons !

— Marions-nous dès ce soir, insista-t-il en se penchant pour l'embrasser dans le cou.

— C'est impossible, bêta. Tu sais le mal que j'ai eu à trouver ce travail. Et puis, il y a mon projet de dispensaire…

Freddie la dévisagea. Ses beaux yeux d'ambre avaient pris une expression sévère.

— Je ne peux pas t'attendre toute ma vie, India. Nous sommes fiancés depuis deux ans ! Cela devient ridicule, à la fin !

— Freddie, je t'en prie, ne gâche pas cette journée.

— Est-ce moi qui gâche la journée ? Est-il si dur de m'entendre te demander d'être ma femme ?

— Bien sûr que non, mais…

— Tes études ont pris le pas sur tout pendant des

années. Elles sont terminées, à présent. Aucun homme n'aurait eu ma patience.

Il posa sa coupe, très sérieux à présent.

— India, nous pourrions faire tant de bien, à nous deux. Tu dis vouloir changer les choses, mais que changeras-tu en travaillant pour Gifford ? Ou même dans un dispensaire pour les miséreux ? Il te faut de plus grands, de plus beaux projets. Aide-moi à élaborer une réforme de la santé publique. Conseille-moi, et nous changerons l'Angleterre tout entière, et pas seulement Whitechapel ou Londres.

Il lui saisit les mains et continua sans lui laisser le temps de répondre.

— Tu es une femme remarquable, et j'ai besoin de toi à mes côtés. J'ai besoin de toi dans mon lit, murmura-t-il en la prenant dans ses bras.

— Les autres doivent se demander où nous sommes passés. Nous devrions les rejoindre.

— Que tu es distante… Je te désire tellement…

— Freddie chéri… l'endroit n'est pas très bien choisi…

— Alors, au moins, fixons la date du mariage.

— Bientôt, promit-elle en rajustant ses lunettes. Maintenant, allons retrouver les autres. Je me prépare. Pars devant, je te suis.

Il la laissa à contrecœur. India soupira. Il avait raison, bien sûr.

Voilà deux ans qu'il avait mis un genou à terre pour lui demander sa main à Longmarsh. Elle n'allait pas pouvoir retarder indéfiniment les noces. Pourtant, elle redoutait plus que tout les interminables dîners auxquels il lui faudrait alors assister. On ne parlerait plus que robe de mariée, alliances et trousseau. Freddie insisterait pour qu'elle abandonne son projet de dispensaire.

L'élaboration d'une réforme de la santé publique était une noble cause, certes, mais la vocation d'India était de soigner les gens, pas de s'enfermer dans un bureau. Elle ne pouvait pas plus se passer de pratiquer la médecine que de respirer.

Elle se réprimanda. Freddie était un homme charmant. Pourquoi n'arrivait-elle pas à se résoudre à ce mariage ? Il n'était pourtant pas difficile d'arrêter une date pour un beau samedi d'été.

Ç'aurait été facile, oui. Si seulement elle l'avait aimé…

Elle médita encore un peu, les yeux perdus dans le lointain, puis elle ôta la robe noire d'étudiante qui couvrait ses vêtements. On l'attendait, il lui fallait se hâter. Elle la plia et la posa à côté d'elle, puis se passa la main dans les cheveux. Un véritable désastre. Ses boucles blondes, qu'elle avait attachées en chignon quelques heures auparavant, retombaient déjà. Elle avait beau faire, elle ne parvenait jamais à se coiffer convenablement. En retirant le peigne en forme de libellule qui retenait ses cheveux, elle s'arrêta pour le contempler. C'était un joyau de chez Tiffany, qui coûtait une petite fortune. Le corps était de platine, orné de pierres précieuses. Ce luxueux bijou contrastait de façon frappante avec la simplicité vestimentaire d'India : jupe grise, gilet et corsage blancs.

Elle avait emporté ce peigne le jour où elle était partie de Blackwood, tournant le dos à sa famille et à sa maudite fortune pour toujours.

— India, si tu passes cette porte, nous te déshériterons, avait menacé sa mère dont le beau visage pâlissait de rage.

— Je ne veux pas de votre argent ! Je ne vous demande rien !

Le monogramme I.S.J. était gravé sur la face antérieure du peigne : Isabelle Selwyn Jones, comtesse de Burnleigh et mère d'India. Sans ce peigne, le destin de la jeune femme aurait été tout autre. Si sa mère ne l'avait pas oublié dans sa voiture, si Hugh ne l'avait pas ramassé. Si… si… Mais avec des si…

Elle serra le peigne, en imprimant les dents dans sa paume, espérant ainsi que la douleur empêcherait les souvenirs d'affluer. N'y pense plus ! Ne te souviens pas de lui. Ne souffre plus à cause de lui. Deviens insensible. Mais comment faire ? Hugh, justement, l'avait ouverte au monde, lui avait révélé sa sensibilité.

Elle le revit, mais cette fois il ne riait plus. Il courait le long de la rivière, portant sa sœur Bea dans ses bras. Elle était blême, et sa jupe ensanglantée. Il l'avait montée dans la carriole et avait lancé les chevaux au galop jusqu'à Cardiff, d'une traite. Et, tout du long, il lui avait chanté *Suo Gan*, la berceuse galloise, de sa voix douce et grave. *« Paid ag ofni, dim ond deilen, Gura, gura ar y ddor ; Paid ag ofni, ton fach unig, Sua, sua, ar lan y mor. »* India connaissait assez le gallois pour comprendre les paroles. *Ne t'inquiète pas, ce n'est qu'une feuille de chêne qui bat, qui bat sur la porte. Ne t'inquiète pas, c'est une vaguelette qui murmure, murmure sur la grève.*

India regardait fixement le peigne sans le voir. Hugh était devant elle, le visage ravagé de chagrin, au moment où la police était venue pour l'arrêter.

— Tu penses à lui ? demanda une voix du pas de la porte.

Elle sursauta et releva la tête. C'était Maud.

— Pauvre Indy. Faute de pouvoir sauver Hugh, tu as entrepris de sauver le monde. Il ne se doute pas de ce qui l'attend !

India ne se donna pas la peine de répondre. Maud tournait tout en dérision, surtout les sujets les plus graves.

— On m'a renvoyée dans ce charnier pour te chercher, alors cesse ta séance de spiritisme ! Prends ton manteau et décampons. On se croirait dans un asile d'aliénés. Dehors, Wish essaie de convaincre ton pauvre doyen d'investir dans un de ses projets insensés. Freddie se dispute avec un vieux conservateur dérangé, tandis qu'ici, toi... India ! Cesse de pleurnicher !

— Je ne pleurniche pas !

— Tu as le nez rouge. Et regarde-moi ces cheveux ! On dirait de la paille emmêlée. Donne-moi ton peigne !

Maud passa les doigts dans la crinière blonde d'India et lui refit son chignon.

— Parfait, jugea-t-elle en reculant pour admirer son ouvrage.

India la remercia d'un sourire qu'elle s'efforça de rendre agréable. Elles étaient toujours gênées l'une avec l'autre, du fait de leur mutuelle incompréhension.

Maud examinait maintenant la tenue d'India, sourcils froncés.

— C'est avec ces frusques que tu comptes aller au Connaught ?

— Pourquoi pas ?

— Tu devrais passer te changer ! Tu es habillée comme pour un enterrement.

— On croirait entendre maman.

— Certainement pas !

— Je t'assure.

Pendant que Maud protestait, India enfila sa veste et mit son chapeau. Elle rangea sa toge d'étudiante dans sa sacoche en cuir, puis elle se dirigea vers la porte avec sa sœur. Avant de sortir, elle se tourna une dernière fois vers la salle de classe, les yeux secs à présent, le visage redevenu impassible. Elle avait emprisonné sa douleur et retrouvé le flegme dont elle était si fière.

C'est bien, continue, crut-elle entendre lui souffler Ponsonby, le squelette. *Et n'oublie pas : les sentiments sont ennemis de l'intelligence.*

Et de tant d'autres choses, mon vieil ami, songea-t-elle. De tant d'autres choses…

2

Joseph Bristow monta d'un pas énergique les marches de sa demeure du 94 Grosvenor Square, un imposant hôtel particulier de Mayfair. Son train était arrivé avec un peu d'avance à King's Cross, c'était dimanche, et il n'était encore qu'une heure de l'après-midi. La cuisinière venait sans doute tout juste de servir le déjeuner. Il espérait trouver sur sa table un bon gigot d'agneau ou un rosbif accompagné de Yorkshire pudding. Après une semaine passée à Brighton où il projetait d'implanter une nouvelle épicerie Montague, il avait certes hâte de goûter de nouveau à la cuisine familiale, mais, surtout, il se réjouissait de voir sa femme Fiona et leur petite Katie. Il posa le doigt sur la sonnette, mais il n'eut pas le temps d'appuyer que la porte s'ouvrait devant lui.

— Ah ! vous voilà de retour, Monsieur. Avez-vous fait bon voyage ?

C'était Foster, le majordome.

— Salut, mon vieux Foster. Comment va ?

— Très bien, Monsieur, je vous remercie.

Joseph allait lui demander où était Fiona quand deux fox-terriers se précipitèrent sur lui.

— Tiens, des chiens ! D'où sortent-ils, ces énergumènes ?

— Ils viennent d'être adoptés par Madame, Monsieur. Ils avaient été abandonnés dans le parc où ils mouraient de faim.

— Ma femme ne changera jamais ! Et elle leur a donné un nom, j'imagine.

— Ils s'appellent Lipton et Twining. Madame les compare à la concurrence, parce qu'ils sont constamment sur ses talons.

Bristow s'esclaffa. Pendant ce temps, les chiens créaient le chaos dans l'entrée. Tandis que l'un s'apprêtait à lever la patte contre le porte-parapluies, l'autre avait sauté dans une fougère en pot et creusait la terre avec frénésie.

— Si je puis abandonner Monsieur pendant un court instant…

Alors que Foster rétablissait l'ordre parmi la gent canine, deux enfants blonds surgirent en brandissant des cannes en guise d'épée. C'était Susie et Robbie, les enfants de sa sœur Ellen. Ils tiraient derrière eux une carpette dont deux des coins avaient été noués pour former un traîneau. À l'intérieur trônait sa fille Katie, un adorable bébé aux yeux bleus qui mâchonnait un biscuit. Il s'accroupit pour l'embrasser.

— Salut mes chéris. Qu'est-ce que vous fabriquez ?

— On a enlevé Katie pour demander une rançon, expliqua Robbie. On joue aux tribus d'Afrique. Nous sommes des Kikuyu, et elle, c'est une Massaï. Comme c'est raconté dans mon illustré.

— Ah, très bien !…

Un grand cri éclata au salon.

— Les guerriers arrivent ! hurla Robbie. Vite, réfugions-nous dans les montagnes Ngong.

Katie fut traînée à leur suite, agitant la main pour dire au revoir à son père. Les trois fils de son frère Jimmy déboulèrent dans l'entrée, courant à leur poursuite. Leur mère, Meg, arriva sur leurs talons, essayant de les rattraper tout en les réprimandant. Elle envoya un baiser à son beau-frère au passage.

Joseph secoua la tête.

— Et moi qui imaginais me reposer ! Je me demande si mes voisins aussi ont l'impression de vivre chez les fous.

— Les Granville Barker ou les Walsingham ? s'enquit Foster qui tenait fermement un fox-terrier sous chaque bras. J'en doute fort, Monsieur.

— Où est ma femme ?

— Au jardin. Madame reçoit.

— Tiens donc !

— Un déjeuner charitable pour l'école missionnaire Toynbee de formation pour jeunes filles.

— Elle ne m'avait pas prévenu qu'il y aurait du monde aujourd'hui.

— Nous ne sommes au courant que depuis trois jours. Le révérend et Mme Barnett lui ont demandé son aide. Le toit de l'école s'est effondré à cause des fortes pluies, semble-t-il.

— Son bon cœur la perdra…

— En effet, Monsieur.

— Y a-t-il quelque chose à grignoter quelque part ?

— Des rafraîchissements sont servis au jardin, Monsieur.

Joe se dirigea vers l'arrière de la maison. Il descendit dans le jardin ombragé, s'attendant à y trouver tout au plus une vingtaine de personnes et eut la surprise d'en voir plus de cent. Il régnait pourtant un profond silence qui s'expliqua vite. Tout au fond, une chorale d'une quarantaine de jeunes filles, âgées de dix à seize ans, était regroupée au milieu de magnifiques massifs de roses. Elles étaient propres et bien coiffées, mais vêtues de corsages et de jupes ayant déjà beaucoup servi. Une voix s'éleva, ravissante, puis les autres reprirent en chœur. Le chant séraphique fit monter les larmes aux yeux de quelques spectatrices.

Fiona ne recule devant rien pour convaincre les donateurs, songea Joe. La cherchant dans la foule, il reconnut beaucoup de gens en vue, capitaines d'industrie, dames de l'aristocratie, hommes politiques. Fiona mélangeait sans complexe tous les milieux. Chez elle, les commerçants côtoyaient les vicomtes, les actrices les ministres, les socialistes les mondaines. Dans les gazettes, les chroniqueurs se gaussaient des origines populaires de Joe et de Fiona, et prétendaient que le 94 Grosvenor Square était la seule maison de Mayfair où le majordome parlait un langage plus châtié que ses employeurs. Et pourtant, la belle société se battait pour obtenir des invitations aux réceptions de Fiona, tant elles étaient réussies.

On s'amusait beaucoup chez les Bristow. On discutait, on riait, on échangeait les derniers potins, on débattait de tout. La table était délicieuse, les vins bien choisis, et, par-dessus tout, Fiona était une femme charmante. Ses manières directes désarmaient les domestiques aussi bien que les duchesses. Sa réussite phénoménale fascinait. On admirait la détermination avec laquelle, à partir de rien, elle avait édifié son empire du thé. On savait qu'elle avait grandi dans la pauvreté, que son père docker avait été assassiné. Sa mère aussi avait été la victime d'un meurtre. Fiona avait fui Londres, avait été courtisée par un grand industriel à New York, mais lui avait préféré un vicomte. Son premier mari était mort, mais elle portait toujours sa bague en diamant. « Ils n'ont pas eu d'enfants, chérie. Tu sais bien pourquoi, il n'était pas très intéressé par le beau sexe. » La suite était encore plus ahurissante. Elle avait racheté une compagnie de thé rivale « pour se venger, ma chère. Le directeur avait fait tuer son père, figure-toi. Et il a essayé de la supprimer aussi, tu imagines ? »

John Singer Sargent, portraitiste attitré de la haute société anglaise, l'avait assiégée pour avoir le plaisir de la peindre. Escoffier avait baptisé un dessert de son prénom. Quand Worth avait donné à l'une de ses créations le nom de « tailleur Fiona », les femmes avaient pris d'assaut leurs couturières pour le faire copier. Dans les salons, buvant leur thé et grignotant leurs gâteaux secs, ces dames murmuraient d'un air scandalisé qu'elle ne portait pas de corset. Dans les clubs, en dégustant du porto et du stilton, ces messieurs grommelaient qu'elle n'en avait pas besoin, puisqu'elle était un homme. En tout cas, tous s'accordaient à lui trouver du cran.

Joe finit par apercevoir sa femme. Les jeunes filles ayant terminé leur chanson, Fiona s'était levée pour s'adresser à ses invités.

— Mesdames et messieurs, les voix magnifiques que vous venez d'entendre sont celles des élèves de l'école missionnaire Toynbee de formation pour jeunes filles. Malheureusement, il va vous falloir maintenant prêter l'oreille à une voix beaucoup moins harmonieuse : la mienne.

Il y eut des rires et des moqueries bienveillantes.

— Ces enfants, continua Fiona, sont issues de familles dont les revenus sont inférieurs à une livre par semaine. Imaginez la difficulté de faire vivre six personnes pendant sept jours avec une somme qui nous suffit à peine à nous acheter nos revues et nos chocolats. Elles ont été choisies pour leur aptitude à l'apprentissage. Nous leur dispensons un enseignement qui leur donnera un métier, seul moyen de les sortir de l'indigence. Quand le révérend et Mme Barnett m'ont appris que ces enfants grelottaient dans des locaux inondés par la pluie, j'ai pensé à vous. J'étais sûre que vous seriez aussi horrifiés que moi. Il faut redonner un toit à ces petites. Mais ce n'est qu'un début ! Une fois la maison couverte, il faudra encore des pupitres, des tableaux noirs, des livres. L'école a aussi besoin de davantage de professeurs, donc de fonds pour les rétribuer. C'est pourquoi nous faisons appel à vous. Nous dépendons aussi de votre générosité pour élargir le nombre des orientations qui s'ouvrent à elles. Nous formons des gouvernantes, des bonnes d'enfants, des cuisinières.

» Mais pourquoi n'en ferions-nous pas demain des commerçantes, propriétaires de leur boutique et non pas vendeuses, des directrices d'entreprise et non pas des secrétaires, des contremaîtresses et non plus des ouvrières ? Peut-être pourrions-nous découvrir une ou deux présidentes de compagnie de thé, n'est-ce pas, sir Tom ? ajouta-t-elle en adressant un coup d'œil complice à Thomas Lipton.

— Dieu nous en préserve ! Nous en avons une, elle nous suffit amplement !

— Pourquoi ne pas leur enseigner les mathématiques, l'économie, les finances ? Oui, je sais, ce ne sont pas des matières habituelles pour les jeunes filles, mais à quelles fins les éduquons-nous ? Dans le but de lire Shakespeare à la chandelle dans un taudis sans feu après de longues heures passées à l'atelier ? Non, si nous voulons mettre fin au cercle vicieux de la pauvreté, il faut leur donner accès à de meilleurs emplois, à de meilleurs salaires. Leur ouvrir les portes du travail qualifié.

Joe dévorait son épouse des yeux. Quelle femme remarquable ! Il la connaissait depuis qu'ils étaient enfants, et sa beauté, lui semblait-il, n'avait fait que croître. Elle portait aujourd'hui un corsage blanc et une veste de soie bleu ciel. La jupe assortie était coupée de telle sorte qu'elle masquait la rondeur de son ventre. Elle était enceinte de trois mois, et l'attente de ce deuxième enfant la rendait resplendissante. Ses cheveux noirs, épais et brillants, étaient remontés en chignon et tenus par des peignes ornés de perles. Elle avait les joues rosies par la chaleur de l'été, et ses incomparables yeux saphir brillaient d'une humanité exceptionnelle. Tous se taisaient pour l'écouter, les yeux rivés sur elle.

La fierté de Joe était immense, mais il s'inquiétait pour sa santé. Il décelait des cernes sous ses beaux yeux, et elle avait les traits tirés. Elle en fait trop, pensa-t-il. Elle s'imposait un emploi du temps draconien. Levée à cinq heures, elle travaillait dans son bureau jusqu'à huit, prenait le petit déjeuner avec Katie et Joe, puis partait pour ses bureaux de Mincing Lane. Elle parvenait presque toujours à rentrer pour le dîner de leur fille, mais elle retournait travailler jusqu'à l'heure de leur souper, à neuf heures du soir. Ils buvaient alors un peu de vin et se racontaient leur journée. Malgré tout, elle trouvait encore le temps de s'occuper de la Société charitable de l'East End qui finançait des projets dans l'Est londonien : écoles, orphelinats, soupes populaires.

Joseph lui disait souvent que la pauvreté de ce quartier de Londres était beaucoup trop grave pour qu'une femme puisse s'y attaquer seule. Il ne cessait de lui répéter que la tâche était au-dessus de ses forces, que ce qu'il fallait, c'étaient des mesures gouvernementales, un programme d'aide aux pauvres financé par le budget de la nation. Fiona lui souriait avec douceur, lui répondait qu'il avait raison, mais qu'il y avait une file d'attente qui faisait le tour du pâté de maisons devant la soupe populaire. Si elle envoyait un tombereau aux halles de Covent Garden, pourrait-il, avec l'aide de ses confrères grossistes, donner des fruits et des légumes pour le remplir ? Joe acceptait, puis continuait de la supplier d'arrêter de travailler aussi dur, ou du moins de ralentir. Mais jamais elle ne l'écoutait.

Fiona termina son discours qui fut salué par des applaudissements. Les gens l'entourèrent pour la féliciter et offrir des dons. Joe sentit une main se poser sur son dos.

— Joe, vieille branche !

C'était Freddie Lytton, député de Tower Hamlets, circonscription qui comprenait Whitechapel, où était justement située l'école missionnaire Toynbee. Joe se demanda pourquoi Freddie était venu puisqu'il ne donnerait pas un sou. Fiona avait souvent essayé d'obtenir de lui des dotations de l'État pour diverses causes, mais elle n'avait encore jamais reçu que de vagues promesses.

— Ah Freddie ! Ravi de vous voir.

— Superbe réception, dit Freddie en levant sa coupe de champagne. Il paraît que Fiona a déjà récolté deux mille livres. Chapeau bas.

Joe ne voulut pas le laisser s'en tirer à si bon compte.

— Beau petit pécule, en effet, mais ça serait encore mieux si l'État mettait la main à la poche.

— En effet, le révérend et Mme Barnett ont fait appel à moi. J'ai déposé une demande de subvention à la Chambre des communes pour cinq cents livres. Je me suis montré très convaincant, sans vouloir me vanter. Je ne lâche pas le dossier. Nous devrions obtenir une réponse dans les jours qui viennent.

Joe ne fut pas amadoué par cette réponse. Il trouvait inadmissible que sa femme travaille plus dur pour les enfants de Whitechapel que le représentant qui avait été élu pour soutenir la population !

— J'ai lu dans le journal ce matin que le Parlement venait d'approuver l'allocation d'une somme de quarante mille livres pour rénover les écuries de la reine, persifla-t-il. Cinq cents livres, ça ne devrait pas être la mer à boire. À moins que les enfants ne soient moins importants que les chevaux ?

— Non, bien entendu.

Joe lui lança un regard acéré.

— Peut-être pas les enfants en général, seulement les enfants pauvres, sans doute ! Leurs pères ne peuvent pas voter puisque c'est un droit réservé aux riches. Faites attention, le jour où le mode de scrutin changera, les hommes politiques tels que vous se retrouveront au chômage !

— Seule une grande réforme pourrait étendre le droit de vote à l'ensemble de la population. Ce n'est pas pour demain, à mon avis ! riposta Freddie. Pas avec Salisbury comme Premier ministre, en tout cas.

— Il n'est pas éternel, ni ses idées réactionnaires. Espérons qu'un jour le gouvernement écoutera tous les citoyens. Les pauvres comme les riches.

— Les décisions politiques ne peuvent être confiées qu'à ceux qui les comprennent, voyons !

— Non, elles doivent être soumises à ceux à qui elles s'appliquent !

— Alors, d'après vous, n'importe qui, même un analphabète, devrait pouvoir se mêler du gouvernement de notre pays ?

— Et pourquoi pas, bien des idiots s'en occupent déjà !

— Bien vu, mon vieux, bien vu.

Freddie souriait, mais son regard lançait des éclairs. Très vite, il maîtrisa cette rage intime et retrouva son affabilité.

— Vous savez, Joe, pour l'essentiel, nous sommes du même côté…

Joe poussa un ricanement.

— Mais si, mais si. Nous nous préoccupons tous les deux du sort des petites gens.

— Possible, mais…

— Vous voyez ! D'ailleurs, c'est justement dans l'espoir de vous rencontrer que je suis venu à cette réception, Joe. On parle d'une élection générale en septembre…

Ah ! nous y voilà, songea Joe. Freddie ne s'était pas déplacé pour le seul plaisir d'écouter une chorale de jeunes filles.

— … et le Parti conservateur va gagner à coup sûr. J'ai besoin de votre aide. Il est important que Tower Hamlets reste une circonscription libérale. Nous devons tous nous serrer les coudes pour lutter contre la politique réactionnaire de nos adversaires.

— Nous ? C'est-à-dire ?

— Les gens de la bonne société.

— Je ne pense pas en faire partie.

— De quoi ne fais-tu pas partie ? demanda Fiona en les rejoignant.

Elle lui prit la main et lui sourit avec amour.

— Votre mari est trop modeste, Fiona. Charmante tenue, si je puis me permettre. Je lui disais qu'il faisait partie de la bonne société. C'est même une figure mondaine de tout premier plan.

— Bien sûr que non, grommela Joe.

— Mais si. Vous êtes issu des couches laborieuses, certes, mais vous en êtes sorti. Vous êtes devenu par la seule force de votre travail le propriétaire d'un des plus grands réseaux d'épiceries du pays. Et vous avez réussi sans aucune aide, simplement en suivant la loi du marché et de la libre entreprise…

— Vous en tenez, un beau discours ! Vous avez une idée derrière la tête, je pense.

— Je vous demande officiellement un soutien à ma candidature, à vous et à Fiona.

— À moi ? s'exclama Fiona. Mais les femmes n'ont même pas le droit de vote !

— Certes, mais vous avez une immense influence. Vous possédez des fabriques et des entrepôts dans tout l'East End. Vous employez des centaines d'hommes, dont beaucoup ont des revenus suffisants pour leur permettre de voter. J'ai besoin de leurs voix. J'ai remporté ce siège sous la bannière des conservateurs, mais, comme vous le savez, j'ai changé de parti. Les Tories veulent récupérer leur circonscription, bien entendu. Dickie Lambert est leur poulain, un homme à poigne. Il ne se laissera pas battre sans rien faire. Il a déjà commencé à mener campagne dans les pubs, d'ailleurs, alors que l'élection n'est encore qu'une rumeur.

— Et pourquoi pensez-vous que les ouvriers ne préféreront pas voter pour le Parti travailliste ? s'enquit Fiona.

Freddie eut un rire.

— Le Parti travailliste ! Mais vous plaisantez ! Cette bande de dégénérés ? Personne ne prend ces marxistes au sérieux !

— Je pense que nos ouvriers n'ont pas besoin de nos

directives. Ils sont assez grands pour choisir seuls leur candidat, intervint Joe.

— Que comptez-vous faire pour les travailleurs ? demanda Fiona.

— Je veux attirer davantage d'entreprises et de capitaux dans l'East End. Faire venir des raffineries, des brasseries, des usines. Nous offrirons des avantages aux industriels. Des déductions fiscales, par exemple, pour les inciter à s'implanter chez nous.

— Cela ne servira qu'à enrichir les propriétaires...

— Peu importe ! Quand il y a des usines, il y a des emplois.

Joe secoua la tête, éberlué par un tel manque de finesse. Cet homme connaissait si mal les problèmes de sa circonscription que c'en était presque insultant.

— Faire travailler les gens, c'est très bien, mais dans quelles conditions ? Il y aura des fabriques de confitures et d'allumettes, des tanneries. Des dockers seront embauchés... mais tous ces emplois ne rapporteront que des salaires de misère. Les pauvres gars travailleront de l'aube à la nuit six jours par semaine, et ils n'auront toujours pas de quoi se chauffer s'ils veulent manger !

Freddie lança à Joe un regard apitoyé, comme s'il s'adressait à un enfant attardé.

— Ce n'est pas du ressort du gouvernement si les familles ne savent pas gérer leur budget !

— Mais quel budget ? Ils n'ont pas le sou !

— Bien assez pour enrichir les pubs, il me semble. J'ai même présidé à la fermeture des plus mal famés. Voilà d'ailleurs un autre projet auquel le Parti libéral a l'ambition de s'attaquer dans ce quartier : la sécurité. J'ai déclaré la guerre au crime organisé. J'ai mis plus d'agents de police dans les rues et j'ai accru le nombre de patrouilles fluviales. Je demande des peines plus lourdes contre les malfaiteurs.

— C'est le discours de tous les hommes politiques.

— Peut-être, mais moi, je suis déterminé. Je ferai tomber Sid Malone !

À ce nom, Joe sursauta. Il jeta un regard en coin à Fiona qui l'avertit d'un froncement de sourcils de garder le silence. Freddie n'avait dû rien remarquer, car il continuait sur sa lancée :

— Je ne le tiens pas encore, mais cela ne saurait tarder. J'en ferai un exemple pour tous les malfrats de son acabit. Il commettra une erreur. Il blessera quelqu'un lors d'un vol, ou pis, il tuera, et alors nous le pendrons. Vous avez ma parole.

Fiona était devenue si pâle que Joe eut peur qu'elle ne se trouve mal. Il lui prit le bras et s'apprêtait à la conduire à une chaise quand Foster surgit sans bruit à leurs côtés, annonçant à voix basse à sa femme qu'elle avait un visiteur.

— Qu'il nous rejoigne au jardin, dit-elle.

— Il me semble préférable que vous le receviez au jardin d'hiver, Madame.

Joe jeta un regard vers la pièce vitrée et vit se découper la silhouette d'un homme vêtu d'un costume mal taillé, le bras en écharpe. L'inconnu lui déplut aussitôt. Il voulut demander une explication à sa femme, mais celle-ci s'excusait déjà.

— Mes affaires m'appellent. Je n'en ai que pour une minute. Si cela ne vous ennuie pas de m'attendre…

Joe eut un mauvais pressentiment. Elle lui reprochait, souvent avec raison, d'être trop protecteur, mais cette fois, son inquiétude lui semblait plus que justifiée. Il l'aurait suivie si Freddie n'avait été en train de lui parler.

Il vit Fiona serrer la main valide de l'inconnu. Sans doute s'affolait-il pour rien...

— Je vous demande pardon ? dit-il à Freddie.

— Je disais que la pendaison de Malone serait un avertissement donné à tous les bandits de l'East End.

— La sécurité est une bonne chose, mais le maintien de l'ordre ne résoudra pas tout. L'abus de boisson, la violence, la criminalité... toutes ces plaies découlent d'une même cause : la pauvreté. Réduisez la pauvreté, et vous réduirez ces autres calamités.

Freddie se mit à rire.

— Savez-vous, mon cher, que vous parlez de plus en plus comme un de ces forcenés de socialistes ? Comment au juste pensez-vous que le gouvernement pourrait réduire la pauvreté ? En ouvrant l'hôtel des monnaies pour distribuer de l'argent à tous les vents, peut-être ?

L'irritation de Joe virait à la colère. Il dut se rappeler que Freddie était son invité pour ne pas s'emporter.

— Je peux vous suggérer quelques idées. Essayons d'abord de donner un salaire décent aux ouvriers. Qu'ils bénéficient d'une compensation pour que leur famille ne meure pas de faim s'ils sont victimes d'un accident du travail. Offrons l'instruction à leurs enfants, qu'ils aient d'autres perspectives que de finir leurs jours à l'usine ou sur les docks à décharger des caisses. Si vous voulez gagner les élections, Freddie, c'est tout simple. Donnez de l'espoir aux électeurs.

Après cette tirade éloquente, il s'excusa et se dirigea vers le jardin d'hiver. Fiona et son visiteur avaient disparu, ce qui raviva son inquiétude. Il se précipita dans la maison pour interroger Foster.

— Où est Mme Bristow ?

— Au premier, dans son bureau avec son visiteur, Monsieur.

— Qui est-ce ? Que lui veut-il ?

— Un certain Michael Bennett, Monsieur. Il n'a pas précisé la raison de sa visite.

Joe gravit les marches au pas de charge. Si les motifs de cette visite avaient été innocents, Fiona et l'inconnu n'auraient pas eu besoin de monter à l'étage. Tout en se reprochant d'avoir perdu son temps à faire la morale à Freddie, il s'arrêta devant la porte du bureau de Fiona, qui était close. Il frappa mais ouvrit sans attendre de réponse. Fiona était assise à son bureau face à Michael Bennett, elle avait les yeux rouges et serrait un mouchoir dans sa main.

— Fiona ! Que se passe-t-il ? s'écria Joe. Et vous, aboya-t-il en se tournant vers Bennett, que lui voulez-vous ?

— Tout va bien, Joe. Je te présente Michael Bennett. C'est un détective privé.

— Un détective ? Mais pour quoi faire ?

— Pour retrouver Charlie, avoua Fiona en détournant les yeux.

Le visage dur, Joe s'en prit à Bennett.

— Vous allez filer d'ici ! Combien nous devons-vous ?

— Il reste cinquante livres sur notre accord de départ, mais je me suis fait casser le bras. Alors avec la facture du docteur et…

— Cent livres, ça suffira ? coupa Joe.

Bennett eut l'air surpris.

— Sûr, ça fera l'affaire.

Joe paya et l'homme empocha l'argent.

— Comme je le disais à votre femme…

— Merci. Je ne veux rien savoir.

— Mais je n'ai pas encore tout raconté à Mme Bristow…

— Peu importe !

Joe ouvrit en grand la porte du bureau pour l'encourager à sortir. Bennett se laissa congédier avec un haussement d'épaules. Quand il eut disparu, Joe interrogea Fiona.

— Comment s'est-il cassé le bras ?

— C'est Charlie… Il ne veut pas me revoir.

— Mais enfin, Fiona, je croyais que nous étions d'accord ! Nous avions décidé qu'il était trop dangereux d'entrer en contact avec lui ! Qu'aurais-tu fait s'il avait accepté ? Tu l'aurais invité un dimanche ? Il aurait pris Katie sur ses genoux pour lui raconter une histoire, entre deux hold-up et trois bagarres ?

— Je veux le retrouver, Joe.

— Eh bien, pas moi. Et le plus loin il restera, le mieux ce sera. Tu sais quel redoutable criminel il est devenu, voyons ! Tu nous mets tous en danger !

Les beaux yeux de Fiona se remplirent de larmes.

— C'est mon frère, Joe !

— Sid Malone ne vaut guère mieux qu'un assassin !

— Il ne s'appelle pas Sid Malone ! Il s'appelle Charlie, Charlie Finnegan !

— Non, plus maintenant.

— Si seulement je pouvais le voir, si je pouvais lui parler…

— À quoi cela servirait-il ? Crois-tu que tu le remettrais dans le droit chemin et qu'il deviendrait un citoyen respectable ? Bon Dieu, non ! Il y a des batailles que l'on ne peut pas gagner, ma chérie. Le passé, c'est le passé. Ton frère a choisi sa voie. Tu dois l'oublier. Il te l'a dit lui-même.

Joe comprit que sa femme refusait de l'écouter.

— Fiona, pour une fois, ne sois pas si obstinée. Surtout, n'insiste pas, n'essaie pas de le retrouver par tes propres moyens. C'est bien trop dangereux !

— Mais Joe, tu as entendu Freddie Lytton... Il veut arrêter Charlie et le faire pendre !

— Fiona, promets-moi de ne pas...

Il fut interrompu par des coups frappés à la porte.

— Quoi ? Qu'est-ce que c'est ?

— Je vous demande pardon, Monsieur, dit la voix étouffée de Foster, mais le révérend et Mme Barnett vont partir et souhaitent vous saluer.

— J'arrive, monsieur Foster ! cria Fiona.

Elle s'essuya les yeux, évitant le regard de Joe, et sortit en toute hâte, mettant ainsi fin à la discussion.

Joe soupira puis s'assit sur un coin du bureau. Il n'avait plus aucune envie de retourner se mêler aux invités. À côté de lui, s'élevait une haute pile de dossiers. Des demandes d'aide à la Société charitable de l'East End, par dizaines. Fiona gérait ses bonnes œuvres avec le même esprit méthodique qu'elle déployait dans ses affaires. Pour obtenir des fonds, il lui fallait constituer un dossier complet décrivant l'association et ses dirigeants, ainsi qu'une analyse détaillée de la façon dont les dons seraient employés. La fondation était bien dotée, mais sa richesse n'était pas infinie, et Fiona tenait à ce qu'il n'y ait pas de gâchis. Souvent, elle étudiait les demandes jusqu'à une ou deux heures du matin.

— Viens te coucher, chérie, suppliait-il.

— J'arrive. Encore un dernier...

Si elle veillait aussi tard, c'était que tout projet mené à son terme permettait à quelques enfants supplémentaires de ne plus avoir faim.

Cet acharnement à faire le bien ne venait pas que du bon cœur de Fiona. Elle était issue des quartiers pauvres, tout comme Joe, et rendait ainsi une sorte de tribut à l'endroit qui les avait vus naître. Mais ce n'était pas tout. En sauvant la vie de dizaines, de centaines, de milliers de pauvres gens, peut-être essayait-elle aussi de racheter les actes du seul homme pour lequel elle ne pouvait plus rien : son frère.

Soucieux, Joe se leva. Il était bien placé pour savoir que Fiona, quand elle aimait, aimait pour toujours. Elle ne pourrait pas plus abandonner Sid Malone qu'elle n'avait pu renoncer à se venger de l'assassin de son père. Il lui avait fallu dix ans pour arriver à ses fins, et elle avait tout risqué pour entraîner la perte de ce criminel : sa fortune, son entreprise, sa vie même. Alors, jusqu'où irait-elle pour sauver son frère ?

Joe espérait que, cette fois, elle serait plus prudente, car si elle avait fait peu de cas de sa vie dix ans plus tôt, à présent elle avait un enfant et en attendait un autre. Elle ne prendrait pas de risques. Sa femme n'avait rien d'une écervelée. S'il en était besoin, le bras cassé de Bennett la rappellerait à la prudence.

Alors qu'il s'apprêtait à sortir du bureau de Fiona, un dossier tombé à terre attira son attention. Il le ramassa. Sur la couverture, il lut le nom « Malone », tracé d'une écriture inconnue. Sans doute celle de Michael Bennett. Il ne se donna pas la peine de l'ouvrir et le jeta dans la corbeille.

— Le passé est mort et enterré, proclama-t-il à voix haute.

Puis il partit.

Joe ne soupçonnait pas que le passé, loin d'être mort, pourrait bien l'enterrer.

3

Quand Sid Malone arriva au 22 Saracen Street, deux de ses hommes, Frankie Betts et Tom Smith, l'attendaient. L'heure tardive et la pluie diluvienne avaient chassé les passants. Parfait : Sid n'aimait pas les spectateurs.

S'il n'était descendu d'une voiture à cheval particulière, on aurait pu le prendre pour un ouvrier rentrant chez lui après une soirée au pub. Chaussé de gros godillots, vêtu d'une salopette, d'un caban bleu marine et d'une casquette, il n'avait rien d'un chef de gang. Contrairement à tant d'autres truands, il évitait le port de bijoux et les interdisait à ses hommes, car il était essentiel de ne pas se faire remarquer. Il se rasait lui-même et retenait ses cheveux roux en une queue-de-cheval. Quand ils étaient trop longs, il les taillait lui-même. Il n'allait jamais chez le barbier : ayant trop d'ennemis, expliquait-il, il préférait ne pas se mettre à la merci d'un coupe-chou.

— J'ai eu votre message, dit-il à ses hommes en jetant son mégot dans le caniveau. Que se passe-t-il ? Où est Ko ?

— À l'intérieur, répondit Frankie. Il y a du grabuge.

Le commerce du 22 n'était qu'une façade. Sur la vitrine, on lisait en lettres capitales : *BLANCHISSERIE CANTONAISE*. À cette heure, la boutique était fermée, et il n'y avait aucune lumière aux fenêtres. Sid frappa à la porte qui fut ouverte après quelques secondes par une jeune Chinoise vêtue de rouge. Sans un mot, elle fit entrer Sid et ses hommes et les conduisit dans l'arrière-boutique. Les saluant d'une courbette, elle les laissa avec son employeur.

Teddy Ko, fils d'émigrés chinois, avait les pieds

posés sur son bureau. Cheveux coupés court, boutons de manchettes en or, luxueuse montre de gousset, chaussures étincelantes, tout en lui clamait la réussite. Il se leva à l'arrivée de Sid et contourna son bureau pour lui serrer la main. Quand il eut fait asseoir ses visiteurs, il cria quelques mots en cantonais dans le couloir. Aussitôt, un vieux domestique en veste de coton et coiffé d'une calotte apporta du thé sur un plateau. Il servit du keemun très noir dans de petites tasses. Ses mains noueuses tremblaient si fort qu'en reposant la théière, il renversa quelques gouttes sur le bureau de Teddy. Sans lui laisser le temps d'essuyer, son patron lui arracha le torchon des mains, le lui lança au visage et poussa le vieil homme hors de la pièce.

— Saleté de coolies, maugréa-t-il en claquant la porte.

Sid le considérait, sourcils froncés.

— Que se passe-t-il, Teddy ?

— J'ai des gêneurs à l'intérieur qui font du scandale. Des gens de la Société pour la suppression du commerce de l'opium. Ils sont entrés en se faisant passer pour des clients et maintenant ils circulent dans la fumerie en prêchant la bonne parole. Il y a même un médecin. Il faut me les mettre dehors !

Sid haussa les épaules. Il redoutait bien davantage les tentatives de prise de territoire de Billy Madden, du West End, ou des Italiens de Covent Garden.

— Teddy, dit-il en se levant, tu me fais perdre mon temps. Fiche-les à la porte tout seul, comme un grand.

— Si ça n'était que le docteur... mais il y a Freddie Lytton, le député, et un journaliste ! Ils veulent faire fermer la boutique.

Voilà qui était en effet préoccupant. Lytton pourchassait la Firme, mais jusqu'à présent, personne ne s'était inquiété du commerce de l'opium. Or Sid recevait un bon pourcentage de Ko, ainsi que des autres propriétaires de fumeries qui lui achetaient de la drogue tout en le payant pour obtenir sa protection.

— Tu as essayé de le mettre dehors ? demanda Sid.

— J'ai envoyé mes filles et le vieux, mais il s'incruste.

— Comment ? Tu laisses faire le boulot à tes filles ? s'indigna Sid. Bouge, Teddy. Retrousse tes manches et flanque-lui une dérouillée.

— Je suis un citoyen respectable, moi, protesta Ko, pas un voyou !

— Tu parles, railla Frankie, tu ne veux pas montrer ta bobine au député. Si Lytton s'aperçoit que le petit homme d'affaires chinois fourgue de la drogue et fait le maquereau, il ne l'invitera pas à prendre le thé à Westminster. Il a de l'ambition, notre Teddy, pas vrai ?

— La ferme, Frankie ! Je vous paie pour me protéger, alors au boulot ! hurla Ko en tapant du poing sur la table.

— On ne crie pas devant le Patron, avertit Frankie.

Sid sentit que son lieutenant était sur le point d'exploser, or il n'était pas d'humeur ce soir à supporter sa violence incontrôlée. Frankie était comme un bulldog auquel il fallait faire prendre de l'exercice régulièrement, faute de quoi on retrouvait les rideaux en charpie.

— Peu importe, intervint-il. Puisque nous sommes là, fichons ces gens dehors et barrons-nous.

Frankie sortit le premier du bureau de Teddy et s'engagea dans l'étroit escalier qui menait à la fumerie. Arrivé à l'étage, il frappa brutalement à la porte du palier. L'œilleton en verre s'obscurcit : on les regardait.

— Alors, on se rince l'œil ? aboya-t-il en fracassant

le judas d'un coup de matraque. Ouvre cette porte ou je la défonce, et toi avec !

Cette fois, on ouvrit. Le vieux domestique qui leur avait servi le thé s'écarta pour les laisser passer en se frottant la paupière. Sid entra et considéra la pièce luxueuse. Des estrades en bois, décorées de fleurs et de dragons peints et surmontées de dais de soieries, s'alignaient le long des murs. Des tapis épais se chevauchaient sur le sol, ne laissant à nu aucune latte de parquet. L'éclairage vacillant provenait de bougies plantées dans d'innombrables lanternes en papier, et une fumée âcre et bleutée flottait dans l'air. On avait quitté Londres pour se retrouver dans une ville chinoise de légende.

Teddy Ko possédait une dizaine d'établissements, qu'il appelait ses blanchisseries. On y lavait bien des vêtements le jour, mais la nuit il s'y faisait un commerce beaucoup plus sombre. Une fois les lessiveuses vidées et les fers refroidis, d'autres clients arrivaient furtivement. Pour quelques pièces glissées dans la main des hôtesses, ils s'achetaient un moment d'oubli.

Sid balaya la pièce du regard. Des hommes et des femmes étaient allongés, parfois à même le sol, paupières closes, bouche entrouverte. Une hôtesse passait entre eux, se baissant pour remplir les pipes avec une pâte brune, ou pour redresser un oreiller derrière une tête alanguie. Des jeunes femmes accompagnaient certains clients dans des alcôves fermées par des rideaux. À en juger par les vêtements que portaient les fumeurs, l'établissement était fréquenté par de riches clients, certainement, mais aussi par des pauvres qui devaient dépenser en une soirée le salaire d'une semaine. Frankie se pencha sur une femme assoupie, couverte de bijoux. Il lui tapota la joue et, comme cela ne suscitait aucune réaction, il la soulagea de ses bagues. Sid, lui, cherchait les intrus.

— Où sont-ils ? demanda-t-il à Teddy.

— Là-bas.

Il désignait une porte qui menait à une autre salle.

Cette deuxième partie de la fumerie ressemblait en tout point à la première, mais était beaucoup moins calme. Une jeune femme blonde et fluette en haranguait une autre, une jolie brune à demi allongée sur une estrade aux côtés d'un beau garçon qui ne devait pas avoir plus de dix-huit ans.

— C'est une drogue très dangereuse, Maud ! Un produit qui ne doit être utilisé qu'à des fins thérapeutiques. L'opium provoque une accoutumance et est très néfaste pour la santé à long terme...

La dénommée Maud poussa un profond soupir, cherchant autour d'elle ce qui pourrait la sauver de cette leçon de morale. Elle avisa Teddy.

— Ko, mon ange, mettez-la dehors, voulez-vous ? dit-elle en se redressant sur un coude.

— Vous la connaissez ?

— Malheureusement, oui. C'est ma sœur.

— Alors, partez avec elle ! C'est à cause de vous qu'elle nous fait tout ce scandale !

La jeune femme blonde se tourna vers les nouveaux venus. Elle était mince comme un fil, portait des lunettes et ne devait pas mesurer plus d'un mètre soixante, jugea Sid.

— Vous vous trompez, monsieur, je ne viens pas uniquement pour ma sœur mais pour tous les pauvres malheureux qui sont sous l'emprise de cette terrible drogue...

Sid en avait assez entendu. Il n'avait pas de temps à perdre. À cette heure, il aurait déjà dû être au Barkentine pour discuter d'un gros coup avec le reste de la bande. Au lieu de quoi Teddy lui faisait exécuter un travail dont se serait acquitté n'importe quel gamin en culottes courtes.

— Bon, Teddy, où est-il, ton fichu docteur ?

— Là, sous ton nez !

— Quoi ? Mais c'est une femme.

— Vous avez le sens de l'observation, persifla la jeune femme. Je suis en effet docteur en médecine et également membre de la Société pour la suppression de…

— Oui, poupée, on est au courant, coupa Sid.

Elle fut surprise, mais réagit vite.

— Ah, bien ! Alors vous devez aussi savoir que je suis venue avec M. Lytton, député de Tower Hamlets. Nous avons l'intention de tout mettre en œuvre pour fermer les fumeries, ces antres de perdition. Tous ces pauvres gens seraient mieux chez eux avec leurs enfants. Ils n'ont rien à faire ici. Ils dilapident un salaire durement gagné auprès des prostituées et des trafiquants de drogue.

— C'est bon, Frankie, coupa Sid, on l'évacue.

À cet instant, un homme grand et blond émergea d'un troisième salon. Sid reconnut Freddie Lytton. Il était accompagné par un individu qui portait un appareil photo, et que Sid connaissait aussi. C'était Michael McGrath, journaliste au *Clarion.* Les deux hommes, en grande conversation, ne les remarquèrent pas.

— Vous pensez que les photographies seront bonnes ? demandait Lytton à McGrath. Celle où je casse la pipe à opium en deux est très importante.

— Elle devrait bien rendre.

— Bravo, parfait. Et n'oubliez pas de mettre mon

nom dans le titre. *Lytton déclare la guerre à la drogue…* ou peut-être *Lytton montre que le crime ne paie pas.*

— Le crime ne paie pas autant que la politique, c'est sûr, dit Sid à Frankie.

— Si le titre est trop long, continuait Lytton, n'oubliez pas de préciser que je participe activement aux travaux de la Société. Quand pensez-vous publier ça ?

— Après-demain, répondit McGrath en repliant le pied de son appareil.

Frankie, qui le regardait, émit un sifflement.

— Avise l'appareil photo, Patron ! Y en a qui se gênent pas !

Sans autre forme de procès, il sauta sur McGrath, lui arracha son matériel des mains et le jeta par la fenêtre. Un bruit de verre brisé monta de la rue.

— Bon sang de bois ! s'écria McGrath. Un appareil tout neuf !

— Sortez d'ici, ou vous risquez de suivre le même chemin, menaça Sid.

McGrath, un grand gaillard, fit face à Sid, prêt à en découdre. Mais reconnaissant son adversaire, il recula.

— Vous !

Blanc comme un linge, il se retourna vers Freddie Lytton.

— Vous ne m'aviez pas prévenu qu'il serait là !

Sur quoi, il tourna les talons et fila vers la sortie sans demander son reste. On entendit le bruit précipité de ses pas dans l'escalier.

— Allez, mademoiselle, reprit Sid, il est temps de partir.

— Ne la touchez pas ! cria Freddie Lytton. J'aurais dû me douter que vous étiez derrière tout ceci, Malone ! India, fais sortir Maud d'ici. Je vais chercher la police pour arrêter ces hommes et fermer cet endroit.

Frankie éclata de rire.

— Ça risque pas, mon bonhomme. Teddy Ko arrose les flics encore plus que nous.

— Vous répéterez cela devant le juge, monsieur Betts, gronda Freddie. Rappelez-moi le nom de cet homme… Ko, avez-vous dit ?

— Frankie, dépêche, s'impatienta Sid.

— J'arrive.

Sur quoi Frankie attrapa Lytton par le dos de l'imperméable et l'éjecta de la pièce manu militari. Sid entendit des jurons et un bruit de lutte, quelques coups, puis une porte claquer.

— Vous allez lui faire mal, laissez-le ! cria le médecin.

Sid lui lança un sourire d'excuse.

— Allez, ma petite, il est temps de le suivre.

— Ne m'appelez pas ma petite ! Je suis le Dr India Selwyn Jones !

— India, tais-toi, pour une fois, intervint sa sœur. Tu n'as pas l'air de savoir à qui tu t'adresses. Sid Malone, tu dois bien avoir entendu parler de lui ? Sers-toi de l'intelligence dont tu es si fière et va-t'en avant qu'il ne soit trop tard.

India se redressa de toute sa taille, toisant Sid avec fureur.

— Je n'ai pas peur de vous !

— Vous avez raison, vous n'avez rien à craindre de moi… docteur Jones. Jamais je ne lèverais la main sur une femme. Frankie et Tommy non plus. Mais pour ce qui est de votre ami, c'est autre chose. Il pourrait lui arriver des bricoles. Ce n'est pas pour rien qu'on surnomme Frankie « le Fou ». Il peut se montrer assez violent.

Cette fois, la jeune femme fut impressionnée. Elle

serra son sac contre sa poitrine et dit seulement à sa sœur :

— Tu te tues lentement, Maud.

— India, tu me fatigues. Tu ne sais pas t'amuser. Tu es un vrai bonnet de nuit.

— Tu penses que devenir opiomane, c'est s'amuser ? Et vous, ajouta-t-elle en se tournant vers Sid, non seulement vous droguez les gens, mais vous vendez des femmes pour de l'argent !

— Nous n'obligeons personne à travailler ici. Les filles viennent chez Ko parce qu'elles le veulent bien.

— Ah ! Elles le veulent bien ? Vous prétendez qu'elles désirent subir cette dégradation, que cela les amuse de s'exposer aux maladies vénériennes ?

— Non, elles ont simplement besoin de gagner de quoi payer leur loyer. Il fait plus chaud chez Ko que dans la rue. Et c'est beaucoup moins dangereux.

India secoua la tête, ravalant ses arguments, et tourna les talons. Sid chercha Ko du regard mais il s'était éclipsé. Mécontent, il descendit à la suite d'India. La petite doctoresse et sa Société ne présentaient aucun danger, mais Lytton, c'était autre chose. Il leur compliquait bigrement la vie. En arrivant dehors, il vit que Lytton et le Dr Jones s'éloignaient déjà.

— Il est en train de courir chez les cognes, remarqua Frankie. Et ça sera pas les agents de police du quartier qui vont rappliquer, mais les huiles de Scotland Yard.

Sid hocha la tête. Il fallait laisser à Teddy le temps de faire le ménage.

— Hé ! Vous deux ! cria-t-il.

Lytton tourna la tête vers lui, et Sid désigna sa voiture.

— Montez là-dedans !

Freddie attrapa le bras d'India et accéléra le pas.

— Rattrapez-les, les gars, ordonna Sid.

Frankie et Tom se lancèrent à leur poursuite. Il y eut des insultes, une lutte, puis les deux hommes revinrent en poussant devant eux Lytton et le médecin. Le député monta dans la voiture et tendit la main à sa compagne pour l'aider. Tom prit place à côté d'eux, et Frankie et Sid s'installèrent en face.

— Je ne sais pas ce que vous comptez faire de nous, Malone, mais vous ne vous en tirerez pas, jeta Freddie. Le Dr Jones appartient à une grande famille, tout comme moi. Des recherches seront entreprises.

— Je comprends pas ce qu'y raconte, commenta Frankie.

— Ce pauvre cave croit qu'on veut l'enlever, expliqua Sid. Où habitez-vous, docteur Jones ?

— Ne réponds pas, India. Il ne faut surtout pas que cet homme connaisse ton adresse !

Sid en avait plus qu'assez.

— Soit vous me dites où aller, soit je vous lâche dans Ratcliff Highway.

La doctoresse ne connaissait peut-être pas cette rue, mais Lytton n'ignorait pas qu'il s'agissait du coin le plus dangereux de Londres, un véritable coupe-gorge où se retrouvaient voleurs et prostituées.

— Sloane Square, dit Lytton.

— Ronnie, à Chelsea ! cria Sid à son cocher par la fenêtre. Lentement : nous ne sommes pas pressés !

La voiture partit avec un soubresaut. Sid remarqua que Lytton avait la lèvre tuméfiée. La jeune femme, apparemment très abattue, gardait la tête baissée. Elle serrait sa sacoche en cuir sur ses genoux, les mains crispées sur la poignée pour les empêcher de trembler. Sid en fut désolé. Cela ne le dérangeait pas de brutaliser un peu Lytton, mais il n'était pas dans ses habitudes d'effrayer les femmes. Seulement, quand elle releva la tête, il eut la surprise de voir dans ses yeux gris une expression qui n'était pas de la peur. Elle était en colère.

— Vous êtes un être méprisable, jeta-t-elle, la voix vibrante. Vous êtes un marchand de misère. Vous vous enrichissez sur le désespoir des autres. Faut-il vous apprendre ce que la drogue peut faire ? Les malheureux qui vont dans cette fumerie ne peuvent plus s'en passer. Ils se ruinent pour acheter votre poison.

— Je suis un commerçant, docteur Jones, un point c'est tout. Ce n'est pas à moi de dire aux gens comment dépenser leur argent.

— Avez-vous vu un drogué en crise de manque ? D'abord il tremble, puis, la gorge asséchée, il est pris par une soif terrible que rien ne peut calmer. Il souffre comme un damné, il vomit.

— En voilà des romans. Moi, je ne vois qu'une poignée de bons à rien qui roupillent. Il n'y a pas de quoi en faire tout un foin.

— Monsieur Malone, ces gens se détruisent la santé et se détruisent l'âme. Ne vous rendez-vous pas compte du crime terrible que vous commettez en les encourageant ?

— India, tais-toi... intervint Freddie qui surveillait Sid avec inquiétude.

Mais elle ne l'entendit pas, ou ne voulut pas l'écouter.

Elle a un sacré cran, cette doctoresse, pensa Sid, on doit au moins lui reconnaître ça.

— Venez avec moi au London Hospital, monsieur Malone, insista-t-elle. Je vous montrerai les salles des aliénés. Vous verrez les ravages de la drogue. Vous verrez s'il n'y a pas de quoi en faire « tout un foin », comme vous dites.

— India, je t'en prie, arrête, souffla Freddie. Ça ne

sert à rien d'essayer de réformer Sid Malone, tu ne le changeras pas.

— Il a raison, ma petite. Pourquoi je changerais ? Et pourquoi les clients de Teddy arrêteraient ? Ils ont l'air beaucoup plus heureux que toi.

Frankie et Tom éclatèrent de rire et durent empêcher Freddie de se jeter sur Sid. Il a du courage, lui aussi, ce député, pensa Sid. Il vit que Freddie couvrait la main d'India avec la sienne pour la réconforter. Ah ! D'accord. Rien ne rendait un homme plus imprudent que d'être humilié devant sa maîtresse. Sid observa le médecin avec un regain d'intérêt, ayant jusqu'alors presque oublié qu'elle était une femme.

C'était sa faute, aussi, car elle semblait tout faire pour le dissimuler. Ses cheveux étaient retenus en un vilain chignon, ses yeux cachés par d'horribles lunettes. Elle ressemblait à un épouvantail, avec sa jupe et son gilet noir qui masquaient ses formes. Pas de bijoux, sauf la chaîne en or d'une montre de gousset.

— ... pour se procurer de l'opium, les hommes ôtent le pain de la bouche de leurs enfants, les femmes se vendent...

Elle n'en finissait pas ! Il se pencha pour tirer sur la chaîne et fit sauter la montre de la petite poche. La jeune femme poussa un cri.

— Très joli, commenta Sid en l'ouvrant.

— Vous n'oseriez pas la lui voler ! lança Lytton.

— On tirerait combien d'une montre pareille, Frankie ? demanda Sid à son lieutenant, ignorant le député.

— Boîtier en or, cadran en diamants... cent livres, facile.

— Cent livres, répéta Sid, songeur. Une somme qui nourrirait et habillerait une famille de dockers pendant une année entière. C'est bien joli de faire la morale aux autres, tu ne trouves pas, Frankie ? Surtout quand on retourne se chauffer près du feu et manger un bon dîner pendant que les pauvres bougres qui vont chez Ko s'usent quatorze heures par jour dans une usine ! Ils vivent à cinq ou six dans une seule pièce misérable, ne mangeant que du pain et de la margarine parce que c'est tout ce que peuvent mâcher leurs dents pourries !

India, toujours furieuse, sembla cependant un peu ébranlée. Sid profita de cet avantage.

— Si j'étais à leur place, moi, Frankie, eh ben, je fumerais à m'en crever les poumons.

Il remit la montre dans le gousset d'India au milieu du silence général. La voiture avançait au pas vers l'ouest, longeant le fleuve. Le pont de Westminster apparut, puis le Parlement. Un peu plus tard, Ronnie prit Grosvenor Road vers le nord. Sid tapa pour lui demander de s'arrêter à l'approche de Pimlico Road, près de Sloane Square. Il avait décidé de faire descendre ses passagers avant leur destination, au cas où l'envie prendrait à la doctoresse de le gratifier d'un discours d'adieu.

Elle ne s'en priva d'ailleurs pas.

— Monsieur Malone, je vous implore une dernière fois… commença-t-elle alors que les chevaux s'arrêtaient.

— Docteur Jones, j'ai bien le plaisir… dit Sid en ouvrant la portière.

Freddie sauta à terre, puis il tendit la main à la jeune femme et l'aida à descendre.

— Monsieur Lytton, docteur Jones, que je ne vous retrouve plus aux environs de Saracen Street, ou il vous en cuira.

Vous ne reverrez pas le Dr Jones, mais moi, je ne vous oublierai pas ! avertit Freddie. Je vous ferai tomber, Malone. Tôt ou tard, vous commettrez une erreur, et ce jour-là, on vous jettera en prison, vous avez ma parole.

Rapide comme l'éclair, Sid attrapa Freddie par la cravate et le tira de nouveau dans la voiture, l'étranglant à demi. On ne menaçait pas Sid Malone impunément.

— Freddie ! cria la doctoresse.

Elle se dressait sur la pointe des pieds, mais ne pouvait pas voir ce qui se passait à l'intérieur.

— Lâchez-moi ! ordonna Freddie en s'étouffant.

— Elle tient à toi, ta fiancée ? demanda Sid.

— Ôtez vos sales pattes ! protesta Freddie en essayant de détacher les mains de Sid de sa cravate.

— Réponds !

— Lâchez-moi… Ah…

Son visage bleuissait, ses paupières papillonnaient.

— Elle tient à toi, Freddie ? répéta Sid en resserrant son étreinte.

— Ou… oui !

Sid le relâcha.

— Alors, mon gars, si tu ne veux pas lui faire de peine, ne viens pas m'arrêter seul !

4

— Liverpool Street ! cria le contrôleur.

La rame de métro ralentit en approchant de la station. Pourvu que les portes s'ouvrent vite ! pensa India. Il n'était encore que sept heures et demie du matin, et le métropolitain était plein à craquer. Les gens se pressaient les uns contre les autres, et un horrible personnage à chapeau melon prenait prétexte des secousses pour se coller à elle.

— Arrêtez ou j'appelle ! siffla-t-elle.

Il fit la sourde oreille et n'abandonna ses tentatives que lorsqu'elle parvint à glisser sa sacoche entre eux. Enfin, la rame s'arrêta, les portes s'ouvrirent, et India fut emportée par une marée humaine. Elle monta l'escalier, bousculée par les serviettes en cuir et les parapluies, et se jura de prendre l'omnibus au retour.

Devant la station, une femme qui portait un bébé tendit une main crasseuse vers elle.

— S'il vous plaît, une petit pièce pour mon enfant, dit-elle en soufflant une haleine empuantie par le gin.

— Il y a une mission dans High Street où on vous donnera de la soupe et du lait pour le bébé, indiqua India.

La mendiante au regard vide et désespéré partit sans l'écouter. India la vit tirer par la manche un homme en costume, qui lui tendit quelques piécettes. Ce n'était pas une solution ! Il était animé de bonnes intentions, mais il ne réussissait qu'à encourager l'ivrognerie.

— Le *Clarion* ! Lisez le *Clarion* ! Le Patron a encore frappé ! Le roi de la pègre ! Lisez le *Clarion* ! criait un vendeur de journaux sur le trottoir en agitant l'édition du matin sous son nez.

Le Patron, c'est ainsi qu'on appelle Sid Malone, se rappela India en frissonnant. En dépassant le vendeur et sa pile de quotidiens, elle jeta un coup d'œil au gros titre. *La Nouvelle Pègre*. L'article était illustré d'un dessin. Le visage était ressemblant, sauf les yeux. Sid Malone n'a pas le regard brutal et perfide, contrairement à celui du portrait, songea-t-elle. Le sien est dur, mais lumineux. Il avait dérouté la jeune femme. Son intelligence était autrement plus dérangeante que sa mauvaise réputation. Ce souvenir, trop troublant, fut vite chassé : elle avait d'autres sujets de préoccupation ce matin.

Elle traversa Bishopsgate et prit Middlesex Street, une rue animée qui la conduirait dans Whitechapel High Street, puis dans Varden Street, où se trouvait le cabinet du Dr Gifford, à peu de distance du London Hospital. Elle portait des vêtements confortables et propres, mais passés de mode depuis plusieurs saisons : chapeau de paille noir, léger manteau gris et robe blanche. Elle marchait d'un pas vif, impatiente d'arriver à destination. C'était son premier jour au cabinet du Dr Gifford, et elle se réjouissait d'exercer enfin la médecine, et ce à une époque qui, prédisait-on, inaugurait un âge d'or des découvertes scientifiques. Les progrès effectués depuis un demi-siècle dans le domaine de la santé étaient déjà stupéfiants.

Les recherches de Lister, de Pasteur, de Jenner et Koch sur les bactéries, ainsi que les avancées en matière d'anesthésie avaient entraîné une révolution en chirurgie. Les membres blessés ou fracturés, autrefois systématiquement atteints par la gangrène, pouvaient maintenant être désinfectés et guéris, au lieu d'être amputés. On était en mesure de procéder à l'ablation des cancers. On savait ôter des organes entiers sans provoquer ni hémorragies ni infections. De grands gynécologues américains, Simpson et Kelly, avaient réussi des hystérectomies et des ovariectomies, et on rapportait même des cas de césariennes auxquelles la mère et l'enfant avaient tous les deux survécu.

En Allemagne, un certain Röntgen avait découvert des rayons invisibles qui pénétraient les tissus, et que les médecins militaires utilisaient pour repérer les balles reçues par les soldats. En France, les travaux de Becquerel sur l'uranium et de Pierre et Marie Curie sur le radium permettraient bientôt de voir ce qui se passait dans le corps sans l'ouvrir, évitant ainsi les hémorragies, les traumatismes et les infections.

De nouveaux médicaments s'ajoutaient à la pharmacopée, des produits permettant de combattre la douleur tels que l'aspirine, l'héroïne et le chloroforme. Des antitoxiques pour lutter contre la petite vérole et la diphtérie. On disait que, dans un an, deux tout au plus, on aurait découvert un remède contre la tuberculose.

India appelait les découvertes de tous ses vœux et se réjouissait des bienfaits qu'elles allaient apporter aux pauvres de Whitechapel. Et pourtant, il suffisait d'ouvrir le journal pour mesurer l'ampleur de la tâche restant à accomplir. De nombreuses réformes de la santé publique avaient été adoptées pour préserver les citoyens de mille dangers comme l'eau sale, les égouts malpropres, les logements surpeuplés. Le nombre de morts dus au choléra, au typhus et à la petite vérole diminuait, mais la scarlatine, la grippe et la typhoïde faisaient encore des ravages dans les bas quartiers. Le gin et l'opium mettaient en péril la santé mentale, la malnutrition et la pauvreté détruisaient le reste. Malheureusement, la lutte était inégale entre les réformateurs, les médecins et les missionnaires qui essayaient de sortir les miséreux des pubs et des fumeries et les criminels comme Sid Malone qui les y attiraient.

Malgré sa détermination, les doutes l'assaillaient. Arriverait-elle à être un bon médecin ? Le rythme de travail devait être dur, et elle redoutait de ne pas savoir reconnaître la multitude de symptômes qu'elle allait rencontrer. Il n'y aurait plus de Pr Fenwick pour la soutenir. Elle allait devoir assumer la pleine responsabilité de ses décisions.

Elle contourna un groupe d'ouvrières en grande

conversation au milieu du trottoir et grimpa les quelques marches qui menaient à la porte du 33 Varden Street. C'était une maison géorgienne comprenant un rez-de-chaussée et deux étages. La salle d'attente, le bureau et une salle de soins occupaient le bas, la salle de consultation du Dr Edwin Gifford était au premier, et le dernier étage était loué à une famille. India respira profondément pour se calmer avant d'entrer, voulant faire bonne impression. Elle levait la main pour frapper quand la porte s'ouvrit brusquement. Une jeune femme en uniforme d'infirmière qui sortait en courant se jeta pratiquement dans ses bras.

— *Oi vai !* s'exclama-t-elle en se rattrapant à India. Vous voilà ! *Gott sei Dank !* Je voulais voir si vous arriviez ! Vous êtes bien le Dr Selwyn Jones ? Qu'est-ce qui vous a retardée ? J'avais peur que vous ne veniez pas !

India consulta sa montre.

— Il n'est que huit heures moins le quart.

— On n'est pas dans une banque ! Nous commençons à sept heures.

— Comment cela, sept heures ? Le Dr Gifford m'a dit huit heures.

— C'est parce qu'il ne voulait pas vous rebuter. À Whitechapel, docteur, les gens viennent avant le travail. Venez, je vais vous installer.

Tirant India par la manche, elle lui fit traverser la salle d'attente déjà pleine de patients. Elles prirent ensuite un étroit couloir qui menait à la salle de soins. Tout en marchant, l'infirmière lui fit enlever son chapeau et son manteau et, dès qu'elles entrèrent dans la pièce, lui tendit une blouse blanche dont l'ourlet lui descendait aux mollets et les manches lui couvraient les mains.

La jeune femme fronça les sourcils et lui roula les manches pour les raccourcir.

— Elle était à la taille du Dr Seymour, mais vous n'êtes pas un homme. J'en commanderai de plus petites. La salle de soins, ajouta-t-elle en désignant une porte ouverte.

Un grand bruit métallique l'interrompit. Elle courut à côté et ressortit en tirant par l'oreille un gamin portant kippa et papillotes.

— *Ach, du Pisher ! Du fangst shoyn on ?* cria-t-elle. Va t'asseoir dans la salle d'attente et ne bouge pas.

India n'eut pas le temps de lui demander d'explication, car l'infirmière était déjà repartie dans la pièce voisine. India la suivit et la trouva à quatre pattes, en train de ramasser le plateau d'instruments que le garnement venait de faire tomber.

— Où est l'autoclave ? s'enquit India en se baissant pour l'aider.

— Quoi ?

— L'étuve pour la désinfection. Il va falloir nettoyer tout ça.

— Nous n'en avons pas.

— Mais c'est impossible ! On a prouvé à maintes reprises la nécessité de travailler en milieu aseptique aussi bien au cours de l'examen médical que pendant les soins. Le Dr Lister a bien montré l'action sur les microbes de...

— C'est bien joli, mais le Dr Lister n'est pas là pour nous aider.

— Comment nettoyez-vous les instruments ?

— Je les remporte chez moi et je les lave dans l'évier. Quand j'y pense.

Elle jeta le scalpel et deux pinces sur le plateau puis se releva.

— Êtes-vous prête ? Je vous envoie le premier patient.

— Une minute, je ne sais même pas votre nom !

— Ah oui, pardon. Ella Moskowitz.

India lui serra la main.

— Docteur Jones. Vous êtes l'infirmière, alors ?

— Oui, et la réceptionniste, la secrétaire, la comptable. Gardienne d'asile d'aliénés, oui ! Mais nous n'avons pas le temps de bavarder. Nous avons pris beaucoup de retard. Vous allez devoir vous dépêcher si vous voulez finir tous vos patients avant le déjeuner.

— Quoi ! Je dois voir tous ces gens avant midi ?

Elle aurait eu besoin de la journée entière.

— Oui. Après, il y en aura d'autres.

— J'imagine que le Dr Gifford en reçoit la moitié.

— Non, pas aujourd'hui. Vous serez seule.

— C'est incroyable ! Y a-t-il une épidémie ?

— Une épidémie ! Vous êtes drôle ! Vous auriez raison si la pauvreté était contagieuse. Attendez qu'il y en ait vraiment une, et là vous verrez du monde. *Gott zol ophiten !*

— Pardon ?

— Dieu nous en préserve. C'est du yiddish. Je me doute que vous n'êtes pas juive. Beaucoup de vos patients le seront. Si vous avez besoin d'aide avec les Juifs, appelez-moi, mais si un Irlandais vous donne du fil à retordre, il faudra vous débrouiller seule.

Ella se sauva, laissant India interdite. Elle eut à peine le temps de faire le tour de son nouveau domaine que l'infirmière revenait avec une patiente. C'était une femme petite et malingre à qui India donnait entre quarante et cinquante ans.

— Voilà Mme Adams, et son dossier, annonça Ella en posant une chemise cartonnée sur le bureau.

— Hé ! Attendez ! s'écria Mme Adams.

Ella s'arrêta sur le pas de la porte.

— Oui ?

— Je paie les yeux de la tête pour voir un docteur, je ne veux pas d'une infirmière !

— Le Dr Jones est notre nouveau docteur, madame.

— Elle n'en a pas l'air !

India se rendit alors compte qu'avec sa blouse trop longue aux manches remontées, elle ressemblait à une gamine portant un déguisement.

— Vous pouvez nous laisser, Ella, je vais me débrouiller.

Elle ferma la porte de la salle de consultation.

— Bonjour, madame Adams. Je suis bien médecin, je vous assure. Si vous voulez voir mon diplôme, je l'ai avec moi.

Elle le sortit de sa sacoche et le montra à sa patiente.

Ce n'était pas le seul document dont elle s'était munie. Elle avait aussi des planches illustrées colorées représentant des fruits et des légumes fendus de larges sourires ; des brochures donnant des recettes de cuisine économiques et nutritives, des fascicules expliquant les principes élémentaires de l'hygiène – supports éducatifs qu'elle comptait mettre à contribution pendant les consultations.

Mme Adams, s'intéressant peu à ces bouts de papier, restait sur sa réserve.

— Le Dr Gifford, lui, il a une chose autour du cou…

India exhiba son stéthoscope.

— Bon, d'accord, là ça va, bougonna la brave dame.

India lui sourit.

— Pourquoi venez-vous me voir ?

— Le bébé me fait des grosses douleurs. Le Dr Gifford m'a donné du laudanum. Ça m'a calmée un moment, mais ça me fait plus rien.

— Vous avez le flacon ? Vous pouvez me le montrer ?

Mme Adams plongea la main dans la poche de sa robe et tendit une petite fiole à India.

D'après l'étiquette, c'était bien du laudanum. Produit qu'on ne prescrivait pas d'ordinaire aux femmes enceintes.

— Depuis quand prenez-vous ce médicament ?

— À peu près trois mois.

— Et de combien de mois êtes-vous enceinte ?

— Cinq, peut-être six.

India hocha la tête tout en parcourant le dossier. Il n'était fait mention nulle part d'une grossesse. Le Dr Gifford avait noté de la fatigue et des douleurs qu'il traitait par la prescription d'une faible solution de laudanum dont il avait augmenté peu à peu la concentration. India fit passer la patiente dans la salle de soins et la persuada non sans mal d'ôter sa robe et de s'allonger sur la table d'examen. Le Dr Gifford ne le lui avait apparemment jamais demandé. Quand India vit ses bras nus, elle éprouva de la difficulté à garder un visage impassible. Les os étaient tellement saillants qu'ils perçaient presque la peau.

— Vous vous nourrissez convenablement ?

— J'ai pas faim. J'ai mal au cœur, mais c'est normal, avec le bébé.

— Oui, les nausées sont fréquentes lors des grossesses.

— J'en sais quelque chose ! Neuf fois enceinte et cinq enfants qui me restent. J'ai souffert à chaque fois, mais celle-là, c'est la pire. Je suis tellement crevée qu'y a des jours où je dors debout. J'ai même failli ficher le feu à ma blouse près du poêle.

— La nuit, vous dormez ?

— Presque pas. J'ai mal partout. Je suis bien ni sur le côté ni sur le dos.

— Quel âge avez-vous ?

— Quarante-six ans. J'aurais jamais cru que ça me reprendrait si tard. J'ai pensé que j'avais le retour d'âge, vu que j'avais plus mes affaires. Et puis j'ai saigné un grand coup. Alors ça pouvait pas être ça.

— Je vais vous ausculter le ventre.

India défit les boutons de la camisole et le cordon du jupon pour découvrir l'abdomen de la femme. Au lieu du gonflement symétrique et harmonieux d'une grossesse, elle trouva une boule irrégulière. Elle palpa l'endroit, juste sous la cage thoracique, où aurait dû se trouver le haut d'un utérus en expansion, mais ne sentit rien. Sa main descendit, cherchant une partie osseuse, crâne, talon ou coude. Rien. Elle sortit son stéthoscope fœtal de sa sacoche, un appareil en bois qui ressemblait à une corne. Elle appuya le bout sur le ventre de Mme Adams et posa l'oreille en haut du pavillon. Rien. Elle n'était pas enceinte.

— Ça va pas ?

India évita de répondre.

— Savez-vous ce qu'est un spéculum ?

La dame fit non de la tête.

— C'est un instrument qui permet aux médecins d'examiner les organes reproducteurs.

Mme Adams ouvrit grande la bouche et tira la langue.

— Heu… non, c'est par l'autre côté qu'il faut que je regarde.

— Quoi ?

— Je voudrais pratiquer un examen vaginal pour voir ce qui se passe à l'intérieur.

La patiente se redressa d'un bond.

— Petite sale ! J'ai jamais entendu parler de ça ! C'est ça qu'on vous apprend à l'école ?

India ne se laissa pas abuser par cette agressivité. Elle

devinait une grande anxiété dans le regard de sa patiente.

— Pourquoi vous ne me donnez pas mon ordonnance, comme le Dr Gifford ?

— Eh bien, eh bien ! dit une voix masculine. Comment allez-vous, madame Adams ?

India se retourna dans un sursaut. Le Dr Gifford, petit homme replet et grisonnant au bouc bien taillé, était entré dans la salle de soins sans prendre la peine de frapper. India trouva cette irruption très discourtoise pour elle et pour sa patiente.

— Ah ! Docteur Gifford ! Je suis bien contente de vous voir ! Cette doctoresse, là, m'a fait mettre en culottes au lieu de me donner mon ordonnance.

— Docteur Gifford, je ne détecte pas de gravidité, dit India en choisissant des termes que la patiente ne pourrait pas comprendre. J'ai remarqué une volumineuse tumeur utérine…

— C'est bien, je vous remercie, docteur Jones.

— Mais docteur, il faudrait procéder à un examen interne. Il faudrait…

— Merci, docteur Jones !

— De quoi qu'elle cause ? Mon bébé est pas malade, j'espère, intervint Mme Adams d'une voix inquiète.

— Tout se passe à merveille, madame Adams.

Il griffonna quelques mots sur un papier qu'il lui tendit.

— Voilà votre ordonnance. Trois gouttes toutes les deux heures dans une tasse de thé.

Un immense soulagement se peignit sur les traits de la patiente. Elle remercia le Dr Gifford, se rhabilla et se dépêcha de partir.

— Mais, monsieur…

— Il faut aller beaucoup plus vite, docteur Jones,

coupa Gifford en notant ce qu'il venait de prescrire à Mme Adams dans son dossier. Dans quatre-vingt-dix pour cent des cas, il suffit de procéder à un examen rapide et de prescrire du laudanum.

— Cette femme avait probablement un cancer de l'utérus. Il faut l'opérer, pas lui donner du laudanum.

— Malheureusement, la chirurgie ne peut rien pour cette patiente.

— Alors vous… vous savez qu'elle n'est pas enceinte ?

Le Dr Gifford releva la tête.

— Bien entendu. Vous me prenez pour un simple d'esprit ?

— Non, bien sûr que non, mais, dans ce cas, pourquoi le lui avoir laissé entendre ?

— À quoi servirait-il de l'inquiéter ? Elle va mourir, quoi qu'il arrive. Pourquoi lui rendre ses derniers mois plus difficiles ? Si elle veut croire qu'elle est enceinte, je n'y vois aucun inconvénient. À part lui épargner quelques douleurs, nous ne pouvons rien pour elle.

India n'en croyait pas ses oreilles. Gifford se prenait pour le bon Dieu. Il traitait Mme Adams comme une enfant et non comme une adulte qui mérite de savoir la vérité et de décider elle-même de son sort.

— Mais la tumeur est peut-être opérable, et même bénigne. Si j'avais pu la persuader de procéder à un examen vaginal, j'aurais pu prélever des cellules, les examiner au microscope. La douleur pourrait n'être causée que par la pression exercée par cette masse.

Le Dr Gifford reposa son stylo, le regard noir.

— Mademoiselle, vous êtes fraîche émoulue de la faculté. Vous n'avez aucune expérience, alors je peux comprendre… mais ne dépassez pas la mesure. Au cas où vous ne l'auriez pas remarqué, nous sommes situés dans un quartier extrêmement pauvre. Les patients qui viennent en consultation ont à peine de quoi payer leur traitement. Il n'est pas question d'opérations. Et même si Elizabeth Adams pouvait financer une intervention chirurgicale, elle n'y survivrait pas. Elle est faible et souffre de carences alimentaires. Nous sommes débordés. Nous devons mettre nos maigres ressources au service de ceux qui peuvent être sauvés.

La leçon était dure pour India.

— Pardon, docteur, mais ce n'est pas la médecine qu'on m'a enseignée.

— C'est celle que vous devrez pratiquer dorénavant. Oubliez vos manuels, et adaptez-vous à la réalité. Elizabeth Adams est perdue, mais vous pouvez peut-être faire quelque chose pour les gens qui attendent là-bas. Tout du moins, si vous daignez les examiner avant le siècle prochain.

Il referma le dossier et se leva.

— Pas plus de dix minutes par patient. Bonne journée.

— Vous partez ?

— Vous ne saurez pas vous débrouiller seule ?

— Si, bien sûr.

— J'ai mes visites au London Hospital. Je ne m'étais arrêté en passant que pour vous saluer. Ce n'est pas brillant, à première vue. J'espère ne pas avoir commis d'erreur en vous embauchant. Il me serait désagréable de décevoir Mme le doyen.

— Je ferai tout pour vous donner satisfaction.

— Je l'espère.

— Au revoir, monsieur.

Dès qu'il fut parti, India se prit la tête à deux mains. On ne pouvait plus mal commencer ! Elle ne voulait échouer à aucun prix. Si Gifford la renvoyait, que dirait

Mme Garrett Anderson ? L'idée de décevoir le doyen lui était insupportable. Puis, quelques phrases de l'allocution prononcée à la remise des diplômes par cette femme admirable lui revinrent en mémoire : « Sachez que tous les regards sont braqués sur vous. Beaucoup d'observateurs applaudiront vos succès, mais plus encore se réjouiront de vos échecs... » India avait souvent entendu calomnier les femmes médecins. On disait qu'elles étaient immorales, indécentes, qu'elles faisaient honte à leur sexe. Elle ressentait profondément l'injustice de tels propos et ne voulait à aucun prix donner au Dr Gifford des raisons de regretter de l'avoir engagée. Si elle renonçait, elle apporterait de l'eau au moulin des adversaires de l'émancipation des femmes.

Tous les trimestres, un avis était publié dans la revue de la faculté à la demande du doyen : *Nous prions instamment toutes nos anciennes élèves et femmes médecins d'avertir le secrétariat des engagements qu'elles obtiennent et des postes vacants dont elles apprendraient l'existence.*

Le nombre de postes ouverts aux femmes était tellement faible que, si India perdait celui-ci, elle aurait peu de chances d'en trouver un autre. Mais il lui était très difficile d'accepter la philosophie du Dr Gifford. Il lui semblait peu défendable de mentir aux patients sur leur état. Elle n'eut cependant guère le temps de réfléchir à ce cas de conscience, car Ella introduisit un autre patient, un petit garçon accompagné par sa mère.

– Henry Atkins, annonça-t-elle. Parasites intestinaux.

Après le jeune Henry, elle vit Ava Briggs, une jeune fille de seize ans souffrant d'un grave abcès à la mâchoire. Sa mère lui avait fait arracher toutes les dents deux jours plus tôt par le maréchal-ferrant.

— Pour mon anniversaire, expliqua la jeune fille. Les hommes ne veulent pas épouser une femme qui a encore ses dents. Ça coûte trop en frais de dentiste.

Après cela, India reçut Rachel Eisenberg, mariée depuis un mois et inquiète de ne pas être encore enceinte. Puis il y eut Anna Maloney qui pensait avoir environ soixante-dix ans, sans en être sûre, et qui était constipée depuis deux semaines. Elle continua jusqu'à ce que l'infirmière entre avec une théière et un panier en osier.

— Vous avez apporté de quoi déjeuner ? demanda Ella.

— Je n'y ai pas pensé.

— Je m'en doutais. Nous n'avons qu'à partager mon pique-nique. Vous avez de la chance que je garde toujours ici une assiette supplémentaire.

— Je ne peux pas accepter, mademoiselle Moskowitz !

— Appelez-moi Ella…

India eut un sourire forcé, mais Ella insistait.

— Vous ne pouvez pas refuser, voyons. Qui va vous soigner si vous vous évanouissez de faim ?

India, toujours réticente, finit par céder. Pourtant, elle était tenaillée par l'inquiétude plus que par la faim. Elle avait cessé de penser au Dr Gifford pendant qu'elle recevait ses patients, mais à présent, l'incident du matin revenait l'obséder.

— Poulet rôti, annonça Ella en plaçant la volaille sur le bureau. Avec des pommes de terre, de la *kacha* et…

Sourcils froncés, elle enfonça la cuillère dans un récipient. Quand elle trouva ce qu'elle cherchait, son visage s'éclaira.

— Ah ! et du *kugel*, ce sont des grosses nouilles.

Allez-y, servez-vous, ajouta-t-elle en tendant à India une assiette et une fourchette.

— Il y en a pour dix ! C'est vous qui avez préparé tout cela ?

— Non, ma mère. Mes parents tiennent un petit restaurant casher dans Brick Lane.

India, toujours debout, coupa une pomme de terre en deux avec sa fourchette.

— Asseyez-vous, conseilla Ella. Reposez-vous un peu. Vous allez avoir besoin de toutes vos forces cet après-midi.

India s'assit donc, joua un peu avec sa nourriture, puis reposa sa fourchette.

— Ça ne va pas ? demanda Ella.

India lui raconta le différend qui l'avait opposée au Dr Gifford.

— Où est le problème ? s'étonna Ella entre deux bouchées.

— Comment cela, où est le problème ? Comment puis-je continuer à travailler ici ? Ce serait apporter ma caution à une pratique de la médecine que je méprise.

— Il est absolument hors de question que vous partiez !

— Comprenez-moi... Je conçois qu'il faille aller vite dans un cabinet aussi fréquenté, mais il ne s'agit plus d'efficacité. C'est une question de morale.

— De la morale, à Whitechapel ! s'esclaffa Ella. Demain, vous me ferez le plaisir de laisser vos scrupules chez vous !

La plaisanterie n'amusa nullement India.

— L'attitude du Dr Gifford ne peut en aucun cas se justifier. Il aurait dû informer Elizabeth Adams de son état, lui expliquer le pronostic et lui donner le choix du traitement. Elle pouvait très bien décider de ne pas se soigner, mais c'était à elle de décider, pas à lui.

Ella s'arrêta de manger. Cette fois, elle était sérieuse.

— Dr Jones, pourquoi avez-vous pris ce poste ?

— Pour aider les pauvres.

— Alors aidez-les.

— Mais le Dr Gifford…

— On se fiche du Dr Gifford.

— Pourtant, vous travaillez pour lui !

— Il me paie, c'est tout. Ce n'est pas pour lui que je travaille, c'est pour eux, ajouta-t-elle en faisant un geste vers la salle d'attente. Pour les malades de ce quartier, pour tous les enfants d'ici. Mettez vos scrupules dans votre poche et soignez-les. Il me semble que cela devrait satisfaire votre sens moral, docteur.

India se tut un instant.

— Si je vous appelle par votre prénom, il faudra faire de même. Appelez-moi India.

Ella lui sourit et, s'apprêtant à débarrasser, vit qu'elle avait à peine touché son assiette.

— Vous n'aurez qu'à essayer de finir entre les consultations. Je vous envoie le patient suivant.

India n'avala plus une bouchée de la journée. Elle travailla très tard, jusqu'à l'épuisement. Elle reçut des enfants qui toussaient, une femme à qui son mari docker avait coupé un doigt au cours d'une dispute, des lingères qui souffraient du dos, des malades du scorbut, une prostituée syphilitique, un garçon blessé par un bull-terrier, plusieurs autres atteints de dysenterie, deux petits, brûlés dans la cuisine familiale, un bébé tuberculeux, un gamin qui avait avalé une pièce de six pence que la mère tenait à récupérer…

Elle venait de recevoir Mme Burns, sa dernière

patiente, une ouvrière au foie enflé, quand l'horloge sonna sept heures.

— Je vous prescris des pilules pour le foie, dit-elle à la malade, mais dorénavant, il faudra vous abstenir de toute ingestion de boisson alcoolisée.

— Comment vous dites ?

— Il ne faut plus boire d'alcool. Plus de whisky, plus de bière, plus rien.

La dame regarda la doctoresse comme si elle était folle.

— Autant me demander de plus respirer !

— C'est ce qui arrivera si l'état de votre foie se dégrade encore.

Ce trait d'esprit amusa bien la bonne dame qui partit en riant.

Les pauvres ne savent pas se contrôler, songea India. Les ouvriers l'étonnaient. Ils n'avaient presque rien pour vivre et, pourtant, ils dépensaient des salaires durement gagnés en alcool, en bonbons, en nourritures malsaines telles que les pieds de porc, le bacon, les condiments. Par exemple, le bébé tuberculeux, pâle et maigre, tenait serré dans sa main un biscuit au brandy.

— Donnez des produits sains à votre petite, avait conseillé India à la mère en lui montrant une jolie image de légume.

Elle avait reçu en retour un regard agacé.

— Oui, docteur, je sais ce que c'est qu'une carotte.

Le rouge était monté aux joues d'India. Elle avait aussitôt rangé ses illustrations.

— Vous lui donnez du lait ?

— On n'a pas souvent assez de sous pour en acheter.

Quand India avait fait remarquer que si elle avait assez d'argent pour acheter des biscuits, elle en avait donc pour le lait, Mme Burns avait rétorqué :

— Ben quand même, la pauvre petite, y faut bien que je la gâte un peu. Comme disait la mémé, ça fait du bien de se faire du bien.

Mais le lait faisait plus de bien que les biscuits, ainsi que les épinards et le porridge. India était prête à le répéter à ses patients sans désarmer comme ses professeurs du Royal Free Hospital. Sans grand effet, force était de le reconnaître.

Elle s'assit pour remplir son dernier dossier, mais avait à peine commencé qu'Ella passait la tête par la porte pour lui annoncer une retardataire.

— Mlle Emma Milo. Je voulais qu'elle repasse demain, mais elle ne veut rien entendre.

— Que lui arrive-t-il ?

— Elle a refusé de me le dire. Elle a appris qu'il y avait une doctoresse au cabinet et elle est venue exprès pour vous voir vous.

— Envoyez-la-moi, et après, nous arrêtons.

Elle se pencha de nouveau sur le dossier. Quelques minutes plus tard, elle entendit une voix.

— Pardon, mademoiselle…

India releva la tête. Une petite rousse de dix-huit ans à peine se tenait sur le pas de la porte.

— Asseyez-vous, invita India en lui indiquant la chaise qui lui faisait face. Dites-moi ce qui ne va pas.

La jeune fille ne répondit pas. Elle tirait sur un bout de fil qui dépassait de son sac à main.

— Oui ?

— J'ai besoin de quelque chose… de quelque chose pour empêcher les bébés de venir. Il paraît que ça existe. Des moyens spéciaux qu'ont les docteurs.

Elle leva des yeux implorants vers India.

— Comme vous êtes une dame, je me suis dit que

vous voudriez bien m'aider. Je vous en prie, mademoiselle…

— Je voudrais bien, mais je ne peux pas, dit India avec regret. Je travaille pour le Dr Gifford, qui s'oppose aux moyens contraceptifs. Je le regrette, mais je ne suis pas libre d'agir comme je le désire. Si vous avez des rapports et que vous ne souhaitez pas tomber enceinte, il faut cesser d'en avoir.

— Facile à dire !

— Mademoiselle Milo, je…

— Merci, coupa cette dernière en se levant dans un froufrou de jupe et de jupons.

Un instant, India vit une autre jeune femme, non plus Emma Milo, mais Bea Mullins, la sœur de Hugh. Sa patiente se tourna vers elle avant de sortir, mais India se souvenait seulement de Bea, pâle et ensanglantée, et de son désespoir. Il ne fallait pas penser à cela. Elle n'y pouvait plus rien.

Pendant son entretien avec le Dr Gifford, celui-ci avait été très clair sur ses opinions. Pour lui, les méthodes contraceptives étaient immorales et encourageaient la débauche chez les défavorisés, et il refusait d'en prescrire. India avait trouvé cette position rétrograde fort dangereuse. Elle aurait voulu lui répondre que l'immoralité était de laisser de trop nombreuses grossesses aggraver la pauvreté et la déchéance, mais elle avait tenu sa langue. Il le fallait, si elle voulait continuer à exercer.

Elle avait cru que ce serait là son seul compromis, or dès son premier jour, elle devait en faire un autre. À la faculté, personne ne l'avait avertie, ni le Pr Fenwick ni le doyen, qu'elle devrait autant étouffer ses convictions. En mentant à Elizabeth Adams, faisait-on preuve de miséricorde ou de cruauté ? En refusant une méthode contraceptive à Emma Milo, préservait-on sa moralité ou se rendait-on complice d'un meurtre ?

— Alors, madame le philosophe, prête à partir ? demanda Ella.

Tirée de ses réflexions, India sursauta.

— J'arrive, dit-elle en rassemblant ses papiers, je terminerai chez moi.

Elle était épuisée et ne rêvait que d'ôter ses bottines, qui comprimaient ses chevilles, et aussi d'avaler un bol de soupe. Elle aidait Ella à ranger rapidement la salle d'attente avant de partir quand la porte s'ouvrit. C'était le Dr Gifford, qui apparut en habit de soirée.

— Comment la journée s'est-elle passée ?

— Très bien. Je suis parvenue à recevoir tout le monde.

— Bravo ! s'exclama-t-il en parcourant le registre des patients. Cinquante-quatre consultations, ce n'est pas si mal pour un premier jour.

— Merci, docteur.

— J'ai juste fait un saut pour voir si tout allait bien. Je dois filer. Un dîner chez l'évêque. Ça ne vous ennuie pas de fermer la boutique ?

India était si fatiguée qu'elle craignait de ne même pas réussir à tourner la clé dans la serrure, mais elle accepta. Il leur souhaita le bonsoir, et on tambourina à la porte.

— Une seconde ! cria Ella en ouvrant.

Un jeune garçon sautillait sur les marches.

— Venez nous aider, s'il vous plaît. Vite, le bébé est coincé !

India gémit intérieurement. La soupe devrait attendre.

— Dans quoi est-il coincé, ce bébé ? Un égout ? Un conduit de cheminée ? Est-il blessé ?

— Non, non ! Dans ma maman ! Il ne veut pas sortir ! Elle a mal, mademoiselle, vite, il faut venir !

— Vous saurez vous débrouiller ? demanda Gifford.

— Bien sûr.

Elle prit sa sacoche et l'ouvrit pour s'assurer qu'elle avait tout le nécessaire.

— Ella, il me manque de la gaze, en avons-nous ? Et du chloroforme, aussi.

Gifford s'arrêta sur le seuil.

— Non, pas de chloroforme.

— Pardon ?

— Je n'autorise pas les anesthésiques pour les accouchements.

— Mais il n'y a pas de danger pour la mère. Simpson et Kelly confirment que le chloroforme n'empêche pas le travail, et de plus…

— Merci, docteur Jones, je n'ai pas besoin d'un cours. Je suis parfaitement au fait des propriétés de cette substance. Les douleurs de l'enfantement sont un héritage légué par Ève et il serait contraire à la volonté de Dieu de les atténuer. Cette souffrance est excellente pour les femmes. Elle raffermit le caractère et inhibe les désirs honteux.

India était sidérée. Elle avait constaté qu'il était vieux jeu, mais à ce point, c'en était monstrueux.

— Je ne vous retiens pas, jeune fille. Votre patiente vous attend. Qu'elle morde un mouchoir, et rappelez-lui le calvaire qu'a enduré Notre-Seigneur.

5

Fiona Bristow plongea les mains dans une caisse de thé et leva à son visage une poignée de feuilles odorantes. Yeux fermés, elle inhala l'arôme.

Autour d'elle, les débardeurs de l'entrepôt Oliver arrêtèrent de travailler pour la regarder. Les anciens, bien qu'habitués à voir Mme Bristow à l'œuvre, s'appuyaient à leurs râteaux pour ne rien perdre du spectacle. Les nouveaux faisaient des yeux ronds, n'en revenant pas qu'une femme ose s'aventurer en ces lieux. Rares étaient celles qui venaient sur les quais, surtout vêtues de soie et portant un chapeau à plumes. Mme Bristow n'hésitait pas à côtoyer matelots et dockers, à contourner filins et treuils pour inspecter le déchargement des cargos… Mais ce n'était pas une femme ordinaire.

— C'est un darjeeling, annonça-t-elle en rouvrant les yeux, et un bon.

— Pas bien difficile, remarqua Mel Trumbull, le contremaître de l'entrepôt Oliver. N'importe quel gamin aurait trouvé ça.

— Une seconde, je n'ai pas fini. Il vient d'une seule plantation…

— Laquelle ?

Les hommes se poussèrent du coude. Quelques paris furent lancés.

Fiona referma les yeux et prit une profonde inspiration.

— Ce thé a été cueilli dans la plantation de Margaret Hope.

— Et la récolte ?

Elle hésita.

— Deuxième récolte.

Elle rouvrit les yeux et eut un sourire espiègle.

— Cueillie dans un champ exposé au nord, un mercredi après-midi, par une femme portant un sari rose.

Un éclat de rire général accueillit cette boutade.

— Très drôle, très drôle, bougonna Mel.

— Alors, est-ce juste ? demanda Fiona.

Au lieu de répondre, il plongea de mauvaise grâce la main dans sa poche et en sortit une pièce de six pence qu'il lui lança. Fiona l'attrapa sous les acclamations.

— Au travail, vous autres ! aboya Mel. Est-ce qu'on vous paie pour vous amuser ?

— Je vous avais bien dit que je pouvais déterminer la provenance de n'importe quel thé les yeux fermés ! se rengorgea Fiona.

— Soyez une gagnante modeste, madame Bristow, c'est plus élégant, grommela Mel.

— Et vous, soyez bon perdant ! rétorqua-t-elle alors que ses employés reprenaient leur travail. Tenez, donnez-moi deux livres de ce darjeeling, il est excellent.

— Impossible, je suis à court.

— Tiens ?

— Oui, le magasin de Kensington vient de téléphoner. Ils ont vendu les cinq caisses qu'ils avaient et ils en redemandent quatre. Knightsbridge en veut trois. Ce qui ne m'en laisse plus que six. Et le palais de Buckingham en réclame huit. La princesse le trouve à son goût, dit-on.

Fiona fronça les sourcils, retrouvant sa contenance de femme d'affaires

— Je savais qu'il fallait en acheter plus ! Livrez-en moins au magasin de Kensington et envoyez au palais ce qui est demandé, avec nos compliments.

— Comment ! Gratuitement ? Ça fait tout de même quatre cents livres de thé de premier choix. Une petite fortune !

— Oui, mais qui en rapportera une plus grande ! La princesse Alexandra ne m'avait encore rien commandé jusqu'à présent. Nous avons l'écusson royal de la reine, nous avons celui du prince Édouard, mais pas encore celui de la princesse Alexandra, qui est pourtant un atout majeur. Elle est le centre de toutes les attentions. Elle est partout, dans les journaux, dans les chroniques mondaines. Toutes les femmes veulent lui ressembler. Si elle boit KaliThé, toutes en boiront. On ne peut rêver meilleure publicité.

Mel n'avait pas l'air convaincu.

— C'est un gros risque, maugréa-t-il.

— J'aime le risque, rétorqua-t-elle en lançant sa pièce en l'air et en la rattrapant. Vous êtes bien placé pour le savoir !

— En effet…

— Qu'un de nos hommes livre les caisses au palais demain matin. Et qu'on en ajoute une de notre thé à la vanille. Elle pourrait bien l'aimer aussi. L'assam numalighur est-il arrivé ?

Elle continua tout en grimpant l'escalier, suivie par son contremaître.

— Vous l'avez goûté ? Non ? Alors ouvrons-en une caisse. Je tiens à ce qu'il soit bon…

Mel courait derrière elle, dégoulinant de sueur dans la chaleur de ce mois de juin. Avec elle, jamais de repos. À trente ans, Fiona Bristow était la propriétaire de KaliThé, un empire du thé valant plusieurs millions de livres. Elle avait commencé par quelques caisses vendues dans une petite boutique de New York, et à présent ses magasins et ses salons étaient implantés dans toutes les grandes villes du monde.

— Il est très bien, dit-elle en examinant une poignée de feuilles foncées et épaisses. Je pense à lancer une nouvelle marque, Mel. Un thé suffisamment corsé pour plaire aux buveurs de café. Ce serait épatant pour…

La fin de sa phrase fut couverte par une irruption bruyante et joyeuse.

— Fiona, vieille branche, vous voilà !

Un grand homme blond finissait de gravir les marches d'un pas énergique.

— Freddie, quelle bonne surprise !

— Je vous ai cherchée à Mincing Lane. On m'a envoyé ici. Votre élu a bien travaillé pour vous et pour l'East End.

Il sortit une enveloppe de la poche de sa veste et la lui tendit.

— Qu'est-ce que c'est ?

— Ouvrez, vous verrez.

Elle en tira un ordre de versement de cinq cents livres, à l'ordre de l'école missionnaire Toynbee pour les jeunes filles.

— De la part du gouvernement. Le Parlement a approuvé ma requête ! Je vais l'apporter de ce pas au révérend Barnett, mais je tenais à vous le montrer d'abord.

— Alors ce n'était pas…

Fiona s'interrompit, ne sachant trop comment tourner sa phrase avec tact.

— Pas des paroles en l'air ? Du vent ? Non, vous voyez. Je prends ma mission très à cœur. Je veux réellement faire tout mon possible pour améliorer l'existence de mes administrés. J'espère que mes efforts seront appréciés.

— Si je comprends bien, votre aide n'est pas totalement désintéressée ?

— Mais si, bien sûr ! rétorqua Freddie en reprenant son enveloppe. Mais il me serait évidemment agréable que vous en touchiez un mot à Joe.

— Pour cinq cents livres, j'en toucherai même deux. Merci, Freddie. Je vous suis très reconnaissante, sincèrement.

— Vous pourrez aussi lui dire que je travaille à une nouvelle proposition de loi sur la question irlandaise. Je crois que tous les deux, vous employez beaucoup d'Irlandais. Et puis, je me consacre nuit et jour à la lutte contre le crime.

— Voulez-vous prendre une tasse de thé ? demanda Fiona pour le faire taire. Ce n'est pas ce qui manque, ici. Un petit darjeeling, ça vous tente ?

— Non, merci, je dois filer. Mais dites à Joe que j'ai rencontré des gens haut placés à Scotland Yard et au ministère de l'Intérieur. Les choses avancent. Des fonds ont été débloqués pour augmenter le nombre d'agents de police à Tower Hamlets. Des hommes du commissariat de Wapping ont arrêté des cambrioleurs il y a deux jours, et la police de Whitechapel a démantelé un réseau de faux-monnayeurs la semaine passée. Le prochain sur la liste est Sid Malone. Je me doute qu'il vous inquiète, vous et Joe, comme tous les négociants utilisant des entrepôts sur ces docks, d'ailleurs. La bande de Malone a déjà sévi deux fois le long du fleuve au cours des six derniers mois. Nous sommes sur ses talons. Il a failli se faire coincer pour l'attaque du convoi de fonds, et j'ai été à deux doigts de lui mettre la main au collet l'autre soir à Limehouse. J'ai découvert qu'il trempait aussi dans le trafic d'opium. Il sait que nous ne le lâcherons pas. C'est un homme brutal à l'âme mauvaise, qui mérite les plus dures sanctions. Quel dommage que les pendaisons ne soient plus publiques ! J'aurais beaucoup aimé assister à la sienne.

L'angoisse étreignit la gorge de Fiona au point qu'elle pouvait à peine respirer, mais elle s'efforça de sourire. Freddie ne devait rien deviner.

— Je vous laisse, ma chère. Mes salutations à Joe.

Fiona promit à Freddie qu'elle ne manquerait pas de transmettre le message et lui souhaita une bonne journée. Mel, occupé à ouvrir des caisses pendant que Fiona et Freddie conversaient, revint la trouver.

— Venez jeter un coup d'œil au keemun... Madame Bristow ? Ça ne va pas ? Vous êtes toute blanche !

Fiona voulut le rassurer, mais ses jambes ne la portaient plus. Elle s'agrippa au contremaître.

— Bon Dieu ! s'écria Mel en la rattrapant.

Il la fit asseoir sur une caisse.

— Madame Bristow ? Madame Bristow, que se passe-t-il ?

— Un petit étourdissement, dit-elle d'une voix faible. Sans doute la chaleur... et le bébé... J'attends un enfant.

— J'appelle un docteur.

— C'est inutile. Je vais me remettre.

Elle esquissa un sourire, ce qui ne tranquillisa nullement Mel.

— Je peux vous donner quelque chose ? Un brandy ?

— Merci. Mais je ne dirais pas non à une tasse de thé.

— Êtes-vous assez forte pour descendre ?

— Il vaut mieux que je reste encore un peu assise. Pourriez-vous me la monter ?

— Je ne veux pas vous laisser seule. Et si vous vous trouviez mal de nouveau ? Je vais demander à un des gars de vous tenir compagnie.

— Je vous assure que ça va aller. Je préfère rester seule une minute pour reprendre mes esprits.

Mel descendit à contrecœur au bureau où la bouilloire chauffait en permanence sur le poêle à bois.

Dès qu'il fut parti, Fiona prit sa tête entre ses mains, malade de peur. Freddie Lytton, sourire aux lèvres, avait encore affirmé vouloir la mort de son frère. La première fois, elle s'était convaincue qu'il ne s'agissait que de rodomontades, mais à présent elle était sûre du contraire.

Elle se leva et approcha de l'escalier d'un pas hésitant. Il fallait avertir Charlie avant qu'il ne soit trop tard. Mais comment faire ? Elle ne pouvait plus lui envoyer personne après ce qui était arrivé à Michael Bennett.

Se souvenant du bras du détective, elle pensa au jugement de Freddie. Son frère, disait-il, était brutal et mauvais. Joe était du même avis. Il trouvait Charlie dangereux et ne voulait à aucun prix laisser Fiona entrer en contact avec lui. Mais pouvait-elle l'abandonner ?

Au souvenir du Charlie de son enfance, les larmes lui montèrent aux yeux. Il n'avait été ni mauvais ni brutal, mais bon et serviable, plein de joie de vivre. Il jouait avec leur petit frère Seamie, l'emmenait regarder les bateaux au bord du fleuve. Il faisait les courses pour les vieux voisins qui ne pouvaient pas se déplacer, refusant tout dédommagement, alors qu'il aurait eu grand besoin de quelques sous.

Ils avaient vécu à Whitechapel dans une pauvreté extrême. Après le loyer, il leur restait à peine de quoi se nourrir, pourtant ils s'étaient sentis comblés. L'amour de leurs parents avait suffi, les histoires racontées au coin du feu, les chansons, les rires et les rêves qui donnaient de l'espoir. Et puis, du jour au lendemain, tout avait basculé. Elle ne devait d'avoir survécu avec

Seamie qu'à leur oncle Roddy. En Amérique, elle avait reçu le soutien du frère de son père, Michael, puis de son premier mari, Nicholas.

Charlie, lui, s'était retrouvé isolé. Seul le criminel Denny Quinn lui avait tendu la main. Et maintenant, s'il ne quittait pas Londres, s'il ne changeait pas de vie, Freddie Lytton le ferait pendre. Elle ne le laisserait pas courir ce danger sans lui apporter son aide.

Comment Joe pouvait-il lui demander de ne pas intervenir ? L'expérience ne leur avait-elle pas appris que le passé restait toujours vivant, qu'il vous poursuivait avec acharnement, vous asphyxiait de regrets ?

Sid Malone était le produit d'un passé violent et meurtrier. Le mal avait explosé en 1888 avec le tueur de Whitechapel, mais il venait aussi des seize heures de travail par jour qu'on imposait aux ouvriers pour cinq pence de l'heure. Il naissait dans les taudis qui faisaient le lit du vol et de la prostitution.

Un jour terrible, leur père avait été victime d'un accident à l'entrepôt de thé de la Compagnie Burton où il était employé. Ses enfants avaient eu toutes les peines du monde à s'habituer à sa disparition. Ils n'en avaient d'ailleurs guère eu le temps, car leur mère avait presque aussitôt été poignardée par le dément qu'on appelait Jack l'Éventreur. En trouvant sa mère morte dans la rue, Charlie avait perdu la tête. Il s'était sauvé et avait disparu. Quelques semaines plus tard, un corps avait été repêché dans la Tamise, en si mauvais état qu'il n'avait été identifié que par la montre retrouvée sur lui, un héritage familial transmis par leur père.

Restée seule avec Seamie, sans le sou, Fiona avait voulu toucher la compensation financière demandée par leur mère après le décès de leur père. La direction se faisant tirer l'oreille, elle était allée un soir au siège de la

Compagnie Burton, avec la ferme intention de s'entretenir avec le propriétaire. Mais, là, elle avait surpris une conversation entre William Burton et un criminel du nom de Bowler Sheehan. Elle avait ainsi appris que l'accident de son père n'en était pas un. Il avait été supprimé par Sheehan à la demande de Burton, pour la simple raison qu'il poussait les ouvriers à adhérer au syndicat des dockers. Surprise par les deux hommes, elle avait échappé de justesse à Burton et fui en jurant qu'il paierait pour son crime. Elle avait tenu parole : dix ans plus tard, elle revenait d'Amérique et prenait le contrôle de la Compagnie Burton.

Après une tentative d'assassinat manquée, Burton avait attiré Fiona dans un entrepôt désert et avait encore essayé de la supprimer. Elle n'avait eu la vie sauve que grâce à l'intervention de Sid Malone.

Depuis l'annonce par la presse de son incroyable prise de contrôle de la Compagnie Burton, son frère la faisait suivre à son insu par ses hommes, et c'est ainsi qu'il avait réussi à lui porter secours à bord d'une barque.

Charlie Finnegan, avait-elle alors appris, n'était pas mort en 1888.

Le jour où leur mère était morte, Charlie avait erré dans la ville, à moitié fou, ne sachant plus ni où il allait ni qui il était. Un soir qu'il fouillait dans une poubelle, affamé, il avait été attaqué par son vieil ennemi, Sid Malone. Sid lui avait volé sa montre et avait voulu le tuer. En se défendant, Charlie lui avait défoncé le crâne, et, pris de panique, il avait jeté le corps dans le fleuve en oubliant de récupérer sa montre.

Peu à peu, il avait recouvré la raison, s'était rappelé son nom et l'endroit où il vivait. Mais sa sœur n'y était plus. Seul, redoutant d'être accusé du meurtre de

Malone, il était allé trouver la seule personne en qui il avait confiance : Denny Quinn. C'était ce truand qui lui avait suggéré de prendre l'identité de Sid Malone. Malone avait été un solitaire, et ses cheveux roux lui donnaient une ressemblance avec Charlie. Si la police avait des soupçons et commençait à poser des questions, Malone referait surface, bien vivant. En retrouvant le frère qu'elle avait cru mort depuis si longtemps, Fiona avait manqué défaillir. Elle s'était jetée dans ses bras, en larmes, folle de bonheur. Puis, horrifiée d'apprendre qu'il était devenu voleur, elle l'avait supplié de changer de vie. Sa réaction avait tant blessé Charlie qu'il avait coupé court aux retrouvailles et refusait de la voir malgré ses efforts pour entrer en contact avec lui. Sur les conseils de Joe, elle avait caché à Seamie la déchéance de ce grand frère qu'il avait tant admiré. Il ne devait jamais savoir...

— Madame ! Voulez-vous bien vous rasseoir !

Fiona n'avait pas entendu Mel monter avec son thé.

— Vous êtes encore très pâle. Vous devriez rentrer chez vous. Je vais appeler votre cocher. En attendant, buvez, ça vous requinquera.

Fiona le remercia. Il avait raison, mieux valait rentrer. Alors qu'elle portait sa tasse à ses lèvres, son œil fut attiré par un objet brillant sur le plancher. C'étaient les six pence de Mel. Elle les ramassa. C'était dérisoire, mais, autrefois, une telle somme aurait pu lui éviter de dormir le ventre vide.

Cette pièce lui rappelait l'argent que Charlie avait tiré de ses poches dans le taudis où ils avaient trouvé refuge après la mort de leur père. Il y avait même un billet d'une livre, froissé et taché de sang. Cet argent, il l'avait gagné en boxant à poings nus.

— Tiens, avait-il dit, tu peux tout garder.

Elle aurait voulu pouvoir refuser, mais grâce à ces quelques sous providentiels, elle avait pu acheter du lait pour leur petite sœur encore bébé, de la viande, du charbon, des chaussures pour Seamie. Et payer le loyer, par-dessus le marché.

— Charlie… murmura-t-elle d'une voix brisée en fermant le poing sur la pièce.

Elle avait eu tellement besoin de lui. Ils n'avaient survécu que grâce à son aide. Pour eux, il avait même renoncé à son rêve de partir en Amérique.

Il ne voulait pas d'intermédiaires ? Eh bien, soit. Puisqu'il le fallait, elle se lancerait elle-même à sa recherche. Elle saurait l'obliger à entendre raison…

Malheureusement, elle ne disposait d'aucune piste. Avant d'être renvoyé par Joe, Bennett n'avait eu le temps que de lui parler d'un pub, au bord du fleuve, mais sans lui en révéler le nom.

Joe… Une immense culpabilité s'empara d'elle. Il serait très en colère s'il apprenait ses intentions, lui qui ne songeait qu'à la protéger. Son principe était de renoncer à l'impossible pour se tourner vers ce qu'il y avait de beau dans la vie. Elle avait tellement de chance. Elle était riche, heureuse. Vraiment heureuse. Et pourtant… comment vivre en sachant son frère hors-la-loi ? Comment se consoler de son absence ? Il ne viendrait jamais partager leur repas du dimanche ; son nom ne serait jamais prononcé par ses enfants ; sa photo n'apparaîtrait dans aucun album de famille.

Elle partirait à sa recherche. L'entreprise était périlleuse, mais elle n'avait pas le choix. Elle effectuerait ses démarches en secret, sans prévenir Joe. Cette dissimulation la mettait mal à l'aise, mais son époux ne changerait jamais d'avis. Après qu'elle aurait réussi, il verrait qu'il avait eu tort et lui pardonnerait. Charlie n'avait pas l'âme mauvaise. C'était son frère, et elle le sauverait.

— Madame ! cria Mel en remontant à grand bruit. La voiture est en bas !

Fiona se leva, faible mais décidée.

— Me voilà, Mel, me voilà.

Elle avait encore la pièce dans la main. Elle la serra fort dans son poing, puis la glissa dans sa poche. Elle avait le goût du jeu et, cette fois, elle pariait sur Charlie.

6

— Patron ! cria Frankie Betts, le trou est fait !

Sid Malone prit la lanterne pour éclairer le mur de brique. Il était percé, en effet. À travers l'ouverture, on distinguait le dernier étage de l'entrepôt voisin, communément appelé « la Forteresse », mais le passage était encore beaucoup trop étroit pour permettre à un homme d'y pénétrer.

— Ronnie, Oz, prenez le relais ! Vite !

Les masses changèrent de mains, et Ronnie et Oz s'acharnèrent sur le mur, tandis que les autres récupéraient les débris qu'ils entassaient dans des caisses vides.

Sid consulta sa montre. Minuit et demi. Plus qu'une heure avant l'arrivée du bateau de O'Neill, et deux avant le changement de marée. Il fallait avoir fini avant que l'eau ne soit trop basse.

— Desi, tu vois le veilleur de nuit de la Forteresse ?

— Oui, il est encore sur le pas de la porte à regarder passer les pompiers.

— Le gros paresseux !

Sid était furieux. Il avait chargé deux de ses hommes de mettre le feu à un entrepôt désaffecté de la rue voisine pour détourner l'attention. Comme prévu, l'incendie avait fait accourir tous les veilleurs de nuit du quartier, qui tentaient de le combattre. Tous, sauf celui qu'ils voulaient éloigner. C'était un énorme bonhomme de cent cinquante kilos, trop lourd pour marcher cent mètres. Il restait planté devant l'entrepôt dont il avait la garde pour profiter du spectacle sans se fatiguer. S'il rentrait dans la Forteresse, l'opération deviendrait beaucoup plus dangereuse. Pour l'instant, heureusement, grâce au va-et-vient des pompiers, les bruits du cambriolage étaient étouffés. Les cloches des voitures et le pas des chevaux faisaient un raffut de tous les diables.

— Vingt-deux ! hurla Desi.

Sid attrapa Ronnie par la chemise et Oz par le bras pour les arrêter, manquant recevoir un coup de masse sur la tête.

— Quoi ? demanda Oz, en nage.

— Chut, les flics ! souffla Sid. Desi, qu'est-ce qu'ils font ?

— Ils sont en bas, ils inspectent la serrure.

Sid se crispa.

— Bon, ça va, ils discutent avec notre gros voisin... Ils n'ont pas l'air pressés de partir. Alors, c'est-y pour aujourd'hui ou c'est-y pour demain ?...

— Et maintenant ?

— C'est bon, Patron, ils se barrent.

Sid respira enfin. Il s'empara de la masse d'Ozzie et s'attaqua lui-même au mur tant sa hâte d'en finir était grande. Sa poitrine nue laissait voir ses pectoraux d'athlète. L'impact violent de la fonte sur la brique lui ébranlait le corps, mais il ne sentait rien. Il cognait avec une force aveugle. Tom dut s'y reprendre à deux fois pour l'arrêter.

— Ça suffit ! Y a largement la place de passer.

Sid lâcha la masse et pénétra dans la Forteresse sans attendre. Ses cinq hommes le suivirent. Ozzie tenait la lanterne. Seul Desi resta en arrière pour faire le guet.

Se saisissant de la lanterne, Sid éclaira l'espace caverneux dans lequel ils venaient de pénétrer. Des rouleaux de tissus enveloppés dans du papier d'emballage s'entassaient devant eux. Des montagnes de rouleaux, mais pas de caisses.

— Frankie, on n'est pas venus faire de la couture ! maugréa-t-il. Où est la marchandise ?

— Mon pote m'a dit au sixième, mais il s'est peut-être gouré d'un étage. Y a qu'à essayer le cinquième.

Les hommes descendirent les marches, aussi silencieux que des ombres. Au cinquième, ils se déployèrent pour soulever les bâches et inspecter ce qu'elles couvraient. Après quelques minutes, Ozzie se rapprocha de Sid.

— Rien, Patron.

— Alors, c'est au quatrième ! décida Frankie qui s'engouffrait déjà dans l'escalier.

Sid consulta sa montre à la lueur de la lanterne. Ils avaient perdu un quart d'heure. Rien ne se passait comme prévu. Et maintenant, ils étaient coupés de Desi qui ne pouvait plus les avertir d'un éventuel danger. La police risquait de surgir à tout instant. Il donnait encore cinq minutes à Frankie pour trouver les caisses, puis ils battraient en retraite.

Au quatrième, Frankie s'attaquait à un couvercle avec un pied-de-biche. Les clous cédèrent dans un grincement strident qui fit serrer les dents à Sid. Un cri étouffé éclata.

— Ici, Patron ! Je les ai !

En le rejoignant, Sid repéra l'inscription imprimée sur le bois : *Armement automatique Winchester et Cie. Fabrique d'armes de Bonehill, Birmingham.* Frankie soupesa un fusil avec admiration.

— Dépêchons ! s'écria Sid. Maintenant, il va falloir remonter tout ça de deux étages avant de redescendre de l'autre côté. Où est le reste ?

Frankie reposa l'arme, puis entreprit de compter les caisses. Il y en avait cinquante-quatre de fusils et vingt de revolvers.

— Ronnie ! Garde une dizaine de Bristol pour nous dans un sac, ordonna Sid en indiquant les revolvers. Le reste, c'est pour le bateau. Allez, vite !

Les hommes formèrent des équipes de deux, comme convenu, et, portant chacun un bout des longues caisses de fusils, ils en montèrent trois jusqu'au sixième étage pour les faire passer dans l'entrepôt voisin. Ils peinaient, car chacune était chargée de vingt-cinq pièces, ce qui les rendait terriblement lourdes et d'un maniement malaisé. Sid s'impatientait. Le poids et les étages les ralentissaient, et il avait hâte de retrouver le contact avec son guet.

À leur arrivée, ils trouvèrent Desi au comble de l'agitation.

— Où que vous étiez passés ? J'ai cru que vous vous étiez fait alpaguer !

Sid lui expliqua rapidement la situation, ce qui ne rassura guère Desi.

— Ça me plaît pas ! On remplira jamais le bateau à temps !

— Si ! Continue de surveiller le veilleur de nuit par la fenêtre, souffla Sid, et passe par le trou pour nous avertir en cas de besoin.

Une à une, les caisses furent changées d'entrepôt. Le moindre raclement, le moindre choc risquait de donner l'alerte. Le vieil escalier en bois de la Forteresse craquait à chaque pas. C'était une torture pour les nerfs. À chaque aller-retour, les six hommes bravaient le danger. Quand il parvenait au trou, Sid vérifiait auprès de Desi qu'ils pouvaient continuer et, à son signe du pouce, il repartait. Mais, à l'avant-dernier voyage, Sid entendit une voix. Deux personnes se parlaient au pied de l'escalier.

— Stop ! souffla-t-il.

Ses hommes s'immobilisèrent sans poser leur charge. Sid et Frankie étaient les derniers, encore à découvert au quatrième. Sid se maudit : les revolvers avaient déjà été transférés du côté de Desi. Ils n'étaient pas chargés, mais auraient suffi à intimider le veilleur de nuit. Il n'avait même pas son couteau, resté dans la poche de sa veste. Comment avait-il pu commettre une telle imprudence ? Si le gardien montait, il faudrait le maîtriser à mains nues, au risque de le blesser, ce qu'il voulait éviter à tout prix.

L'opération était calculée pour se dérouler en douceur. Il comptait que la disparition des caisses ne serait découverte qu'au bout de plusieurs jours, de plusieurs semaines même, ce qui laisserait à O'Neill largement le temps de rentrer à Dublin sans être inquiété. Il boirait de la Guinness dans un pub du bord de la Liffey avant que les cognes ne commencent à se creuser la tête.

Si le veilleur de nuit s'en mêlait, cela accroîtrait les risques. Il faudrait se masquer le visage, assommer l'homme, le ligoter. Les débardeurs le retrouveraient le lendemain, ou sa femme avertirait la police qu'il n'était pas rentré. Dès lors, ce serait le branle-bas de combat.

Sid ne bougeait pas un cil, les muscles tendus par l'effort pour garder la caisse en l'air. Il tendait l'oreille, se sentant d'autant plus responsable que Desi avait voulu le dissuader de se lancer dans l'aventure.

— C'est du suicide, Patron. C'est la taule assurée. L'entrepôt n'a pas d'issue par le toit. Les portes sont blindées. Les murs ont un mètre cinquante d'épaisseur. C'est pas pour rien qu'on l'appelle la Forteresse.

— Tu parles, c'est ce qu'ils voudraient nous faire croire. Ça n'est pas plus une forteresse que cette pisse que tu sers n'est de la bière. Les murs sont épais, mais seulement en bas. Plus on monte, plus ils sont fins. Au sixième, ils ne font pas plus de trente centimètres.

— Comment tu sais ça ? grommela Desi, vexé.

— J'ai vu les plans.

— Non ! Comment tu les as eus ?

— On est allés à l'ordre des architectes avec Frankie, en habits du dimanche. On a raconté qu'on était du métier, et on nous les a montrés. Je vais te dire comment on va s'y prendre. On va entrer par l'entrepôt d'à côté, on va grimper au sixième, on va péter le mur de ta forteresse, on va récupérer la marchandise, planquer le trou et se tirer.

— Là, c'est drôlement fortiche, Patron ! s'était extasié Oz en se penchant sur les plans que Sid avait reproduits de mémoire. Les plans des architectes, fallait y penser… On va s'en mettre plein les fouilles.

Oui, ou ils allaient en prendre pour des années.

Une image revint à Sid. Une étendue grise constellée de noir et de blanc. Les dalles de la prison de Wormwood Scrubs. Du granit, avait-il pensé juste avant que son crâne cogne la pierre. Il avait senti une douleur fulgurante à la tête, puis le vide s'était fait pendant que

Wiggs le rouait de coups de pied. Des années plus tard, il entendait encore le rire mauvais du gardien de prison.

Des bruits de pas approchaient, accompagnés de voix. Une pause au palier du premier, puis l'ascension reprit jusqu'au deuxième. Les voix devenaient plus claires. Le gros veilleur de nuit était accompagné d'une femme. Ils parlaient de l'incendie. La femme voulait le voir du dernier étage. Sid l'entendait presque comme si elle était devant lui, car elle montait déjà vers le troisième. Dans quelques secondes, elle serait devant eux.

Alors, miraculeusement, le veilleur de nuit l'arrêta.

— Bon sang, protesta-t-il, haletant, c'est bien assez haut, tu comptes grimper jusqu'où, comme ça ? Tu verras très bien d'ici.

— Sûr ? Si je t'ai dit oui pour quatre pence, c'était pour admirer le spectacle. Faut que ça en vaille la peine !

— Eh ben, vas-y toute seule, ma cocotte. J'ai pas l'intention de m'esquinter à monter pour rien.

— Y a pas de rats au moins ?

— Si, plein !

— Ah ! glapit-elle. Bon, alors d'accord.

Sid entendit les talons de la curieuse redescendre au deuxième.

Il guetta le bruit, puis distingua quelques mots, suivis de halètements et de grognements. Il se tourna vers Frankie, qui tremblait ! Pourvu qu'il n'aille pas tout lâcher ! Mais ce n'était ni la peur ni le poids de la caisse qui causait ces secousses. Il étouffait de rire. Il se mordait les lèvres pour se contenir, mais des larmes brillaient dans ses yeux.

— Monte ! grogna Sid.

Frankie donna le signal convenu, et la troupe reprit son ascension en silence. Sid ne l'avait jamais vu avoir peur. Pourtant, l'affaire n'était pas à prendre à la légère.

Un vol d'armes n'avait rien en commun avec un vol de bijoux, d'argenterie ou d'œuvres d'art. Les juges punissaient très sévèrement ce genre de trafics. S'ils se faisaient coincer, ils écoperaient de vingt ans, au bas mot. Frankie était inconscient parce qu'il n'avait jamais fait de prison, ni eu affaire à des gardes-chiourme comme Wiggs. À part Betts, toute la bande avait connu la taule, sauf Desi qui, lui, avait pourtant bien conscience du danger. Il les attendait la trouille au ventre.

— Bon Dieu, j'ai vu le veilleur de nuit rentrer dans la Forteresse, mais je n'ai pas eu le temps de vous prévenir ! Le bateau de O'Neill est arrivé, j'ai entendu le moteur.

— Ça va ! Mais on a eu chaud, dit Sid en ramassant sa chemise et sa veste. On arrête là. Descends prévenir O'Neill qu'on arrive, et puis reviens nous aider à descendre la marchandise.

Pendant qu'il donnait ses instructions à Desi, deux de ses hommes étaient repassés dans la Forteresse, avaient porté des rouleaux de tissu jusqu'au mur, et les avaient entassés devant l'ouverture pour la camoufler. Ils passèrent en prenant garde de ne rien faire tomber et tirèrent à eux les rouleaux pour achever le travail. Ensuite, ils empilèrent les caisses remplies de débris de brique devant le trou, puis en ajoutèrent d'autres pour bien cacher le passage.

Sid regarda l'heure et commença à s'inquiéter. Il était presque deux heures. Ils auraient déjà dû avoir fini. Il ne leur restait pas plus d'une demi-heure pour sortir les soixante-douze caisses et les cacher dans la cale du bateau.

— Allez, les gars, du nerf. Mettez-en un coup, et pas

un bruit. Et surtout, n'oubliez pas la moitié de la marchandise en route.

Les hommes s'attelèrent aussitôt à la tâche. Ronnie était en nage. Ozzie avait ôté sa casquette pour s'essuyer le front. Pete soufflait comme un phoque. Ils étaient fatigués, mais ils étaient loin d'avoir terminé.

Au moins, à présent, il fallait descendre. Dans cet entrepôt comme dans celui d'à côté, les marches grinçaient, mais il n'y avait pas de veilleur de nuit. Larkin, le contremaître, fermait à clé le soir à sept heures et ne revenait qu'à six heures le lendemain matin. Jamais personne ne faisait de tour d'inspection. Sid le savait grâce à Ozzie qui s'était fait embaucher comme débardeur deux mois plus tôt. Il avait eu largement le temps, au cours des six semaines qu'il avait passées là, de repérer les habitudes et de gagner la confiance de Larkin qui le laissait même fermer la porte donnant sur le quai. Il n'y avait qu'une seule clé, qu'il devait lui rendre aussitôt pour éviter que des copies ne soient faites. Mais Ozzie n'avait pas eu besoin de longtemps pour imprimer sa forme dans un morceau de savon qu'il cachait dans sa poche. Ensuite, un comparse forgeron n'avait eu qu'à leur en fournir un double parfait. Munie de ce sésame, la bande était venue en barque jusqu'à la jetée et était entrée sans difficulté. Il suffirait de refermer à clé quand tout serait terminé, et ni vu ni connu...

S'ils ne se faisaient pas repérer entre-temps.

En arrivant en bas, Sid devina la silhouette de Desi dans le noir. La lumière de l'incendie, qui avait illuminé les étages, n'atteignait pas le rez-de-chaussée.

— Ça va ?

— Rien à signaler.

Oz et Ronnie posèrent leur caisse pour ouvrir en grand la porte d'accès au quai. Sid se dirigea vers le bateau, dont le moteur ronronnait. La voix furieuse de son capitaine, O'Neill, éclata.

— Par saint Patrick, qu'est-ce que vous fichiez ? Je vous attends depuis une demi-heure ! J'avais fait une croix dessus !

— Des petits soucis, expliqua Sid en montant à bord. La cale est ouverte ?

— Ben non, j'allais lever l'ancre !

Sid s'arrêta net, bloquant le passage à ses hommes qui le suivaient avec la marchandise.

— Tu les veux, tes fusils, oui ou non ?

— Je les veux, mais…

— Alors écrase et ouvre la cale en vitesse !

O'Neill obéit. Les premières caisses furent posées sur le pont. Oz et Ronnie sautèrent au fond et attrapèrent le chargement que leur passaient Sid et Frankie. Pendant ce temps, Tom et Dick repartaient chercher la suite.

— La marée descend, se plaignit O'Neill. Je ne vais jamais atteindre la mer avant l'aube avec ces histoires ! Si je me fais alpaguer en route avec des armes…

— C'est ton problème, mon gars ! Dégage l'accès à la cale et laisse-moi faire mon travail, c'est tout ce que je te demande.

Soudain, le bruit d'un deuxième moteur gronda dans la nuit.

Sid se tourna vers ses hommes.

— Police fluviale, vite, cachez-vous dans la cale !

O'Neill voulut sauter à son tour, mais Sid le retint.

— Non ! Toi, tu restes sur le pont et tu leur racontes que tu as un ennui mécanique.

— S'ils fouillent le bateau, je suis mort !

— T'as qu'à t'arranger pour être convaincant.

Le bourdonnement augmentait. Sid traversa le quai comme une flèche et se réfugia dans l'entrepôt que

Frankie ferma à clé derrière eux. Ils se plaquèrent contre le mur, loin des fenêtres, et tendirent l'oreille.

La patrouille cria quelque chose à O'Neill et s'amarra à la jetée. Sid risqua un coup d'œil par une lucarne. Éclairé par les lanternes de la police, O'Neill se frottait les mains avec un chiffon sale.

— Mon moteur fait des siennes, l'entendit-il expliquer. Y avait de la fumée, mais je crois qu'il va redémarrer.

— Vous transportez quoi ?

Un agent posa un pied sur le bord. Le bateau était haut sur l'eau : les trois caisses déjà chargées ne suffisaient pas à le lester.

— Je marche à vide, répondit O'Neill. Faut que je nettoie la cale. J'ai ramené du mouton de Dublin, mais les vers s'y sont mis et ça sent pas la rose.

L'homme fit la grimace et battit en retraite.

Bien joué ! songea Sid.

— Votre destination ?

— Entrepôt Butler. J'ai déchargé hier au soir. J'aurais dû attendre le matin, mais j'ai entendu dire dans un pub de Ramsgate qu'un client de Gravesend avait une cargaison de lames de faux à faire transporter à Dublin. J'espère conclure l'affaire avant la concurrence

Le chef de patrouille se tourna vers l'entrepôt. Sid se jeta sur le côté, se pressant contre la paroi pour mieux échapper aux regards. Des pas résonnèrent, puis la poignée bougea. La lumière d'une lanterne pénétra par la fenêtre et éclaira le plancher de sa lueur jaune, passa sur des caisses et des emballages, puis disparut enfin. Un instant plus tard, un tambourinement ébranla la porte.

— Ouvrez ! cria l'agent. Ouvrez là-dedans !

Comme de juste, personne ne bougea. Sid respirait à

peine. On frappa encore. Il allait donner le signal de la fuite quand une voix éclata.

— Dans cet entrepôt-là, je crois qu'il n'y a pas de veilleur de nuit.

— Vous avez entendu quelque chose pendant que vous étiez à quai ? demanda le chef de patrouille à O'Neill. Vous avez vu des mouvements suspects ?

— Non, mais j'étais dans la cale.

— Bon. Dépêchez-vous de terminer. Et je ne veux pas vous voir au retour !

Sid ferma les yeux et poussa un soupir de soulagement. Le régime du moteur monta en puissance, l'hélice brassa l'eau, et l'embarcation repartit.

Frankie rouvrit la porte. Tous se ruèrent pour chercher la marchandise restante, poussés par l'urgence. Ils travaillèrent à se faire exploser les poumons et à se déchirer les muscles. Malgré leur énergie retrouvée, il était presque trois heures de matin quand ils apportèrent les dernières caisses.

— Il n'y en a que soixante-neuf, protesta O'Neill qui comptait la marchandise sur le pont. On m'avait annoncé soixante-quinze. Il en manque six.

— On t'en rapporte encore trois. Ça fera soixante-douze, trancha Sid. On n'a pas pu avoir les trois dernières à cause du veilleur de nuit. Si tu y tiens, va te les chercher toi-même.

— Je ne paie pas la somme complète s'il n'y a pas le compte !

— Essaie si tu l'oses. Moi, je tâcherai de retenir mes hommes. Mais y sont sept, et je fais sûrement pas le poids.

O'Neill cracha dans l'eau, puis signala à Sid de le suivre dans la cabine. Il ouvrit le coffre-fort, prit une enveloppe à l'intérieur et la lui tendit. Sid compta les billets. Les deux mille livres convenues y étaient.

— Les Irlandais sont de bons payeurs, commenta-t-il.

— La lutte contre le tyran britannique n'a pas de prix. Vive l'Irlande libre ! Ce n'est que justice que des fusils anglais tirent contre les despotes anglais.

Sid hocha la tête en empochant son dû, l'écoutant à peine.

— Malone, je ne te comprends pas. Tu es irlandais, pourtant, avec un nom pareil ! Tu devrais donner ces armes à la cause au lieu de les vendre ! Participe à la lutte, camarade !

— Je ne me bats que pour une seule cause, la mienne, mon vieux.

Il ajouta que c'était un plaisir de travailler avec des hommes de parole, puis il descendit du bateau.

C'est alors que l'expédition vira au cauchemar.

Au moment où il remettait le pied sur la jetée, il vit Oz et Ronnie arriver en courant avec une caisse. Tom et Dick les suivaient de près avec une autre, tandis que Frankie portait seul la dernière, sur l'épaule. La charge, beaucoup trop lourde, le faisait tituber. Desi, resté à l'arrière, verrouillait la porte de l'entrepôt. Il courut au bateau, encombré par le sac de revolvers et les masses, tout en criant :

— Vite ! Vite ! Le contremaître est là !

Justement ce soir ! Alors que ses hommes surveillaient les lieux depuis trois semaines pour s'assurer que cela n'arrivait jamais !

— Ça doit être à cause de l'incendie. Il s'est inquiété pour sa marchandise. Vite, montez !

— Hé ! Minute ! protesta O'Neill, bousculé par Oz et Ronnie.

Sid plongea la main dans la poche de sa veste et O'Neill se retrouva avec une lame de quinze centimètres sous le nez.

— Tu nous emmènes au Bark, et pas de discussion ! gronda-t-il.

O'Neill ravala ses objections. Desi, Oz, Pete et Ronnie étaient à bord, les autres suivaient.

— Vite ! cria Sid à Tom et à Dick.

Pendant que les deux hommes tiraient leur caisse sur le pont, Sid sauta sur la jetée pour aider Frankie. Mais à l'instant où il tendait les bras pour attraper un bout de la caisse, son lieutenant trébucha. Son chargement versa en avant, frappant Sid en pleine tête. Il tituba, à moitié assommé par le choc. Un pas en arrière, deux... et il ne sentit plus rien sous ses pieds. Il tomba à l'eau, droit sur un pilier immergé.

Le bois lui déchira le côté. Il ouvrit la bouche pour crier, mais elle se remplit d'eau. Aveuglé, asphyxié, il n'arrivait pas à refaire surface. Son bras droit était paralysé. Les poumons près d'éclater, il parvint à agripper le pilier de sa main gauche et donna une poussée pour remonter. Quand sa tête jaillit hors de l'eau, il entendit les cris étouffés de ses hommes qui l'appelaient, affolés. Un bourdonnement approchait : celui de la vedette qui rentrait de patrouille. Sans l'épais brouillard, ils auraient été perdus.

— Une corde ! cria Frankie. Envoyez-lui une corde !

Sid, lui, ne pensait qu'à la caisse tombée au bord de la jetée. Si la police la découvrait, il n'y avait plus rien à espérer.

— Laissez-moi ! Chargez la dernière caisse ! ordonna-t-il.

Le ronronnement du moteur s'amplifiait. L'embarcation de la police fluviale allait émerger de la nuit embrumée d'un instant à l'autre. Sid lâcha le pilier pour s'éloigner de la jetée et des pales meurtrières du bateau. Autour de lui, l'eau se noircissait de sang.

— O'Neill, une corde ! hurlait Frankie.

Il criait trop fort. Sid éprouva un vif soulagement en entendant O'Neill remettre le moteur en marche : cela masquerait les bruits. À plat ventre sur la jetée, Frankie tendait les bras vers lui.

— Laisse-moi, va te cacher dans la cale, cria Sid.

— Non !

— Monte à bord !

La police n'était plus qu'à quelques mètres. Sid se savait perdu. Il saignait trop abondamment. Il allait s'évanouir et se noyer. Mais la mort était préférable à la prison. Ses hommes, eux, gardaient une chance de s'en sortir s'ils consentaient à l'abandonner. Oz et Ronnie, enfin, portèrent la caisse à bord. Il vit Frankie jeter un regard apeuré vers la vedette qui arrivait. Il allait se décider, Dieu merci. Mais non, au lieu de se relever, il se laissa glisser dans l'eau pour le rejoindre.

— Je t'avais dit de partir !

— J'avais pas compris, marmonna Frankie.

Il passa un bras autour de Sid et le tira sous l'avancée du quai juste au moment où la police accostait. Pour ne pas dériver, il s'accrocha à un filin rongé par l'eau qui pendait au-dessous.

— Y m'en a donné du fil à retordre, ce piston ! cria O'Neill. Je m'en vais ! ajouta t-il en mettant toute la puissance.

— Le saligaud essaie de nous tuer, lâcha Frankie qui devait bander ses muscles pour ne pas être entraîné.

Sid devinait qu'au contraire c'était pour distraire la patrouille qu'il agitait l'eau. Ainsi, il masquait les bruits et camouflait le fait que la ligne de flottaison avait baissé.

— Bonsoir la compagnie ! cria O'Neill en manœuvrant pour quitter la jetée.

Dieu merci, songea Sid, les hommes seraient bientôt hors de danger.

— Courage, murmura Frankie. Les gars vont revenir nous récupérer.

Sid cligna des paupières pour acquiescer, puis ses yeux se fermèrent. Il entendit des pas sur le ponton, et la voix du contremaître Larkin, attiré par le bruit, demanda à la police ce qui se passait.

— Un batelier qui réparait son moteur, lui répondit-on. Tout va bien chez vous ?

— Parfaitement.

— Vous êtes sûr ? Pas de trace d'effraction, pas de marchandise volée ?

— La porte de devant et celle du quai sont bouclées. Rien n'a bougé.

Il souhaita le bonsoir à la patrouille et retourna dans son entrepôt. Une fois la vedette repartie, le silence se répandit sur la Tamise. Sid et Frankie surnageaient tant bien que mal dans l'eau glacée. Sid souffrait atrocement. Un froid mortel l'envahissait.

— Frankie, murmura-t-il.

— Oui, Patron ?

— Je voulais te dire…

— Que tu m'aimes ?

Sid lui fut reconnaissant de plaisanter. C'était ainsi qu'il voulait partir, un sourire aux lèvres.

— Non, le fric… Il est dans la poche de ma veste. Fais des parts égales et donne la mienne à Gemma.

— Tu t'en chargeras toi-même demain.

La voix de Frankie semblait lointaine. Sid ne sentait

plus rien. Il n'avait plus froid. Le noir l'enveloppait, et il se laissa emporter dans l'abîme ténébreux de l'inconscience.

7

— Pas de condoms ?

— Il n'en veut à aucun prix.

— Des diaphragmes, alors ?

— Non plus.

— Des éponges, au moins ! s'écria India en s'arrêtant net au milieu de Brick Lane pour prendre Ella à partie.

— Il n'y a pas de meilleur moyen de vous faire renvoyer. Au moindre soupçon, Gifford se débarrassera de vous.

— Nous serons très discrètes.

— Même si nous arrivons à garder le secret, qui paiera ?

— C'est vrai... Je n'avais pas pensé à l'aspect financier.

Et comment vous les procurer ? Les fournisseurs de matériel médical en vendent, mais ils connaissent Gifford. Si vous commandez des préservatifs, vous pouvez être sûre que l'un d'eux le lui dira.

Ella retint India par la manche pour l'empêcher de traverser devant la charrette d'un laitier.

— Ne vous faites pas tuer juste avant d'arriver au restaurant de mes parents.

— Merci... Mais c'est incroyable qu'il défende des positions aussi rétrogrades ! Comment peut-il interdire l'utilisation du chloroforme ? Priver les femmes de ce soulagement pendant l'accouchement, c'est d'une cruauté ! Vous l'avez entendu ?

— Oui, et plus d'une fois. Je l'ai assisté lors de je ne sais combien d'accouchements terribles, et lui, il arrive à lire pendant que ses patientes souffrent le martyre. J'ai envie de me sauver, mais je reste parce que les malheureuses ne peuvent compter que sur moi pour les soulager. Je leur masse les pieds, je les laisse s'agripper à mes mains. Pendant ce temps, lui, il ne bouge pas le petit doigt. Il regarde sa montre et leur recommande d'avoir un peu plus de courage. Il leur cite la Genèse, leur répète qu'elles doivent enfanter dans la douleur et penser à Jésus. Jésus ! S'il avait lui-même mis au monde un enfant, je ne dis pas…

— Je suis abasourdie. Dans le milieu médical, Gifford a une réputation de saint homme parce qu'il utilise l'argent que lui rapporte son cabinet de Harley Street pour exercer dans les quartiers pauvres.

— Ne me faites pas rire ! C'est moi qui me charge de la comptabilité des deux cabinets. Celui de Whitechapel lui rapporte plus que l'autre. Évidemment, quand on reçoit entre cinquante et soixante patients par jour en ne leur accordant que dix minutes…

— Je ne peux pas travailler pour cet homme !

— Il le faut, les gens de Whitechapel ont besoin de vous.

Elles traversèrent devant la synagogue. India se rappela alors qu'elles se trouvaient en plein cœur du quartier juif de Whitechapel, une enclave située autour de l'artère principale, limitée par Aldgate à l'ouest et le cimetière juif à l'est.

Il était très tôt. Six heures n'avaient pas encore sonné, mais les rues étaient déjà très animées. Les tailleurs portaient des ballots de tissu. Les menuisiers partaient au travail, leurs outils dans des sacs de toile. Les mitrons transportaient des paniers de pain noir sur l'épaule. Dans un étroit passage menant à un abattoir, un *shochet*' aiguisait son couteau.

Des tombereaux, marqués d'inscriptions en hébreu, s'arrêtaient pour livrer du charbon ou d'autres marchandises. Sur les murs, des affiches annonçaient un peu de tout : un discours du célèbre anarchiste russe, le prince Kropotkine ; une réunion avec des socialistes polonais ; les services d'entremetteurs pour réussir les mariages.

India n'avait jamais entendu parler autant de langues différentes à Londres. Une femme lança une salutation en russe du pas de sa porte, et India fut surprise qu'Ella comprenne et réponde.

— Vous parlez russe ?

— Oui. Ma famille est originaire de Saint-Pétersbourg. Je parle aussi un peu polonais. Ici, on baragouine de tout, le roumain, le hollandais, l'allemand, le lituanien et l'ukrainien aussi. Les gens viennent de partout, dans ce quartier. Les enfants savent l'anglais, mais les parents, moins. Les grands-parents n'en connaissent que quelques mots.

— Et tout le monde se comprend ?

— Oui, grâce au yiddish

— Comme c'est bizarre… Mais d'où vient-elle, cette langue ?

— Elle vient du cœur ! s'esclaffa Ella.

Elle s'arrêta devant une humble maison de brique.

— Nous y sommes. Je meurs de faim.

India remarqua que les vitres étaient d'une propreté irréprochable et que l'enseigne semblait fraîchement repeinte. *Moskowitz. Cuisine casher maison.* Le petit établissement était rempli de monde. Artisans, ouvriers et ouvrières s'y restauraient au coude-à-coude. Les ménagères se pressaient au comptoir pour acheter des bagels et des tranches de babka, le traditionnel gâteau polonais, pour le petit déjeuner familial. Des anciens, portant la barbe, étaient regroupés autour du samovar et buvaient le thé, fort et sucré, la main crispée sur leurs cannes. Ici et là, on reconnaissait les immigrants récents qui semblaient tout droit sortis de leur campagne, les femmes enveloppées dans des châles chamarrés.

Ella trouva deux places, fit asseoir la doctoresse puis partit chercher sa mère. Pendant ce temps, India glissa sa sacoche sous son siège, puis se servit un thé très noir dès qu'on lui apporta la théière. Elle en avait grand besoin, car elle dormait debout.

Ni elle ni Ella n'avaient fermé l'œil de la nuit. L'accouchement avait été très difficile. Le gamin les avait conduites dans la partie la plus pauvre de Whitechapel, à Dolan's Rent, une ruelle malsaine qui donnait dans Dorset Street. À leur arrivée, le début du travail remontait à une vingtaine d'heures, et Mme Stokes et son enfant étaient en grande détresse.

La parturiente ne cessait de gémir entre les contractions et hurlait pendant toute leur durée. India se dépêcha d'ôter sa veste et d'attacher un tablier sur ses vêtements. Elle roula ses manches pendant qu'Ella sortait les instruments de la sacoche.

Le mari était absent, et les trois jeunes enfants tremblaient dans un coin.

— Vous avez de l'eau chaude ? demanda India.

Le plus âgé désigna la bouilloire sur le fourneau à bois.

— Verse-la dans une cuvette, s'il te plaît, et donne-nous du savon.

— Je veux un docteur, haleta Mme Stokes, pas de sage-femme. La dernière a failli me tuer.

— Je suis docteur, madame, répondit India.

Pour procéder à l'auscultation, elle eut du mal à persuader la patiente de joindre les pieds et d'écarter les genoux. S'exprimant d'une voix calme et rassurante, elle plaça une main sur le ventre, et introduisit l'autre pour palper le col de l'utérus et la tête de l'enfant.

— Dilatation quatre centimètres. Position occipitale postérieure, dit-elle à Ella.

Elle écouta le cœur du bébé puis ajouta :

— Fluctuation du rythme cardiaque. Compression ombilicale suspectée. Région pelvienne très tendue.

Cela suffirait à Ella pour se faire une idée claire de la situation. Mme Stokes était encore très peu dilatée. Le bébé était en mauvaise position, le crâne pressé contre la colonne vertébrale maternelle, ce qui accentuait les douleurs. Son rythme cardiaque était anormal, sans doute parce qu'il avait le cordon enroulé autour du cou. India avait senti une déformation du bassin, et ne s'en étonnait pas. Les femmes des quartiers défavorisés souffraient souvent de rachitisme, une maladie due à la malnutrition qui déformait les os et compliquait terriblement les accouchements.

Pendant qu'India terminait son examen, Ella sortit le forceps, les pinces et les ciseaux, la gaze, les aiguilles, une bobine de soie à suturer, du désinfectant. Il lui restait un dernier instrument à prendre dans la sacoche, le céphalotribe.

En le voyant, India fit non de la tête. Cet instrument, en forme de forceps, n'était utilisé que s'il n'y avait aucun espoir de sauver l'enfant, mais qu'il restait une chance à la mère. Ses mâchoires puissantes servaient à broyer le crâne du fœtus mort pour le tirer du corps de la femme. India en transportait un – il le fallait bien – mais elle le détestait. Pour elle, c'était un instrument de boucher. De bouchers, d'ivrognes et d'incompétents.

— Je n'en veux pas, rangez-le. Je ne m'en suis encore jamais servi, et je ne tiens pas à commencer cette nuit.

— Vous êtes sûre ? Le Dr Gifford le demande toujours au cas où.

— Ce n'est pas lui qui accouche cette femme.

Le Dr Gifford avait beau lui en avoir interdit l'utilisation, il restait un peu de chloroforme à India. Ce produit ne suffirait pas à calmer entièrement la douleur, mais la rendrait plus supportable, ce qui permettrait à la mère de respirer plus librement. Ses contractions seraient plus efficaces, son col utérin se dilaterait et les ligaments de ses os déformés s'étireraient assez pour permettre à India d'extraire l'enfant.

Ella en versa quelques gouttes sur une compresse avec d'infinies précautions, puis l'appuya sur le nez et la bouche de Mme Stokes. Celle-ci s'accrocha à son poignet avec des larmes de soulagement, et India maudit Gifford une fois de plus.

Quand la douleur se fut calmée, India et Ella firent le point. India avait appris auprès de sages-femmes expérimentées que la position assise ou accroupie aidait le bébé à descendre. Il était aussi recommandé de marcher pour hâter le processus. On lui avait enseigné l'art du massage, les infusions de plantes bénéfiques et l'importance de laisser crier les mères pendant l'accouchement pour favoriser la dilatation.

India et Ella passèrent la nuit à faire marcher leur patiente quand elle en avait la force. Le reste du temps, elles lui massaient les tempes, les bras, les jambes ; elles lui appliquèrent des compresses chaudes, lui donnèrent à boire des tisanes de menthe pouliot et de gingembre, lui administrèrent de l'huile de ricin, tout en faisant durer le plus possible le peu de chloroforme dont elles disposaient.

Le temps semblait très long. Au milieu de la nuit, à un moment où Mme Stokes sommeillait, India et Ella, épuisées, se rendirent compte qu'elles étaient affamées. Ella se rappela heureusement qu'il lui restait une partie de leur déjeuner. India se sentit revivre à la perspective de cette collation, mais elle entendit alors un gémissement dans le coin où les enfants dormaient. Le plus jeune dévorait la nourriture des yeux. Elle échangea un regard avec Ella, quêtant son approbation, puis apporta le repas aux petits.

— Elle va mourir, ma maman ? demanda la fillette quand elle eut terminé son repas. J'espère que non, parce que notre père nous bat. Ma mère n'arrive pas à l'en empêcher. Il dit qu'on n'est pas de lui. Il dit qu'on est des mochetés de bâtards. C'est vrai, m'dame, que je suis une mocheté de bâtarde ?

India resta interdite, puis répondit :

— Non, ma chérie. Certainement pas. Tu es très jolie. Tu veux que je te raconte une histoire ?

— Oh, oui !

India prit la fillette sur ses genoux et lui raconta *Le Vilain Petit Canard*. Au moment où le caneton apprend qu'il est devenu un beau cygne, les yeux de la petite se mirent à pétiller.

India aussi adorait ce conte d'enfant mal aimé. À cinq ans, son père la traitait de dégoûtante à cause de sa passion pour les animaux blessés. À dix ans, sa sœur se moquait de ses premières lunettes. À seize ans, sa mère, la jugeant irrémédiablement disgracieuse, lui avait conseillé de cultiver le charme qui lui manquait tant. Il lui était arrivé de se métamorphoser en cygne, mais si rarement… Elle avait parfois été heureuse avec sa nounou, Hodfie, avec Hugh aussi, quand il la prenait dans ses bras en lui disant qu'elle était belle. À la faculté de médecine, enfin, elle s'était parfois senti des ailes.

India coucha la fillette sur la pile de vieux vêtements, de toile de jute et de chiffons qui formait la paillasse des enfants. Elle reçut un baiser en remerciement, puis entendit la petite voix ensommeillée lui dire :

— Ça doit être bien d'être un cygne…

India la couva d'un regard attendri pendant qu'elle s'endormait et se demanda comment la convaincre que c'était à la portée de tous.

— Elle est prête à recommencer, annonça Ella.

Mme Stokes s'était redressée dans le lit, haletante, au début d'une contraction.

— J'arrive.

Elle récupéra une mince couverture, un drap usé et son propre manteau qu'elle roula pour caler la mère en l'absence d'oreillers.

— Penchez-vous en avant, Mme Stokes, faites le dos rond. Voilà, bien rond, rentrez le menton et tenez-vous à vos cuisses…

— Je ne peux pas… Je ne peux plus, c'est trop dur. Le dernier m'a complètement déchirée !

India le savait, ayant vu les cicatrices.

— Nous ferons très attention pour celui-ci. Nous allons aller aussi lentement que nécessaire. Ne craignez rien.

India vit qu'elle ne la croyait pas.

— Faites-moi confiance. Quand je vous donnerai le signal, poussez de toutes vos forces pendant que je compte. À dix, vous pourrez vous reposer un peu. Entendu ?

— Oui.

— Bien. Inspirez à fond, et… poussez !

Pendant près de deux heures, Mme Stokes poussa pendant qu'India et Ella lui tenaient les jambes en l'encourageant. Elle pleurait entre chaque contraction, jurant qu'elle n'en pouvait plus, mais Ella lui essuyait le visage et India la convainquait de recommencer, rien qu'une fois.

Enfin, à quatre heures du matin, le crâne du bébé apparut.

— Doucement, maintenant. Respirez bien à fond. C'est ça. Ne poussez plus un instant… attendez… nous y sommes presque.

India manipulait l'enfant pour l'aider à sortir. Quand la tête eut passé le dernier obstacle, Mme Stokes retomba en arrière avec un rire de soulagement.

Mais India ne partageait pas sa joie. Le cordon entourait le cou du bébé dont la peau avait une teinte bleutée.

— On le coupe, Ella !

Ella plaça rapidement des pinces en deux endroits du cordon. India sectionna entre les deux puis sortit le bébé du ventre de sa mère. C'était un garçon, mais il ne bougeait pas.

— Allez, petit, murmura-t-elle en le posant sur le lit.

Elle introduisit le doigt dans la bouche pour la dégager du mucus et fit ventouse sur le nez. Ne voyant toujours pas de réaction, elle le souleva. Tenant le dos de la main gauche, elle prit les jambes dans la main droite et fit doucement cambrer la colonne vertébrale pour bomber la cage thoracique. Ainsi, les organes abdominaux appuyaient sur le diaphragme, et l'air était aspiré dans les poumons. Ensuite, elle effectua le mouvement inverse, ramenant les genoux au visage pour expulser l'air. Il ne voulait toujours pas revenir, mais elle ne lâcherait pas. Elle avait passé la nuit à l'extraire de sa prison, et refusait de s'avouer vaincue. Elle recommença la manipulation, tension et compression, une fois, deux fois. Toujours rien. Et puis, miracle, le bébé eut un soubresaut et poussa un piaillement. Le petit cri s'amplifia et devint un vagissement. India entendit le sanglot de soulagement de la mère. Elle les avait sauvés tous les deux. Ils étaient épuisés, meurtris, mais vivants.

Voilà ! songea India avec un sourire en enveloppant le nourrisson dans un linge. Elle le prit dans ses bras en jetant un coup d'œil à ses frères et sœurs qui dormaient encore. Si la fillette avait été éveillée, elle lui aurait montré son petit frère et lui aurait expliqué que cette naissance l'avait pour un moment transformée en cygne.

— Vous dormez ?

India ouvrit les yeux. Ella, qui revenait avec une assiette de toasts et un pot de confiture, s'assit en face d'elle.

— Quelle nuit ! Et malheureusement, nous la reverrons dans neuf mois.

— Elle ne survivra pas à une autre grossesse, j'ai été très claire avec elle.

La conversation n'avait pas été facile.

— Madame Stokes, il ne faut surtout plus avoir d'autres enfants. Cessez tout rapport avec votre mari.

— Comment vous voulez que je me débrouille ?

— Vous n'avez qu'à lui dire non.

Mme Stokes avait eu l'air consternée.

— Allez dire non à un maçon de cent kilos !

Ella était alors intervenue. Elle lui avait conseillé d'utiliser un demi-citron évidé, ou une petite éponge trempée dans du vinaigre. Mais la pauvre femme avait déjà essayé les deux méthodes qui ne lui avaient servi à rien. India lui avait alors parlé des préservatifs masculins que vendaient certains pharmaciens. Mme Stokes avait secoué la tête.

— Vous rêvez ! On en trouve, bien sûr, mais personne ne peut s'en payer. Qui voudrait dépenser deux shillings et trois pence pour en acheter un ?

India avait considéré cette malheureuse qui venait de frôler la mort. Son bébé tétait goulûment un sein à peine capable de lui donner du lait. Sa ribambelle d'enfants ouvrait des yeux inquiets. Il aurait fallu avoir un moyen de l'aider…

India ne pensait qu'à cela en se versant une nouvelle tasse de thé.

— Ella, il faut faire quelque chose.

— Oui, mais comment s'y prendre ?

— En distribuant gratuitement des contraceptifs.

— Pas chez Gifford, c'est trop dangereux.

— Mais c'est vous qui m'en avez donné l'idée hier.

— Comment ça ?

— En disant que j'avais le devoir d'aider les pauvres malgré ses interdictions.

— Ne m'écoutez pas, je parle trop.

— On voit des drames terribles à la faculté de médecine, vous savez. Des bébés étouffés par des mères rendues folles à cause de leurs pleurs. Des adolescentes battues à mort par leur père pour être tombées enceintes. Des femmes devenues impotentes à cause de grossesses répétées.

— Eh bien, vous êtes optimiste, ce matin !

— Il faut agir, Ella. Commencer par quelque chose, au moins, même si c'est peu.

— Comme prendre notre petit déjeuner par exemple ?

— Je ne plaisante pas.

— Mais enfin, que pouvons-nous faire, toutes seules ?

— Dispenser des soins gratuits aux femmes et aux enfants de Whitechapel.

— Rien que ça ?

India dardait sur Ella un regard gris d'une intensité peu commune. Elles ne se connaissaient que depuis vingt-quatre heures, mais India se sentait déjà très proche de cette jeune femme aux yeux bruns et chaleureux si différents des siens. Peut-être était-ce leur nuit difficile qui les avait rendues si vite intimes. Quoi qu'il en soit, India, qui pourtant se livrait peu, n'hésita pas à se confier à elle.

— J'ai depuis longtemps le projet d'ouvrir un dispensaire pour les pauvres. Il s'agirait de soigner les malades, bien sûr, mais pas seulement. La meilleure médecine est préventive. Si nous examinions les enfants quand ils sont jeunes, même avant leur naissance, nous pourrions faire tant de bien. Il s'agirait de s'occuper des femmes enceintes et des nourrissons, de conseiller les jeunes mères sur la nutrition et l'hygiène, de les aider à limiter les naissances…

India était tellement passionnée par ses idées qu'elle ne remarqua pas qu'Ella tirait un petit livre de son sac. Elle ne le vit que quand elle l'eut sous le nez. C'était l'ouvrage de Florence Nightingale, *Notes d'introduction sur l'installation des maternités.*

— Je connais ce livre par cœur ! s'exclama India, les yeux brillants. Je partage tout particulièrement l'idée que chaque accouchée devrait disposer d'un espace de soixante-cinq mètres cubes et d'une fenêtre.

— Je rêve d'être infirmière dans une maternité du genre qu'elle décrit : hygiénique, moderne, avec tout le confort.

— Un endroit facile à nettoyer, bien ventilé, avec du linge propre.

— Qui offrirait de la nourriture saine et du lait frais.

— Avec une équipe médicale complète. Des infirmières qui assureraient des visites à domicile après la sortie des accouchées pour suivre les mères et les enfants.

— Il y aurait une salle consacrée exclusivement aux maladies féminines et une autre aux maladies infantiles.

— Un bloc opératoire moderne, géré selon les principes de Lister sur l'antisepsie.

— Alors là ! s'exclama Ella, un bloc opératoire, là, c'est ambitieux !

— Un peu trop, concéda India. Il faudra peut-être attendre. Commencer par un endroit plus modeste.

— Un dispensaire, même petit, coûterait une fortune. Avez-vous de l'argent ?

— Oui, je fais des économies.

— De combien disposez-vous ?

— De cinquante livres. C'est la somme que j'ai obtenue grâce à mes prix à la faculté.

— C'est tout ? On ne pourrait même pas acheter une charrette des quatre-saisons avec ça.

— Mon bas de laine va s'étoffer. Je vais y ajouter mes salaires.

— Mais vous n'avez encore rien touché !

— Ce n'est qu'une question de temps. J'y arriverai, Ella. Je veux agir.

Ella leva les yeux au ciel mais ne put rien ajouter car sa mère apportait deux assiettes avec des œufs sur le plat, des galettes de pommes de terre et de la compote de pommes. Elle les posa sur la table sans façon, puis elle prit le visage de sa fille dans ses mains pour lui embrasser le front.

C'était un geste si tendre, si sincèrement aimant, qu'on aurait pu croire qu'elles se retrouvaient après dix ans de séparation. Et Mme Moskowitz, songea India, doit embrasser sa fille ainsi tous les jours. Gênée, elle détourna les yeux. Jamais ses parents ne l'avaient embrassée de cette façon. Sa mère lui tendait la joue quand elle était toute petite, et lui autorisait un baiser si elle promettait de ne pas froisser sa robe.

Mme Moskowitz s'assit à côté d'elles.

— De quoi parliez-vous aussi passionnément ?

Ella lui présenta India et lui confia leur rêve commun d'ouvrir une clinique pour soigner les mères et les enfants. Un rêve qui avait peu de chances de se réaliser.

Sa mère ne l'entendit pas de cette oreille.

— Il ne faut pas se décourager avant d'avoir commencé ! Vous y arriverez si vous vous donnez un peu de mal. Aide-toi et le ciel...

— *Mamaleh !* Arrête...

— ... et le ciel t'aidera, Ella ! acheva sa mère en lui agitant un doigt sous le nez. Il n'y a pas d'« arrête » qui tienne. Tu sais que j'ai raison.

Elle fit signe à son mari et cria :

— Monsieur Moskowitz ! Puisque tu descends à la cave, remonte-moi des œufs, tu veux ?

Le brave homme, en pleine conversation devant le samovar, lui jeta un regard étonné.

— Trois douzaines, s'il te plaît, ajouta sa femme.

Il se résigna avec un soupir.

Mme Moskowitz, cependant, faisait le tour de sa petite famille. Elle arrêta les yeux sur un jeune homme et un adolescent qui traînaient devant leur petit déjeuner.

— Yanki, Aaron, que faites-vous là ?

— Dans quel sens, maman ? demanda Yanki. Au sens métaphysique ou matériel ?

— Pas d'insolence, jeune homme, nous ne sommes pas à la *yeshiva* ! On ne fait pas le malin quand on a encore besoin de sa mère pour beurrer ses tartines. Tu vas être en retard. Aaron, viens voir ici… Tu t'es lavé ? Montre tes oreilles !

— Maman !

— Débarbouille-toi avant de sortir !

Elle se tourna vers India et Ella.

— Les enfants font toujours pleurer leurs pauvres mères. Vous en avez, docteur Jones ?

— Vous pouvez m'appeler India. Non, je n'ai pas d'enfants. Je ne suis pas mariée.

— Je ne comprends pas les jeunes. Je voudrais bien savoir pourquoi de jolies filles comme vous préfèrent passer leur temps avec des malades plutôt que de se marier. Comment voulez-vous trouver un mari avec vos têtes de déterrées ? Regardez-vous ! Pâles, les traits tirés, les yeux cernés. Qui voudrait de vous ? Arrangez-vous un peu. Mettez des bijoux, un peu de parfum, ça ne vous ferait pas de mal.

Elle pinça les joues d'India pour les rosir.

— *Eine shayna maidel*, jugea-t-elle. Jolie, mais la coiffure ne va pas du tout.

— Maman, assez ! protesta Ella.

Le jeune livreur revenant d'une course, Mme Moskowitz bondit pour lui adresser des reproches. Il avait, d'après elle, traîné en route. La conversation en resta là, car elle en profita pour reprendre sa place à la caisse.

— Désolée, India. Ma mère aime un peu trop se mêler de ce qui ne la regarde pas.

— Moi, je la trouve très gentille, et elle a raison.

— Pour votre coiffure ?

— Non, pour ce projet. Il ne faut pas attendre pour commencer, même modestement.

— Comment ?

— D'abord, en donnant à Mme Stokes et à toutes nos patientes des moyens de contraception fiables et peu chers. Il doit bien y avoir un pharmacien ou un médecin qui pourrait nous approvisionner à bon marché. C'est la priorité !

— Il nous faudra rester très discrètes.

India hocha la tête. La contraception n'était pas illégale, et les femmes de la bourgeoisie obtenaient des ordonnances autant qu'elles en voulaient, à condition de ne pas le crier sur les toits. Mais dans les cercles religieux et politiques, les hommes de pouvoir, soutenus par les propriétaires de journaux, condamnaient de façon très virulente ce qu'ils considéraient comme un acte immoral. On menait la vie dure aux défenseurs de la contraception. Des militantes s'étaient vu calomnier, jeter en prison, on leur avait même arraché leurs enfants, uniquement parce qu'elles osaient publier des brochures sur le contrôle des naissances.

— Nous ferons très attention.

— Alors très bien, docteur Jones, conclut Ella avec enthousiasme. Aujourd'hui, nous nous occupons de Mme Stokes, et demain, nous construirons une belle maternité, propre et aérée, pour les femmes de Whitechapel.

— Ce qui est dit est dit !

Elles trinquèrent avec leurs tasses et attaquèrent leur repas. Ella obligea India à terminer son assiette, car elle aurait besoin de toutes ses forces pour assurer la consultation du Dr Gifford ce jour-là, d'autant qu'elle devait se charger de la visite à l'hôpital le soir.

India se demanda comment elle allait tenir. Ella aussi était fatiguée… mais à deux, elles étaient plus fortes. Ensemble, elles y arriveraient. Quel bonheur d'avoir trouvé une alliée !

Il ne leur restait plus qu'à retrousser leurs manches et à commencer à changer les choses.

8

Freddie Lytton ne laissait pas les femmes indifférentes. Lorsqu'il traversait Berkeley Square, l'imposante place de Mayfair, de nombreuses têtes se tournaient vers ce jeune gentleman aux épais cheveux blonds, au menton bien dessiné, au regard d'ambre velouté, à la démarche élégante. Tout en prenant soin de ne pas le montrer, il cultivait cet attrait qui lui servait dans les bureaux de vote. Les femmes ne pouvaient pas participer au scrutin, ce dont il se félicitait, mais elles influençaient les hommes de leur entourage qui, eux, votaient.

Il évita un cab, contourna un landau et monta d'un pas vif les marches d'un très bel hôtel particulier. Le majordome le fit entrer et le conduisit à travers d'élégantes pièces meublées et décorées de magnifiques antiquités. Ces trésors venaient, comme il le savait, de la famille d'Isabelle. Son mari, lord Burnleigh, était un noble de beaucoup moins longue date qui avait fait fortune dans l'industrie du charbon au pays de Galles. Isabelle, elle, était une Audley, branche qui descendait des Clare et remontait à Guillaume le Conquérant.

La famille de Freddie était de souche presque aussi

ancienne, ce qui comptait plus que tout pour Isabelle. Richard Lytton, premier comte de Bingham, avait été anobli par Édouard Ier à la fin du XIIIe siècle. Il avait conquis le pays de Galles pour son roi, puis avait conduit son armée au nord pour soumettre William Wallace, l'attaquant à Falkirk avec une rare brutalité. Wallace l'avait surnommé « le Comte rouge » et avait affirmé qu'il n'y aurait pas assez de tous les océans du monde pour laver le sang qui lui salissait les mains. À en croire son portrait, il avait été très bel homme, blond, les yeux couleur d'ambre, ressemblant comme deux gouttes d'eau au défunt père de Freddie et à Freddie lui-même. Le tableau qui avait été accroché dans la galerie de Longmarsh était à présent chez Freddie, offert par sa mère qui ne supportait plus de le voir.

Alors qu'il passait devant la salle à manger, Freddie laissa son regard errer avec envie sur une toile d'Holbein, une table Chippendale et une paire d'urnes de la dynastie Tang. Magnifique collection et maison somptueuse, dont les richesses donneraient un coup de pouce inestimable à sa carrière politique. Sa famille à lui ne possédait quasiment plus rien : tout avait été vendu pour payer les dettes. Les demeures des Lytton n'avaient rien de remarquable non plus. À Londres, l'hôtel particulier de Carlton Terrace était une très laide bâtisse de brique, et Longmarsh, la propriété familiale des Cotswolds, était dans un état lamentable. Et puis, auraient-elles été plus riches que cela ne lui aurait été d'aucune utilité : tout appartenait à son frère aîné.

Son sourire s'effaça à cette pensée. Sa beauté dorée, mince feuille vite craquelée, laissa transparaître la substance beaucoup plus sombre dont Freddie était constitué. Il était las de rester dans l'ombre de son frère, las de devoir se mettre en retrait. Mais, quand il atteignit le petit salon, le masque agréable qu'il savait si bien se composer avait retrouvé sa place.

— M. Frederick Lytton, Madame, annonça le majordome en s'effaçant devant lui.

— Freddie, mon cher !

Sa future belle-mère était assise près de la cheminée, impressionnante avec ses perles et sa robe de soie grise dont la couleur métallique rappelait celle de ses yeux. Les femmes de la haute société londonienne avaient depuis longtemps abandonné les tenues guindées de l'après-midi pour d'autres dans lesquelles elles se sentaient plus à l'aise. Ce n'était pas le cas d'Isabelle qui restait droite et raide dans son corset. Elle est née avec corset, pensa Freddie, et mourra en corset. Depuis qu'il la connaissait, il n'avait jamais vu son dos toucher un dossier.

— Isabelle... dit-il en se penchant pour lui faire un baisemain.

— Quel plaisir de vous voir, Freddie. C'est fort aimable de vous échapper de vos obligations politiques pour prendre le temps de me rendre visite.

Comme si j'avais le choix, songea-t-il amèrement.

Elle lui avait fait parvenir un message le matin même, qui, bien que formulé avec une extrême politesse, n'était rien d'autre qu'une convocation. Sans doute avait-elle eu vent qu'India, à peine diplômée, avait déjà commencé à exercer la médecine. Et, comme si cette lettre n'avait suffi à lui gâcher sa matinée, une autre, de rupture cette fois, était arrivée par le même courrier : la charmante Gemma Dean, qui ne lui pardonnait pas de l'avoir abandonnée ce samedi. Et encore, elle ne savait pas que le cadeau qu'il lui avait fait miroiter avait finalement été offert à India au dernier moment. C'était la faute de ce maudit Wish. Freddie sortait pour aller voir sa jolie maîtresse quand l'irruption de ce gêneur avait contrarié ses plans. Il n'avait plus eu qu'à le suivre à la remise des diplômes d'India, sans montrer que son intention avait été tout autre. Dans sa lettre, Gemma lui reprochait de ne pas vouloir faire d'elle une honnête femme. Quelle idée ! Un Lytton, s'allier à une demi-mondaine ! Ce serait comme d'accoupler un pur-sang à un cheval de trait. Elle avait trouvé un autre amant, disait-elle, qui, lui, ne renâclerait pas à l'épouser.

— Comment va le Parlement, Freddie ? Salisbury vous a-t-il pardonné votre défection ? s'enquit Isabelle.

Elle faisait la conversation en attendant les rafraîchissements qu'elle avait demandés. Freddie savait que ce civil échange ne durerait que le temps pour la bonne de les apporter et de repartir.

— Il daigne m'adresser la parole, plaisanta Freddie, ce qui n'est déjà pas si mal.

— Il est bien bon ! Vous avez eu un toupet extraordinaire de retourner votre veste après les élections. Vous êtes un traître, vous savez.

— C'était une question de vie ou de mort, ni plus ni moins. Si le Parti libéral ne gagne pas, ce sera la fin pour vous, pour moi, pour la classe dirigeante tout entière. Je n'avais pas le choix.

Peu après avoir remporté le siège de Tower Hamlets, Freddie avait jeté un fameux pavé dans la mare en quittant les rangs du Parti conservateur pour rejoindre les libéraux. Il clamait que sa compassion pour les pauvres lui avait fait changer de camp. En réalité, s'il défendait une cause, c'était uniquement la sienne. Politicien avisé, Freddie avait senti le vent tourner et s'était placé là où il pensait avoir le plus d'avenir. Le Parti libéral serait bientôt au pouvoir, et il avait l'ambition d'en prendre un jour la tête.

— Je vois mal comment notre survie peut dépendre de la trahison de vos amis et du Premier ministre, mon cher.

— Salisbury ne restera pas longtemps Premier ministre. Il est au pouvoir depuis 1885. C'est-à-dire près de seize ans. Les libéraux l'ont déjà détrôné deux fois.

— Sans doute, mais les Premiers ministres libéraux ont à peine tenu un an ou deux.

— En 1886 et en 1892, très précisément, mais à l'époque, Salisbury était puissant. Il vieillit. C'est un homme d'un autre âge qui n'a pas su s'adapter. Il était prêt à démissionner l'année dernière et l'aurait fait sans la guerre des Boers. Dès que nous aurons la victoire, il quittera le pouvoir.

— Mais son neveu prendra sa place. Un conservateur pur et dur, comme son oncle, Freddie.

— Arthur Balfour fera long feu, c'est évident. Les Tories n'en ont plus pour longtemps. Les temps changent. Le pays change. De nouvelles voix s'élèvent. Les radicaux, les socialistes, les suffragettes...

— Quelle horreur, toute cette populace ! Qu'ils s'en aillent, nous nous passerons fort bien d'eux.

— Certes, mais ils ne l'entendent pas de cette oreille. Et, tous autant qu'ils sont, ils se battent pour obtenir la même chose : un monde meilleur. Les conservateurs ne veulent pas les écouter, alors que les libéraux, eux, les prennent en compte. Ils comprennent que le moment est venu pour la classe dirigeante de partager un peu de son pouvoir.

— Et vous pensez vraiment que c'est pour le bien de la nation, Freddie ? Vous pensez que le laitier ou le ramoneur, des gens qui ne parlent même pas de façon correcte, et qui ne savent ni lire ni écrire, doivent gouverner l'Angleterre ? Ne trouvez-vous pas que ceux qui sont nés dans nos grandes familles, qui ont été éduqués pour assurer la charge du pouvoir, sont mieux indiqués pour diriger le pays ?

— Ce n'est ni un bien, ni un mal. C'est une nécessité, voilà tout. Regardez ce qui se passe dans les autres pays. Il y a des grèves, des manifestations. Les anarchistes jettent des bombes. Et tout cela pour supprimer la pauvreté, abolir l'ancien ordre social. Nous ne pouvons laisser un tel désordre nous envahir. Nous devons même l'éviter à tout prix. Pour contenir les travailleurs, il faut leur lancer quelques miettes, et vite, avant qu'ils ne se soulèvent et ne nous arrachent tout.

À court d'arguments, Isabelle tourna son regard vers la fenêtre.

— Le lilas blanc a besoin d'être taillé, dit-elle après un silence. Il n'a plus aucune forme.

Elle s'est butée, et il ne servira plus à rien de discuter, songea Freddie. Isabelle appartenait à une génération d'aveugles volontaires. L'agitation irlandaise pour l'indépendance, la guerre en Afrique du Sud, le syndicalisme, tous ces événements étaient liés, d'après Freddie, et annonçaient un tremblement de terre susceptible d'ébranler les fondements mêmes de l'Empire britannique. Pour Isabelle, il ne s'agissait que de perturbations mineures qui seraient facilement réprimées par l'armée coloniale et la police.

Alors que son hôtesse continuait à lui faire perdre son temps en parlant de son jardin, un coup de tonnerre retentit. Freddie regarda dehors. La pluie striait les hautes fenêtres à meneaux. Des nuages noirs filaient dans le ciel. Une autre fenêtre et une autre voix de son enfance lui revinrent en mémoire. Il se trouvait dans la chambre de sa grand-mère à Longmarsh. Elle remontait sa boîte à musique qui jouait un air de Chopin. *Le*

Prélude de la goutte d'eau. Cette manœuvre n'avait pour but que de couvrir le vacarme causé par son fils, le père de Freddie, qui, encore pris de boisson, était en proie à une crise de violence. George et Daphné étaient allongés sur le lit, en larmes. Sa mère était assise sur la banquette de fenêtre, le bras cassé.

C'était la faute de George qui avait laissé traîner sa bicyclette sur la pelouse. Son père l'y avait trouvée, mouillée par la pluie. Il avait poursuivi son fils aîné, brandissant un tisonnier en cuivre avec lequel il voulait le frapper pour le punir de sa négligence. Leur mère s'était interposée et avait pris tous les coups.

Leur père ne s'était arrêté que lorsqu'elle s'était effondrée, sans connaissance, puis il avait titubé jusqu'à son bureau pour se resservir à boire. Revenant de promenade à cet instant, la grand-mère de Freddie avait fait se réfugier la famille dans sa chambre fermée à clé.

— Caroline, il faut réagir, avait-elle dit en essuyant le sang qui couvrait le visage de sa bru. Quittez-le, il aurait pu vous tuer.

— J'ai essayé, vous le savez, mais il menace de divorcer si je pars. Il jure que je ne reverrai jamais les enfants. Qui les défendra si je les abandonne ?

Sa grand-mère s'était dirigée vers sa coiffeuse pour chercher un baume, puis s'était arrêtée pour considérer Freddie. Les yeux secs contrairement à son frère et à sa sœur, il ne perdait pas une miette de la conversation.

— Allonge-toi, mon garçon. Dors.

— Qu'allons-nous faire, grand-mère ?

— Je ne sais pas. J'aimerais trouver une solution… mais, que veux-tu, nous ne sommes que deux femmes avec trois enfants à protéger. Nous sommes impuissantes.

Freddie avait été indigné, refusant la résignation.

— Quand je serai grand, je serai plus fort que lui, je te le promets, grand-mère. Je serai toujours le plus fort !

Il avait tenu parole. Personne ne le dominerait plus jamais.

Isabelle parlait toujours horticulture. La bonne entra, portant sur un plateau une assiette de sandwichs en triangle et de gâteaux ainsi qu'une théière. Le moment de la discussion sérieuse approchait. Freddie se prépara à affronter un assaut de reproches. La porte du petit salon se referma, les laissant seuls.

— Cette maison n'était pas aussi calme, autrefois, commença Isabelle. Elle était très animée même. Nous organisions des dîners, des bals. Nous passions toute la saison ici. Mes filles ont fait leurs débuts dans ces pièces. Vous vous rappelez ?

— Bien entendu.

— Bien entendu… répéta-t-elle en fixant sur lui son regard glacial. Dites-moi où en est India.

Mieux vaut ne pas embellir la situation, décida-t-il intérieurement.

— Elle vient d'obtenir son diplôme de médecine. Cela ne remonte qu'à la semaine dernière, mais elle travaille déjà pour le Dr Edwin Gifford, dans son cabinet de Whitechapel.

Il avait cru qu'elle savait, mais il se trompait. Le choc la rendit muette un instant, et sa voix vibrait de colère quand elle reprit la parole.

— C'est votre faute ! Pourquoi la laissez-vous faire ? Vous auriez déjà dû l'épouser depuis longtemps ! Si vous étiez son mari, vous pourriez lui interdire de travailler.

— Vous savez comme elle est entêtée. Elle refusait obstinément de fixer une date pour la cérémonie avant la fin de ses études.

— Mais, Freddie, enfin, trouvez une solution ! Il faut à tout prix la ramener à la raison. Elle ne peut pas continuer à se souiller les mains dans la fange. Dire qu'elle passe sa vie dans les bas quartiers à exercer ce métier d'homme ! Je veux qu'elle cesse de pratiquer la médecine immédiatement ! Ma fille ruine son existence, et vous ne faites rien !

— Je lui ai dit que je ne voulais plus attendre. Elle a promis d'arrêter une date très bientôt.

— Très bientôt ! C'est trop vague ! Vous êtes fiancés, il me semble. Si vous n'arrivez pas à la dompter, il serait peut-être temps que je lui trouve un autre prétendant qui en sera capable. Moi qui comptais tant sur vous...

Freddie joua le tout pour le tout. Il prit un air désespéré et se leva pour lui faire peur.

— Peut-être avez-vous raison. Vous connaissez mes sentiments pour India. Je l'aime plus que tout au monde, mais si elle devait être plus heureuse avec un autre homme... un homme qu'elle rencontrerait dans le milieu qu'elle s'est choisi... Ses camarades de faculté et sa sœur Maud peuvent lui présenter des partis.

Comme il l'avait escompté, Isabelle pâlit à cette suggestion. Elle redoutait justement qu'India se marie mal dans le milieu médical. Quant aux relations de Maud, mieux valait ne pas en parler. Il lui était suffisamment pénible que son aînée mène une vie dissolue ; il ne manquerait plus qu'elle entraîne sa cadette dans cette voie redoutable.

— Freddie, asseyez-vous. Ce n'est pas ce que je voulais dire. Il faut qu'India retourne dans le droit chemin, qu'elle fréquente les gens de son milieu. C'est notre seul espoir, à moi et à mon mari, d'avoir une descendance. Vous le savez bien, n'est-ce pas ? Maud est totalement irrécupérable. Pour India, il reste une chance. Une faible chance.

Freddie voulut la rassurer, mais elle lui coupa la parole.

— Nos deux familles se côtoient depuis des années, et nous avons pris certains engagements tacites. Je peux être franche ?

— Bien entendu.

Il jubilait. Le coup avait réussi. Maintenant, Isabelle allait peut-être enfin récompenser sa patience en lui offrant les garanties dont il rêvait depuis si longtemps. Aucune promesse explicite n'avait encore été faite. Elle avait plusieurs fois mentionné une dot importante, mais sans en préciser le montant.

— Comme vous le savez, le père d'India et moi-même n'avons pas d'héritier mâle, à part notre neveu, Aloysius, auquel nous léguerons nos biens si nous n'avons pas de petits-enfants. Il nous faut un gendre de confiance, un homme avec la tête sur les épaules qui saura gérer notre fortune. Comme je vous l'ai déjà dit, je vous suis plus que favorable, mais il est grand temps que ces fiançailles cessent de s'éterniser. Hâtez-vous d'épouser India et de la ramener dans le giron familial. Nous sommes prêts à nous montrer plus que généreux si le mariage a lieu avant la fin de l'année, et bien sûr si elle renonce à ses excentricités.

Freddie hocha la tête, s'efforçant de rester impassible.

— India recevra une dot substantielle, constituée d'un capital de cent mille livres, ainsi qu'une rente de vingt mille livres par an. Elle recevra aussi cette maison de Berkeley Square et héritera de Blackwood à ma mort.

C'était mille fois plus qu'il n'avait espéré ! Une véritable fortune, l'hôtel particulier de Londres et la propriété galloise. Il aurait tout !

— C'est plus que généreux de votre part, et je suis heureux de penser qu'India et moi pourrons élever nos enfants dans cette demeure magnifique qui évoque tant d'heureux souvenirs. Mais vous savez que la seule chose qui importe vraiment pour moi, c'est le bonheur d'India.

— Il n'y a pas de plus grand bonheur pour une femme qu'un bon mariage et tenir sa place en société. Si vous aimez ma fille, si vous éprouvez un tant soit peu d'affection pour moi et pour lord Burnleigh, je vous prie de vous hâter.

Freddie termina son thé, puis prit congé en assurant qu'il prévoyait d'inviter India à Longmarsh pour achever de la décider. Isabelle lui tendit la joue, n'attendant plus, comme elle le répéta, que la bonne nouvelle.

Dehors, les nuages avaient fait place à un beau soleil. Euphorique, Freddie sauta par-dessus la grille du square, effrayant un petit garçon vêtu d'un costume marin. Il se dirigea vers Piccadilly, songeant qu'il serait bientôt plus riche que Bing, Wish et Dickie Lambert réunis. Avec la fortune des Selwyn Jones pour le soutenir, plus rien ne l'arrêterait.

Évidemment, l'édifice ne reposait que sur la bonne volonté de cette horripilante India. Ils se voyaient très peu, pris qu'ils étaient, lui par son travail au Parlement, et elle au cabinet du Dr Gifford. Et puis, elle s'activait également au sein de la Société pour la suppression du commerce de l'opium, de la Société Fabienne et de la Société pour le suffrage des femmes. Il soupira. Sa vie aurait été beaucoup plus facile si la voluptueuse Gemma Dean avait eu un titre et une fortune. Mais c'était loin d'être le cas.

Il jouait avec India une longue et difficile partie d'échecs. Il la courtisait depuis des années, avec une constance qu'il jugeait admirable. Il avait feint de s'intéresser à ses études de médecine et à ses généreux mais si peu réalistes projets. Et pourtant, si près de la victoire, il risquait encore de perdre la partie. Comment lui forcer la main ? Il y avait bien une solution, ancestrale et très sûre, mais qui n'avait encore rien donné. Il avait essayé plusieurs fois de lui prendre sa virginité, sans succès. Elle était froide, et ses tentatives de séduction échouaient chaque fois.

Il fallait trouver autre chose. Son frère George avait justement invité ses amis d'enfance à passer le samedi et le dimanche à Longmarsh à la fin du mois de juin. Il lui restait donc une quinzaine de jours pour se préparer. Il avait prévu d'occuper ce séjour à rédiger un important discours de soutien à la loi sur l'autonomie irlandaise, mais il aurait les matinées et les soirées pour s'y consacrer. Pendant la journée, il se promènerait avec India, à pied ou à cheval, comme elle voudrait. Il tâcherait de s'isoler avec elle et de jouer sur ses sentiments. Il l'accuserait de lui être infidèle, la menacerait de rompre leurs fiançailles. C'était un risque, mais il lui fallait à tout prix parvenir à ses fins.

Mais l'épouser ne suffirait pas. Isabelle exigeait qu'India arrête d'exercer. Tant pis, chaque chose en son temps. D'abord, le mariage. Il mettrait un terme à sa carrière plus tard.

En voyant le Ritz à son arrivée à Piccadilly, il décida de s'offrir une bouteille de champagne. Il fallait fêter cette fortune qui lui tombait dans les bras. Quel soulagement de penser qu'il allait bientôt avoir de l'argent ! Sa situation financière était précaire, et il allait avoir besoin de fonds importants pour les élections de septembre. Dickie Lambert avait déjà commencé sa campagne de reconquête de l'East End. Il rendait visite aux hommes d'affaires, payait des tournées dans les pubs et dans les clubs. Freddie devrait travailler dur pour le mettre en échec. Il ne chômait pas, d'ailleurs. Il avait invité Joe Bristow et d'autres grands négociants et industriels de sa circonscription à un dîner au Reform Club. Il les recevrait comme des princes pour les convaincre de voter pour lui. Le prix de la soirée serait exorbitant mais, pour obtenir des voix, il ne comptait pas.

Freddie passait sous la haute colonnade du Ritz quand il entendit le *Prélude de la goutte d'eau*. Abrité sous les arcades, un musicien des rues le jouait au violon, son étui ouvert à ses pieds. Freddie s'arrêta, hypnotisé par les pièces éparpillées au fond de la boîte. Il se revoyait dans le salon de Longmarsh, à l'âge de douze ans. Sa sœur Daphné en avait six. Elle sanglotait, jetée à terre par une gifle de leur père qui déversait sa hargne sur elle. Il avait bu, comme d'habitude. Freddie sentait encore l'odeur du gin.

Tout pouvait déclencher les fureurs meurtrières de ce père violent. Une soupe trop salée, un livre mal replacé dans la bibliothèque, une étourderie d'enfant. Ce soir-là, c'était la corde à sauter de Daphné, oubliée sur le parquet de la salle à manger, qui l'avait fait trébucher. Voulant à tout prix empêcher son père de la frapper encore, Freddie avait pris la corde et lui en avait donné un coup par-derrière.

Robert Lytton avait pivoté sur ses talons.

— Tu vas voir, mon garçon ! avait-il hurlé en avançant d'un pas chancelant.

Beaucoup plus rapide, Freddie avait filé en criant :

— Sauve-toi, Daff. Vite ! Enferme-toi dans ta chambre !

Daphné avait obéi tandis que Freddie éloignait leur père en fuyant dans une autre direction, la corde à sauter toujours à la main. Il savait où se réfugier car c'était loin d'être la première fois qu'il devait se cacher de son père. Le plus souvent il grimpait l'escalier jusqu'à la galerie de portraits où il se faufilait à quatre pattes derrière un gros fauteuil. Son père arriva à l'étage avec quelques minutes de retard en titubant et en se cognant aux meubles. Il ne s'arrêta pas au premier étage, mais monta d'un pas lourd au deuxième, où se trouvaient les chambres des enfants. Freddie l'entendit frapper à coups de poing à la porte de Daphné, lui criant de sortir pour apprendre à respecter son père.

Freddie se boucha les oreilles. Sa mère et sa grand-mère étaient en visite dans le voisinage. Son frère George devait se cacher à l'écurie, comme à son habitude. Les domestiques s'étaient envolés. Il n'y avait que lui pour protéger Daphné. Il fallait agir. Trouver une solution…

Le bruit redoubla. Son père enfonçait maintenant la porte de la chambre à coups de pied. On entendait les cris de terreur de sa sœur. Il va la tuer, songea-t-il avec horreur. Cette fois, il va la massacrer.

Ils étaient seuls, abandonnés. Même Dieu qu'il priait avec tant de ferveur à l'église ne répondait pas à ses appels.

Il y eut un fracas terrible. Le bois se fendait. Un hurlement retentit.

— Non ! cria-t-il. Arrêtez ! Laissez-la !

Ne supportant plus son impuissance, Freddie bondit. Dans sa hâte, il se cogna au fauteuil qui chuta sur le plancher, lui révélant une partie du mur de la galerie. Freddie sentit alors qu'il n'était pas seul.

Richard Lytton, le Comte rouge, l'observait depuis son cadre.

Il le dévisageait de ses yeux cruels et intelligents,

paraissant se demander pourquoi il tremblait encore dans sa cachette alors que sa petite sœur avait besoin de lui.

— Je voudrais bien l'arrêter, mais je ne sais pas comment faire, murmura Freddie.

Il se leva et approcha du portrait.

— Aidez-moi, aidez-moi.

Le comte, en armure, montait un fougueux destrier noir. Il tenait les rênes de la main gauche et son épée de la main droite. Sous les sabots de son cheval gisaient les corps mutilés et ensanglantés des soldats tombés sur le champ de bataille. Au fond, des châteaux et des villages brûlaient, et des femmes à genoux pleuraient les morts.

Freddie connaissait bien l'histoire de son ancêtre. Richard Lytton était un ami d'enfance du fils aîné de Henri III, Édouard. Henri, souverain faible et sans envergure, avait préféré le compromis au conflit. Les nobles de son entourage s'étaient soulevés contre lui. Menés par Simon de Montfort, son propre beau-frère, les barons l'avaient vaincu à la bataille de Lewes, puis il avait été emprisonné avec sa famille dans son château pendant que Montfort montait sur le trône. Édouard rongeait son frein et se confiait à son fidèle Richard.

— Je reprendrai la couronne à Montfort. Un jour, je serai roi et, ce jour-là, je lui arracherai le cœur.

Songeant à l'ancien roi, pieux et sans détermination, indulgent quand il aurait fallu se montrer impitoyable, Richard aurait alors prononcé cette phrase : « Si tu veux être roi, c'est ton propre cœur que tu devras d'abord arracher. »

Édouard s'était échappé de sa prison avec la complicité de Richard, avait levé une armée et avait capturé Montfort à Evesham. Aux temps de la chevalerie, les nobles se laissaient la vie sauve au combat. Édouard mit un terme à cette coutume. Il trancha la tête de son oncle, lui ouvrit le ventre et abandonna ses restes aux corbeaux, fournissant ainsi à tous la preuve de sa détermination et de sa force de caractère. Une fois au pouvoir, il récompensa Richard Lytton en lui donnant une fortune et des terres, et le plaça à la tête des armées, ce qui fit de lui l'un des hommes les plus puissants d'Angleterre.

C'est facile d'être fort quand on a des chevaux et des armes, pensa Freddie en regardant le portrait du Comte rouge. Lui n'avait rien que la corde à sauter de sa petite sœur. Comment se défendre avec une corde à sauter ? Cela ne pouvait faire de mal à personne... à moins d'être assez bête pour s'y prendre les pieds...

Assez bête, souffla une voix, *ou assez soûl*.

L'idée prit forme en un éclair. Il lui semblait que le Comte rouge avait entendu sa supplique et qu'il lui répondait. Il n'y avait pas un instant à perdre.

Le haut de l'escalier était encadré de deux montants. Freddie eut vite fait d'attacher une extrémité de la corde à l'un, de la faire courir le long de la première marche et de la passer autour de l'autre. La galerie de portraits étant sombre et le palier mal éclairé, son père, aveuglé par la colère et l'alcool, n'y verrait que du feu.

Quand il eut terminé, il enleva ses chaussures, en cacha une et plaça la seconde sur les marches. Ensuite, il monta un étage et affronta son père qui était presque arrivé à bout de la porte de Daphné.

— Laissez-la tranquille ! hurla-t-il.

Son père se tourna vers lui. Autrefois si noble, son visage aux yeux rougis était bouffi et malsain.

— Tu es bien téméraire aujourd'hui, mon garçon, dit-il en marchant vers lui.

Freddie recula.

— Et vous, vous n'êtes qu'un ivrogne ! lança-t-il en

prenant soin de garder ses distances. Si je le pouvais, c'est moi qui vous donnerais une raclée, assassin !

Ayant épuisé ses dernières ressources de courage, il détala. Il dégringola les marches jusqu'au premier et traversa le palier avant que son père arrive au bout du couloir. Il se cacha derrière un montant, se rendant ainsi invisible depuis le deuxième étage, et attendit. Son père le cherchait des yeux par-dessus la rampe en descendant. La chaussure posée sur les marches le fit sourire, et il accéléra. Il abordait l'escalier du premier à pleine vitesse quand Freddie tira sur la corde de toutes ses forces. Il sentit son père s'y prendre les pieds et le vit basculer en avant. La chute fut longue et brutale. En heurtant le marbre du hall, le crâne de son père se fracassa avec un craquement sinistre. Freddie se leva pour regarder par-dessus la rampe. Son père était étalé sur le dos, bras en croix, jambes écartées, yeux ouverts et fixes. Une flaque de sang se formait sous sa tête.

Freddie ne perdit pas de temps. Il dénoua la corde, remit sa chaussure, puis descendit récupérer l'autre. Il contourna le corps de son père sans s'arrêter, puis plaça la corde à sauter dans le salon.

Il trouva le majordome à la cave, qui dépoussiérait les bouteilles de vin. Il n'eut plus qu'à lui annoncer, en tremblant réellement, que son père était tombé dans l'escalier.

— Je ne sais pas comment c'est arrivé. Je me cachais dans la galerie parce qu'il était en colère. Il essayait d'enfoncer la porte de Daphné pour la frapper. J'ai entendu un cri et un grand bruit, quand je suis allé voir il était en bas.

Il avait répété la même histoire au médecin, à sa mère, à sa grand-mère, au pasteur et à l'inspecteur de police. La maison ne s'était vidée que très tard. Sa grand-mère lui avait donné une tasse de lait chaud avec une goutte de rhum en le mettant au lit. Malgré une profonde fatigue, il n'était pas parvenu à s'endormir. Il était resté éveillé, souffrant mille morts. Peu après minuit, il s'était levé et était retourné dans la galerie à pas feutrés.

— Je l'ai tué, dit-il au Comte rouge. Maintenant je vous ressemble, à lui, et à vous...

Des larmes coulèrent de ses yeux.

— Je ne voulais pas lui faire de mal. Je voulais seulement sauver Daphné. J'ai peur, maintenant. Il va revenir me punir. Aidez-moi, s'il vous plaît, aidez-moi...

La voix du comte s'insinua alors dans son esprit, surgie du fond des âges. *Si tu veux être roi, c'est ton propre cœur que tu devras d'abord arracher.*

— Comment faire ? gémit-il dans un souffle. Comment faire ?

Arracher son cœur ? Mais il battait encore, Freddie ne le sentait que trop. Son cœur regrettait l'homme qu'avait été son père, avant son échec au Parlement, avant ses ennuis d'argent, avant ses excès de boisson. Avant que l'amertume et la colère ne le rendent fou. Son cœur, malgré tout, aimait encore cet homme.

Freddie n'avait alors que douze ans. Il ne savait pas qu'un cœur ne s'arrache pas d'un seul coup, qu'il faut du temps pour l'extirper du corps peu à peu.

Il était retourné dans sa chambre et s'était recouché, redoutant d'être poursuivi par un fantôme, chassé par des démons armés de fourches. Mais la nuit était calme. Aucun esprit malin ne vint le tourmenter. Dans le silence, un grand soulagement le prit quand il songea que ni lui, ni Daphné, ni leur frère ne seraient plus maltraités. À l'aube, il avait fermé les yeux et s'était endormi.

Quelques semaines après l'enterrement, alors qu'il

était seul à la table du petit déjeuner avec sa mère, celle-ci, toute de noir vêtue, avait remarqué :

— Tu dois être triste, Freddie, d'avoir perdu ton père.

— Non, pas tellement, avait-il répondu sans cesser de beurrer son toast.

Elle l'avait alors dévisagé, d'abord avec surprise, puis avec plus de froideur. Avec un début de répulsion, même. Il avait alors secrètement posé la main sur son cœur. Cela ne faisait plus tout à fait aussi mal. Avec un sourire, il avait trempé une mouillette dans son œuf à la coque.

Devant le Ritz, le violoniste achevait son air. Les dernières notes du prélude montèrent, puis s'évanouirent avec les souvenirs de Freddie. Il jeta quelques pièces dans l'étui ouvert, puis entra dans l'hôtel. Il songeait à India et au mariage auquel il voulait la pousser en feignant un amour qu'il ne ressentait nullement. Pensif, il posa une main sur son cœur. Il restait presque indifférent.

La victoire était proche. Dans deux semaines, à Longmarsh, il jouerait son dernier coup, et il gagnerait.

Pour une rente de vingt mille livres sterling par an, il était prêt à tout.

9

En peignoir, Fiona inspectait l'intérieur de sa penderie. Des bas et un jupon propres attendaient à ses pieds d'être enfilés. Elle jeta un coup d'œil à la pendulette en argent de la coiffeuse. Il n'était que sept heures du matin, mais elle était déjà en retard.

— Joe, aide-moi ! J'hésite entre la rose en soie et l'écossaise en satin, dit-elle en lui présentant deux vestes.

— Ni l'une ni l'autre, répliqua son mari en approchant d'elle par-derrière pour l'embrasser dans le cou.

— Joe, chéri, je dois prendre mon bain…

— Je te préfère telle que tu es, murmura-t-il, défaisant quelques boutons du négligé qu'elle portait. Tiède, tendre et salée.

— Comme une frite ?

— Oui, presque aussi délicieuse.

— Comment ça, presque ?

— Je t'aime, Fiona, plus que tout, mais une frite… c'est une frite !

Il avait ouvert le devant du peignoir de sa femme et avait posé les mains sur ses seins gonflés, qu'il contemplait avec désir dans le miroir de la penderie.

— Ils sont magnifiques… Ils ont doublé de volume…

— Joe, je vais manquer mon train !

Au lieu de la lâcher, il fit glisser le peignoir par terre. Profitant de l'effet de surprise, il embrassa encore Fiona dans le cou, promenant les mains sur son ventre arrondi.

— Un moment, Fiona, juste un moment… J'ai tellement envie de toi….

— Je n'ai pas le temps !

— Ça ne sera pas long, mon amour, pas long du tout !

— Non, Joe, non…

Mais sa voix manquait de conviction. Elle le désirait, elle aussi. Plus que jamais, même. Pendant sa première grossesse, elle avait connu la même ardeur. Les caresses continuaient, la faisant rougir. Elle ferma les yeux et pencha la tête en arrière, s'appuyant à l'épaule de Joe.

— Alors, souffla-t-il, tu veux toujours que j'arrête ?

— Je te l'interdis, voyou !

Il la conduisit au lit, la fit asseoir puis s'employa à la mener au plaisir. Mais alors qu'elle allait atteindre l'extase, un cri enfantin la tira de sa transe.

— Maman !

Un bruit de course résonna dans le couloir, des petits poings martelèrent leur porte…

Fiona se leva et attrapa en hâte son peignoir. Elle eut à peine le temps de l'enfiler que déjà la poignée tournait et que Katie entrait dans la chambre.

— Bonjour, maman !

— Bonjour, ma petite chérie !

Fiona se pencha pour prendre sa fille dans ses bras. Elle l'embrassa, humant sa délicieuse odeur d'enfant avec amour.

— Katie veut jouer !

— Pas maintenant, mon ange. Maman doit se préparer pour son voyage.

Anna, la nounou, apparut à la porte.

— Pardon, Madame, le petite chipie m'a échappé pendant que je faisais couler son bain.

— Ce n'est pas grave, Anna. Laissez-la-nous un moment. J'ai envie de la voir avant mon départ.

— Bien, Madame. Bonjour, Monsieur.

— Bonjour, Anna.

Joe s'était réfugié dans le fauteuil, un oreiller sur les genoux. Le pauvre, songea Fiona. L'interruption n'était pas plus agréable pour lui que pour elle.

Fiona lui amena leur fille.

— Va voir papa une minute, mon ange, maman doit se préparer.

— Non ! Maman ! Katie veut jouer avec maman !

— Je n'ai pas le temps, chérie...

— Maman, te plaît...

Fiona était déchirée. Elle revenait tout juste d'un voyage d'affaires à Édimbourg et repartait pour Paris après n'avoir passé qu'une seule nuit chez elle. Elle avait à peine vu leur fille de la semaine.

— Nous jouerons samedi, Katie. Dès que je rentrerai, c'est promis.

— Non, non, non !

Katie se mit à hurler en se débattant. Fiona la changea de position pour épargner son ventre.

— Ça suffit, gronda Joe. Arrête, petit monstre !

— Maman ! Veux jouer !

— Très bien, alors nous allons jouer à habiller maman, décréta Fiona. Nous allons d'abord lui donner son bain, et puis nous lui mettrons sa robe écossaise. Tu pourras grimper sur le lit pour lui attacher ses bijoux. Tu veux ?

Enchantée, Katie hocha vigoureusement la tête. Fiona la posa sur le lit et lui donna des bracelets et un rang de perles pour l'occuper. Elle reprenait la veste écossaise quand deux boules de poils blanches firent irruption en aboyant. C'était Lipton et Twining, les fox-terriers.

À leur vue, Katie se mit à rire en applaudissant.

— Encore là, ces deux sacs à puces ? grommela Joe.

— Anna n'a pas dû bien fermer la porte. Je me demande avec quoi ils jouent...

Les deux chiens tiraient chacun sur une bande de soie bleue qu'ils se disputaient âprement.

— Joe, je crois qu'ils ont pris une de tes cravates ! s'écria Fiona en essayant de la leur arracher.

— Tu crois ? Katie, chérie, crache ça tout de suite !

Joe s'était levé d'un bond pour tirer les perles de la bouche de sa fille.

Un coup à la porte ajouta à la confusion.

— Oui ? cria Fiona, exaspérée.

La femme de chambre passa la tête dans la pièce.

— Pardon, Madame, mais M. Foster dit que la voiture est prête, et que si vous ne partez pas d'ici peu, vous manquerez le 8 h 05 et que le train suivant n'est qu'à 11 h 15, ce qui vous fera manquer votre bateau pour Calais, et…

— Merci, Sarah, merci, coupa Fiona. Dites à M. Foster que j'arrive.

— Bien, Madame, répondit la domestique en refermant la porte.

Fiona regarda l'heure. Elle n'avait plus le temps de prendre son bain. Tant pis. Elle ignora les chiens qui s'en donnaient à cœur joie et s'habilla en hâte tout en finissant de parler à Joe.

— Chéri, Cathy a téléphoné hier. Elle voulait te rappeler de ne pas oublier le dîner de ce soir. Elle a prévu de revoir avec toi les plans du magasin de Brighton.

— Ah ! C'est vrai ! Ça m'était sorti de la tête, merci…

— Regarde, maman ! Joli ! cria Katie en tendant ses petits bras entourés de bracelets.

— Très joli, mon ange, répondit Fiona en boutonnant sa veste.

— Les journaux sont arrivés, Fi ?

— Oui…

— Parfait… Et peux-tu me dire où ils sont ?

— Eh bien… dans mon sac de voyage. Tout au fond, avec mes cahiers comptables et le bulletin scolaire déplorable de Seamie.

Cette allusion aux mauvais résultats de son petit frère était calculée pour faire oublier les journaux à Joe.

— Nous l'avons reçu hier. Il a encore échoué en français et en littérature. Il n'a réussi que l'histoire, et encore, de justesse.

Joe ne se laissa pas détourner de son objectif. Il se leva.

— Je ne dérangerai rien. Je ne veux que le *Times*. J'ai eu vent d'une maladie de la pomme en Normandie. J'espère qu'on en parlera dans la presse.

— Attends, je te le donne !

Il y avait un autre journal dans son sac qu'elle ne voulait surtout pas qu'il voie. Mais Joe avait de la suite dans les idées.

— Tu es pressée, je le trouverai bien.

Il avait déjà ouvert le sac et en tirait la pile de journaux. Fiona pria le ciel que le *Times* soit placé sur le dessus.

— Tiens, le *Clarion* ! s'exclama Joe. Pourquoi as-tu pris ce torchon, Fi ? demanda-t-il en riant.

Il déplia le journal pour se moquer des gros titres à scandale qu'il aimait particulièrement. Mais son rire s'étrangla dans sa gorge.

— La nouvelle pègre, lut-il à voix haute. Le crime paie pour la Firme.

Le silence tomba pendant qu'il parcourait l'article. On n'entendait plus que le cliquetis des perles avec lesquelles jouait Katie. Fiona n'avait pas besoin que Joe le lui lise. Elle en avait déjà pris connaissance, le cœur serré.

Robert Devlin, rédacteur en chef du *Clarion*, attirait l'attention sur l'organisation criminelle très puissante de l'East End. Il expliquait que cette nouvelle race de truands était devenue professionnelle. Pour ces malfrats, pas de vols à l'arraché, de petits larcins ni de violence inutile. La bande était gérée comme une entreprise et opérait en toute discrétion derrière des sociétés-écrans, pubs et clubs entre autres, qui cachaient des activités plus lucratives. C'était la prostitution, les jeux d'argent, l'extorsion de fonds et le trafic de drogue qui faisaient la fortune de la Firme – mais pas seulement. Depuis peu, on s'accordait à penser qu'elle était responsable d'une série de cambriolages particulièrement audacieux. L'inspecteur Alvin Donaldson, chargé de l'enquête, faisait remarquer qu'il ne s'agissait pas d'actes impulsifs de voleurs ordinaires, mais de « coups bien préparés et effectués par un groupe de criminels très méthodiques, sans peur et sans scrupule ».

Freddie Lytton aussi avait été interrogé. Il relatait sa confrontation avec le chef de la bande dans une fumerie d'opium de Limehouse. Il avait été malmené mais se félicitait d'avoir pu agir pour la défense de ses administrés. L'article expliquait qu'il était retourné le lendemain matin sur les lieux avec la police, pour découvrir que toute trace d'activité illégale avait été effacée.

« L'ennemi est malin et habile, commentait Lytton, mais nous connaissons le chef et sa façon de procéder. Il répondra de ses actes devant la justice. Ce n'est qu'une question de temps. »

Devlin n'avait cité aucun nom, ne voulant pas s'attirer d'ennuis, mais il avait utilisé un surnom (le Patron), et publié une photographie assez floue d'un homme de profil, une casquette tirée sur les yeux, mais dans lequel Fiona avait reconnu Charlie.

Joe reposa le journal et lui lança un regard accusateur.

— C'est pour cet article sur Sid que tu as acheté le *Clarion* ?

Fiona détourna la tête, redoutant ses questions.

— Fiona ! Je veux savoir si tu poursuis tes recherches.

— Oui, je les continue.

— Quoi ! Tu as embauché un nouveau détective privé, alors que je t'avais demandé de ne pas le faire ?

— Non, je n'ai embauché personne.

— Alors quoi ? s'écria Joe avec une inquiétude grandissante. Tu n'as tout de même pas l'intention de le contacter toi-même !

— Si…

— C'est insensé ! Tu sais comme c'est dangereux ! Tu as vu ce qui est arrivé à Michael Bennett ! Tu veux finir avec un bras cassé, comme lui, ou pis ? Tu m'avais promis d'abandonner !

— Non, je n'ai rien promis ! C'est mon frère, Joe.

— Je m'en fiche ! Je ne veux pas que tu t'approches de lui. Sid Malone est un criminel.

— Il s'appelle Charlie ! Charlie Finnegan, pas Sid Malone !

À leurs cris, Katie fondit en larmes.

— Bravo ! lâcha Joe avec un regard noir.

— Ne pleure pas, chérie, supplia Fiona en prenant la petite fille dans ses bras. Tout va bien, calme-toi.

Katie hurlait, la bouche béante. En essayant de la réconforter, Fiona remarqua que deux nouvelles petites dents avaient poussé. Comment avait-elle pu ne pas s'en apercevoir ?

On frappa de nouveau à la porte.

— Qu'est-ce que c'est ? cria Joe.

— Pardon, Monsieur, mais un monsieur vous demande. M. James. Et Madame est sûre de manquer le 8 h 05 à présent. Faudra-t-il faire atteler pour attraper le 11 h 15 ?

— Non, Sarah, j'arrive ! s'écria Fiona. Je dois partir, Katie, ma chérie.

— Non, maman, non ! gémit sa fille en s'accrochant à elle.

Fiona jeta un regard implorant à Joe.

— Allez, viens, ma princesse, dit-il en prenant la petite dans ses bras. Allons voir si ton porridge est prêt…

Mais Katie pleurait toujours, tendant les bras vers sa mère. Fiona hésita, le cœur brisé. Elle embrassa sa fille, puis son mari. Joe la retint.

— Sid Malone n'est pas Charlie Finnegan. Charlie est mort, Fiona.

— Je t'interdis de dire ça ! s'emporta-t-elle. Charlie n'est pas mort !

Elle saisit sa veste et son sac de voyage, et sortit de la chambre en hâte, presque en larmes. Sarah avait préparé sa malle qui était déjà dans la voiture. Elle descendit l'escalier, accompagnée par les cris de sa fille, et passa la porte.

— Vite, Myles, dit-elle au cocher qui refermait la portière sur elle. Il faut absolument que j'attrape le premier train !

Myles grimpa sur son siège et fit claquer son fouet. Alors que les chevaux s'ébranlaient, Fiona se laissa retomber sur la banquette.

Comment Joe pouvait-il se montrer aussi obtus ? Son attachement pour son frère était-il si difficile à comprendre ? Une terrible rancœur l'envahissait. Dès qu'il était question de Charlie, ils se disputaient. Et pourtant, cela mis à part, ils s'entendaient si bien…

Depuis leurs retrouvailles, qui ne remontaient qu'à trois ans, ils vivaient un bonheur sans nuage. Ils tenaient trop l'un à l'autre pour attacher de l'importance aux petits désaccords du quotidien. Ayant manqué se perdre une fois, et tristement enduré le temps passé loin l'un de l'autre, ils ne se laissaient pas endormir par l'habitude. Joe ne l'avait fait souffrir qu'une seule fois, mais durant si longtemps... Ils s'aimaient depuis l'enfance et avaient été fiancés. Mais Joe s'était laissé piéger par Millie Peterson qui était tombée enceinte sans qu'il le veuille ; il avait dû l'épouser. Fiona avait été anéantie le jour où il lui avait annoncé cette terrible nouvelle. Ce jour-là, tout avait été détruit, leur amour, leur avenir.

S'il l'avait gravement trahie alors, elle se sentait cette fois très incomprise. Joe n'avait jamais perdu personne alors qu'elle avait vu disparaître presque tous les siens en l'espace de quelques mois. D'abord, il y avait eu son père, puis sa mère, puis sa petite sœur encore bébé. Elle avait cru Charlie mort lui aussi, et, maintenant qu'elle le savait en vie, elle refusait de le perdre une deuxième fois.

Ces disputes leur faisaient du mal à tous les deux, et à Katie aussi. Il n'y avait malheureusement qu'une seule façon de calmer les esprits. Elle devait trouver Charlie pour pouvoir enfin cesser ses recherches !

Dès qu'elle reviendrait de Paris, elle redoublerait d'efforts. Elle irait dans tous les pubs des quais de Wapping, dans les maisons de jeu de Whitechapel. Elle s'y rendrait à pied, pauvrement vêtue. Elle serait prudente, bien entendu : elle n'était pas sotte. Elle savait comme tout le monde, et peut-être mieux, à quel point les ruelles sombres de cette partie de Londres étaient dangereuses. Comme son frère, elle y était née et en connaissait les codes et les coutumes.

J'y arriverai, pensa-t-elle à l'adresse de Joe. Tu verras, Charlie veillera sur moi.

Joe lui aurait sans doute répété que son obstination

était dangereuse, qu'elle se laissait aveugler par son bon cœur et qu'elle allait le regretter. Mais il n'était pas là pour la contredire, et c'est ainsi qu'elle commit la grave erreur de prendre ses désirs pour la réalité.

10

— Ne capitulons pas ! Nous ne pouvons pas accepter l'autonomie irlandaise !

L'exclamation venait de sir Stuart Walton qui protestait tout en écartelant une caille à la truffe dans son assiette. Ce grand industriel du sucre possédait une raffinerie à Whitechapel et n'était jamais favorable à aucun changement.

Les cris de « Bravo ! bravo ! » montèrent autour de la table. Freddie leva les mains pour demander le silence. Il s'était levé de table pour marcher de long en large, car il ne pouvait jamais parler politique tranquillement assis.

— Je comprends parfaitement votre position, intervint-il, mais je vous demande de raisonner non pas en loyal sujet de l'Empire britannique, mais aussi du point de vue du brillant homme d'affaires que vous êtes…

Il y eut quelques murmures d'approbation, des bruits de verre en cristal, et sir Stuart Walton fit signe à Freddie de continuer.

— L'Irlande nous coûte cher et, contrairement à l'Inde ou à l'Afrique du Sud, nous rapporte peu. C'est un médiocre investissement. Il n'y a pas de coton en Irlande, pas de thé, pas de café. Pas de diamants, d'or ni de sucre. Je vous rappelle que l'autonomie n'est pas l'indépendance. Avec l'autonomie, les Irlandais auront plus de pouvoirs pour gérer les affaires de la province, mais le gouvernement britannique collectera toujours l'impôt. Nous n'aurons donc plus à nourrir les vaches et à les abriter, et il ne nous restera plus qu'à prendre le lait. Une bonne opération, vous devez l'admettre. Et aujourd'hui, à l'aube de ce siècle nouveau où chacun doit se placer sur l'échiquier international, où la Grande-Bretagne est plus que jamais en compétition avec l'Allemagne, la Russie, la France et le colosse américain... bien gérer ses affaires intérieures, c'est bien gouverner.

— Tout à fait, mon garçon, tout à fait ! cria John Phillips, propriétaire d'une manufacture de papier.

Un chœur d'encouragements se joignit à sa voix. Il y eut des applaudissements. Même sir Stuart Walton hocha la tête, semblant se ranger à ses arguments. John Phillips se leva en s'essuyant la bouche et proposa un toast.

— À Freddie Lytton, qui nous comprend et parle si bien en notre nom. Pour ma part, je soutiens sa candidature. Freddie, mon garçon, vous pouvez compter sur mon bulletin.

D'autres acclamations montèrent. Des verres se levèrent. Presque tous étaient convaincus. Freddie souriait de toutes ses dents, mais son regard acéré faisait le tour de la table. Edwin Walters, fabricant de boutons, n'avait pas levé son verre, mais peut-être seulement parce qu'il était occupé à le faire remplir par un serveur. Donald Lamb, propriétaire d'une usine d'argenture, n'avait pas non plus suivi le toast, préférant récupérer un petit pain tombé sur ses genoux. En revanche, Joe Bristow, qui n'avait pas bougé non plus, ne semblait avoir aucune raison de s'abstenir, hormis la dissension. Carré sur sa chaise, il gardait le visage impassible.

Finalement, il intervint.

— Mais, Freddie, qu'apporterait l'autonomie de l'Irlande à l'East End ? Quel intérêt y trouveront les dockers, les ouvrières des allumettes, les bonnes de Whitechapel, de Wapping et de Limehouse ?

Freddie se crispa. Il aurait dû s'attendre à ce que Bristow lui donne du fil à retordre. Malgré sa fortune et sa situation, il n'agissait jamais comme les autres grands marchands. Il ne se plaignait pas de ses impôts et prenait toujours le parti des travailleurs. Cette attitude irritante n'avait aucun sens.

— Comme vous le savez, Joe, beaucoup de mes administrés, et de vos ouvriers, sont irlandais. En défendant l'autonomie, je m'engage en leur nom. Les préoccupations de l'Irlande sont aussi les leurs. Cela me semble clair, pourtant.

— Pas vraiment, Freddie, pas vraiment. Un Irlandais qui vit à Londres n'est plus en Irlande, par définition. Pourquoi est-il parti ? Pour trouver du travail. Pour mieux gagner sa vie. Pour essayer de nourrir et d'habiller ses enfants convenablement. Pour les mettre à l'école au lieu de les envoyer à l'usine. Il se moque bien des tractations entre le Parlement et Dublin. Ce qu'il veut, c'est pouvoir se syndiquer sans être licencié. Pour cet Irlandais-là, que comptez-vous faire ?

— Je suis heureux que vous me posiez cette question, répondit Freddie avec sa diplomatie habituelle. Ma réponse est simple : pour lui, je ferai tout ce qui est en mon pouvoir. Je me suis déjà engagé sur un programme ambitieux de réformes sociales pour l'East End. J'ai récemment obtenu une subvention pour l'école missionnaire Toynbee, comme vous le savez certainement, et je travaille à Whitechapel en proche collaboration avec un jeune médecin qui doit monter pour moi des dispensaires offrant des soins gratuits aux femmes enceintes et aux enfants. Je veux débloquer des allocations pour distribuer du lait aux bébés et développer un programme d'apprentissage de l'hygiène pour les enfants des écoles primaires. Je préside aussi un comité qui se charge d'améliorer l'assiduité scolaire des enfants pauvres de tous âges.

» Mon programme, bien entendu, est beaucoup plus long et complexe, mais je vois que les gens de service attendent pour nous apporter notre bœuf Wellington, et j'aurais peur de provoquer un mouvement de contestation si nous les retenions plus longtemps.

Freddie se rassit avec un sourire satisfait. Les convives, fort heureusement, semblaient passer une excellente soirée en dépit de Joe Bristow. Avec ce dîner, Lytton s'était assuré le soutien d'une quarantaine de personnes. Par ricochet, ces chefs d'entreprise influenceraient leurs employés, ce qui lui gagnerait des milliers de voix supplémentaires.

Lorsqu'ils étaient passés à table, il avait longuement détaillé sa politique répressive. Il avait aussi parlé de son engagement auprès du Conseil parlementaire des employeurs, un groupement destiné à enrayer les avancées des syndicats. En répondant à Joe, il s'était arrangé pour ne mentionner que les mesures prises en faveur des enfants : même les patrons les plus avides comprenaient que les enfants des quartiers pauvres seraient les ouvriers de demain. L'ignorance et la faim ne pouvaient en faire que de mauvais travailleurs, trop arriérés pour lire les étiquettes des containers, trop faibles pour les porter. Le sujet le plus controversé était le statut de l'Irlande, mais il avait réussi à convaincre son auditoire.

Freddie se félicitait d'avoir choisi d'organiser ce dîner à son club. Ses hôtes y semblaient à l'aise, et lui-même y était plus disert, plus chaleureux. Quelles que soient les difficultés rencontrées dans la journée, quand il passait les portes du Reform Club, il se sentait mieux. C'était l'odeur de cuir et de bon vin, de bois et de tabac qui le détendait, peut-être. Ou bien la présence rassurante des serviteurs, polis et discrets, qui devançaient tous les désirs des membres. Ceux-ci étaient des gens agréables, pour la plupart libéraux comme lui, avec lesquels il pouvait longuement parler politique. Et puis, les hommes se trouvaient dans un havre de paix d'où le sexe faible était exclu et où ils s'exprimaient librement, sans crainte de choquer les oreilles délicates.

Le bâtiment du Reform Club était construit sur le modèle solide et imposant des palais italiens. L'intérieur était masculin, sans mièvres ornements. Ayant échappé à sa femme et à ses maîtresses, on pouvait se détendre dans les confortables fauteuils, où il faisait bon lire son journal devant la cheminée avec un verre de porto et une assiette de stilton.

Freddie avait réservé un salon privé pour ses invités et demandé au chef de ne reculer à la dépense ni pour le menu, ni pour les vins, ni pour les cigares. Sa générosité avait porté ses fruits. Satisfait, il commençait à apprécier le dîner quand un serveur se pencha à son oreille pour l'informer discrètement qu'un inspecteur de police souhaitait le voir.

Il fut conduit dans une antichambre où Alvin Donaldson l'attendait. Cet homme, qui lui était entièrement dévoué, ne reculait devant rien pour obtenir des informations de ses indicateurs ou des gens qu'il arrêtait. Freddie connaissait ses méthodes brutales, mais ne s'en formalisait nullement.

— Désolé de vous déranger. Il y a eu un vol dans un

entrepôt du fleuve, et j'ai voulu vous mettre au courant tout de suite.

— Quel entrepôt ?

— Celui qu'on nomme la Forteresse.

— Bon sang !

L'endroit se situait dans le quartier de Limehouse, sa circonscription.

— Un gros coup. Une importante cargaison d'armes a été volée. Personne ne sait quand le vol a été commis, mais les caisses ont disparu. Les journalistes se sont jetés sur l'histoire comme des mouches.

— C'est Malone ! Aucun doute là-dessus ! Arrêtez-le ! Il ne l'emportera pas au paradis !

— Nous ne pouvons pas l'arrêter. Il n'y a aucune preuve.

— Débrouillez-vous ! Trouvez-en !

— Il n'y a pas de témoins…

— Payez-en s'il le faut, ce n'est quand même pas compliqué ! Combien vous faut-il ? ajouta-t-il en mettant la main à son portefeuille.

Donaldson eut un rire.

— Allons, vous savez bien que personne ne témoignera contre Malone, pour tout l'or du monde.

Freddie maudissait sa malchance. Le moment était des plus mal choisis. Ne venait-il pas de dépenser une petite fortune pour convaincre quarante électeurs influents – qui possédaient tous des bâtiments aux environs du fleuve – qu'il tenait les criminels en respect grâce à sa poigne de fer ? Tous ses beaux efforts seraient réduits à néant quand sortiraient les journaux du matin.

— Je veux qu'il soit bouclé avant la première édition.

— Mais…

— Mettez-le en prison, c'est un ordre ! Si vous n'êtes

pas capable de le coincer pour ce vol, trouvez autre chose. Bat-il son cheval ? Maltraite-t-il son chien ? A-t-il oublié de rendre ses livres à la bibliothèque ? Je vous dis de trouver n'importe quel prétexte, Donaldson. Ne me décevez pas ou je paierai un autre inspecteur pour me servir, conclut-il en jetant deux billets de dix livres sur un guéridon.

Il savait que Donaldson ne résisterait pas à une somme aussi élevée. Sans attendre qu'il les empoche, il le laissa pour rejoindre ses invités.

— Des ennuis ? demanda son voisin de table à Freddie quand il se rassit.

C'était un gros brasseur de Whitechapel qui possédait un hangar à Wapping.

— Non, répondit Freddie avec un sourire. Un détail à régler.

Malgré ses nerfs à vif, il reprit son repas en offrant l'apparence d'un esprit paisible. Il espérait que Donaldson trouverait un prétexte pour arrêter Malone. Si ce dernier était derrière les barreaux, il lui restait une chance de faire figure de héros.

Sinon… Eh bien, sinon, son adversaire Dickie Lambert marquerait des points.

11

— Vous êtes encore là, docteur Jones ? s'étonna Bridget Malloy, infirmière-chef du service de médecine générale au London Hospital. Je croyais que vous aviez terminé votre visite.

— J'ai terminé, en effet, mais une urgence me

préoccupe. Je reste un peu pour surveiller l'état d'une petite fille, Mary Ellerton. Difficultés respiratoires.

— Tuberculose ?

— Très certainement.

— Est-elle sous traitement ?

— On me dit que oui, répondit India en consultant le dossier. Ses parents lui ont donné à manger une souris rôtie.

— Tiens ! s'exclama l'infirmière en riant, ça se fait encore ? C'était pourtant déjà passé de mode dans mon enfance.

India, elle, ne riait pas.

— Je ne l'aurais pas cru si je ne l'avais vu de mes yeux quand j'étais étudiante. On fait aussi avaler des asticots. Pour la coqueluche, j'ai entendu dire qu'on conseillait de faire sept fois le tour d'un âne.

— Au moins, la petite Mary a mangé un peu de viande.

— La mère n'a pas toute sa tête ! Donner une saleté pareille à son enfant !

— Avez-vous des enfants vous-même ?

— Non, je n'en ai pas.

Cette question, qu'on lui posait continuellement, la mettait hors d'elle.

— Évidemment… remarqua l'infirmière, comme si cette réponse l'avait éclairée.

La curiosité l'emporta sur l'irritation.

— Que voulez-vous dire ?

— Mme Ellerton est très pauvre, sans doute. Les pauvres n'ont pas d'argent, mais ils ont des souris.

— Vous ne défendez tout de même pas une telle conduite, un tel obscurantisme !

L'infirmière la considéra d'un regard bleu

réprobateur. Il était clair qu'elle jugeait India plus ignorante que la mère de la malade.

— Vous savez, docteur, c'est terrible de ne rien pouvoir faire pour son enfant quand il souffre. Au moins, quand on prépare une souris, on agit. Ce n'est pas le meilleur remède, certainement, mais c'est quelque chose. Pour vous et moi, ce n'est qu'une superstition, mais pour une malheureuse mère dont l'enfant faiblit, c'est un espoir.

India s'apprêtait à lui rappeler que les souris étaient porteuses de quantité de maladies, quand une jeune infirmière arriva en courant.

— Docteur Jones ! On vous demande aux urgences !

— Moins fort, gronda l'infirmière-chef.

— Oui, madame. Pardon.

— C'est la petite Mary Ellerton ? s'enquit India en l'accompagnant dans le couloir.

— Non, un nouveau patient qui a une très forte fièvre et délire gravement.

— Que fait le médecin de garde ?

— Le Dr Merrill m'a demandé de mobiliser toutes les personnes disponibles. Il y a eu un accident dans High Street entre deux voitures et un omnibus, et il ne peut pas se libérer.

India entendit les hurlements bien avant d'entrer aux urgences. En passant les portes battantes qui séparaient l'immense salle blanche du reste de l'hôpital, elle vit trois infirmières, aidées d'un étudiant en médecine, qui s'occupaient d'un homme aux jambes broyées. À côté, deux autres infirmières découpaient les vêtements d'une femme évanouie.

Le Dr Merrill passa, portant un enfant en pleurs.

— Lit numéro un, près du lavabo, lui cria-t-il. Fièvre,

hallucinations. Suspicion de maladie infectieuse... Mademoiselle Evans ! Du chloroforme, vite !

India se précipita au bout de la salle, évitant les flaques de sang. Dans le lit numéro un était allongé un homme dont on ne voyait que le dessus de la tête et les chaussures, le reste étant caché par des vestes. Deux hommes en bras de chemise se tenaient à ses côtés.

— Pourquoi l'avez-vous couvert autant ? demanda-t-elle sans les regarder, s'occupant déjà d'enlever les vestes. Cela l'empêche de respirer !

— Y meurt de froid, expliqua l'un d'eux. On ne voyait pas quoi faire d'autre. Où que sont les docteurs ? Ça fait des plombes qu'on attend.

— Le docteur, c'est moi. Comment s'appelle-t-il ?

Elle n'obtint pas de réponse, mais en dégageant le visage, elle reconnut Sid Malone.

— Quoi ? Elle se fiche de nous !

— Non, Tommy, c'est une doctoresse, c'est vrai, intervint l'autre. Tu te rappelles ? C'est elle qui est venue faire du barouf chez Ko.

India les entendait à peine, trop occupée à prendre le pouls extrêmement faible du patient. La respiration était laborieuse, les pupilles rétractées. Il était tout juste conscient. Au toucher, elle estima que sa température était beaucoup trop élevée, mais quand elle tenta d'insérer un thermomètre dans sa bouche, il se débattit si fort qu'elle dut s'y reprendre à plusieurs reprises.

— Allons, monsieur Malone, soyez gentil, laissez-moi faire. Depuis combien de temps est-il dans cet état ?

— Ce matin.

India compta les secondes, puis retira le thermomètre.

— Mon Dieu, quarante et un ! A-t-il vomi ? S'est-il

plaint de douleurs à la tête ? A-t-il des éruptions cutanées ? A-t-il côtoyé des navires, des matelots ?

— Nan. Il s'est… coupé.

— Coupé ? Où ça ? demanda India en examinant les mains.

— Pas là, sur le côté. À droite.

India repoussa la veste de Sid. Des taches jaune et brun putrides maculaient sa chemise. Une odeur fétide trop reconnaissable assaillit India. Elle ouvrit la chemise et défit le pansement de fortune qui couvrait la plaie. C'était une horreur. Une entaille béante descendait de sous son bras à sa hanche. Les bords étaient noirs, suintant le pus. On distinguait les côtes, blanches sous les chairs ouvertes. Il n'y avait pas une seconde à perdre. Elle regarda autour d'elle, mais la salle était le théâtre d'une agitation infernale. Toutes les infirmières étaient occupées par les victimes de l'accident.

— Vous, monsieur ! cria-t-elle au jeune homme maigre qu'elle reconnaissait vaguement. Comment vous appelez-vous ?

Il hésita.

— Votre nom !

— Frankie, Frankie Betts.

— Déshabillez-le, monsieur Betts.

— Pas complètement, quand même !

— Si, complètement, et vite ! Et vous, dit-elle à Tommy, suivez-moi.

Elle courut au lavabo, le boucha et fit couler l'eau froide. Cela fait, elle attrapa cinq ou six draps sur une étagère et les lui jeta.

— Mouillez-les, essorez-les et étalez-les sur M. Malone.

— Mais il grelotte…

— Faites ce que je vous dis !

Dans l'armoire, elle trouva de la quinine, du chloroforme et du phénol. Dans la pièce des infirmières, elle prit une cuvette et disposa sur un plateau des aiguilles, du fil à suturer, des ciseaux, un scalpel, des pansements, une pointe à cautériser et une seringue. Au moment de sortir, elle se saisit d'une bassine pour parer à toute éventualité : rares étaient ceux qui supportaient l'odeur de chair brûlée.

En retournant au lit numéro un, elle entendit Tommy exprimer ses inquiétudes à Frankie. Il voulait sortir Sid de la salle commune et lui obtenir une chambre privée. Il avait peur que, dans son délire, il ne laisse échapper leurs secrets. Si Billy Madden découvrait que le Patron était à l'hôpital, il en profiterait pour essayer de s'implanter sur leur territoire.

— C'est ta faute s'il est dans cet état, grogna Frankie. On aurait déjà dû l'emmener à l'hosto il y a deux jours.

— C'est lui qui ne voulait pas !

— Laissez-moi passer ! cria India.

Frankie lui ayant cédé la place, elle posa brutalement son plateau sur la table à côté du lit. Les deux hommes avaient déshabillé leur chef et finissaient de l'envelopper dans les draps mouillés.

— N'oubliez pas la tête, commanda-t-elle.

Il lui restait à remplir la cuvette d'eau chaude et à se laver les mains.

Quand elle revint, elle tira un tabouret près du lit avec son pied. Emmailloté dans les draps mouillés, Sid tremblait de tous ses membres.

— Comment est-ce arrivé ?

Elle attendit en lui administrant de la quinine pour faire tomber la fièvre, mais eut un silence buté pour toute réponse.

— Monsieur Betts, je suis médecin, pas agent de

police ! Je me moque de ce que faisait M. Malone au moment de l'accident. Je veux simplement savoir de quelle façon il s'est blessé.

— Vous allez le sauver ?

— C'est ce que j'essaie de faire.

— Il est tombé dans le fleuve, sur un pilier.

India n'aurait pu entendre une plus mauvaise nouvelle. La Tamise était l'endroit le plus sale de Londres.

— Combien de temps est-il resté dans l'eau ?

— Deux heures.

— Quand ça ?

— Samedi soir.

Samedi, et on était mardi ! L'infection, en trois jours, avait eu le temps de s'installer.

— Vous auriez dû l'amener plus tôt. La blessure s'est gangrenée.

— Il faut le soigner, dit Tommy. On peut payer. De l'argent, on en a. Il lui faut une chambre privée. On ne peut pas le laisser ici.

— Pour l'instant, il est impossible de le déplacer. Nous le transférerons plus tard.

— Il lui faut du calme.

— Je n'ai pas le temps de discuter, gronda-t-elle en versant du chloroforme sur une compresse.

— Laisse-la travailler, Tommy, intervint Frankie.

Elle appliqua la compresse sur le nez et la bouche de Sid. Il détourna la tête pour se dégager, mais elle tint bon.

Après un court instant, elle enleva la compresse et se tourna vers Frankie.

— Vous, tenez-lui le bras droit au-dessus de la tête, comme ceci. Placez votre autre main sur son épaule gauche. Et vous, ajouta-t-elle en direction de Tommy, maintenez-lui les jambes par les chevilles.

— Pourquoi ? s'inquiéta-t-il.

— Je vais extraire le pus. Je vous conseille de ne pas regarder.

India prit une autre compresse, la roula et l'inséra entre les dents de Sid. Ensuite elle s'assit et badigeonna la plaie d'eau phénolée. Sid se raidit et résista aux mains qui le retenaient.

— Ne le lâchez surtout pas !

Tommy, toujours aussi peu confiant, surveillait tous les gestes d'India. Mais, au bout de quelques secondes, il fut pris de haut-le-cœur.

— Vomissez dans la bassine, ordonna-t-elle sans s'interrompre.

Plus rien n'existait pour elle que l'infection qu'elle combattait. Ce serait difficile. La couche extérieure des muscles avait commencé à noircir ; il fallait enlever les tissus attaqués. Elle travailla plus d'une heure, avançant méticuleusement tout le long de la blessure, ses doigts habiles maniant le scalpel et les compresses pour exciser l'infection mortelle. Elle sentait les côtes de Sid se soulever et s'abaisser à chaque respiration. L'oreille aux aguets, elle était attentive aux signes d'étouffement. Régulièrement, elle lui prenait le pouls, laissant des empreintes sanglantes sur la peau livide de son poignet. Le sang de Sid maculait ses ongles, coulait sur ses doigts, ses mains. Elle en avait jusqu'aux manches.

Elle n'avait que vaguement conscience des vomissements répétés des deux hommes de Sid Malone. En la voyant appliquer le fer à cautériser sur une veine, Frankie grogna avec horreur qu'elle ne pouvait pas être une femme. Le seul à ne pas gémir était Sid lui-même. Il enfonçait les dents dans sa compresse, tremblait et se crispait sans émettre un son. Sachant que la douleur devait être insupportable, India s'étonna de son courage.

Quand elle eut tout fait pour arrêter l'infection, elle incisa proprement les lèvres de la plaie et la sutura. La tâche fut longue, d'autant que la peau de Sid comportait déjà beaucoup de tissu cicatriciel. Elle avait vu de tels stigmates sur d'anciens prisonniers. Relevant les yeux, elle fut surprise de voir son regard posé sur elle, parfaitement conscient. C'est la douleur, songea-t-elle, qui annule l'effet de l'anesthésiant.

Il cracha la compresse pour parler.

— Je regrette de vous avoir chassée de chez Teddy Ko. Vous avez trouvé un moyen de vous venger.

— Je suis désolée de vous imposer cette souffrance, monsieur Malone, mais vous êtes trop faible pour supporter un narcotique en plus du chloroforme.

Sid laissa retomber sa tête sur l'oreiller. Elle reprit sa température. Le mercure n'était pas descendu. Elle ordonna à Frankie et à Tommy d'ôter les draps pour les remouiller : il fallait absolument que sa fièvre baisse.

— Il va s'en sortir ? demanda Frankie.

— Il va devoir se battre.

Un hurlement terrible monta d'un lit voisin. Les paupières de Sid se soulevèrent, et il essaya de se redresser.

— Recouchez-vous, monsieur Malone. Tout va bien.

Elle se tourna vers Frankie qui se battait avec les draps mouillés.

— Je vais voir si l'hôpital a une chambre privée disponible. Il a besoin de se reposer. Le sommeil l'aidera à combattre l'infection.

Depuis qu'India avait commencé à soigner Sid, le personnel avait eu le temps de s'occuper des victimes de l'accident. Elle alla trouver l'infirmière-chef et lui expliqua la situation. Quand elle revint au côté de son patient, il grelottait sous des draps trempés. Frankie lui avait posé une main sur le front.

— Allez, Patron, disait-il, tu vas t'en sortir. Les filles t'attendent, et Desi, surtout, avec un bon steak et une bouteille de whisky. Et puis pense au pognon…

— On va se payer les plus belles nippes de Londres, ajouta Tommy, et des diams de la taille d'œufs de poule. Ça vaut-y pas la peine de se remettre, Patron ?

India s'était arrêtée, surprise d'entendre autant d'affection dans la voix de ces deux brutes. Se ressaisissant, elle leur demanda de partir pour laisser Sid se reposer et leur expliqua qu'il allait être transféré dans une chambre particulière.

— Qui va s'occuper de lui ? interrogea Frankie.

— Moi.

— Il faut pas mégoter sur les médicaments, recommanda Tommy. On a de quoi.

La réponse d'India fut troublée par l'irruption de deux agents de police, accompagnés d'un homme en complet-veston qui, l'apprit-elle vite, était un inspecteur.

— Nous cherchons le Dr Jones, dit ce dernier.

Frankie se mit à crier.

— Qu'est-ce que tu fiches là, Donaldson ?

— Monsieur Betts, je vous prie… commença India.

— Tiens, tiens. Sid Malone, Frank le Fou et Tommy Smith, tous les trois ensemble. C'est mon jour de chance, remarqua Donaldson. Messieurs, je vous arrête.

India vit que Sid, réveillé par le bruit, ouvrait les yeux.

— Excusez-moi, intervint-elle, mais il est impossible de…

— Pardon, mais j'ai deux mots à dire à votre patient,

docteur Jones, intervint Donaldson en la contournant, puis il aboya en poussant Sid avec le genou : Eh, toi, debout !

— Veuillez vous écarter immédiatement ! s'indigna India en s'interposant. Vous êtes dans un hôpital et non dans un commissariat ! M. Malone est mon patient et je vous interdis de le toucher.

Donaldson et Frankie se tournèrent vers elle, médusés par cet éclat.

— Il n'est pas en état de se lever, continua-t-elle. Il est gravement malade.

— Traitement de faveur, à ce que je vois, ironisa Donaldson. Dans ce cas, ajouta-t-il en regardant Frankie, c'est toi qui vas répondre à mes questions, mon bonhomme.

— J'ai rien à dire aux flics.

— Ah non ? Le casse de la Forteresse, ça ne te rappelle rien ?

— Je sais pas de quoi vous voulez parler.

India tenta encore d'intervenir.

— Monsieur Donaldson, monsieur Betts, je vous demande instamment de…

— Le trafic d'armes, ce n'est pas une affaire d'enfants de chœur, Frankie. Si tu étais malin, tu te referais une virginité en balançant la bande.

— Ça serait plus utile à ta sœur !

— Espèce de…

Les paupières de Sid se soulevèrent au moment où Donaldson, fou de rage, frappait d'un coup de poing le visage de Frankie. Celui-ci essaya de se redresser avec des mouvements désordonnés. Le plateau d'instruments d'India vola en l'air, suivi par la bassine dans laquelle Frankie et Tommy avaient vomi. Donaldson poussa un hurlement en voyant que ses chaussures avaient été éclaboussées.

— Je vais te tuer, Malone !

Avec une énergie fabuleuse, Sid était arrivé à s'asseoir et tirait sur les draps mouillés pour se dégager.

India n'en croyait pas ses yeux.

— Arrêtez ! Recouchez-vous ! Et vous, sortez ! Infirmière, veuillez appeler les gardes !

Elle courut retenir Sid, qu'elle parvint à maîtriser grâce à quelques gestes appris au service de psychiatrie du Royal Free Hospital. Elle le déséquilibra en lui ôtant le soutien de ses bras et le cloua au lit en utilisant le poids de son corps.

— Restez allongé ! Vous allez arracher les points de suture !

Mais il délirait et était beaucoup plus grand qu'elle.

— Frankie, Tommy ! cria-t-elle, venez m'aider.

Les deux hommes joignirent leurs forces aux siennes et arrivèrent à calmer Sid. Trois gardes vinrent à la rescousse. Ils se saisirent d'un des draps mouillés que Sid avait rejetés, le passèrent sur sa poitrine puis sous le lit et le lièrent. Ils bloquèrent ses jambes de la même façon. Dès qu'il fut attaché, India demanda une seringue de sédatif. Elle aurait préféré ne pas en utiliser, mais elle n'avait plus le choix : il était trop difficile à contrôler. Son pansement rougissait. Alors qu'elle préparait la dose, elle se rendit compte que Donaldson ne désarmait pas.

— Sergents, arrêtez ces hommes ! criait-il.

— Nous arrêter ? s'indigna Frankie. Pourquoi ? On n'a rien fait !

— Vous avez contrevenu à la législation sur l'heure de fermeture des débits de boissons.

— Quoi ?

— Le Barkentine est resté ouvert jusqu'à quatre heures du matin aujourd'hui. J'avais des hommes en civil dans la salle.

— Vous plaisantez !

— Les menottes !

— On ne va pas en prison pour ça, on ne récolte qu'une amende ! protesta Frankie.

— Ce sera au juge de décider.

Il y eut un silence, puis India, toujours occupée par son patient, entendit la voix inquiète de Tommy.

— Non, Frankie, non. Ne le frappe pas, c'est ce qu'il cherche. Il te provoque pour avoir de quoi t'envoyer au ballon. T'en fais pas. Bowes nous sortira de là en moins de deux. Perds pas ton sang-froid.

Donaldson approcha du lit. India venait de retirer l'aiguille du bras de Sid.

— J'emmène cet homme, docteur Jones. Il est en état d'arrestation.

— Je vous l'interdis absolument, dit India en appuyant une compresse sur la veine de Sid. Si vous le déplacez, vous le tuerez. Et si vous mettez sa vie en danger, c'est moi qui vous ferai arrêter, monsieur.

Furieux, Donaldson décrocha la paire de menottes qu'il portait à la ceinture et attacha Sid par le poignet à un montant du lit.

— Reed ! Tu restes ici pour garder Malone, ordonna-t-il à l'un de ses hommes.

India se redressa de toute sa taille avec un regard qui fit hésiter Donaldson.

— Vous allez retirez ces menottes à mon patient immédiatement !

— Désolé, mais c'est impossible. C'est pour l'empêcher de prendre la fuite.

— Vous imaginez qu'il est en état de fuir ?

— Soit il reste menotté à son lit, soit je lui libère les mains, mais il dort en prison. À vous de choisir, docteur.

India se tourna vers l'agent chargé de monter la garde.

— Dans ce cas, ne vous mettez pas dans mes jambes, siffla-t-elle.

Dès que le sédatif commença à agir, India fit transporter Sid dans une chambre privée. Elle en refusa l'accès à l'agent qu'elle laissa dans le couloir. Sa présence agitait Sid qui marmonnait en secouant la tête de droite et de gauche.

— Attention, derrière, ils nous suivent…

Voulant à tout prix le calmer, India lui répéta qu'il était en lieu sûr et que personne ne le poursuivait. Elle défit les draps qui le maintenaient et enleva le pansement pour inspecter les dégâts. La plaie s'était rouverte.

— Vous voulez vous tuer ? s'indigna-t-elle. Regardez ce que vous avez fait !

Elle coupa les points de suture arrachés et recommença son travail. Sid essaya encore de se lever, tirant si fort que les tendons de son cou saillaient comme des cordes.

— Arrêtez, voyons, ne bougez pas !

Il tourna la tête vers elle, et le désespoir qu'elle lut dans ses yeux la toucha. Malgré la répulsion qu'elle éprouvait envers le criminel, elle eut de la compassion pour l'homme.

— Est-ce cela, votre vie ? demanda-t-elle. Cette violence, cette méfiance perpétuelle ?

— Pourquoi pas ? rétorqua-t-il en s'effondrant sur l'oreiller.

Quand India eut terminé sa suture, elle reprit la température de Malone. Aucun changement. Alors qu'elle s'apprêtait à lui administrer une nouvelle dose de quinine, le Dr Gifford s'arrêta sur le pas de la porte. Ella Moskowitz le suivait, prenant des notes sous sa dictée.

— Bonsoir, docteur Gifford, mademoiselle Moskowitz.

— J'en ai fini pour ce soir, annonça Gifford. Je passais m'assurer que tout allait bien.

Il jeta un coup d'œil à Sid.

— Ah, on m'a mis au courant. Le cas m'a tout l'air désespéré.

India lui en voulut d'être aussi désinvolte devant le malade. Sid semblait endormi, mais il aurait pu entendre.

— C'est une forte constitution. Il se bat. Je peux le sauver, dit-elle, espérant, si Sid avait entendu Gifford, qu'il entendrait aussi sa réponse.

— Douteux. Et puis, quel intérêt de perdre votre temps avec ce genre d'individu ? Remarquez, mieux vaut qu'il ne meure pas cette nuit. Deux dans la même soirée, cela nous ferait trop de paperasserie demain.

— Il y a eu un décès ?

— Elizabeth Adams est partie il y a une heure.

India ne se souvenait que trop bien d'elle. C'était la patiente à laquelle Gifford avait laissé croire à une grossesse alors qu'elle avait une tumeur.

— De quoi est-elle morte ?

— Cancer de l'utérus. Totalement inopérable, bien sûr.

India hocha la tête tout en sachant que même les cancers pouvaient être traités s'ils étaient pris à temps. Mme Adams aurait peut-être été en vie ce soir, en train de coucher ses enfants, si elle avait été soignée dès qu'elle était allée voir Gifford.

— Il va falloir apprendre à vous écarter de ce qu'on vous a inculqué à la faculté, docteur Jones. Avec l'expérience, vous saurez mieux vous débrouiller des cas pratiques. Il est parfois plus humain de donner de l'espoir aux patients. La vérité serait trop dure. Mademoiselle Moskowitz, je veux trouver ces notes sur mon bureau à mon arrivée demain matin.

— Elles y seront, docteur.

India attendit que le bruit de ses pas se soit éloigné pour laisser éclater sa colère.

— Mme Adams souffrait le martyre et elle était épuisée. Je me demande en quoi la décision du Dr Gifford était plus humaine !

— India…

— C'est intolérable ! Il bafoue le serment d'Hippocrate. Je vous jure, Ella… Devant des opinions aussi archaïques, je ne me sens plus médecin. En travaillant dans son cabinet, j'ai l'impression de… de me prostituer, acheva-t-elle à voix plus basse.

— Si c'était le cas, vous gagneriez sans doute mieux votre vie. Combien avez-vous mis de côté pour le dispensaire ?

India soupira.

— Cinquante-huit livres et cinq shillings.

— Si vous démissionnez, cette petite réserve fondra vite.

— C'est vrai. Je suis désolée. N'a-t-il jamais songé que, tout en disant la vérité, on pouvait aussi donner de l'espoir aux patients ?

— Vous le ferez dans votre dispensaire. Il va simplement falloir patienter un peu.

India hocha la tête, malheureuse.

— Dire qu'il est considéré comme un saint…

— Il me semble plutôt qu'il se prend pour Dieu le Père !

Un rire échappa à India. Ella parvenait toujours à la

faire rire, même quand elle bouillait de colère. Cet humour lui permettait de prendre le recul nécessaire pour continuer son travail.

— Et ce patient ? demanda Ella.

— C'est Sid Malone.

— Sid Malone ! Vous plaisantez !

India lui assura que non et lui résuma la situation. Ella approcha du lit, et, à la grande surprise d'India, elle lui prit la main.

— *Gott in Himmel !* Grand paresseux, tu n'as pas honte de te prélasser au lit ?

— Ella ? C'est toi ? dit Sid d'une voix endormie.

— Chut, ne parle pas. Repose-toi. Tu es entre de bonnes mains. Espère surtout que personne ne vendra la mèche à ma mère. Si elle apprend que tu es à l'hôpital, elle va venir te gaver de bouillon de poule à l'entonnoir. Dors, tu n'as rien de mieux à faire…

Sid hocha la tête, et Ella ressortit avec India.

— Il est brûlant de fièvre, commenta-t-elle. J'espère qu'il va s'en sortir. C'est un bon garçon.

— Vous appréciez Sid Malone ?

— Oui, je l'aime bien.

— Mais comment le connaissez-vous ?

— Il mange souvent chez nous avec ses hommes. Un jour, une bande de voyous voulait tout casser dans le restaurant. Quatre grands gaillards qui ont poussé Yanki pour lui faire lâcher son plateau. Ils ont insulté maman et papa, et ont traité ma sœur Rebecca de « sale youpine ». Dire ça à une petite gosse…

India vit à quel point ce souvenir la blessait encore.

— Heureusement, poursuivit Ella, Sid déjeunait chez nous avec Frankie. Il a dit à maman de faire monter la petite, et puis ils ont sorti les quatre voyous et leur ont flanqué une raclée sur le trottoir.

— À deux contre quatre ?

— Sid est un vrai lion et Frankie une terreur. Nous n'avons plus jamais eu d'ennuis depuis, ni de la part de ces quatre-là, ni d'aucun autre. C'est la vérité, je le jure.

— Je vous crois… tout en étant un peu surprise.

— Au fond, il n'est pas mauvais. C'est un grand cœur malmené par la vie. Ce sont les circonstances qui l'ont fait mal tourner. Vous vous en sortirez ? Je peux rester, si vous voulez.

— Merci, mais rentrez vous reposer.

Il était sept heures du soir. Ella commençait à six heures le lendemain, et la lassitude marquait son visage.

— Bien, alors à demain, India.

— Bonsoir, Ella.

India retourna auprès de Sid pour reprendre son pouls et sa température. Son état était stationnaire. Elle croisa les bras et le considéra, se demandant quel traitement entreprendre, bain froid ou quinine, ou les deux à la fois. Allons, un petit effort, monsieur Malone, pensa-t-elle, il ne faudrait pas donner trop de paperasserie à remplir à ce pauvre Dr Gifford.

12

La tenancière du Taj Mahal, une petite dame replète et forte en gueule, désespérait de tirer Frankie de sa morosité. Mains sur les hanches et sourcils froncés, elle le sermonnait.

— Et Addie, alors ? Elle n'est pas mignonne, Addie ?

Frankie haussa les épaules.

— Mais bon sang, mon gars, elle est fraîche comme une fleur ! Jeune, propre, les tétons dressés comme des cornes de taurillon. Je te l'offre, et toi tu restes là, à pleurnicher dans ta chopine. Monte avec elle et arrête de geindre !

— J'ai pas le cœur à ça.

— On ne te demande pas d'y mettre le cœur, bougre d'idiot. Tu devrais fêter ta libération au lieu de t'apitoyer sur ton sort. Regarde Bowes, il ne se fait pas prier, lui.

Elle désignait un homme rond et chauve qui montait au premier, une fille à chaque bras.

Frankie et Tommy n'avaient pas passé deux heures sous les verrous. Harry Bowes, l'avocat de la Firme, était arrivé au triple galop au commissariat de Whitechapel et, une fois mis au courant de la situation, avait avisé l'œil au beurre noir de Frankie.

— Qui t'a fait ce coquard ?

— Donaldson.

— Excellent ! Où était-ce ?

— À l'hôpital.

— Devant témoin ?

— Oui, Tommy était là.

— Devant des témoins crédibles pour le juge, je veux dire.

— La doctoresse a tout vu.

— Parfait ! Attendez-moi, je reviens. Surtout, ne vous sauvez pas.

— Très drôle…

Une demi-heure plus tard, l'avocat reparaissait, suivi par un agent récalcitrant.

— Vous êtes libres, triompha-t-il alors que l'agent ouvrait la cellule. Il faudra payer une amende pour infraction aux heures d'ouverture des débits de boissons, mais c'est tout. Donaldson envoie un de ses hommes retirer les menottes de Sid.

— Bravo Bowesie, t'es un as ! Comment t'as trafiqué ça ?

— J'ai menacé de l'attaquer pour voie de fait s'il vous gardait une minute de plus. Je lui ai dit que le Dr Jones témoignerait.

En sortant du commissariat, ils croisèrent Donaldson. Bowes saisit Frankie par le bras.

— Du calme, mon gars.

— Ben quoi, si j'ai envie de lui dire ce que je pense de lui !

— Frankie, il va falloir vous tenir à carreau un moment. Le député Lytton veut la peau de Sid. Il lui colle l'affaire de la Forteresse sur le dos sans aucune preuve. Attention, nous avons eu de la chance cette fois, mais ne tentez pas le sort.

L'insistance de Susie rappela Frankie au moment présent.

— Allez, monte, je te dis, ça te fera du bien.

— Bon sang, Susie, comment tu veux que je pense à ça quand le patron est en train de crever ?

— Mais non, il va se remettre.

— Tu l'as pas vu ! J'ai jamais vu personne aussi malade. J'aurais pas dû l'écouter. C'est la faute à Tommy. On aurait dû l'emmener voir un docteur plus tôt.

— Il va s'en tirer. Il est solide, Sid. Quand on a traîné toute sa vie dans les rues de Whitechapel, quand on a été apprenti de Denny Quinn, quand on en a bavé en taule et qu'on s'en est sorti, quand on a tenu tête à Bowler Sheehan et à Billy Madden, et à je ne sais combien d'autres sauvages, on ne finit pas ses jours dans un hôpital.

— J'ai que lui au monde, Susie. S'il lui arrivait quelque chose, je sais pas ce que je deviendrais.

Susie hocha la tête. Elle connaissait son histoire comme tout le monde et savait que Sid lui avait sauvé la vie. À dix ans, ayant perdu ses parents, il avait été placé dans un orphelinat dont il s'était échappé au bout d'un mois. Ensuite, il avait passé deux longues années dans la rue, mourant pratiquement de faim. Peu à peu, il était devenu pickpocket. Il était habile, mais ne l'avait pas été assez quand il s'était attaqué à la poche de Sid sans savoir à qui il avait affaire. Il repartait, croyant le coup réussi, quand on l'avait attrapé par le col. Sid l'avait soulevé de terre et l'avait emmené jusqu'à l'arrière-salle du Barkentine. Frankie avait eu la peur de sa vie. Il avait prié, non pas d'être sauvé, car la chose était impossible, mais au moins que la fin soit rapide.

Malone ne l'avait pas touché. Il l'avait même félicité. S'il n'avait pas cherché son portefeuille à l'instant où Frankie le lui prenait, il ne se serait aperçu de rien. Il lui avait demandé une démonstration et juré qu'il ne sentait rien.

— Tu as du talent, mon gars, tu as de l'avenir.

C'était un des plus beaux souvenirs de Frankie.

Sid lui avait fait raconter son histoire. À la fin, il avait envoyé Desi lui chercher une assiette bien remplie. Une heure plus tard, au lieu de rencontrer la mort cruelle à laquelle il s'était attendu, Frankie s'était retrouvé l'estomac plein, douillettement couché dans le grenier du pub.

Six années s'étaient écoulées depuis. Frankie avait à présent dix-huit ans. Ce n'était plus le gamin des rues gelé et efflanqué d'autrefois. On le respectait. Dans les pubs, on le servait le premier ; on l'habillait, le rasait gratis. Seuls ses amis l'appelaient Frankie le Fou. Pour les autres, c'était M. Betts.

Sid lui avait ouvert toutes les portes. Il avait du travail, de l'argent, une nouvelle famille. Mais le plus important, c'était l'intérêt que lui portait Sid. Il lui avait appris beaucoup. D'abord de petites choses : ouvrir un coffre-fort, crocheter une serrure, surveiller un bâtiment. Puis il était passé aux coups sérieux. Il savait maintenant imposer le respect, se servir de son pouvoir, à qui s'allier et de qui se méfier. La force brutale ne suffisait pas, lui répétait Sid, il fallait aussi utiliser son intelligence.

L'apprentissage n'avait pas été facile. Au début, il s'était battu sans arrêt. Il s'était fait casser le nez, la mâchoire, arracher la moitié d'une oreille. Il avait en permanence un œil poché.

Ses adversaires étaient surtout les gars de Billy Madden, le chef du West End. Madden faisait travailler des filles, avait des maisons de jeu, écumait les rupins. Ses affaires marchaient bien, mais il avait la folie des grandeurs. Il convoitait l'est de la ville, avec ses quais, ses entrepôts, et l'immense richesse engendrée par la Tamise. Régulièrement, il envoyait ses gars fouiner sur le territoire de la Firme, ce qui rendait Frankie fou de rage.

Mais Sid n'était pas dupe. Ce n'était pas contre les gars de Madden que Frankie en avait, c'était contre la vie en général. « La colère te dévore les tripes, elle te bouffe, elle te déglingue », lui avait un jour dit Sid. En entendant cela, Frankie avait eu l'impression que Sid lisait en lui, qu'il avait vu, comme lui, sa mère ivre morte trébucher devant les chevaux de la voiture qui l'avait écrasée ; qu'il savait que les surveillants de l'orphelinat le battaient et que les autres garçons lui volaient sa nourriture, sa couverture, ses chaussures. La gorge nouée par l'émotion, il n'avait pas pu répondre.

Sid n'avait pas insisté. Il lui avait tapoté l'épaule et lui avait conseillé de se servir de sa colère au lieu d'en être l'esclave.

Frankie se contrôlait mieux, maintenant. Il commençait à comprendre. Parfois, il valait mieux ne pas se bagarrer pour rien, et se retrouver derrière les barreaux en prime, quand on pouvait dévaliser la Forteresse au nez et à la barbe des condés pour deux mille livres.

En échange de ce qu'il apprenait auprès de Sid, Frankie lui offrait sa fidélité absolue. Sid était devenu pour lui comme un père, un frère. Il n'était jamais aussi heureux qu'en sa compagnie, avec une serrure ou un coffre-fort à ouvrir, ou un beau coup à préparer.

Et puis, un jour, il avait cru tout perdre. Il s'était laissé entraîner dans une bataille rangée par les gars de Madden dans un pub qui avait été tellement saccagé que la police était intervenue. Il avait été arrêté et mis en cellule au commissariat de Deptforth. Sid, furieux, refusait de l'aider, avait-il entendu dire. Et puis la veille de sa comparution devant le juge, la porte de sa cellule s'était ouverte, et on l'avait libéré. Sid l'attendait dehors. Il l'avait ramené au Barkentine. Le pub était vide. Même Desi était absent, ce que Frankie avait trouvé très bizarre.

— Ça m'a coûté mille livres de te sortir de là, espèce de tête de lard ! avait crié Sid.

— Je m'excuse, Patron, je voulais pas…

Sid l'avait interrompu.

— Et en plus, t'as le toupet de te marrer en sortant du commissariat. Tu crois que c'est drôle, la taule ? Qu'est-ce qui te serait arrivé si j'avais pas été là pour graisser la patte au juge ? T'en aurais pris pour cinq ans à Wandsworth, mon gars.

Sid avait enlevé sa veste et l'avait posée sur la table. Ensuite, il avait déboutonné sa chemise. Frankie avait eu peur, alors. S'il se déshabillait, c'était sans doute pour le cogner sans se salir.

— Pardon, Patron, pardon, je recommencerai pas, je le jure.

Sid n'avait pas répondu. Il avait fini d'enlever sa chemise, dévoilant des épaules larges, des muscles saillants sous une peau lisse et pâle. Il avait regardé Frankie bien en face, puis il s'était tourné pour lui montrer son dos. Frankie avait retenu une exclamation.

La peau était boursouflée, horriblement striée de cicatrices, épaisses et rouges par endroits, blanches et si fines à d'autres qu'on voyait les côtes au travers.

— Patron…

— Le maton m'a donné trente coups de chat à neuf queues.

— Pourquoi ?

— Parce que ça lui faisait plaisir, et qu'il n'y avait personne pour l'en empêcher. Quand il a eu fini, il m'a jeté au cachot. Pas de matelas, de l'eau qui suintait sur les murs… Personne ne pensait que je m'en sortirais. Le salaud m'a même dit qu'il avait commandé mon cercueil.

Il se rhabilla.

— Souviens-toi bien de ça, Frankie. Et souviens-toi aussi que les marques qu'on t'imprime sur le corps en prison ne sont rien à côté de celles qu'on t'imprime dans l'âme.

Frankie aurait voulu en savoir plus. Il aurait voulu que Sid lui dise si c'était cela qui l'empêchait de dormir, qui le faisait déambuler dans les rues la nuit jusqu'à ce qu'il s'écroule de fatigue. Parfois, Desi le retrouvait endormi au coin du feu, mais rarement dans son lit. Était-ce cela qui le poussait à distribuer de l'argent à tous les loqueteux du quartier ? Le magot qu'ils amassaient ne semblait même pas lui faire plaisir. Parfois, il regardait les piles de billets comme si elles le dégoûtaient. Mais on ne pouvait pas poser de questions à Sid. Son regard l'interdisait. Alors, Frankie avait promis de tout faire pour éviter la prison, et il ne s'était pas trop mal débrouillé.

Susie lui posa la main sur l'épaule.

— Allez, fais pas cette tête, mon grand. Sid va s'en sortir, et vous allez revenir épuiser mes filles.

— J'espère.

— Mais bien sûr. En attendant, au travail. T'as bien un petit coup en réserve, ça te changera les idées.

— T'as raison. Merci, Susie.

— Et je ne veux te revoir qu'avec le sourire. Les têtes de six pieds de long, c'est mauvais pour les affaires. Allez, ouste !

Frankie repartit ragaillardi. Susie disait vrai. Sid était fort comme un cheval, et Frankie lui réserverait une bonne surprise pour sa sortie de l'hôpital. Il lui montrerait qu'il était capable d'utiliser son intelligence.

Il se dirigea vers le sud et arriva à destination au bout d'une demi-heure. L'entrepôt Morocco, dans la rue principale de Wapping, se dressait devant lui, immense et impénétrable. Il en faisait son affaire. D'ailleurs, il ne comptait pas s'y introduire par effraction. Il voulait seulement dire deux mots au gardien, un certain Alf Stevens.

Sid n'avait jamais touché à cet entrepôt, sans donner de raison valable. La Firme recevait pourtant une redevance de protection de tous les autres. Le Morocco appartenait au propriétaire des épiceries Montague, Joe Bristow, un gars du coin. Justement, s'il avait grandi dans l'East End, il savait qu'il fallait payer le prix de sa tranquillité. Il était trop longtemps passé entre les mailles du filet.

13

Sid ne savait pas comment s'y prendre pour mourir.

Sans doute y avait-il un dispositif, une sorte de serrure, de loquet, qui retenait le corps attaché à l'âme. On aurait dû pouvoir l'actionner pour se libérer. Mais Sid n'arrivait pas à le trouver.

Il souffrait comme un damné. Il se débattait dans un océan en furie, un océan rouge qui le broyait dans ses courants et ses lames, mais sans le noyer.

Et puis une main plongea dans l'eau pour le secourir, des doigts se refermèrent sur son poignet. Il entendit une voix lointaine… une voix de femme.

— Ouvrez… murmura-t-il, ouvrez, libérez-moi…

— Chut…

Et puis la main, petite mais puissante, appuya sur son cœur.

Le temps passa. Des jours, des semaines peut-être, s'écoulèrent, ou beaucoup moins. Il entendait encore un bruit d'eau. Pas celui de la mer, cette fois, mais le martèlement de la pluie sur les carreaux. Réel ou imaginaire, il ne le savait pas.

Il ouvrit les yeux. C'était elle. La doctoresse. Elle le

dévisageait de son regard gris et doux comme le duvet d'une mouette.

— Qu'est-ce qui se passe ?

— Vous êtes à l'hôpital. Vous avez été gravement blessé. Vous êtes très malade.

À l'hôpital ! Les hôpitaux étaient des endroits dangereux, remplis de mouchards. Donaldson viendrait l'y arrêter, Lytton le retrouverait.

— Donnez-moi mes vêtements. Je pars.

Il essaya de se redresser, mais la douleur s'abattit sur lui comme une masse.

— Ne bougez pas.

La doctoresse lui glissa un thermomètre dans la bouche, attendit, puis lut la température.

— Quarante, c'est un peu mieux. Il faut encore qu'elle baisse.

— Attention, vous savez ce que vous faites ?

— Je surveille votre température.

— Non, vous soignez un criminel.

— Je suis médecin, monsieur Malone. Je soigne les malades, tous les malades. Ne bougez pas, je vais vous faire une piqûre.

Il sentit l'aiguille dans son bras. Sa peau se mit à le chauffer, puis la douleur se calma un peu. Il éprouva une telle reconnaissance qu'il faillit en pleurer.

— Encore…

— Non, maintenant il faudra attendre plusieurs heures avant de pouvoir recommencer.

— Quelle heure est-il ?

— Neuf heures du soir. Je vous en redonnerai à minuit.

Elle se leva pour partir.

— Comment, trois heures à attendre ? Je ne pourrai jamais tenir. Restez ! Parlez-moi !

— Mais je ne peux pas, je dois…

Il lui attrapa le poignet, si brutalement qu'elle sursauta. Il n'avait pas voulu lui faire peur, mais il ne dominait plus son angoisse.

— Je vous en prie, supplia-t-il en essayant encore de s'asseoir.

— Monsieur Malone ! Restez couché !

— Vous restez ?

— Bien, mais seulement si vous vous allongez.

Il lui obéit.

— Parlez-moi, dites n'importe quoi. Racontez-moi comment vous êtes devenue docteur.

— Vous allez mourir d'ennui, remarqua-t-elle, esquissant un sourire.

— Mais non, ça m'intéresse.

— Docteur Jones ? dit une jeune infirmière du pas de la porte.

— Oui ?

— Voici le bouillon de bœuf que vous avez demandé. Et puis, Mlle Abel a pensé qu'une tasse de thé ne vous ferait pas de mal.

— Vous la remercierez. Et merci à vous aussi.

La jeune infirmière posa son plateau sur la table de chevet puis repartit. Sid avait remarqué avec quelle admiration elle regardait le Dr Jones, une admiration dont cette dernière ne semblait nullement consciente.

— Vous sentez-vous capable d'avaler un peu de bouillon ?

— Non. Je ne le garderai pas. Parlez-moi. Votre voix m'aidera à oublier la douleur.

— Vous souffrez beaucoup ?

— Comme un chien !

— Je veux bien essayer, mais si je vous raconte mon histoire, alors vous devrez me raconter la vôtre.

Sid hocha la tête, prêt à tout accepter.

Elle s'assit à côté de lui, embarrassée. Elle eut du mal à commencer et s'arrêta très vite.

— Je n'ai pas l'habitude de parler de moi… Je n'ai encore jamais dit tout ça à personne.

— Ah ? Pourquoi ?

Elle hésita.

— Eh bien… sans doute parce qu'on ne me l'a jamais demandé.

Le temps passant, elle s'apprivoisa. Elle lui parla de ses dix-huit ans, de sa frayeur au moment d'entrer pour la première fois à la faculté de médecine pour femmes de Hunter Street. Elle lui raconta sa première mauvaise note, en chimie, et son premier triomphe, en diagnostic. Elle lui parla des soirées entières passées à la bibliothèque, de son internat au Royal Free Hospital. Il y avait eu des bizutages très violents. Les étudiants en médecine avaient mené la vie dure aux filles, voulant les dégoûter d'une profession qu'ils estimaient devoir rester le privilège des hommes.

Sid, qui ne l'avait retenue que pour se distraire de la douleur, s'intéressait à elle bien malgré lui.

Elle tenta de lui expliquer ce que l'on ressentait en auscultant un malade, la façon d'agir avec les patients très atteints. Il fallait apprendre à gagner leur confiance, à communiquer vraiment. Pour elle, même les petites victoires étaient d'une immense importance, mais se battre pour sauver une vie, permettre à quelqu'un de se rétablir lui procurait une joie inégalable.

Sid s'étonnait de la passion qui animait ce visage par ailleurs si froid et parfaitement maîtrisé. Il voulut savoir comment elle supportait de manier le bistouri. Elle n'y était parvenue qu'avec la plus grande difficulté, avoua-t-elle. Au début, elle en avait été presque incapable. Et puis, au fil du temps, elle avait appris à ne plus voir la personne, mais seulement la tumeur, la hernie, l'appendice à enlever.

— Mais ce n'est pas dangereux de confier des malades aux étudiants ?

— On ne s'entraîne pas sur les patients, mais sur des cadavres. De chiens, de cochons, mais aussi sur des êtres humains.

— Quoi ?

— Il n'y a pas le choix. Le problème, c'est la corruption des tissus. Les facultés de femmes sont désavantagées. On ne leur donne que les cadavres les plus anciens. Ce n'est pas pareil. La chair morte glisse, se rompt quand on la suture. La peau vivante est plus solide, plus élastique…

— Taisez-vous, bon sang !

— Excusez-moi. Vous comprenez maintenant pourquoi je parle peu de ma profession ! J'oublie trop vite que les gens ne peuvent pas tout entendre.

— Vos histoires doivent avoir beaucoup de succès dans les dîners en ville !

— Pas vraiment ! répondit-elle en riant.

— Et vous avez déjà vu des patients passer l'arme à gauche ?

Il ne voulait pas qu'elle s'arrête. L'eau rouge de la douleur montait. Si elle passait la digue, il serait emporté et, cette fois, il n'en reviendrait pas.

— Perdre un patient ? Ça ne m'est encore jamais arrivé.

— Alors je serai le premier.

— Certainement pas !

Elle était trop sûre d'elle. C'était de l'orgueil.

— Je n'aurai pas la force.

— Battez-vous ! L'être humain est la plus

miraculeuse, la plus belle, la plus complexe des machines, et votre ennemi n'est qu'un parasite unicellulaire, une bactérie, un organisme sans cerveau, sans âme, sans conscience. Vous vous laisseriez vaincre par un tel adversaire ? Moi, je ne l'accepte pas. Je ferai tout pour vous aider.

Ses yeux étincelaient, et Sid, à travers ce regard, la comprit. Elle était courageuse et indomptable. Elle avait un caractère difficile, mais elle était droite. Impatiente, aussi. Pourtant, sa générosité la rendait capable de rester auprès d'un patient pendant des heures, couverte de son sang. Toute fluette qu'elle était, elle n'hésitait pas à tenir tête à des hommes dangereux, à les malmener et à veiller seule sur des mauvais garçons comme lui. C'était une femme exceptionnelle et rare.

Il aurait voulu lui dire qu'il l'admirait. Qu'il avait connu des gens de son espèce, des gens bons, autrefois. Il y avait si longtemps... Mais il se tut. Elle l'aurait pris pour un fou.

— Dites-moi pourquoi...

— Oui ?

— Pourquoi vous avez voulu devenir docteur.

— Je...

Elle s'interrompit, secouant la tête pour lui faire comprendre qu'elle ne souhaitait pas continuer.

— Si vous ne voulez plus parler, redonnez-moi de ce produit.

— Vous souffrez davantage ?

— Atrocement.

C'était humiliant de dépendre de cette femme, lui qui n'acceptait jamais l'aide de personne.

Elle lui reprit le pouls, puis fronça les sourcils.

— Vous ne voulez pas m'en donner ?

— Pas encore.

— Alors, parlez-moi… Allez… Il était une fois…

Elle détourna la tête, regardant la pluie qui ruisselait sur les carreaux. Il eut l'impression qu'elle était transportée ailleurs.

— Il était une fois une petite fille qui vivait à Blackwood, un magnifique château du pays de Galles.

— Non, une histoire vraie, une histoire vraie…

— Laissez-moi continuer. Elle l'est.

— Je vous écoute.

— Dans ce château vivaient des gens malheureux, mais il était entouré de forêts, de rivières et de hautes collines. La petite fille n'était pas seule. Il y avait sa sœur, Maud ; son cousin, Wish ; deux amis, Freddie et George ; Bea, la fille du garde-chasse, et son frère Hugh. Hugh et Bea vivaient dans une chaumière, au milieu des bois, où leur mère, une femme charmante, leur racontait des contes de fées au coin du feu. Elle leur donnait aussi de bons biscuits pour le goûter. La petite fille grandit ainsi avec ses amis. Ils étaient inséparables…

— Est-ce qu'il y aura une sorcière ? Un loup ?

— Non. Pourquoi s'encombrer de faux monstres quand il y en a tant de réels dans la vie ?

Sid crut que cette réflexion lui était destinée. De quel droit osait-elle le juger ? Et pourquoi l'opinion de cette femme le blessait-il autant ? Il aurait voulu la chasser, mais il n'en avait pas la force. Seule sa voix pouvait le sauver.

— Quand les enfants grandirent, ils durent quitter la forêt. Hugh devint garçon d'écurie au château, et Bea, femme de chambre.

— Et la petite fille ?

— C'était une prisonnière triste et désœuvrée portant corset et robe de soie.

— Votre histoire ne se termine pas très bien.

— Non, mais la véritable fin est bien plus triste. Quand Bea eut seize ans, elle tomba amoureuse. Elle ne voulut révéler le nom de son amant à personne, même pas à moi. Nous pensions que peut-être ce n'était que des rêveries de jeune fille.

Sid avait noté le passage à la première personne. Elle avait le regard lointain des gens qui plongent dans leurs souvenirs. Il s'accrocha à ses yeux gris comme à une planche de salut.

— Un jour, je suis allée chercher Hugh à l'écurie. Bea était avec lui. Elle pleurait. Elle était enceinte. Le père était un garçon du village. Il l'avait abandonnée en apprenant qu'elle attendait un enfant. Je voulais l'aider à tout prix. Je lui ai dit que nous trouverions une solution. Mais elle craignait que ses parents ne s'aperçoivent de quelque chose, et que les miens ne la renvoient. Mon père aurait été intraitable.

India s'interrompit pour boire une gorgée de thé puis continua.

— Quelques jours plus tard, une paire de peignes à chignon de grande valeur appartenant à ma mère a disparu. On a retrouvé l'un d'entre eux grâce à un bijoutier. En réalisant la valeur du peigne et en reconnaissant le monogramme gravé, l'homme avait pris peur, je crois. Par crainte d'être accusé de recel, il était allé trouver la police. Il avait décrit le jeune homme qui le lui avait vendu. C'était Hugh. La police est allée l'arrêter, mais il n'était pas chez lui. Moi, j'ai su où aller pour l'avertir, dans un endroit où nous nous retrouvions souvent, une maisonnette abandonnée du domaine de mon père. Bea était allongée par terre sur une couche improvisée par Hugh avec des plaids. Les couvertures étaient imbibées de sang. Elle était allée chez une avorteuse, qui avait fait un carnage. C'était pour la payer que Hugh avait pris les peignes.

« En me voyant, il a voulu me chasser, mais je ne pouvais pas abandonner Bea. Il fallait l'amener à l'hôpital. J'ai dit à Hugh de me donner une demi-heure puis de la porter à la grille du parc. Pendant ce temps, je suis allée à l'écurie où j'ai attendu que le palefrenier parte dîner. Dès qu'il a eu le dos tourné, j'ai harnaché deux chevaux à une carriole que j'ai fait avancer jusqu'à l'entrée du parc pour emmener Hugh et Bea. Je les ai cachés à l'arrière, sous des couvertures, et je les ai conduits à l'hôpital de Cardiff. Freddie nous accompagnait, mais il n'avait pas plus d'argent que moi. J'étais tellement peu débrouillarde ! Ma mère dit toujours que les jeunes filles bien élevées n'ont pas d'argent sur elles. Je suis allée mettre en gage mes boucles d'oreilles. Quand je suis revenue, il était trop tard. Bea était morte. La police avait été appelée. Hugh risquait gros. Freddie et moi avons essayé de le faire sortir de l'hôpital, mais nous nous sommes égarés dans le bâtiment…

Elle s'arrêta et eut un rire bref.

— Pourquoi riez-vous ?

— Nous nous sommes retrouvés dans la salle des maladies pulmonaires. Elle était remplie de mineurs qui mouraient de silicose. Ironique, non ?

— Je ne vous suis pas…

— Pardonnez-moi. Je pensais que vous saviez, comme tant de gens, que mon père est lord Burnleigh, propriétaire de la moitié des mines de charbon du pays de Galles. Tous ces pauvres malades travaillaient pour lui. Il y avait des hommes de trente ans qui en paraissaient cent. Des enfants dévorés par la consomption. J'ai vu une petite fille d'à peine six ans cracher du sang sur son drap. Une femme m'a reconnue en me voyant passer. Je portais un manteau bleu que ma mère m'avait rapporté de Londres. Cette femme a craché sur moi, et m'a dit qu'elle espérait que mon manteau me tenait chaud parce qu'il lui avait coûté assez cher : son mari était mort pour que je puisse me le payer.

Elle s'arrêta, incapable de continuer.

Sid garda un instant de silence, puis fit remarquer :

— Alors c'est à cause de Hugh, le fils du garde-chasse, que vous êtes devenue docteur ?

Il regretta aussitôt son ton moqueur, mais il était trop tard. Son mépris avait blessé India.

— Je ne sais pas pourquoi je vous raconte toutes ces choses, monsieur Malone. Je dois vous ennuyer. Je vous prie de m'excuser.

Elle se leva.

— Attendez ! Qu'est-ce qui lui est arrivé ?

— La police l'a arrêté, dit-elle en remettant les tasses sur le plateau.

Sid ne put s'empêcher de ricaner.

— Évidemment. Votre père a porté plainte, j'imagine, même après avoir récupéré ses peignes.

— Il n'en a retrouvé qu'un. Hugh a prétendu qu'il n'avait pas le deuxième, mais personne ne l'a cru. Ni mon père, ni la police, en tout cas.

— Et vous ?

— Si, bien sûr. Je l'ai cru, et je le crois toujours.

— Je parie qu'il était amoureux de vous.

La tasse qu'India tenait lui échappa des mains et retomba sur le plateau avec un grand bruit.

— C'est une question bien personnelle…

— Alors, vous l'aimiez aussi.

Elle ne répondit pas.

— Mais vous n'êtes pas restée avec lui.

— Non, en effet, monsieur Malone, soupira-t-elle en soulevant le plateau.

— Le pauvre bougre. À l'heure qu'il est, il est sans doute au fond d'une mine à mourir de chagrin à cause de vous. Mais évidemment, une jeune aristocrate ne pouvait pas se marier avec un gars qui avait fait de la taule.

— Hugh est mort. Il est mort du typhus en prison.

Espèce d'imbécile, se dit Sid. Tu n'en rates pas une.

— Pardon… Je ne savais pas… Je ne pensais pas…

— Non, bien sûr, vous ne pensiez pas !

Elle s'était refermée comme une huître. Son visage, si ouvert quelques instants auparavant, était redevenu glacial.

Il avait parlé sous l'empire de la colère, croyant qu'elle l'avait traité de monstre… Mais ne s'était-il pas trompé sur ses intentions ? Il y avait d'autres monstres dans sa vie… Il aurait voulu pouvoir s'excuser, lui demander de rester, mais il ne s'en sentait pas la force.

— Je reviendrai dans un moment pour reprendre votre température, dit-elle en gagnant la porte.

— Attendez… attendez…

La douleur redevenait insupportable, mais, sous la douleur, il y avait autre chose. Une bête noire à l'affût qui attendait son heure. Il se mit à frissonner.

— Je voudrais une couverture, dit-il en claquant des dents.

— Vous en avez déjà deux. Avez-vous très froid ?

— Je suis gelé.

Elle posa son plateau et déplia une autre couverture. Il tremblait convulsivement. Son cœur battait à tout rompre, si fort qu'il eut peur qu'il ne lui fracasse les côtes.

— Docteur Jones, je me sens mal…

Il dut s'interrompre car le souffle lui manquait.

— Infirmière ! entendit-il crier.

Il y eut un bruit de course, puis des voix. Il entendit India.

— Choc septique ! disait-elle.

Les eaux rouges rompaient la digue. Il attrapa la main de son médecin et la serra. Il tiendrait bon tant qu'il s'y accrocherait. Il ne devait la lâcher à aucun prix. Elle l'empêcherait de se noyer, même s'il était submergé.

Mais les sons faiblirent, puis s'éteignirent. Il n'y eut plus que le mugissement des vagues qui déferlaient, l'entraînant vers le fond.

14

— Tu l'aimes ?

— Non, Gem. C'est toi que j'aime.

Freddie fit glisser sa main de la poitrine nue de Gemma Dean à sa hanche, puis sur la peau satinée de sa cuisse.

— Mettons que tu m'aimes autant qu'un homme comme toi peut aimer. C'est-à-dire, très peu.

— Gem…

— Si tu ne l'aimes pas, pourquoi l'épouser ?

— Parce qu'elle est riche et que moi, malheureusement, je ne le suis pas.

Gemma eut un rire ironique.

— Je t'assure. Mon frère, qui gère la fortune familiale, du moins ce qu'il en reste, ne me verse qu'une pension très maigre. J'ai besoin de beaucoup plus pour atteindre l'objectif que je me suis fixé.

— Et qui est ?

— De devenir Premier ministre, comme tu le sais.

Freddie roula sur un coude, s'entortillant un peu plus dans le drap du grand lit de Gemma. Ils venaient de faire l'amour. Pour la dernière fois, avait-elle juré. Mais il la savait faible.

— Prends patience. Attends que je sois marié et tout s'arrangera, je te le promets. Je serai riche à millions. Je pourrai m'occuper de toi, t'entretenir dans un bel appartement avec voiture et chevaux. Tu auras tout ce dont tu rêves.

— Je n'ai aucune raison de t'attendre. Moi aussi, je vais me marier. Mon nouvel amant me paie déjà tout ce que je veux. Des robes, des fourrures, cet appartement. Je n'ai pas besoin de toi.

Une jalousie violente s'empara de Freddie.

— Qui est-ce ?

— Ça ne te regarde pas !

Elle voulut se lever, mais il la rattrapa brutalement par le poignet pour l'obliger à rester près de lui.

— Son nom !

— Laisse-moi ! Je t'en ai assez dit, et c'est déjà trop. J'aurais dû te claquer la porte au nez. C'est bien malheureux que tu sois si bel homme.

Freddie eut un sourire.

— Et bon amant, chérie…

— Tu te flattes !

— Je ne crois pas, murmura-t-il en l'attirant à lui pour lui mordiller l'oreille.

— Arrête, Freddie ! Il est temps que tu partes. Je ne plaisante pas.

— Attends un peu…

Il l'enfourcha et lui plaqua les mains sur le matelas au-dessus de la tête.

— Lâche-moi !

Il l'embrassa de force, savourant son haleine parfumée au champagne et au chocolat.

— Ose prétendre que tu ne me désires pas.

— Je ne te désire pas !

Immobilisant les poignets de la jeune femme d'une main, il alla vérifier de l'autre si elle disait vrai.

— Menteuse !

Il la caressa, doucement d'abord, puis plus fort, ne s'interrompant que pour l'embrasser dans le cou à l'endroit qui lui plaisait tant. Elle ne lui demanderait plus d'arrêter. Gemma était faite pour l'amour. Elle avait un corps splendide, voluptueux, qui le rendait fou. Avec elle, les ébats amoureux étaient un combat, explosif et bruyant. Il n'en avait jamais connu de meilleurs. Non, il ne la perdrait pas.

— Dis-moi que tu me désires, insista-t-il en la menant au bord du plaisir.

— Laisse-moi…

Il rit en lui faisant sentir sa force.

— Allez, dis-le-moi ! répéta-t-il sur un ton menaçant.

Comme elle résistait toujours, il la mordit jusqu'au sang à l'épaule.

Elle se débattit, cria, voulut le gifler. Pour la mater, il la prit à la gorge et serra… rien qu'un peu. Il l'embrassa encore, mais elle lui mordit les lèvres.

Il l'insulta, comprimant si fort son cou qu'il lui fit monter les larmes aux yeux. Savourant le goût salé de sa défaite, il lui donna des preuves de son désir.

— Dis-moi que tu me veux…

Elle frissonna, puis trembla.

— Oui, gémit-elle. Oui, je te veux, Freddie, maintenant…

Après, elle s'endormit dans ses bras pendant que lui, comblé et détendu, se félicitait.

Après la lettre de rupture, qui remontait à quelques semaines, il était allé chez elle pour la supplier de le reprendre. Il avait suffi de quelques fleurs, de chocolats et d'une bouteille de champagne pour la convaincre de le laisser entrer. Il lui avait donné des roses jaunes, de la couleur du pardon. Il lui avait aussi offert une bague en or pour le petit doigt, en forme de serpent avec un œil d'émeraude.

Ensuite, il n'y avait plus eu qu'un pas jusqu'au lit. Rien ne s'opposait à ce qu'elle reste sa maîtresse. Après son mariage, il pourrait lui trouver un plus beau logement, richement meublé, il la couvrirait de bijoux, et son corps voluptueux serait à lui.

Il pensa à sa future épouse, qui était tout le contraire de Gemma. En attendant leur séjour à Longmarsh, pendant lequel il lui arracherait la date des noces, il la voyait le moins possible.

Gemma se serra contre lui dans son sommeil. Il lui embrassa les cheveux, heureux dans ce lit défait. Jamais il ne partagerait une telle complicité avec sa femme. S'il pouvait si bien montrer la noirceur de son âme à sa maîtresse, c'était qu'elle était encore plus corrompue que lui.

Et pourtant, il avait beau jurer ses grands dieux qu'il n'aimait pas India, cela n'avait pas toujours été le cas. Il avait été très épris d'elle dans leur enfance. Avant l'événement qui avait tout changé, au temps de leur innocence…

Il l'avait trouvée si belle, si généreuse. Elle sauvait tous les animaux blessés : oiseaux aux ailes brisées, bébés écureuils abandonnés. Même les taupes. Elle avait installé pour eux un hôpital dans l'écurie, qu'elle lui faisait visiter.

Il venait d'avoir douze ans, et India dix. C'était l'été d'avant le meurtre de son père. Le grand jeu des enfants était d'attraper des grenouilles au bord de l'étang avec des filets à papillons. Seules Daphné et India ne participaient pas, sa sœur étant trop petite, et India aimant trop les animaux pour leur faire du mal. Wish, fatigué des grenouilles, avait un jour proposé d'essayer de prendre des poissons à main nue. George et Hugh avaient remonté leurs jambes de pantalon, enlevé leur chemise et étaient entrés dans l'eau sans hésiter. Maud et Bea avaient suivi en se tenant par la main, jupes nouées autour des cuisses. L'étang étant peu profond, ils s'étaient éloignés du bord.

Moins pressé, Freddie s'était assis pour rouler le bas de son pantalon. Il avait déboutonné sa chemise comme les autres, oubliant pour une fois qu'il devait se cacher aux regards. Quand il se l'était rappelé, il était trop tard. India avait vu les traces de coups. Il avait vite voulu se couvrir, mais elle l'en avait empêché. Elle avait inspecté son torse, strié et bleui, et elle avait tenté de le toucher, mais les meurtrissures étaient encore trop sensibles.

— Freddie, comment t'es-tu fait ça ?

— C'est mon père.

— Il te bat ?

— Pourquoi crois-tu qu'on nous envoie toujours passer l'été chez vous et que vous n'êtes jamais invités à Longmarsh ? Notre mère nous met à l'abri. En notre absence, il ne s'en prend plus qu'à ses chevaux… et à elle.

Chose extraordinaire, les yeux d'India s'étaient remplis de larmes.

— Non, India, ne pleure pas.

— C'est tellement triste…

Elle s'était essuyé les yeux et n'avait plus rien dit, mais elle lui avait pris la main. Ils étaient restés longtemps ainsi, au bord de l'eau, dans cette sereine soirée d'été. Pour la première fois de sa vie, il ne s'était plus senti seul.

Avec l'âge, cet amour enfantin s'était transformé. L'été de ses dix-neuf ans, alors qu'India en avait dix-sept, Freddie était venu à Blackwood avec la ferme intention de lui déclarer sa flamme et de lui proposer de l'épouser.

Les enfants d'autrefois avaient grandi. Ils passaient là leur dernier été au château, et c'en était fini de leurs jeux. Maud et India avaient déjà débuté dans le monde, et des comtes et des barons courtisaient l'aînée. L'écart s'était marqué avec Bea, devenue femme de chambre, et Hugh, à présent garçon d'écurie. Wish devait commencer ses études d'économie à l'automne. George, le nouveau comte de Bingham, gérait Longmarsh, un poids bien lourd pour ses jeunes épaules.

Maud et India les avaient accueillis avec joie, mais Freddie avait senti une réticence chez India. Elle semblait absente, comme si ses pensées étaient ailleurs.

Un soir qu'il était assis à la fenêtre de sa chambre, s'inquiétant précisément de ce changement, il avait aperçu dans le jardin une frêle silhouette. La lune avait illuminé un visage, des cheveux blonds. C'était India qui se dirigeait vers l'écurie.

Surpris et soucieux, il avait voulu la rejoindre, mais il l'avait vue s'enfoncer dans les bois en compagnie de Hugh.

Il les avait suivis dans le noir jusqu'à Dyffyd's Rock, un endroit qu'India aimait tout particulièrement. Là, il avait vu qu'ils se tenaient la main. Ils avaient escaladé le rocher, s'étaient assis au sommet, et... ils s'étaient embrassés. Le bonheur de Freddie s'était écroulé. La jalousie se nourrissant de tout avec avidité, il s'était approché sans bruit pour les écouter.

— J'avais peur que tu ne puisses pas venir, disait Hugh à India. Depuis que mon rival est arrivé, j'ai peur de te perdre, tu sais.

— Quel rival ?

— Freddie, évidemment. Tu n'as pas remarqué la façon dont il te regarde ? Il est amoureux de toi.

India n'avait pas trouvé mieux que de rire.

— Que tu es bête ! Bien sûr que non ! Il n'éprouve pour moi que l'amour d'un frère pour une sœur.

— C'est lui que tu devrais épouser.

— Freddie ne manque pas de beaux partis. Moi, je ne suis pas assez jolie pour lui, et je suis beaucoup trop timide. Et puis, quelle importance ? Mon cœur est déjà pris.

Ils s'étaient de nouveau embrassés, tendrement, passionnément.

India était plus entreprenante que Hugh, qui essayait de la modérer. Freddie ne reconnaissait pas la jeune fille gauche et froide qui lui avait paru si difficile à conquérir. Elle riait, semblait heureuse, libre.

Elle s'appuyait à Hugh, le visage levé vers les étoiles.

— J'ai tellement hâte que nous soyons mariés ! Nous vivrons dans une maisonnette, comme ta mère et ton père. Il y aura une cheminée où une bouilloire sera toujours posée au chaud. Le soir, nous nous raconterons des histoires et nous chanterons avec nos enfants.

— India, tu sais bien que si nous nous marions, nous ne pourrons jamais revenir ici. Blackwood te sera interdit. Ton père te déshéritera.

— Mais je ne veux à aucun prix de ses biens. Je rêve de partir très loin. Avec toi, je me sens tous les courages.

— Tu ne te rends pas compte... Tu es trop jeune pour comprendre les conséquences.

— Je suis décidée. Je vais avoir dix-huit ans dans deux mois. Partons le jour de mon anniversaire. Je veux que tu me le promettes !

— En aucun cas. Si nous partons, tu me le reprocheras un jour. Ta famille te manquera, tu ne supporteras pas de vivre dans la pauvreté. Tu regretteras ce que tu as quitté, et moi, tu m'en voudras.

— Jamais ! Jamais, tu m'entends ?

— India, tu perdras tout...

Elle avait posé un doigt sur les lèvres de Hugh.

— C'est toi que je ne veux pas perdre.

Alors il l'avait prise dans ses bras en lui jurant un amour éternel et avait accepté de s'enfuir avec elle.

En ayant assez entendu, Freddie était parti. Le conseil du Comte rouge lui était revenu en mémoire : *Si tu veux être roi, c'est ton propre cœur que tu devras d'abord arracher...* Il avait pensé y être parvenu le jour de la mort de son père, mais une partie avait dû rester, car il était brisé de chagrin.

Il était rentré à Blackwood à travers bois, son amour pour India se transformant en haine. Cette blessure d'amour-propre le dévorait. Il crut ne pas survivre à la douleur, mais, une semaine plus tard, il avait trouvé comment se venger. Rien n'avait été plus facile que de piéger Hugh, et India avait payé.

Gemma se réveillait.

— Quelle heure est-il ?

Freddie regarda la pendulette posée sur la coiffeuse.

— Sept heures et demie.

Il allait devoir se dépêcher. Il dînait avec les dirigeants du syndicat des dockers de sa circonscription. Cette fois encore, il faudrait manier l'art subtil de faire miroiter beaucoup sans rien promettre. Ces syndicalistes étaient des raseurs qui ne parlaient que de grèves, de salaires et de réduction du temps de travail. Ce serait une abominable corvée.

Dieu merci, la catastrophe de la Forteresse avait été jugulée ; on ne lui poserait plus de questions embarrassantes. Le vol avait fait la une des journaux, mais l'annonce de l'arrestation de Sid Malone et de deux de ses hommes l'avait éclipsé… même si, en réalité, la porte de la cellule avait à peine eu le temps de se refermer sur les malfrats qu'ils étaient déjà dehors, et que Malone n'était pas sorti de l'hôpital. Mais Freddie avait éludé ces détails en se contentant de déclarer que l'enquête était menée tambour battant, qu'on rassemblait des preuves, et que la justice suivait son cours. Il s'était tiré de cette crise avec l'image d'un homme décidé, efficace et inflexible.

Il se détacha des bras de Gemma.

— Je dois partir, chérie. Un dîner assommant…

Il se leva, passa dans la salle d'eau pour se rafraîchir et se recoiffer, puis il récupéra ses vêtements et se rhabilla. Avant de s'en aller, il se pencha sur le lit pour embrasser sa maîtresse encore ensommeillée.

— Je suis bien content que nous nous soyons réconciliés.

Gemma ouvrit ses yeux de chat paresseux.

— Mais nous ne sommes pas réconciliés, Freddie. Je ne veux pas te revoir. Je suis avec quelqu'un d'autre, maintenant. Je te l'ai dit.

Freddie s'assit près d'elle et lui prit la main.

— Dès que je serai marié, tout changera, je te le promets.

— Les promesses ne suffisent pas. Les promesses ne paient pas les notes de ma couturière.

— Gemma…

— Adieu.

Elle ferma les yeux et lui tourna le dos.

Il n'avait plus le temps de la convaincre. Il descendit l'escalier en hâte et sortit dans cette rue tranquille de Stepney où elle vivait. Il ne trouverait jamais de cab s'il n'allait pas jusqu'à Commercial Road.

Plus que sept jours avant le séjour à Longmarsh, songea-t-il en chemin. Quoi qu'il arrive, India devrait se décider. Il lui dirait qu'il ne pouvait plus vivre sans elle, qu'il voulait des enfants à tout prix. Bref, n'importe quelle bêtise, et si cela ne suffisait pas, eh bien, il emploierait le seul moyen qui lui restait pour lui forcer la main…

En arrivant dans Commercial Road, il aperçut un fiacre auquel il fit signe. Sa détermination était plus forte que jamais. Il lui fallait à tout prix se marier ne fût-ce que pour entretenir sa maîtresse.

15

— Arrêtez, arrêtez ! hurla Joe.

— Seigneur, ça crame ! cria le cocher.

Joe sautait déjà de voiture, et, laissant Myles et les chevaux derrière, il courut dans la grand-rue de Wapping.

L'entrepôt Morocco était la proie des flammes.

L'incendie jaillissait par les ponts de déchargement et par les fenêtres. Une épaisse fumée noire montait dans le ciel étoilé. Joe avait été averti par un agent qui était venu frapper à sa porte en pleine nuit, et Foster avait fait atteler pendant qu'il s'habillait en hâte.

Il fut arrêté par un pompier imposant qui interdisait le passage.

— Laissez-moi passer ! Où est le contremaître ?

— Quel contremaître ?

— Mais le mien, celui du Morocco, Alf Stevens ! Vous l'avez vu ?

Un autre pompier accourut pour aider l'autre à contenir Joe. Il lui saisit le bras.

— Lâche-moi, mon gars, ou je te casse le nez. Il faut trouver Alf !

Un cri d'agonie leur parvint, qui venait du haut de la rue.

— Qu'est ce que c'est ? Qu'est-ce que c'est ?

— N'y allez pas. Ce n'est pas beau à voir.

Mais Joe ne les écoutait plus. Il leur avait échappé et courait à toutes jambes. Devant l'entrepôt voisin du sien, il vit un petit groupe qui entourait un homme couché sur le pavé.

— On ne peut rien faire ? demandait quelqu'un.

— Alors, il arrive, ce docteur ?

Joe se fraya un passage entre eux. Il découvrit Alf Stevens, son contremaître, son ami, terriblement brûlé, qui se tordait de douleur. Le côté gauche de son visage avait fondu. La peau de ses bras et de sa poitrine était carbonisée. Elle se craquelait, découvrant une chair à vif. Ses yeux, exorbités de peur, n'avaient pas été atteints. En voyant Joe, il tendit la main. Celui-ci s'agenouilla à son côté sans oser la lui prendre de peur de lui faire mal.

— Bête, bête, bête, gémit Alf. Pas de ça, bête, j'ai dit. J'lui ai filé un coup et il a balancé sa lanterne bête, bête la lanterne…

Cela n'avait ni queue ni tête. Il devait délirer.

— Tiens bon, Alf. Ne parle pas. Les secours arrivent. Accroche-toi.

Un homme approcha, en pardessus noir et portant une sacoche de médecin. Il examina Alf et branla du chef.

— Comment est-ce arrivé ?

— Je ne sais pas. Il devait être dans l'entrepôt quand le feu s'est déclaré. Le connaissant, il a dû essayer de l'éteindre.

Le médecin ouvrit son sac et en tira une seringue ainsi qu'un flacon de verre brun.

— Morphine, pour la douleur, lâcha-t-il, laconique.

Joe le vit remplir la seringue. On lui avait administré de la morphine pour une jambe cassée, ce qui l'avait familiarisé avec les doses. Une telle quantité ne pouvait qu'être fatale. Le médecin releva les yeux et rencontra son regard.

— Je ne peux rien faire d'autre…

— Alors, allez-y.

Le médecin chercha une veine dans la jambe d'Alf, ses bras étant trop brûlés. Les convulsions du blessé lui rendaient la tâche difficile. Il lui fallut s'y reprendre à trois fois avant de parvenir à piquer. Il vida la seringue, et les soubresauts cessèrent.

— Bertie, ma femme… dit Alf, soudain lucide.

— Je m'occuperai d'elle. Elle ne manquera de rien, je te le promets.

Alf hocha la tête. Son regard se ternit. Quelques minutes plus tard, le médecin écouta son cœur et annonça :

— C'est fini.

Joe resta agenouillé à son côté, le visage inondé de larmes. Les hommes qui l'entouraient se jetaient des regards atterrés. Une main se posa sur son épaule. C'était Myles.

— Le coroner est là, Monsieur. On va emmener Alf. Il y aura une autopsie, une enquête. L'inspecteur voudrait vous parler.

Joe se releva. Un peu plus loin, son entrepôt brûlait toujours. Le feu s'attaquait au toit, maintenant. Au matin, il ne resterait plus rien. Plus de bâtiment, et plus de stock. Il y en avait pour des milliers de livres. Son commerce en souffrirait, mais ce n'était rien à côté de la vie de cet homme. Un homme bon, auquel Joe faisait confiance et qu'il aimait.

— Monsieur Bristow ?

— Oui, dit Joe en se tournant vers l'homme qui s'approchait.

— Inspecteur Alvin Donaldson. Il paraît que vous êtes la dernière personne à qui Alfred Stevens ait parlé. Je peux vous poser quelques questions ?

Il fallut dire depuis combien de temps la victime travaillait pour lui, et quelle était sa fonction. Donaldson demanda ensuite s'il y avait eu des tentatives d'intimidation à l'entrepôt.

— Que voulez-vous dire ?

— Je vous parle de tentatives d'extorsion.

— Non, Alf m'aurait averti.

— M. Stevens vous a-t-il dit quelque chose avant de mourir ?

— Des phrases décousues.

— Pourriez-vous me les répéter ?

Joe s'exécuta, et Donaldson, ayant écouté attentivement, hocha la tête.

— Cela explique tout.

— Je ne vois pas. À moins qu'il ait parlé d'un accident bête… ça n'a pas de sens.

— Il désignait une personne, monsieur Bristow. Un homme qui s'appelle Frankie Betts.

— Je ne vois toujours pas.

— Êtes-vous bien sûr que vous ne versez pas votre part à une organisation criminelle pour vous protéger ? Je ne veux pas vous causer d'ennuis, mais…

— Je vous l'ai dit. Je n'ai jamais fait l'objet d'aucun chantage de cet ordre.

— Eh bien, Frankie Betts a dû vouloir commencer. C'est un bandit de la pire espèce. Il a dû venir à l'entrepôt ce soir pour réclamer de l'argent à votre contremaître. Stevens a refusé, ils se sont battus, la lanterne a été renversée, et le feu s'est déclaré. Frankie a pu s'enfuir, mais Stevens est resté pour essayer de l'éteindre et s'est fait prendre par les flammes.

— Si c'est cela, il faut arrêter cet homme, et le pendre !

— Je ne demande pas mieux, croyez-moi, mais il est peu probable que nous y arrivions. J'ai déjà posé quelques questions aux veilleurs de nuit des entrepôts voisins, et il n'y a pas de témoins. Je n'ai que les derniers mots de votre contremaître pour convaincre un juge, et vous avouez vous-même qu'ils étaient décousus. C'est ce que plaidera l'avocat de Betts, qui est habile. On ne pourra pas obtenir de condamnation avec si peu. Nous n'avons encore jamais réussi à le coincer, et ce n'est pas faute d'avoir essayé !

— Depuis quand les petits truands du quartier se paient-ils des avocats ?

— Oh, mais c'est que ce n'est pas n'importe quel truand ! Il fait partie d'une bande de sinistre réputation qu'on appelle la Firme, et dont vous connaissez sûrement le chef...

Joe avait compris. Il espéra jusqu'au dernier instant se tromper, mais son cœur était lourd comme une pierre, et le nom redouté tomba des lèvres de Donaldson.

— On l'appelle le Patron ; de son vrai nom, Sid Malone.

16

India fut réveillée par des oiseaux. Mes moineaux, songea-t-elle. C'étaient de vaillants pierrots qui s'ébattaient tous les matins sur le rebord de la fenêtre de sa chambre en piaillant à tue tête. Qu'ils s'en aillent, qu'ils la laissent dormir ! Elle était épuisée et faisait un rêve tellement agréable... Elle était à Blackwood, petite fille. Des roitelets et des pinsons pépiaient dans les arbres pour saluer l'aube. C'était l'été, et elle avait une journée entière de liberté devant elle. Hodfie, sa gouvernante, lui donnerait son petit déjeuner – un œuf à la coque avec des mouillettes –, puis elle irait retrouver Bea et Hugh pour jouer dans les bois. Son père et sa mère étaient partis assister aux courses de chevaux à Ascot et ne l'empêcheraient pas de s'amuser.

Avec un soupir, elle ouvrit les yeux, s'attendant à trouver le triste papier peint de sa chambre de Bedford Square. Au lieu de quoi elle vit un regard braqué sur elle. C'était un très beau regard, chaleureux et amusé, d'un vert profond qui rappelait celui des prairies de Blackwood.

Je suis encore dans mon rêve, pensa-t-elle. Elle

referma les yeux et enfouit le visage dans l'oreiller, le serrant avec son bras.

— Ouille ! Là, ça fait mal !

Elle poussa un cri et se redressa d'un bond. Il lui fallut quelques secondes pour recouvrer ses perceptions et comprendre qu'elle n'était pas dans son lit, mais à l'hôpital. À l'hôpital... et couchée sur un patient. Sid Malone. Elle s'était endormie à côté de lui !

— Mon Dieu, je suis désolée... Je tombais de sommeil...

— Ça n'a pas duré plus de quelques minutes. Je dois veiller sur ma réputation. Que nous soyons bien d'accord : vous n'avez pas couché avec moi, mais vous vous êtes couchée sur moi. Il y a une nuance.

India lui prit le pouls, les joues en feu. Elle était bien éveillée à présent. On était lundi matin. Le choc septique s'était déclaré dans la nuit du samedi. Pendant trente-six heures, elle avait lutté pour le sauver. Elle avait cru le perdre plusieurs fois, mais il avait résisté. Le pouls était maintenant régulier, bien qu'encore un peu faible.

Elle se leva pour prendre le thermomètre et s'aperçut dans la glace. Son corsage ressemblait à un chiffon. Ses boucles se sauvaient de son chignon comme les ressorts d'un matelas. Ses yeux étaient gonflés, comme le reste de son visage, d'ailleurs.

— Vous n'avez pas très bonne mine, docteur. Je crois qu'il va falloir vous soigner à votre tour.

India s'interdit de réagir. Elle ne lui ferait pas le plaisir de répondre à ses moqueries. Elle se passa une main dans les cheveux, puis lui mit le thermomètre dans la bouche. Trois minutes plus tard, elle le retira.

— Ah ! Trente-huit !

Toute à sa joie, elle laissa échapper un sourire magnifique qui éclaira son visage. Elle avait oublié sa gêne, son apparence négligée. Rien ne comptait plus que cette vie qu'elle avait sauvée. Sid Malone n'était pas mort. Il respirait régulièrement et avait retrouvé sa gouaille. Elle avait gagné.

— Vous allez beaucoup mieux, monsieur Malone. Beaucoup mieux. Je pense que vous serez bientôt capable de recommencer à dévaliser des banques !

— Appelez-moi Sid, je vous en prie. Et moi, est-ce que je pourrais vous appeler India ? Après les nuits enfiévrées que nous avons passées ensemble…

— Certainement pas !

Elle posa le thermomètre et continua sans se laisser décontenancer.

— Avez-vous faim ?

— Non.

— Eh bien, peu importe. Je vais vous donner du bouillon de bœuf, par la force, s'il le faut.

— J'ai hâte de voir ça !

India leva les yeux au ciel et entreprit de refaire le pansement. Elle travaillait avec des mouvements sûrs et énergiques, revigorée par la victoire qu'elle venait de remporter. La cicatrice avait désenflé.

— Vous avez une constitution très solide. Un homme plus faible n'aurait pas survécu.

— C'est à vous que je dois de m'en être tiré. J'ai entendu votre patron vous dire que je ne valais pas la peine de se fatiguer. Quelqu'un d'autre m'aurait laissé crever. J'ai une dette envers vous, docteur.

Elle rencontra son regard, ne sachant que penser. Était-il sérieux ou se moquait-il encore d'elle ? Elle avait trop parlé la première nuit, et aurait voulu rétablir la distance qu'elle avait abolie en se confiant à lui.

— Je n'ai fait que mon travail, monsieur Malone.

— Un peu plus que votre travail…

Une voix retentit à la porte.

— Quoi ! Vous êtes encore là !

C'était Ella.

— J'ai occupé la chambre trop longtemps ? railla Sid.

— Non, pas toi. Je parle au Dr Jones.

— Je sais, dit India, j'aurais dû rentrer…

— Vous n'êtes pas rentrée chez vous depuis samedi soir ?

— Non.

— Mais le dimanche est votre seul jour de repos ! Vous devez être à la clinique dans une heure !

— Ne craignez rien, j'ai des vêtements de rechange.

— Ce n'est pas votre propreté qui me préoccupe, mais votre santé. À ce rythme, vous ne tiendrez jamais.

Sid considérait India, qui évitait son regard.

— Vous voyez, docteur Jones, dit-il, que vous avez fait plus que votre devoir.

— Pensez ce que vous voudrez.

Ella eut l'air surprise par cet échange, mais India ne lui laissa pas le temps de commenter.

— Je pars à la clinique. Pourriez-vous dire à l'infirmière-chef qu'il doit boire un bouillon de bœuf et qu'on peut lui administrer dix milligrammes de morphine par injection sous-cutanée toutes les trois heures ? Le pansement doit être changé à midi, et je reviendrai le voir ce soir. À tout à l'heure, Ella. Bonne journée, monsieur Malone.

— Eh ! Une minute ! Quand va-t-on me laisser sortir ?

— Pas avant une semaine, au moins.

— Une semaine ! Vous plaisantez ! Je pars tout de suite !

— Libre à vous, seulement vous serez de retour ce soir, et pas dans une chambre privée, mais à la morgue.

— Je ne me suis jamais aussi bien porté !

— Partez, dit Ella à India. Je vais le raisonner. Et surtout, pensez à prendre un petit déjeuner avant de retourner travailler.

Reconnaissante, India se dépêcha de sortir. La voix d'Ella portait jusqu'au bout du couloir.

— Tais-toi, ou je fais appeler les gardes ! Ils te planteront une grande aiguille dans l'arrière-train pour te calmer.

Sur le chemin de la clinique, India eut le sentiment d'avoir oublié quelque chose. Elle repassa dans sa tête les instructions qu'elle avait données à Ella, mais ne découvrit aucune erreur. Elle avait aussi emporté ses notes pour compléter le dossier de Sid Malone plus tard… Alors, quoi ?

En tournant de Whitechapel High Street dans Varden Street, elle comprit soudain ce qui la préoccupait. Elle ne savait toujours rien de l'histoire de Sid Malone. Il avait promis que, si elle parlait, il ferait de même. Les événements l'avaient empêché de tenir parole. Bizarrement, elle se sentait déçue. Elle aurait été curieuse de mieux le connaître.

17

— Alors quoi ? s'indigna Jimmy, le frère de Joe. Alf est mort, le Morocco est réduit en cendres, tu sais qui est le coupable, et la police ne bouge pas ?

— Pas de témoins. C'est la parole d'un mourant contre une bande organisée.

Ils étaient chez Joe, dans son bureau, des verres de whisky à la main. À neuf heures du matin. Les vêtements de Joe empestaient encore la fumée, son visage était noir de suie. Dès qu'il était rentré, il avait téléphoné à Jimmy qui l'avait aussitôt rejoint.

— Alors, ils ne vont rien faire pour épingler le meurtrier d'Alf ?

— Si, sans doute. Mais il n'y aura pas de condamnation.

Joe avala une gorgée de whisky. Il n'était pas fatigué bien qu'il n'eût pas dormi depuis vingt-quatre heures. Au contraire, il n'avait jamais été aussi lucide. Pendant la nuit, il avait été fou de rage et de désespoir, mais à présent il avait retrouvé son calme, et une détermination implacable avait remplacé cet ouragan d'émotions.

— Le quartier de notre enfance n'a pas changé, Jimmy, dit-il soudain. La criminalité, la pauvreté… La violence. Je regardais par la fenêtre de la voiture en revenant. Les masures, les rues misérables. Wapping, Whitechapel… l'East End tout entier est resté identique depuis que nous sommes nés.

— C'est vrai, c'est la misère noire.

Des pas rapides et légers résonnèrent dans le couloir.

— Nous sommes là, Fi ! appela Joe. Ne cours pas, tu vas ballotter le bébé…

Deux secondes plus tard, Fiona entrait, affolée, portant encore son manteau et ses gants. Elle rentrait à peine de son voyage à Paris.

— M. Foster vient de m'apprendre ce qui était arrivé. Tu n'as rien, Joe ? Mon Dieu, quelle tête tu as ! Et Alf ? Est-ce que c'est vrai ? Est-ce qu'il est vraiment mort ?

— Oui, chérie, malheureusement.

Elle s'effondra dans un fauteuil, les yeux remplis de larmes. Jimmy prétexta qu'il voulait se chercher à manger à la cuisine pour les laisser seuls. Joe apprécia son tact, car il devait parler à Fiona. Bien entendu, elle demanda comment la catastrophe s'était produite. Il lui raconta ce qu'il savait, et mentionna le nom de Frankie Betts. Dès qu'il eut achevé, elle se leva pour marcher de long en large.

— Et tes livraisons ? demanda-t-elle. S'ils ont entendu parler de l'incendie, les bateliers vont sans doute s'arranger pour retarder les marchandises, mais certaines péniches doivent déjà être en route. Peut-on les rediriger vers l'entrepôt Oliver ? J'ai de la place, là-bas.

— Justement, je m'y suis arrêté en chemin. Mel m'a dit que le deuxième étage était vide. Jimmy doit aller au Morocco tout à l'heure. Il demandera à des gars de rester pour y envoyer les péniches.

— Et les assureurs ? Ne faut-il pas les avertir ? continua Fiona en arpentant toujours la pièce, les yeux fixés au sol.

— Trudy s'en est chargée. Elle a rendez-vous à l'entrepôt avec les experts en fin de matinée.

— Et les douanes ? Tu devras aussi…

— Fiona ! interrompit Joe. Je dois te dire pour qui travaille ce Frankie Betts.

Fiona arrêta son incessant va-et-vient et leva des yeux épouvantés vers son époux.

— Inutile… C'est lui, n'est-ce pas ?

— Oui. C'est ce que dit l'inspecteur de police.

— Je n'arrive pas à le croire, Joe…

— J'aurais voulu t'épargner, mais il fallait que tu le saches. Admets enfin quel genre d'homme est devenu Sid Malone. Tu vois comme il serait vain et dangereux de chercher à nouer des liens avec lui.

Comme elle ne répondait pas, il continua.

— Fiona, arrête tes recherches. Il a incendié mon entrepôt et il a tué Alf.

— Non, Joe, non ! Ce n'est pas lui le coupable, c'est Frankie Betts.

— Il a agi sur ses ordres.

— Qu'en sais-tu ?

— Tu te voiles la face !

— C'est mon frère, et je ne l'abandonnerai pas. Il a besoin de moi, et plus que jamais. Ne me demande pas comment, mais je le sais. Ces choses-là se sentent.

— Mais… moi aussi, j'ai besoin de toi.

Il y avait un pouf au pied du fauteuil de Joe. Elle s'y assit et prit ses mains dans les siennes.

— Oui. Et tu as de la peine pour Alf.

— C'est vrai, mais ce n'est pas tout.

— Dis-moi…

Joe regarda sa bien-aimée. Dans ses magnifiques yeux saphir, il voyait le jeune homme qu'il avait été, mais aussi l'homme qu'il était devenu. Elle était son âme, il partageait avec elle tous ses rêves, ses espoirs. Elle l'avait toujours soutenu, mais le soutiendrait-elle encore en apprenant ce qu'il avait l'intention de tenter ? Accepterait-elle ce bouleversement dans leur existence ?

— Fi, ce que je ressens surtout, c'est de la colère. Je bous de rage, c'est pourquoi tu me trouves un verre à la main si tôt le matin et que je ne suis pas allé travailler. Je pourrais tout casser !

— Il y a de quoi. Un homme est mort, et tu as perdu beaucoup.

— Oui, bien sûr. Mais ce qui me met en fureur plus que tout, ce sont les causes de ce gâchis. La grande fautive, c'est la pauvreté noire de l'East End qui n'évolue pas. Douze ans se sont écoulés depuis les meurtres de Jack l'Éventreur. Onze ans depuis la grève des dockers. À l'époque, tous les journaux prenaient fait et cause pour ce quartier déshérité. On dénonçait les conditions de vie inacceptables. Les hommes politiques promettaient monts et merveilles. Et que s'est-il passé ? Rien. Te souviens-tu, quand nous étions enfants, comme nos mères avaient du mal à nous nourrir ? Mon père travaillait du matin au soir, sept jours sur sept pour vendre ses primeurs dans sa charrette. Le tien, pour avoir voulu monter un syndicat à Wapping, a été assassiné.

— Je sais… Il me manque. Il était tellement drôle. Il s'entraînait à faire des discours en nous réunissant, Charlie, Seamie, notre mère, le bébé et moi pour avoir un public. S'il avait vécu, je pense qu'il essaierait toujours de pousser les dockers à se mettre en grève !

— Non, je ne crois pas… Ton père a rejoint le syndicat en 1888. En douze ans, il aurait compris l'inutilité des grèves. Il serait passé à d'autres actions.

— C'est-à-dire ?

— Les grèves sont de grandes batailles, très dures mais quasiment inutiles. Si nous voulons que les choses changent pour la classe ouvrière, et qu'elles changent en profondeur, il faut que les travailleurs comprennent qu'il ne sert à rien de lutter d'en bas. Il faut se battre là où les décisions sont prises, au Parlement.

— Et c'est l'incendie qui t'a fait comprendre ça ?

— Freddie Lytton est passé ce matin à l'entrepôt, pendant que les pompiers finissaient d'éteindre le feu.

— Pour t'offrir ses condoléances ?

Joe eut un rire plein d'amertume.

— Oui, mais il a bâclé ça en deux secondes. Ensuite, il est passé à sa campagne électorale. Il m'a répété pour la centième fois qu'il y aurait une élection à l'automne et que, s'il était réélu, sa priorité serait de réduire la criminalité. Il voulait profiter des circonstances pour m'arracher une promesse de soutien.

— Et qu'as-tu répondu ?

Il hésita.

— Souvent, tu sais, je pense à notre petite Katie... Nous avons de la chance qu'elle soit en si bonne santé. Elle ne saura jamais ce que c'est que de pleurer de faim dans son lit. Ou d'avoir froid parce qu'elle n'a pas de manteau...

— Joe, chéri, mais pourquoi me dis-tu tout cela ?

— Parce que... Parce que j'ai vu Alf mourir. Parce que mes quinze gars de l'entrepôt n'ont plus de travail, et que la police ne peut rien faire. Parce que ce matin, de la voiture, j'ai vu des gamins pieds nus jouer dans la boue, et que j'ai remercié le ciel que ce ne soit pas notre fille.

— Mon chéri... est-ce que tu n'aurais pas un peu trop bu ?

— Peut-être, mais je te jure que je n'ai jamais eu l'esprit aussi clair. Rien n'a changé depuis notre enfance, ni depuis celle de nos parents. Il n'y a pas d'espoir ! Les malfaiteurs sont partout : dans les rues, dans les banques, au Parlement. Mais ce que je vois maintenant, et que je n'avais pas compris, c'est que je suis aussi criminel qu'eux. Je ne vaux pas mieux, parce que je ne fais rien.

— Joe, ce n'est pas vrai ! Nous donnons beaucoup d'argent à des œuvres charitables pour aider les pauvres !

— Oui, c'est déjà quelque chose, mais c'est loin d'être suffisant. Nous pourrions donner jusqu'à notre dernier penny que rien ne changerait. C'est une goutte d'eau dans la mer.

— Tu vois une solution ?

Il la regarda bien en face.

— Je veux me présenter, Fi.

— Te présenter ? Mais où ?

— Me présenter aux élections. Je veux remporter le siège de Tower Hamlets.

— Comment cela… ?

— Contre Freddie Lytton.

Elle en resta bouche bée.

— Comme candidat du Parti travailliste indépendant.

18

— India, pour l'amour du ciel, arrête !

Malgré les cris de Freddie, India encouragea sa monture. C'était une jument gris pommelé du nom de Long's Lady. India la lança au galop vers une haie que Wish l'avait mise au défi de sauter.

— Non, Indy, je plaisantais ! cria Wish. Ne saute pas, elle est beaucoup trop haute !

Freddie s'égosillait.

— *India !*

Il cessa de respirer quand la jument décolla du sol. Wish, Bingham et Maud poussèrent une exclamation en voyant l'animal survoler l'obstacle et disparaître de l'autre côté. Un cri de triomphe leur indiqua que la jument et sa cavalière s'étaient bien réceptionnées.

— Quel cran ! remarqua Bingham. Même moi, je n'aurais pas osé m'attaquer à celle-ci.

— Elle est inconsciente, c'est tout ! s'emporta Freddie.

— Mais dis-moi, Lytton, aurais-tu un cœur, après tout ? s'amusa Wish.

— Je t'en prie !

— C'est très touchant…

Freddie ne se donna pas la peine de répondre. Il piqua des deux et galopa jusqu'à l'écurie.

Il était hors de lui. Wish avait raison : il avait eu peur. Mais s'il avait tremblé, c'était pour la fortune des Selwyn Jones, pas pour India. Un garçon d'écurie s'avança pour prendre son cheval par la bride. Un deuxième accueillit India.

— Freddie ? Pourquoi ne m'as-tu pas attendue ? demanda-t-elle en arrivant au trot derrière lui.

— Tu as risqué de te rompre le cou pour un enfantillage !

Il mit pied à terre, agité par une émotion qu'il ne feignait pas.

— Tu as eu peur ?

— Mais bien sûr ! Tu es médecin, India ! Tu as dû soigner suffisamment de victimes d'accidents pour savoir à quel danger tu t'exposes.

— Je suis désolée, mais je sentais que Lady était capable de sauter cette haie.

En la voyant si repentante, Freddie jubila. Si sa culpabilité était assez grande, il lui arracherait peut-être une promesse de mariage. Il s'acharnait depuis vingt-quatre heures, sans résultat. Elle continuait à rester évasive comme elle le faisait depuis plus de un an.

Il jeta sa cravache au garçon d'écurie et partit d'un pas furieux vers le château. Il traversa l'immense vestibule, monta l'escalier d'honneur, et rejoignit sa chambre au deuxième étage. Sans décolérer, il lança sa veste d'équitation sur le bureau, dérangeant les pages du discours auquel il travaillait. Ils n'étaient arrivés à Longmarsh que la veille, dans l'après-midi. On était maintenant samedi, et ils devaient repartir le lendemain pour Londres. Isabelle attendait la bonne nouvelle et n'accepterait plus de déception.

Il se saisit du flacon de gin, se servit un verre, puis le reposa brutalement sur la commode. La violence du geste fit tomber à terre une charmante boîte à musique en ébène incrustée d'argent et de malachite. Quelques notes s'en échappèrent : le *Prélude de la goutte d'eau*. Il la ramassa aussitôt. Elle avait appartenu à sa grand-mère, qui la lui avait offerte avant sa mort, et il ne se déplaçait jamais sans elle. Par automatisme, ses doigts cherchèrent l'encoche, presque invisible, qui se cachait sous le fond. Il appuya tout en enfonçant une pierre à l'arrière. Il y eut un déclic, et le tiroir secret s'ouvrit. À l'intérieur se trouvait un peigne à chignon en forme de libellule de chez Tiffany. Le deuxième d'une paire...

Il le contemplait quand il entendit des pas dans le couloir. On frappa. India l'avait suivi. Il repoussa le tiroir dans son logement et reposa la boîte sur la commode. Ayant besoin de se donner des forces, il prit une gorgée de gin.

— Freddie ? Chéri, tu es là ?

En l'absence de réponse, India ouvrit et entra.

— Ne sois pas fâché. Viens, sortons, allons nous promener. La soirée est magnifique. Tu n'es pas heureux que nous nous retrouvions tous ensemble ?

Freddie posa son verre, le regard noir.

— Tu te moques de moi !

— Pardon ?

— C'est très clair, India, tu ne m'aimes pas.

— Freddie, comment peux-tu dire une chose pareille ?

— Tu sais très bien que je ne m'en remettrais pas si tu avais un accident. Et pourtant, tu prends des risques insensés, ce qui montre bien que tu te moques de moi comme d'une guigne !

India se précipita vers Freddie, tâchant de lui expliquer qu'elle avait seulement voulu s'amuser, et qu'elle avait le plus profond respect pour ses sentiments.

C'est bien joli ! Alors qu'elle le prouve ! rugit-il intérieurement. Il eut un mouvement d'humeur et alla s'asseoir dans un fauteuil, le front ombrageux. Une odeur de roses et d'herbe coupée montait par la fenêtre ouverte. Juillet approchait. Les sessions du Parlement s'interrompraient le mois suivant pour l'été ; la rumeur d'une élection à la rentrée parlementaire se confirmait et ses poches étaient vides. Le toit de Longmarsh devant être réparé, Bingham avait dû réduire sa rente jusqu'à l'hiver. Cela ne pouvait pas plus mal tomber. Il avait justement besoin de beaucoup d'argent, et le seul obstacle, c'était cette tête de mule qui refusait obstinément de fixer la date des noces.

India était venue s'asseoir près de lui et le dévisageait d'un air grave et désolé, l'assurant de la profondeur de son affection.

— Dis-moi, India, vas-tu finir par te décider un jour, oui ou non ? Je patiente depuis des années. Tu as terminé tes études et pourtant tu veux encore attendre. Je ne vois qu'une seule raison…

Ses épaules se voûtèrent comme celles d'un homme brisé par le chagrin.

— Si tu repousses le mariage, c'est parce que tu as rencontré un autre homme. Dis-moi la vérité. Si tu en aimes un autre, je préfère le savoir et te rendre ta liberté.

— Freddie ! Comment peux-tu penser une chose pareille ? Il n'y a personne, je t'assure ! Je te suis totalement fidèle !

— Que veux-tu que je pense d'autre ? N'aurais-tu pas les mêmes soupçons à ma place ? Quelle autre raison aurais-tu de retarder notre union ?

— Freddie, il n'y a que toi, je t'en donne ma parole. Comment te le prouver ? C'est le mariage qui te convaincrait ?

— Mais bien entendu !

— Très bien, alors. Que dirais-tu d'octobre ? Je crois qu'il vaudrait mieux attendre la fin des élections, auparavant tu seras trop occupé.

Freddie n'en revenait pas. Il en perdit presque la voix.

— Octobre… mais c'est parfait !

— Ce serait le plus pratique. Je demanderai une semaine de vacances au Dr Gifford, mais je ne pense pas pouvoir faire mieux. Je viens à peine de commencer. Tu tenais à un long voyage de noces ?

— Pas vraiment. Après l'élection, j'aurai du mal à m'absenter très longtemps.

— Nous pourrions aller en Cornouailles quelques jours.

— Quel bonheur ! Rien que toi et moi, dit-il en lui prenant la main. India, es-tu sûre de toi… ?

— Oui, totalement.

Elle se pencha pour l'embrasser sur la joue, mais il tourna la tête pour recevoir son baiser sur les lèvres. Il tendit la main pour lui caresser le visage, le cou.

— Tu me combles de bonheur. Tu comptes plus que tout. Sans toi, je serais perdu. Je ne peux pas vivre sans toi.

— Moi non plus. Je suis désolée de t'avoir fait de la peine, Freddie. Je ne me rendais pas compte. Je suis trop égoïste, trop prise par mon travail. Je te demande pardon.

— Ce n'est pas grave, ma chérie. Et toi, s'il te plaît, oublie mon emportement. Je sais que tu n'as pas voulu m'inquiéter. Je suis fatigué. On nous surmène, au Parlement. Je n'ai pas encore fini de rédiger ce discours sur l'autonomie irlandaise, que je dois prononcer la semaine prochaine. C'est très important. Toute ma carrière en dépend.

— Je suis navrée. Tu n'avais vraiment pas besoin de ça. Tu travailles trop.

— C'est pour mes administrés, et pour mon pays.

Cette réponse pompeuse faillit le faire éclater de rire, mais elle eut l'effet désiré sur India qui se blottit contre lui.

— Je t'admire, Freddie.

— C'est grâce à toi, dit-il en l'obligeant à tourner son visage vers lui. Embrasse-moi encore… Je t'aime tellement.

India obéit timidement. Pendant ce temps, il la serrait plus fort, progressivement, se gardant des mouvements brusques qui risquaient de l'effaroucher. Il ne fallait surtout pas que sa tentative de séduction se termine en fiasco, comme les autres fois. Il devait à tout prix la mettre dans son lit, et, si Dieu était avec lui, elle tomberait enceinte.

Il l'embrassait, doucement, tendrement, mais avec insistance. Quand il la sentit se détendre, il défit un à un les boutons de sa veste d'équitation. Il la lui ôta et s'attaqua à son corsage, tout en lui murmurant des mots doux.

— Freddie… non…

— Chut, chérie. Je veux juste te regarder. Tu es si belle… si belle…

Elle portait un corset, rigide comme une armure, avec des baleines qui auraient arrêté une balle de fusil. Il se contenta de retrousser son caraco et il caressa ses seins menus, qui lui remplissaient à peine les mains.

— Non, Freddie… non…

— Ne me rejette pas aujourd'hui, India. Ne sois pas si froide. Tu n'es jamais tendre, jamais amoureuse… J'ai tellement besoin de toi.

— Mais Freddie, je risquerais d'avoir un enfant.

— J'ai quelque chose, je vais m'en servir. Ne t'inquiète pas.

— Comment… Tu sais quoi faire ? Tu as déjà essayé ?

— Bien sûr que non, je t'attendais.

— Alors, comment sais-tu t'y prendre ?

— Mais comme toi, chérie, par la théorie. On ne t'a rien appris à la faculté de médecine ?

— Si, évidemment… mais cela reste très abstrait, dit-elle en jetant autour d'elle des regards angoissés.

— Nous sommes seuls, je t'assure, ne t'inquiète pas.

Il se leva pour fermer à clé et se dépêcha de la rejoindre.

— Ne me repousse pas, j'ai tellement besoin de toi… Tu veux me rendre heureux ?

— Oui, murmura-t-elle en le dévisageant d'un air perdu. Oui, Freddie.

Il la dévêtit, parvint même à se débarrasser de l'horrible corset. Mais, arrivé à ses derniers dessous, il la sentit se crisper.

— Attends, non… ça me gêne…

Elle entra dans le lit, se glissa sous les draps et acheva de se déshabiller. Ensuite, elle ferma les yeux et attendit.

Seigneur Dieu, songea Frankie, cela ne va pas aller

tout seul. Il avala une gorgée de gin et lui en offrit une. Elle but avec une grimace. Ensuite, il la rejoignit au lit.

Il la prit dans ses bras, lui répétant qu'il l'aimait, libéra ses cheveux de leur chignon tout en la couvrant de baisers. Elle ne se dégelait pas, restait sèche et sans passion. Freddie dut penser à Gemma Dean et à ses formes généreuses pour forcer le destin. India se mordait les lèvres, poussa même un cri de douleur qu'il étouffa avec la main tout en se dépêchant d'en finir. Quand il eut terminé, elle était très pâle. Il prétendit s'inquiéter.

— Ma pauvre chérie, je t'ai fait mal ?

— Un peu.

— Mon bel, bel amour. Je suis un maladroit. Ne t'en fais pas. Il paraît que c'est toujours douloureux la première fois. J'avais tant besoin de toi... Tu me pardonnes ? demanda-t-il en lui caressant le visage.

— Bien sûr.

— Par la suite, ce sera très différent... Et tu m'as rendu tellement heureux, chérie.

— Alors, je ne regrette rien.

Il lui sourit, puis feignit une grande contrariété.

— Ah ! bon sang ! J'ai oublié de mettre le condom.

— Freddie ! Comment as-tu pu ?

— Tant pis, ne t'inquiète pas. Je suis persuadé qu'il n'arrivera rien. Et puis, après tout, nous allons bientôt nous marier. Nous n'aurions qu'à dire qu'il est né un peu en avance.

India, déjà très pâle, devint livide. Le carillon de l'horloge épargna à Freddie de plus amples excuses.

— Flûte, six heures, tu entends ? Nous allons devoir nous changer pour le dîner.

— Oui, c'est vrai, dit-elle d'une voix blanche.

Elle remit sa chemise sous les draps, puis sortit du lit pour finir de se rhabiller.

— Je t'aime à la folie, India. Tu le sais, j'espère. J'ai hâte que nous soyons mariés, que nous vivions ensemble, que nous ayons des enfants.

Elle prit le temps de rattacher son chignon, puis se tourna vers lui avec un sourire.

— Moi aussi.

— Je vais souffrir de ton absence jusqu'au dîner. Mets une jolie robe, rien que pour moi.

India le lui promit, déverrouilla la porte et sortit de la chambre. Dès qu'elle eut refermé, Freddie se laissa retomber sur le lit avec un soupir de satisfaction. Il leva son verre à ses lèvres et but une longue gorgée. Enfin ! La date du mariage était fixée, et il avait réussi à lui prendre sa virginité. Quelle tête elle avait fait ! India jouait les femmes émancipées, mais elle n'était pas assez folle pour envisager d'élever seule un enfant illégitime. Elle serait exclue de la société, et cet ostracisme aurait des conséquences désastreuses pour elle et pour l'enfant. Gifford la renverrait, on lui interdirait d'exercer la médecine.

Il se leva, passa sa robe de chambre, puis regarda par la fenêtre. Le parc de Longmarsh, à l'abandon, s'étendait devant lui. L'argent manquait pour tout, même pour embaucher des jardiniers. C'était son père qui avait dilapidé leur fortune. Avant l'accident, les créanciers défilaient à leur porte. Il avait fallu tout vendre. Les bijoux, les petits objets d'art, d'abord, puis les tableaux, les meubles. Daphné n'avait plus porté que des robes usées, au col et aux poignets retournés et reprisés. George avait dû quitter Eton parce que leur mère ne pouvait plus payer sa pension.

La boîte à musique attira de nouveau son attention. Il

en souleva le couvercle et écouta s'égrener les notes mélancoliques de l'air de Chopin. Ensuite, il déclencha le mécanisme secret, et sortit le peigne du tiroir. C'était un très bel objet, identique en tout point à celui qu'il avait enlevé des cheveux d'India quelques minutes plus tôt. Le peigne libellule était caché dans sa boîte à musique depuis de longues années. Depuis le jour où il l'avait glissé dans sa poche, juste avant de donner le deuxième à son cher ami Hugh Mullins.

— Tiens, Hugh, prends-le… personne ne pourra se douter…

Freddie se souvint de l'effroi de Hugh. La fatigue et l'inquiétude le minaient. Il ne dormait plus à cause de sa sœur qui s'était fait engrosser par un garçon du village, et il n'avait pas l'argent nécessaire pour l'avortement. Elle ne pouvait pas garder l'enfant : ce serait le déshonneur pour elle et sa famille. Elle serait renvoyée de son travail, tout comme Hugh et leur père. La maison où ils vivaient appartenant à Lord Burnleigh, ils seraient aussi chassés de chez eux.

C'était Maud qui lui avait raconté l'affaire. India, disait-elle, essayait de trouver un moyen d'obtenir de l'argent de leurs parents sans éveiller leurs soupçons. Freddie, encore sous le choc de la trahison d'India, n'y avait guère pensé, jusqu'au jour où Isabelle était venue lui demander de retrouver ses peignes à chignon.

— Je ne sais plus ce que j'en ai fait, Freddie. Et j'y tiens tout particulièrement. Mon mari les a fait faire pour moi. Il sera furieux.

— Quand les avez-vous vus pour la dernière fois ?

— Je les portais hier, pour aller à Cardiff. Je les ai enlevés dans la voiture avant d'arriver à la maison au retour, parce qu'ils me faisaient mal. Je les ai rangés dans mon réticule… et ils n'y étaient plus quand je les ai cherchés. C'est très mystérieux.

Freddie s'amusa de cette énigme qui le distrayait de ses idées noires. Il demanda à examiner le petit sac à main, et découvrit une couture ouverte sur le côté. Isabelle en fut très contrariée, convaincue à présent de ne jamais revoir ses peignes. Il l'avait rassurée. Sans doute étaient-ils tombés au bord du chemin quand elle était descendue de voiture. Il partit à leur recherche et refit le trajet qu'elle avait emprunté, sans succès. Finalement, il fouilla la voiture.

Il les découvrit très vite, l'un sur la banquette, l'autre par terre. Une idée germa alors dans son esprit. Il dirait qu'il n'en avait retrouvé qu'un, et garderait l'autre pour le vendre discrètement à Londres. Il avait, déjà, de gros besoins d'argent. Il avait donc enfoui le premier au fond de sa poche, et allait ramasser le deuxième quand il avait entendu quelqu'un derrière lui.

— Freddie ? Lady Burnleigh veut qu'on attelle sa voiture ?

C'était Hugh.

Sa voix suffit à éveiller la jalousie de Freddie. Il avait envie de le frapper, de l'anéantir. Au lieu de quoi, il se contint en serrant de toutes ses forces le peigne dans son poing. Une inspiration lui vint. Un plan machiavélique qu'il mit aussitôt en œuvre.

Il sortit de la voiture et lui tendit le peigne qu'il tenait dans la main.

— Tiens, c'est pour toi. Tu n'as qu'à le prendre. Je ne dirai rien.

Hugh le considéra avec stupéfaction.

— Mais pourquoi ?

— Pour aider Bea.

— Tu sais ?

— Maud m'a raconté. Ni elle ni India n'arrivent à obtenir d'argent de leurs parents. Nous sommes tous très préoccupés. Prends-le, ne sois pas bête.

Hugh examina le peigne que Freddie lui avait mis dans la main.

— Il est à lady Burnleigh, je le reconnais.

— Elle l'a égaré. Je lui ai promis de le chercher, mais je n'ai qu'à lui dire que je ne l'ai pas trouvé. Elle ne s'étonnera pas. Elle le croit perdu.

Hugh voulut le lui rendre, mais Freddie ne le reprit pas.

— N'hésite pas, la monture n'est qu'en argent et ce sont de fausses pierres. Il ne vaut pas grand-chose. Tu n'en obtiendras que quelques livres, mais cela suffira à sauver Bea. Pense à elle.

Hugh lutta contre la tentation, puis, le visage torturé, il finit par fourrer le peigne dans sa poche sans un mot.

Une semaine plus tard, Bea était morte, et Hugh était en prison. Il n'avait pas dénoncé Freddie. C'était un homme d'honneur, Freddie le savait.

Bien entendu, lord Burnleigh avait été scandalisé. India l'avait supplié de ne pas maintenir sa plainte contre Hugh et, touché par sa ferveur, il avait accepté à la seule condition que Hugh rende le deuxième peigne. Ce que Hugh ne pouvait bien sûr pas faire… puisque Freddie l'avait.

Hugh alla donc en prison, malgré ses protestations d'innocence. Il fut enfermé dans un enfer infesté de rats et de vermine. Les poux de son matelas lui donnèrent le typhus, et il mourut un mois après avoir été mis sous les verrous. Mme Mullins, désespérée par la disparition de ses deux enfants, se pendit. Le père, sans foyer et seul au monde, vagabonda quelques années, à moitié fou. Son corps fut retrouvé dans une vallée voisine. Il avait péri de froid.

Si tu veux être roi, c'est ton propre cœur que tu devras d'abord arracher...

Cet été-là, il avait presque réussi à faire taire sa conscience.

En septembre, quand il était retourné à Oxford, tout avait changé. Hugh et Bea étaient morts. India s'était fâchée avec ses parents et avait quitté le pays de Galles pour Londres. Maud était sur le point de contracter un mariage qui devait s'avérer désastreux. Les jours heureux passés à Blackwood s'étaient enfuis pour toujours. Leur enfance était finie.

Le Comte rouge avait raison. Il était beaucoup plus facile de supporter la vie quand on n'avait pas de cœur. Ainsi, il pouvait mépriser India plutôt que de se souvenir qu'il l'avait aimée. Il parvenait à la voir pleurer Hugh, son grand amour, sans le moindre frémissement, et à lui prodiguer une sympathie factice. Quand, lors de sa troisième année à l'université, Isabelle était venue demander à Freddie de veiller sur India, il avait envisagé sans difficulté un mariage d'intérêt. Puisqu'il ne pouvait pas avoir son amour, il se satisferait de son argent. Il y gagnait au change.

En entendant frapper à la porte, il fit disparaître le peigne dans la boîte à musique. Il ne s'était naturellement pas risqué à le vendre. L'objet était devenu trop facilement identifiable après ce scandale, grâce à la marque de Tiffany et au chiffre d'Isabelle.

— Entrez, dit-il.

— Pardon, Monsieur, je viens faire couler votre bain.

— Merci, Armstrong. Ah, à propos...

— Oui, Monsieur ?

— Quand vous aurez terminé, pourriez-vous s'il

vous plaît demander au majordome de sortir du champagne pour le dîner ? Nous fêtons une grande nouvelle, ce soir. Je vais me marier.

— Très bien, Monsieur. Et si je puis me permettre, mes plus sincères félicitations.

Freddie inclina la tête. Un énorme poids venait de libérer ses épaules. Il avait encore une fois triomphé de l'adversité, et en ne comptant que sur ses propres forces, comme toujours.

Avec cet argent, sa carrière était assurée. Rien ne freinerait son ascension au sein du Parti libéral. Son discours sur l'autonomie irlandaise et ses actions contre la criminalité le serviraient puissamment dans cette voie. Donaldson viendrait à bout de Malone, c'était certain. D'après ce que disait India, l'homme avait failli mourir. Il l'avait félicitée de l'avoir sauvé : il le voulait vivant pour avoir le plaisir de le faire condamner. En octobre, il serait réélu à son siège de Tower Hamlets, il serait marié et installé dans l'hôtel particulier de Berkeley Square. En novembre, peut-être passerait-il quelques jours à Blackwood pour inspecter son futur domaine.

Le château de Blackwood n'était pas aussi élégant que celui de Longmarsh. Il n'avait pas été construit par Wren, mais il était beaucoup plus grand et confortable.

Aujourd'hui, il n'avait pas un sou vaillant ; demain, il pourrait s'offrir ce qu'il y avait de plus beau, peut-être même ce qu'il convoitait plus que tout au monde : le poste de Premier ministre.

L'argent, allié à son sang-froid et à son ambition, le mènerait au firmament.

19

Dans la chambre qui lui avait été attribuée à Longmarsh, Maud, assise à la coiffeuse, égalisait sa frange. Un dernier coup de ciseaux et elle s'admira, toujours aussi enchantée par ses cheveux courts. La mère de Freddie et de Bing, qui ne l'avait pas vue depuis longtemps, avait pâli en découvrant sa coupe à la garçonne. Maud n'aimait rien tant que de choquer les gens.

Elle prit ses boucles d'oreilles en corail pour les mettre, mais une démangeaison au bras l'arrêta.

— Tu as attrapé des puces, petit coquin ? demanda-t-elle à Jerry, son carlin roux.

Le chien, couché à ses pieds, leva vers elle des yeux noirs innocents.

— Non ? Alors ça doit être la toile de Jouy qui me donne des allergies.

Mais Maud savait parfaitement qu'il n'en était rien. Elle connaissait cette sensation, savait que, du bras, elle s'étendrait partout comme une invasion de fourmis. Il n'y avait qu'une seule chose à faire pour que cela cesse, et il ne fallait surtout pas traîner.

Elle se leva, ouvrit l'armoire et fouilla dans les poches de son cache-poussière. Rien. Elle chercha dans ses cartons à chapeaux, visita ses valises, tout en maudissant la femme de chambre et en se raclant les bras avec les ongles.

— Où cette fille me l'a-t-elle fourré ? se désespérait-elle.

Elle se mordit les lèvres, tourna plusieurs fois sur place au milieu de la pièce. Enfin, elle posa les yeux sur la table de nuit et se souvint d'y avoir rangé ses cigarettes. Elle courut ouvrir le tiroir.

— Ah ! Vous voilà, petites coquines !

Elle se saisit de l'étui émaillé, en prit une et l'alluma. La première bouffée lui brûla les poumons, mais elle retint la fumée bleue, puis expira lentement, yeux clos. Quand elle rouvrit les paupières, son regard était devenu plus doux, plus brillant.

— Ce brave Teddy Ko…

Il avait eu la bonne idée de mélanger de l'opium en poudre à du tabac et de lui confectionner des cigarettes. C'était beaucoup plus discret.

Elle venait de se rasseoir à sa coiffeuse quand la porte de sa chambre s'ouvrit brusquement. C'était India, en tenue de cheval.

— La promenade a été agréable ?

Sa sœur ne répondit pas. Elle referma, enleva sa veste et la jeta sur le lit, puis elle se laissa tomber sur les coussins.

Maud se tourna vers elle, inquiète.

— Indy, que se passe-t-il ? Il est arrivé quelque chose ?

India semblait devenue muette. Elle ne bougeait plus, tournant un regard triste vers le plafond.

— Maud, dit-elle finalement, je crois que je suis froide.

Sa sœur approcha du lit et lui posa la main sur le front.

— Moi, je te trouve plutôt chaude. Tu es malade ?

— Mais non ! s'exclama India en se redressant. Quand je dis froide… je veux dire… tu sais…

— Ah… Tu t'es disputée avec Freddie.

— En quelque sorte.

Tout en parlant, elle faisait tourner autour de son doigt sa bague de fiançailles. C'était une émeraude à monture vieillotte qui avait appartenu à la mère de Freddie et qu'India ne portait qu'en sa présence pour lui faire plaisir. Elle n'aimait guère les bijoux, qui n'étaient pour elle que des nids à bactéries.

— Nous avons fixé une date pour le mariage.

— Vraiment ? Bravo ! C'est épatant !

— Oui, sans doute. Mais ensuite, il m'a embrassée… et… plus qu'embrassée. Ça ne s'est pas très bien passé. Tu crois que c'est parce que je suis insensible ?

— Mais non, voyons, ce n'est qu'une question d'habitude, répondit Maud en tirant sur sa cigarette. Les hommes, c'est comme la bicyclette. On ne s'amuse pas tant qu'on n'a pas appris à en faire.

— Et comment apprend-on ?

— Voyons ! Tu n'as pas suivi de cours d'anatomie ? Je pensais que la faculté de médecine servait au moins à ça !

India baissa les yeux en rougissant. Voyant son embarras, Maud regretta ses railleries.

— Ce n'est pas compliqué, chérie. La prochaine fois, bois une petite bouteille de vin d'abord, et puis laisse-toi mener par ton désir.

India hocha la tête sans conviction.

— India… Tu sais de quoi je parle, au moins ? Tu as du désir ?

— Pour Freddie ?

Mais évidemment, pour Freddie !

— Je ne suis sûre que d'une chose, en tout cas : il fera un très bon mari.

Sourcils froncés comme si elle s'appliquait à résoudre une question médicale épineuse, elle continua ses explications. Freddie était un meneur d'hommes, un député brillant qui se préoccupait des pauvres.

— L'autre jour, il m'a accompagnée à une conférence de Benjamin Seebohm Rowntree, le réformateur quaker, qui parlait de sa remarquable étude sur la pauvreté dans la ville d'York. Nous formerons un couple idéal. Nous avons un objectif commun, et tellement à faire.

Maud laissa échapper un soupir exaspéré.

— Je sais tout ça, Indy, mais l'essentiel, c'est que tu aies envie de coucher avec lui.

India vira à l'écarlate.

— Maud !

— Mais quelle petite prude ! Il me semble que tu aimes Freddie à peu près de la même manière que j'aime Jerry… ou Wish.

— Ah ! Je suis heureux d'entendre qu'on parle de moi ! Il est vrai que je suis un garçon formidable !

Leur cousin arrivait d'un pas guilleret.

— Je me demande pourquoi personne ne se donne la peine de frapper avant d'entrer dans ma chambre ! s'indigna Maud.

— Frapper, alors qu'en surgissant par surprise je pourrais avoir la chance d'apercevoir un centimètre de cheville nue ? Jamais ! Autrefois, tu n'hésitais pas à me montrer même plus.

— J'avais dix ans, et pas grand-chose à cacher ! Et puis, à l'époque, tu me donnais de l'argent, si je me souviens bien.

— Je te donnerai tout ce que tu voudras, puisque je m'apprête à devenir millionnaire. Que dis-je, milliardaire !

Il s'assit par terre aux pieds de Maud, et prit Jerry sur ses genoux. Maud en profita pour se saisir d'une brosse à cheveux dont elle se servit pour assagir la tignasse brune de son cousin. Ces attentions semblèrent agréables à Wish qui continua d'un ton joyeux.

— Vous ne voulez pas que je vous dise comment je vais m'y prendre ?

— Non ! s'écrièrent Maud et India en chœur.

— Ah, je savais que ça vous intéresserait. Écoutez-moi…

Il se lança alors dans la description détaillée de son dernier projet d'investissement, un terrain à bâtir sur la côte californienne.

— C'est un paradis qui se nomme Point Reyes, à environ cinquante kilomètres au nord de San Francisco. Vous n'imaginez pas à quel point c'est beau. Il y a environ six cents hectares à vendre. Je compte acheter toute la parcelle et construire un hôtel au bord de l'eau. San Francisco est une ville très riche, et je vais faire monter un peu de cette fortune vers le nord. Ça ne peut pas louper. Il faut absolument nous associer, vous et moi. Nous allons être millionnaires.

— Ça nous changerait, maugréa Maud. Tu m'as perdu une fortune avec ta mine de diamants en Afrique du Sud.

— Comment voulais-tu que je devine qu'il allait y avoir la guerre ? N'oublie pas que je t'ai fait gagner une jolie somme avec les actions d'US Steel.

— C'est vrai…

— Et toi, Indy ? As-tu toujours ta petite cagnotte à la banque Barings ?

— Moi ?… Mais oui.

— Il est temps de te tourner vers des investissements plus audacieux. Tes intérêts sont beaucoup trop faibles. À ton âge, on ne mise pas sur la sécurité, comme les pasteurs et les grands-mères… Dis donc, ma vieille, ça n'a pas l'air d'aller.

— Quel sens de l'observation, railla Maud.

— Que se passe-t-il, Indy ?

— Rien… rien.

Wish la couvait toujours d'un regard inquiet. Il ne la

laisserait pas tranquille tant qu'elle n'aurait pas parlé. Avec un soupir, India avoua ce qui était arrivé avec Freddie. Elle n'avait pas de fausses pudeurs avec Wish, qui était comme un frère.

— Bien, dit-il quand elle eut terminé, je sais pourquoi ça ne marche pas.

— Vraiment ?

— Oui, absolument. J'ai une seule question à te poser, Indy. Est-ce que tu aimes Freddie ?

— Mais bien sûr que je l'aime !

— Alors c'est ça ! L'amour gâche tout. Laisse tomber l'amour. Il ne faut jamais se marier par amour. Pour l'amour, il faut prendre un amant un peu scandaleux, un acteur, un musicien ou un peintre. Tu vois ?

— En voilà des conseils ! s'amusa Maud.

— Le mariage ne se justifie que pour arrondir sa fortune, donner le jour à des héritiers, acquérir des maisons et des chevaux. Autrement, à quoi bon ? C'est comme se porter volontaire pour une peine de prison. Moi, on ne m'y prendra pas. Je préfère m'enrichir honnêtement.

— Va te préparer pour le dîner, Wish, conseilla Maud. C'est bientôt l'heure.

Il les dévisagea d'un air désolé.

— Mes conseils ne vous intéressent pas ?

— Pas du tout, s'amusa India.

— Mettons alors que je suis plus doué pour gagner de l'argent que pour régler les affaires de cœur. À plus tard, mes chéries.

Quand il fut parti, Maud vit que sa sœur semblait toujours aussi abattue.

— India…

— Mmmm ?

— Tu ne m'as pas vraiment répondu, tout à l'heure,

quand je te demandais si tu l'aimes. Alors, es-tu amoureuse de Freddie ?

— Je viens de le dire à Wish, tu ne m'as pas entendue ?

— Si, parfaitement, mais je ne t'ai pas crue.

— Très bien. Tu tiens à savoir la vérité ? Je ne l'aime pas. Et c'est précisément pour cette raison que je vais l'épouser. J'ai été amoureuse, il y a longtemps… et je ne veux plus jamais ressentir cette torture.

— C'est à cause de Hugh, je m'en doutais…

India ne répondit pas.

— Tu n'es pas obligée d'épouser Freddie, tu sais.

— Mais j'en ai envie. Nous allons très bien ensemble. C'est le mari idéal.

— Il te donnera une illusion de sécurité, mais…

— Écoute, Maud, je n'éprouvais pour Hugh qu'un amour d'adolescente. C'était un rêve romanesque d'écervelée.

— À l'époque, ce n'est pas ce que tu disais. Tu as beaucoup souffert quand tu l'as perdu.

— J'étais trop sentimentale. Les mariages réussis se construisent au contraire entre gens du même milieu, sur des intérêts communs, de l'affection, du respect, mais pas nécessairement de l'amour.

— D'où tires-tu ça ? De tes manuels de médecine ?

— Tu peux rire, mais regarde-toi. Tu étais amoureuse de Duff, tu l'adorais, tu étais irrésistiblement attirée par lui. Nous avons essayé de te dissuader, mais tu n'as rien voulu entendre.

Maud avait épousé Duff Haddon à dix-neuf ans. C'était un fils de duc, un garçon bourré de charme, beau, intelligent, spirituel. Malheureusement, Maud avait découvert peu de temps après leur mariage qu'il était grand buveur et très violent. Il avait connu une fin tragique pendant un voyage au Caire. Ayant abusé du vin dans un restaurant, il avait insulté le propriétaire et avait été retrouvé poignardé le lendemain matin dans une ruelle sordide.

— Je sais que j'ai fait une grosse bêtise, reconnut Maud, ce n'est un secret pour personne. Mais ça ne justifie pas d'épouser un homme que tu n'aimes pas.

India la fusilla du regard, puis, selon une vieille habitude familiale, au lieu de s'avouer vaincue, elle changea de sujet.

— Passe-moi ta cigarette, dit-elle en tendant la main.

— Non !... Ne fume pas, ce n'est pas bon pour toi !

— Juste une bouffée.

— Non, India, je t'en prie...

India se leva et lui vola sa cigarette sans autre forme de procès. Elle prit deux inspirations rapides et se mit à tousser.

— Qu'est-ce que c'est que ce tabac ? De la poudre à canon ?

En quelque sorte, songea Maud, en quelque sorte.

India toussa encore un peu, se plaignit que la tête lui tournait, et retourna s'allonger.

Bravo ! pensa Maud. Il ne nous manquait plus que ça ! J'imagine le dîner avec la famille du futur... Flûte ! Que faire ? D'abord, sonner pour demander du thé. Non, du café, très fort.

India trouva l'idée excellente.

— Ça me remontera. C'est drôle, je tombe de sommeil. Ça doit être l'air de la campagne.

Elle ferma les yeux et, au bout d'une minute, prit la parole d'une voix méditative.

— Tu te souviens comme il était beau ? Je rêve encore de lui.

Maud ne reconnaissait pas ces intonations douces,

langoureuses. Quelle différence avec la brusquerie habituelle d'India ! L'opium faisait son œuvre.

— Oui, c'est vrai qu'il était beau. Je ne sais plus qui a dit : « Mieux vaut avoir aimé et perdu l'être cher que de n'avoir jamais connu l'amour… »

— Tennyson… Tu penses… Je te parie qu'il n'a jamais été amoureux…

Pendant qu'India sombrait de nouveau dans le silence, Maud pensait encore à Hugh et au jour terrible de la mort de Bea.

C'était India qui les avait découverts dans la chaumière abandonnée. Hugh n'avait pas voulu révéler comment il avait trouvé l'argent, mais une chose était certaine : l'avortement avait été mal pratiqué. Bea avait la fièvre et une hémorragie. Et impossible de la convaincre de rentrer chez elle ou d'aller voir le médecin du village, tant elle avait peur qu'on ne découvre la vérité.

Avertis par India, ils avaient tous accouru : Freddie, Bing et Wish étaient là, tous aussi désemparés. Bingham était blanc comme un linge, Wish faisait le pitre pour essayer de distraire Bea.

— Il faut l'emmener à l'hôpital ! criait India.

Freddie voulait la retenir. Il l'avait prise à part, l'éloignant de Bea et de Hugh, mais Maud les avait entendus.

— L'avortement est interdit, avait-il murmuré. Soyons prudents, autrement on nous accusera de complicité.

— Tant pis ! Il faut la soigner ! Tu ne vois pas qu'elle se vide de son sang ?

— Si, mais je m'inquiète pour toi. On pourrait t'arrêter, tu sais. Attends qu'on trouve une meilleure solution… Laisse-moi réfléchir…

— Non, il ne faut pas perdre une seconde !

Bea avait fini par accepter d'aller à l'hôpital de Cardiff, où on ne la connaissait pas. C'était India qui était allée chercher l'attelage. Freddie avait tenu à les accompagner, ordonnant à Maud de rester pour veiller sur Bingham qui semblait sur le point de se trouver mal. Il avait aussi chargé Wish d'aller au château avertir le comte et lui assurer qu'il protégerait sa fille.

Freddie avait tenu parole, et c'était grâce à lui, songeait Maud à présent, que la famille avait évité un terrible scandale. Il avait réussi à obtenir une promesse de silence du personnel hospitalier ainsi que de deux reporters, en leur signifiant que le comte de Burnleigh leur ferait perdre leur travail s'ils mêlaient le nom de sa fille à cette affaire. À leur retour, lord Burnleigh, très en colère, avait ordonné à India de monter dans sa chambre. Ensuite, il avait remercié Freddie et l'avait félicité de l'intelligence de sa réaction. Dès le lendemain, il avait renvoyé les pauvres parents de Hugh.

Cette tragédie les avait tous profondément transformés et les poursuivait. Maud pensait que l'instabilité de Wish et la vie retirée que menait Bingham n'avaient pas d'autre origine. Les conséquences sur Freddie étaient sans doute son insatiable ambition, et sur elle-même son besoin de se distraire à tout prix, que ce soit par la drogue ou par les hommes. Mais si la disparition de la famille Mullins les avait tous bouleversés, India en avait été la plus affectée. Il ne fallait pas chercher ailleurs l'origine de sa vocation et de sa rébellion. À présent, elle allait épouser un homme dont elle n'était pas amoureuse.

Maud considéra sa sœur. Son souffle était régulier, ses paupières closes. Elle la revit à dix-sept ans, timide mais vive. Elle redoutait beaucoup leur mère à l'époque et souffrait de son inflexibilité. Elle n'était dans son élément que dehors, aimant particulièrement l'équitation où elle les surpassait tous en témérité. Elle grimpait aux arbres pour sauver les chats imprudents, apportait des colis de Noël aux pauvres.

C'était surtout de sa passion pour Hugh que Maud se souvenait. À la mort du jeune homme, India avait été anéantie et avait enfermé ses sentiments à double tour pour ne plus jamais souffrir. Elle ne s'était plus autorisé d'autre amour que celui de la médecine. Freddie ne lui servait qu'à se rassurer.

Un mariage, songeait Maud, ne pouvait pas réussir sur de telles bases.

Mais après tout, qu'en savait-elle ? Peut-être était-il préférable de se préserver, et valait-il mieux n'attendre que de l'affection et de la stabilité.

Maud, la tête brûlée, avait du mal à s'en persuader.

Elle recouvrit sa sœur avec un plaid. India était devenue très savante ; elle connaissait le fonctionnement de la machine humaine, savait nommer les os et les organes, soigner les maladies, et pourtant elle ne comprenait toujours pas l'essentiel.

— Pauvre petite Indy, soupira-t-elle.

20

— En voilà un attroupement !

Penchée à une fenêtre de l'entrepôt Oliver avec son contremaître, Fiona regardait dans la rue. La fièvre qui régnait dehors était contagieuse et faisait battre la chamade à son cœur.

— Nous devions déjeuner tranquillement sur les

marches du Vieil Escalier, reprit-elle. Et maintenant, il y a tellement de monde que je n'ose même pas sortir.

Un brouhaha montait, pareil à un grondement de tonnerre.

— J'ai jamais entendu un charivari pareil, commenta Mel. Vous avez raison, ne bougez pas d'ici, y a trop de bousculade en bas.

À leurs pieds, la grand-rue de Wapping était noire de monde. Un millier d'hommes, peut-être, s'agglutinaient en poussant des cris. Certains avaient grimpé à l'arrière de voitures de livraison pour mieux voir, d'autres s'accrochaient aux becs de gaz. Des têtes curieuses émergeaient des ponts de déchargement des entrepôts voisins.

— Vous le voyez, là-bas ? demanda Mel.

C'était un homme qu'il désignait, un homme blond en bras de chemise, qui arpentait le toit d'un fourgon en haranguant la foule, brûlant de fougue et de conviction.

— Comment est-il monté là-haut ?

— Le bruit a couru qu'il était au pub avec Tillet et Burns, et qu'il voulait se présenter aux élections. Des gars l'ont attrapé, l'ont pris sur leurs épaules et l'ont hissé là-haut en réclamant un discours.

— Eh bien, ils sont payés de leur peine !

Elle sentit son cœur se gonfler de fierté. Elle connaissait l'orateur mieux que personne et, pourtant, en le voyant galvaniser les foules, elle avait l'impression de le découvrir.

C'était Joe, son Joe.

Il semblait déjà faire campagne, alors que son rendez-vous au Town of Ramsgate, un pub du bord de la Tamise, n'avait eu pour objectif que de tâter le terrain. Ben Tillet et John Burns, principaux organisateurs de la grève des dockers de 1889, étaient des membres influents du Parti travailliste indépendant. Joe avait simplement voulu leur demander comment ils accueilleraient son éventuelle candidature pour le siège de Tower Hamlets. Pensant qu'ils se contenteraient de prendre un verre, et sachant que Fiona serait à l'entrepôt, il lui avait proposé de partager un cornet de frites sur le Vieil Escalier à l'heure du déjeuner pour lui raconter l'entrevue. Leur repas devrait attendre, car les électeurs n'avaient de toute évidence pas l'intention de le laisser s'échapper. Fiona s'agrippa aux montants de la fenêtre en entendant s'élever les acclamations.

— J'ignorais qu'il savait faire des discours, remarqua Mel.

— Moi aussi !

— Eh ben, il n'a pas sa langue dans sa poche !

Fiona eut un rire. D'autres que lui auraient été paralysés par la perspective de s'adresser à un auditoire aussi nombreux et aussi bruyant, sans préparation de surcroît. Son Joe semblait trouver cela tout naturel, au contraire. Au fond, ce n'était pas très étonnant, car même s'il s'était habitué aux salles de réunion feutrées, il avait grandi sur les marchés, et était passé maître dans l'art des boniments de camelot. Ses premiers mots avaient sans doute été « Achetez mes belles carottes ! », criés du panier d'osier où sa mère l'installait dans la charrette familiale.

Joe était un enfant du quartier. Il connaissait les gens de l'East End et savait leur parler. Il plaisantait avec son auditoire, le prenait à partie. Jeune homme, il avait attiré l'attention des acheteurs grâce à des mises en scène. C'était ce même talent qu'il utilisait à présent.

Pourtant, s'il avait enlevé son veston, remonté ses manches et ôté sa cravate, c'était sans le moindre calcul, car il détestait le costume de ville qui l'empêchait de penser, disait-il. Le geste avait été heureux, car il ressemblait ainsi aux ouvriers qui l'écoutaient. En chemise, col ouvert, il n'avait plus l'air d'être un patron mais devenait un des leurs.

Un gros docker mit les mains en porte-voix et hurla :

— Depuis le vol de la Forteresse, le client n'entrepose plus qu'à Southwark ! Depuis que le Morocco a brûlé, quinze gars de plus sont au chômage ! Il nous faut des flics ! Tu vas nous en donner ?

— Non ! Je ne vous en donnerai pas !

Il y eut des sifflets, des huées. Joe attendit que les mécontents se soient exprimés, puis il s'expliqua.

— Pourquoi gâcher l'argent des contribuables ? Il y a bien assez d'agents et de commissariats.

Les dernières protestations s'éteignirent.

— Si Lytton multiplie les promesses, c'est pour se faire mousser dans les journaux. Parfois, il vous envoie quelques hommes en renfort, mais qu'est-ce que ça change ? Il vous en fournirait des milliers que ça ne changerait rien. Vous voulez faire baisser la criminalité ? Demandez-vous ce qui la cause : la pauvreté, l'ignorance, la faim et la maladie. Non, je ne vous donnerai pas d'agents de police, je ne construirai pas de prisons. Je financerai plutôt des écoles et des hôpitaux. Ce qu'il vous faut, c'est de meilleurs salaires et des compensations en cas d'accident du travail. Si vous voulez des flics, votez pour Freddie Lytton. Si vous voulez des salaires décents, une vie plus facile et un espoir pour l'avenir, votez pour moi !

Des acclamations fusèrent et des applaudissements éclatèrent.

Fiona n'en revenait pas.

— On croirait qu'il a fait ça toute sa vie !

— Comme vous disiez, la politique, c'est un peu

comme vendre des pommes, sauf que c'est soi-même qu'on vend.

— Et les acheteurs en redemandent...

Quand Joe lui avait annoncé son intention de se présenter, une fois le premier choc passé, elle l'avait vivement encouragé et avait promis de le soutenir. Il aurait besoin de toute l'aide possible, car la tâche qu'il se fixait était très difficile.

Lors de l'élection générale de 1895, les partis ouvriers n'avaient obtenu qu'un seul siège. À présent, l'espoir renaissait car une alliance venait de se former entre le Parti travailliste indépendant, la Fédération démocratique socialiste et quelques syndicats pour constituer le Comité de représentation des travailleurs. Joe se présenterait donc sous la bannière d'une nouvelle formation de coalition. Malgré peu de chances de réussite, il était déterminé. Il voulait défendre les intérêts des ouvriers au Parlement en se dégageant du poids de la tradition et de l'aristocratie.

— Et pourquoi on te ferait confiance ? T'es un patron, comme les autres ! Tu te présentes pour nous défendre, mais t'es qu'un capitaliste !

— C'est vrai. Je suis même le mec le plus riche du pays !

Il y eut un souffle de surprise, puis des rires.

— Mais justement, mon argent me garantit mon indépendance. Et il ne faut pas croire que je suis né riche ! Toute mon enfance, j'ai vendu des fruits et des légumes sur les marchés, qu'il pleuve ou qu'il vente. Les marchands des quatre-saisons n'avaient pas de syndicat, et ils n'en ont toujours pas. Si la maladie ou une blessure nous empêchait de travailler, on ne mangeait pas. Ça, je ne l'ai pas oublié ! Je sais ce que c'est de voir les riches s'en mettre plein les poches pendant qu'on n'a rien dans les siennes. C'est ça qui me distingue des autres candidats. Vous pensez que Lytton et Lambert ont déjà sauté un repas ? Qu'ils ont eu froid parce qu'ils n'avaient pas de quoi se payer du charbon ? Oui, je suis un patron, mais un patron avec une conscience d'ouvrier !

— Tiens, c'est pas mal, ça, il devrait l'écrire sur une banderole, remarqua Mel.

Fiona le fit taire car quelqu'un d'autre prenait la parole.

— Et pourquoi qu'on voterait ? Le Parlement, ça sert à quoi ? Les nantis qui nous gouvernent se fichent bien des ouvriers. Nos acquis, on ne les a gagnés que grâce aux syndicats.

Des bravos montèrent de la foule. Joe attendit que le calme revienne avant de répondre.

— Oui, les syndicats ont obtenu des victoires, mais au prix de quel courage, de quels sacrifices ! Et puis, combien de temps les travailleurs garderont-ils ce qu'ils ont gagné ?

La foule resta muette.

— Les capitalistes veulent revenir en arrière. Ils ont formé un groupe qui s'appelle le Conseil parlementaire des employeurs. Vous lisez les journaux comme moi, vous devez savoir ce qu'ils prévoient de faire. Ils ne vont plus se battre contre les piquets de grève devant les usines, mais à la Chambre des communes. Ils font pression sur les législateurs jour et nuit pour mettre en échec tous les projets de loi favorables aux travailleurs. Et leur stratégie fonctionne. Aujourd'hui, ils brisent les grèves en empêchant les occupations et en embauchant des jaunes, mais ça ne s'arrêtera pas là. Ce qu'ils veulent, c'est une loi qui leur permettra de poursuivre les syndicats en justice et de leur demander des dommages et intérêts. Ils veulent supprimer le droit de grève !

— Alors, qu'est-ce qu'il faut faire ?

— Justement, je veux me battre sur leur terrain ! Je veux aller à Westminster pour plaider votre cause. Nous vivons dans la ville la plus riche du pays le plus riche du monde. Et cette richesse, qui l'a créée ? C'est votre travail, votre sueur, votre sang !

Il s'interrompit, fit quelques pas sur le toit du fourgon, puis se tourna de nouveau vers son auditoire.

— Alors, pourquoi vos gosses ont-ils faim ? Pourquoi vos femmes ont-elles autant de mal à joindre les deux bouts ? Pourquoi travaillez-vous douze, quatorze, seize heures par jour, sans pour autant pouvoir acheter des chaussures et un manteau à vos enfants ?

On cria, on applaudit avec un enthousiasme inégalé. Joe leva les mains pour demander le silence. Fiona devina qu'il se fatiguait. Il allait devoir conclure avant de perdre sa voix.

— Nous n'y arriverons jamais si nous ne prenons pas notre avenir en main. Les manifestations, les grèves, c'était un bon début, mais maintenant, il faut s'occuper des lois. Allons à Westminster ensemble. Faisons passer des lois qui protégeront votre travail, votre famille, vos salaires. Alors ? Vous me faites confiance ?

Un rugissement énorme s'éleva. Telle une lame de fond, le grondement enfla dans le goulet de brique de la grand-rue de Wapping. Les casquettes volaient, les mains se tendaient vers Joe.

John Burns grimpa sur une roue du fourgon.

— Alors, les gars ? Qu'est-ce que vous en dites ? Ce sera un bon représentant ?

Le vacarme s'amplifia. On attrapa Joe, on le descendit de son estrade improvisée. La foule se referma sur lui comme une eau tumultueuse. Fiona eut peur, mais, au bout de quelques secondes, il ressurgit, porté en triomphe sur les épaules de deux grands gaillards. La marée humaine s'écarta pour le laisser passer et on le fit défiler devant les entrepôts et les quais, sous les hourras lancés depuis les ponts et les docks. Fiona le suivit des yeux aussi loin que possible, le regardant saluer la foule en agitant les bras en l'air.

— Là, vous pouvez dire adieu à votre cornet de frites, remarqua Mel.

— J'en ai bien l'impression. Espérons seulement que je le récupérerai pour le dîner. Je me demande où ils l'emmènent…

Mel se mit à rire.

— Mais à Westminster, cette question !

21

— Mary Ellerton, la petite tuberculeuse, a passé une mauvaise nuit. Vous devriez la voir tout de suite, dit l'infirmière-chef. Il y a aussi M. Randall, un maçon qui est arrivé il y a une heure avec un bras cassé. Le Dr Gifford a réduit la fracture, mais il demande que vous jetiez un coup d'œil.

— Tiens, le Dr Gifford est là ? s'étonna India.

— Il a opéré en urgence ce matin. Calculs biliaires. Mlle Moskowitz l'a assisté. Tenez, voilà la liste des malades à visiter.

India prit la feuille et remercia l'infirmière. Elle compta une vingtaine de patients, et il était déjà huit heures du matin. Il ne lui restait que deux heures avant sa consultation de Varden Street. Elle vida sa tasse de thé, puis se prépara. Elle venait de sortir son stéthoscope de sa sacoche quand on frappa. La porte s'ouvrit, poussée par Ella, souriante, suivie par deux énormes corbeilles de fruits qui semblaient marcher toutes seules. C'étaient des compositions d'un luxe incroyable, tapissées de mousse et décorées de rubans et de fleurs. La pyramide de fruits, de noix et de noisettes, de biscuits et de bonbons était si haute qu'on ne voyait pas les livreurs.

— Qu'en dites-vous ? demanda Ella.

— Eh, Ella ! maugréa un des porteurs, ça pèse une tonne ! Où on te les pose ?

— Vous n'avez qu'à les mettre par terre.

Quand ils se furent débarrassés de leur chargement, India vit qu'il s'agissait des hommes de Sid Malone.

— Monsieur Betts, monsieur Smith, pourquoi nous apportez-vous tout ça ? s'étonna-t-elle.

— C'est pour vous remercier, de la part du patron. Et de la nôtre aussi, parce que vous l'avez guéri.

— Mais je ne peux pas...

— ... vous remercier assez, compléta Ella en coupant ses protestations. Comme c'est gentil ! N'est-ce pas, docteur Jones ?

Tout en parlant, elle se tourna vers India pour lui signaler d'un froncement de sourcils qu'elle devait jouer le jeu.

— Mais oui, merci...

— C'est nous qu'on vous remercie, dit Frankie en soulevant sa casquette.

— C'est inutile, je ne faisais que mon travail.

Voyant que Frankie semblait vexé et qu'Ella secouait la tête d'un air réprobateur, India eut la désagréable impression d'avoir manqué de tact. Mais pourquoi n'arrivait-elle jamais à parler à ces gens ?

— Bon, ben on s'en va. Salut, Ella, à plus tard, au restau de ta mère.

— Salut, les gars. Et encore merci.

Dès que la porte fut refermée, India se tourna vers elle.

— Ella, il faut jeter tout ça à la poubelle !

— Mais pourquoi ? Quelle idée !

— Pas question de les garder ! Vous savez comme moi avec quoi ces corbeilles ont été achetées : avec l'argent de la drogue et de Dieu sait quels autres trafics. Je ne veux en aucun cas profiter des gains mal acquis de Sid Malone. Je vais m'en débarrasser.

— Sûrement pas ! Pensez aux pauvres petits qui sont dans la salle des enfants malades. Vous n'allez pas les priver de bonbons et d'oranges !

— Vous voulez corrompre des enfants ? Les nourrir avec le fruit de la bassesse humaine ?

— Sid Malone aurait des sabots et des cornes que je donnerais quand même tout ça aux gosses de l'hôpital.

India reprit sa liste, lèvres pincées.

— Faites comme vous voudrez, je ne dis plus rien.

— Même les criminels peuvent aimer faire des bonnes actions.

India aurait voulu lui demander comment une femme aussi droite pouvait frayer avec de tels bandits, mais elle n'en eut pas le temps, car Ella avait quitté la pièce.

Un coup à la porte la fit sursauter. Une jeune infirmière du nom d'Alison Fitch passa la tête par l'ouverture.

— Docteur Jones, une demoiselle Milo vient d'arriver aux urgences. Elle ne veut pas nous dire ce qui l'amène. Il paraît que c'est une patiente à vous.

India la suivit. Milo… Milo… Ce nom lui rappelait

quelque chose. Ah oui ! C'était la jeune femme qui avait demandé des contraceptifs.

Emma Milo était appuyée contre le mur du guichet des admissions. Même à distance, on voyait qu'elle tenait à peine debout. Elle avait les yeux fermés, le teint terreux.

— Mademoiselle, que se passe-t-il ?

La jeune femme parut faire un grand effort pour soulever les paupières.

— Aidez-moi, s'il vous plaît…

— Seigneur, dit l'infirmière en regardant aux pieds de la jeune femme.

Il y avait une flaque de sang sur le carrelage.

La malade fit un pas en avant et chancela. India se précipita et la rattrapa juste à temps.

— Vite, un brancard ! cria-t-elle.

L'infirmière courut en chercher un, et elles soulevèrent la malade pour l'y coucher. Celle-ci poussa un cri de douleur et remonta les genoux sur sa poitrine. L'arrière de sa jupe était trempé de sang.

India attrapa par le bras une autre infirmière qui passait.

— Arnold, emmenez-la à la salle d'opération numéro un avec Fitch, ordonna-t-elle.

— Le Dr Gifford l'a utilisée ce matin. On est en train de la nettoyer.

— Alors à la deux, vite !

Les infirmières partirent en portant le brancard tandis qu'India courait en avant. Elle n'avait ni le temps de se frotter les mains au savon ni de passer un tablier sur sa blouse comme elle l'aurait dû, mais elle se précipita au lavabo de la salle d'opération et se versa une bouteille de phénol sur les mains. Les infirmières arrivaient avec la malade. L'une d'elles s'occupa de rassembler les instruments sur le plateau pendant que l'autre coupait la robe de la patiente à la taille ainsi que ses sous-vêtements pour les lui retirer.

— Fausse couche, docteur ?

— Je ne crois pas.

India avait déjà vu une hémorragie similaire, bien des années plus tôt, au pays de Galles. Le souvenir du calvaire de Bea et de Hugh lui causa un instant de panique, mais elle se ressaisit.

— Mademoiselle Milo, vous m'entendez ? Des sels, Fitch.

Elle parlait d'une voix calme et confiante, avec une autorité qui ne trahissait en rien sa peur.

L'infirmière passa un flacon de sels sous le nez de la patiente qui se mit à tousser et tourna la tête pour échapper à l'odeur.

— C'est bien. Essayez de ne pas perdre connaissance, dit India. Fitch, fixez les étriers, nous allons la monter sur la table.

— Il n'y a pas d'étriers dans cette salle, docteur. Il n'y en a que dans la salle un.

India fut prise de colère. Le Dr Gifford avait utilisé cette salle d'opération pour un patient qui n'avait pas besoin d'étriers. Il aurait dû la laisser propre, en cas d'urgence.

— Alors, Fitch, prenez sa jambe gauche, et Arnold, prenez la droite.

Les deux infirmières soulevèrent les jambes de la patiente en les pliant aux genoux. Un flot rouge s'écoulait. Quand India essaya d'introduire le spéculum, la malade se mit à hurler et à se débattre, et l'instrument tomba à terre. Un conseil de Fenwick lui revint en mémoire : « Qu'ils crient, c'est bon signe. Encouragez-les, même, cela vous indiquera au moins qu'ils sont en vie. » Ce cynisme l'avait horrifiée. Maintenant, elle comprenait que ce genre de plaisanterie était la seule défense dont disposait le corps médical pour résister à la souffrance des autres.

Elle fit une nouvelle tentative, à la main cette fois, tout en palpant l'abdomen. Ses doigts remplaçaient ses yeux. Ils confirmèrent ce qu'elle suspectait déjà.

— L'utérus est perforé en plusieurs endroits. Je vais opérer. Arnold, du phénol. Fitch, du chloroforme et un masque.

— Docteur Jones, s'il vous plaît...

La patiente avait les yeux ouverts et était lucide.

— Quand mes parents viendront me chercher, ne leur dites pas ce qui est arrivé. J'attendais un enfant... de mon patron... Il est marié.

— Qui vous a fait cet avortement ?

— Je ne sais pas. C'est Thomas qui m'a emmenée. C'était dans une cuisine très sale. J'ai eu très mal.

Elle se tut, la respiration laborieuse. Ses mains battirent l'air, et India en attrapa une dans les siennes, ne se préoccupant pas du sang qui les couvrait.

— J'ai peur, murmura la pauvre Emma. Mon Dieu... j'ai tellement peur...

— Vite, le chloroforme, Fitch !

— J'arrive, docteur...

L'infirmière posa un tampon sur le visage de la malade. Celle-ci prit trois inspirations profondes, puis elle cessa de respirer et sa poitrine s'affaissa.

India arracha le tampon et entreprit aussitôt un massage cardiaque. Derrière elle, les deux infirmières échangeaient des regards.

— Un... deux... trois...

Elle comptait tout en appuyant des deux paumes sur le sternum.

— Fitch, un drap sous son dos. Arnold, levez-lui les bras au-dessus de la tête… Vite ! Allez !

— Docteur… Elle est morte…

— Non, non ! Je n'ai encore jamais perdu de patient ! C'est impossible !

Mais la jeune femme avait les yeux ternes et fixes.

— Mon Dieu, c'est affreux…

— Ce n'est pas votre faute, docteur, dit Fitch. Elle n'a que ce qu'elle mérite. C'est un crime ce qu'elle a fait.

India ferma les yeux pour se dominer, mais rien n'y fit.

— Sortez !

— Pardon ?

— Je vous demande de sortir de cette salle d'opération !

— Mais il faut l'emmener à la morgue.

— Ne la touchez pas. Je le ferai.

— Bien, docteur.

Fitch, vexée, disparut.

India allongea les jambes de la morte, puis les couvrit avec un drap. Elle s'essuya les mains sur sa blouse déjà tachée de sang, puis appuya doucement sur les paupières de la jeune fille pour lui fermer les yeux.

— C'est à moi de faire ça, docteur, dit gentiment Arnold.

— Ça ne me dérange pas.

India et l'infirmière récupérèrent les sous-vêtements de la jeune femme par terre en silence, puis les placèrent près du corps. Arnold déplia un drap et l'en couvrit.

— J'aurais dû la sauver, se désespéra India.

— Vous ne pouviez rien faire ! Personne n'en aurait été capable. Elle avait perdu trop de sang.

— Pas aujourd'hui… La première fois, quand elle

est venue à la consultation. Je suis une lâche, je me méprise.

Elle tourna les talons et sortit de la salle d'opération pour aller récupérer sa liste de patients, oubliée dans le bureau.

Mais, au lieu de la prendre et de commencer sa visite comme elle en avait eu l'intention, elle se laissa tomber sur une chaise et enfouit son visage dans ses mains, s'efforçant de ravaler les larmes qui lui brûlaient les yeux.

Elle entendait le professeur Fenwick. « Comment ça, Jones ? Des sentiments ? Vous n'êtes pas dans ma classe pour avoir des états d'âme. »

N'y pense plus, se dit-elle. Il faut se blinder.

Il y eut un coup à la porte qu'India n'entendit pas. La poignée tourna.

— Docteur Jones ? demanda une voix masculine.

Elle redressa la tête. C'était Sid Malone. Elle se dépêcha de se lever, gênée qu'il l'ait vue ainsi prostrée.

— Monsieur Malone, en quoi puis-je vous être utile ?

Il ne répondit pas, posant sur elle un regard stupéfait. India remarqua alors que sa blouse était couverte de sang.

— Pardon, je ne m'étais pas rendu compte… Je viens de perdre une patiente… Elle n'avait pas plus de dix-sept ans… Un avortement de boucher… ça vient d'arriver.

— C'est la première patiente que vous perdez ?

— Oui. Comment le savez-vous ?

— L'autre jour, vous disiez n'avoir encore perdu personne.

Il la regardait droit dans les yeux, et elle s'étonna

qu'un homme aussi dur puisse avoir un regard aussi doux.

— La fin a été difficile ? Elle a souffert ?

India échappa à son regard, mal à l'aise.

— Personne ne meurt le sourire aux lèvres, vous savez. Les morts sereines ne se rencontrent que dans les contes de fées. Dans la réalité, les gens souffrent et ils ont peur. Ils crient, ils supplient qu'on les aide. Bien entendu qu'elle a souffert !

Elle arracha sa blouse d'une main rageuse, la roula en boule et la jeta dans un coin.

— Et maintenant, c'est vous qui souffrez.

— Je ne comprends pas.

— Vous souffrez parce qu'elle a souffert.

Étonnée par sa compassion, elle s'arrêta.

— Non, je ne souffre pas, je suis en colère. J'avais une infirmière idiote pour m'assister, et je devais opérer sur une vieille table qui n'avait pas d'étriers parce que le Dr Gifford, mon employeur, avait pris la meilleure pour enlever des calculs biliaires. Il n'en avait pas le moindre besoin ! Il n'y a rien de plus facile à retirer ! Même un singe pourrait faire ça d'une seule main. Et lui, il s'octroie la meilleure salle d'opération, sans se demander s'il ne va pas empêcher quelqu'un de s'en servir pour une fausse couche ou un accouchement difficile, sans parler d'un avortement d'assassin.

India laissa libre cours à son indignation, se plaignant de la situation désastreuse des soins pour les femmes et de l'hypocrisie meurtrière des pouvoirs médicaux qui permettaient le contrôle des naissances aux riches et l'interdisaient aux pauvres qui en avaient le plus besoin. Pendant tout ce temps, Sid se contenta d'écouter. Il ne lui servit pas de lieux communs, ne lui conseilla pas de se calmer. Il la laissa parler du Dr Gifford tant qu'elle voulait, puis lui dit sa façon de penser.

— Il ne faut pas travailler pour ce salaud. Vous ne pourriez pas avoir votre cabinet à vous ? Vous feriez ce qui vous plaît.

— Je n'ai pas assez d'argent. Et puis, ce n'est pas de ça que je rêve. Ce que je voudrais, même si ce n'est pas réaliste, ce serait ouvrir un dispensaire pour les femmes pauvres et leurs enfants. Ici, à Whitechapel. J'ai déjà commencé à mettre de l'argent de côté. Les patients ne paieraient que ce qu'ils peuvent, ou même rien du tout.

Elle s'interrompit. Il doit penser que je suis folle, songea-t-elle. Je ne me reconnais pas. Dès que je vois cet homme, je lui raconte ma vie. D'abord je lui parle de mes études, ensuite de Hugh, et maintenant de mon projet. Même à Freddie je n'en dis pas autant. C'est vraiment bizarre...

— Vous ne pouvez pas demander de l'argent à votre père, puisqu'il est riche ?

— Je ne veux pas de son argent. Je ne lui ai pas demandé un penny depuis le jour où je suis partie de chez lui. Je n'ai pas l'intention de commencer aujourd'hui.

— Alors, moi, je vous donnerai ce qu'il vous faut.

— Pardon ?

— Je vais vous donner de l'argent pour ouvrir votre dispensaire. De combien avez-vous besoin ?

India le regarda avec effarement. Jamais elle ne l'aurait cru capable d'une proposition aussi généreuse.

— Merci. C'est très gentil, mais je ne peux pas accepter.

— Pourquoi ?

Elle ne répondit pas.

— Parce que c'est de l'argent sale ?

— Monsieur Malone, je suis médecin. J'ai fait le serment de soigner les gens. Comment voulez-vous que je me serve des bénéfices d'un trafic qui les tue ?

Cette fois, ce fut Sid qui ne sut que répondre. Il tira son mouchoir de sa poche et tendit le bras vers elle pour lui essuyer l'oreille. Elle eut un mouvement de recul.

— Attendez, vous avez du sang…

India le laissa faire, raide comme un piquet. Il était si proche, ses gestes étaient tellement doux, qu'elle eut soudain envie de poser la tête sur son épaule pour pleurer la mort de sa patiente.

Elle recula d'un pas.

— Je suis désolée, dit-elle d'un ton glacial. Je me doute que vous n'êtes pas venu pour entendre une diatribe contre le pouvoir médical.

— C'est moi qui vous demande pardon. Je passais seulement vous dire au revoir avant de partir. Je tenais à vous remercier pour ce que vous avez fait pour moi.

— Ne me remerciez pas, c'est mon…

— … votre travail, je sais, compléta-t-il avec un soupçon d'agacement. Je voulais malgré tout vous remercier et vous rappeler que, si je peux vous aider d'une façon ou d'une autre…

— Très bien, c'est entendu. Si j'ai besoin un jour d'acheter un tableau volé ou une livre d'opium, je saurai où m'adresser !

— Puisque vous le prenez comme ça… Au revoir, docteur.

Son regard avait changé. Toute la profondeur et toute la douceur s'en étaient échappées.

Quand il fut sorti, India ferma les yeux avec un soupir exaspéré. Mais quel besoin avait-elle eu d'être aussi désagréable ? Il désirait simplement lui prouver sa gratitude. Cela partait d'un bon sentiment. Et elle, elle le mettait quasiment à la porte…

Mais elle savait très bien pourquoi. Si elle avait cherché à se consoler dans ses bras, il l'aurait prise sur son cœur sans un mot. Et elle aurait été plus heureuse en cet instant qu'elle ne le serait jamais avec Freddie.

Oui, elle le savait, et la force de ses sentiments lui causait une peur abominable.

22

— Ah ! Bonjour, monsieur Lytton.

— Bonjour, monsieur le Premier ministre.

— Je suis impatient d'entendre votre brillant discours. Vous êtes prêt, j'espère.

— Plus que prêt, monsieur, dit Freddie avec un sourire. Il fera date.

Lord Salisbury haussa ses sourcils broussailleux, les yeux étincelants de malice.

— Vous ne manquez pas de confiance en vous ! C'est bien, mon garçon.

Entouré de plusieurs membres du gouvernement, le Premier ministre venait de faire son apparition dans St. Stephen's Hall à Westminster, où Freddie se concentrait avant d'entrer en piste. Dans quelques minutes, il devait prononcer son discours de soutien au projet de loi sur l'autonomie irlandaise. Salisbury s'attardait, se plaignant de tous les ennuyeux dossiers que le Parlement avait à boucler avant l'interruption d'été.

— Qu'avons-nous eu hier ? Ah, oui ! La tarification des vins et l'épidémie de fièvre aphteuse dans les Fens, et une demande de subvention pour installer des feux de signalisation à Basingstoke. J'ai eu le plus grand mal à garder les yeux ouverts. Freddie, vous n'avez pas la moindre chance de l'emporter aujourd'hui, et je me réjouis d'avance de votre déconfiture, cependant je pense que vous saurez nous intéresser.

— J'espère que votre plaisir ne sera pas gâché si le Parti libéral triomphe, monsieur le Premier ministre.

Salisbury eut un rire.

— Il faudrait avertir Campbell-Bannerman que son jeune louveteau risque de lui prendre sa place.

— Pas la sienne, monsieur, la vôtre.

Cette repartie amusa les ministres de Salisbury, mais lui-même, malgré son sourire, garda un regard d'acier. Il n'avait jamais pardonné à Freddie sa défection. Il lui reprochait aussi de vouloir restreindre la puissance britannique en défendant l'autonomie irlandaise, ce qui, selon lui, était un acte de traîtrise.

— Eh bien ! bon courage, jeune homme, dit-il, toujours souriant. Mais vous n'avez pas l'ombre d'une chance.

Un vieux lion... songea Freddie en le regardant s'éloigner. C'était le dernier de son espèce. Il appartenait à l'une des plus grandes familles du pays, les Cecil, qui destinait ses fils dès la naissance à la politique. Ses ancêtres avaient servi sous Élisabeth Ire et Jacques Ier Stuart. Et, s'il était voûté et grisonnant aujourd'hui, il n'en restait pas moins capable de s'attaquer sans pitié aux jeunes députés.

L'horloge sonna dix heures.

Freddie sursauta. Il allait devoir courir pour entrer à l'heure dans la Chambre. Salisbury a presque réussi à me faire perdre ma concentration, songea-t-il en allongeant le pas.

— Freddie ! Freddie ! As-tu lu le *Times* ? cria une voix derrière lui.

Freddie se retourna.

— Ah, Bingham, tu es là ! Tu es venu écouter mon discours, je suppose.

— Bien entendu, mais…

— Je suis touché !

— Mais as-tu vu…

— Je n'ai pas le temps ! lança Freddie en se dirigeant vers l'entrée des députés. Je suis en retard, à tout à l'heure !

— Freddie, attends ! s'exclama Bingham en agitant le journal.

— Plus tard, Bing, plus tard ! Retrouvons-nous au Reform Club !

Freddie disparut dans le vestibule, le traversa et alla s'asseoir en hâte sur un banc du côté du Parti libéral.

Regardant autour de lui, il vit que la Chambre des communes, à la sévère architecture gothique, était comble. Les chefs de file des deux partis avaient battu le rappel des troupes pour s'assurer que leurs membres seraient présents pour le vote. Les parlementaires devisaient, encore debout, en redingote et haut de forme. Seul à déroger à ce décorum, l'unique élu travailliste, James Keir Hardie, arborait une veste de tweed et une casquette. Tout en haut, des représentants de la presse étaient assis dans la galerie des visiteurs, ainsi que plusieurs membres de la Chambre des lords.

Freddie vivait le jour le plus important de sa carrière politique. C'était le deuxième passage de la loi devant la Chambre des communes. Après débat, les députés décideraient par un vote si le projet pouvait continuer son périple parlementaire à la Chambre des lords. Freddie avait travaillé dans l'ombre, avec diligence, pour gagner à sa cause des élus du camp opposé. Il avait lutté pied à pied, et atteignait, espérait-il, la majorité nécessaire. Mais le compte était juste : il restait des indécis encore susceptibles de changer d'opinion. Son discours servirait à les convaincre. Il allait se surpasser.

Ce discours, il le peaufinait depuis des mois, le remettant mille fois sur le métier, jusqu'à atteindre la perfection. Ensuite, il s'était entraîné à le répéter chez lui de tête. À la Chambre des communes, on n'avait pas le droit de lire de discours rédigés. Les notes étaient acceptées, mais Freddie, qui les considérait comme un signe de faiblesse, n'en utilisait jamais. Il était excellent orateur et, grâce à sa mémoire exceptionnelle, pouvait citer chiffres et données sans hésitation, comme il comptait le faire aujourd'hui.

Ses propos seraient disséqués par toute la classe politique, ainsi que par la presse nationale et internationale. S'il réussissait, son triomphe garantirait son ascension dans le parti et sa victoire aux élections. En effet, beaucoup d'électeurs de Tower Hamlets étant irlandais, ils lui seraient reconnaissants de son engagement.

S'il échouait... Non, il ne pouvait pas échouer. Les enjeux étaient trop importants.

La question irlandaise était épineuse. Sous Gladstone, un projet de loi sur l'autonomie avait été porté deux fois par les libéraux, mais avait été rejeté en 1886 et en 1893 par la Chambre des lords. L'aristocratie redoutait, si l'autonomie était accordée aux Irlandais, de devoir le faire pour les autres pays de l'Empire britannique. Ce lourd passé n'effrayait pas Freddie. Au contraire, les défaites précédentes ne rendraient sa victoire que plus méritoire.

Tous les bancs étaient occupés, et Lytton piaffait d'impatience. La politique, c'était sa vie. Il n'avait pas de plus haute ambition, de plus grand amour. Jamais il n'était plus heureux que dans des instants comme celui-là. Il avait suprêmement confiance en son pouvoir de persuasion. D'ailleurs, tout lui réussissait. India avait été enfin matée. La fortune des Selwyn Jones serait bientôt sienne et, dans très peu de temps, il récupérerait Gemma.

La séance commença. L'aumônier du président de la Chambre lut la prière puis la première question à l'ordre du jour fut lancée. L'autonomie irlandaise ouvrait les travaux de la journée. Au moment où le président achevait son introduction, Freddie se leva de son banc et fit signe qu'il était prêt.

— La parole est à l'honorable représentant de Tower Hamlets.

— Merci, monsieur le président. Monsieur le Premier ministre, mes très honorables collègues…

L'avenir de l'Irlande déchaîna les passions. Des murmures d'approbation, des exclamations, des grognements de colère ponctuèrent le fil de son discours. Sa rhétorique était parfaite, son art de juxtaposer les arguments politiques et les faits concrets sublimement maîtrisé. On l'applaudissait, on le huait, mais les membres des deux camps l'écoutaient de toutes leurs oreilles. Il n'y eut pas un bâillement, pas un siège ne se vida.

Une demi-heure après le début du discours, Edward Berridge, un jeune parlementaire conservateur, entra dans la Chambre, une pile de journaux dans les bras. Freddie l'aperçut du coin de l'œil, mais pensa simplement qu'il était en retard. S'étant détourné pour ne pas se laisser distraire, il ne vit pas Berridge tendre les journaux au chef de file du Parti conservateur. Il ne vit pas non plus ce dernier lire la première page un sourire aux lèvres. Il ne songeait qu'à son prochain triomphe.

Il continua pendant plus d'une heure, rappelant aux députés ce qu'il en coûtait à la Grande-Bretagne d'entretenir son Empire, en hommes, en argent, en force militaire. Les fonds publics seraient plus judicieusement utilisés pour des régions riches en produits d'exportation comme l'Afrique, l'Arabie et l'Inde. Rien ne s'opposait à changer le statut de l'Irlande.

— La guerre au Transvaal n'est pas terminée, conclut-il. L'Inde s'agite. Ne fabriquons pas une génération de révolutionnaires à notre porte ! L'autonomie nous offre une solution. Que l'Irlande gère les affaires irlandaises. Ce n'est pas du défaitisme, c'est du pragmatisme, et c'est la voie de l'avenir.

La fin de son beau et éloquent discours fut accueillie par un tonnerre d'applaudissements en provenance des bancs du Parti libéral. Il sourit, certain d'avoir convaincu la majorité. C'était le moment pour le président de la Chambre d'annoncer le scrutin. Mais Edward Berridge se leva.

Freddie ressentit une vive inquiétude.

Berridge était un grand ami de Dickie Lambert, le rival de Freddie pour la circonscription de Tower Hamlets. N'ayant pas de siège, Lambert ne pouvait pas intervenir, mais Berridge se faisait son porte-parole.

— L'honorable représentant de Banbury, annonça le président.

Berridge s'éclaircit la voix, puis déclara d'un ton grave.

— Je me demande si l'honorable représentant de Tower Hamlets a lu la dernière édition du *Times*...

L'appréhension de Freddie monta. Bingham ne lui avait-il pas posé la même question tout à l'heure ?

— Il se trouve que je n'en ai pas eu le temps. Messieurs, un honorable représentant d'une circonscription provinciale a sans doute plus de loisirs à consacrer à ce genre d'activités.

Les amis de Freddie le soutinrent par des rires, tandis que les conservateurs restaient de marbre.

— Monsieur le président, je désire déposer un amendement, dit Berridge.

Des cris d'approbation éclatèrent du côté conservateur. Freddie ne fut pas dupe. Il savait, comme tous les autres députés, que ce protocole de dernière minute visait à faire avorter le projet de loi, et non à l'amender.

— Pour quelle raison ? s'enquit le président.

Berridge brandit un exemplaire du *Times*, imité par une vingtaine d'autres représentants de son parti. Le gros titre était étalé sur cinq colonnes : *Dublin, fusillade meurtrière*. Puis le chapeau : *Des insurgés républicains attaquent la police avec des armes provenant du vol d'un entrepôt londonien.*

Un vent de colère souffla dans la Chambre. Il y eut des vociférations scandalisées. Freddie avait l'impression d'avoir reçu un coup en pleine poitrine. Il parvenait à peine à respirer.

Berridge attendit de pouvoir se faire entendre, puis il continua.

— Les représentants de l'ordre tués à Dublin étaient anglais. Ils laissent des veuves et des orphelins anglais. Ces républicains, ces révolutionnaires, ces rebelles – quelle que soit la façon dont on appelle ces Irlandais – sont des assassins. Et c'est à de tels criminels que mon honorable collègue voudrait que l'Angleterre donne les pleins pouvoirs ?

Freddie tenta de répondre, mais les cris assourdissants des plus acharnés de ses détracteurs couvrirent sa voix. Le président demanda le silence, mais il fallut attendre pour l'obtenir, et Berridge parvint à reprendre la parole avant Freddie.

— Les armes utilisées pour ce massacre provenaient du vol commis à la Forteresse, un entrepôt de Tower Hamlets... Il semblerait que notre honorable collègue veuille démissionner devant la violence en l'Irlande comme il le fait dans sa circonscription.

Il y eut des rires féroces et des sarcasmes. Berridge et sa meute avaient le dessus, et les conservateurs jubilaient. Quant aux libéraux, ayant compris que la cause était perdue, ils avaient abandonné Freddie. Le président rétablit une nouvelle fois le silence. Berridge proposa d'aborder le scrutin, ce qui fut fait. Le non l'emporta. C'était la fin de l'autonomie irlandaise.

Et peut-être dans la foulée, comme le craignait Freddie, celle de sa carrière.

Une interruption fut demandée. Les parlementaires se levèrent, s'égaillèrent dans la Chambre, sortirent pour fumer ou boire un verre. Quelques libéraux tapotèrent le dos de Freddie au passage en signe de commisération. Un brouhaha descendait de la galerie des visiteurs. Il leva les yeux. Bingham était là avec Wish, l'air grave. Son adversaire, Dickie Lambert, souriait de toutes ses dents, et les reporters noircissaient leurs calepins.

Freddie ne bougea pas de son banc, préférant reprendre des forces avant de retourner dans la mêlée. Ses chances d'être réélu venaient d'être très sérieusement entamées. Berridge sortait en compagnie du Premier ministre, très souriant. Il ne ressentait aucune animosité envers lui. Berridge s'était simplement battu pour son parti, et Lytton aurait agi comme lui dans les mêmes circonstances.

Non, il n'y avait qu'un seul vrai coupable, qui n'était ni Berridge, ni Lambert, ni lui-même…

C'était Sid Malone qui avait causé sa perte. Si ce criminel n'avait pas cambriolé la Forteresse, il n'y aurait pas eu de fusillade, et l'autonomie aurait été votée.

Il le lui ferait payer.

23

Sid était au lit dans l'appartement qu'il occupait au dernier étage du Barkentine. Gemma Dean, dans le plus simple appareil, était allongée sur lui.

— Gem, attention à ma blessure…

— Tu as mal ?

— Toujours autant.

— Tu veux boire quelque chose ?

— Je ne dis pas non.

Gemma se leva, passa un peignoir, et alla verser deux whiskies tout en chantant un air de music-hall. Sid tâta son pansement pour s'assurer qu'il était toujours en place. Voilà trois jours qu'il était rentré de l'hôpital, et deux semaines s'étaient écoulées depuis l'accident. La guérison suivait son cours, mais Gem était un peu trop insatiable pour son état fragile. Elle était douée, mais énergique…

Elle lui tendit son verre puis se recoucha près de lui.

— Tu m'as manqué, dit-elle en l'embrassant.

— Toi aussi, ma poule.

Il glissa discrètement la main sous son oreiller, s'arrangeant pour que Gemma ne se rende compte de rien, puis, quand il eut récupéré ce qu'il y avait caché, il se redressa. Gemma bavardait.

— Tu ne devineras jamais ce que Frankie a fait pendant que tu étais à l'hôpital.

— Je ne pense pas qu'il puisse encore m'étonner…

— Si, tu vas voir ! Il a fauché l'appareil que les docteurs se mettent aux oreilles pour vous écouter le cœur.

— À qui ?

— À la doctoresse qui s'occupait de toi.

— Mais quel imbécile ! Elle en a besoin !

— Mais c'est rien du tout, Sid. Les docteurs gagnent plein d'argent. Je te parie qu'elle s'en est déjà racheté un. Ça sert beaucoup plus à Frankie. C'est pour ouvrir les coffres-forts. Il a essayé sur celui de Desi, et il paraît qu'on entend très bien les déclics de la combinaison. Le plus drôle, c'est que Desi est entré dans la pièce pendant qu'il s'entraînait, et que Frankie est presque arrivé à lui faire croire que le coffre-fort était malade et qu'il l'auscultait ! À crever de rire, non ?

Sid s'efforça de sourire.

— Tordant, en effet.

Mais en son for intérieur, il pensait que le Dr Jones n'allait pas pouvoir travailler sans son instrument. Si elle devait s'en racheter un, cela réduirait d'autant ses économies pour le dispensaire. Il ordonnerait à ce triple idiot de Frankie d'aller le lui rendre.

— Qu'est-ce qu'il y a ? Ça ne va pas ? demanda Gemma.

— Je suis un peu fatigué, ce n'est pas grave.

Il se souvint alors de ce qu'il tenait dans la main. Il attrapa le peignoir de Gemma par l'échancrure, déposa des baisers dans son décolleté, puis il glissa la main entre ses seins, lui arrachant des rires.

— Ma parole, Gem, il doit y en avoir des belles choses, par là, sûrement des trésors... Tiens, regarde-moi ça !

Avec un geste de prestidigitateur, il tira un collier étincelant de la douce vallée et le fit balancer devant elle. C'était une rivière de diamants blancs magnifique, avec un médaillon au centre portant les initiales GD, en diamants également. Gemma le tourna, et vit l'inscription au dos : *Pour Gemma... Merde... Ton Sid.*

Elle s'extasia.

— Ah ben ça... C'est vraiment pour moi ?

— Oui, pour toi, confirma-t-il en le lui attachant au cou. Dommage qu'il n'y ait pas de boucles d'oreilles pour aller avec...

— Mais Sid...

— Oui, tu as raison, je n'ai peut-être pas bien regardé. Attends...

Il fit semblant de chercher encore entre ses seins, mais renonça avec un froncement de sourcils.

— Il n'y a rien.

Gemma eut une moue boudeuse.

— Attends une seconde... dit-il en ouvrant le peignoir. Je n'ai pas regardé partout.

Il passa la main sur son ventre, puis s'aventura plus bas, lui arrachant des gloussements.

— Mais dis donc !

— Ah ! Voilà !

Il fit apparaître une paire de pendants d'oreilles assortis au collier.

— Sid ! C'est magnifique. Ils sont énormes !

Elle l'embrassa fort sur les lèvres et se leva pour courir au miroir.

— C'est un petit cadeau pour tes débuts. Je suis content que ça te plaise.

Les diamants avaient été ramassés lors d'un cambriolage à Greenwich quelques mois plus tôt, dans un hôtel particulier où la récolte avait été bonne. Sid avait fait dessertir les pierres et monter une parure. Le résultat était tape-à-l'œil mais joli, et lui irait bien. Et puis, plus tard, elle pourrait les vendre si elle avait besoin d'argent. Sid connaissait bien les filles dans son genre. Après un certain âge, elles tiraient toujours le diable par la queue.

Gemma s'admirait dans la glace, s'examinant sous tous les angles. Elle torsada ses épais cheveux bruns pour les remonter, puis les laissa tomber sur ses épaules. Sid ne perdait rien des courbes voluptueuses de sa chute de reins, du balancement charmant de sa poitrine. Il était difficile de rester insensible.

— Tu es très jolie.

Elle sourit et le rejoignit, l'enfourchant pour l'embrasser. Ses cheveux défaits ressemblaient à une crinière, les diamants étincelaient sur sa peau nue dans la lumière de la lampe.

Il voulut la prendre dans ses bras, mais sa blessure lui arracha une grimace.

— Attends, laisse-moi faire, susurra-t-elle.

Elle était belle, lascive et experte… Quand ils reprirent leur souffle, elle se pencha pour lui donner un baiser.

— Tu n'aurais pas oublié un petit quelque chose ? demanda-t-elle avec coquetterie.

— Tu aurais voulu un bracelet, gourmande ?

— Non, chéri, une bague.

Sid eut un soupir.

— Gemma… je t'ai déjà dit que je tenais à rester célibataire.

— Oui, je sais, mais j'espérais que tu avais peut-être changé d'avis.

— Je m'occupe bien de toi, il me semble !

Il lui avait donné d'autres bijoux, un appartement à proximité des music-halls, des robes par dizaines, une fourrure ou deux. Même son solo dans la revue du Gaiety, elle l'avait obtenu grâce à lui, quoiqu'il ne lui ait pas révélé ce détail.

— Bien sûr que tu t'occupes bien de moi, mais tu ne me donnes pas ce que je désire le plus : ton cœur.

— Mon cœur n'est pas à prendre.

Sid avait aimé, autrefois, mais cette époque était révolue. La perte de ce qu'il avait de plus cher au monde, c'est-à-dire ses parents et toute sa famille, avait failli le tuer.

Gemma ne cacha pas sa déception.

— Voilà deux mois qu'on est ensemble, et je ne sais toujours rien de toi !

— Il faudra t'y faire, ma petite. Sinon, je ne te retiens pas.

— Je suis assez bonne pour coucher dans ton lit, mais tu me méprises trop pour m'épouser !

— Au contraire. C'est justement parce que je t'aime beaucoup que je ne veux pas que tu sois ma femme. Tu sais qui je suis. Je te ferais courir trop de risques.

— Je les accepte.

— Si tu cherches un mari, trouve quelqu'un d'autre.

— C'est toi que je veux ! Le mariage, ce n'est pas le tout. Il faut que ce soit avec toi. Je ne rêve que de ça.

Un rêve… Sid se demanda si un jour il aurait des rêves, lui aussi. Sûrement pas. Pour certains, il ne pouvait y avoir que des cauchemars.

Il se leva, enfila son pantalon, puis traversa la pièce pour se resservir un whisky. La discussion lui avait donné mal à la tête. Gemma était une fille sans illusions. Sans doute comprendrait-elle mieux que beaucoup d'autres les secrets de son passé. Mais comment en supporterait-elle les détails les plus noirs quand lui-même n'arrivait pas à y faire face ?

Ses souvenirs le hantaient. Le jour, il parvenait à les tenir à distance, mais, la nuit, ils le torturaient. Malone dormait à peine. Dès qu'il fermait les yeux, tout lui revenait : son père docker mourant à l'hôpital. Sa mère, couchée dans la rue, son sang se figeant entre les pavés. Les premiers temps avec Denny Quinn. La prison.

Comme sa vie aurait été différente si, après la disparition de sa mère, il était allé trouver son oncle Roddy. Roddy, bien que n'ayant aucun lien de parenté avec lui, était un grand ami de la famille. Il lui aurait tout raconté : la folie qui l'avait pris en voyant le corps de sa mère assassinée. Sa bagarre meurtrière avec le vrai Sid Malone. Mais il avait redouté que Roddy, qui était agent de police, ne le dénonce. Alors, il s'était réfugié chez Quinn et avait vendu son âme au diable. Denny l'avait d'abord chargé de réclamer l'argent qu'on lui devait, d'intimider les récalcitrants, de surveiller les maisons de passe. Ensuite, il avait été promu à de plus grosses responsabilités. Il avait cambriolé des entrepôts, trouvé des acheteurs pour le butin de qualité, écoulé de l'opium.

Et puis, un jour, alors qu'il avait tout juste dix-huit ans, il avait fait le malin après un casse chez un bijoutier. Il avait gardé quelques bagues qu'il avait été assez bête pour porter le lendemain en fanfaronnant. Ses vantardises l'avaient mené tout droit devant le juge. On l'avait condamné à trois ans de réclusion à la prison de Wormwood Scrubs.

En voyant sa cellule, froide, humide et sale, il avait juré de ne plus se laisser influencer par Denny Quinn. Il purgerait sa peine, puis, en sortant, il s'achèterait une conduite. Il avait souffert du travail de forçat. Casser des cailloux, tourner sur le manège de discipline, actionner la manivelle. Parfois huit heures d'affilée, et sans rien produire. On se fatiguait gratuitement, on était seul… Les passages à tabac se multipliaient pour des broutilles, pour un mot ou un simple échange de regard.

Et pourtant, les nuits étaient encore plus dures. Si seulement il avait pu oublier, exciser sa mémoire à la pointe du couteau, il n'aurait pas hésité. On vous enfermait dans votre réduit. Les lumières s'éteignaient. On restait assis sur sa couchette dans le noir, immobile, respirant à peine, ne se penchant que pour vomir dans le pot de fer-blanc. Les nausées le prenaient dès la tombée du jour. C'était peut-être parce qu'il s'empêchait de dormir, le corps tendu comme un arc, l'oreille aux aguets pour entendre venir les pas de ses tortionnaires. Au début, il se serait suicidé s'il avait su comment.

Quinn avait compris au premier coup d'œil. Le jour de la visite, il avait dit :

— Donne-moi le nom d'un de ces salopards.

Sid avait d'abord refusé. Ce serait un mort de plus sur sa conscience, et il serait redevable à Denny pour toujours.

— Ne fais pas l'imbécile ! avait sifflé son protecteur. Tu es au trou depuis seulement quatre mois. Tu imagines que tu vas tenir trois ans ? Trois ans ! Tu te rends compte ?

Sid avait fini par lâcher le nom d'un des gardiens qui le persécutait.

— Wiggs. Ian Wiggs.

Deux jours plus tard, Wiggs avait été retrouvé la gorge tranchée devant la prison. Ensuite, Sid avait eu la paix. Plus un gardien ni un détenu n'avaient osé le toucher. On le respectait. C'était ainsi qu'on se faisait une réputation.

Il était sorti à vingt et un ans.

— Vous avez payé votre dette à la société, monsieur Malone, lui avait dit le directeur de la prison à la levée d'écrou. Espérons que la leçon a été profitable, et que votre condamnation a eu un effet bénéfique sur votre moralité. J'espère que vous suivrez maintenant le droit chemin.

— Oui, monsieur.

Il avait pris l'air d'un saint, tout en pensant : *Tu parles, Charles !*

Ses années de prison l'avaient en effet changé, mais pas comme la justice l'escomptait. Il s'était endurci, avait compris qu'il ne devait pas faire de cadeaux parce que personne ne lui en ferait.

Dès qu'il avait été libre, il était allé tout droit au Taj Mahal, avait pris Denny à part, et lui avait annoncé son intention de conquérir tout l'est de Londres, au nord et au sud de la Tamise.

— Un peu ambitieux, avait jugé Quinn. Bowler Sheehan ne te laissera pas faire.

Sheehan était l'un des criminels les plus dangereux de Londres, qui contrôlait Whitechapel, Wapping et tous les territoires de la rive nord.

— Je n'ai pas dit que c'était pour la semaine prochaine, avait répondu Sid. Je vais prendre mon temps.

Il avait réuni des hommes de confiance, d'anciens camarades, et d'autres qu'il avait connus en prison. Tous avaient appris à leurs dépens qu'il était plus intelligent d'être discret.

Il avait commencé par la rive sud. Comme un général en campagne, Sid avait placé ses hommes en boucle autour de Rotherhithe et de Southwark. Ensuite, il avait resserré son emprise, éliminant les bandes plus faibles par la négociation quand il le pouvait, et par la force quand il n'avait pas le choix. Personne n'avait pu ignorer qu'il y avait un nouveau chef sur ces territoires, et qu'il fallait faire allégeance. Lentement, il était remonté vers les entrepôts de la Tamise et les trésors qu'ils renfermaient.

Au bout de deux ans, la rive sud était à lui. Il commençait à pénétrer sur la rive nord quand Denny Quinn avait été assassiné. Bowler Sheehan lui avait coupé la gorge pour lui apprendre à soutenir Sid. Et puis Sheehan lui-même était mort, la gorge tranchée, lui aussi, à la prison de Newgate. Sid n'y était pour rien, mais beaucoup lui attribuaient cette vengeance. Il ne démentait pas. Une fois Sheehan éliminé, il n'y avait plus eu qu'à se servir.

Sid n'avait pas voulu devenir truand. Cette vie ne le rendait pas heureux, mais il s'était engagé trop loin pour en changer. Il avait trop d'ennemis dans la pègre, et surtout trop d'amis. Des amis comme Billy Madden, qui ne s'était arrêté devant aucun crime pour dominer le West End, ou les Siciliens Angie Vazzano et Nicky Barrecca, chefs de Covent Garden et du Haymarket. Ils se serraient la main quand ils se rencontraient, s'invitaient même à dîner et à boire, s'offraient des filles, mais ils guettaient la moindre faiblesse des autres pour agrandir leur territoire.

Et pour Sid, la plus grande faiblesse était l'amour.

— Tu ne reviens pas te coucher ? demanda Gemma, déçue.

Sid allait la rejoindre quand on frappa à la porte. Il fut aussitôt sur ses gardes.

— Qu'est-ce que c'est ? aboya-t-il.

— Y a quelqu'un qui te réclame, Patron, dit la voix d'Ozzie.

— Bon Dieu ! cria Sid en ouvrant brutalement. C'est Donaldson ? Encore cette histoire de l'entrepôt Morocco ?

L'inspecteur avait accusé Frankie de l'avoir incendié et d'être responsable de la mort du contremaître. Son lieutenant avait juré n'y être pour rien, et Sid le croyait. Il n'aurait jamais osé désobéir à ses ordres.

— C'est pas Donaldson, Patron, c'est une dame.

Fiona ! pensa Sid qui ne voulait voir sa sœur à aucun prix.

— C'est la doctoresse. Celle qui vous a soigné à l'hôpital. Le Dr Jones.

Sid éprouva un bref soulagement, vite remplacé par l'inquiétude.

— Quoi ? Ici ? Mais elle est folle !

— Ben oui, Patron.

— Elle est accompagnée ?

— Non, toute seule.

— Descends vite surveiller qu'on ne l'embête pas. J'arrive.

Sid attrapa sa chemise, mit ses chaussures et enfila sa veste.

— Qu'est-ce qu'elle fiche ici ? s'étonna Gemma.

— Je voudrais bien le savoir. C'est du suicide !

Il dévala l'escalier et la chercha des yeux dans le bar. Ne la voyant pas, il prit peur. Les clients du Barkentine n'étaient pas des enfants de chœur.

Enfin, il la découvrit à une table tout au bout de la salle. Elle avait l'air d'attendre l'omnibus, le dos droit, chapeau planté sur la tête, jambes serrées et mains sur les genoux. Il la rejoignit et ne lui laissa pas le temps de parler, malgré le sourire qui l'accueillit.

— Vous êtes cinglée, ma parole ! Qu'est-ce que vous venez fiche ici ?

— Je voulais vous demander un service. Vous avez proposé de m'aider, si j'ai bien compris.

— Vous êtes venue en voiture ?

— En fiacre. Enfin, une partie du chemin. Il a fallu que je finisse à pied.

— Vous avez de la chance d'être encore en vie ! Vous auriez pu vous faire tuer, ou pis.

— Je ne vois pas ce qu'il y a de pire…

— Oh, que si ! Il y a bien pis, croyez-moi ! Allez, debout.

— Où allons-nous ? interrogea-t-elle en lui obéissant.

— Vous rentrez chez vous !

Elle se rassit.

— Non ! J'ai besoin de vous, monsieur Malone. C'est une question de vie ou de mort.

La voyant si sérieuse, Sid s'assit en face d'elle.

— Vous savez que même les flics ont peur de cet endroit ? Des types grands et forts, avec de bonnes matraques. Et vous, vous vous amenez comme une fleur…

— Je vous ai pour veiller sur moi, ce qui n'est pas leur cas.

Il se résigna.

— Alors, vous voulez quoi ?

— Du matériel pour mes patientes. Des… préservatifs. Des capotes anglaises, je veux dire, et des éponges. Pour la contraception.

Aux tables alentour, des têtes se tournaient vers eux. India semblait ne pas s'en rendre compte, mais Sid, qui croyait pourtant ne plus pouvoir avoir honte de rien, ne savait plus où se mettre.

— C'est bon, je sais ce que c'est. Parlez moins fort, si ça ne vous ennuie pas.

— Il me faut des produits de qualité, pas des rebuts. Pouvez-vous m'en fournir ?

— Vous êtes drôle, vous…

— Je ne vous demande pas de me les offrir. Je vous paierai.

Quel mépris ! Elle n'imaginait pas un instant qu'il puisse vouloir l'aider pour rien. Tant pis pour elle. Si elle tenait à payer, elle paierait.

— Je crois que c'est possible, dit-il après un temps de réflexion. Mais vous vous doutez que ce seront des produits volés. Ils seront importés en fraude. En me les achetant, vous vous rendrez complice d'un acte criminel. Votre jolie conscience n'en souffrira pas ?

— Je m'en arrangerai, parce que je ne peux plus tolérer qu'arrive à mes patientes ce qui est arrivé à Emma Milo. Vous êtes un homme d'affaires, je crois, monsieur Malone ? ajouta-t-elle, ironique à son tour. Alors faisons affaire. Si vous n'acceptez pas, je m'adresserai à quelqu'un d'autre.

— J'accepte, mais ça ne sera pas bon marché.

— Combien ?

— Cent livres.

Elle n'avait visiblement pas pensé que ce serait aussi cher.

— Je n'ai pas une somme pareille… Excusez-moi de vous avoir dérangé pour rien.

Elle baissa les yeux, et son regard tomba sur la chaîne qui pendait de son gousset. Elle tira sa montre de sa poche et la tendit à Sid.

— Je peux vous proposer ceci. C'est de l'or à vingt-quatre carats. Le cadran est serti de diamants. Elle vaut au moins cent livres. C'est ce que M. Betts a dit en partant de la fumerie d'opium, vous vous souvenez ? Ça suffira ?

Sid la tourna dans sa main. *Pense à moi*, lut-il au dos.

— C'est Lytton qui vous l'a offerte ?

— C'est lui, en effet.

— Je me demande s'il apprécierait d'apprendre que vous l'avez échangée contre une caisse de préservatifs.

— Il comprendrait.

— J'en doute fort.

— Dans ce cas, mieux vaudra vous abstenir de lui en parler la prochaine fois que vous le verrez.

Sid empocha la montre.

— Je garderai le secret.

Il lui tendit la main, et elle la lui serra.

— Parole de truand ? demanda-t-elle d'un ton coupant.

— Vous n'avez pas confiance ?

Elle lui jeta un regard acerbe.

— Combien de temps vous faudra-t-il ?

— Laissez-moi quelques semaines.

Il lui retenait la main un peu trop longtemps. Elle n'avait pas des mains très féminines. Pas comme celles, douces et délicates, de Gemma. Celles d'India étaient solides, tachées de teinture d'iode. Ce n'était pas une jolie main, mais en la touchant, Sid avait eu envie, plus même qu'il n'avait désiré le magnifique corps de sa maîtresse, de la porter à son visage pour sentir la fraîcheur de sa paume contre sa joue.

La doctoresse la lui retira brusquement avec un air presque alarmé. Elle avait peur de lui ! Mais bon Dieu ! Elle aurait pu comprendre qu'il ne lui voulait aucun mal. Sa frayeur le mit en colère. Pourquoi perdait-il son temps avec cette taupe maigrichonne alors que la somptueuse Gemma Dean l'attendait dans son lit ? Il se leva et regarda autour de lui pour héler un de ses hommes.

— Oz !

Ozzie, debout au bar, se tourna vers lui.

— Oui, Patron ?

— Monsieur Malone… commença India.

— Docteur Jones ?

— Je me disais que je pourrais peut-être vous inviter à dîner, pour vous remercier…

— Inutile !

— Mais…

— OZZIE !

Ce dernier se précipita.

— Oui, Patron ?

— Raccompagne le docteur chez elle.

— Dans ce cas, dit-elle, bonsoir, monsieur Malone.

— Bon vent, docteur Jones.

Il attendit qu'elle passe la porte avec son escorte avant de retourner à l'escalier. Mais il avait envie de prendre l'air. Arrivé en bas des marches, il leva la tête et vit Gemma en peignoir sur le palier.

— Excuse-moi de t'avoir fait une scène, Sid. Tu reviens te coucher ?

— Pas maintenant.

— Qu'est-ce qui se passe ?

Il remonta pour lui donner un rapide baiser sur la bouche.

— Un boulot. Reste, si tu veux, ou Ronnie te raccompagnera.

— On se revoit quand ?

— Je t'enverrai chercher.

Sid sortit du Barkentine à temps pour voir Ozzie aider

la doctoresse à monter en voiture. Ils allaient partir vers l'ouest. Il prit la direction opposée.

Jamais il n'arriverait à dormir s'il ne marchait pas pour s'épuiser. Il longerait la Tamise pendant des heures, des jours, peut-être. Jusqu'à la mer. Et, en marchant, il concocterait un nouveau plan, un nouveau casse. Un cambriolage qui rapporterait beaucoup d'argent et redorerait son blason. Tout le monde, les truands comme les flics, dirait : « Quel cran il a, ce Malone ! C'était un coup dangereux et drôlement intelligent. On n'aurait jamais cru ça possible. Ça ne peut être que lui. Personne d'autre n'aurait eu une telle audace. »

Il boutonna sa veste et remonta son col pour se protéger de l'humidité nocturne. Cela ne le dérangeait pas d'être seul. Il n'avait pas besoin de Gemma, et encore moins de sa sœur. Et sûrement pas d'India Selwyn Jones.

Quand on était le prince des bandits, on n'avait besoin de personne.

24

— Comment ça, il est sorti ? On devait aller à Limehouse ce soir. Où c'est qu'il s'est barré ? Il est presque minuit, Desi.

— Je ne sais pas, Frankie, il est sorti, c'est tout.

— Il a laissé Gemma toute seule ?

Desi haussa les épaules.

— Ronnie l'a raccompagnée.

— Et tu sais pas quand il va rentrer ?

— Mais bon Dieu ! Tu le connais ! Si ça se trouve, on ne le reverra pas d'ici à une semaine.

Un grincement annonça que la porte s'ouvrait.

— Tiens, je te parie que c'est lui.

— Hé Sid ! C'est toi ? cria Frankie.

— Non, Frankie, répondit l'homme qui entrait dans le bar.

Il portait un costume et un imperméable beige. C'était Alvin Donaldson. Derrière lui une importante troupe d'agents s'était mise en position dans l'entrée.

— Bonsoir tout le monde. Sid Malone n'est pas là ?

Frankie s'était levé d'un bond.

— Il est pas là. Qu'est-ce que tu nous veux encore ? Tu vas de nouveau nous arrêter pour rien ? T'as la trouille de venir tout seul, à ce que je vois ! Il te faut une armée pour te protéger.

— Nous avons reçu une dénonciation, indiqua Donaldson.

Tout en parlant, il souleva une chope en porcelaine, l'examina, puis la laissa tomber par terre où elle explosa en mille morceaux.

— On a vu des objets volés dans ce bar.

— Quel genre d'objets ?

— Des armes. Provenant du cambriolage de la Forteresse.

— Ah oui ? ricana Frankie. Et qui nous a dénoncés ?

— Moi.

— Comment ça ?

Donaldson leva du bout du doigt un baromètre accroché au mur jusqu'à ce qu'il se décroche et s'écrase par terre.

— J'étais ici il y a une heure. Tu ne m'as pas vu ? Comme c'est bizarre. J'ai repéré un fusil et deux pistolets sur le zinc. Je ne les vois plus. Vous avez dû les cacher…

Frankie comprit où ce discours allait mener.

— Tu as un mandat de perquisition ? cria-t-il.

— Bien sûr.

Donaldson tira de sa poche un papier qu'il lui tendit.

— Messieurs… dit-il en faisant signe à ses hommes d'avancer.

Ils déferlèrent, telle une vague bleue.

— C'est du harcèlement ! hurla Frankie alors que volèrent une table et l'horloge murale.

Donaldson secoua la tête.

— Tu n'as encore rien vu, mon gars.

Il passa derrière le comptoir et fit tout tomber : les bouteilles, la caisse, les verres, les assiettes.

— Et maintenant, Frankie ? Tu vas appeler les flics ?

La plaisanterie amusa beaucoup un de ses hommes.

— Tu vas voir si tu ris longtemps quand je t'aurai fait avaler tes ratiches ! gronda Frankie en avançant vers lui.

— Attention, mon petit, attention, avertit Donaldson. Coups et blessures à un représentant de l'ordre, c'est la taule assurée, même si tu te paies le roi des avocats. Tu le sais très bien, et il y a une vingtaine de témoins.

Frankie s'arrêta net, se demandant pourquoi Donaldson le mettait en garde. Il aurait dû me laisser frapper, ça l'aurait arrangé… Sauf que c'est pas moi qu'il vise, c'est Sid.

— Qu'est-ce que tu veux, Donaldson ? Que je transmette le message au Patron, c'est ça ?

— Tu lui diras que ce n'est qu'un début, et qu'on l'aura. Et puis, tu lui passeras aussi le bonjour de Freddie Lytton.

25

Pendant qu'Ella fermait à clé la porte du cabinet de Varden Street, India boutonnait sa veste pour se protéger de la froideur de la nuit. Un peu plus loin, le Dr Gifford montait dans sa voiture.

— Nous avons encore perdu deux patientes aujourd'hui, commenta India, l'air sombre, en le regardant partir. Il vient de me le dire. Vous le saviez ?

— Non ! s'exclama Ella en remettant les clés dans son sac. De quoi sont-elles mortes ?

— Fièvre puerpérale.

Ella poussa un soupir.

— Mme Gibbs est morte ?

— Oui, et Mme Holloway. Il faudrait le dénoncer au Conseil de l'ordre. Il ne se lave pas les mains, Ella. C'est un assassin.

— Attention, ça n'est pas facile à prouver. Et il a beaucoup d'amis au Conseil. Si vous le dénoncez, ils se débrouilleront pour vous faire porter le chapeau. Ils vous prétendront coupable de négligence, ou ils accuseront les infirmières.

— Les infirmières se lavent les mains, même si je ne suis pas là pour les surveiller. Je les ai bien formées.

— Et vous n'aurez plus l'occasion de leur donner de bonnes habitudes si vous le dénoncez. C'est vous qui devrez abandonner la médecine. Personne ne voudra plus vous engager parce que vous aurez trahi un membre éminent de la profession.

India dut bien se ranger à cette opinion.

— Avez-vous pu trouver des préservatifs ? demanda Ella.

— Vous changez de sujet, il me semble.

— Peu importe. En avez-vous trouvé ?

— Nous les aurons bientôt.

— Vraiment ? Bravo ! Comment vous êtes-vous débrouillée ?

— Sid Malone va nous en avoir. Je suis allée au Barkentine.

— Mince, quel courage !

— Je n'avais pas vraiment le choix. Dès que nous aurons le matériel, nous n'aurons plus qu'à...

— ... à monter le dispensaire, compléta Ella. Mais d'ici là, cachez bien les préservatifs. Si Gifford les découvre, nous sommes fichues.

— Je les entreposerai sur le rebord de l'évier, près du savon. Là, il ne risque pas de les trouver.

Ella laissa échapper un rire.

— Eh bien, docteur Jones, c'est la première fois que je vous entends faire de l'humour !

— Moi ? Mais je ne plaisantais pas.

— Non ? Alors c'est encore mieux. Venez, il est temps de rentrer.

Elles mettaient le pied sur le trottoir quand un braiment assourdissant leur donna des palpitations. Le responsable de ce coup de corne n'était autre que Wish. Il était assis au volant de son automobile, lunettes rondes remontées sur le front.

— Ohé ! Indy ! Tu ne m'as pas oublié j'espère !

Mon Dieu, songea India, se sentant fort coupable, son rendez-vous avec Wish ! Ils avaient prévu de se voir ce soir. Elle approcha et se pencha pour l'embrasser sur la joue, heureuse de le voir, comme toujours.

— J'avoue que si.

— Quelle tête de linotte. As-tu faim ?

— Je suis affamée. Ella, je vous présente mon cousin

Aloysius. Wish, Ella Moskowitz, l'infirmière avec laquelle je travaille.

— Enchanté, voulez-vous vous joindre à nous ?

— Oui, venez, Ella !

— Avec plaisir.

— Pouvez-vous suggérer un endroit ? Je ne connais pas bien ce quartier…

India se retint de rire.

— Il y a le Great Eastern, un hôtel de commis voyageurs près de la gare…

— Si nous allions plutôt dîner chez mes parents ? proposa Ella. Nous en profiterons pour montrer à votre cousin l'East End de l'intérieur !

— Quelle bonne idée ! Les Moskowitz tiennent un charmant restaurant, Wish. Dans Brick Lane. C'est la mère d'Ella qui fait la cuisine. On s'y régale.

— Formidable. Montez.

India prit le siège du passager, tandis qu'Ella s'installait à l'arrière. À peine les portières se furent-elles refermées que Wish faillit provoquer un accident en s'éloignant du trottoir. Il pila net et India et Ella furent projetées en avant. India eut à peine le temps de voir le cocher d'un énorme tombereau de foin secouer le poing que Wish repartait déjà à toute allure.

— Pardon, mesdemoiselles. Elle est très maniable, n'est-ce pas ? Les Daimler sont le meilleur choix à l'heure actuelle.

— Conduis, tu parleras plus tard !

Cette brusque frayeur avait redonné de l'énergie à India, malgré sa grande fatigue. Wish roulait à tombeau ouvert et dépassait cabs et omnibus sans se préoccuper le moins du monde des véhicules qui arrivaient en sens inverse. En se garant devant le restaurant en marche arrière, il faillit renverser un vieil homme. India poussa un soupir de soulagement quand il coupa le moteur.

— Les Daimler sont les meilleures, répéta-t-il. Elles sont plus sûres, plus rapides. La qualité des moteurs vient peut-être de ce qu'ils ont d'abord été testés sur les bateaux. Le châssis est une merveille. J'ai investi dix mille dollars dans la compagnie. L'industrie automobile va faire ma fortune… à moins qu'elle ne me ruine…

Indy connaissait le penchant de son cousin pour les investissements à risque. Parfois, il décrochait le gros lot, mais rarement. La voiture ainsi que l'invitation à dîner indiquaient sans doute que, pour l'instant, son compte en banque était bien rempli. Le mois prochain, il camperait peut-être chez elle ou chez Maud. C'était déjà arrivé.

Autrefois, il avait occupé les fonctions très respectables de vice-président de la banque Barings. Au bout de quelques années, il avait démissionné en affirmant que ce travail l'ennuyait à mourir.

Ella les précéda dans le restaurant et les plaça à une table. Dès qu'ils furent assis, Wish ferma les yeux en inhalant profondément.

— Ah ! du poulet rôti, du persil, de l'ail ! De la vraie nourriture ! Je croyais que ça n'existait plus. Commandons de tout, et une bouteille de vin. Ne vous privez de rien.

Ella passa commande à sa mère et revint avec du vin et des verres.

— Attention, Wish, avertit-elle, ma mère vous a repéré, et elle rêve de me marier. Elle vous trouve beau garçon, mais elle veut savoir si vous êtes juif.

— Protestant, désolé.

Son regard étincela quand on apporta à leur table des

bols de bortsch rouge rubis, accompagnés d'épaisses tranches de pain noir et d'un ravier de beurre.

— Incroyable ! Et c'est votre mère qui cuisine ?

— Elle adore ça.

— Alors dites-lui que je suis prêt à me convertir au judaïsme, mais que c'est elle que je veux épouser !

Des ramequins couvraient la table, remplis de délicieux hors-d'œuvre : champignons au vinaigre, concombres à la russe, chou fermenté et tranches de langue fines comme du papier, accompagnées de raifort.

— Comment vont tes projets ? demanda India.

— On ne peut mieux.

— Grâce à ton investissement chez Daimler ?

— Non, mieux que ça. Mon terrain en Californie.

— Quoi ? Encore cette aventure immobilière dont tu nous rebats les oreilles ?

— Exact. Et je t'assure que c'est un placement en or.

— J'ai déjà entendu cet air-là...

— Tu ne veux pas que je te raconte ?

— Vous avez éveillé ma curiosité, intervint Ella. De quoi s'agit-il ?

India eut un sourire. Il n'y aurait plus moyen d'y couper.

— C'est bien, nous t'écoutons.

— Tout a commencé pendant mon séjour à San Francisco. J'ai dîné avec un avocat qui m'a donné un tuyau de tout premier ordre. Il m'a parlé d'un endroit extraordinaire, au nord de la ville, en bord de mer. Un lieu nommé Point Reyes. C'est le paradis, il n'y a pas d'autre mot. Vous n'avez jamais rien vu de pareil. Le train s'arrête dans une petite gare, puis on doit finir le chemin en carriole. On traverse des collines verdoyantes, semées de ranchs, avant d'arriver à des falaises qui plongent dans une mer d'un bleu fabuleux. Le terrain est à

Drake's Bay, à l'extrémité ouest du continent américain. Devant, il n'y a plus que l'océan et le ciel. J'avais l'impression d'être au bout du monde. Ou plutôt, à l'aube de l'humanité. Comme si j'étais le seul homme sur terre, revenu à un temps où le monde n'avait pas encore été sali et n'était que beauté.

— Eh bien, Wish ! Je ne te savais pas aussi lyrique, s'étonna India. Et l'as-tu déjà acheté, ce terrain extraordinaire ?

— À vrai dire… non. Pas exactement.

— Qu'attends-tu ?

— J'ai besoin de fonds. Je manque un peu de liquidités pour l'instant. J'avais tout misé sur US Steel et Daimler quand on m'a proposé cette affaire.

Il regardait India avec insistance.

— Non, Wish, il n'en est pas question.

Mais je n'ai rien dit !

— Tu n'as qu'à demander à Maud ou à Bing.

— C'est déjà fait. Ils ont refusé.

— Que comptez-vous faire là-bas ? interrogea Ella.

— Je vais construire l'hôtel le plus luxueux du monde. Je l'appellerai Utopie. Ce sera un lieu de villégiature plus couru que Newport, que Bath, même que la Côte d'Azur. D'abord, j'achète le terrain. Ensuite, je crée une société, et enfin j'ouvre le capital aux investisseurs pour réunir les fonds nécessaires à la construction. J'ai trouvé un entrepreneur. D'ici à trois ans, quatre au plus, Utopie ouvrira ses portes, et moi, je serai millionnaire.

— Ça me plaît ! s'écria Ella, contaminée par son enthousiasme. Parlez-nous encore de la Californie !

— Il est difficile de décrire un tel paradis. Je ne vois qu'une seule solution : venez vous rendre compte par vous-même. Venez toutes les deux. J'y retourne dans quelques semaines. Accompagnez-moi.

— Que tu es bête, tu sais bien que c'est impossible. Nous devons travailler pour vivre, n'oublie pas. Je n'aurais pas de quoi acheter le billet pour la traversée, sans parler de l'équipée à travers le continent américain.

Wish fronça les sourcils.

— Tu n'as pas touché au capital de ta rente, j'espère...

India secoua la tête et posa la main sur la sienne avec reconnaissance.

— C'est grâce à Wish que j'ai pu suivre mes études de médecine, expliqua-t-elle à Ella. Il m'a soutenue quand je me suis retrouvée seule. C'est à lui que je dois d'être médecin.

— Mais non, protesta-t-il, gêné. C'est toi qui as travaillé.

Ella savait déjà qu'India était en mauvais termes avec ses parents. Elle avait vendu des bijoux hérités de sa grand-mère ainsi qu'un tableau de Gainsborough offert par sa tante, dont elle avait obtenu cinq mille livres. Elle avait utilisé une petite partie de cette somme pour faire le trajet jusqu'à Londres, louer un appartement, et payer sa première année d'études. En apprenant de quoi elle vivait, Wish était intervenu pour l'empêcher de tout dilapider.

— Il ne faut jamais toucher au capital ! avait-il hurlé.

Il avait placé pour elle la somme restante dans un fonds d'investissement à très faible risque à la Barings. Les intérêts n'étaient pas très élevés, mais India avait peu de besoins, et cette rente suffisait à ses dépenses.

— Combien ton compte te rapporte-t-il ? interrogea Wish.

— Cinq pour cent.

— Quoi ? C'est tout ? Tu ne vis que de deux cent cinquante livres par an ? s'exclama-t-il.

— Chut ! Ici, les gens disposent de beaucoup moins.

— Pardonne-moi, chuchota-t-il. Mais comment y arrives-tu ?

— Je joins à peine les deux bouts. C'est un peu plus facile maintenant que je n'ai plus à payer mes frais de scolarité.

— Et ton salaire ?

— Je n'y touche pas. Je mets tout de côté pour ouvrir une clinique avec Ella, à Whitechapel.

Wish les considéra toutes les deux et éclata de rire.

— Vous allez ouvrir une clinique avec tes salaires ? Et quand comptes-tu avoir réuni une somme suffisante ? À ce rythme, tu auras quatre-vingt-dix ans ! Ce qu'il vous faut, ce sont des investisseurs. Le mieux serait de fonder une société. Il vous suffira de demander de bons honoraires pour vos services, ce qui permettra de verser des dividendes à vos actionnaires. La médecine doit se traiter comme une affaire commerciale.

— Mais justement, nous voulons tout le contraire, protesta India. Nous avons le rêve de fournir des soins gratuits aux pauvres. Pour nous, il est insupportable qu'une mère soit obligée de voir son enfant souffrir parce qu'elle n'a pas d'argent pour consulter un médecin.

— Ah... fit Wish en mordant dans un cornichon. Dans ce cas, il vous faut des mécènes. Des donateurs.

Machers, intervint Mme Moskowitz en posant devant eux d'appétissants *vareniky* au fromage, du poulet rôti à la Kiev et des pommes de terre sautées aux oignons.

— Asseyez-vous avec nous, madame, proposa Wish.

— Merci, mon petit, mais j'ai à faire à la cuisine.

— Ça ne t'empêche pas de te mêler aux conversations des autres, nota sa fille.

— Et les donateurs, poursuivit India, comment les trouver ?

— En allant frapper à leur porte, lança Mme Moskowitz avant de retourner à ses fourneaux.

— Elle a raison, remarqua Wish. Il faut définir un projet, indiquer où la clinique sera située, quelle taille elle aura, quel type de soins y seront dispensés. Ensuite, tu vas voir tes amis riches. Le soutien d'un ou deux membres de la famille royale ne serait pas de trop, si tu en as dans ta manche. Tu leur promets de leur rendre hommage en échange, de lier leur nom à une belle œuvre caritative. On n'a rien sans rien.

— Mais comment ?

— Tu n'auras qu'à poser des plaques en cuivre rutilantes dans le vestibule. Tu donneras leur nom à un service. Ce n'est qu'une question d'imagination.

— Des bancs dans le jardin !

— Des lits à leur nom ! ajouta Ella.

— Voilà. Et puis, vous pouvez demander des dons en nature, aussi. Par exemple, récupérer des brisures de biscuits dans une fabrique. Ou des boîtes de thé endommagées et donc invendables chez un grossiste. Un atelier de tissage fournirait des draps comportant des défauts.

— D'où vous viennent toutes ces idées ? s'émerveilla Ella.

— J'ai travaillé dans une banque qui montait des plans financiers pour des orphelinats, des musées, des écoles, des hôpitaux.

— Et nous ? Pourrais-tu nous aider ?

— Mes services sont trop chers pour vous… rétorqua Wish, goguenard.

India eut l'air déçue.

— … alors, je vous les offre bien volontiers. Mais j'exige un titre ronflant ! Voyons… Directeur du développement, qu'en dites-vous ?

— Épatant ! approuva Ella.

— Wish, c'est trop !

— C'est moi qui vous le propose.

— Mais pourquoi ? Cela te demandera beaucoup de travail, et tu es très pris.

Wish, attendri, se mit à rire.

— Ce que tu es sérieuse, professeur Indy ! Tu ne te rends pas compte… J'ai envie de t'aider parce que tu es quelqu'un de bien, et que je voudrais te ressembler un peu. Mais voilà, ajouta-t-il avec un sourire espiègle, c'est impossible d'être un saint quand il y a autant de jolies filles. Alors, c'est toi et Ella qui ferez les bonnes actions, et moi, je suivrai le mouvement.

— Ça ne sera pas de tout repos, remarqua Mme Moskowitz en déposant une assiette de pain sur leur table.

Wish étala une généreuse couche de beurre sur une tranche, tout en réfléchissant à voix haute.

— La concurrence est rude dans la recherche de mécènes. Ce ne sera pas facile. Pas facile du tout !

India fut presque découragée.

— En sommes-nous capables, Ella ? Quand trouverons-nous le temps de nous occuper de ça ?

— Quand on veut que ses rêves se réalisent, on ne se couche pas, commenta Mme Moskowitz en repassant près de la table.

— Comment a-t-elle entendu ce que nous disions, avec tout ce bruit ? s'étonna India.

— Je me pose cette question depuis ma naissance, soupira Ella.

India se tourna de nouveau vers son cousin.

— Combien de temps estimes-tu qu'il faudra ?

— Difficile à évaluer… Cinq ans… six ans… Tout dépend des sommes que nous arriverons à arracher à nos philanthropes.

— Cinq ans… C'est long…

Pendant ce temps, la maladie et la pauvreté continueraient de faire des ravages. Elle se creusa la tête pour essayer de trouver un moyen plus rapide.

— Et ton projet en Californie ? Tu cherches des associés…

— Si tu es partante, India, il te rapportera une fortune.

— En es-tu certain ? demanda-t-elle, dubitative.

— C'est presque garanti.

— Je toucherais plus que cinq pour cent ?

— Beaucoup plus.

— Que faut-il faire ?

— Nous n'avons qu'à nous associer. Tu me donnes l'argent qui est sur ton compte de la Barings pour m'aider à acheter le terrain. Ensuite, quand je vendrai des parts et que les capitaux afflueront, je te rachèterai ta participation… au triple de ta mise de départ.

— Au triple ! Mais cela fera…

— Près de quinze mille livres.

India était sidérée, pourtant, elle restait inquiète.

— Mais il faut que je te donne tout ?

— Oui, tout. Tu vivras de ton salaire.

— Mais Wish, je n'aurai plus de réserve.

— À la guerre comme à la guerre. Jette-toi à l'eau. Tu veux continuer à vivoter de tes cinq pour cent, ou tu veux ouvrir ta clinique ?

India songea au bocal à confiture dans lequel elle ajoutait chaque semaine quelques billets. Elle se souvint aussi du déshonorant financement que lui avait proposé Sid Malone. Et la collecte de dons serait si longue... Dans la balance, il y avait la santé des pauvres gens, et le cynisme du Dr Gifford qui s'enrichissait à leurs dépens.

— D'accord. Je me lance ! Tu auras l'argent demain.

— Bravo ! s'écria Wish. Je vais demander à mon avocat de rédiger le contrat d'association. Et pendant ce temps, nous chercherons des dons qui viendront s'ajouter à ton investissement de Point Reyes. Je vous ouvrirai un compte spécial à la Barings, ce qui permettra aux mécènes de faire des versements bancaires directs pour la clinique. Comment allez-vous l'appeler ?

India et Ella se regardèrent. Ella se lança.

— La clinique de Whitechapel...

— ... pour les femmes et les enfants, compléta India.

— Mais ce sera gratuit, n'est-ce pas ? On doit comprendre que ce sera gratuit, intervint Wish.

— Oui, dit India, il vaut mieux dire « dispensaire ». Le Dispensaire de Whitechapel...

— ... pour les femmes et les enfants, conclut Ella.

— Adopté ! lança Wish. Et maintenant, voyons qui nous allons solliciter pour obtenir des dons. Dressons une liste.

— Et pourquoi pas Nathan Rothschild ? proposa Mme Moskowitz en s'arrêtant à la table.

— *Nathan ?* Vous voulez dire lord Rothschild ? Vous le connaissez, madame ?

Wish s'étonnait, car lord Rothschild était à la tête d'une dynastie de banquiers et un des hommes les plus riches d'Angleterre.

— Je sais où il vit, c'est la même chose.

Ella leva les yeux au ciel.

— Et moi, je sais où habite la reine !

Un garçon leur apporta une autre bouteille de vin.

Wish remplit les verres et en versa un pour Mme Moskowitz.

— À la cuisinière !

— Aux mères qui mettent leur nez partout ! ajouta Ella en levant son verre.

— Au dispensaire, dit India en faisant de même.

— *L'Chaïm*, conclut Mme Moskowitz avec un sourire. À la vie.

26

Freddie Lytton était passé au Gaiety pour parler à Gemma Dean dans sa loge. La répétition en costumes du spectacle venait de s'achever, et Gemma finissait de se démaquiller.

— Gem, je t'en prie, rends-moi ce petit service. En souvenir du bon vieux temps.

— Freddie, je ne peux pas me payer le luxe de la nostalgie.

— J'ai vraiment besoin de toi pour saboter le meeting du Parti travailliste de samedi.

Freddie faisait feu de tout bois pour rattraper sa défaite sur l'autonomie irlandaise et pour regagner son crédit auprès de ses électeurs.

— Le rassemblement est important, expliqua-t-il. Il y aura tous les petits révolutionnaires à la mode. Tillet, Burns, Keir Hardie. Mme Pankhurst sera là aussi, pour parler du suffrage des femmes. Et ce salaud de Joe Bristow qui fera sa première apparition publique officielle. Il se présente contre moi cet automne, et l'élection n'est même pas encore annoncée qu'il a déjà commencé à m'attaquer. Les journaux l'adorent. Ils impriment la moindre de ses paroles. Je veux l'humilier. Je veux créer un tel scandale qu'il ne s'en relèvera pas.

— Et comment veux-tu que je m'y prenne ? demanda Gemma en frottant une ombre bleue récalcitrante au-dessus de son œil.

— Rien de plus facile. Tu n'as qu'à emmener quelques amies actrices au meeting. Vous braillez en jouant les filles de mauvaise vie qui ont bu un coup de trop. Vous huez les orateurs, surtout Bristow, vous faites du tohu-bohu, et puis vous vous éclipsez. Dès que vous serez parties, la police interviendra pour arrêter le désordre et interdire la poursuite du meeting. Je m'en charge. La presse racontera quel genre de population distinguée se rend aux rassemblements des partis ouvriers. Bristow et son alliance seront discrédités. Allez, Gem, un beau geste. Je te donnerai vingt livres.

— Non merci, Freddie, je n'ai plus besoin de tes pourboires. Mon homme s'occupe de moi.

Elle agita la tête pour attirer son attention sur une paire de pendants en diamants qui dansaient à ses oreilles.

— Un cadeau de mon fiancé. C'est des vrais !

— Des vrais, tu parles ! C'est impossible. Ils sont énormes.

— Puisque je te le dis. Dix carats chacun. Je les ai fait estimer.

— Là, j'en reste coi. Qui est-ce ? Le prince Édouard ?

— Pour la fortune, le prince arrive loin derrière, répliqua-t-elle en jubilant.

Elle se mordilla les lèvres pour tâcher de garder son secret, mais ne réussit pas à se contenir longtemps.

— C'est Sid Malone, lâcha-t-elle fièrement.

Une jalousie furieuse, dévorante, s'empara de Freddie. Non ! Encore Malone ! Toujours Malone !

Malone l'avait fait passer pour un imbécile devant India, il l'avait ridiculisé à la Chambre des communes et maintenant il lui volait Gemma Dean !

Bien que chargé de l'arrêter sous n'importe quel prétexte, Donaldson ne trouvait rien, en tout cas rien d'assez probant pour le faire condamner. Malone était trop intelligent, trop prudent pour se laisser piéger. Donaldson faisait monter la pression. Il venait de saccager un des pubs de Malone, le Barkentine, en se servant d'un faux mandat de perquisition, et il avait mis sous les verrous deux hommes de sa bande, Nicky Lee et Charlie Zhao, pour trafic d'opium. Ces deux-là écoperaient certainement d'une grosse peine de prison.

— Patience, lui répétait Donaldson. Nous finirons par le coincer.

Il s'efforça de réprimer sa colère sans bien y parvenir.

— Mais voyons, c'est de la folie, ma petite. Cet homme est un criminel !

— Pas du tout. C'est un vrai gentleman. Il me traite beaucoup mieux que toi. Et je vais te dire autre chose, je ne suis pas la seule à l'apprécier.

— Comment ça ?

— J'ai vu ta fiancée avec lui, l'autre soir.

— Quelle fiancée ?

— Mais enfin, Freddie, la fille que tu vas épouser, voyons ! La doctoresse.

Il éclata de rire.

— India ? Avec Sid Malone ? J'en serais surpris !

— Je t'assure. Elle est venue au Barkentine.

— Je ne te crois pas…

— Si ! Même qu'elle voulait lui demander un service. Sid ne m'a pas dit quoi, mais c'était une drôle d'affaire, en tout cas, parce que je connais un gars qui était assis près de leur table et qui en rigole encore. Elle lui parlait de préservatifs. Ça t'épate, hein ?

Freddie comprit aussitôt. Des contraceptifs ! C'était bien du genre d'India d'aller s'impliquer dans un tel trafic pour ses bonnes actions.

— Et j'ai une preuve ! insista Gemma par esprit de revanche. Elle lui a donné sa montre. Je l'ai vue sur la table de nuit de Sid. Il y a écrit *Pense à moi* au dos. Ça te rappelle quelque chose ?

— Certainement... certainement... murmura Freddie en tournant toutes ces informations dans sa tête.

Gemma, croyant avoir marqué des points, délivra le coup de grâce.

— Et il va m'épouser, figure-toi !

— Toutes mes félicitations, ma petite, dit Freddie avec un sourire crispé. J'imagine que la bague de fiançailles est grosse comme un œuf de pigeon.

— On ne l'a pas encore choisie...

Gemma était une piètre actrice, et Freddie comprit qu'elle mentait. Sid Malone n'avait aucune intention de l'épouser, bien entendu ; c'était le dépit qui lui faisait prétendre une telle chose. Il préféra jouer le jeu.

Il lui prit la main avec mélancolie.

— Je suis heureux pour toi, Gem. Quel dommage que je ne sois pas maître de ma fortune... Si je l'avais pu... si je l'avais pu, tout aurait changé.

— Ah ?

— Nous nous serions mariés, toi et moi.

— Ce n'est pas ce que tu disais il y a quelques semaines.

— Je ne l'aime pas, Gemma, tu le sais bien. C'est toi que j'aime, mais sans argent nous n'avons pas d'avenir. Les membres du Parlement ne gagnent pas bien leur vie.

Ce n'est pas facile de travailler pour le bien public, de se battre pour la liberté et la prospérité de l'Angleterre quand on n'arrive pas à payer son loyer.

— Freddie ! Ne me raconte pas toutes ces sornettes à moi ! Je te connais par cœur. Tu te contrefiches de l'Angleterre. Il n'y a que ton ambition qui compte.

Elle se pencha pour l'embrasser.

— Comme tu seras Premier ministre un jour, je ne veux pas trop te contrarier. Je vais trouver des filles pour m'accompagner samedi. Ça sera drôle.

— C'est vrai, chérie ? Tu feras ça pour moi ?

— Pour toi, et pour cinquante livres.

Il se retint de la gifler. Cinquante livres ! C'était une somme astronomique.

— Merci, Gemma, du fond du cœur. Je t'apporterai l'argent très vite.

— J'espère bien.

Il l'embrassa avant de la quitter, puis partit à la recherche d'un cab dans Commercial Street. Où trouverait-il ces cinquante livres ? Le dîner qu'il avait organisé au Reform Club l'avait pratiquement ruiné. Ses dettes s'accumulaient et commençaient à l'inquiéter, tout comme la campagne de Joe Bristow. Mais cela n'était rien à côté de ce que venait de lui apprendre Gemma. Si India cherchait à se procurer des préservatifs, c'était sans doute pour ce fichu dispensaire que Wish avait proposé de l'aider à financer. Et si elle avait l'esprit assez libre pour s'en préoccuper, c'était qu'elle n'était pas enceinte, et qu'elle n'avait aucune intention d'arrêter de travailler.

Nom de nom ! Il avait cru tenir toutes les cartes en main, et voilà que le sort s'acharnait contre lui. La débâcle de l'autonomie irlandaise, puis l'entêtement d'India, et surtout de sa mère qui, bien que satisfaite par l'imminence du mariage, répétait à l'envi qu'elle ne paierait pas un penny tant qu'India exercerait la médecine.

Que faire, que faire ? se répétait-il en arpentant le trottoir, le bras levé pour arrêter un fiacre.

Il ne parvenait à penser à rien d'autre qu'aux préservatifs d'India. Obsession bien incongrue quand il avait tant d'autres préoccupations… Et pourtant, cela ne lui sortait pas de la tête. Peut-être y avait-il là quelque chose qui lui échappait…

Le cocher d'un fiacre qui arrivait en sens inverse l'aperçut et lui indiqua qu'il allait faire demi-tour.

Calme-toi, se dit Freddie, et réfléchis.

Pourquoi India frayait-elle avec Malone ? C'était étrange, elle qui le méprisait tant. Il faudrait lui demander des explications, lui apprendre qu'on l'avait vue avec lui, et qu'il était inacceptable de se laisser compromettre par de telles fréquentations.

À la réflexion, cela ne devait pas être pour son dispensaire, puisque, d'après Wish, les fonds ne seraient disponibles que dans plusieurs années. Il était bien trop tôt pour se procurer des préservatifs…

C'était sans doute pour les distribuer au cabinet du Dr Gifford, mais dans ce cas, pourquoi ne pas passer par le fournisseur de matériel médical habituel ?

Il comprit soudain : elle agissait à l'insu de Gifford !

Gifford était un homme réactionnaire, très moraliste, assez arriéré pour refuser la contraception.

Le fiacre, qui avait fait demi-tour, revenait vers lui. Freddie décida de rester circonspect. Il ne dirait encore rien à India, au cas où sa découverte puisse lui servir un jour.

Il monta en voiture, se sentant plus calme. Gemma allait lui permettre de neutraliser Joe Bristow. Quel toupet avait cet homme de marcher sur ses plates-bandes ! Freddie ne se privait d'ailleurs pas de le dénigrer dans ses discours en soulignant son inexpérience. Il avait soudoyé Donaldson pour qu'il envoie un commando tout casser à son local de campagne, et pour qu'il place des hommes au meeting, certains en civil pour faire de la provocation, d'autres en uniforme pour arrêter les fauteurs de troubles. Si tout se passait comme prévu, l'agitation causée par Gemma et sa troupe de fausses harengères ajoutée aux désordres orchestrés par Donaldson provoquerait une émeute.

Alors que le fiacre roulait vers l'ouest dans les encombrements de Commercial Street, Freddie remarqua un pub à l'enseigne du Comte rouge. Ils étaient nombreux en Angleterre, tous nommés en l'honneur de son ancêtre Richard Lytton. La pancarte montrait Lytton en armure, épée à la main. On lui avait donné une expression féroce et implacable.

Freddie se félicitait d'être un Lytton. Ainsi, il n'avait pas le moindre scrupule à saboter le meeting de l'alliance travailliste et à humilier Joe Bristow. La bataille pour le siège de Tower Hamlets serait sans merci.

En passant devant son ancêtre, il sourit. Courage, se dit-il. Un Lytton est parvenu à soumettre les Écossais et les Gallois, toi, tu soumettras l'East End. Quel qu'en soit le prix.

27

— Ah ! soupira Ella en évitant un crottin de cheval. Whitechapel en été, quoi de plus enchanteur ?

India, qui la suivait, agitait son chapeau devant son visage pour se rafraîchir, ne parvenant, songeait-elle, qu'à remuer la puanteur devant son nez.

Les égouts, les eaux usées, les chiens crevés, les déchets pourrissants des marchés, tout cela mêlé à la chaleur de juillet faisait monter des effluves insoutenables. Les premiers jours, India avait difficilement réprimé son dégoût dans les ruelles et les passages nauséabonds, puis elle avait fini par s'y habituer faute de pouvoir les éviter.

Sa veste sur le bras, elle avait remonté les manches de son corsage. Le soleil rosissait ses joues, ses cheveux s'échappaient de son chignon, et elle était trempée de sueur. Je dois avoir une sacrée allure ! pensa-t-elle.

— Je meurs d'envie de boire de la citronnade, dit Ella. J'espère que ma mère en a préparé.

— J'en réserve un litre !

Il était près de quatre heures de l'après-midi, et elles traversaient Stepney, se rendant à pied au restaurant des Moskowitz, après avoir visité un jeune patient atteint de dysenterie. La chaleur combinée aux mauvaises conditions d'hygiène rendait cette maladie très fréquente, surtout chez les petits. Le taux de mortalité infantile de Whitechapel montait en flèche pendant les mois d'été, et ne redescendait qu'à l'automne.

— Ella, regardez !

Elle la fit arrêter devant une immense bâtisse de brique, haute de six étages et large de douze mètres.

— C'est à vendre…

Quelques renseignements figuraient sur un panneau. Il s'agissait d'une ancienne minoterie, dont le propriétaire demandait quatre mille livres.

— Nous n'avons pas cette somme, trancha Ella. Et même si nous l'avions, le plan financier de Wish prévoit beaucoup moins pour l'achat du bâtiment. C'est trop cher. Il nous a recommandé de nous en tenir strictement à notre budget. Vous m'écoutez ?

— Oui, je vous écoute... Mais c'est une belle et grande construction...

— Nous en trouverons une autre. Avant toute chose, nous devons amasser vingt-cinq mille livres.

India et Ella avaient de nouveau dîné avec Wish au restaurant des Moskowitz. Il apportait un ordre de virement de cent livres, don de l'un de ses anciens camarades d'université, ainsi qu'un projet sommaire. Une fois les cinq mille livres d'India triplées grâce à l'investissement de Point Reyes, la somme irait grossir le compte en banque. En attendant, on y accumulerait les divers dons. D'après Wish, il faudrait trouver dix mille livres supplémentaires. Sur le total, c'est-à-dire sur vingt-cinq mille livres, on mettrait de côté un capital de vingt mille livres. C'était un pécule qui ne servirait qu'à fournir une rente. Il serait placé sur un compte d'investissement à haut rendement qui rapporterait dix pour cent par an. Les deux mille livres de revenu seraient utilisées pour régler les frais de fonctionnement du dispensaire, à savoir les salaires, les taxes et les fournitures.

Resteraient cinq mille livres. Deux mille seraient allouées à l'achat du bâtiment, deux autres aux travaux de rénovation, et les mille livres restantes à l'ameublement et au matériel médical. Les premières années, les finances seraient précaires, mais il faudrait continuer à récolter des fonds pour augmenter le capital, et donc les revenus. Rien n'empêcherait d'atteindre un jour deux cent mille livres, qui rapporteraient vingt mille livres par an pour soigner les patients.

— Vingt mille livres par an, souffla India toujours plantée, rêveuse, devant le bâtiment. Vous imaginez ? Croyez-vous que nous atteindrons une telle somme ?

— Seulement si nous nous démenons pour récolter des fonds. Allez, venez.

Elles traversèrent Shandy Street, qu'occupait le marché du samedi, pressées d'arriver chez Ella. Le restaurant des Moskowitz était fermé pour le sabbat, jour où il était interdit de travailler, donc de cuisiner, mais elles espéraient y trouver quelques délicieux restes du dîner de la veille.

Ella avait averti India que sa mère leur ferait la morale. Mme Moskowitz était *frum*, c'est-à-dire qu'elle respectait les règles de la religion juive et n'aimait pas qu'Ella travaille le samedi.

— Comment veut-elle que je me débrouille ? maugréa Ella. Il faudrait que je demande aux femmes d'attendre le dimanche pour accoucher ? Vous me défendrez, India ?

— Je ne crois pas. Pendant que votre mère vous grondera, moi je m'introduirai dans la cuisine et je volerai tout ce que je peux !

— Docteur Jones, encore une plaisanterie, il me semble ! C'est la deuxième de la semaine. Attention, on va vous prendre pour un boute-en-train !

India lui fit la grimace. Arrivées au bout de Shandy Street, elles tournèrent à gauche dans Horse Lane et se dirigèrent vers la pelouse de Stepney. La traversée de ce grand quadrilatère aurait dû leur permettre d'arriver plus vite à Brick Lane, mais il était noir de monde.

— Ella, que se passe-t-il ?

— Un meeting de la nouvelle coalition travailliste, je crois. Mon père en parlait l'autre jour.

— Ah ! Je me souviens, Freddie l'a mentionné aussi. Il paraît que Joe Bristow doit prononcer un discours. C'est un de ses concurrents pour le siège de Tower Hamlets.

— Jones ! India ! Ohé !

India chercha d'où venait cette voix familière. Enfin, elle aperçut une jeune femme portant un chapeau de paille élégant qui s'avançait vers elles à travers la foule.

— Tiens, docteur Hatcher. Quel plaisir inattendu !

Elle n'avait pas vu Harriet, son ancienne camarade de faculté, depuis la remise des diplômes. Elle la présenta à Ella, puis s'étonna de la cohue.

— Je ne sais pas si c'est votre cas, mais moi, je suis venue écouter Mme Pankhurst, expliqua Harriet. Avez-vous déjà assisté à l'un de ses discours ?

— Oui, elle est brillante.

— N'est-ce pas ! Elle nous gagnera le droit de vote, j'en suis sûre.

Elle tendit le cou pour tâcher de voir les orateurs sur l'estrade.

— Votre honorable membre du Parlement est-il là ?

— Vous n'y pensez pas ! C'est un meeting travailliste !

— Mais j'imagine qu'il soutient Mme Pankhurst… Freddie se targue d'être progressiste. C'est ce que dit le *Times*, en tout cas. On le désigne comme représentant la nouvelle génération du Parti libéral. Rassurez-moi, il défend bien le suffrage des femmes ?

India était mal à l'aise.

— Oui, du moins en théorie.

— Comment cela, en théorie ?

— Eh bien… Oui, il va défendre le droit de vote pour les femmes… seulement pas tout de suite. Il pense que le Parti libéral se trouve dans une position trop fragile pour s'engager sur tous les terrains à la fois. Il veut d'abord consolider l'assise du parti, lui faire retrouver la majorité et le gouvernement, et seulement alors s'occuper du droit de vote des femmes.

— Quelle hypocrisie !

— Je ne manquerai pas de lui communiquer votre opinion.

— Franchement, Indy, je ne comprends pas pourquoi vous l'épousez. Vous êtes tellement différents l'un de l'autre… Et puis non, finalement, je comprends parfaitement, au contraire. L'avez-vous rencontré, Ella ?

— Non, je n'ai pas eu ce plaisir.

— C'est un très bel homme. Charmant, séduisant, beau comme un Dieu. Toutes les étudiantes étaient folles de lui. En le voyant, je pense qu'elles oubliaient les préceptes du Dr Brearly.

— Harriet, taisez-vous, souffla India.

Amusée par sa gêne et pour l'édification d'Ella, Harriet imita la voix grave et sonore de leur ancien professeur d'anatomie.

« Le clitoris est une excroissance superflue ne participant pas au processus reproductif. Il est une source d'instabilité mentale, et son ablation est recommandée dans le traitement de l'hystérie, de la psychose et de la nymphomanie… »

Ella éclata de rire, tandis qu'India rougissait.

— Seigneur, Harriet, on pourrait nous entendre !

Harriet adressa un clin d'œil à Ella et sortit un étui à cigarettes en argent d'une poche de sa jaquette. Elle en alluma une et en tira une bouffée. Des regards réprobateurs se tournèrent vers elle. India lui enleva la cigarette des lèvres, la jeta à terre et l'écrasa avec le bout de sa bottine.

— Et le serment d'Hippocrate ? s'indigna-t-elle.

— Il concerne les patients, docteur Jones.

— Non, pour nous aussi. Vous en fumez encore une vingtaine par jour ?

— Beaucoup moins.

— Le tabac est cause de cancer du poumon.

— Cela n'a pas été prouvé.

— On le prouvera.

— Toujours aussi bonnet de nuit, à ce que je vois…

India fut piquée au vif. Harriet avait été moins bonne élève qu'elle, mais était plus appréciée de leurs condisciples. Elle était drôle, et India lui enviait cet humour, très efficace aussi avec les patients. C'était un atout de mettre les gens à l'aise plutôt que de les alarmer comme elle le faisait elle-même avec son trop grand sérieux.

— Eh bien, mes amies, je vous laisse, dit Harriet. Je veux m'approcher pour mieux voir Mme Pankhurst. Mais avant, j'allais oublier ! Comment vous plaisez-vous chez le Dr Gifford, India ?

— C'est un bon poste.

— Menteuse ! Vous ressemblez à une poissonnière.

— Vous avez raison. J'arrive tout juste à soutenir le rythme. Et vous, à Harley Street ?

Harriet appartenait à la grande bourgeoisie. Son cabinet était situé dans la rue des médecins les plus en vue de Londres.

— C'est l'enfer ! Je m'ennuie à mourir. Je n'en peux plus de mes patientes pourries gâtées qui se plaignent d'être exténuées par la saison mondaine. Ou de la difficulté de diriger des domestiques. Ou des migraines qui les prennent dès que leurs fils rentrent d'Eton pour les vacances. Vous vous souvenez, Indy, de nos beaux projets de dispensaire ?

— Bien entendu. J'y pense toujours. D'ailleurs, Ella et moi nous nous sommes lancées. Nous avons même un directeur du développement ! C'est mon cousin Wish. Nous récoltons des fonds. Dès que nous aurons une somme assez importante, nous chercherons un bâtiment à Whitechapel.

— Indy ! Mais c'est formidable ! Combien avez-vous déjà rassemblé ?

India et Ella échangèrent des regards honteux.

— Eh bien… C'est-à-dire que jusqu'à présent… nous n'avons encore que cent soixante dix-huit livres…

— … et une promesse de brisures de biscottes, ajouta Ella.

Harriet ne put réprimer un rire.

— Je ne suis pas près de fermer mon cabinet de Harley Street pour vous rejoindre, alors !

— Ne vous moquez pas de nous ! Ce sera peut-être un peu long, mais nous y arriverons.

— J'en suis sûre. Je ne me moquais pas, je vous assure. Je n'aime pas Harley Street. J'en ai horreur, même. Si vous arrivez à monter ce dispensaire, je travaillerai pour vous. Gratuitement.

— Vous plaisantez ?

— Pas du tout ! Je n'ai pas besoin d'argent. Ce qu'il me faut, c'est un beau projet, et je pense que ce dispensaire en sera un.

India jeta un coup d'œil à Ella.

— Je n'oublierai pas cette proposition, Harriet…

— J'y compte bien. Je répondrai présente à l'appel et je vous amènerai Fenwick. Il est fatigué de l'enseignement. Il prétend que la nouvelle promotion est encore plus obtuse que nous ne l'étions.

— Venant de lui, c'est un magnifique compliment !

— Tiens ! J'aperçois une de mes patientes. Justement, la seule qui ne me soit pas antipathique. Madame Bristow !

Une très belle femme, vêtue d'un ensemble rose et coiffée d'un chapeau fleuri, se dressait sur la pointe des pieds à quelques mètres. Elle sourit à Harriet et vint se joindre à leur petit groupe. India vit qu'elle était enceinte d'environ cinq mois. La bonne coupe de ses vêtements pouvait sans doute tromper les gens, mais pas un médecin.

— Comment vous portez-vous ? s'enquit Harriet.

— Très bien, je vous remercie.

Les présentations faites, Harriet demanda à Fiona si elle était venue écouter le discours de Mme Pankhurst.

— Eh bien, accessoirement. On m'a prié de présenter mon mari avant son discours. Je suis en retard, et je n'arrive pas à accéder à l'estrade.

— J'ai justement l'intention de me rapprocher en contournant la pelouse, dit Harriet. Voulez-vous que nous joignions nos forces ?

— J'ai déjà essayé de contourner, mais il y a tellement d'agents de police qu'on ne peut plus passer. Il ne reste que le trajet direct. Ravie de vous avoir rencontrées, docteur Jones, mademoiselle Moskowitz…

— Attention de ne pas vous faire bousculer, recommanda Harriet.

— C'est rassurant de sortir avec son médecin ! Mais ne vous inquiétez pas, je serai prudente.

Dès qu'elle se fut éloignée, Harriet se tourna vers India et Ella.

— Voilà une mécène pour votre dispensaire. Vous devriez vous adresser à elle. Elle est riche comme Crésus et elle soutient beaucoup de bonnes causes.

India nota dans un coin de sa tête qu'il faudrait parler de Fiona Bristow à Wish, puis elle salua Harriet qui ne pensait plus qu'au discours de la célèbre suffragette. Quand elle se retrouva seule avec Ella, elle laissa éclater sa joie.

— Eh bien, nous avons à présent cent soixante dix-huit livres, une promesse de brisures de biscottes, et le médecin-chef de notre service des enfants malades !

— Est-elle compétente ?

— Très. Et surtout d'un excellent contact avec les petits.

Ella consulta sa montre.

— Voulez-vous que nous restions écouter Mme Pankhurst ? Elle ne devrait pas tarder à commencer, j'imagine.

— Oui, pourquoi pas…

India essaya de voir l'estrade et distingua quelques personnes assises en rang sur le côté. L'une des chaises était encore vide.

— Je suppose qu'ils n'attendent plus que Fiona Bristow. Espérons qu'elle va arriver à fendre la foule. La voyez-vous ?

Sa voix fut couverte par des acclamations et des cris d'enthousiasme, car une intervenante s'était levée et s'était mise au pupitre.

— Essayons d'approcher, proposa Ella.

Elles firent ce qu'elles purent, mais sans grand résultat tant la foule était dense.

Mme Pankhurst allait commencer son discours. Les cris cessèrent. Sa réputation de virulence semblait contredite par sa silhouette fluette et ses traits délicats, mais cette impression de fragilité ne dura pas, car elle s'exprimait en effet avec une vigueur peu commune.

— Bienvenue ! Bienvenue à vous, mes amis ! Et

bienvenue aux représentants de l'ordre qui nous entourent en rangs par trois ! À voir un tel déploiement de force, on pourrait croire que notre rassemblement a pour but de défier les lois, alors que, bien au contraire, c'est pour participer à leur élaboration que nous voulons voter…

Des hourras montèrent, mais, cette fois, accompagnés de huées. India tâcha de distinguer d'où venaient les vociférations et les sifflets. C'était un groupe de buveurs sortis d'un pub, chope de bière à la main.

— Retourne faire ta lessive, bonne à rien ! cria l'un.

Mme Pankhurst continua, imperturbable. D'autres acclamations ponctuèrent son discours, mais très vite une rixe éclata près du pub. Des agents accoururent et parvinrent à calmer les esprits. L'ordre régna quelques minutes, puis un homme brailla :

— Vous pouvez toujours courir ! Autant filer le vote à des chiens !

Une clameur de voix féminines éclata alors, non loin de l'endroit où India et Ella se tenaient. C'était un groupe de femmes aux robes de coupe osée et de couleurs criardes, dont il était difficile d'ignorer la profession. Elles riaient, parlaient à tue-tête et criaient des obscénités. L'œil professionnel d'India chercha machinalement sur leurs visages des signes de maladie vénérienne, mais elle leur trouva le teint frais et la peau lisse.

— Ella…

— Oui ?

— Ces femmes, là-bas… Celles qui ont l'air de… de prostituées. Elles sont en trop bonne santé pour en être.

— C'est vrai qu'elles ont des mines florissantes.

— On dirait plutôt des comédiennes.

— Vous avez raison, et pas des meilleures…

— Leur agressivité m'inquiète.

— Moi aussi. Quand il y a autant de monde, la moindre agitation peut devenir dangereuse. Mieux vaut ne pas rester.

— Oui, partons.

India se tournait déjà pour essayer de rejoindre le bord de la pelouse quand elle s'arrêta net.

— Ella ! Et Fiona Bristow ? J'ai peur qu'elle ne soit pas parvenue jusqu'à l'estrade !

Ella scruta la foule.

— Elle est là ! Elle n'est qu'à mi-chemin. Je vois son chapeau.

— Madame Bristow ! Madame Bristow !

Mais sa voix fut noyée dans le vacarme environnant. Une tomate vola et s'écrasa aux pieds de Mme Pankhurst qui sursauta sans pour autant s'interrompre. La tension montait. Un vent de panique risquait de courir parmi les spectateurs. India avait déjà soigné des victimes d'émeutes, et elle savait que les foules devenaient vite dangereuses. On ne pouvait pas laisser une femme enceinte dans la bousculade monstrueuse qui menaçait.

— Essayons de la rejoindre, dit-elle.

— Oui, dépêchons-nous !

Ella prit la main d'India, et elles se faufilèrent entre les gens.

Quand elles atteignirent leur objectif, elles étaient en nage. India posa la main sur le dos de Fiona pour attirer son attention. La jeune femme avait le visage en feu.

— Nous partons, annonça India. Accompagnez-nous. Nous ne pouvons pas vous laisser dans cette cohue dans votre état.

— J'essaie de me dégager depuis tout à l'heure, mais je suis coincée. Impossible de bouger !

— Nous avons réussi à vous rejoindre, nous allons reprendre le même chemin en jouant des coudes. Restez entre nous deux, et protégez votre ventre…

Elle fut interrompue par des braillements et les stridulations des sifflets de la police.

Une altercation avait éclaté entre les fausses prostituées et deux représentants de l'ordre. Un ivrogne, lançant des invectives, s'était jeté sur les agents. Juste devant India, une brute se rua sur l'homme et le roua de coups. La rumeur collective s'amplifia. Les trois femmes furent poussées vers les combattants. Puis, soudain, il y eut un bruit de sabots. La police montée était entrée sur la place et obligeait l'assistance à se ranger sur le côté à coups de matraques.

Comment l'intervention avait-elle pu être aussi rapide après le début de l'échauffourée ? India se posait cette question quand un cheval effrayé par la foule rua, heurtant le visage d'une femme. La joue en sang, celle-ci se mit à hurler.

— Nous ordonnons la dispersion immédiate de cette assemblée ! cria un gradé en uniforme. Toute personne prise dans cet attroupement séditieux sera arrêtée ! Emmeline Pankhurst, je vous somme de cesser votre discours !

Un « Bravo ! » éclata, suivi par un énorme grondement de protestation. Malgré l'assourdissant charivari, Mme Pankhurst continuait. Ordre fut lancé de faire avancer les chevaux en formation vers le podium. Les femmes rassemblées au pied de l'estrade poussèrent des cris de terreur et essayèrent de fuir, mais la pression de la foule les empêchait de bouger. India regarda en arrière pour s'assurer que Fiona suivait. Elle avait perdu son chapeau, et ses cheveux étaient en bataille autour de son visage affolé. Craignant qu'elle ne s'évanouisse et ne se fasse piétiner, India chercha comment la mettre à l'abri. La pelouse était bordée de boutiques et de pubs où elles auraient pu se réfugier si le barrage de police ne les avait pas empêchées de passer. Il ne restait plus que l'estrade. Elle saisit la main de Fiona et changea de direction.

— Vite ! Retournons vers le podium !

— Quoi ? hurla Ella.

— À l'estrade, il n'y a pas le choix !

India se battit comme une lionne, écartant bras et coudes sans lâcher Fiona qu'elle agrippait de toutes ses forces. Le bruit de sabots approchait. L'avant du podium était drapé d'une énorme banderole portant les mots : *Droit de vote pour les femmes*. Elle attrapa le bas du calicot et le souleva. La structure était bien telle qu'elle l'avait imaginée, faite d'un croisillon de poteaux et de traverses, sans panneaux de protection.

— Vite, glissez-vous là-dessous !

Pendant que Fiona se faufilait dans l'espace vide, India se tourna pour s'assurer qu'Ella suivait, mais elle avait disparu. Elle chercha autour d'elle, prise de panique, et l'aperçut qui se débattait entre les bras d'un agent de police à quelques mètres.

— Attention, Indy ! Derrière vous ! l'entendit-elle crier.

India était presque sous les sabots d'un cheval. Elle vit de gros yeux affolés au-dessus d'elle alors qu'il se cabrait. Levant les bras pour se protéger, elle trébucha et tomba à la renverse. Il y eut un hennissement. Les sabots ferrés retombèrent tout près d'elle en un martèlement furieux auquel elle tâcha d'échapper en se recroquevillant. Un coup à la cuisse lui arracha un cri et elle roula sur elle-même pour essayer de trouver refuge sous le podium. Mais trop tard. Un éclair blanc l'aveugla. Elle perdit connaissance.

28

— Bon Dieu, Frankie, mais qu'est-ce que c'est que toutes ces femmes ? demanda Sid Malone.

Il venait chercher son lieutenant au commissariat de Whitechapel et, ayant négocié sa libération, il s'étonnait soudain de la foule qui encombrait le hall.

— C'est un meeting qui a mal tourné, Patron. Des « souffrettes », qu'ils ont dit, mais je sais pas ce que c'est.

— Des suffragettes, bougre d'âne. C'est des militantes pour le droit de vote des femmes !

— En tout cas, c'est devenu la foire d'empoigne. Y a pas que moi qui me bagarre, ajouta-t-il en tâtant son œil au beurre noir.

— Elles arrivent ou elles repartent ?

— Elles repartent. Le juge va coffrer que la patronne. Mme Pankhurst, qu'elle s'appelle. Ils ont gardé les autres la nuit au ballon, mais ils n'ont même pas pris leur nom. C'était juste pour leur faire peur. Ils sont en train de leur rendre leurs affaires.

— Alors t'as dormi en bonne compagnie ! Mais tu aurais quand même pu m'éviter le déplacement.

— Désolé, Patron.

— Qu'est-ce qui s'est passé, ce coup-ci ? Encore Donaldson ?

— Non, les gars de Madden.

Sid dressa l'oreille.

— Où ça ?

— À Wapping. Chez Whitby. Deux forts en gueule qui se croyaient chez eux. Ça m'a porté sur les nerfs. Je leur ai coupé l'envie de rire.

— Big Billy était avec eux ?

— Il était pas là.

Sid hocha la tête d'un air pensif. Ce n'était peut-être qu'un hasard si deux petits voyous roulaient des mécaniques dans un pub de son territoire. En tout cas, ce serait sûrement ce que prétendrait Billy Madden. Car, naturellement, Sid lui demanderait des explications. Il ne fallait rien laisser passer. Madden présenterait des excuses, mais ce serait du vent. Depuis que Freddie Lytton ciblait la Firme, toutes les bandes rivales espéraient profiter de la situation. Il faudrait envoyer des gars un peu partout pour assurer leur position.

— Je suis inculpé ? demanda Frankie.

— Non, tu sors blanc comme neige. Quelques billets bien placés, et hop, personne n'a plus rien vu. C'est l'argent qui fait tout, Frankie, pas la force. Quand vas-tu enfin retenir ça ?

Sid vit que son lieutenant trouvait ce dénouement sans panache. Il préférait l'intimidation, les coups de gueule et les coups de poing. Il était encore jeune… Il apprendrait.

Un flash à l'autre bout du hall attira son attention.

— C'est ce salaud de Devlin. Allez, viens, Frankie, on se barre avant d'être obligé de lui casser son appareil.

— C'est pas nous qui l'intéressons. Il y a des dames de la haute qui se sont fait alpaguer au meeting avec les putains qui mettaient le boxon. Tiens, il paraît que ta copine est dedans.

— Quelle copine ?

— La doctoresse.

— Quoi ? Le Dr Jones est ici !

— C'est ce qu'on dit.

— Bon Dieu, si Devlin la repère, elle est fichue.

— Pas plus qu'une autre.

— Si. Elle est fiancée à Lytton.

— La pauvre.

— Viens, on va la tirer de là.

— Eh, mais je crève la dalle, moi ! Y a un pub au coin…

Sid ne l'écoutait plus. Il ne pensait qu'à trouver India. Il passa entre les femmes qui attendaient ; certaines semblaient blasées comme si ce n'était pas la première fois, d'autres paraissaient anéanties. Les corsages avaient été malmenés, les chapeaux défoncés, les peaux égratignées.

India n'était pas loin, mais il ne la reconnut pas tout de suite. Son visage était couvert de sang séché, et son col ouvert taché de brun. Ella était là aussi, qui attachait un pansement de fortune à la main d'une femme avec des bandelettes déchirées de leurs jupons. Évidemment ! Ces deux-là se dévoueraient en n'importe quelles circonstances, et on n'arriverait à leur faire vider les lieux qu'une fois la dernière éclopée secourue. Devlin était à un mètre, cherchant une proie qui en valait la peine, reniflant comme un limier. C'était trop tard.

Sid recula.

— Bon, tant pis, tirons-nous, dit-il à Frankie.

Mais, à cet instant, India leva les yeux vers lui. Son expression fière et résolue était déchirante d'innocence. Elle était fatiguée, elle avait faim, c'était évident, et pourtant elle se dépensait sans compter.

Il changea aussitôt d'avis et appela d'une voix forte.

— Eh ! Annie ! Mary ! Grouillez-vous de sortir d'ici pour retourner au travail !

India sembla interloquée. Il ne fallait rien attendre d'elle. Ella saurait jouer le jeu à condition d'arriver à lui faire comprendre la situation. Il désigna Devlin du menton, et elle ne fut pas longue à saisir.

— Y a pas le feu, Patron, on allait se tailler. On en

profitait pour souffler. Ça n'a l'air de rien, mais c'est pas de tout repos de passer sa journée au plumard.

— C'est des filles à toi, Malone ? demanda Devlin. Je te croyais homme d'affaires.

— Justement, des associées. Serveuses au Taj.

India restait toujours aussi perplexe.

— Des serveuses, tu es sûr ? ricana Devlin.

— Mais oui, et toujours prêtes à servir. Pas vrai, les filles ? M. Devlin s'est acheté un bel appareil, à ce que je vois. Il doit y tenir. Ça serait dommage que je sois forcé de l'abîmer, comme tous les autres.

— Ne t'inquiète pas, Malone, c'est pas après toi que j'en ai. Je suis sur un gros coup. Il paraît que la fiancée de Lytton s'est fait ramasser. Elle a passé la nuit ici avec les putes et les ivrognes. J'ai déjà mon titre : *Mme Lytton, libérale et libérée*...

— Quel poète !

Sid fit mine d'examiner la vilaine coupure qu'India avait à la tempe pour ainsi tourner son visage et la cacher un peu à Devlin. Elle avait blêmi.

— Va falloir soigner ça, Mary. Les balafres, ça rebute la clientèle.

— Elle travaille pour le Dr Gifford, dans Varden Street, reprit le journaliste. Un vieux puritain gâteux. Avec un article pareil, il la mettra dehors, ce qui donnera de quoi alimenter la polémique. Et comme la petite aura fait perdre les élections à Lytton, je prévois une interview de lui le jour de sa défaite pour lui demander sa réaction.

— Tu as un cœur en or.

— Je pense à mes ventes. Tu la connais, Malone ?

— Je ne crois pas.

Il frottait avec le pouce du sang séché sous l'œil

d'India, dissimulant ses traits avec les mains. Devlin leur tournait autour.

— Elle te plaît, Dev ? demanda Sid. On ne dirait pas comme ça, mais elle a le diable au corps. Hein, ma poule ?

Il lui leva la tête et l'embrassa sur la bouche. Après quoi, il se lécha les lèvres comme s'il s'agissait d'un mets de choix.

— Ça te tente, Dev ? Si tu veux en goûter, passe au Taj.

— Je suis marié ! grogna Devlin.

— Eh ben, justement.

Il tapa dans ses mains.

— Allez, c'est pas le tout, mais au boulot. Salut, Dev ! lança-t-il en poussant les deux femmes vers la sortie.

Devlin grommela une réponse indistincte et reprit sa déambulation. Sur le trottoir, Ella remercia Sid par un rapide baiser sur la joue, puis elle les quitta en hâte pour rentrer rassurer sa mère.

India ne lui dit même pas au revoir. Elle avait les yeux baissés, le regard fixe.

— Vous vous sentez bien ? demanda Sid. Votre coupure a l'air profonde.

Elle redressa la tête, furieuse.

— Comment avez-vous osé ?

Il resta stupéfait, espérant plus de gratitude.

— Osé quoi ?

— Vous avez un culot infernal !

— Quoi ? Vous n'êtes pas contente que je vous aie évité d'avoir votre photo dans le torchon de Devlin ? Vous voulez vous faire renvoyer de votre travail ? Vous n'attendez qu'une excuse pour rompre avec votre fiancé ?

— Vous êtes allé trop loin, monsieur Malone ! Vous n'auriez pas dû vous adresser à moi de cette façon et, surtout, vous avez dépassé les bornes en m'embrassant. C'était parfaitement déplacé. Vous avez certainement beaucoup apprécié la situation, mais…

Sid émit un ricanement.

— Vous vous flattez !

India eut l'air tellement blessée qu'il regretta son sarcasme. Il allait s'excuser quand il entendit un rire. C'était Frankie, dont il avait totalement oublié la présence.

— Frankie, cours après Ella ! Il vaut mieux la raccompagner !

Son lieutenant les dévisagea l'un après l'autre.

— Allez, Frankie, c'est un ordre !

Celui-ci obéit en bougonnant, et, dès qu'il se fut lancé à la poursuite d'Ella, Sid se tourna de nouveau vers India.

— Comment est-ce arrivé ? demanda-t-il en désignant sa tempe.

— Un cheval.

— Vous avez eu de la chance de vous en sortir.

— En effet.

Pourquoi ne pouvaient-ils pas échanger deux mots sans hausser le ton ? Chaque fois qu'ils se rencontraient, ils se disputaient. D'abord chez Ko, ensuite à l'hôpital, puis au Barkentine. Et enfin ici, alors qu'il n'avait été animé que d'excellentes intentions.

— Je regrette de m'être mêlé de ce qui ne me regardait pas, docteur Jones, dit-il finalement. Au revoir.

Il souleva le bord de sa casquette et rejoignit le flot des passants.

— Attendez ! S'il vous plaît… attendez…

Mais la voix d'India fut couverte par un cri.

— Malone !

Sid fit volte-face. Devlin émergeait du commissariat en brandissant son appareil photo.

— Malone, tu me paieras ça !

Sid vit qu'India s'était figée, terrorisée comme un animal pris au piège.

— Vite ! cria-t-il, courez ! suivez-moi !

— Vite, vite, nous y sommes presque !

Sid et India fuyaient depuis dix minutes, et Devlin les poursuivait toujours. Il s'était laissé distancer mais ne tarderait pas à les rejoindre s'ils ralentissaient.

— Je n'en peux plus, je vais lui parler, dit India, à bout de souffle, en s'arrêtant.

— S'il vous photographie dans cet état, vous êtes perdue.

— Tant pis. Pourquoi vous inquiétez-vous autant pour Freddie ? Il fait tout pour vous jeter en prison.

— Ce n'est pas pour lui que je m'inquiète, marmotta-t-il en fuyant le regard gris pénétrant.

— Malone !

— Vite, le voilà ! Plus que quelques mètres et nous serons à l'abri !

Ils repartirent à toutes jambes et, au bout de Dean Street, Sid tira India dans l'entrée d'un immeuble de brique. La porte de l'appartement du rez-de-chaussée s'entrebâilla au bruit de leur course, et une vieille femme passa la tête dans le couloir. Sa mine s'illumina en voyant Sid et elle ouvrit en grand pour les laisser entrer.

— Salut, petit ! T'as besoin de ma cave, à ce qu'on dirait.

— Vite, Sally !

Elle referma derrière eux, leur fit traverser une

cuisine misérable, et les introduisit dans un réduit où donnait un escalier très raide qui s'enfonçait dans les ténèbres.

— Merci, Sally, dit Sid en l'embrassant sur la joue. Je te revaudrai ça.

— Raysie t'envoie le bonjour. La lanterne est là.

Sid prit une lampe de mineur sur une étagère et gratta une allumette. À cet instant, on entendit tambouriner à la porte d'entrée.

La vieille dame poussa un soupir et sortit une grosse poêle à frire d'un meuble.

— C'est pas la police, cette fois ?

— Non, un journaliste.

— Ils sont pis que les flics.

Elle lui tapota la joue.

— Allez, bonne route, mon petit.

— Merci, Sally.

La lanterne était allumée, mais la vieille dame attendit qu'ils arrivent en bas avant de refermer.

— Attention où vous mettez les pieds, conseilla Sid en conduisant India à travers une cave basse et humide.

Il s'arrêta devant une antique armoire.

India eut un mouvement de recul en la voyant.

— Nous n'allons pas nous cacher là-dedans, j'espère... Elle n'est pas très grande, et...

— Et vous auriez peur d'être obligée de me toucher ? Allez ! Pas le temps de bavarder.

Il poussa les robes défraîchies et l'imperméable mité accrochés à l'intérieur. India laissa échapper un murmure de surprise en découvrant que les vêtements dissimulaient l'entrée d'un souterrain.

— Baissez-vous, lui recommanda Sid en ouvrant la voie.

Dès qu'elle se fut faufilée derrière lui, il referma l'armoire de l'intérieur et replaça les vêtements.

— C'est assez long : le tunnel se termine à une dizaine de rues d'ici, mais, au moins, nous ne serons pas obligés de courir.

India regardait autour d'elle, effrayée. Il y avait de quoi : les parois de terre ruisselaient d'eau, des toiles d'araignées pendaient d'une voûte qui s'effritait, et le sol irrégulier disparaissait presque sous les flaques. C'était Denny Quinn qui avait révélé à Sid l'existence de ce tunnel, utilisé par quelques initiés sans que personne se rappelle plus qui l'avait creusé, ni pourquoi.

— Accrochez-vous au bas de ma veste et restez près de moi. Il y a pas mal de trous et de cailloux.

— Où allons-nous ?

— Vers l'est.

— Et Devlin ? Il ne risque pas de nous suivre ?

— Sally le tiendra en respect avec sa poêle à frire. Elle a l'habitude.

— Vous la connaissez bien ?

Sid ne répondit pas. Il essayait de régler la lanterne tout en marchant. La réserve de pétrole était suffisante, mais l'instabilité de la flamme l'inquiétait. Il préférait être éclairé pendant le trajet, car certains occupants du tunnel étaient plus hardis dans le noir.

— Et Raysie, qui est-ce ? reprit India.

— Le mari de Sally.

— Où est-il ?

— À l'hôpital. En train de mourir.

— De quoi ?

— Cancer de l'estomac.

— Où est-il soigné ?

— À Bart.

— Un endroit de tout premier ordre.

— C'est ce qu'on m'a dit.

Il y eut un silence.

— C'est vous qui payez ses soins, n'est-ce pas ?

— Ça ne vous regarde pas.

Elle ne put répondre car un obstacle la fit trébucher. Un glapissement retentit.

— Vous ne m'aviez pas prévenue qu'il y aurait des rats ! s'écria-t-elle.

— Vous en avez peur ?

— Non…

Elle s'interrompit, puis se reprit.

— Si ! Si, j'ai très peur des rats. Et des souterrains, aussi. Je suis claustrophobe.

— Et vous attendez maintenant pour le dire…

— J'ai voulu vous avertir en entrant, mais vous ne m'avez pas laissée parler !

— Essayez d'oublier où vous êtes. Imaginez que nous marchons dans la rue. N'y pensez pas.

— Et les rats ?

— Ils ont plus peur de vous que vous n'avez peur d'eux.

— J'en doute.

Sa franchise surprit Sid. Cette fragilité naïve fit fondre sa colère. Il lui prit la main et la pressa dans la sienne. À son grand étonnement, elle ne la repoussa pas, mais au contraire la retint un instant. Pour lui changer les idées, il lui apprit que les préservatifs arriveraient bientôt. Ensuite, il lui demanda des nouvelles de son projet de dispensaire, mais elle ne fut pas dupe.

— Vous avez beau faire, ça ne m'empêche pas de penser aux rats, vous savez !

Il allongea le pas, l'obligeant à marcher plus vite. La mèche fumait et ils n'étaient pas encore à la moitié du trajet.

— Si vous voulez m'occuper l'esprit, parlez-moi plutôt de vous, reprit India. Vous me l'avez promis. À l'hôpital, il a fallu que je vous dise tout de ma famille, de mes études, maintenant c'est votre tour.

Sid ne répondit pas.

— Si c'est trop difficile, je peux vous poser des questions... Où êtes-vous né ?

Comme il se taisait toujours, elle fit aussi les réponses.

— Dans l'East End, à en juger par votre accent. Comment étaient vos parents ?... L'un d'eux devait avoir les cheveux roux, comme vous. D'après les lois de Mendel, c'est inévitable. Mendel est le premier à avoir étudié l'hérédité, par l'observation des pois.

— Je ne suis pas un petit pois.

— Aucune importance. Toute matière vivante contient des caractères héréditaires. C'était votre mère ?

Toujours silencieux, Sid nota avec soulagement qu'ils étaient arrivés à l'endroit où le souterrain obliquait vers la gauche. C'était la mi-parcours.

— Avez-vous des sœurs ? des frères ? Non ?... Alors aviez-vous un chien quand vous étiez enfant ? Un chat ? Un canari ?... Ce n'est pas juste ! Je vous ai raconté ma vie, et maintenant vous refusez d'honorer votre parole.

Le silence retomba.

— Alors, c'est parce que vous êtes fâché contre moi ! Je vous présente mes excuses. Je regrette, je vous assure.

— Je ne vous en veux pas. Je n'aime pas parler de moi, c'est tout.

— J'aurais dû vous remercier en sortant du commissariat. Vous m'avez rendu un grand service, et moi, j'ai été ingrate. Freddie aurait été furieux si on m'avait salie dans les journaux. J'ai une dette envers vous, monsieur Malone.

— Si vous voulez me faire plaisir, vous n'avez qu'à m'appeler Sid. Mais vous ne me devez rien. Nous sommes quittes. Vous m'avez sauvé la vie. Maintenant je sauve votre réputation. N'en parlons plus.

— C'est d'accord... très bien... nous sommes quittes.

Sid crut discerner de la déception dans sa voix, mais il n'eut pas le loisir de s'attarder sur la question car il avait vu bouger quelque chose devant eux. Une masse compacte grouillait sur le sol. Il se demandait comment empêcher India de voir les rats quand la flamme de la lanterne vacilla puis s'éteignit, les laissant dans une nuit épaisse.

— Mon Dieu ! Pourrez-vous trouver votre chemin dans le noir ?

— Ne craignez rien. Mais il y a une petite difficulté devant nous... Heu... Une grande flaque. Elle pourrait être profonde. Il vaut mieux que je vous porte.

— Une flaque ?

— Tenez la lanterne. Attention, je vais vous soulever. Prête ?

— Ne pourrions-nous pas faire demi-tour ?

— Devlin monte certainement la garde devant chez Sally.

— Très bien...

Il y eut quelques tâtonnements.

— Pardon ! dit-il rapidement, en frôlant sa chute de reins par erreur.

— Ce n'est rien, répondit-elle tout aussi vite.

Il trouva la bonne position et la souleva tandis qu'elle lui passait les bras autour du cou. Elle était légère comme un enfant et sentait la lavande, l'amidon et la chaleur.

— Ce n'est plus très loin. Nous n'avons plus qu'à traverser la flaque.

— Parlez-moi, Sid, pour l'amour de Dieu ! Dites quelque chose, n'importe quoi. Vous deviez jouer quand vous étiez petit… À quoi ? Au cerceau ? aux anneaux ? au croquet ?

— Au croquet, vous pensez ! Comme si on jouait au croquet dans la boue de l'East End !

— Vous deviez bien avoir des passe-temps.

— J'allais au bord du fleuve, dit-il après un silence. Avec mon père. Et ma sœur. Mon vieux nous apprenait le nom des bateaux. Il nous racontait qui les avaient bâtis. Où ils avaient voyagé. Ce qu'ils transportaient. Il nous rapportait des petits cadeaux qu'il fauchait quand son chef avait le dos tourné. Un peu de thé. Une noix de muscade. Des bâtons de cannelle.

Il parlait fort, espérant couvrir les piaillements et les bruits de cavalcade. Ça devait être la plus grande colonie de rats de Londres. Il sentait les animaux sous ses pieds, et se félicitait de porter d'épaisses bottes.

— Quelle puanteur ! gémit India. Il y en a sûrement des dizaines, des centaines.

Elle resserra son étreinte, tremblante, cacha son visage dans le creux de l'épaule de Sid. Il posa la joue sur ses cheveux.

— Nous y sommes. C'est bientôt fini.

Il regrettait presque d'avoir dépassé les rats et de ne pouvoir prolonger cet instant tant il prenait plaisir à la porter dans ses bras, si légère, si fragile. Il la protégerait, l'emporterait loin de cette ville cruelle, de cette vie sans espoir. Il marcherait toute la nuit, et, au matin, ils arriveraient dans un lieu merveilleux. Sur la côte. Au bord de l'eau. Une forte brise marine le débarrasserait de l'odeur de ses crimes, et il se purifierait dans la mer.

C'était un rêve fou qu'il écarta vite, mais il ne la posa pas. Il la porta jusqu'au bout du tunnel, et ne la laissa remettre pied à terre qu'au moment de sortir.

— Il y a un passage. Il faut que j'arrive à le trouver.

Il chercha l'issue le long des murs à tâtons. Cela lui était déjà arrivé car il n'avait pas toujours eu le temps de prendre de lanterne. L'ouverture, creusée dans l'argile compacte de Londres, était étroite et près du sol. Il la découvrit enfin. Il avança à quatre pattes, mais sa tête cogna aussitôt du bois… un tonneau. Il parvint à le pousser, et de la lumière pénétra dans le souterrain. Il tendit la main à India pour la guider.

— Où sommes-nous ? demanda-t-elle en se relevant, aveuglée par les lampes à gaz.

— Dans la cave du Blind Beggar. Un pub de Whitechapel Road.

Il remit le tonneau en place, puis se tourna vers elle. Voyant sa tempe, il fit la grimace. La plaie s'était rouverte. Il tira un mouchoir de sa poche pour la tamponner.

— Ce n'est rien, dit-elle en le lui prenant des mains et en l'appuyant elle-même sur sa blessure.

— Il faut vous faire soigner et vous reposer. Depuis quand n'avez-vous pas mangé ? demanda-t-il en observant sa pâleur.

— Je ne sais pas… Depuis samedi matin, je crois.

On était dimanche soir.

— Venez, alors. Dînons ici, je vous invite.

— Je vous ai déjà causé assez de soucis. Je vais prendre un cab…

— Et vous vous évanouirez, et le cocher n'aura qu'à

vous délester de tout ce que vous possédez. Il vaut mieux reprendre des forces avant de partir.

Elle finit par céder.

— C'est bon… Merci, docteur Malone.

Ils montèrent dans la salle. Pendant qu'India se nettoyait du mieux possible au lavabo, Sid choisit une table et commanda deux pintes de bière brune, des saucisses et de la purée. En le retrouvant, India dit avoir une préférence pour le thé, mais il ne voulut rien entendre.

— La bière est une boisson beaucoup plus nourrissante, c'est ce qu'il vous faut.

L'extrême faiblesse d'India l'inquiétait. Avec l'arrivée de la nuit, l'air avait fraîchi. Le bon feu qui brûlait dans la cheminée à côté d'eux lui redonnerait peut-être des forces. Quand on leur apporta leurs chopes, India prit une petite gorgée, puis une autre, puis plusieurs avidement. Ils se taisaient, mal à l'aise. L'intimité qui les avait liés dans le tunnel obscur les embarrassait à présent. Ce fut elle qui rompit le silence.

— Merci pour la bière, et pour m'avoir conseillé de rester un peu. Cela fait du bien de s'asseoir.

— La nuit a été rude ?

— Très.

— Que s'est-il passé ?

India lui conta sa mésaventure. Elle ne s'expliquait toujours pas comment le rassemblement avait dégénéré.

— Ce groupe de femmes était insolite. Elles se conduisaient comme des prostituées, mais je pense qu'elles jouaient la comédie. Et je ne les ai pas revues plus tard en cellule. Elles n'ont pas été arrêtées.

— Des agents provocateurs, évidemment. On les a payées pour saboter le meeting. C'est très courant d'embaucher du monde pour flanquer la pagaille dans les réunions politiques. Les flics ont aussi dû se faire graisser la patte. Donaldson mange à tous les râteliers. Lui et ses hommes sont complètement corrompus.

— Mais qui aurait intérêt à empêcher des gens de se réunir paisiblement ?

Sid lui jeta un œil interloqué, se demandant comment une femme aussi intelligente pouvait être aussi naïve.

— À part la suffragette, qui d'autre devait faire des discours ?

— Joseph Bristow... Il se présente au siège de Tower Hamlets.

— Bien, et qui voudrait salir sa réputation ?

— Je ne vois pas.

Sid leva les yeux au ciel.

— Qui ? demanda India.

— Votre cher Freddie, par exemple...

Elle eut un mouvement de surprise et secoua la tête avec véhémence.

— Certainement pas ! Comment pouvez-vous suggérer une chose pareille ? Freddie est un gentleman. Il ne s'abaisserait jamais à des tactiques aussi malhonnêtes.

— Pardon, pardon ! Je me suis trompé. C'est sûrement quelqu'un d'autre.

La serveuse leur apporta leurs assiettes, généreusement garnies. À la grande satisfaction de Sid, India s'attaqua à sa purée et à ses saucisses avec appétit. Mais, au moment où il allait prendre sa fourchette, une femme s'arrêta à leur table, traînant un enfant par la main. C'était une fillette très maigre, au regard vide. La mère, elle, était bouffie par l'alcool et empestait le gin.

— Une petite pièce pour la gamine, s'il vous plaît, monsieur Malone...

India s'apprêtait à donner son assiette à l'enfant

quand Sid plongea la main dans sa poche et tendit de l'argent à la mendiante. Quand celle-ci vit que c'était une livre, elle s'empara de sa main pour l'embrasser.

— Kitty ! Ça suffit ! cria la serveuse en quittant son comptoir. Pardon, monsieur Malone.

— Ça n'est pas grave.

India le considérait avec exaspération.

— Pourquoi avez-vous donné de l'argent ? Je leur aurais volontiers laissé mon dîner. Vous ne faites qu'encourager l'alcoolisme. Elle va tout dépenser pour boire.

— Et alors ?

— Alors ? C'est mauvais pour la santé !

— Elle n'a rien d'autre.

— Si, un enfant, pour commencer.

— Vous savez… c'est une demeurée. Elles ne dureront longtemps ni l'une ni l'autre. Avec le gin, au moins, elles se donnent un peu de chaleur, un peu de réconfort.

— Il leur faudrait plutôt du lait. Du porridge. Des légumes verts.

— Les brocolis ne les réconforteraient pas beaucoup.

— Mais ils les nourriraient !

La femme douce et vulnérable qu'il avait tenue dans ses bras retrouvait sa verve moralisatrice. Le Dr Jones faisait un retour en fanfare.

— Mais vous ne comprenez pas qu'on puisse avoir envie de réconfort ?

— On ne trouve pas plus la consolation dans une bouteille de gin que dans une pipe d'opium !

Sid commençait à regretter de l'avoir invitée. Leurs assiettes venaient à peine d'arriver qu'ils se disputaient déjà.

— Ne prenez pas l'air aussi affligé ! s'indigna-t-elle. Regardez autour de vous ! Les ouvriers qui sont là boivent leur salaire. Ils s'affament pour l'alcool. Pendant ce temps, leurs femmes et leurs enfants n'ont rien à manger. Quand ils rentreront chez eux, ils n'auront plus un sou en poche.

— Mais bon Dieu, laissez-les tranquilles ! Vous n'y comprenez vraiment rien ! Est-ce que vous avez travaillé seize heures par jour sur les docks ? Est-ce que vous avez soulevé des sacs de charbon ou des carcasses de bœuf dans le froid et sous la pluie jusqu'à en tomber d'épuisement ? Quand ils rentrent chez eux, c'est pour rejoindre une femme et cinq enfants entassés dans une pièce glacée. Ils sont malades. Ils ont tous faim. Avez-vous la moindre idée du désespoir qu'ils ressentent ? De leur sentiment d'injustice ? Est-ce que vous pouvez leur reprocher d'avoir envie d'oublier tout ça pendant une heure en buvant une ou deux bières dans l'univers douillet d'un pub bien chauffé ?

— Avez-vous toujours été aussi buté ? Aussi déterminé à ne pas distinguer le bien du mal ?

— Et vous ? Est-ce que vous avez toujours été aussi bornée ?

Elle laissa retomber sa fourchette. Il considéra la purée, les saucisses à peine entamées dans leur sauce brune. Puis, avec un soupir, il prit l'assiette et en jeta le contenu au feu.

— Vous êtes devenu fou !

— Vous avez encore faim ?

— Oui, j'ai faim. Vous devriez avoir honte de gâcher…

— Vous êtes fatiguée ?

— Oui, je suis fatiguée !

— Vous avez mal à la tête ?

— Assez.

— Parfait. Vous comprendrez peut-être un peu mieux la situation des ouvriers. Maintenant, levez-vous.

— Pourquoi ?

— Je vous emmène en visite.

— Où ça ?

— Chez vos patients.

Sid jeta de l'argent sur la table et tira India par le bras pour la forcer à se lever.

Elle ne réussit à se dégager de son emprise qu'une fois dans la rue.

— Je refuse de vous suivre. Mes patients, je les connais, je vous remercie. J'en vois tous les jours au cabinet du Dr Gifford et à l'hôpital.

— Vous êtes déjà allée chez eux ?

— Naturellement, où croyez-vous que se passent les accouchements ?

Sid railla sa naïveté.

— Elles nettoient avant votre arrivée. Les pauvres femmes se mettent à quatre pattes malgré les douleurs pour récurer le plancher. Ma mère faisait ainsi. Comme toutes les mères. Elles ne veulent pas que les docteurs ou les sages-femmes les prennent pour des souillons. Et j'ai autre chose à vous dire…

India lui tourna le dos et leva la main pour arrêter un fiacre.

— Je n'ai rien à apprendre de vous !

— … vous avez tort de penser qu'ils devraient manger du porridge. C'est complètement faux, continua Sid en la contournant et en se plaçant devant elle.

Les yeux d'India lancèrent des flammes.

— Je viderais la moitié des hôpitaux de Londres si j'arrivais à convaincre mes patients de se nourrir de porridge et de lait pour le petit déjeuner et non de pain et de thé !

Ils étaient presque nez à nez, aussi enragés l'un que l'autre.

— Quand on n'a pas d'argent, on ne peut pas faire cuire le porridge ! Vous ne savez pas ça ? Bien sûr que non, vous ne le savez pas, parce que vous ne connaissez rien de la vie des pauvres dont vous vous occupez tant. Oh ! vous leur donnez beaucoup de leçons ! Mais avez-vous discuté avec eux ? Sûrement pas, autrement vous sauriez qu'il faut du feu pour cuire l'avoine. Et que pour avoir du feu il faut du charbon. Et que le charbon coûte cher. Et puis même, s'ils pouvaient s'en payer, ils n'en mangeraient pas de votre bouillie ! Posez un bol de porridge sur n'importe quelle table de Whitechapel, et on vous le jettera par la fenêtre. Ça ressemble bien trop à l'infâme pitance qu'on sert aux indigents. Avez-vous déjà dormi dans un asile de nuit, India ? Vous a-t-on enlevé vos enfants pour vous autoriser à rester à l'abri ? Vous a-t-on arraché vos derniers lambeaux de dignité ? Si c'était le cas, croyez-vous que vous voudriez du gruau qu'on vous a forcé à ingurgiter là-bas ?

India ne répondit pas, continuant à faire des signes frénétiques aux fiacres qui passaient.

— J'abandonne ! s'écria-t-il. Je perds mon temps.

Il chercha des pièces dans sa poche, qu'il lui mit de force dans la main.

— Pour le cab. Au revoir.

Il s'éloigna d'un pas décidé, mais, au bout de quelques mètres, il s'arrêta brusquement et fit demi-tour.

— Vous êtes un bon docteur, mais est-ce que vous ne voulez pas être un très bon, un excellent docteur ? India, répondez !

Elle baissa lentement le bras.

— Peut-être, mais avant je veux savoir une chose.

— Quoi ?

— Pourquoi perdez-vous votre temps avec moi au lieu de vous attaquer à une banque, ou de faire sauter un coffre-fort ou, de façon plus générale, de voler votre prochain ?

— Parce que même les criminels peuvent vouloir faire des bonnes actions.

C'était la phrase qu'avait prononcée Ella dans le bureau d'India quelques semaines plus tôt.

Elle eut l'air un peu gênée, mais retrouva vite son aplomb.

— Ce n'est pas bien d'écouter aux portes !

— Venez. Ils ont besoin de vous.

— De qui parlez-vous ?

Il ouvrit les bras.

— Mais d'eux, de tous les pauvres bougres qui essaient de survivre dans cet enfer.

— Pourquoi prenez-vous tout cela tellement à cœur ?

Sid se tut un instant, puis il répondit d'une voix lente et grave.

— Parce que j'ai eu une famille, autrefois. Ici, à Whitechapel. Une mère, un frère, deux sœurs. Le bébé toussait beaucoup. C'était une petite fille poitrinaire. Nous avons dépensé tout notre argent pour la sauver. Mais elle n'allait pas mieux. Un soir, elle s'étouffait, et notre mère a voulu l'amener chez le docteur. Il était très tard. Elle a été assassinée dans la rue, devant notre porte.

— Mon Dieu !

— Les docteurs prenaient notre argent, mais ils ne servaient à rien. Ils ne savaient que faire honte à ma mère en prétendant qu'elle ne s'occupait pas bien de son enfant, qu'elle la nourrissait mal, qu'elle vivait dans un endroit trop humide. Vous pensez, à Londres ! Trouvez un endroit qui n'est pas humide ! S'il y avait eu un bon hôpital pour nous, tout aurait changé, peut-être.

— Votre vie n'aurait pas été la même...

Sid détourna la tête.

— Vous le regrettez...

— Mais bien sûr que non !

— Mademoiselle ! Vous voulez une voiture ou vous n'en voulez pas ?

India sursauta. Elle n'avait pas remarqué qu'un fiacre s'était arrêté pour la prendre.

— Non, non merci, pardon, dit-elle au cocher.

Elle rendit son argent à Sid.

— Eh bien, qu'attendez-vous ? Je suis prête à aller où vous voudrez.

India était assise sur les marches de Christ Church, église de Whitechapel située dans Commercial Street. Il faisait nuit, et elle tenait à la main une bouteille de bière brune à moitié vide. Les cloches venaient de sonner minuit. Sid était à côté d'elle, tenant deux tranches de pâté en croûte emballées dans un papier graisseux.

— Vous allez mieux ?

— Je vais me remettre.

C'était trop dur pour vous, je n'aurais pas dû vous montrer tout ça

Au cours de son périple de quatre heures dans les ruelles de Whitechapel, India avait découvert une ville dont elle ne soupçonnait pas l'existence. Elle avait lu *L'Enfer*, de Dante, et avait l'impression d'être descendue dans un abîme aussi terrifiant.

Ils s'étaient d'abord arrêtés chez le batelier John Harris. Un homme qui, lui avait dit Sid, lui donnait parfois un coup de main. Maggie, la femme de John, avait fait s'asseoir India sur une chaise branlante dans la cuisine. En équilibre instable, elle avait eu peur à tout instant de déranger les enfants en bas âge qui dormaient sous la table.

Comme il n'y avait pas assez de sièges, Sid se tenait debout, dos appuyé au mur, bras croisés. C'était lui qui posait les questions.

— Alors, Maggie. Ça vous fait combien en tout entre ton travail à façon et la paie de John ?

— En gros, une livre par semaine.

Maggie répondait tout en continuant de coller des boîtes d'allumettes, aidée par un de ses fils et trois de ses filles, âgés de sept à douze ans.

— Et vous êtes combien ?

— Ben, dix. Moi, mon homme, mes cinq gamines et les trois garçons.

— Combien ça vous rapporte par boîte d'allumettes ?

— Deux pence pour un carton.

Soit deux pence pour cent quarante-quatre boîtes, ce qui faisait mille quatre cent quarante boîtes pour gagner un misérable shilling. L'odeur de colle provoquait des éternuements et des étourdissements. India se sentait mal, à cause du solvant ou peut-être de la présence de Sid. Quand elle était avec lui, rien n'avait plus de sens. Elle perdait tous ses points de repère.

— Maman, gémit la plus jeune. Je suis fatiguée !

— Encore quelques-unes, chérie. Tiens.

Pour encourager l'enfant maigrichonne aux yeux cernés, Maggie n'avait qu'une tasse de thé froid qu'elle fit glisser vers elle sur la table.

Il était dix heures et demie. Les petits auraient dû être couchés depuis longtemps.

— Et le loyer, de combien est-il ?

— Douze shillings et six pence.

Maggie continua aimablement à donner le prix de tout

ce qu'elle dépensait chaque semaine : la nourriture, le charbon et le reste. En présentant India, Sid avait expliqué qu'elle allait ouvrir un dispensaire à Whitechapel et effectuait une enquête.

— Quoi, encore une enquête ? avait maugréé Maggie Harris en les conduisant à la cuisine. Pas plus tard que la semaine dernière, y a encore une équipe de mêle-tout qu'est venue me dire de donner de la soupe aux haricots aux gosses. Rien de tel pour vous déranger les boyaux !

— Ils aiment le porridge et les brocolis ? avait demandé Sid en glissant un regard en coin à India.

Mais bon sang, avait-elle pensé, pourquoi veut-il à tout prix me mettre en tort ? On croirait que c'est moi la criminelle !

— Tu parles, avait rétorqué Maggie Harris avec un rire. Le porridge, ça coûte trop cher, et les brocolis, ça sent mauvais et les gamins les vomissent. Nous, ce qu'on mange, c'est du pain avec de la margarine, et des patates au chou pour le dîner. Quand on peut se payer du meilleur, on y ajoute un peu de bacon, et pour mon mari des pieds de cochon ou des tripes. Du cervelas pour les petits quand mon mari a eu des à-côtés.

Elle avait jeté un coup d'œil à Sid.

— Y aura bientôt du boulot ?

— Dans un ou deux jours, c'est possible. Un déménagement. On aura besoin du bateau de John.

— Ah ! Merci !

— Et puis aussi, tu vas toucher un peu pour répondre à l'étude du docteur, avait-il ajouté en mettant la main à sa poche. Cinq livres.

— J'ai rien demandé !

— Le paiement est prévu, c'est un dédommagement.

— Dans ce cas, pourquoi c'est pas elle qui le donne ?

— Je l'accompagne pour la protéger et pour m'occuper de son pognon. C'est pas moi qu'on irait voler ! Y a plein de richards qui financent le dispensaire, je vois pas pourquoi tu prendrais pas ton salaire. J'ai pas raison, docteur Jones ?

— M. Malone dit vrai, madame Harris. Nous effectuons cette étude sur la population de Whitechapel afin d'identifier le meilleur moyen de répartir nos ressources, ce qui nous permettra d'élaborer un projet qui soit le plus complet possible et qui englobera à la fois la médecine préventive et la médecine clinique. Nous avons prévu dans notre budget une somme permettant de rétribuer les participants.

Maggie contemplait fixement la boîte d'allumettes qu'elle tenait, se débattant avec son problème de conscience. Ses enfants la regardaient, sans espoir, sans attentes.

Elle ne va pas accepter, avait pensé India. Cinq livres, c'est une petite fortune. Alors qu'India allait insister, Maggie Harris avait redressé la tête.

— Posez-moi toutes les questions que vous voudrez, docteur Jones, et n'hésitez pas à revenir me voir.

C'était une manière de préserver sa dignité, de faire croire à ses enfants qu'elle méritait vraiment cet argent. Tant d'amour-propre quand on vivait dans deux petites pièces misérables et étouffantes… Avec dix bouches à nourrir… C'était si dérisoire qu'India avait eu envie de hurler. Ou de pleurer. Et puis la plus jeune, tout épuisée qu'elle était, avait eu un sourire d'admiration pour sa mère, et India avait compris que cette fierté était la seule chose que Maggie Harris pouvait offrir à ses enfants.

En sortant de chez les Harris, ils allèrent à deux rues de là dans une impasse. Des barriques étaient empilées le long des murs du passage, avec des cageots vides et des boîtes à ordures. Au bout, pourtant, des palettes étaient rangées plus proprement, flanquées de caisses, et surplombées par une toile qui semblait être une voile de bateau. Sid posa un doigt sur ses lèvres et souleva doucement la bâche.

India jeta un coup d'œil dans cette cabane de fortune. Elle ne vit d'abord qu'un tas de chiffons, puis elle se rendit compte que c'était une femme allongée avec un enfant. C'était la mendiante du pub. Elle dormait, le corps recroquevillé autour de celui de sa fille. De vieux vêtements les couvraient, des sacs de jute et des morceaux de tapis. Il y avait une bouteille de gin à moitié vide près de la tête de la mère et une feuille de journal graisseuse qui avait dû contenir des frites et du poisson. Au moment où Sid faisait signe qu'il fallait partir, les yeux de la femme s'ouvrirent d'un coup et, en un clin d'œil, elle fut debout, un couteau à la main.

— Doucement, Kitty, dit Sid en reculant. Tout va bien. Je voulais juste voir si vous étiez bien rentrées.

Kitty le dévisagea d'un regard brumeux.

— Pardon, monsieur Malone, vous m'avez fichu une sacrée trouille.

— Non, c'est moi qui te demande pardon. Allez, rendors-toi.

La fille de Kitty gémit dans son sommeil. Elle tira sur un sac pour essayer de mieux se couvrir.

— Attends, dit Sid.

Il enleva sa veste et la posa sur l'enfant endormie.

— Bonne nuit, ajouta-t-il en touchant sa casquette.

Kitty répondit par un signe de tête las et se rallongea près de sa fille.

Ils ne s'en tinrent pas là. Sid présenta à India un certain Ed Archer, un veuf qui s'occupait seul de son fils handicapé mental. Ils vivaient sous un pont de chemin de fer car le garçon mettait le feu dès que son père partait au travail, ce qui les faisait chasser de partout. On proposait de le placer dans un asile, mais Ed ne voulait à aucun prix qu'on le lui reprenne. Le garçon avait été interné quand il était petit et était resté attaché à son lit trois mois durant. Ed jurait qu'il préférerait le tuer et se pendre ensuite plutôt que de le laisser enfermer.

India rendit aussi visite à Ada et Annie Armstrong, deux sœurs. Ada, qui ne pouvait pas marcher, travaillait à la pièce chez elles. Annie était employée dans une fabrique de sucre pendant la journée et aidait sa sœur à confectionner ses fleurs en papier le soir. Et malgré tous ces efforts, elles ne mangeaient que du pain et de la margarine, parfois avec de la confiture, et des pommes de terre à l'eau pour le dîner. Leur argent passait pour l'essentiel à payer les frais médicaux d'Ada, visites du médecin et médicaments pour atténuer la douleur que lui causaient ses jambes difformes. Pendant qu'Annie expliquait la situation, India vit que le regard d'Ada s'assombrissait et qu'elle tordait un mouchoir entre ses doigts maigres. Remarquant la détresse de sa sœur, Annie s'empressa d'ajouter qu'Ada était une excellente travailleuse qui allait vite et chantait joliment pendant qu'elle confectionnait ses fleurs, ce qui l'empêchait de se fatiguer. Elle insista en parlant du bonheur de rentrer chez soi après une dure journée, et de trouver une bonne tasse de thé qui vous attendait. Quand on voyait les tresses bien coiffées d'Ada et son corsage impeccable, on comprenait que loin de considérer sa sœur comme une charge, Annie l'adorait.

Dès qu'ils se retrouvèrent dans la rue, Sid alluma une cigarette.

— Alors, demanda-t-il, est-ce que vous avez toujours foi en votre satané porridge ?

India contre-attaqua.

— Comment se fait-il que tous ces gens vous connaissent ? Je ne vois pas très bien en quoi Annie pourrait vous aider à dévaliser un entrepôt.

— Certains travaillent pour moi, d'autres vivent dans le même quartier, c'est tout.

— Sid, répondez franchement. Vous êtes intimes avec eux. Vous leur demandez des nouvelles de leur santé… Vous leur donnez de l'argent, je me trompe ?

Sid allongea le pas au point qu'India dut presque courir pour rester à sa hauteur. Elle lui attrapa le bras pour l'arrêter.

— Freddie raconte que vous avez amassé une véritable fortune. Apparemment, personne ne sait ce que vous en faites. Vous ne possédez pas de maisons, pas de chevaux. Vous ne portez pas de vêtements de luxe. Vous n'avez ni femme ni enfants… Maintenant, j'ai compris qui vous êtes.

— À savoir ?

— Vous êtes un Robin des bois des temps modernes.

Sid éclata de rire.

— En voilà des histoires ! Je suis dans les affaires, voilà tout !

— Alors, pouvez-vous m'expliquer pourquoi vous vous préoccupez autant de ces gens ?

— Ça fait marcher les affaires, pardi ! Ils ne peuvent pas venir dans mes pubs et mes maisons de jeu s'ils sont morts !

Il avait ensuite entraîné India dans des ruelles où les femmes se vendaient pour quatre pence. Il lui avait montré des cages d'escalier de sous-sols encombrées d'orphelins qui se pelotonnaient les uns contre les autres pour passer la nuit. Elle avait vu des petits vieux fouiller dans les ordures et arracher des restes de nourriture aux chiens errants. Après ce long périple, ils avaient abouti à l'église et s'étaient assis sur les marches pour se restaurer un peu avant qu'India ne rentre à Bedford Square.

La bière brune la revigora. Elle en reprit une gorgée, puis une autre. Elle avait vidé presque toute la bouteille. Peu habituée à l'alcool, elle était un peu grise. Soudain, elle entendit des vagissements. Une femme arrivait, portant un bébé dans un panier. Elle le posa au pied du mur du pub, en face de l'église, et se mit à chanter, importunant les clients qui buvaient sur le pas de la porte. Dès qu'elle finissait une chanson, elle courait se pencher sur son enfant dont les cris étaient entrecoupés par des quintes de toux.

— Pneumonie, remarqua tristement India. Vous entendez le sifflement de la respiration ?

La pauvre mère semblait aimer les airs de music-hall qu'elle chantait d'une voix joyeuse qui sonnait faux. C'en était trop pour India : les plaintes du bébé, les rires sonores des buveurs éméchés, les chansons... Cela devenait insupportable. Elle prit le sac contenant les pâtés en croûte et descendit les marches de l'église.

— Tenez, dit-elle en les donnant à la malheureuse. Et prenez ça, aussi.

Elle sortit de sa poche une livre en petites pièces qu'elle lui mit dans la main à mesure qu'elle les trouvait.

— Voilà de l'argent... en voilà encore... tenez... c'est pour vous prendre une chambre... avec un feu. Mettez le bébé au chaud. S'il y a une bouilloire, faites-lui respirer la vapeur.

— Merci, madame ! Oh ! merci !

Elle ramassa son enfant et partit vers Swentworth Street où il y avait des pensions.

— Amenez le bébé à Varden Street demain ! cria

India. Il y a une consultation. Demandez le Dr Jones ! Vous m'entendez ? Le Dr Jones !

Elle s'aperçut soudain qu'elle avait attiré l'attention sur elle, mais peu lui importait.

— Venez, India.

Sid l'avait rejointe.

— Il est tard. Je vais vous raccompagner.

Il arrêta un cab, l'aida à monter et prit place en face d'elle.

India, qui pensait encore à la femme et à son bébé, murmura :

— Il ne passera pas la nuit. Ses poumons sont remplis de liquide. Vous avez entendu sa toux ? Son visage était bleuté.

Elle avait envie de pleurer, malheureuse pour la jeune mère qui chantait pour sauver son enfant, pour Maggie Harris et sa famille nombreuse, pour Ed Archer et son fils attardé. Pour tous les gens qu'elle avait rencontrés ce soir et les milliers d'autres qu'elle ne connaissait pas. Elle se désolait pour eux et pour la perte des certitudes qui, quelques heures plus tôt, la réconfortaient. Un bon médecin, avait-elle pensé, pourrait redonner la santé aux pauvres de Londres à condition de leur faire manger une nourriture équilibrée. Ce qu'elle avait vu était désespérant.

— Vous ne dites plus rien ? demanda Sid. Que se passe-t-il ?

— Le monde est tellement dur, tellement terrible. Parfois, on a l'impression de ne plus servir à rien. À quoi bon vouloir changer les choses ?

— Ne dites pas ça.

— Après ce que je viens de voir ?

— Non ! Ça ne vous ressemble pas.

Après une demi-heure de trajet, le fiacre s'arrêta dans

Bedford Square. Sid descendit, tendit la main à India et l'escorta jusqu'au perron.

— Merci de m'avoir sauvée au commissariat et de m'avoir raccompagnée. Merci pour le dîner, et pour tout le reste. Je n'oublierai pas cette promenade…

Il y eut un silence, puis elle ajouta.

— Voulez-vous… monter boire une tasse de thé ?

— Merci, mais vous avez besoin de vous reposer, et moi j'ai quelques affaires à régler.

Il se pencha vers elle, avec l'intention de lui ouvrir la porte. Mais leurs regards se rencontrèrent. Il la prit dans ses bras et l'embrassa. Elle s'accrocha à son cou, répondant à son baiser avec fièvre. Il sentait bon le charbon de bois et l'eau de la Tamise, avait le goût de bière brune et de cigarette. Jamais elle n'avait éprouvé ce qu'elle éprouvait à cet instant, jamais elle n'aurait imaginé…

Il se détacha d'elle et, d'un regard, lui posa une question silencieuse.

— Je vais dire au fiacre de ne pas m'attendre…

— Oui…

Mais alors qu'il sortait, elle ne comprit plus ce qui lui arrivait. Elle était fiancée ! Fiancée à Freddie, un homme droit et généreux qui l'aimait.

— Je ne peux pas, murmura-t-elle. Pardon… Je n'aurais jamais dû…

Mais quand Sid revint, quand ils se retrouvèrent seuls dans le hall, elle l'embrassa de nouveau avec passion. Elle le fit monter chez elle. La lune éclairait l'appartement d'une lueur argentée si brillante qu'allumer la lumière était inutile. Il l'attira à lui dès qu'elle eut fermé la porte et la serra dans ses bras avec ardeur. Ce n'était pas assez. Elle voulait sentir sa peau sur la sienne, presser son corps contre le sien, approcher au plus près de son cœur, de son âme. Jamais elle n'avait éprouvé un tel désir, un désir si puissant que c'en était une souffrance. Pas même avec Hugh.

Elle déboutonna le gilet de Sid, sa chemise, les fit glisser de ses épaules. À son tour, il ouvrit son corsage, défit les lacets de son corset. Il l'entraîna vers le sofa.

— Non, pas ici, dit-elle.

Elle le conduisit à la chambre, s'étonnant de se moquer autant d'être si peu présentable. Elle avait du sang séché dans les cheveux, jusque dans le cou. Qu'importe. Elle tomba avec lui sur le lit où ils se débarrassèrent du reste de leurs vêtements. Avec Freddie, elle avait eu mal, ayant à peine conscience de ce qui arrivait, trop gênée, trop pressée que cela finisse. Mais, cette nuit-là, si on lui avait arraché Sid, elle aurait hurlé, sangloté. Elle aurait été violente. Il répondit à son désir, couvrit son corps avec le sien et la prit. Elle s'accrocha aux barreaux de fer de la tête de lit, se cambra, gémissant d'un plaisir si soudain, si vif, qu'elle en perdit le souffle.

Il continua, déclenchant l'une après l'autre de délicieuses vagues de jouissance. Elle caressa ses larges épaules, son dos... Mais en sentant les renflements de ses cicatrices, une peine extrême lui transperça le cœur.

— Sid, comment est-ce arrivé ?

Comme il ne répondait pas, elle prit son visage entre ses mains pour voir ses yeux, mais ils étaient fermés.

— Sid... regardez-moi...

Alors il ouvrit les paupières. Son regard triste et douloureux était d'une beauté à fendre l'âme. Il pencha la tête pour embrasser sa bouche, sa gorge. Quand, quelques instants plus tard, il poussa un cri, ce fut le nom d'India qui lui vint aux lèvres.

Ils s'aimèrent encore et encore dans l'obscurité, jamais rassasiés l'un de l'autre. Puis, épuisés, ils s'endormirent, bras et jambes entremêlés, doigts enlacés, jusqu'à ce que revienne la lumière froide et grise de l'aube.

29

Dans le salon spacieux de son appartement de Chelsea, Freddie était assis au coin du feu, une jambe se balançant en appui sur le bras de son fauteuil. Chopin avait certainement dû connaître l'Angleterre, se disait-il en regardant la pluie battre les carreaux. Quel autre pays aurait aussi bien pu lui inspirer ce *Prélude de la goutte d'eau* que jouait sa boîte à musique ?

Le temps était maussade, son humeur aussi. Ses projets avaient, une fois de plus, été contrariés. Gemma, fidèle à sa parole, était allée mettre la pagaille au meeting travailliste, et la presse avait comme prévu publié des comptes rendus peu flatteurs du rassemblement. Mais rien n'y faisait. La popularité de Bristow continuait de croître au détriment de celle de Lytton.

Freddie soupira et avala une gorgée de porto, regrettant de ne pouvoir aller voir Gemma. Rien n'aurait été plus réconfortant. Mais, au lieu de ça, il devait se rendre à une soirée assommante avec India. Il ne savait plus où, ni pour quelle bonne cause, mais il faudrait être aimable avec de fatigants bas-bleus ou des quakers qui ne songeaient qu'à secourir les pauvres.

Un coup à la porte d'entrée le fit sursauter. Il se leva pour aller ouvrir, la bonne étant déjà partie. Il n'avait plus les moyens de la garder au-delà de midi. S'attendant à voir le facteur ou un livreur, il fut surpris de trouver India devant lui. Elle était trempée.

— Tu es en avance, chérie. N'avions-nous pas dit sept heures ? Il n'est que cinq heures.

— Oui, c'est vrai, tu as raison. Excuse-moi.

— Non, je t'en prie ! Ce n'est pas un reproche. Je suis enchanté de te voir, bien entendu. Enlève ton manteau et assieds-toi près du feu.

Elle accrocha son imperméable dans l'entrée et s'installa dans le fauteuil que Freddie venait de quitter.

— Veux-tu une tasse de thé pour te réchauffer ?

— Je préférerais un cognac, si tu veux bien.

— Ah bon ?

— Oui, s'il te plaît.

Voilà qui n'est pas ordinaire, se dit-il en prenant une carafe sur la commode. Elle boit si peu.

— Freddie, il faut que je te parle…

Saisi d'une vive inquiétude, il reposa brusquement la carafe. Seigneur ! Elle veut me demander de retarder le mariage. Une fois de plus. Je suis à bout.

— Ne pourrions-nous pas… nous marier plus tôt ? Il me semble que le mois d'août serait mieux qu'octobre.

Tâchant de cacher sa surprise, il se tourna vers elle.

— Mais bien entendu, chérie. Nous ferons comme tu préfères. Peux-tu me dire ce qui motive ce changement ?

— C'est que… le mois d'octobre est si loin. Et puis, je pense qu'il te serait utile d'avoir ta femme à ton côté pour l'élection. De cette façon, je pourrai t'aider.

Freddie eut un sourire. Il n'en croyait pas un mot. Il ne pouvait y avoir qu'un seul motif à cette hâte soudaine. La chose était claire. Elle avait minci, d'ailleurs, elle était pâle, nerveuse. Il lui servit un cognac et le posa sur un guéridon près d'elle, puis il s'agenouilla au pied du fauteuil.

— Chérie, tu n'as rien d'autre à me dire ? lui demanda-t-il en prenant ses mains dans les siennes.

Elle eut l'air affolée.

— Rien d'autre ? Comment ça ? Mais bien sûr que non ! Rien du tout. Que veux-tu qu'il y ait d'autre ?

— Tu ne serais pas enceinte ? Je regrette d'avoir oublié le préservatif... Mais ne t'inquiète pas si c'est le cas, ma chérie. Rien ne pourrait me satisfaire davantage.

— Non, je ne suis pas enceinte !

— En es-tu certaine ?

— Absolument !

Déçu, il se raisonna. Cela n'avait pas grande importance, puisqu'on était en juillet et qu'ils se marieraient en août. Si elle n'était pas enceinte maintenant, elle le serait bientôt, et rien ne serait alors plus facile que de l'obliger à abandonner son métier. Ce serait bien trop fatigant et trop dangereux de côtoyer tous ces misérables et leurs répugnantes maladies. Pour la santé de l'enfant, ce serait même proscrit.

— Bien, dit-il d'un ton guilleret. Et si nous dînions avant d'aller à cette soirée ?

— Ah ! oui... Je ne sais plus ce que nous devions faire.

— Tiens, tu as oublié ? Désolé, moi aussi. J'ai égaré mon invitation.

Il fouilla dans un fatras de cartes de visite et de cartons d'invitation qui s'accumulaient sur le manteau de la cheminée.

— Je sais ! s'exclama-t-elle. C'était une conférence, je crois. Henry Mayhew va parler de son étude sur les pauvres de Londres à la Société Fabienne.

Freddie fronça les sourcils. Cela ne ressemblait pas à India d'oublier ce genre d'événement. Elle attendait ces sorties avec une telle impatience ! Il l'observa plus attentivement et remarqua une marque rouge sur sa tempe.

— Chérie, que t'est-il arrivé ? demanda-t-il en se penchant pour l'inspecter.

India passa les doigts sur sa blessure, la dissimulant ainsi à sa vue.

— Ce n'est rien. Un patient qui se débattait.

— Et tu n'as pas mal ?

— Plus beaucoup. Enfin, pas du tout. Je suis un peu fatiguée, c'est tout.

— Alors, allons chez Simpson, ça te fera le plus grand bien. Nous commanderons une bonne entrecôte et des pommes de terre rôties pour te remettre d'aplomb.

Dans ce restaurant, Dieu merci, il avait encore du crédit. Ce n'était plus le cas à son club ni chez son tailleur qui commençaient à demander avec un peu trop d'insistance qu'il règle son ardoise.

— Excellente idée. Nous n'aurons qu'à parler de la cérémonie pendant le dîner. Nous aurons sans doute du mal à trouver une église au dernier moment, alors nous pourrions nous marier à Longmarsh, en demandant au pasteur de venir à la chapelle. Le repas de noces aurait lieu au château. Penses-tu que Bingham et ta mère seraient d'accord ?

Freddie n'en revenait pas. C'était trop beau pour être vrai ! Était-il possible que d'ici quelques courtes semaines son rêve de l'épouser, elle et sa délicieuse fortune, se réalise enfin ? Malgré sa joie, ce soudain empressement d'India le dérangeait. Il soupçonnait un mobile caché, mais il fit vite taire ses inquiétudes. Il attendait depuis si longtemps… Il avait bien mérité un coup de pouce du destin.

— Venez, madame Lytton, dit-il en l'attirant dans ses bras. Allons dîner.

— Chut ! Freddie. Ne me donne pas encore ce nom. Ça porte malheur !

Il lui trouva l'air douloureux. On aurait presque cru qu'elle venait de perdre un être cher… Mais l'instant suivant, elle souriait, et il pensa avoir rêvé.

— Tu as raison, ma chérie, mieux vaut attendre. Mais je suis très heureux que ce moment soit si proche.

30

— Quelle vie nous menons ! soupira Ella en rangeant des dossiers dans le meuble de classement. Samedi dernier, nous dormions en prison…

— … et nous passons le vendredi suivant au bagne, compléta India. Mais pensez-vous que nous en ayons vraiment terminé ?

Elle était allongée sur le banc de la salle d'attente du cabinet du Dr Gifford, yeux clos, épuisée, après avoir reçu soixante-deux patients, ce qui ressemblait plutôt à un travail de forçat. La liste des maux était sans fin : vers solitaires, rhumatismes, toux. Neuf femmes l'avaient suppliée de leur fournir des contraceptifs qu'elle n'avait pas pu leur donner, n'ayant pas reçu ceux qu'elle attendait. Et les enfants… six étaient rachitiques et cinq autres souffraient du scorbut. Ces affections avaient des conséquences tout aussi terribles que d'autres a priori beaucoup plus graves, comme la tuberculose et le typhus, alors qu'il aurait été si facile de les prévenir.

— Votre enfant boit-il du lait ? avait-elle demandé en examinant un bébé aux jambes arquées.

— Je n'ose pas lui en donner, ça le rend malade. Les boutiques qu'en vendent près de chez nous ne sont pas propres.

— Pouvez-vous donner trois oranges par semaine à votre fille ? avait-elle voulu savoir en remarquant la léthargie d'une fillette de huit ans et ses gencives enflammées.

— Une par mois, si j'ai de la chance. C'est trop cher.

India rouvrit les yeux.

— La nutrition, Ella...

— Faites des phrases complètes si vous voulez que je vous comprenne !

— Il faut que nous parvenions à enrichir les apports nutritionnels des enfants. La moitié des maladies seraient évitées. Il faut organiser des distributions de nourriture au dispensaire. Donner du lait et des fruits frais. Je me demande de combien de place supplémentaire nous aurions besoin.

— De beaucoup. Au rythme où nous allons, nous allons devoir racheter la gare Victoria ! Combien d'argent avons-nous pour l'instant ?

— Deux cent trente livres. Et une promesse de moutarde des établissements Colman obtenue par Wish.

— Excellent, cela conviendra très bien à nos fantômes de saucisses et à nos fantômes de patients.

— J'ai parlé de Fiona Bristow à Wish. Il la connaît de réputation et a promis de lui demander un rendez-vous.

— On peut toujours rêver. En tout cas, il est heureux pour elle que vous lui ayez trouvé un abri pendant le meeting. Cela aurait pu mal tourner.

— C'est vrai. J'ai eu très peur.

— Et vous avez eu de la chance, vous aussi. Vous auriez pu être tuée par ce cheval ! Bien, ajouta-t-elle en refermant le tiroir, j'ai terminé et j'ai hâte de rentrer chez moi. Que faites-vous ce soir ?

— Je dors !

— Pas de dîner romantique avec votre beau député ?

— Non, malheureusement. Je vois peu Freddie. Son parti forme son état-major pour les élections de septembre. Mais nous sommes invités tous les deux à une partie de campagne dans une quinzaine.

L'enthousiasme qu'elle affichait n'empêcha pas Ella de lui adresser un clin d'œil et de demander :

— Pas de sorties avec Sid Malone non plus ?

— Pardon ? s'offusqua India en se redressant sur son banc.

— J'ai entendu parler de votre petite escapade nocturne, docteur Jones…

— Comment cela ?

— Les nouvelles vont vite à Whitechapel !

— C'était une expédition purement professionnelle. Une étude de terrain.

— Mais bien sûr. Je me doute que vos explorations ont été édifiantes.

— Ella ! Vous ne pensez tout de même pas que Sid Malone et moi… nous avons…

— Mais non, je vous fais marcher. Ne prenez pas tout au pied de la lettre. Puisque vous n'avez rien prévu ce soir, voulez-vous venir dîner chez moi ?

— Merci, mais je suis trop fatiguée. Je vais rentrer.

— Qu'est-ce qui vous attend là-bas ? Un bol de soupe et une revue médicale ? Venez, ma mère vous nourrira correctement.

— Ella, c'est le jour du sabbat.

— Qui n'en sera que plus joyeux grâce à la présence d'une amie. Voilà que je parle comme ma mère ! ajouta-t-elle avec un rire. Allez, venez, ne faites pas votre tête de pioche. Vous avez besoin de vous remplumer.

India hésita. Elle était affamée, et la cuisine de Mme Moskowitz, si délicieuse… Et puis, un peu de compagnie l'aiderait à ne plus penser à Sid.

— Bon, c'est d'accord. Merci, je vous accompagne.

Elles éteignirent, fermèrent le cabinet et partirent pour Brick Lane. En arrivant, India fut surprise de voir que le restaurant était plongé dans l'obscurité.

— C'est fermé ?

— Oui, nous fermons tôt le vendredi soir. Maman a besoin de temps pour faire le ménage et pour préparer le repas de sabbat.

Les Moskowitz vivaient au-dessus de la salle. Dans l'escalier qui menait à l'appartement, de bonnes odeurs de safran et de cannelle leur mirent l'eau à la bouche.

— Je suis là, maman ! cria Ella en se dirigeant vers la cuisine dès qu'elles furent entrées.

— Ella ! Enfin ! Je suis en retard. Ton père va revenir de la synagogue et rien n'est prêt.

Elle sortait un magnifique pain torsadé du four.

— Ne t'en fais pas, maman, je vais t'aider.

— Bonsoir, ma petite India. Vous venez partager notre dîner de *shabbat* ?

— Oui, madame.

— Bien. Pouvez-vous aller poser le *challah* sur le buffet de la salle à manger, s'il vous plaît ?

— Le… ?

— Le pain. Il faut le couvrir avec une serviette. Il y en a sur la table. Bijou ! Viens que je t'arrange les cheveux ! Ella, occupe-toi de ta sœur, je te prie.

Ella attrapa Rebecca au passage et s'assit sur un tabouret en la prenant entre ses jambes pour lui refaire ses nattes.

— Ne bouge pas, Bijou !

— Pourquoi appelez-vous Rebecca « Bijou » ? interrogea India.

— Un client disait toujours que c'était un vrai petit bijou, et le surnom est resté.

Mme Moskowitz ouvrit la fenêtre sans cesser de tourner la cuillère dans sa marmite et cria dehors :

— Miriam ! Salomon ! Le tapis !

India trouva vite la salle à manger. Elle brillait du sol au plafond. Les rideaux avaient été lavés et amidonnés, les meubles poussés contre les murs pour permettre de cirer le parquet. Elle fit attention de ne pas glisser en allant au buffet, puis, quand elle se fut acquittée de sa tâche, elle retourna à la cuisine. En chemin, elle faillit entrer en collision avec Miriam et Salomon qui remontaient un gros et lourd rouleau.

— Vous l'avez bien battu ? hurla Mme Moskowitz depuis la cuisine.

— Oui maman ! crièrent-ils en chœur.

À peine India eut-elle remis le pied dans la cuisine qu'elle fut renvoyée dans la salle à manger pour s'assurer que le tapis était réellement propre. Ella l'accompagna, et elles en profitèrent pour replacer les meubles et dresser la table. Le soir du sabbat, on sortait la nappe de lin blanche et le plus beau service. Quand le dernier verre fut posé, Ella plaça une coupe et deux rutilants chandeliers en argent sur la table. Pendant ce temps, Rebecca jouait à bénir le *challah* avec un couteau à beurre qu'elle agitait comme une baguette magique.

— Ça suffit, Bijou ! intervint Ella, va t'occuper ailleurs !

India s'étonnait. Cela ne ressemblait en rien aux dimanches de son enfance. Tout était triste à Blackwood : le sermon à la chapelle, le dîner, la conversation. Chez elle, personne ne se parlait.

— Ella ?

— Oui ?

— Tous les gens fêtent-ils le sabbat comme vous ? Chez nous, le jour du Seigneur était sinistre.

Ella eut un rire.

— Chez nous ce n'est jamais triste !

— India va être notre *shabbat goy*, décréta Bijou.

— Qu'est-ce que c'est ? s'enquit India.

— La loi juive interdit de travailler le vendredi après le coucher du soleil, expliqua Ella. Nous ne pouvons même pas allumer nos bougies et nos fourneaux, ce qui nous oblige à trouver des chrétiens pour le faire à notre place. Vous nous rendrez ce service ?

— Avec plaisir !

India ne regrettait pas d'avoir accepté l'invitation d'Ella, l'atmosphère joyeuse qui régnait chez elle étant très communicative. Quand elles retournèrent à la cuisine, Mme Moskowitz terminait l'inspection des oreilles, du cou et des mains de ses plus jeunes enfants. Rassurée par la propreté de sa famille, elle tourna son attention vers India.

— Il faut arranger vos cheveux. Venez.

India la suivit, se sentant fautive comme une petite fille. Mme Moskowitz la conduisit dans sa chambre et la fit asseoir sur son lit. Elle retira le peigne libellule pour défaire son chignon, puis brossa sa crinière blonde à grands coups réguliers. India se crispait, attendant les réflexions désobligeantes, car sa mère avait toujours critiqué ses cheveux. Mais ce fut tout le contraire.

— Ils sont magnifiques, jugea Mme Moskowitz. On dirait de l'or.

Dès lors, India profita mieux de cet instant de détente, se souvenant que sa mère ne lui avait jamais démêlé les cheveux. C'était sa nourrice qui s'en chargeait.

— Vous êtes bien silencieuse, ma jolie. Vous êtes amoureuse, vous !

India eut un choc. Mon Dieu ! Comment avait-elle pu

deviner ? Cela se voyait-il autant ? Puis elle comprit que ce n'était qu'une plaisanterie.

— C'est vrai, répondit-elle en tâchant de garder un ton léger.

— *Mazel tov*, ma petite ! Depuis quand ?

— Oh, assez longtemps. Je suis fiancée depuis deux ans.

— Deux ans ? C'est long !

— Peut-être un peu. Nous avons choisi de passer notre vie ensemble, mais nous avons dû attendre pour nous marier. Il y avait mes études, sa carrière politique…

— Comment ça, « choisi » ? On ne choisit pas l'amour, ma petite fille. C'est l'amour qui choisit.

Quand les cheveux d'India furent souples et brillants, Mme Moskowitz les noua en chignon sur la nuque.

— Voilà ! C'est beaucoup mieux.

Elle fouilla ensuite dans son tiroir à bijoux et lui trouva une jolie broche qu'elle épingla à son col.

— Les femmes doivent se faire belles pour le *shabbat*. Après tout, Dieu est un homme, non ?

Ensuite, India alluma les bougies de la salle à manger et les lampes à gaz du reste de l'appartement, puis elle rejoignit la famille qui l'attendait au salon pour une lecture religieuse.

— Voilà, dit la mère d'Ella. Maintenant, nous n'avons plus qu'à attendre M. Moskowitz. Yanki, lis le *Shir HaShirim*. En anglais, s'il te plaît, pour que notre invitée comprenne.

Et ainsi, alors que le soleil se couchait sur la ville, les enfants Moskowitz, rassemblés autour de leur mère, écoutèrent leur frère aîné lire le Cantique des cantiques.

— Quelle belle voix de chantre, soupira fièrement Mme Moskowitz quand Yanki commença.

Sur quoi Aaron gloussa. Chaque fois qu'il était question de baisers, Miriam et Salomon faisaient la grimace. Bijou n'écoutait que d'une oreille, blottie dans les bras d'Ella, alors qu'India était envoûtée par le timbre posé du jeune homme qui lisait si bien ce texte passionné.

Sur ma couche, la nuit, j'ai cherché celui que j'aime de toute mon âme ; je l'ai cherché mais je ne l'ai pas trouvé. Je me lèverai et j'irai par les rues et les places pour y chercher celui que j'aime de toute mon âme ; je l'ai cherché, mais je ne l'ai pas trouvé…

Elle savait que le poème était une allégorie de l'amour des hommes pour Dieu, ou, du moins, c'était ce que prétendait le pasteur de Blackwood. Mais ce n'était pas à Dieu qu'elle pensait en l'entendant cette fois. C'était à Sid. Elle ferma les yeux, cherchant en vain à chasser les souvenirs de leur nuit d'amour.

Pourtant, c'était sa voix qu'elle entendait, ses mains qu'elle sentait sur elle. Elle le voyait, endormi, son beau visage éclairé par les lueurs de l'aube. Elle s'était éveillée avant lui et s'était habillée pour se préparer à partir au travail. Quand il avait ouvert les yeux, elle le contemplait, assise au bord du lit. La courbe de son menton la fascinait, une fine cicatrice sous un œil, les ridules d'expression.

Il avait avancé la main vers elle, mais elle l'avait arrêté.

— Non. Je ne peux pas. Je ne peux pas être avec vous.

Alors, il s'était redressé, s'entourant des draps.

— À cause de Freddie ?

Elle avait hoché la tête, car c'était vrai, en partie. Elle avait de terribles remords d'avoir trompé son fiancé. Mais ce n'était pas la véritable cause. C'était le souvenir de Hugh qui l'arrêtait. Elle l'avait tant aimé… Elle lui avait ouvert son cœur et avait été anéantie par sa perte. Avec Sid, l'histoire se répéterait. Comment espérer que cela se finisse autrement ?

Après s'être habillé, Sid s'était assis au bord du lit à côté d'elle. Il avait longuement gardé le silence, puis, enfin, il avait parlé.

— Dis-moi une chose, rien qu'une… Ce que nous avons fait cette nuit… Est-ce que c'est comme ça avec Freddie ?

India avait baissé la tête, incapable de lui répondre.

— Je m'en doutais.

— Je ne peux pas, Sid, avait-elle murmuré. Je suis désolée… Je ne peux pas.

Il s'était levé, blessé.

— Tu as peur de moi ! Tu as raison, docteur Jones. Il faut se méfier des criminels.

Alors, sans demander son reste, il était sorti de la chambre.

— Sid, attendez ! s'était-elle écriée. Ce n'est pas vous qui me faites peur !

Mais il était trop tard. Il avait déjà quitté l'appartement.

Elle avait couru à la fenêtre et appuyé les mains contre la vitre pour regarder en bas. Elle avait résisté à l'envie de le rattraper.

— Ce n'est pas vous dont j'ai peur, avait-elle murmuré en le voyant s'éloigner. C'est de moi…

Le lendemain, honteuse et terrorisée, elle avait quitté le cabinet plus tôt que d'habitude pour aller demander à Freddie d'avancer la date du mariage. Il avait semblé n'y voir aucun inconvénient, ce dont elle lui avait su gré. Elle s'était juré de ne plus jamais le tromper, de ne plus lui donner le moindre prétexte de reproche. Elle serait une épouse parfaite. Elle se dévouerait à sa carrière politique, l'aiderait de toutes les façons possibles. Il le méritait, car il était bon et généreux.

Ils avaient parlé de la cérémonie pendant le dîner chez Simpson et avaient résolu de se marier à Longmarsh, le troisième samedi du mois d'août, c'est-à-dire cinq semaines plus tard. Si elle l'avait pu, elle se serait mariée bien avant, mais Freddie avait des obligations professionnelles et mondaines tous les week-ends précédents. Elle se sentirait mieux protégée quand le lien serait irrévocable. Une fois mariée, espérait-elle, elle cesserait de penser à Sid. Elle cesserait de l'aimer.

Depuis cette nuit-là, pas un instant elle n'était parvenue à l'oublier. Elle lui parlait en pensée, s'emportait contre lui parfois, mais, le plus souvent, lui racontait simplement son travail, ses espoirs pour le dispensaire. À la fin de la journée, quand elle se retrouvait seule dans son appartement vide, elle se pelotonnait au coin du feu avec un épais et rébarbatif manuel et revoyait son visage : les yeux verts, profonds et énigmatiques, le sourire généreux. Elle entendait sa voix, moqueuse par moments, triste à d'autres. Elle se rappelait le bonheur qu'elle avait ressenti dans ses bras.

Aussitôt, le remords la reprenait, et elle se disait que Sid était l'inverse de Freddie, son double diabolique qui faisait le mal quand Freddie faisait le bien. Mais elle n'y croyait pas vraiment.

Un homme qui donnait de l'argent à Kitty la mendiante, qui se préoccupait d'Ada et d'Annie Armstrong, et qui fournissait du travail au mari de Maggie Harris pouvait-il être entièrement mauvais ? Ella lui avait un jour reproché de ne voir les choses qu'en blanc et en noir, sans les nuances. Or Sid n'était composé que des gris intermédiaires. Il y avait du bon en lui, elle en était sûre. Évidemment, elle l'avait vu chez Teddy Ko, elle avait vu les femmes de mauvaise vie qui fréquentaient le Barkentine, avait entendu parler du cambriolage de la Forteresse. Mais elle l'avait aussi vu couvrir tendrement de sa propre veste une pauvre petite fille, donner de l'argent à des orphelins et de la nourriture à des vieillards miséreux. Son âme était bonne, seulement elle était blessée. India devinait de terribles événements dans le passé de Sid. Il avait évoqué la mort de sa mère, mais elle doutait que ce soit tout. Elle avait réussi à entrer dans son cœur avant de s'en faire chasser par sa propre faute. Et maintenant, tout en sachant la chose impossible, folle et immorale, elle aurait voulu toucher cet homme blessé et le guérir.

— Papa ! Papa ! s'écria Bijou.

La petite fille sauta des genoux d'Ella pour courir à la rencontre de son père. India entendit des pas dans l'escalier, puis M. Moskowitz apparut à la porte du salon.

— *Shabbat shalom, zeeskyte !* dit-il en soulevant sa benjamine.

— *Shabbat shalom*, papa ! répondit-elle en l'embrassant sur la joue.

Il salua le reste de la famille, puis India et enfin se tourna vers sa femme, l'air gêné.

— Désolé, j'ai amené des invités. Deux frères que j'ai rencontrés à la synagogue, et leur sœur. Ils viennent de Saint-Pétersbourg et ne sont arrivés que depuis hier.

Trois personnes se tenaient en effet en retrait derrière lui. La jeune femme avait les yeux rouges.

— Il ramène toujours du monde, grommela Salomon.

M. Moskowitz baissa la voix.

— La petite n'arrête pas de pleurer. Ils n'ont rien à manger, chérie. Ils ne savent pas où aller.

— Pas étonnant qu'elle pleure, la pauvre, avec

l'estomac vide ! s'exclama Mme Moskowitz. Quand on a faim, on est plus faible.

Elle accueillit ses invités avec exubérance, en s'adressant à eux en russe. Des sourires illuminèrent leurs visages las quand ils l'entendirent parler leur langue.

— Je ne veux pas qu'ils dorment avec moi, grommela Salomon. Les derniers m'ont donné des puces.

Ella le fit taire d'une tape.

Mme Moskowitz prit leurs manteaux et leurs chapeaux aux Russes, leur montra où se rafraîchir, puis elle fit passer tout son monde à la salle à manger. India voulut s'asseoir, mais Ella lui indiqua qu'il fallait rester debout.

— Aaron, la coupe de Kiddoush, s'il te plaît, demanda Mme Moskowitz.

Aaron prit la coupe en argent sur la table, la remplit de vin et la passa à son père qui dit une prière en la tenant dans ses mains, puis en but une gorgée. Sa voix était plus profonde encore que celle de Yanki, très belle aussi. Ensuite, il ôta la serviette du *challah* pour le bénir. Il en détacha un petit morceau, le trempa dans le sel et le mangea. Il recommença plusieurs fois, passant les morceaux à sa femme, à ses enfants et à ses invités. Cela fait, il pria l'assemblée de s'asseoir à table.

Yanki et Aaron allèrent chercher des chaises supplémentaires à la cuisine, alors qu'Ella ajoutait rapidement trois couverts. Pendant ce temps, Mme Moskowitz, aidée de Miriam, apportait les plats. Le dîner commença par un épais potage aux champignons, saucé avec des morceaux de *challah*. Suivirent un poulet aux abricots, fondant et parfumé, des *tsimmes* à la carotte, cuits au miel et à la cannelle, et un riz pilaf doré. India remarqua que les invités s'efforçaient de ne pas manger trop vite pour ne pas paraître affamés.

Elle put suivre la conversation car Ella traduisait tout. Les immigrants racontèrent d'abord leur voyage et parlèrent de Saint-Pétersbourg. Mme Moskowitz leur posait beaucoup de questions, heureuse d'avoir des nouvelles de sa ville.

— Maman est née là-bas, expliqua Ella. Papa était fils de paysan. Il vendait des poulets au marché, c'est comme ça qu'ils se sont rencontrés.

— Elle devait épouser le fils d'un riche commerçant ! intervint Miriam, mais papa lui a souri, et c'est lui qu'elle a suivi.

— Voyons, on dirait que tu parles d'un chien errant ! protesta Mme Moskowitz.

Comme tous les enfants, les petits Moskowitz adoraient l'histoire de la rencontre de leurs parents et de leur amour. C'était à qui les raconterait le premier.

— Le père de maman était très en colère, lança Miriam.

— Il traitait papa de navet ! ajouta Salomon. Il ne savait pas que papa devait aller à la faculté de droit. Le rabbin de son *shtetl* l'avait aidé à préparer l'examen d'entrée.

— Ses parents ont dit que si maman l'épousait, elle ne serait plus leur fille.

— Mais elle l'a quand même épousé !

— Ils étaient très pauvres, et, parfois, ils n'avaient à manger que des pommes de terre.

— Et puis papa est devenu un grand avocat, et ils ont pu manger tout ce qu'ils voulaient. Et ils ont acheté une belle maison.

— Et les parents de maman ont regretté, et ils ont trouvé que papa n'était pas un navet, finalement.

— Bon, ça suffit, maintenant, intervint Mme Moskowitz en riant. Vous voyez, ajouta-t-elle en se tournant vers India, c'est le destin qui nous a réunis. Nous étions *beshert*, comme on dit en yiddish. Prédestinés à nous rencontrer. C'est comme je vous le disais. C'est l'amour qui choisit.

La tendresse avec laquelle elle regardait son mari prouvait à quel point elle était satisfaite de son sort.

— Mais après, ils ont dû partir de Russie, reprit Miriam d'une voix grave. Des gens méchants ont mis le feu à leur maison.

— Ils ont dû aller à pied jusqu'à la frontière avec Ella et Yanki, ajouta Salomon.

— N'y pensons plus, dit M. Moskowitz. C'est du passé, tout ça. Quand on ne sait pas endurer les rigueurs de la vie, on n'a plus l'occasion de vivre pour en connaître les bonheurs. Ici, à Whitechapel, il y a beaucoup de bonheur.

Ella traduisait tout cet échange pour leurs invités russes qui sourirent à ce commentaire, y trouvant un réel réconfort. Tandis que les conversations reprenaient, Mme Moskowitz devint rêveuse. India crut qu'elle pensait à Saint-Pétersbourg et à tout ce qu'elle avait perdu.

— Vous regrettez votre pays ?

— Non, non, répondit Mme Moskowitz avec un sourire. Mon pays, je ne l'ai jamais quitté.

Désignant son mari et ses enfants d'un mouvement de tête, elle expliqua :

— Je suis chez moi partout où je suis avec eux.

Profondément émue, India trouva dommage que Sid ne soit pas là avec elle. Non pas parce qu'il lui manquait, mais parce qu'il aurait été touché lui aussi par tant d'amour. Elle aurait voulu le savoir ailleurs qu'au

Barkentine, ou dans les rues impitoyables de Londres, seul comme il semblait si souvent l'être. Il aurait mérité d'être assis à cette table, entouré par la chaleur de cette famille. Il avait cette même capacité d'aimer son prochain, elle en était persuadée. Elle l'avait senti.

Elle se trouva impardonnable de penser encore à Sid alors que Freddie se sacrifiait à la politique et avait plus que jamais besoin de son amour et de son soutien. Comment pouvait-elle manquer de constance à ce point ? Elle ne se reconnaissait pas.

La remarque de Mme Moskowitz lui revint alors en tête. « On ne choisit pas l'amour, c'est l'amour qui choisit. » C'était bien ça… L'amour avait décidé pour elle, et l'amour avait choisi Sid.

31

— Alors mon vieux pote Malone, qu'est-ce que tu dis de ça ?

Big Billy Madden était fin soûl. Il s'accrochait d'un bras au cou de Sid et se vantait de son premier fait d'armes, qui était d'avoir assommé un agent de police avec le rouleau à pâtisserie de sa mère.

— Je l'ai envoyé à l'hôpital. Et j'avais que dix piges !

Il souffla son haleine fétide au nez de Sid.

— Tu t'es fait combien de flics, Sid ?

— Je touche pas aux poulets, je suis un businessman, moi.

— Ah oui ? Faut pas y mettre son nez de trop près, je crois, dans ton business !

Il hurla de rire, puis baissa la voix, prenant un ton de conspirateur.

— Pourtant, avec certains, c'est pas l'envie qui doit te manquer de leur régler leur compte. Il paraît qu'Alvin Donaldson te cherche des noises. C'est pas compliqué, ajouta-t-il en se passant un doigt en travers de la gorge.

— Au contraire, il m'amuse. Se foutre de la trombine des flics, y a pas plus marrant. Hé ! cria-t-il à un serveur qui passait. Encore du champagne pour M. Madden et ses hommes.

Madden resserra son étreinte. Ses doigts chargés de bagues éraflèrent la joue de Sid.

— Je l'adore ce gars-là, c'est mon poteau ! C'est un rigolo, mon poteau Malone, et un sacré malin ! Le plus futé de tous, et, ajouta-t-il avec un éclair de jalousie dans le regard, le plus riche !

— Pas pour longtemps, avec ce que vous buvez. Vous allez me lessiver !

— Et l'invitée d'honneur, où elle est ? tonna Madden en le relâchant. Je veux l'embrasser pour la féliciter.

— J'en sais rien. Je vais la chercher, ajouta Sid, se saisissant de cette excuse pour s'échapper. Dès que je la trouve, je te l'envoie.

Sid rejoignit Desi et Frankie.

— Vous avez vu Gem ?

— Le salopard ! grogna Frankie en jetant sur Madden un regard assassin.

— Du calme, c'est notre invité.

— Je me demande bien pourquoi !

— Parce qu'il faut soigner ses ennemis. Ça permet d'apprendre beaucoup de choses.

— J'aime pas quand il prend des libertés avec toi, Patron. Il a pas de respect !

Frankie fatiguait Sid, qui n'avait pas dormi depuis des

nuits et souffrait d'une terrible migraine. Il s'inquiétait aussi que Madden parle ouvertement de la traque à laquelle se livrait Donaldson. De toute évidence, il s'en frottait les mains. Une fois la Firme rayée de la carte, il s'emparerait de l'East End.

— Madden va te faire des crasses, Patron. Tu sais, pour Joe Griz ?

— Non…

— Il paraît qu'un mec est venu lui fourguer un tableau volé la semaine dernière. Comme Griz ne le connaissait pas, il lui a posé des questions, et comme l'autre répondait pas, il l'a flanqué dehors. Ça sent le louche, Patron. Y a du Madden là-dessous.

— À moins que ça soit les cognes.

— À quoi ça leur servirait ?

— À nous coffrer, tiens ! Comme Donaldson n'arrive pas à nous avoir, il cherche par tous les moyens. S'il arrive à coincer Griz pour recel, il pourra lui faire lâcher des noms en lui promettant d'être coulant s'il parle.

— J'avais pas pensé à ça !

— C'est le problème, Frankie, tu ne réfléchis pas assez.

Il s'éloigna et passa sa mauvaise humeur sur un serveur. Il avait été dur avec Frankie, mais cet imbécile le méritait. Sid en avait assez. Assez de Frankie, de Madden, de tout ce petit monde. Il ne tenait plus en place. Il avait envie de partir, de se faire la malle…

Si cette soirée n'avait pas été pour Gemma, il aurait disparu sur-le-champ.

Ronnie le croisa, en grande conversation avec Tom.

— Hé ! vous deux ! Vous avez vu Gemma ?

— Ça va pas, Patron ?

— Comment ça ?

— Tu fais une de ces têtes... Et puis, tu te frottes le front comme si tu voulais t'arracher la peau.

Sid prit conscience de son tic nerveux et laissa retomber son bras.

— Où est Gemma ?

— Je l'ai pas vue.

C'était le jour de la première et Gemma avait magnifiquement réussi son solo dans la revue du Gaiety. Comme promis, Sid avait organisé un cocktail pour fêter son succès. Il avait fermé l'Alhambra, un bar chic de Commercial Road dont il était propriétaire, et avait invité à une réception somptueuse tout le milieu théâtral de l'East End, ainsi que la pègre londonienne.

Sid commanda un whisky sec qu'il vida d'un trait, puis, appuyé au bar, il regarda autour de lui. Joe Grizzard, le plus grand receleur de Londres, était assis à une table isolée, en compagnie de cinq ou six agents de police véreux. Ses diamants étincelaient à ses doigts pendant qu'il gobait des canapés. De l'autre côté de la pièce, Bertha Weiner, de Shadwell, était entourée de son groupe de cambrioleurs. Vesta Tilley, la meneuse de revue, chantait au piano. Max Moses et Joe Weinstein, les chefs des Bessarabians, bande très dangereuse de Whitechapel, buvaient au comptoir avec deux gros bookmakers. Trois hommes d'un gang rival, les Odessians, assis un peu plus loin, jouaient à qui laisserait le doigt le plus longtemps dans la flamme d'une bougie. Charlie Walker, le Borgne, était là avec ses pickpockets. Autour d'eux, le caviar disparaissait en un clin d'œil des plateaux des serveurs. Teddy Ko paradait avec deux autres gros trafiquants de drogue de Limehouse, tous trois vêtus de beaux costumes et de chaussures clinquantes qui attiraient les regards admiratifs des danseuses de la troupe.

Sid, qui avait recommencé à se frotter les tempes, ferma les yeux. Il oublia où il était… et se retrouva au bord de la mer avec India. C'était le matin… Non, il ne voulait pas de ces pensées saugrenues ! Depuis la nuit qu'ils avaient passée ensemble, il pensait constamment au Dr Jones. Bien malgré lui. Elle avait blessé son amour-propre, mais il y avait pis. Le plus impardonnable était qu'elle l'avait rendu amoureux. Il acceptait beaucoup des femmes, mais pas cela.

Des acclamations et des applaudissements retentirent. Sid rouvrit les yeux. Gemma faisait son entrée, splendide dans une robe de satin turquoise très décolletée. Elle portait l'extraordinaire rivière de diamants et les boucles d'oreilles offertes par Sid, ainsi que des bracelets et une énorme bague. Toutes les têtes se tournèrent vers elle. Madden la dévorait des yeux.

Mais Sid, qui aurait dû être fier de la beauté de sa maîtresse, ne ressentait rien. Il n'était pas jaloux. Il ne serait même pas allé à sa rencontre si elle n'avait pas risqué de mal le prendre.

— Tiens, mais voilà la plus belle danseuse du Gaiety !

— Ah ! monsieur Malone, je vois que vous vous êtes fait beau pour moi ! s'exclama-t-elle en l'inspectant.

Sid sourit. Il avait troqué son habituelle salopette pour un habit de soirée.

— Gem, tu as été magnifique. Tout le monde dit que tu étais formidable.

— Qui ? Des gens importants ?

Elle balaya la pièce du regard, essayant de repérer les personnalités qui pourraient favoriser sa carrière. Elle voulait réussir… comme tant d'autres. Mais Sid se sentait très éloigné de toutes ces ambitions.

Une envie de fuir presque incontrôlable l'envahit. Il

aurait voulu quitter non seulement l'Alhambra et cette réception, mais aussi Londres. Il offrit son bras à Gemma.

— Viens, Gem, sortons.

Faute de mieux, ils pourraient se promener, se parler. Il avait besoin d'un soutien, de quelqu'un qui le retienne dans cette vie qu'il détestait.

— Comment ça ? Tu veux partir maintenant ? Mais tu es fou ! Je viens d'arriver !

Elle a raison, songea-t-il. Je dois être fou.

— Je sais ce que tu veux, ajouta-t-elle avec un sourire coquin, mais pas tout de suite. Tu froisserais ma robe. Il faudra que tu attendes un peu. Sid, mon chéri, dis-moi qui m'a trouvée formidable !

Sid dut faire un énorme effort pour répondre aimablement.

— Billy Madden, par exemple. Va le saluer. Il tient à te féliciter.

— Ça ne t'ennuie pas ?

— Pas du tout. Cours le voir, ma poule. Profite de ta soirée, amuse-toi.

Ne te gêne pas, Gem, pensa-t-il en la regardant s'éloigner. Reste avec lui. Il te traitera mieux que moi. C'est un homme comme tu les aimes.

Il venait de se commander un autre whisky quand Frankie, Ronnie et Tom convergèrent vers lui. Il comprit aussitôt que quelque chose n'allait pas.

— Qu'est-ce qui se passe ?

— Du grabuge au Taj, dit Ronnie.

— Ah ?

— Une pute a essayé de se foutre en l'air. Susie s'arrache les cheveux.

Sid chargea Tom d'avertir Gemma qu'il était obligé

de partir, et de veiller sur elle, puis il se rendit au Taj Mahal avec Ronnie et Frankie.

— Vous avez mis le temps ! cria Susie en les accueillant. Qu'est-ce que je vais faire d'elle ? Il faut m'en débarrasser ! Je ne veux pas voir les flics chez moi !

— Du calme, dit Sid. C'est quoi le problème ?

Susie expliqua qu'une de ses filles s'était mise en colère parce qu'un habitué avait choisi de monter avec une autre, plus jeune.

— Elles se sont battues, alors que j'interdis les bagarres. Ça ne plaît pas aux clients. Ils ont assez de disputes chez eux.

— Et la fille... ?

— Je l'ai mise à la porte, pardi. Et cette imbécile ne trouve rien de mieux que d'avaler une bouteille de mort-aux-rats. Quel culot !

— Elle est morte ?

— Si elle ne l'est pas encore, ça va pas tarder.

— Elle est où ?

— En haut. À la huit.

Quand ils arrivèrent sur le palier, qui donnait dans un salon ouvert où les filles attendaient, Susie recommença à vitupérer.

— Regarde-moi ces dégâts ! Elle est devenue dingue. Elle m'a cassé un beau miroir et mon vase préféré. Je les lui retire de ses gains. Morte ou pas.

Elle prit le couloir et alla ouvrir la porte de la chambre numéro huit. Une femme était allongée sur un lit étroit, yeux clos, se tenant le ventre à deux mains. Ses lèvres étaient couvertes d'écume blanche. Ils n'étaient pas là depuis deux secondes qu'elle se jeta en avant pour vomir.

— Bon Dieu ! s'exclama Frankie en faisant un bond.

— Alors Molly, t'es pas encore morte ? demanda Susie.

Un gémissement lui répondit.

— On fait quoi ? s'inquiéta Ronnie.

— On laisse faire la nature, tiens, rétorqua Susie. Si elle s'en sort, elle s'en sort. Sinon, on la balance dans le fleuve. J'ai déjà eu assez de soucis avec les poulets comme ça. Cette enflure de Donaldson est encore venu hier. Heureusement qu'un de ses hommes est un habitué et qu'il m'a avertie. J'ai eu le temps d'évacuer les clients par la porte de derrière et de dire aux filles de descendre avant qu'il se pointe. Maintenant, j'ai deux costauds pour surveiller la porte. Il n'y a plus que les têtes connues qui entrent pour écrémer les flics en civil. Ça me coûte une fortune…

— April… April ! sanglota Molly.

— Qu'est-ce qu'elle raconte ? demanda Sid.

— April, c'est sa gamine, lança une voix du pas de la porte.

Sid se tourna pour voir qui avait parlé. Des filles s'étaient attroupées sur le seuil. Celle qui était intervenue avait un regard terne, presque mort. Une autre, les seins nus, s'appuyait au chambranle. Elle avait la pâleur des opiomanes.

— Pour April, s'il vous plaît… dit Molly dans un râle.

Elle tendit le bras, et Sid vit qu'elle avait les doigts crispés sur un billet d'une livre.

— Je le prends ! s'écria Susie. J'ai tout le salon à rénover, grâce à toi.

Sid lui saisit le poignet.

— Laisse.

La prostituée mourante avait le visage tuméfié, marqué de cicatrices, certaines récentes, d'autres plus anciennes. Elle était maigre, presque décharnée, à peine couverte par un fin peignoir. Ses yeux renvoyaient la peur de la mort, mais aussi une autre angoisse. Elle s'accrochait à la vie, luttait contre le poison, supportait l'épouvantable douleur, non pas pour elle, mais uniquement pour s'assurer qu'on s'occuperait de son enfant.

En la regardant, Sid revit une autre femme, gisant non pas dans une chambre, mais morte dans la rue. Sa mère. Son visage était cireux, ses vêtements tachés de sang. Il se demanda si, en mourant, elle avait eu peur, comme cette femme, de laisser ses enfants seuls à Whitechapel. Il se souvint de l'avoir prise dans ses bras pour empêcher la police de l'emporter. Les sentiments qu'il avait éprouvés alors l'assaillirent avec une force insoutenable. C'était de la colère mêlée de culpabilité.

— Au 18, Wentworth Street... Mme Edwards ... elle la garde... s'il vous plaît... Ah !

Molly serrait son ventre, pliée en deux, gémissant de douleur.

— Écoute-moi, dit Sid en s'agenouillant près du lit. Je vais veiller sur ton enfant. Je te promets qu'on s'en occupera bien.

Molly ferma les yeux. Des larmes coulèrent sur ses joues, puis elle poussa un cri déchirant et fut prise de convulsions.

— Mais c'est affreux ! s'écria Sid. Faites venir un docteur ! Ronnie, va vite chercher le Dr Jones ! Allez !

À la porte, les filles pleuraient.

— Susie ! Frankie ! Aidez-moi à la redresser !

Le corps torturé se tordit, fut agité d'un dernier spasme, puis retomba, immobile.

— Mon Dieu, murmura Sid.

— C'est rien, Patron, intervint Frankie. C'est qu'une morue qui est en train de casser sa pipe.

— La ferme, Frankie !

Sid porta de nouveau la main à sa tête. La douleur était atroce. Il regarda autour de lui, profondément écœuré : le papier mural déprimant était fané, le lit défait, la femme morte étendue sur des draps sales, le plancher couvert de vomissures. Les filles formaient une bande peu reluisante.

— Bon, on l'embarque, mais on la fait enterrer.

— On peut pas, Patron, protesta Ronnie. Ça nous attirerait trop d'emmerdes. On n'a qu'à la flanquer à la flotte.

Sid pensa à la petite fille qui ne connaîtrait pas sa mère. Si au moins il y avait une sépulture, elle saurait où se recueillir quand elle serait grande.

— Emmenez-la à Christ Church, et filez du pognon au fossoyeur. Allez !

— Il parlera.

— Donnez-lui assez pour qu'il se taise !

— Mais bon Dieu, c'est qu'une pute ! Ça vaut pas le coup de courir le risque ! Surtout avec Donaldson qui nous file le train.

Leur dispute avait attiré l'attention. Des portes s'ouvraient sur des filles et des clients qui regardaient dans le couloir.

— Rentrez dans les chambres ! Ne vous mêlez pas de ça ! rugit Sid.

Certains obéirent, mais pas tous.

— Alors quoi ? Vous êtes sourds ?

Un client qui restait dehors en tirant sur un cigare se rebiffa.

— Y se prend pour qui, celui-là ?

Cette phrase suffit à faire exploser Sid. Il se jeta sur l'homme et lui donna un coup sur le nez. Le client tomba à genoux en criant. Sid le souleva par le col et le traîna dans le salon où il le jeta contre une table qui se brisa sous son poids. Des bouteilles de whisky et de gin roulèrent à terre. Les filles se collaient aux murs en glapissant de peur. L'homme essaya de se relever, mais Sid se plaça au-dessus de lui pour l'en empêcher.

— Tu me parles sur un autre ton, compris ?

Le client geignait.

— Bon. Maintenant, tu prends tes affaires, et tu te tires.

Susie sortit à quatre pattes de derrière le sofa où elle s'était réfugiée.

— Ben bravo, t'as gagné ta journée ! Qui c'est qui va payer les dégâts ?

Sid tira un rouleau de billets de sa poche et en détacha quelques-uns en levant les bras au-dessus de sa tête. Ils tombèrent sur le tapis en voletant, puis le reste suivit, lâché d'une main rageuse. Il y en avait pour des centaines de livres. Bien plus qu'il n'en fallait. Les filles se précipitèrent, les doigts avides. Susie, toujours à quatre pattes, était en bonne position pour s'emparer de ce qu'elle pouvait en hurlant que personne n'y touche.

— Qu'est-ce qui te prend, Patron, t'es devenu dingue ? s'étonna Frankie.

— Fais enterrer cette fille et va chercher sa gamine. Trouve-lui une nourrice. Donne-lui cinquante livres et qu'elle vienne me voir pour la suite. Si elle touche à un cheveu de cette petite, elle entendra parler de moi.

— Mais enfin... Sid...

— Tu la boucles, et tu fais ce que je te dis, cracha-t-il entre ses dents serrées.

Frankie obéit sans comprendre. Il alla dans la chambre de la morte et enveloppa le corps dans les draps souillés avec l'aide de Ronnie. Susie se releva en finissant d'enfoncer des poignées de billets dans son décolleté. Elle se taisait, maintenant. Le Taj Mahal se vidait de ses clients. Sid attendit d'être seul, puis prit un corridor pour se rendre dans la pièce d'où Denny Quinn avait dirigé ses affaires. C'était là qu'il avait été assassiné. Le plancher était encore taché de son sang.

Il s'assit au bureau et se prit la tête dans les mains. Il avait voulu faire venir India, mais, à présent, il était soulagé de ne pas en avoir eu le temps. Elle avait très mal réagi en voyant les filles chez Ko. Qu'aurait-elle pensé du Taj ? Et qu'aurait-elle pensé de lui, qui en était le propriétaire ?

Elle dirait que je suis responsable de la mort de Molly, songea-t-il, et elle aurait raison. Il se mit à hurler.

— Bon Dieu de bon Dieu de bon Dieu de… !

Il prit l'encrier et l'envoya se fracasser contre le mur. Il jeta à terre les livres, les registres, les lampes. Puis il se pencha en avant, mains sur les genoux, pour reprendre son souffle. C'est alors qu'il vit un carton sous le bureau, emballé dans du papier brun et attaché avec de la ficelle. Il était arrivé clandestinement la veille d'Amsterdam, dans la soute d'un navire marchand. Sid s'en saisit.

— J'y vais, mais c'est la dernière fois ! jura-t-il. Après, je ne la revois plus !

Il sortit du Taj Mahal et monta dans sa voiture en indiquant l'adresse à son cocher. Il se tassa sur la banquette et contempla ses mains. Elles tremblaient. Lui qui ne se laissait jamais atteindre par rien… Il regarda dehors. Il n'y avait plus que des noctambules. Des nantis qui attendaient les cabs, des ivrognes, des taverniers devant la porte de leurs pubs, des prostituées, des mendiants, des matelots en goguette. Il appliqua les mains sur ses yeux, respira profondément, puis les examina de nouveau. Elles tremblaient encore. Furieux, il alluma une cigarette, en prit quelques bouffées, puis la jeta par la fenêtre. Enfin, le cocher arriva à Bloomsbury et s'arrêta à Bedford Square.

Sid ne descendit pas tout de suite, mais resta à observer la maison depuis sa voiture. À une fenêtre, il vit une femme assise à un bureau, éclairée par une lampe à gaz.

En partant du Taj Mahal, il s'était promis que ce serait la dernière fois, mais il ne voulait pas la perdre. Il avait envie d'être avec elle, de poser la tête sur ses genoux, de laisser ses mains expertes et réconfortantes apaiser son front. Mais, de tout cela il pourrait se passer, à condition seulement de se trouver dans la même pièce qu'elle. Ils se parleraient. Il lui demanderait des nouvelles de ses malades, et son beau regard s'illuminerait. Il étudierait ses expressions, guetterait ses rires. Bon Dieu, il se serait même satisfait de se disputer avec elle. De discuter de porridge, de brocolis, de n'importe quoi.

Elle lisait. Il était presque minuit, mais elle travaillait encore. Il s'apprêtait à dire au cocher de le ramener à l'Alhambra quand il se rappela le carton qu'il venait lui livrer. Il le prit et descendit de voiture. Jones, appartement numéro deux, vit-il sur sa sonnette.

Une minute plus tard, India lui ouvrait, en chemise de nuit blanche et en peignoir, les cheveux défaits.

— Sid ! Quelle surprise !

— Votre paquet est arrivé. Je vous dérange peut-être…

— Quel paquet ?

— Mais… le paquet, quoi.

Elle finit par se souvenir.

— Ah oui ! Le paquet ! Merci de me l'avoir apporté.

Elle tendit les bras pour le prendre mais il ne le lui donna pas.

— C'est lourd. Je vous le monte. Ne vous inquiétez pas, je ne vous toucherai pas.

Les joues d'India rosirent d'embarras.

— Merci.

— Parce que je promets de bien me tenir ?

— Oui, aussi.

Sid la suivit dans l'escalier puis chez elle. Il avait à peine vu l'appartement la première fois. Il ne connaissait que la chambre, mais remarquait à présent un salon sur lequel ouvrait une petite cuisine. Il y avait des livres partout, sur le bureau, sur le manteau de la cheminée, même sur les meubles dans la cuisine. Ils s'amoncelaient sur les chaises et par terre. D'épaisses revues médicales encombraient le secrétaire. Une théière était juchée sur la pile avec un reste de sandwich.

— Où voulez-vous que je vous le mette ?

— Peu importe.

Il posa le carton près de la cheminée, puis regarda autour de lui.

— C'est comme ça que vous occupez vos samedis soir ?

— J'ai un patient qui est matelot. Il a la malaria, du moins, c'est ce que je pense. Ça pourrait aussi être la dengue. Je n'ai pas vu assez de cas pour en avoir la certitude, alors je cherche dans mes livres. Ça ne vaut pas l'expérience clinique, mais je n'ai pas le choix.

Il y eut un silence, que Sid fut obligé de rompre.

— Bon... je vais vous laisser.

— Vous ne voulez pas rester un peu ? Ça me ferait plaisir. Je vais faire du thé. C'est bien le moins, puisque vous vous êtes dérangé.

Il hésita.

— D'accord...

Elle alla prendre la théière sur le bureau et l'emporta dans le coin cuisine.

— Asseyez-vous, dit-elle en passant devant lui.

— Je ne demande pas mieux… mais où ?

— Pardon ! s'exclama-t-elle avec un rire. Dégagez le sofa, si vous voulez.

Il posa les livres par terre pendant qu'elle mettait l'eau à chauffer. Une fois assis, il regarda ses mains. Elles tremblaient toujours. Il serra les poings pour les immobiliser.

— Je ne vous remercierai jamais assez de m'avoir fourni ces contraceptifs.

— Ce n'est rien. J'aurais peut-être dû vous les livrer au cabinet…

— Ah ! non, il ne le fallait à aucun prix ! Je les y apporterai peu à peu en secret. Si Gifford les voit, il me renverra.

Elle rapporta la théière pleine, des tasses et des soucoupes, ainsi qu'une assiette de biscuits au gingembre, et posa son plateau sur une table basse que Sid dégagea pour elle. Elle lui versa une tasse, ajouta du lait à sa demande, puis la lui tendit. Il la reposa aussitôt.

— Et vous ? Pourquoi faites-vous vos livraisons si tard ? s'enquit-elle. Ce n'est pas la malaria qui vous tient éveillé, j'imagine.

— Non.

— J'ai l'impression que vous ne dormez jamais.

— Très peu. Je n'aime pas ça.

Elle l'observait maintenant, inquiète. Il détourna la tête.

— Sid, ça ne va pas ?

— Pas trop, admit-il avec un rire en se passant une main tremblante sur le visage.

— Vous avez de nouveau mal ? Vous avez de la fièvre ?

— Non, India, ce n'est pas ma blessure. C'est vous. J'aurais voulu ne jamais vous rencontrer. Vous avez tout fichu par terre. Vous avez foutu ma vie en l'air.

Elle posa sa tasse, consternée.

— À cause de vous, je ne supporte plus mon existence. Vous n'avez pas idée de ce que vous m'avez fait ! Je n'avais rien : pas de famille, pas d'avenir. Une seule chose me permettait de vivre... L'envie de prendre ma revanche sur la société, je crois. Voler, c'était reprendre mon dû.

Elle ne répondit pas, le dévisageant de ses grands yeux gris compréhensifs.

— Quand je suis avec vous, je pense à des choses... je me souviens de choses... je veux des choses que j'ai cessé de désirer depuis longtemps.

— Quelles choses ? demanda-t-elle dans un souffle.

— Des choses folles. Je crois me réveiller au bord de la mer. Le soleil passe par les fenêtres. Il y a l'odeur du large dans l'air. Je vois un endroit... que je ne connais pas. Tout ce que je sais, c'est que je voudrais y être avec vous.

— Non, Sid, non...

— Pourquoi ? s'écria-t-il. Parce que je suis un bon à rien ? Parce que je ne...

India lui coupa la parole.

— Parce que je suis fiancée et que je vais me marier !

Sid hocha la tête. Il se leva comme s'il allait partir, mais au lieu d'aller à la porte, il se pencha sur elle et l'embrassa.

— Mon cadeau de mariage, dit-il en se redressant. Mes meilleurs souvenirs à votre fiancé.

— Vous voulez me faire du mal, murmura-t-elle.

Il partait…

— Attendez ! Je ne veux pas perdre… perdre votre amitié. Cela compte beaucoup pour moi.

— Vous appelez ça de l'amitié !

India baissa la tête.

— Nous devrions attendre que vous alliez mieux pour reparler de tout ça.

— Non, India, nous n'en reparlerons pas. Je ne veux plus jamais vous voir. Plus jamais ! Vous me mènerez à ma perte ! Vous savez ce que j'ai fait ce soir ? J'ai laissé mon amie seule à une réception que j'avais organisée en son honneur. Tous les grands chefs de bande de Londres étaient là. Des hommes que je dois surveiller constamment. J'ai saccagé une maison de passe qui pourtant me rapporte beaucoup d'argent. J'ai fichu la frousse aux clients qui ne reviendront pas de sitôt. Je me suis conduit comme un dément, et tout ça à cause de vous.

Il plongea la main dans sa poche et en tira la montre qu'India lui avait donnée en échange des préservatifs. Il la lui jeta, et elle dut bien la rattraper. Consternée, elle le regarda.

— Ne me la rendez pas ! Nous nous étions mis d'accord. Je n'ai rien d'autre pour vous payer.

Il alla à la porte sans répondre.

— Sid ! Pourquoi ?

Il s'arrêta.

— Je n'en sais rien, India. Je n'en sais fichtre rien. Je n'y comprends plus rien.

32

Fiona Bristow venait d'entrer dans un grand entrepôt de Cheshire Street à Whitechapel, mais hésitait à signaler sa présence. Les deux femmes qu'elle voulait voir étaient prises dans une discussion tellement animée qu'elle n'osait pas les déranger.

Le Dr Jones, agenouillée par terre, ne semblait pas se soucier de la poussière, occupée qu'elle était à tracer à grands traits de craie un plan rudimentaire sur le plancher. Ella Moskowitz, son infirmière, accroupie près d'elle, prenait fébrilement des notes, tandis qu'une troisième personne, un homme penché au-dessus d'elles, suivait avec attention.

— Nous avons besoin de deux colonnes montantes ! disait le Dr Jones. Une aux deux extrémités du bâtiment pour qu'il y ait suffisamment d'eau chaude à tous les étages.

— Une minute ! s'exclama l'infirmière. Vous savez combien cela coûtera ? Une fortune ! En matériaux et en main-d'œuvre.

L'homme intervint, levant le nez pour considérer les canalisations rouillées qui serpentaient le long des murs et les lampes à gaz cassées.

— Mais pourquoi vouloir acheter si vite ? Pourquoi cet entrepôt en particulier, Indy ?

— Il est très bon marché. On n'en demande que cinq cents livres. Nous avons suffisamment pour régler l'acompte.

— Oui, mais cela ne suffira pas à payer les mensualités, à effectuer les travaux et à réunir le matériel médical.

Il faut bien commencer un jour. Nous aurons au

moins le bâtiment. Nous pourrons le rénover au fur et à mesure grâce aux dons.

— Impossible, ce serait mettre la charrue avant les bœufs.

— Wish !

— India, je ne sais pas quelle mouche te pique. Pourquoi me fais-tu sortir de chez moi à cette heure indue pour visiter un bâtiment qui ne convient pas du tout ?

— Je ne peux plus rester chez Gifford. Il faut que je parte. Je ne le supporte plus.

— Tu as besoin de ton travail. Que s'est-il passé pour te mettre dans cet état ?

— Nous avons encore perdu une patiente, expliqua Ella. Une jeune mère qui n'avait que dix-neuf ans. Elle s'appelait Sally Brindle.

— J'en suis navré, mais je suppose que ce sont des choses qui arrivent, dans votre métier.

— Elle est morte de fièvre puerpérale.

— Ce qui veut dire… ?

— C'est une fièvre causée par une infection contractée au cours de l'accouchement. Cela ne devrait pas arriver. Il n'y a rien de plus facile à éviter, à condition que le médecin ou la sage-femme se lave les mains. C'est la cinquième mère que nous perdons comme ça en deux semaines. Nous avons aussi perdu deux des bébés. Mais imaginez la vie de ceux qui restent, privés de leur mère. Les pères ne savent plus quoi faire.

— C'est une honte ! s'indigna India. Dire qu'il n'aurait qu'à se laver les mains. C'est pourtant facile. L'efficacité de ces mesures d'hygiène simples a été prouvée mille fois. Par Semmelweis. Par Pasteur. Par Lister. Cela ne prend pas cinq minutes. Et cela épargne des vies !

Fiona remarqua que, même dans la colère, elle gardait

une voix mesurée. Une telle maîtrise de soi l'intriguait, surtout parce que derrière cette apparente froideur on sentait une passion peu commune.

Ella comprima les lèvres.

— Gifford ne manque pas toujours de temps pour l'essentiel… Il en a trouvé pour me rappeler de préparer la facture de Mme Brindle. Il l'a tendue à son mari juste après lui avoir donné sa fille. « Bonne journée », lui a-t-il dit ! Vous vous rendez compte ? « Bonne journée », à un veuf qui se retrouve seul avec un nourrisson !

— Il faut trouver le moyen de l'arrêter.

— Pourquoi ne le dénoncez-vous pas ? interrogea Wish.

— Ce serait du suicide pour India. La parole d'un médecin ayant quarante ans d'expérience contre celle d'une femme qui vient tout juste de sortir de la faculté. Quel parti pensez-vous que le Conseil de l'ordre prendrait ? Nous ne pouvons rien faire.

— Mais si, justement, nous avons la solution, coupa India.

— Et qui est… ?

— D'ouvrir le dispensaire et de lui voler ses patients. Il y a de plus en plus de monde depuis que je travaille au cabinet. Si je pars, les gens me suivront.

— Pas très fair-play, cousine…

— Je n'ai pas le choix. Comment veut-on que je continue à regarder mourir ces femmes sans réagir ? Si je ne peux pas le dénoncer, il faut bien trouver autre chose.

Cette fois, on discernait un tremblement dans sa voix. Fiona vit à son visage, quand India se leva, qu'elle était bouleversée. Son courage la toucha profondément, d'autant que Fiona connaissait mieux que personne les difficultés pour les femmes de réussir sur les territoires masculins.

— Cet entrepôt est mieux que rien, poursuivait India. Il ne coûte pas cher et…

Il faut l'empêcher de faire une bêtise, se dit Fiona. Il faut l'aider ! Elle avança pour intervenir.

— Non, au contraire, il est beaucoup trop cher. Le mur arrière montre des signes de faiblesse. Et là-bas, vous voyez ? Le toit n'est pas en bon état : il y a des traces d'humidité sur la brique. Ces marques blanches, vous voyez ? Même à moitié prix, ce serait du vol.

India s'était tournée vers elle et la reconnut après une brève hésitation.

— Madame Bristow ! Ah ! Vous vous êtes remise de vos émotions !

— Grâce à vous deux. Appelez-moi Fiona, je vous en prie. Je vous cherche depuis le meeting pour vous remercier. Je ne peux pas vous dire à quel point je vous suis reconnaissante ! Vous m'avez sauvé la vie ! Vous nous avez sauvé la vie à tous les deux, ajouta-t-elle en posant la main sur son ventre.

Elle leur raconta comment le désastreux rassemblement s'était terminé pour elle. Pendant l'intervention de la police, elle était restée à l'abri sous l'estrade, puis, une fois le calme revenu, elle était sortie de sa cachette et avait appelé son mari, très inquiet, qui avait attendu tout ce temps au-dessus de sa tête sans savoir où elle était. Ils avaient pu rentrer chez eux sans être inquiétés.

— Et vous ? demanda-t-elle. Je ne voyais rien. Avez-vous réussi à partir ?

— En quelque sorte, dit Ella. En ce qui me concerne, traînée entre deux agents. India a dû être portée, car elle s'était évanouie après avoir reçu un coup de sabot. Nous avons passé la nuit en cellule.

— Mais je n'en savais rien ! s'exclama Wish.

— Je vous remercie, Ella... maugréa India. Voilà un petit secret qui a fait long feu.

— Ainsi, cousine, tu étais au meeting travailliste et tu as été arrêtée par la police ! Vraiment, quelle vie trépidante ! Freddie est-il au courant ?

— Non, et je te prie de le laisser dans l'ignorance. Il a suffisamment de soucis avec la campagne.

— Freddie Lytton ? s'étonna Fiona.

— Oui, c'est mon fiancé.

Fiona eut un sourire.

— Eh bien, comme le destin fait les choses ! La fiancée de l'élu et la femme de son concurrent se retrouvent en grand conciliabule dans un quartier malfamé. Si nos amis de la presse avaient vent de notre rencontre, je pense qu'ils se frotteraient les mains à l'idée du bel article qu'ils pourraient écrire.

— M. Devlin en particulier, commenta India anxieusement. Mais comment nous avez-vous trouvées ?

— J'ai fini par penser à m'adresser au Dr Hatcher qui m'a indiqué le cabinet de Varden Street. J'en viens. Il était fermé, mais une aimable voisine m'a conseillé d'aller dans un petit restaurant de Brick Lane. C'est là qu'on m'a dirigée vers cet entrepôt. La dame qui m'a renseignée a aussi mentionné votre dispensaire, et m'a suggéré de faire un don de vingt livres, ajouta-t-elle en riant.

Ella leva les yeux au ciel.

— Désolée ! C'est ma mère.

— Ce n'est pas grave. Elle m'a intéressée, au contraire. Je voudrais que vous me parliez un peu de ce généreux projet.

India et Ella lui en exposèrent les grandes lignes. Fiona les écouta attentivement, hochant la tête, sourcils froncés. Quand elles eurent terminé, elle leur posa des quantités de questions et leur donna des conseils.

— N'achetez pas comptant, même si vous avez assez d'argent. Prenez un emprunt pour déduire les échéances de vos impôts. Mais il pourrait être plus avantageux de louer. Il faut étudier tout cela plus en détail. Quelle est l'opinion de votre comptable ?

India et Ella échangèrent des coups d'œil.

— C'est que… Nous n'en avons pas, avoua India.

— Et pourquoi ?

— Parce qu'elles n'en ont pas les moyens, expliqua Wish. Elles n'ont encore presque rien sur leur compte. Une centaine de livres seulement.

— Excusez-moi ! s'exclama India. Je ne vous ai pas présentés ! Fiona Bristow, je vous présente mon cousin, Aloysius Selwyn Jones, notre directeur du développement. C'est lui qui est chargé de solliciter les dons. Pendant son temps libre, bien entendu, car il nous apporte une aide désintéressée.

Il y eut un silence embarrassé. India baissa les yeux, puis regarda Fiona.

— Nous devons vous paraître très peu aguerries. Notre point fort, à Ella et à moi, c'est la médecine, et non les questions d'argent. Nous voulons qu'il y ait dans ce quartier de Londres un endroit d'où aucune mère ni aucun enfant ne repartira sans avoir reçu des soins. Bien souvent, les gens ne nous comprennent pas. Même mon cher cousin n'est pas encore persuadé que nous ayons raison, ajouta-t-elle en adressant un sourire complice à Wish.

— Moi, je vous comprends parfaitement. Plus que vous ne l'imaginez, même. J'ai vécu dans ce quartier autrefois. À quelques rues d'ici. Ma famille était très pauvre. Nous n'avions rien. Ma petite sœur est tombée gravement malade, et ma mère, une nuit, a dû sortir pour aller chercher le médecin…

On dirait l'histoire de Sid, songea India.

— Et en a-t-elle trouvé un ?

— Non. C'était trop tard. Nous les avons perdues toutes les deux.

— Je suis désolée…

— Oui, c'est très triste.

Fiona regretta d'avoir raconté ce souvenir si personnel à trois personnes qu'elle connaissait à peine, mais elle avait voulu faire comprendre à India à quel point elle appréciait son projet.

— Le plus important, c'est votre talent de médecin. Pour l'argent, votre cousin pourra peut-être réfléchir à un financement avec moi. Demain, dit-elle à Wish. Vous est-il possible de venir à mon bureau ? J'aurai un chèque pour vous.

— Je vous inscris pour vingt livres, alors ? demanda-t-il avec enthousiasme.

Fiona eut un sourire, mais elle ne quittait pas le visage d'India des yeux. Elle l'observait, séduite par cette personnalité si particulière. Froide, contrôlée, comme le lui avait appris son milieu, mais révoltée dans l'âme et d'une bravoure peu commune. India Selwyn Jones était une femme très déterminée. Elle ouvrirait son dispensaire, c'était évident, avec ou sans aide. Elle l'ouvrirait même si cela devait lui prendre cinquante ans.

— Non, inscrivez-moi plutôt pour mille livres.

33

— Savais-tu qu'un jour l'oncle de Sunny avait trucidé un teckel ?

Bingham, à cheval à côté d'India, se protégeait les yeux du soleil.

— Mais pourquoi ? Le chien était enragé ? demanda-t-elle, horrifiée.

— Il l'avait pris pour une perdrix ! C'était le chien d'une amie qui se promenait dans les champs. La pauvre dame était tellement triste que, pour la consoler, le cher oncle a fait empailler le chien et le lui a envoyé.

— Mais c'est affreux !

— Épouvantable, n'est-ce pas ? C'était sa façon d'être aimable. Il paraît que la dame a pleuré pendant une semaine.

India ne put s'empêcher de rire tant l'histoire était effroyable. Bing eut l'air enchanté.

— Ah ! Enfin ! Tu fais une de ces têtes depuis ton arrivée... ça ne va pas ?

On ne peut plus mal, songea-t-elle. J'épouse ton frère dans quelques semaines, mais j'en aime un autre.

— Tout va bien, Bing, je t'assure !

— En es-tu certaine ?

— Absolument !

Ils se trouvaient à Blenheim Palace, la propriété de Sunny Churchill, duc de Malborough. Sunny était un très bon ami de Bingham, qui avait invité avec lui Freddie, Maud et Wish à passer la fin de semaine. Par ce beau samedi après-midi, Sunny avait organisé une chasse au renard. Wish, qui n'avait pas pu venir la veille, retenu par une obligation mondaine, était arrivé le matin. Il avait pris la tête de l'équipage avec Freddie et galopait en avant. India et Bingham s'étant laissé distancer, ils avaient guidé leurs chevaux en haut d'une colline pour essayer de les repérer, mais sans succès. Ils ne voyaient que le château de Blenheim avec ses pierres blondes et, alentour, les champs et les bois du domaine, mais aucune veste de chasse, aucun cheval et aucun chien.

India, pourtant, avait une grande envie de participer à la poursuite. Elle était inquiète, nerveuse et avait besoin de se dépenser, de galoper si vite qu'elle ne penserait plus qu'aux accidents de terrain et aux haies à franchir. Son cheval semblait deviner ce désir, car il piaffait, se rebellant contre son inactivité forcée.

— Indy, sais-tu ce que j'aime le plus à Blenheim et à Longmarsh ?

— Non ?

— L'odeur de la cire à parquet.

— Pardon ?

— C'est bête, mais j'adore aller dans la salle à manger après que les domestiques l'ont cirée. Ensuite, l'odeur reste. As-tu remarqué ? Elle se mêle le matin à celle des harengs et du bacon, et le soir à celle du faisan et des champignons. Cela m'évoque les vacances, Noël et le jour de l'an. Si une femme voulait gagner mon cœur, il lui suffirait de s'en parfumer. Je serais son esclave à jamais.

Il se tut, puis reprit.

— Je voudrais que cet instant dure toujours. Que le temps s'arrête maintenant, ici, alors que nous sommes tous réunis.

— Quel paradis ce serait ! Nager dans le luxe, à Blenheim, jusqu'à la fin des temps !

Mais India ne disait cela que pour lui faire plaisir. Elle n'avait aucune envie ni de nager dans le luxe, ni de rester à Blenheim, ni de chasser le renard. Pour elle, le paradis, ce serait de boire une bière brune à Whitechapel avec Sid. Elle ne rêvait que de parler de sujets qui lui tenaient vraiment à cœur dans cet endroit auquel elle s'était attachée, avec l'homme qu'elle n'osait pas aimer.

— Nous jouerions au croquet sur la pelouse, continua Bingham. Nous nous promènerions avant le dîner. Les femmes seraient vêtues de blanc et porteraient des roses dans les cheveux. L'Angleterre au mois d'août, quoi de plus charmant ?

Son sourire rêveur s'effaça.

— Mais ça ne durera pas…

India l'écoutait à peine.

— Quoi ? L'été ?

— Oui, l'été… et nous… Cette vie de privilégiés.

India se tourna vers lui, frappée par son ton mélancolique.

— Eh bien, Bing, c'est toi qui fais une drôle de tête, maintenant !

— Les temps changent, Indy. Il y a quelques années – l'année dernière, seulement –, Freddie aurait remporté le siège de Tower Hamlets haut la main. Personne n'aurait cru possible qu'un jour les travaillistes parviennent à monter une opposition aussi dangereuse.

— Bing ! Tu ne penses tout de même pas que Freddie va perdre ?

— Eh bien… ça ne me semble pas impossible. Les conservateurs exploitent sans vergogne le vol d'armes de la Forteresse contre lui. Et il ne faut pas sous-estimer Joe Bristow. La presse l'adore. Il est dans les journaux pratiquement tous les jours alors que la campagne officielle n'a pas encore commencé ! Les trois concurrents sont au coude à coude, mais moi, je suis persuadé que

Bristow va gagner. Il parle le langage des ouvriers, ce que ne savent faire ni Freddie ni Dickie Lambert.

D'un signe de tête, il désigna le château de Blenheim. Ses couleurs dorées donnaient l'impression qu'il se réchauffait au soleil de l'après-midi.

— Ça ne peut pas durer. Les richesses sont trop mal partagées depuis trop longtemps.

— Est-ce cela qui a envenimé votre conversation, hier ?

Elle évoquait une dispute qui avait éclaté dans la salle de billard où les hommes s'étaient retirés après le dîner.

— Entre autres. Freddie était de mauvaise humeur, et il a tendance à être hargneux quand il a trop bu. Il a traité Sunny d'arriéré uniquement préoccupé par ses chasses à courre. Il a dit aussi que Wish ne s'intéressait qu'à l'argent.

— C'est très désobligeant ! Heureusement que Wish n'était pas là pour entendre ça. Il ne s'en est pas pris à toi aussi, j'espère.

— Oh ! que si ! Il m'a accusé de me terrer dans ma bibliothèque pendant que les socialistes et les révolutionnaires s'emparaient du pays.

— Mais c'est faux ! Ses mots ont certainement dépassé sa pensée. Il travaille tellement...

— Il a raison, India. Freddie est plus courageux que nous tous réunis. Lui, il se bat pour ses idées !

Sans doute, songea India, mais il avait beaucoup trop bu au dîner. Elle avait été choquée de l'entendre murmurer : « Laisse ta porte ouverte, chérie », alors qu'ils montaient l'escalier pour aller se coucher.

Elle avait fermé à double tour, puis elle s'était mise au lit et avait attendu dans le noir, sans parvenir à trouver le sommeil. Elle l'avait entendu tourner la poignée, puis frapper doucement. Il n'avait pas osé faire trop de bruit,

Dieu merci. Le matin, il avait semblé fâché. Quand ils s'étaient expliqués après le petit déjeuner, elle avait prétendu avoir fermé machinalement, par habitude, et s'être endormie comme un bébé. L'explication étant plausible, il n'avait pas insisté, mais elle ne le convaincrait pas deux fois. Que ferait-elle, ce soir ? Elle ne supporterait pas qu'il la touche. Elle ne désirait l'amour que d'un seul homme. Un homme qui, une semaine plus tôt, avait dit ne plus jamais vouloir la revoir.

— Indy ! Bing ! Ohé ! Où sont les autres ?

India se tourna sur sa selle, heureuse de cette distraction. Maud arrivait, encourageant sa monture à monter la pente pour les rejoindre.

— Mais que t'est-il arrivé ? s'inquiéta India.

Sa tenue de chasse, ses mains, son visage étaient maculés de boue, elle avait perdu son chapeau et des brindilles s'accrochaient à ses cheveux.

— Je suivais les autres. Nous avons sauté un muret assez haut entouré d'un bourbier. Je suis tombée.

— Tu ne t'es pas fait mal ?

— Je m'en tire sans trop de bobos.

— Et les autres, où sont-ils ?

— Ils ont filé dans les bois. Freddie criait qu'il avait vu le renard, et Wish qu'il fallait le lui laisser. Sunny s'époumonait dans sa maudite trompe, et les chiens braillaient comme des déments.

— Wish a son pistolet, je suppose ? demanda Bingham.

— Oui. Il le brandissait sous le nez de la femme de chambre tout à l'heure. Elle a failli se trouver mal.

Wish adorait la poursuite mais détestait la sauvagerie de la mise à mort. Comme il était bon tireur, il s'arrangeait pour achever la bête avant que les chiens ne s'en emparent. Freddie le plaisantait sur sa sensiblerie, et avait même prétendu au petit déjeuner que Wish ne ferait jamais carrière en politique. Les débats à la Chambre des communes étant, prétendait-il, autrement plus féroces.

Bingham se dressa sur ses étriers.

— Regardez ! Ils sont là-bas ! Je les vois !

Wish et Freddie sortaient des bois, semblant se poursuivre. Wish dépassa la butte où ils se trouvaient, suivi de peu par Freddie, puis ils ralentirent, firent demi-tour et les rejoignirent.

— Tu me dois vingt livres, mon vieux, dit Wish à Freddie.

Il remarqua l'état dans lequel s'était mise Maud et éclata de rire.

— La boue est excellente pour la peau, n'est-ce pas ? Cela protège des coups de soleil.

— Très amusant, ricana Maud. Freddie, mon cher, je ne te remercie pas. Je pense que tu voulais nous faire vider les étriers en nous menant vers cette haie.

— Certainement, mais c'est Wish que j'espérais envoyer dans la boue, pas toi. Désolé.

— Où est passé Sunny ? demanda India.

— Je ne sais pas, répondit Wish. Il était devant nous, et nous l'avons perdu de vue. Mais en parlant de Sunny, j'ai une bonne nouvelle pour toi. Je lui ai vanté les mérites de Point Reyes parce que je voulais le persuader d'investir quand j'ouvrirai le capital, et j'ai mentionné en passant ton dispensaire. Je crois que le projet l'intéresse. Il pense te donner de l'argent.

— Ah ! Très bien ! Bonne nouvelle en effet. Merci, Wish.

— Combien a-t-il promis de donner ? Deux livres ? ironisa Maud.

— Très drôle ! Plutôt deux cents, je crois. Je

commence à bien aimer cette collecte de fonds. Je progresse. Je suis également fier d'avoir obtenu deux cents livres de lady Elcho hier soir. Je l'ai coincée à mon dîner en ville. J'ai aussi soutiré cent livres à Jennie Churchill. Et... cinq cents à lord Rothschild !

— Bravo ! s'exclama India.

Elle n'avait pas vu son cousin depuis plusieurs jours et apprenait toutes ces nouvelles en même temps que Maud, Bingham et Freddie. Ella serait enchantée.

— Ce qui fait, continuait Wish, qu'avec les quatre cents déjà amassés, et les mille livres de Fiona Bristow, nous totalisons une somme de deux mille quatre cents livres. Et ce n'est pas tout, Indy. Ton amie Harriet Hatcher assistait à mon dîner d'hier. Ses parents, m'a-t-elle dit, souhaitent aussi faire un don. Trois cents livres, probablement. Et – plus incroyable encore – la princesse Beatrice, qui est une amie de la mère de Harriet, pourrait peut-être... ce n'est pas sûr, bien entendu, mais il est possible qu'elle accepte d'être marraine du projet.

India n'en revenait pas. La princesse Beatrice était la plus jeune fille de la reine. Son soutien au dispensaire leur apporterait une aide considérable. Même Maud et Bing étaient impressionnés. Freddie, lui, semblait plutôt morose et jouait nerveusement avec ses rênes.

— Mme Hatcher et Harriet sont invitées au thé de la princesse d'ici peu, et Son Altesse voudrait te rencontrer. Harriet veut que tu t'y rendes à tout prix. Qu'en dis-tu ?

— Mais bien sûr ! Rien ne pourrait m'arrêter. La date est-elle fixée ?

— Oui, c'est à Londres, le 18.

— Tu ne peux pas, intervint Freddie brusquement. C'est le jour de notre mariage.

— Flûte ! Tu as raison, j'avais oublié ! s'exclama Wish. Vous ne pourriez pas retarder ?

— Tu n'y penses pas ! jeta Freddie sans laisser à India le temps de répondre. Nous avons déjà tout organisé.

India se pencha vers lui pour lui prendre la main.

— Chéri, crois-tu vraiment que ce soit impossible ? Le 25 pourrait convenir tout aussi bien. Je suis sûre que le pasteur ne dirait pas non. Nous lui téléphonerons tout à l'heure. Le traiteur et le fleuriste seront sûrement tout aussi arrangeants. Je reconnais que ce n'est pas pratique, mais tu sais combien mon dispensaire me tient à cœur…

— Et si le 25 ne leur convient pas ?

— Alors nous remettrons à septembre. On ne refuse pas une invitation de la princesse Beatrice. Tu imagines le prestige qu'elle nous apporterait ! Je t'en prie, chéri…

— Mais bien sûr, mon ange. Nous irons téléphoner au pasteur après la chasse.

— Bravo ! s'exclama Wish. Je dois admettre qu'au départ j'ai cru notre petite India complètement folle quand elle m'a parlé de son dispensaire. Mais maintenant, je me rends compte que c'est possible. Oui, tout à fait possible. Les dons s'accumulent. Nous aurons peut-être une marraine royale, et mon projet de Point Reyes avance si bien que je pense ouvrir le capital plus tôt que prévu. Dans six mois au plus, cousine, tu auras de l'argent à ne plus savoir qu'en faire.

— Ce qui signifie que nous pourrions commencer à rénover un bâtiment au début de l'année prochaine ! s'enthousiasma India.

Elle allait le remercier pour tous ses efforts, quand le cheval de Freddie rua. Par chance, son cavalier resta en selle, mais de justesse.

— Il a besoin d'un galop, dit Freddie. Si nous

refaisions la course ? Le premier arrivé à la clairière ! Wish, c'est quitte ou double !

Wish, toujours prêt à relever un défi, ne se fit pas prier. Il partit derrière Freddie à fond de train. India les suivit un moment avec Maud et Bingham, mais ils abandonnèrent vite. Freddie semblait rechercher les accidents de terrain, ne craindre ni les obstacles, ni les ornières, ni la boue. Il galopait comme un forcené, Wish à ses trousses, riant et criant des encouragements à son cheval. Ils furent vite hors de vue.

— À quoi jouent-ils ? se plaignit Maud. On croirait qu'ils veulent nous tuer !

India les vit, Wish en tête, qui s'enfonçaient dans la forêt.

— On entend les chiens, commenta Bingham en s'arrêtant à l'orée des bois. Sunny doit avoir acculé le renard. Wish et Freddie vont le rejoindre.

Dans ces conditions, India n'avait plus envie de continuer. Elle préférait éviter la fin de la chasse.

— Je vais vous laisser... commença-t-elle.

Elle fut interrompue par une détonation venant des bois.

— Paix à Maître Renard, soupira Maud. Moi aussi, je déclare forfait. Je rentre prendre un bain chaud et boire un gin.

La trompe sonna.

— L'hallali ! remarqua Bingham.

Le maître de chasse sonnait un signal particulier pour tous les moments de la poursuite, mais ils se rendirent soudain compte que ce n'était pas la prise de l'animal, mais l'alarme qui était sonnée. Aussitôt, ils partirent au trot entre les arbres, se dirigeant au son. Bingham menait la troupe, écartant les buissons et les branches. Ce fut lui qui retrouva l'équipage. Les cavaliers avaient mis pied à terre dans une clairière. Les chevaux avaient été attachés à un tronc et piaffaient en hennissant. Les valets de chien avaient le plus grand mal à contrôler la meute. India, bloquée par Bingham, ne voyait que Sunny, courbé en deux, qui avait délaissé sa trompe pour vomir.

Il releva la tête et cria :

— Bingham, empêchez les femmes d'approcher !

— Non, India est médecin, qu'elle vienne !

C'était Freddie dont la voix tremblait.

Il y a eu un accident, songea-t-elle. Quelqu'un est blessé. Elle dépassa Bingham et fit avancer son cheval dans la clairière.

— Que s'est-il passé ? cria-t-elle.

On n'eut pas besoin de lui répondre, car elle vit un homme à terre.

C'était Wish, couché sur le dos, auquel il manquait la moitié gauche du visage. Il avait les jambes repliées sous lui, les bras écartés du corps. Son pistolet reposait dans sa main droite.

India sauta de cheval et courut à lui. Elle savait déjà qu'il n'y avait plus rien à faire, mais elle appuya malgré tout l'oreille contre sa poitrine pour trouver le cœur. Elle n'entendit rien. Elle avait envie de hurler, de se jeter sur lui en gémissant, mais elle se contint. Sa formation médicale lui avait appris la conduite à tenir. Elle continua à chercher des signes de vie : le souffle, le pouls. Elle regarda sa montre pour donner l'heure de la mort au coroner. Autour d'elle, Freddie marchait de long en large, Maud essayait d'allumer une cigarette mais sans y parvenir tant elle tremblait, et Bingham bégayait :

— Bon Dieu... mais comment... Ce n'est pas possible. Freddie, que s'est-il passé ?

— Je ne sais pas. Wish a vu un terrier et il a pensé que

le renard s'y était réfugié. Ce n'était pas mon avis. Les chiens étaient devant nous, sur une autre voie. J'ai suivi les aboiements. Je m'étais éloigné quand j'ai entendu un coup de feu. Je suis revenu en arrière, me disant que c'était lui, finalement, qui avait raison. Et je l'ai trouvé là, tel que vous le voyez.

Il garda le silence quelques secondes, puis reprit avec véhémence :

— C'est un accident ! Je pense que nous sommes tous d'accord sur ce point ! Un terrible, tragique accident !

— Mais je ne vois pas ce que cela pourrait être d'autre, intervint Maud avec stupéfaction. Que veux-tu dire ?

— J'ai peur de ce que risquent d'imaginer les gens.

— Freddie, explique-toi ! lança Bingham.

— Il était inquiet. Il avait des difficultés financières. De très graves difficultés. Il avait dû vendre ses biens de valeur. Un tableau. Sa chevalière. Il s'est confié à moi en arrivant ce matin.

India regarda alors la main droite de Wish. Sa chevalière en diamants, un précieux héritage familial dont il ne se séparait jamais, avait disparu.

— Mais il l'avait, tout à l'heure, s'étonna-t-elle.

— Des difficultés financières ? coupa Maud. C'est bizarre. Il disait pourtant que tout allait bien.

— Je suis sûre que je l'ai vue à son doigt, j'en suis sûre…

— Mais India, quelle importance ! s'écria Maud. Freddie, quelles difficultés ? Il ne m'a absolument parlé d'aucune difficulté.

— Il ne voulait pas vous inquiéter, toi et India.

— Mais enfin, Freddie, tu ne penses pas que… Tu ne veux pas dire que… ?

— Je ne dis rien du tout. Je vous répète simplement ce qu'il m'a confié : son investissement avait mal tourné, et il était inquiet.

— Mon Dieu, quel scandale ce serait ! souffla Maud. Quel investissement ?

— Son projet de Californie… mais je ne sais plus comment…

— Point Reyes, compléta India d'un ton accablé.

Elle s'assit sur ses talons et caressa tendrement la joue de Wish. Freddie la considéra.

— Oui, voilà. C'est là que tu avais investi, je crois.

— En effet.

— Et pourtant, reprit Maud avec nervosité, il disait que tout allait si bien. Il allait ouvrir le capital plus tôt que prévu. Il venait de nous le dire. Nous l'avons tous entendu il y a à peine quelques minutes… C'est impossible !

— Il essayait de faire bonne figure, soupira Freddie. À moi, il a avoué qu'il n'arrivait pas à intéresser les investisseurs.

Comment pouvaient-ils parler d'argent, de scandale financier, quand le corps de Wish était devant eux, encore chaud, et que son sang imprégnait la terre ? India leur en voulait terriblement. Mais elle les comprenait. Ils se ressemblaient, eux et elle. Ils parleraient de n'importe quoi, de Point Reyes, du temps qu'il faisait, ou du dîner de la veille, pour éviter de penser à Wish. Pour se retenir de pleurer, de hurler, de s'effondrer devant les membres de leur famille, leurs amis et les domestiques.

Elle se releva et alla s'assurer que Sunny n'avait pas besoin d'elle. Il était toujours appuyé à son arbre. Elle fit comme si elle n'avait rien vu. C'était son hôte et, en bonne invitée, elle le laisserait vomir tripes et boyaux sans le déranger. Les bonnes manières triomphaient toujours dans leur milieu, surtout en cas de crise grave. « Savoir se tenir est la marque d'une bonne éducation », disait sa mère. Elle serait fière, songea India avec amertume en retournant à son cheval.

— India ! Où vas-tu ? demanda Freddie.

Elle se tourna vers lui, son fiancé, l'homme dans les bras duquel elle aurait dû se réfugier pour pleurer.

— Je vais chercher le coroner, dit-elle froidement. Tu voudras bien m'excuser, mais mon cousin vient de mourir.

34

— Non ! hurlait l'homme en titubant au pied du lit. Allie ! Mon Dieu, sauvez mon Allie…

— Attention ! cria India. Tenez la lampe droite ! Je n'y vois rien !

— Elle va mourir. Faites quelque chose, je vous en prie !

— Je ne vois pas ! Approchez la lampe !

Les sanglots étouffaient Fred Coburn. Il tendit d'un bras tremblant la lampe à pétrole au-dessus du lit.

— Plus bas. Plus bas !

Il obéit, et la lueur blafarde tomba sur sa femme, qui était en train d'accoucher.

Elle avait une hémorragie. Le sang formait des flaques sur les draps, trempait le matelas, dégoulinait sur le sommier métallique jusqu'à terre. India en avait les mains et les bras couverts. Ses vêtements en étaient aspergés.

— Mon Dieu, mon Dieu, c'est affreux, gémit le mari.

La lampe se balança encore, et India ne vit plus le forceps.

— Approchez la table et posez la lampe, vite !

Quand ce fut fait, il s'effondra sur une chaise, la tête entre les mains, en pleurs. L'éclairage étant toujours aussi mauvais, India accrocha un pied de la table avec la jambe pour l'attirer vers elle.

On avait trop attendu pour l'appeler. Quand elle était arrivée, deux jours s'étaient écoulés depuis le début du travail, et l'enfant était à peine descendu. Son rythme cardiaque était d'une faiblesse critique et Mme Coburn était épuisée. Et puis, quelques minutes plus tôt, pendant qu'India l'examinait, le placenta s'était rompu. Si India n'arrêtait pas rapidement l'hémorragie, elle perdrait sa patiente. Elle avait placé autour de la tête de l'enfant un forceps de Tarnier, longue pince à deux branches courbes, dotée d'une tige de traction. Une main solidement agrippée à la barre transversale, elle s'arc-boutait pour faire passer le crâne par le passage pelvien étroit et déformé de la mère.

Elle prit une profonde inspiration, appuya un pied contre le bord du lit et tira de toutes ses forces. Mme Coburn hurla, se tordant contre le métal qui la mettait au supplice. La vie de la mère et de l'enfant ne tenait qu'à un fil.

— Tenez bon, madame Coburn, nous y sommes presque... dit India, les dents serrées par l'effort.

Elle rassembla de nouveau ses forces et tira jusqu'à ce que les muscles de ses bras et de ses épaules tremblent d'épuisement.

— Mon enfant, je vous en prie... ne le laissez pas mourir... supplia la mère.

India, en nage, reprit la traction. Cette fois, elle sentit

bouger la tête. Encouragée par ce progrès, elle mobilisa toutes ses forces et l'enfant, un garçon, sortit.

India le posa sur le lit. Il avait la peau bleue et ne respirait pas. Elle n'avait que quelques secondes pour sauver leurs deux vies.

— Mon bébé... gémit la mère.

Le gémissement se transforma en hurlement de douleur car India avait inséré la main gauche dans les voies génitales. Elle ferma le poing tout en appuyant sur le ventre avec la main droite pour comprimer l'utérus et provoquer sa contraction, ce qui, espérait-elle, étranglerait l'hémorragie.

— Il va bien ? cria Fred Coburn.

C'était un homme grand et fort mais paralysé de peur. Malheureusement, India ne pouvait compter que sur lui pour l'aider car elle était seule, Ella ayant été mobilisée par le Dr Gifford.

— Je ne l'entends pas pleurer ! gémit la mère.

— Monsieur Coburn, prenez l'enfant et videz-lui la bouche avec les doigts.

Mais le père ne bougeait pas. Il reculait du lit, s'éloignant de sa femme qui se tordait de douleur et de son enfant sans vie.

— Monsieur Coburn, écoutez-moi. J'ai besoin de vous.

India aurait voulu avoir le temps de le calmer, de l'encourager, mais il fallait faire vite, très vite. Vive comme l'éclair, elle arracha le drap ensanglanté du lit et l'enroula autour du ventre d'Alison Coburn. Elle attrapa une bougie sur la table et s'en servit comme d'une clé pour le maintenir serré. Elle avait vu utiliser cette méthode plusieurs fois pendant ses études, méthode qui n'avait fonctionné que dans un seul cas. Au mieux, elle gagnerait quelques secondes.

— Elle est toute blanche ! hurla Fred Coburn.

India s'empara du bébé.

— Donnez-moi un drap propre, vite ! cria-t-elle pour l'occuper.

— Elle ne bouge pas. Qu'est-ce qui se passe ?

— Un drap !

Elle avait déjà dégagé le mucus qui obstruait la gorge de l'enfant, et comprimait la petite poitrine pour essayer de faire démarrer la respiration. La mère lui avait dit vouloir l'appeler Harry si c'était un garçon.

— Allez, Harry, allez, respire…

— Allie ? Réveille-toi, Alison…

Fred Coburn s'approcha du lit d'un pas chancelant, prononçant des mots incohérents. Penchée sur le bébé, India lui pinçait les narines et soufflait dans sa bouche. Elle s'acharnait à le ranimer quand Fred Coburn se mit à hurler avec une violence de dément.

— Elle est morte ! Oh, mon Dieu, Allie ! Elle est morte…

Il tituba dans la chambre, se cogna au manteau de la cheminée, envoyant se fracasser par terre une théière et des assiettes. Il pivota lourdement sur ses talons et revint vers le lit.

— La lampe ! Attention à la lampe ! s'écria India.

L'homme furieux se rua alors sur elle, rendu fou par la douleur.

— Meurtrière ! Assassin ! cria-t-il en se mettant à la frapper. Vous l'avez tuée ! Vous avez tué mon Allie !

India protégeait de son corps l'enfant couché au pied du lit, ce qui l'empêchait de se défendre. Mais quand l'homme la saisit au cou, elle n'eut plus le choix. Elle lui décocha des coups de pied, des gifles, le griffa pour essayer de lui échapper. Elle étouffait, à moitié étranglée, au bord de l'évanouissement, quand deux voisins, alertés par le bruit, entrèrent dans la pièce et s'emparèrent de son assaillant. Elle glissa à terre, aspirant à pleins poumons l'air qui lui avait manqué.

— Faites-le sortir… haleta-t-elle.

Ils emmenèrent M. Coburn, et India se releva avec difficulté et se pencha sur le bébé. Elle chercha un souffle, un frémissement de pouls, mais ne trouva rien. Elle prit aussi le pouls d'Alison Coburn, mais le cœur ne battait plus.

Un autre voisin entra, suivi de deux femmes. Ils considérèrent la scène en silence.

— Qu'est-ce qui s'est passé ? Vous n'avez rien ? demanda finalement l'un d'eux.

— Mme Coburn est morte. L'enfant aussi. Pourriez-vous s'il vous plaît aller chercher le coroner ?

Elle se redressa, tremblante, et alla dans la cuisine. Une bouilloire était sur la cuisinière car elle avait demandé au mari de mettre de l'eau à chauffer en arrivant. Elle en versa dans une cuvette, y ajouta de l'eau froide, et se lava les mains. Alors qu'elle les séchait, elle entendit l'une des femmes murmurer.

— Mets le petit dans ses bras. Elle ne l'a même pas vu.

— C'est bien triste. Et ils n'étaient pas mariés depuis un an.

— Ça ne serait pas arrivé s'ils avaient fait venir un docteur.

— Mais il y en a un, de docteur.

— Je voulais dire un vrai docteur. Un qui connaît son métier.

India resta cachée dans la cuisine, le visage plongé dans ses mains. Elle avait un mal de tête abominable, et sa gorge la brûlait comme si on y avait versé de l'acide.

Et pourtant, ses contusions, le sang qu'elle avait dans

la bouche et ses yeux enflés n'étaient rien comparé à la souffrance que lui causaient les paroles qu'elle venait d'entendre.

Il fallait qu'elle se soigne, et surtout qu'elle récupère ses instruments et qu'elle les lave, mais elle ne s'en sentait pas la force. Il lui semblait plus urgent de chercher un drap pour couvrir Alison Coburn et l'enfant. Il y avait un séchoir dans la cuisine où était accroché du linge mais pas de drap. Elle ouvrit les portes du petit placard où elle ne trouva que quelques assiettes, du thé et du sucre.

Elle retourna alors dans la chambre et ouvrit le tiroir du haut de la commode. Elle n'y vit que des vêtements. Ces gens n'avaient-ils pas de draps ? Elle refermait quand un objet, sur le dessus du meuble, attira son attention. C'était une tasse en porcelaine ébréchée, décorée de canetons jaunes et du mot *bébé*. Il y avait aussi un hochet, désargenté mais bien astiqué. À côté, une petite pile émouvante avait été préparée pour la naissance : un bonnet de coton et deux brassières joliment brodées. India en prit une, qui était taillée dans de la toile de jute. *Tate and Lyle*, vit-elle imprimé en lettres passées. C'était un vieux sac de sucre.

Elle avait devant les yeux toute la layette qu'aurait eue ce bébé, la pauvre layette préparée avec dévotion par une mère sans le sou. C'était le fruit de toute une vie d'économies, d'ingéniosité, d'achats parcimonieux. Il y avait tant d'amour dans ces quelques objets

La brassière toujours dans les mains, India se demanda de quoi Alison Coburn s'était privée pour se procurer le fil à broder. De charbon ? De nourriture ? Si elle l'avait reçue en consultation, sans doute lui aurait-elle reproché de sacrifier le lait et les légumes pour acheter une vieille tasse et un vieux hochet.

Elle se sentait seule responsable de ces deux décès. Ses connaissances, le savoir-faire dont elle était si fière, n'avaient pas suffi. Si seulement elle avait été plus rapide, plus adroite, ils auraient peut-être encore été en vie tous les deux.

Ses jambes se mirent à trembler si fort qu'elle dut s'asseoir. Quand le coroner arriva, une demi-heure plus tard, il la trouva aux côtés de la morte. Elle lui tenait la main et murmurait :

— Ils ont raison, Alison. Ils ont raison, Harry. Vous auriez dû avoir un vrai docteur.

— Jésus Marie Joseph, que vous est-il arrivé, docteur Jones ?

India avait eu la malchance de tomber sur le Dr Gifford en retournant au cabinet pour remettre en place le forceps de Tarnier, dont on pouvait avoir besoin.

— J'ai perdu une accouchée. L'enfant aussi. Le père est devenu violent.

— La police a-t-elle été avertie ? Avez-vous déposé plainte ?

— Je n'y avais même pas pensé.

— Mais cet homme vous a agressée !

— Il venait de perdre sa femme et son enfant.

— Eh bien, vous allez vouloir prendre une journée de repos après cela, j'imagine. Je ne sais pas comment je vais me débrouiller.

India se le demandait aussi, mais n'y songea pas longtemps. Elle avait des nausées et voulait surtout quitter le bureau du Dr Gifford avant de salir son plancher.

— Vous vous sentez bien ? s'enquit-il en la regardant de plus près.

— Oui, très bien, pardon, excusez-moi.

Elle parvint à sortir à temps, mais dut courir pour arriver aux lavabos. Elle vomit, et fut secouée de spasmes pendant de longues minutes.

— Il ne manquerait plus que j'aie attrapé une gastroentérite, songea-t-elle.

Elle se rinça la bouche et eut un sursaut en s'apercevant dans le petit miroir. Tout d'abord, elle crut qu'une patiente blessée était entrée derrière elle, mais en comprenant que c'était sa propre image, elle eut encore plus peur. Elle avait un œil très tuméfié, les joues meurtries, la lèvre fendue. Ses jambes se mirent à chanceler aussi fort que chez les Coburn. Quelques secondes plus tard, elle fut prise de nouveaux vomissements.

Dès qu'elle s'en sentit capable, elle sortit des toilettes, attrapa son manteau et sa sacoche, et partit sans dire au revoir au Dr Gifford. Elle remonta Varden Street d'un pas rapide, se dirigeant vers le métropolitain sous les regards curieux des passants. Mais, avant d'atteindre la station, elle fut reprise d'un accès de tremblements, et dut s'asseoir sur un banc. Que m'arrive-t-il ? se demanda-t-elle. Elle était accablée par un épuisement si profond, si lourd, qu'elle crut ne plus jamais pouvoir se lever. Elle n'arriverait pas à rentrer chez elle ainsi.

Elle fouilla dans sa poche et trouva des pièces qu'elle compta. Une livre et douze pence. Plus qu'il n'en fallait pour prendre un cab. Dans sa main ouverte, elle sentit tomber des gouttes d'eau. Des larmes ? Elle leva les yeux vers le ciel sombre et vit des nuages. Non, c'était de la pluie. Elle n'arrivait même pas à pleurer.

Elle essaya de forcer les larmes à couler, mais rien ne vint. Et pourtant, son cher Wish avait disparu. Il n'était mort que depuis trois jours, et s'était suicidé selon toute vraisemblance. Avec lui disparaissaient aussi, mais c'était secondaire, tous ses espoirs de monter son dispensaire. Un bébé venait de mourir dans ses bras ; la mère n'avait pas survécu non plus. Elle aurait dû être anéantie, pleurer toutes les larmes de son corps, mais elle était simplement engourdie.

La voix du professeur Fenwick la poursuivait. « N'ayez pas tant d'états d'âme... Laissez la compassion de côté... » Elle avait toujours cru qu'il ne s'agissait que de marques d'autorité, mais, à présent, elle comprenait mieux ses intentions. Ce n'étaient pas les remontrances d'un homme insensible, mais plutôt un avertissement. Des souffrances, il y en avait tellement sur terre : celles des ouvriers ; des mineurs qui s'usaient au travail, sans pour autant pouvoir nourrir correctement leurs enfants ; celles des femmes au corps déformé qui enfantaient dans la douleur et perdaient le fruit chéri de leurs entrailles faute d'avoir de la viande et du lait ; celles des enfants affamés qui fabriquaient des boîtes d'allumettes et des fleurs en papier en n'ayant le droit que de serrer les dents en silence. Il n'y avait pas de salut pour ceux qui se laissaient envahir par tous ces malheurs.

Soudain, elle eut un désir irrépressible de boire, de se brûler la gorge et la tête avec de l'alcool pour oublier. Ah ! si seulement Sid l'avait vue, comme il se serait moqué d'elle. « Vous ne comprenez pas qu'on puisse avoir envie de réconfort ? » lui avait-il demandé. La réponse qu'elle lui avait donnée la remplissait de honte. « Peut-être, mais ce n'est pas dans une bouteille de gin que je cherche la consolation. » Ce soir, elle en aurait volontiers vidé une. Elle aurait bu n'importe quoi et aurait laissé Sid rire d'elle. Il avait raison. Ce qu'il lui avait dit sur ses principes inadaptés et ses idées préconçues était vrai. Il voyait juste, et elle avait tort.

La lutte était vaine. Le cercle vicieux de la pauvreté et

du désespoir la décourageait. Elle était à bout. Comment pouvait-on espérer changer les choses ? C'était trop difficile, trop impossible… Elle abandonnait.

Elle se leva lourdement et jeta sa sacoche par terre. Celle-ci s'ouvrit en tombant, répandant instruments, médicaments et compresses sur le trottoir. Avec un vague sourire, India resta un moment immobile, les yeux posés sur les objets éparpillés, puis elle tourna le dos à Whitechapel et rentra à Bedford Square.

35

Ella, panier au bras, sauta de l'omnibus au moment où il s'arrêtait au coin de Bedford Square. Il lui avait fallu deux heures pour accomplir le trajet, par la faute d'une voiture de laitier qui s'était renversée, bloquant la circulation dans Gower Street. Elle pressait le pas : India n'était pas venue depuis deux jours au cabinet. C'était inquiétant après ce qui était arrivé chez les Coburn, d'autant que le Dr Gifford ne lui avait donné qu'une seule journée de repos.

Malgré son envie d'aller au plus vite prendre des nouvelles de son amie, elle n'avait pu quitter le cabinet que tard dans la soirée, car les patients se pressaient à la consultation. Le Dr Gifford avait dû annuler ses rendez-vous de Harley Street pour les recevoir tous.

Le panier de victuailles donné par sa mère était si lourd qu'elle arriva très essoufflée à l'appartement. Elle frappa. Pas de réponse. Elle insista, puis, s'apercevant que la porte n'était que poussée, elle entra. Des voix sortaient de la chambre d'India.

— Mais comment peux-tu hésiter un seul instant, India ! regarde dans quel état tu es ! C'est de la folie ! De la démence pure et simple !

Ella reconnut la voix de Freddie Lytton, qu'elle avait rencontré la semaine précédente.

— Freddie a raison. Tu aurais pu te faire tuer.

Cette deuxième voix, celle d'une femme, lui était inconnue. Un instant de timidité la retint de signaler sa présence.

— Je t'ai toujours dit que ce n'était pas un métier pour toi. Tu ferais mieux de participer à l'élaboration de la réforme de la santé publique avec moi. Là, tes compétences et ton intelligence seraient vraiment mises à profit. N'importe quel médecin peut pratiquer un accouchement. Toi, tu es capable de beaucoup plus.

— Je pensais être plus utile à Whitechapel qu'à Westminster.

— Eh bien, tu te trompais. Est-ce que cela changera la pauvreté de te sacrifier ?

— Pour une fois, India, pour une fois, tâche d'entendre raison.

Après cette dernière intervention de la visiteuse, il y eut un long silence. Puis, d'une voix affaiblie et malheureuse, d'une voix qu'Ella reconnaissait à peine, India déclara :

— C'est bon, je vais démissionner.

Ella eut un sursaut.

— C'est la meilleure décision, ma chérie, je t'assure. Tu es dans un état épouvantable. Tu as besoin de te reposer. Nous n'avons qu'à nous marier tout de suite, et puis je t'emmènerai dans un bel endroit tranquille pour notre voyage de noces. Que dirais-tu de…

Jugeant le moment venu d'intervenir, Ella ne flancha

pas. Elle entra dans la chambre d'un pas vif, comme si elle venait directement de la rue.

— Ah ! Docteur Jones ! Alors, on fait l'école buissonnière ?

— Bonjour, Ella, dit India d'un ton morne.

Son aspect arrêta Ella un instant. Elle avait l'air vraiment très mal en point.

— Nous ne vous avons pas entendue frapper, remarqua Freddie d'un ton à peine aimable.

— Non ? Sans doute parce que vous étiez en train de bavarder.

Freddie cachait mal son hostilité, mais Ella fit mine de ne pas s'en apercevoir. Elle fut présentée à Maud, puis demanda à Freddie de lui céder sa place au bord du lit pour examiner le visage d'India.

— Eh bien, il vous a vraiment bien arrangée, cet énergumène. Il aurait fallu suturer votre lèvre. Je m'étonne que Gifford vous ait laissée partir dans cet état. C'était très imprudent de vous demander de pratiquer cet accouchement seule. J'aurais dû vous accompagner. À deux, nous aurions pu nous défendre.

— Elle n'aurait pas dû y aller du tout ! explosa Freddie.

Ella se tourna vers lui, l'air grave.

— Monsieur Lytton, et vous aussi, madame, pourriez-vous quitter la chambre un instant ? La tumescence de l'*orbicularis oris* m'inquiète un peu, et j'aimerais procéder à un examen plus approfondi. Il ne faudrait pas qu'il y ait de séquelles.

— Bien sûr, s'empressa de répondre Maud.

Freddie la suivit à contrecœur. Quand ils furent sortis, India considéra Ella avec surprise.

— Vous êtes inquiète parce que ma lèvre est gonflée ?

— Non, non, peu importe, dit Ella en lui prenant le poignet. Je vous ai entendue tout à l'heure. Ne me dites pas que vous allez vraiment démissionner !

— Vous écoutez aux portes, maintenant ?

— Soixante-cinq. Le pouls est bon.

Elle posa la main sur le front d'India.

— Vous n'êtes pas chaude. Combien avez-vous ?

— Je ne sais pas. Je n'ai pas pris ma température.

— Vous auriez dû. Où est votre sacoche ?

— Je l'ai jetée.

— Vous êtes folle !

— Non, justement. Pour une fois, j'essaie d'être sensée.

— Vous avez mangé ?

— Je n'ai pas faim.

— Vous vomissez ?

— Non.

— Alors, mis à part quelques bleus et une lèvre tuméfiée, vous allez parfaitement bien.

— Ella… je suis décidée.

— *S'teitsh ! Nisht do gedacht !*

Son émotion était si grande qu'elle ne s'était même pas aperçue qu'elle parlait en yiddish.

— Ella, deux personnes sont mortes par ma faute. Trois, si on compte Mlle Milo. Quatre, avec Mme Adams. Neuf, si on ajoute les fièvres puerpérales qui ont emporté des femmes parce que je n'ai pas eu le cran de dénoncer Gifford. J'en ai assez. Je n'en peux plus. Je ne suis pas assez forte. Je ferai beaucoup plus de bien… en tout cas beaucoup moins de mal à Westminster qu'à Whitechapel.

— Vous ne savez pas ce que vous dites !

— Si !

— La mère et l'enfant ne sont pas morts par votre

faute. Ils sont morts parce qu'ils n'ont pas appelé le médecin à temps. Et s'ils ont attendu, c'était parce qu'ils n'avaient pas d'argent ! Je croyais que vous vouliez changer ça. Je croyais que vous vouliez monter un dispensaire, justement, qui accueillerait les femmes qui n'ont pas les moyens de consulter un médecin. Je croyais en vous, India. Vous êtes déjà en tellement bonne voie… N'abandonnez pas.

India se tourna vers le mur.

— Regardez-moi !

— Ella, je suis fatiguée… Laissez-moi dormir.

Ella se mordit les lèvres, ne sachant que faire, que dire. L'attitude d'India était incompréhensible. Puis elle pensa à une phrase que répétait souvent sa mère : « Si Dieu veut faire souffrir les gens, Il leur donne trop de sensibilité. » Comme toujours, sa mère avait raison. India aimait ses patients. Elle avait de la compassion, beaucoup trop de compassion. Maintenant, elle en payait le prix.

— India, écoutez-moi. Vous n'êtes pas dans votre état normal. Il faut vous en rendre compte… Vous êtes épuisée, malheureuse. Vous êtes au bout du rouleau. Il vous est arrivé trop de malheurs en quelques jours. Laissez-vous un peu de temps pour vous remettre. Vous verrez, vous aurez envie de revenir travailler, je le sais…

— Mademoiselle Moskowitz ? Comment va la patiente ?

C'était Freddie qui passait la tête par la porte.

Très mal, eut-elle envie de répondre.

— Tout va bien. Elle n'a besoin de rien d'autre que de repos et de bouillon de poule. J'ai laissé un panier dans l'autre pièce, de la part de ma mère. Il y a de quoi nourrir une armée.

— C'est très aimable à elle. Vous la remercierez pour nous.

Il se tourna vers India d'un air soucieux.

— Comment te sens-tu ?

— Bien, je me sens bien…

Ella avait du mal à reconnaître cette voix morne. Cet excès d'indifférence l'inquiétait davantage que le visage livide et le corps amaigri. India voulait à tout prix se maîtriser, ne rien montrer de ses émotions, mais ce ton monocorde suffisait à la trahir. Elle aurait tout donné pour entendre un de ses interminables discours sur le sort de la classe ouvrière, l'irresponsabilité du Dr Gifford, ou l'immoralité de Sid Malone…

Sid Malone…

Elle ne savait pas au juste ce qui les rapprochait, mais ils avaient déambulé une nuit entière dans Whitechapel et, depuis, India n'était plus la même. Elle n'avait pas fondamentalement changé, bien sûr, mais elle s'était assouplie, était devenue moins intransigeante. Sid était sans doute arrivé à lui parler, cette nuit-là, et à lui faire voir les choses différemment.

Une idée lui vint, qu'elle voulut aussitôt mettre à exécution.

— Bien, je vous laisse, au revoir !

Freddie l'arrêta.

— Mademoiselle Moskowitz, pourriez-vous s'il vous plaît rendre un service au Dr Jones ?

— Bien sûr, tout ce que vous voudrez.

— Pourriez-vous avertir le Dr Gifford qu'elle ne reprendra pas son poste ? Elle enverra une lettre de démission d'ici un ou deux jours, dès qu'elle aura retrouvé un peu de forces.

— Je lui ferai la commission.

S'il avait mieux connu Ella, il aurait su que ce n'était

pas dans sa nature d'abandonner aussi facilement. Heureusement, ni lui ni Maud ne pouvaient interpréter correctement son sourire forcé, son expression butée et son pas décidé. En bon stratège, elle cédait un peu de terrain, mais c'était pour mieux contre-attaquer avec des renforts.

36

Une voiture à cheval roulait à vive allure vers Bedford Square, transportant trois passagers.

— Depuis combien de temps est-elle malade ? demanda Sid.

— Une semaine, dit Ella.

— Il fallait m'envoyer chercher plus tôt !

— Comme si je n'avais pas essayé ! Je n'arrivais pas à te trouver. On ne peut pas arracher un mot à Frankie ni à Desi quand on veut savoir où tu es.

— Elle ne sort pas de son lit ?

— Non. Et elle ne mange pas non plus. C'est le chagrin. Elle ne se remet pas de la perte de la mère et de son enfant. En tout cas, c'est ce que je crois, mais il y a peut-être autre chose.

Sid ignora le regard pénétrant qu'elle lui lançait.

— Tu as donné le message à Gifford ?

— Non, c'est bête, j'ai oublié !

— C'est bien…

Le troisième passager eut une toux rauque qui arrêta Sid. C'était une petite fille d'environ huit ans qui s'arrachait les poumons. L'accès ne se calma qu'au bout de plusieurs secondes qui parurent des heures à Sid.

— On y est presque, ma petite, ne t'en fais pas.

Elle hocha vaguement la tête, trop malade pour vraiment écouter.

Quand la voiture s'arrêta, Sid aida Ella à descendre. Il lui passa son panier, puis il prit la fillette dans ses bras, et ils montèrent chez India.

Ella frappa. Une fois, deux fois, mais en vain.

— Tu vois, elle n'ouvre plus. Les seuls à entrer sont Lytton et sa sœur Maud qui ont la clé.

Sid confia à Ella la petite malade, qui était si légère qu'elle n'eut aucun mal à la porter. Il fouilla dans sa poche et en sortit une épingle à cheveux et un crochet de dentiste.

— Mettons que je n'ai rien vu, dit Ella.

— Mettons.

En quelques secondes, la porte fut ouverte. Sid entra avec le panier de victuailles qu'il posa à l'intérieur. Il y avait du pot-au-feu et de la soupe à l'orge, du pain frais et des quantités de plats de légumes appétissants. Il avait dévalisé le restaurant des Moskowitz.

Ella entra après lui et alla allonger la malade sur le canapé d'India, vérifiant que sa couverture l'entourait complètement.

— Freddie ? C'est toi ? appela une voix faible de la chambre.

— Non, c'est moi, Ella.

— Ella ? Mais qui vous a ouvert ?

— La… la propriétaire. Je ne peux pas rester. Je… je me sauve ! Je passais juste vous apporter les affaires que vous avez laissées au cabinet…

Sid haussa les sourcils.

— Bravo, souffla-t-il. Vous mentez comme un vrai filou…

— Merci, Ella ! Je ne sors pas de mon lit, mais posez

le carton où vous voudrez, et tirez la porte derrière vous en partant !

— Très bien !

Elle murmura à Sid :

— Je vous laisse, alors ?

Il hocha la tête et lui dit au revoir, puis il entra dans la chambre d'India. Elle était au lit, tournant le dos à la porte. Une lumière de fin de journée éclairait encore un peu la pièce. Elle ne bougea pas en entendant le bruit de pas.

— Je vous croyais partie, Ella.

— Ce n'est pas Ella.

Elle se redressa d'un bond.

— Que faites-vous ici ?

— Bon Dieu… murmura Sid, choqué par le visage d'India.

Il s'assit au bord du lit.

— Sid, je vous demande de partir immédiatement ! s'écria-t-elle en remontant les draps sur elle.

— Chut !

Il tendit le bras pour toucher du bout des doigts le pourtour de son œil droit.

— Vous avez de la chance qu'il ne vous ait pas fracassé l'orbite.

Il écarta le col de la chemise de nuit pour examiner les ecchymoses sur son cou.

— Il aurait pu vous tuer.

— Non, ce n'est rien. Il s'en sort plus mal que moi. Il a perdu sa femme et son enfant à cause de moi.

Ses clavicules étaient terriblement saillantes. Elle avait dû perdre beaucoup de poids, et Sid devinait parfaitement pourquoi. Il ne connaissait que trop bien les ravages de la culpabilité. Il reboutonna le col, puis laissa retomber ses mains.

— Pourquoi êtes-vous venu me voir ?

— Je vous amène une gamine. Je l'ai allongée dans le salon. Elle est très malade. Sa mère ne peut pas se payer un docteur.

— Si elle n'a pas d'argent, vous, vous en avez. Il y a beaucoup de médecins dans l'East End. Vous n'aviez pas besoin d'emmener cette enfant jusqu'à Bloomsbury.

— Je voulais la montrer à une personne de confiance.

— Désolée, mais je n'exerce plus. Je ne peux rien faire.

— Ce n'est pas moi qui vous demande votre aide. C'est la petite fille qui est à côté.

— Vous m'avez entendue ? Je vous dis que je n'exerce plus ! J'ai quitté le cabinet de Gifford. C'est fini !

Sid se leva brusquement et, dans un même mouvement, arracha les draps et les couvertures qui la couvraient.

— Allez, debout. Levez-vous !

India essaya de rattraper ses draps, mais Sid les jeta derrière lui et la saisit par les bras pour la tirer du lit.

— Arrêtez ! Lâchez-moi !

Il la traîna dans le salon. Très pâle, la respiration laborieuse, la fillette dévisagea India de ses grands yeux implorants.

— Allez, dites-le-lui, à elle, que vous ne lèverez pas le petit doigt.

— C'est du chantage !

— Peu importe.

— Je n'ai pas mes instruments. Je n'ai plus ma sacoche.

Sid alla à la porte d'entrée et ramassa la mallette de cuir noir qu'il avait apportée.

— Comment l'avez-vous retrouvée ?

— Je me suis renseigné. J'ai appris que Shakes l'avait mise en gage.

— Qui ?

— Un vieux bonhomme qui dort sur un banc, près de la station de métro.

Se souvenant des pensées qu'elle avait eues sur ce banc, elle rougit.

— Vous me laisserez bien enfiler mon peignoir, au moins, jeta-t-elle en lui arrachant la sacoche des mains.

Sid alla le chercher dans la chambre, mais quand il revint au salon, India ne voulut même pas le passer, trop occupée à ausculter la petite malade.

L'enfant, qui s'appelait Jessie, ne bougea ni quand elle lui prit la température ni quand elle lui tâta le pouls. India examina ses yeux, son nez et sa gorge, puis mit l'oreille contre sa poitrine pour écouter sa respiration. Jessie fut alors prise d'une terrible quinte de toux qui la rendit écarlate et l'affola, car elle peinait à retrouver son souffle.

— C'est la coqueluche, conclut India.

Elle fouilla dans son sac, en tira un bloc-notes et un stylo, et rédigea une ordonnance. Très inquiet, Sid surveillait la fillette, épuisée par sa crise. Elle avait les yeux clos, la peau moite. India arracha deux feuilles de son calepin, puis les lui tendit.

— Allez me chercher ça chez Dixon, le pharmacien de Tottenham Court Road. Pendant qu'il prépare les médicaments, allez à la quincaillerie, à trois ou quatre boutiques plus haut, sur la gauche, et achetez-moi quatre tiges de bambou d'un mètre cinquante et une pelote de fil de fer. Vite !

Ronnie attendait à la voiture, et Sid put ainsi rapporter très vite ce qu'elle avait demandé. À son retour, il remarqua que la bouilloire chauffait dans la cuisine.

India avait emmené Jessie dans sa chambre et l'avait couchée sous une pile d'édredons. Une petite table sur laquelle était posée une bassine en porcelaine avait été placée à ses pieds.

— Vous allez m'aider, dit-elle à Sid dès qu'il entra dans la chambre.

Elle le débarrassa des fioles qu'il rapportait de la pharmacie, et lui demanda de fixer les bambous verticalement aux montants du lit avec le fil de fer. Pendant ce temps, elle fit avaler à la malade une cuillerée de quinine prise dans le premier flacon. Dès que les bambous furent attachés, elle posa un grand drap sur ces piquets pour former une tente au-dessus du lit. Ensuite, elle versa quelques gouttes du deuxième flacon dans la bassine. Une forte odeur épicée se répandit dans la pièce. C'était de l'huile d'eucalyptus. Elle alla chercher la bouilloire fumante, se glissa sous la tente, versa l'eau, puis ressortit en replaçant soigneusement le drap derrière elle.

— Tout va bien, Jessie ? demanda-t-elle.

— Il y a du brouillard, mademoiselle…

India sourit.

— C'est pour ton bien. Ferme les yeux et respire à fond.

— J'ai peur de tousser.

— Ce n'est pas grave de tousser. Je sais que ça fait peur, mais ça n'est pas dangereux. Reste calme quand tu as des quintes de toux.

Il y eut un silence.

— D'accord…

— Tu vas guérir, c'est promis. Avec le médicament que je t'ai donné et la vapeur, tu iras beaucoup mieux dans un jour ou deux. Tu vas rentrer chez toi très vite.

Pas de réponse.

— Jessie… Tu ne me crois pas ?

— Si, mademoiselle.

Cette fois, la voix de l'enfant était moins tremblante.

— Bien. Repose-toi. Je vais bientôt venir remettre de l'eau chaude dans la bassine. Nous essaierons de te donner un peu de soupe plus tard, en espérant que tu la garderas.

— Merci, mademoiselle.

India fit signe à Sid de sortir de la chambre avec elle. Il alla s'asseoir à un bout du canapé, mains dans les poches, et India prit place à l'autre extrémité.

— Elle va devoir rester ici. Elle est trop malade pour sortir.

— Je paierai ce qu'il faut.

Vous savez, Sid, j'accepte de la soigner, mais cela ne change rien. J'ai décidé d'arrêter d'exercer. Je ferai œuvre plus utile dans le groupe parlementaire de réflexion sur la réforme de la santé publique.

— C'est Freddie qui prétend ça ?

— J'ai pris cette décision seule.

Sid garda le silence pendant quelques secondes.

— India, ce n'est pas votre faute si cette femme est morte.

Elle se leva d'un bond, poings serrés.

— Qu'en savez-vous ? Vous êtes accoucheur ?

— Non, répondit-il sans se laisser impressionner par la fureur de la jeune femme. Mais je vous connais.

Elle le fixa un moment, au comble de la tension, puis elle retomba sur le canapé, dos voûté, mains nouées.

— Avez-vous déjà vu la vie s'échapper dans les yeux d'un nourrisson ? Toute cette beauté, tout cet espoir perdu...

— Ce n'était pas votre faute, répéta-t-il en lui prenant les mains.

Le premier mouvement d'India fut de les lui retirer,

mais elle se ravisa et, au contraire, serra les siennes en retour. Il fut encore une fois surpris par sa poigne. Une larme tomba, puis une autre. Elle leva ses yeux gris éplorés vers lui, et il vit que ses joues étaient inondées.

— Pardon, pardon… Je ne pleure jamais…

Alors, elle se laissa aller contre lui, les épaules secouées par un torrent d'émotions, des sanglots douloureux s'échappant de sa gorge. Sid la serra dans ses bras sans rien dire, lui transmettant un peu de ses forces pour permettre à India de retrouver les siennes.

— C'est affreux comme je souffre… Elizabeth Adams et Emma Milo, Alison Coburn et son enfant… J'ai mal pour tous ces gens que j'ai perdus. Je regrette tellement…

— C'est pour eux qu'il faut continuer, India. Ne partez pas, bon sang ! Si vous démissionnez, vous les abandonnerez à tous les Dr Gifford de ce monde.

— Mais je suis trop mauvais médecin.

— Non, vous êtes un très bon médecin, au contraire. Vous n'êtes pas parfaite, vous êtes trop exigeante avec vous-même. Vous voulez tout réussir, mais vous êtes humaine. Personne n'est parfait… sauf moi !

India eut un sourire.

— Ella vous a apporté à manger, lui dit-il. Vous voulez quelque chose ? Vous êtes d'une maigreur effrayante.

— Un peu plus tard, peut-être.

— Une tasse de thé, alors ? Je vais vous en faire une.

— Non merci.

— Vous n'avez pas froid ? Vous voulez votre peignoir ?

— Non, Sid… mais est-ce que vous pourriez…

— Oui ?

— Est-ce que vous pourriez simplement me tenir les mains, comme ça…

Il hocha la tête et répondit par la pression rassurante de ses doigts.

37

Freddie vida son verre de whisky et attendit de sentir ses forces revenir. Il regarda d'un air dur la jeune prostituée qui s'évertuait sans succès à le satisfaire. Elle ne devait pas avoir plus de dix-sept ans et semblait mourir de peur. Freddie se laissa retomber en arrière, sachant qu'il n'arriverait à rien. Il pensait aux huées qui avaient accueilli son discours de Stepney, la veille ; il se souvenait trop bien des questions agressives dont l'avaient mitraillé les reporters.

La fille pleurait, mais il s'en moquait. Il s'inquiétait davantage des reproches d'Isabelle qui l'avait convoqué à Berkeley Square le matin même.

— Freddie, Maud m'a appris hier qu'India avait été molestée par un dément, ce que vous m'aviez caché. Ma fille… votre fiancée… battue par un ivrogne ! Mais le pire, c'est qu'elle est retournée travailler chez le Dr Gifford et qu'elle persiste à vouloir ouvrir sa clinique pour les miséreux. C'est inadmissible !

— Ne craignez rien, Isabelle, cela ne va plus durer bien longtemps.

— Moi, je crois plutôt que je me suis trompée sur votre compte et que j'ai eu tort de vous faire confiance.

— C'est très injuste, et tout à fait faux. India avait décidé de démissionner, mais…

— Vos belles explications ne m'intéressent pas ! Faites ce que je vous demande, ou laissez votre place à un autre. Il paraît que le jeune Winston Churchill est assez ambitieux. Et pauvre, par la faute de sa mère qui est très dépensière. L'ambition et le besoin sont de puissants ressorts... mais je n'ai pas à vous expliquer cela, Freddie. Je me demande si Winston aurait envie d'un hôtel particulier à Mayfair et d'une rente de vingt mille livres par an...

Après cette scène désagréable, Freddie avait quitté Berkeley Square dans une rage épouvantable et était allé directement à son club pour se remettre. Mais, là-bas, on ne l'avait pas laissé en paix. Dès son arrivée, le directeur l'avait pris à part pour lui indiquer que, si sa note n'était pas réglée à la fin du mois, il perdrait sa qualité de membre. Il devait près de trois cents livres. Il s'était emporté, avait jeté quelques remarques cinglantes et était parti furieux se réfugier dans une maison close de Cleveland Street, dirigée par une discrète mère maquerelle du nom de Nora. Il lui était déjà arrivé d'aller s'y distraire quand Gemma n'était pas libre, et il fréquentait l'endroit beaucoup plus souvent depuis qu'elle l'avait quitté.

— Je... je vous ressers à boire ? proposa la jeune Alice d'une voix tremblante en fermant son kimono sur sa poitrine.

Freddie hocha la tête, et elle se dépêcha d'aller dans le coin de la pièce où les verres et les bouteilles étaient posés sur une table. Elle devait redouter qu'il ne se plaigne d'elle, mais il se moquait bien de ses inquiétudes. Les états d'âme d'une prostituée lui importaient peu. D'ailleurs, plus rien ne comptait beaucoup depuis qu'il avait tué son meilleur et plus vieil ami. Un garçon avec lequel il avait grandi, qu'il avait aimé comme un frère.

Il sentit un pincement qui signifiait peut-être que son cœur n'était pas tout à fait parti.

Ce n'était pas son premier meurtre, bien sûr, puisqu'il avait tué son père. Il n'avait eu que cette solution pour sauver Daphné, et ses remords n'avaient pas duré longtemps. Ensuite, il y avait eu Hugh Mullins. De cette mort, il ne s'estimait pas vraiment responsable non plus. Il ne l'avait pas souhaitée. La prison, oui, le temps pour India de l'oublier, mais il n'avait pas prévu que la plaisanterie irait si loin.

Et maintenant Wish… Il fallait se persuader que ce meurtre était une nécessité. Mais c'était surtout la colère qui l'avait poussé. Wish l'avait mis hors de lui. De quoi se mêlait-il ? Wish aidait India à trouver de l'argent pour son dispensaire, et il l'encourageait même à reculer la date d'un mariage qui avait été si difficile à fixer ! C'était cela qu'il n'avait pas pu endurer. Il n'avait proposé à Wish de faire la course que pour clore cette insupportable conversation. Une fois dans les bois, cependant, l'occasion s'était présentée. Wish avait vu le renard, avait sorti son pistolet et avait voulu tirer. Ne parvenant pas à s'y résoudre, il avait demandé à Freddie de le faire à sa place. La décision avait été prise en un instant, cette fois encore. Il s'était saisi de l'arme et avait tiré. La tête de son ami avait explosé dans une gerbe de sang, et il était tombé de cheval. Alors, versant des larmes sincères, Freddie avait sauté à terre, avait retiré la chevalière du doigt de Wish, et avait placé le pistolet dans sa main.

Quand les autres étaient arrivés, il était encore en état de choc, ce qui ne l'avait pas empêché de mentir. Bien entendu, la bague n'avait pas été mise en gage, et les difficultés financières de Wish étaient imaginaires. Car si Wish lui avait confié que son opération immobilière était difficile, il avait ajouté que c'était le cas de toute nouvelle entreprise, et que ses soucis ne dureraient pas.

Freddie avait ressenti très peu de remords dans les jours qui avaient suivi. Au contraire, il avait été soulagé. Sans l'expérience de Wish et ses relations haut placées, le dispensaire d'India n'avait plus aucune chance de voir le jour. Il n'avait pas eu peur non plus d'être soupçonné. Personne ne pourrait l'imaginer coupable d'un acte aussi atroce, et la seule preuve contre lui, la chevalière de Wish, était cachée au fond du tiroir secret de sa boîte à musique.

Le souvenir du Comte rouge lui revenait… *C'est ton propre cœur que tu devras d'abord arracher.*

— C'est presque fait, murmura-t-il. Presque fait…

— Pardon ? demanda la fille.

— Rien ! grogna-t-il. Alors, ce whisky ?

Elle revint se coucher à côté de lui, mais les pensées de Freddie se tournèrent de nouveau vers India et sa mère. Il n'y comprenait rien. Quand India avait accepté de démissionner du cabinet de Gifford, il n'avait pas douté de sa sincérité. À tel point qu'en apprenant de Bingham que sa pension serait encore réduite pour un mois, il avait presque ri. Oubliant la prudence, il s'était vanté de la rente de vingt mille livres et de l'hôtel particulier des Selwyn Jones qui l'attendaient. Et voilà qu'une semaine plus tard il retrouvait un enfant malade dans le lit d'India. Non seulement elle avait refusé de dire qui lui avait confié la fillette – ce qui n'était pas difficile à deviner, Ella Moskowitz était certainement la coupable –, mais elle avait aussi décidé de recommencer à travailler. Toujours l'œuvre de cette maudite infirmière… qui d'autre aurait pu être responsable ?

India était retournée chez Gifford et avait repris son projet de dispensaire. Elle s'était mis en tête de se charger elle-même de la collecte des dons et projetait toujours d'assister au thé de la princesse Beatrice.

La fureur lui redonnait des envies de meurtre. Il aurait volontiers tordu le cou d'India, d'Isabelle, de Gemma. Il aurait voulu fendre le crâne de Joe Bristow et écraser Sid Malone sous sa botte. Comme il n'avait qu'Alice à se mettre sous la main, il la gifla.

— Paresseuse ! cria-t-il. Tu ne sais rien faire !

Elle se mit à pleurnicher, ce qui accentua encore sa colère. Il se jeta sur elle et la saisit au cou.

— Tais-toi ! Mais tais-toi, bon Dieu !

— Ne me faites pas mal, gémit-elle en se débattant.

Sa terreur fit ce que l'alcool n'avait pas réussi à accomplir, et ranima les forces de Freddie.

Quand il eut fini, il se rallongea sur le dos en sirotant son whisky et en fumant une cigarette. Il était plus calme, à présent, presque serein. Alice avait disparu derrière le paravent et il l'entendait se laver en reniflant.

— Alors ? C'est bientôt terminé ? cria-t-il. Va me chercher de l'eau chaude !

Seul un petit sanglot lui répondit, couvert par des clapotements.

— Tu dois être bien assez propre, maintenant !

En prononçant ces mots, il prit conscience avec ennui que, si elle ne l'était pas, il risquait d'avoir été contaminé, car il n'avait pas utilisé de préservatif. Il en mettait toujours avec Winnie, sa partenaire habituelle, mais cette fois, dans sa folie furieuse, il avait oublié. S'il avait attrapé une maladie honteuse, India serait bien surprise !

Il aurait presque souri si cela ne lui avait rappelé ses soucis d'argent. Le pharmacien exigeait le règlement de sa facture qu'il ne pouvait pas payer. Sans ce crédit, il n'arriverait même plus à racheter des préservatifs.

Ironie du sort, India, elle, en avait. Je n'aurai qu'à lui

en demander ! songea-t-il en ricanant. Soudain, il se redressa dans le lit, illuminé par une idée brillante.

— Alice ! cria-t-il.

Un petit « oui ? » étouffé lui parvint.

— Arrête de pleurnicher et viens ici. J'ai un travail pour toi. Tu gagneras cinq livres, et tu n'auras pas besoin de te déshabiller.

38

— Je sais que vous en avez ! Sortez-les tout de suite !

India, surprise par la voix furieuse du Dr Gifford, releva le nez d'un dossier. Il était à la porte de la salle de consultation.

— Je vous demande pardon, monsieur ?

— Les contraceptifs ! Je sais que vous en distribuez aux patientes. J'exige de savoir où ils sont !

India sursauta. Comment l'avait-il appris ? Pourtant, elle faisait jurer le plus grand secret à toutes ses patientes. L'explication ne fut pas longue à venir.

— J'ai reçu la visite de Mme Elizabeth Little ce matin à mon cabinet de Harley Street. Elle est la mère de Mlle Alice Little, l'une de vos patientes. Elle était dans une colère noire, car vous avez fourni à sa fille un de ces préservatifs. Est-ce vrai ?

Elle se souvenait d'Alice Little, qui avait dit être célibataire, déjà mère de trois enfants, et trop pauvre pour en avoir d'autres.

Même si elle respectait peu le Dr Gifford, India ne se serait jamais abaissée à lui mentir.

— Oui, c'est vrai. Je vais vous expliquer…

— Il n'y a rien à expliquer ! Mlle Little est une jeune fille gravement déséquilibrée. Sa mère m'a informé qu'elle avait des tendances à la nymphomanie, docteur Jones, et que vous n'aviez fait qu'encourager sa maladie.

— Cette jeune fille n'en est plus une. Elle a eu des enfants, je l'ai examinée.

— Vous pouvez rassembler vos affaires ! Je me passerai dorénavant de vos services !

India eut l'impression d'avoir été giflée. Si elle n'avait plus de travail, de quoi vivrait-elle ? Elle chercha ses mots pendant quelques secondes.

— Mais pourquoi, docteur Gifford ?

— Vous le savez parfaitement. Je ne tolère pas l'utilisation de contraceptifs. L'œuvre de chair ne doit avoir pour but que la procréation, selon la volonté de Notre-Seigneur.

— Dans ce cas, pourquoi tant d'enfants meurent-ils ? Est-ce aussi la volonté du Seigneur ?

Cette repartie trop rapide lui avait échappé, et elle la regretta aussitôt. Depuis sa dépression, elle réfléchissait moins avant de parler, et son insolence la surprenait. Le Dr Gifford avait l'air outré.

— Les enfants meurent à cause de la saleté de leurs parents, de leur ivrognerie et de leur paresse !

India lui rit au nez. Deux mois plus tôt, elle aurait peut-être tenu ce genre de discours, mais tout avait changé depuis qu'elle avait visité Whitechapel, avait vu Mlle Milo et le petit Harry Coburn mourir. Depuis qu'elle avait rencontré Sid.

— Docteur Gifford, pensez-vous qu'une mère puisse s'occuper correctement de six enfants dans deux pièces exiguës ? demanda-t-elle en se levant. Pensez-vous qu'elle puisse les laver quand elle n'a pas de quoi acheter assez de charbon pour chauffer une bassine d'eau ? Comment peut-elle les nourrir avec une livre sterling par semaine ?

— C'est un autre sujet. La contraception est un acte immoral. Dans aucun cas, il n'est admissible de distribuer ces… choses.

— Ce qui est inadmissible, monsieur, c'est votre refus de reconnaître les souffrances causées par les enfantements répétés et par la pauvreté.

— J'informerai le Conseil de l'ordre de votre attitude ! Je vous ferai rayer de l'ordre de médecins. Veuillez quitter le cabinet immédiatement !

— Vous n'iriez pas jusque-là… murmura India, atterrée.

— Que se passe-t-il ? demanda une voix venant du pas de la porte.

C'était Ella qui serrait contre elle une pile de dossiers qu'India reconnut. C'était ceux des patients récemment décédés. Une fois par mois, l'infirmière du cabinet était chargée de les apporter pour les faire réviser et signer par India et le Dr Gifford avant de les archiver.

India étant trop désemparée, et Gifford trop méprisant pour lui répondre, ils continuèrent sans lui expliquer.

— Je n'aurais jamais dû vous faire confiance ! tonna-t-il. Je ne vous ai embauchée que pour être agréable à votre doyen qui m'avait supplié de l'aider à placer ses étudiantes. Mais comme toutes les personnes du sexe faible, vous n'avez pas de cervelle !

India sentit monter en elle une énorme colère. Tant d'injustice, d'obscurantisme, de mépris des patientes, c'était trop ! Une fois encore, elle exprima ses pensées.

— Vous m'avez engagée uniquement parce que cela vous permettait de me payer moins qu'un homme, tout en me faisant travailler davantage ! Nous voyons quatre fois plus de patients depuis mon arrivée. Et s'ils viennent, c'est pour me consulter ! Ce n'est pas par vous qu'ils veulent se faire soigner.

Ella ouvrit des yeux ronds. Quant au Dr Gifford, il se drapa dans sa dignité.

— Voilà ce qu'on gagne à autoriser les femmes à étudier la médecine ! Votre attitude…

India explosa.

— Et voilà ce qu'on gagne, cria-t-elle en allant prendre les dossiers des mains d'Ella, voilà ce qu'on gagne à autoriser les hommes à l'exercer !

Elle jeta la pile sur le bureau et les ouvrit les uns après les autres.

— James, Suzannah. Âgée de trente et un ans, lut-elle d'une voix vibrante. Cinq enfants. Déchirure périnéale causée par son dernier accouchement – que vous avez pratiqué avec des forceps –, ayant provoqué une fistule qui l'a rendue incontinente et l'empêchait d'avoir des rapports. Abandonnée par son mari. Suicide.

« Rosen, Rachel. Vingt-cinq ans. Admise au London Hospital pour un accouchement le 24 juillet. Met au monde des jumeaux de sexe masculin ce même jour. Contracte une fièvre puerpérale le 26 juillet. Décède trois jours plus tard. Weinstein, Tovuh. Entrée le 19 juillet, décédée le 27 juillet. Fièvre puerpérale. Biggs, Amanda. Décédée le 1er août. Fièvre puerpérale. Trois en une semaine, et toutes sont vos patientes. Dites-moi, docteur Gifford, vous êtes-vous lavé les mains après Rachel ? Après Tovuh ? Après Amanda ? Qui d'autre avez-vous infecté ? Je pense que nous le saurons d'ici à une semaine.

— Docteur Jones, voyons… bégaya Gifford.

India prit un autre dossier.

— Johnson, Elsa. Travail difficile. Administration d'ergot de seigle. Deux doses. Enfant mort-né. Symptômes correspondant à une erreur de dosage.

— Docteur Jones…

— Randall, Laura. Vingt-deux ans. Accouchée d'un enfant de sexe féminin. Extraction incomplète du placenta. Septicémie. Décédée le 6 juillet. Enfant souffrant de dénutrition. Décédé le 14 juillet.

— Docteur Jones ! Veuillez cesser immédiatement ! rugit Gifford.

India arrêta sa lecture mais le regarda droit dans les yeux.

— Si vous me faites rayer de l'ordre, je vous assure que je ne reculerai devant rien, et je dis bien devant rien, pour vous faire rayer aussi.

— Donnez-moi ces dossiers !

— Il faudra m'assommer d'abord.

— Vous semblez oublier que vous êtes fraîche émoulue de la faculté. Le Conseil ne vous écoutera pas. On ne me rayera jamais de l'ordre sur la foi de vos accusations.

— Possible, mais au moins le scandale vous coûtera des patients. Ici, et à Harley Street. Et quand on perd des patients, on perd aussi des honoraires, puisqu'il n'y a que cela qui compte pour vous, n'est-ce pas ? Moi, je vais apporter ces dossiers au *Clarion*, au *Times*, à la *Gazette*. Je vais apprendre à vos patientes fortunées avec quel mépris vous traitez les pauvres femmes de votre consultation de l'East End. Et pis encore, elles se demanderont si vous vous lavez les mains avant de vous occuper d'elles !

Gifford pâlit.

— Dehors ! Sortez !

India décrocha son manteau de la patère, ramassa sa

sacoche et s'en alla, ses dossiers serrés sous le bras. Du couloir, elle entendit Gifford crier :

— Mademoiselle Moskowitz, où allez-vous ?

Et Ella de répondre :

— Si vous la renvoyez, je pars avec elle !

Ella la rattrapa sur le trottoir. Inquiète, India protesta.

— Vous n'allez pas partir…

— Je ne peux pas rester.

— Mais voyons…

— C'est trop tard. Venez.

— Où m'emmenez-vous ? Au restaurant de vos parents ?

— Non, au pub. Ce n'est pas de soupe dont nous avons besoin, mais d'un remontant.

Elles traversèrent Varden Street et, cinq minutes plus tard, arrivèrent au Blind Beggar.

— Attendez-moi là, commanda Ella en désignant une table dans un coin.

India s'installa donc pendant qu'Ella allait prendre les boissons au bar. Son cœur battait si fort et elle avait tellement froid qu'elle se demanda si elle n'était pas en état de choc.

Heureusement, Ella revint vite avec deux chopes de bière brune. Elle s'assit lourdement.

— C'est affreux, dit India. Vous vous rendez compte ? J'ai perdu ma place. Je vous ai fait perdre la vôtre. Comment allons-nous vivre ? Comment allons-nous payer nos factures ? Qu'allons-nous devenir ?

— Nous n'aurons qu'à chercher du travail.

— Et vous pensez que ce sera facile ? Nous pouvons compter sur le Dr Gifford pour nous donner d'excellentes références…

— Eh bien, à la vôtre quand même, soupira Ella en

soulevant sa chope. Vous avez été grandiose : chantage, intimidation, vol de dossiers… vous avez dû commettre plus d'infractions en dix minutes que Sid Malone en un an.

India se couvrit le visage avec les mains.

— C'est vrai ! Vous avez raison ! Je ne me reconnais plus ! Mon Dieu, Ella, tous ces cris, cette colère, ces menaces…

— N'importe qui aurait fait pareil. C'est normal. Vous rejoignez enfin le rang du commun des mortels, conclut-elle en entrechoquant sa chope avec celle d'India. À nous, faibles humains !

39

— Tiens, tiens, mais qui voilà ? Je crois que c'est notre ami Francis Betts…

Frankie fut aussitôt prêt à se battre. Il faisait nuit noire, et le bec de gaz le plus proche était à dix mètres. Habituellement, les lanternes du Taj éclairaient la rue, mais pas ce soir. Les hommes de Donaldson avaient tout cassé la veille lors d'une descente et arrêté Susie et les filles.

— Qui me demande ? gronda-t-il en essayant de distinguer celui qui l'interpellait dans le noir.

Trois silhouettes émergèrent de l'ombre. Big Billy Madden et deux de ses hommes, Delroy Lawson et Mickey McGregor.

— Qu'est-ce que tu fabriques, Frankie ? Tu fais le ménage ? ironisa Delroy.

Il désignait le seau à ordures que Frankie était en train de sortir sur le trottoir.

— T'as oublié ton tablier, ma grande ? ricana Mickey.

Delroy saisit la balle au bond.

— Elle en a pas besoin, elle est plus jolie comme ça !

Un quart de seconde plus tard, le seau venait coiffer Delroy qui alla heurter le mur de brique du Taj avant de s'effondrer, son nouveau chapeau sur la tête. Il voulut le soulever, mais comme Frankie s'attaquait à lui à coups de pied, il préféra le laisser en place pour se protéger.

— Allez, rigole, pourriture ! Bouffe tes ordures ! Vas-y ! cria Frankie.

Il aurait démoli le seau, et Delroy avec, si Mickey ne s'était jeté sur lui pour l'arrêter. Il y eut une lutte, mais Mickey réussit à l'immobiliser, un bras dans le dos.

— C'est bon, les gars, ça suffit, lança Madden. Calme-toi, Frankie, on ne te veut pas de mal. Si Mickey te lâche, tu me promets de te tenir tranquille ? Réfléchis bien avant de répondre et souviens-toi que tu es seul contre trois.

Frankie banda ses forces pour se dégager, mais Mickey tenait bon. Se voyant pris, il céda avec un hochement de tête.

— Lâche-le, Mick, ordonna Madden.

Frankie redressa sa veste.

— Vous voulez quoi ? gronda-t-il.

— Toi.

— Merci, mais c'est pas mon style.

Madden ne releva pas.

— On dit que Malone perd pied. D'abord une descente au Bark, maintenant au Taj…

— C'est des choses qu'arrivent. Susie a pas ouvert la bouche, on est tranquilles. Elle se prétend taulière d'une pension de famille, et les flics peuvent pas prouver que c'est un bordel.

— Si tout va si bien que ça, rétorqua Madden, pourquoi vous n'avez pas rouvert ?

— On refait les peintures.

— Il paraît pourtant que Sid tire mille livres par semaine du Taj. Vu tout le pognon qu'il a, il n'en est pas à ça près, peut-être. Mais toi, ta part du gâteau, c'est combien, Frankie ?

— Je ne me plains pas. Je nage dans la braise.

— Mais ton talent, tes aptitudes, mon gars ? Tu te gâches, ici. Un dur comme toi devrait pas vider les ordures.

Frankie ne sut que répondre, car il pensait un peu la même chose.

— J'étais juste venu faire un tour pour voir si tout allait bien.

— Ah bon ? Alors t'es gardien de nuit, maintenant ? Il paraît que vous ne foutez plus rien à la Firme. C'est pareil pour Tommy, pour Ronnie, pour Oz, pour Desi. Ils passent leur temps assis sur leur cul au Bark. Sid se vante d'être un homme d'affaires, pas vrai ? Alors pourquoi il ne s'en occupe pas, de ses affaires ?

— Va te faire voir !

Madden prit l'air peiné et secoua la tête.

— On ne me parle pas comme ça, Frankie. Les gars, apprenez-lui les bonnes manières.

Même les hommes de main avaient parfois besoin de laisser monter la colère pour réussir à se battre. Certains n'accomplissaient les sales besognes que par nécessité. Avec Frankie, c'était l'inverse. La brutalité, chez lui, était un art. Il n'aimait rien tant que d'utiliser la force.

Sans laisser à Mickey ni à Delroy le temps de remonter leurs manches, Frankie avait tournoyé sur lui-même et envoyé un coup rapide et souple en plein sur la trachée de Mickey. Pendant que ce dernier titubait en arrière, Frankie sauta sur Delroy, l'attrapa par les revers de sa veste et lui assena un grand coup de genou sous la ceinture. Le malfrat s'effondra en hurlant et vomit par terre.

— Allez, assez ri, Billy. Retourne à Hammersmith et arrête de nous chercher des noises.

— Malone n'en vaut pas la peine, mon gars. Je vais prendre le territoire, tu le sais comme moi.

— Tant mieux pour toi.

Madden garda un instant le silence.

— Depuis quand n'avez-vous plus fait de livraison à Teddy Ko ?

Il attendit une réponse, mais comme Frankie se taisait, il continua.

— Longtemps, j'imagine. Tu sais pourquoi ? Il se fournit chez Georgie Fook. Georgie a des relations à Canton. Il importe de la marchandise planquée au fond de caisses de thé. Il a monté une jolie petite bande pour s'occuper de Limehouse. Tu ferais bien de surveiller Whitechapel, mon gars. Max Moses et ses durs ont passé à tabac le patron du Blind Beggar hier soir. Il sait maintenant que c'est eux qu'il faut payer parce que Sid n'est plus dans le coup… Alors, ça t'étonne ?

Frankie n'avait jamais été très doué pour cacher ses émotions. Il essayait de garder un visage impassible, mais Madden finissait par le faire douter. Il avait entendu parler de la bagarre au Blind Beggar, et il avait justement remarqué la semaine précédente que Ko était en retard sur sa commande. Et Sid n'avait pas réagi, trop occupé à emmener on ne sait où une gamine malade. Il aurait dû remettre au pas Ko et Moses. Il aurait aussi dû apprendre à vivre à Billy Madden qui commençait à le prendre d'un peu trop haut. Mais il ne bougerait pas parce que Madden avait raison. Il était devenu faible. Ou dingue. Ou les deux à la fois.

— C'est la fin de Malone, Frankie. Il va bien falloir l'accepter. Tout le monde l'a compris à part toi.

— La ferme !

Mais Madden n'avait aucune intention de se taire.

— Les Chinois, les Italiens, les Juifs, tout Londres renifle à sa porte. Ils veulent leur part, mais pas moi. Moi, je veux tout. Et je vais avoir besoin d'un homme comme toi. Tu ne le regretteras pas. Réfléchis, Frankie. Malone est en train de sombrer. Ne coule pas avec lui.

Il se tourna vers ses hommes et aboya :

— Allez, vous deux ! Debout, bande d'incapables !

Pendant que Delroy et Mickey se remettaient péniblement sur leurs jambes, des gouttes se mirent à tomber sur les pavés. Il y eut un grondement de tonnerre au loin.

Madden tendit la main pour sentir la pluie.

— Il va y avoir de l'orage, Frankie.

Il le dévisagea de son regard d'acier et sourit.

— Attention de ne pas te faire mouiller.

40

India reposa sa tasse dans la soucoupe.

— Eh bien, en voilà une nouvelle…

— Ce doit être un choc, remarqua Me Andrew Spence.

— Un choc… oui…

— Voulez-vous une boisson un peu plus forte ?

— Je veux bien. On n'est pas ruiné tous les jours !

India, Maud, Bingham et Robert Selwyn Jones, le père de Wish, étaient réunis à l'étude Hoddon & Spence pour la lecture du testament de Wish. Freddie aurait dû être présent, mais il avait été retenu par ses obligations.

Andrew Spence, le notaire de Wish, avait appris aux héritiers qu'aucun d'eux ne recevrait ni argent ni effets personnels, car tous les biens devaient être vendus aux enchères afin de régler les créanciers. India, de son côté, gardait un titre de propriété pour six cents hectares de terre et une ferme abandonnée à Point Reyes, dans le comté de Marin, en Californie.

— Un très joli coin, paraît-il, avait commenté M. Spence en lui tendant une carte topographique. C'est au bord d'une baie, la Drake's Bay, toute proche de la pointe, avec une vue splendide sur la mer.

India y avait jeté un coup d'œil mais, peu habituée à lire les courbes de niveau, elle ne s'y était pas attardée.

— Mais l'argent ? avait-elle demandé.

— Quel argent ?

— L'argent que j'ai donné à mon cousin pour l'investir dans son projet. Je ne pourrais pas le récupérer ?

— Malheureusement, c'est tout à fait impossible. Les fonds ont été utilisés pour acheter le terrain, justement. Je sais que la nouvelle peut paraître mauvaise, mais tout n'est pas entièrement perdu, car vous êtes seule propriétaire, à présent. Vous et votre cousin étiez associés pour la construction d'un hôtel, l'Utopie, sur les terres de Point Reyes. Puisque vous lui survivez, le terrain vous revient.

— Alors il n'y a pas d'argent…

— Ce qui restera après la liquidation des divers investissements, la vente de l'automobile, des meubles et autres objets, ira à ses créditeurs. Les créanciers sont prioritaires dans les successions, expliqua-t-il patiemment. Une somme très importante est due, entre autres, à l'entrepreneur qu'il avait engagé pour commencer les travaux de l'hôtel. Ce paiement... (il consulta les papiers qui étaient devant lui)... est de dix mille dollars américains, et malheureusement non remboursable. L'entrepreneur nous a informés qu'il avait déjà utilisé le gros de la somme pour payer les maçons chargés d'effecteur les fondations, qui sont déjà terminées. Mais il y a des dizaines d'autres créanciers qui doivent être remboursés avec lui.

— Donc je ne recevrai rien du résultat des diverses ventes ?

— Rien. Vous n'êtes pas créancière, vous êtes associée. Vous lui avez confié votre argent et l'avez chargé de l'investir pour vous. On ne vous doit donc ni biens ni services. D'après le contrat signé entre vous, il devait vous racheter votre part dès l'ouverture du capital. Malheureusement pour vous, il n'a pas eu le temps de le faire. Ce sont les risques encourus par tous les investisseurs... avait ajouté Spence avec un sourire condescendant.

Il s'était levé et s'affairait, offrant du cognac à la ronde. Tous acceptèrent, sauf le père de Wish. Il embrassa ses nièces et sortit, raccompagné par le notaire. India le plaignait terriblement. Il avait été brisé par la mort de son fils unique et restait quasiment cloîtré chez lui.

Le coroner avait conclu à un décès accidentel, mais India savait que son oncle redoutait un suicide. Elle aussi était minée par cette idée. Elle en avait parlé à Freddie quelques jours plus tôt, au restaurant où il l'avait emmenée dîner après son renvoi du cabinet du Dr Gifford. Elle essayait de se convaincre qu'il n'avait pas pu attenter à sa vie. Wish n'aurait jamais fait une chose pareille. Ce n'était pas dans sa nature. Il avait déjà eu de nombreux problèmes d'argent qu'il avait toujours su surmonter. Mais Freddie lui avait rappelé la disparition de la chevalière. Elle avait été donnée à un ancêtre de Wish, capitaine de vaisseau, par lord Nelson lui-même. Elle portait l'emblème de la famille Nelson encerclé de diamants. Wish y était très attaché, et disait fréquemment qu'il ne s'en séparerait pour rien au monde. Il devait vraiment être aux abois, estimait Freddie, ou au moins l'imaginer, sans quoi il n'aurait jamais renoncé à sa chevalière.

Cet argument était très convaincant. Wish l'avait tellement aimée, cette chevalière. En apprenant qu'elle avait disparu, l'oncle Robert avait d'ailleurs été très abattu.

En le raccompagnant, le notaire s'arrêta à la porte pour ajouter un commentaire à l'intention d'India.

— Au moins, docteur, vous étiez la seule associée de votre cousin pour l'achat de Point Reyes. Vous êtes donc l'unique propriétaire du terrain, qui ne devra faire l'objet d'aucune division. Vous évitez ainsi tous les soucis des partages qui sont toujours épineux. C'est une chance, vous savez.

Si pour lui c'était une chance de perdre jusqu'à son dernier penny… Je pourrais revendre le terrain, songea-t-elle, mais comment ? Et à qui ? C'était au bout du monde, à des heures en carriole d'une petite gare perdue, par un chemin mal entretenu. Wish disait que l'ancien propriétaire essayait de s'en débarrasser depuis des années. Cela lui prendrait certainement très longtemps aussi.

— India, tu n'avais tout de même pas confié tout ton argent à Wish ? demanda Maud.

— Si…

— Mais quelle idiote !

— C'était pour financer mon dispensaire.

— Toi et ton dispensaire ! s'emporta sa sœur. Comme s'il ne suffisait pas que tu côtoies la maladie et la laideur toute la journée…

India se serait passée de ces commentaires. Son équilibre n'était que trop fragile. Trop de malheurs lui étaient arrivés en trop peu de temps. Il y avait eu la mort de Wish, la crise de violence de Fred Coburn, puis la perte de son emploi, et maintenant la ruine ! Comment Ella réagirait-elle ? Elle essaya de se rassurer. Au moins, il restait l'argent des dons. Il attendait sagement sur un compte de la banque Barings au nom du dispensaire, et la disparition de Wish ne le concernait en rien.

— Je ne sais pas comment tu vas faire, continua Maud. Tu n'as plus un sou ! Tu ne vas pas pouvoir garder ton appartement. Tu n'as qu'à venir vivre chez moi, si tu veux.

— Merci, Maud, mais nous nous étriperions au bout de dix minutes.

— Pas du tout.

— Souviens-toi de Teddy Ko à Limehouse…

Maud lui jeta un regard assassin.

— Tu prétends que je mène une existence dangereuse, mais regarde-toi ! À côté, moi, ce n'est rien !

— Tu connais mon opinion…

— Très bien ! Alors je vais te donner de l'argent.

— Tu voudras régenter ma vie si j'accepte.

— Bien sûr que non ! Je ne demande qu'à t'aider, au contraire !

— Nous avons été élevées par la même mère. Tu sais comme moi qu'en matière d'argent rien n'est gratuit.

— Je ne suis pas comme elle.

— Tu me laisserais utiliser ton argent pour monter mon dispensaire ?

— Je me disais plutôt que tu ouvrirais un cabinet privé, à Harley Street, par exemple…

— Ah ! Tu vois !

— Tu es impossible ! Tu ne laisses jamais personne t'aider.

— Et tu crois m'aider en m'envoyant à Harley Street ?

Leur échange aigre-doux semblait désoler Bingham. Son regard passait de l'une à l'autre comme s'il cherchait un moyen de les mettre d'accord.

— Attends, Maud, ma vieille, reprends un petit verre, dit-il en attrapant le flacon de cognac du notaire. Indy, je t'en sers un autre aussi ? Calmez vous. Nous sommes tous un peu agités à cause des circonstances, c'est naturel…

Il remplit les verres, puis se jucha sur un coin du bureau en se mordillant le bout du pouce.

— Je ne comprends pas pourquoi tu es aussi inquiète, India. Voyons, ce n'est pas la fin du monde. Tu es loin d'être ruinée, après tout.

— Ah ? Vraiment ?

— Eh bien, parfaitement, puisque tu vas bientôt te marier. Tu recevras ta dot, qui est très généreuse, paraît-il. Toi et Freddie n'aurez vraiment aucun souci à vous faire. D'autant que vous aurez la maison de Berkeley Square…

— Pardon ?

La surprise d'India le désarçonna.

— Mais… bégaya-t-il, tu sais bien, le cadeau de mariage de ta mère…

Ce fut au tour de Maud de réagir. Elle se tourna vers sa sœur, effarée.

— Comment ? Mère te donne l'hôtel particulier ? Tu aurais pu m'avertir !

— Mais je n'étais pas au courant ! Je l'apprends comme toi !

Elle se sentait oppressée ; son corset lui semblait soudain beaucoup trop serré. Sa mère aurait-elle parlé d'une dot à Freddie ? Pourquoi n'y avait-il fait aucune allusion ? Il savait pourtant qu'elle ne voulait rien devoir à ses parents.

— Tu n'étais pas au courant ? demanda Bingham, de plus en plus embarrassé. Zut ! J'ai encore commis un impair. Sans doute Freddie voulait-il te faire la surprise. Il sera furibard. Tu ne lui diras rien, Indy, j'espère. Tu prétendras tomber des nues...

— Mais, Bing... depuis quand le sais-tu ?

— Quelques semaines tout au plus, mais il l'a encore mentionné l'autre soir, quand il m'a raconté ce qui était arrivé chez le Dr Gifford. C'est extraordinaire, cette histoire de la nymphomane et de sa mère, tout de même, cette Alice Little et ses préservatifs...

Bingham continuait de parler, mais India ne l'entendait plus. Elle arrivait à peine à respirer.

— Bing, interrompit-elle, comment sais-tu le nom de ma patiente ?

— Moi ? Mais... Freddie me l'a dit.

— Impossible, il ne pouvait pas connaître ce détail.

— India, tu as dû oublier. Je t'assure qu'il a prononcé ce nom. Je ne peux pas l'avoir inventé. Allons, après toutes ces émotions, pensons plutôt à déjeuner au lieu de ressasser les événements.

— Je ne divulgue jamais le nom de mes patients, murmura-t-elle. Ce serait violer le secret professionnel. Je ne donne jamais de noms...

Maud ne voyait pas où elle voulait en venir.

— Mais bon sang, quelle importance ? J'ai vu un salon de thé Lyons en chemin. Allons-y.

India se leva et rassembla ses affaires.

— Excusez-moi, je vous laisse, dit-elle.

— Où vas-tu ?

— Voir quelqu'un. Une patiente.

En deux pas, elle fut à la porte.

— Indy ! Attends ! s'écria Bingham. Que se passe-t-il ?

Elle se tourna vers lui, le regard inquiet.

— Bing, je ne sais plus… J'espère que ce n'est rien. Ce serait trop horrible.

41

India venait de frapper au 40 Myrtle Walk, une modeste maisonnette d'Hoxton.

— Je cherche une jeune femme du nom d'Alice Little, expliqua-t-elle à l'homme qui ouvrit. Est-ce qu'elle vit ici ?

— Connais pas. Vous avez essayé à côté ?

— J'ai demandé partout dans la rue, dit India, découragée.

— Désolé, ce n'est pas chez nous.

Il referma la porte, et India s'éloigna, très déçue. S'il n'y avait pas d'Alice Little à Myrtle Walk, c'était que sa patiente lui avait donné une fausse adresse, et très probablement un faux nom. Elle hésita, scrutant la ruelle d'un bout à l'autre, se demandant comment faire pour la trouver. Elle voulait lui parler de toute urgence.

En quittant l'étude, elle avait pris un cab pour se

rendre à Brick Lane, espérant qu'Ella se souviendrait de l'adresse d'Alice Little. Elle jouissait d'une mémoire extraordinaire et retenait souvent les noms et les adresses des patients.

— Oui, avait dit Ella, qui était sortie lui parler sur le pas de la porte du restaurant familial. Je me souviens d'avoir rempli sa fiche.

Elle avait fermé les yeux et appuyé les doigts sur son front.

— Attendez... Little... Little... Alice Little. C'était à Hoxton, ça, j'en suis sûre. Et la rue... ça me revient... Myrtle ! Myrtle Walk ! J'en suis certaine !

— Vous êtes un génie, Ella, merci ! J'y cours.

— Une seconde ! Que se passe-t-il ?

— Je vous expliquerai plus tard !

Elle n'avait pas voulu s'arrêter ne fût-ce que cinq minutes tant elle se sentait proche du but. Mais maintenant, que faire ? La nuit tombait. Il ne lui restait plus qu'à rentrer chez elle pour réfléchir à un autre moyen de la retrouver.

Elle allait se remettre en route quand la porte du 40 se rouvrit.

— Eh ! cria l'homme. Vous êtes sûre que c'est à Myrtle Walk qu'elle habite ? Ma femme dit que vous confondez peut-être avec Myrtle Close.

— Où est-ce ?

Une dame, sèche et maigre, se profila derrière lui.

— Au bout de la rue, prenez Hoxton Street. C'est tout en haut, à droite dans Nuttall Street et puis la première à gauche.

— Merci, dit India, reprenant espoir.

Une demi-heure plus tard, elle arrivait à destination. La partie nord de Hoxton était beaucoup plus pauvre, les rues sordides, les gens misérables. Myrtle Close n'était qu'une impasse de neuf maisons, quatre de chaque côté d'une petite voie marécageuse, fermée au fond par une dernière. India commença au 1. Elle se décourageait déjà lorsque, au numéro 3, une dame d'assez mauvais genre lui répondit :

— Vous y voulez quoi, à l'Alice ?

Enfin !

— Je voudrais lui parler. Je suis son médecin.

— Ah bon ? Depuis quand y a des dames qui sont docteurs ?

— Depuis qu'Elizabeth Blackwell a obtenu son diplôme à la faculté de médecine du Geneva College, à New York en 1849. Je peux voir Mme Little ?

— Mme Little ! C'est la meilleure de l'année ! C'est pas demain la veille qu'elle va se marier celle-là ! Y a pas un homme qu'en voudrait de cette traînée !

India eut un sourire poli.

— Elle est là ?

La dame se tourna vers l'escalier et hurla :

— Hé ! Alice ! Y a quelqu'un qui te demande !

India entendit s'ouvrir une porte, des pleurs de bébé, puis des pas dans l'escalier. Une jeune femme fatiguée qu'India reconnut aussitôt apparut. Elle s'arrêta sur les marches en voyant India et battait en retraite quand la propriétaire se mit à grincher.

— Je suis pas la concierge ! Entrez ou sortez !

India ne se fit pas prier. Elle monta en courant et rattrapa Alice au moment où elle rentrait dans son meublé.

— Laissez-moi, je ne veux pas d'ennuis.

— Je désire simplement vous parler.

Un bébé braillait à l'intérieur.

— Je peux entrer ?

— Ça m'est égal…

Son logement était minuscule et empestait le chou et les langes sales. Une lampe à huile éclairait mal la pièce, avec sa table, ses deux chaises, son étroit lit en fer et le berceau poussé contre un mur. Un enfant qui tenait tout juste sur ses jambes maigrelettes était debout sur le matelas, cherchant sa mère des yeux, tandis qu'à ses pieds le nourrisson s'égosillait. Alice souleva le bébé pour le bercer. Les cris se calmèrent, ce dont elle profita pour lui enfourner dans la bouche une cuillère de bouillie de pain trempé et de sucre, qui attendait sur la table dans un bol où se posaient les mouches.

— Vous ne l'allaitez pas ? demanda India.

Alice lui jeta un regard boudeur.

— Dans mon travail, ça serait pas bien vu.

— Votre travail ?

Alice détourna les yeux sans répondre.

India soupira, ne sachant par où commencer. Elle avait tellement de questions à lui poser, et une si grande peur des réponses…

— Votre mère a dit que vous viviez ensemble, mais je crois que c'est faux.

— Comme vous voyez.

— Alice, votre mère est allée trouver le Dr Gifford, mon patron, trois jours après votre visite. Elle lui a dit que vous étiez déséquilibrée… Est-ce vrai ?

Alice eut un rire.

— C'est sûr qu'entre les michetons et les lardons, y a de quoi perdre la boule.

— Elle m'a dénoncée parce que je vous avais donné un moyen de contraception, alors que le Dr Gifford l'interdit. J'ai pris un énorme risque pour vous aider, et je me suis fait renvoyer pour ma peine.

Alice eut l'air sincèrement désolée.

— Pardon ! Je savais pas ! Je voulais pas vous causer

d'ennuis ! Quand il m'a demandé d'aller vous voir, il a pas dit pourquoi c'était. Il ne nous a rien expliqué, à moi et à Nora. J'aurais dû me douter que c'était un coup tordu. Cet homme-là, il me fait peur !

— Attendez. Qui est Nora ? Votre mère ? Pourquoi est-elle allée voir le Dr Gifford ?

— C'est pas ma mère, c'est la patronne. Ma vraie mère, elle ne me parle plus depuis que je me suis fait mettre en cloque il y a deux ans. Le père avait promis de m'épouser, mais il s'est dégonflé. Mon vieux m'a fichue dehors. C'est Nora qui m'a tirée de la mouise. Elle m'a mise au turbin. Vous savez ce que ça veut dire, au moins ?

India, se sentant mal, dut s'asseoir.

— Pardon, dit Alice. Vous voulez du thé ?

— Non… non merci.

Alice prit place face à elle.

— Faut pas m'en vouloir, mademoiselle. Je m'excuse, vraiment, mais j'avais besoin de pognon. Il nous a bien payées : cinq livres à chacune. Mais jamais je l'aurais fait si j'avais su que vous alliez perdre votre boulot.

— Alice…

India s'arrêta, n'osant continuer.

— Oui ?

— Cet homme qui vous a payées… Qui est-ce ?

— Un client.

— Vous connaissez son nom ?

— Freddie quelque chose. On n'utilise jamais les noms de famille.

Prise de nausée, India ferma les yeux.

— Ça va pas, mademoiselle ?

— Pas très bien.

Quand elle se sentit un peu mieux, elle rouvrit les paupières.

— Est-il blond et grand ?

— C'est ça.

— Vous le voyez souvent ?

— Moi ? Non. Il ne m'a prise qu'une seule fois. D'habitude, il va avec Winnie. Tant mieux, parce que je ne l'aime pas. Il est méchant. Violent. Il m'a fait mal.

Oui, à moi aussi, songea India.

— Donc, il vous a donné de l'argent pour aller me voir à Varden Street et pour que Nora me dénonce ensuite au Dr Gifford en se faisant passer pour votre mère ?

— C'est ça.

Les pires craintes d'India se confirmaient. Voilà comment il connaissait le nom de sa patiente. Et tout cela pour la dot dont avait parlé Bingham, et pour la maison de Berkeley Square. Sa mère était mêlée à ce mariage... C'était épouvantable. India se leva.

— Merci pour votre aide, Alice.

— Vous ne lui direz rien, j'espère ! À Freddie, je veux dire.

— Il faudra bien, c'est mon fiancé.

— Je vous en prie ! Si vous en parlez, il va comprendre que c'est moi qui l'ai balancé. Il se plaindra à Nora, et elle me jettera dehors. J'ai besoin de travailler, moi.

— Moi aussi, j'en avais besoin.

Alice eut un air honteux, et son bébé se remit à geindre.

India sortit dix livres de son porte-monnaie. C'était son dernier billet, mis à part celui d'une livre qu'elle gardait dans une boîte à thé chez elle, et quelques pièces dans un bol. Elle le posa sur la table.

— Tenez. N'y retournez pas. Trouvez un autre travail. La syphilis est une longue et terrible maladie. Vos enfants ont besoin de vous.

— Ben ça ! Merci ! s'écria Alice en s'emparant du billet. Et vous ? Vous allez travailler où, maintenant ?

— Je ne sais pas.

— Vous pourriez avoir des bons clients si vous vouliez vous mettre au turbin. Jolie comme vous êtes, vous gagneriez bien !

India songea aux mois passés chez Gifford, aux compromis qu'elle avait acceptés et au prix qu'elle avait dû payer au quotidien. Elle pensa à Freddie et à son insistance pour hâter le mariage. Il prétendait l'aimer, ne pas pouvoir vivre sans elle, et tout cela c'était du vent. Même ses belles paroles sur la réforme qu'ils feraient ensemble et sur le bien qu'ils apporteraient à Londres et à leur pays…

— Merci, Alice, mais je crois que je me suis déjà assez prostituée comme ça.

42

— Lytton, la porte !

Dougie Hawkins, ancien camarade d'université de Freddie, se prélassait sur un canapé, la tête appuyée sur les genoux d'une jolie brune. Freddie, qui remontait le phonographe, s'interrompit.

— Quoi ? hurla-t-il.

— Va ouvrir ! Il y a quelqu'un à la porte !

— Ah ! Très bien.

Il donna un ultime tour de manivelle. Une rengaine

retentit en égrainant ses notes, aussi légères que les bulles du champagne que buvaient ses invités.

— Qui est-ce, Freddie ? demanda un autre invité. Nous attendons encore quelqu'un ?

— Je ne sais pas. Elliot, peut-être. Il arrive toujours le dernier.

Freddie sortit sa montre. Onze heures. Pourvu, se dit-il, qu'il ne ramène pas trop de monde ! Il n'y aurait plus assez de filles…

Il attrapa une bouteille pour remplir son verre tout en se dirigeant vers la porte. Il avait invité des connaissances du club à finir la soirée chez lui. Certains ayant des automobiles, ils en avaient profité pour aller chercher de la compagnie féminine dans un music-hall du West End. Freddie connaissait une des danseuses, et un billet au portier leur avait ouvert l'entrée des artistes. Les filles ne s'étaient pas fait prier pour sortir s'amuser avec des jeunes gens de la haute société.

Cette petite soirée, il estimait l'avoir bien méritée : il travaillait jour et nuit depuis l'annonce officielle de l'élection de l'automne. La Chambre des communes devait boucler une montagne de dossiers avant sa dissolution à la fin septembre, et Freddie n'avait pas un instant de répit. Il avait hâte que la campagne commence : il débordait d'énergie, et enfin, enfin, il aurait l'argent nécessaire pour financer ses ambitions.

India, Dieu merci, avait été renvoyée de chez Gifford. Il l'avait emmenée dîner pour lui remonter le moral – moins surpris qu'il n'y paraissait, bien entendu, mais l'hypocrisie devenait une seconde nature.

— Il n'y a plus de champagne, Lytton ! cria George Manners.

— Si, dans la baignoire !

C'était tout de même drôle qu'India en soit presque

réduite à la mendicité. Elle n'avait plus de rente, plus d'économies. Elle devait l'avoir appris chez le notaire. Il lui restait l'argent des donations, mais c'était peu, deux mille livres environ qui ne suffiraient pas à ouvrir son dispensaire avant longtemps. En attendant, elle ne travaillait plus. Alice et Nora avaient bien joué leur rôle, et il ne lui en avait coûté que dix livres.

Mais toutes ces manipulations engendraient de l'inquiétude et de la fatigue, et il avait bien mérité de se détendre avec la rousse voluptueuse qu'il s'était gardée. Il se tourna vers elle, répondit à son sourire enjôleur, rattrapa le baiser qu'elle lui lançait et fit mine de lui renvoyer. On tambourina de nouveau à la porte.

Freddie mima le dépit, feignit d'être attiré vers la porte par un crochet géant. Riant, le col ouvert et la chemise défaite, il flirtait toujours du regard avec la jolie rousse quand il ouvrit.

— Alors, Elliot, on s'impatiente ?

Il prononça cette phrase tout en se tournant vers le retardataire et fut interrompu par une gifle. Il recula d'un pas, portant la main à sa joue, choqué et stupéfait de voir India sur le pas de la porte.

— India ! Mais… ?

— Je sais tout, Freddie !

Ses yeux lançaient des éclairs.

— Tout ? bégaya-t-il en sortant sur le palier et en fermant la porte derrière eux. Chérie, je ne comprends pas…

— J'ai vu Alice Little. Elle m'a raconté ce que tu lui avais demandé de faire. C'est méprisable ! C'est criminel !

Freddie sentit le sol se dérober sous ses pieds.

— India, voyons… je ne vois pas…

— Je sais aussi que ma mère t'a promis une dot. Et la

maison de Londres. Combien te paie-t-elle pour me marier honorablement ? Je suppose qu'elle n'a pas lésiné.

— India, chérie, ce n'est pas du tout…

— Quand tu m'as demandée en mariage, je t'ai bien dit que mes parents m'avaient déshéritée. Tu as prétendu que cela n'avait pas d'importance, et que tu m'aimais pour ce que j'étais et non pour ma fortune. Nous devions vivre modestement et nous débrouiller par nos propres moyens. Mais tu mentais ! Tu as passé un vil marché avec ma mère et tu m'as fait renvoyer du cabinet. Je ne te plais nullement. Tout ce qui compte pour toi, c'est l'argent de ma famille.

— Mais qui t'a raconté ce tissu d'inepties ?

— Freddie, je te dis que je sais tout. Il est inutile de continuer cette mascarade. Je me demande comment j'ai pu me tromper sur ton compte à ce point.

Elle sortit de sa poche la bague de fiançailles et la montre en or qu'il lui avait données, et les lui rendit.

— Tu as changé, Freddie.

Elle le dévisageait de son regard gris, droit et pur. De la colère y brillait, mais aussi un grand désarroi et de la tristesse.

— Je ne comprends pas comment tu as pu autant changer, Freddie…

— Mais je n'ai pas changé… Tu me connais…

Il tendait la main vers elle, mais elle recula.

— Non, je crois que je ne te connais plus du tout. Autrefois, tu avais bon cœur, tu étais tendre et attentionné. Et maintenant, tu es…

— India, je t'en prie !

Elle secoua la tête, les yeux noyés de larmes.

— Je ne veux plus jamais te voir ! C'est fini !

Elle tourna les talons et descendit l'escalier en courant.

— India ! Attends !

Il eut beau crier, elle ne s'arrêta pas. Il entendit le staccato de ses pas sur les marches, puis la porte de la rue claquer.

Mains pressées sur les yeux, il tituba. Ses espoirs s'écroulaient, le fruit d'un travail acharné lui échappait.

Non, se dit-il, je la ferai revenir. Je la convaincrai qu'elle se trompe, que c'est un malentendu. Mais elle ne l'écouterait pas. Elle refuserait de le voir. Il n'y avait plus aucun moyen de rattraper cette effroyable catastrophe. L'argent était perdu, l'hôtel particulier, la vie qu'il espérait depuis des années, des années !

Il retourna dans l'appartement, traversa le salon sans regarder ses invités et entra dans sa chambre. George Darlington se roulait sur le lit avec une fille aux vêtements défaits.

— Dehors ! ordonna Freddie.

— Une minute ! Nous sommes occupés.

— Je t'ai dit de vider les lieux !

— Freddie, mon ami, tu patienteras.

Freddie fut sur lui en trois pas. Il l'attrapa par le col et le jeta hors de la chambre. La fille suivit en ramenant son corsage sur sa poitrine. Enfin seul, Freddie s'enferma et s'assit sur le lit, face au mur. Le Comte rouge était là, qui le regardait depuis son cadre.

On frappa à sa porte, puis on tambourina. Ses amis l'appelèrent, s'évertuèrent les uns après les autres à le convaincre de sortir. La jolie danseuse rousse roucoula par le trou de la serrure. Rien n'y fit. Immobile, il contemplait le tableau. L'horloge sonna minuit, puis une heure. La musique s'arrêta, les voix s'éteignirent. Freddie ne bougeait toujours pas.

À la lueur vacillante de la lampe, il n'avait jamais autant ressemblé à son ancêtre. Il y avait eu de l'humour dans son visage, un sourire prêt à poindre. Cette dernière trace d'humanité s'effaçait. Ses traits se durcissaient, ne traduisant plus qu'une détermination farouche.

Les larmes aux yeux, India lui avait demandé comment il avait pu autant changer.

Quand la mutation irréversible s'était-elle produite ? Après son père ? Après Hugh ?

Il eut une pensée pour India qu'il avait impitoyablement dupée. Et pourtant, c'était sa plus ancienne amie. Elle avait pleuré sur son sort un jour d'été, au bord de la mare de Blackwood. Personne en dehors d'elle n'avait jamais éprouvé la moindre compassion pour lui. Et en retour, il lui avait menti, il l'avait trahie. Il lui avait volé son travail, ses rêves. Il avait tué les deux hommes les plus chers à son cœur. Et tout cela, pour son argent.

Après Wish, après Hugh, même après son père, il avait eu de la peine et des regrets. Cette fois, il ne sentait plus rien. Rien sauf un grand sentiment de liberté. L'amour, l'humanité, les sursauts de la conscience n'étaient que des freins, qui l'avaient limité. À présent, il savait que rien, plus rien, ne pourrait l'arrêter.

Il entendit la voix du comte lui répéter : *Si tu veux être roi, c'est ton propre cœur que tu devras d'abord arracher...*

Non, songea-t-il. Non, comte, tu te trompes. D'abord, c'est un autre cœur qu'il faut détruire. Le cœur d'un être innocent et bon. Ensuite, tout paraît simple.

Il posa la main sur sa poitrine, puis il regarda son ancêtre.

— Voilà, dit-il. C'est enfin fait.

43

Le vieux fiacre qui avait pris Fiona en charge s'arrêta.

— Non, cria-t-elle au cocher, c'est un peu plus loin !

— Je sais où est le Barkentine, m'dame, mais j'vais pas plus loin.

— Nous en sommes encore à dix minutes !

— Je vous ramène, si vous voulez, mais pour continuer, vous n'avez qu'à y aller à pied.

— Je double le prix de la course. Je le triple !

— On me paiera jamais assez pour aller là-bas. Je vous dépose ou je vous remmène ?

Furieuse, Fiona paya son dû à l'homme puis descendit de voiture. Elle se trouvait dans Ratcliff Highway, une rue extrêmement dangereuse, bordée de pubs miteux, de garnis sordides et de boutiques de fournitures pour bateaux. Elle était mal éclairée, mais le fiacre s'était arrêté sous un bec de gaz solitaire. Un enfant malingre passa avec une bouteille de gin, suivi d'un individu louche portant un panier de rats. Le cocher fit claquer son fouet, tourna dans une rue transversale et disparut. Fiona n'eut guère le temps de regretter de l'avoir laissé partir car un homme vint vers elle, mains derrière le dos, pour lui demander l'heure.

— Je n'ai pas de montre, dit-elle en s'éloignant d'un pas vif pour éviter qu'il n'approche davantage.

Idiote ! pensa-t-elle.

Elle avait pris soin de mettre une vieille jupe et une veste en coton mal assortie. Pensant à sa jeunesse, elle s'était coiffée comme autrefois avec un chignon torsadé. Et pourtant, elle attirait encore l'attention, ce qui était fort dangereux à Limehouse.

Rebrousse chemin, se dit-elle en allant vers le pub. Rentre chez toi tant qu'il en est encore temps.

Mais elle ne le pouvait pas. Elle tenait trop à retrouver son frère, et ne voulait plus attendre.

Charlie n'était pas fait pour vivre avec ces gens, dans ce quartier terrible. Elle se désolait de tout ce qu'ils n'avaient pas pu vivre ensemble. Il avait manqué les années à New York chez Michael et Mary Finnegan, les retrouvailles avec l'oncle Roddy à Londres. Il n'avait pas vu Seamie grandir, n'avait pas été à ses côtés quand elle avait épousé Joe, ne savait pas que Katie était née. Il avait été privé de ces bonheurs parce que le sort s'était acharné contre eux. Mais elle le retrouverait et réparerait le tort qu'il avait subi.

La rue que suivait Fiona devenait plus étroite en se prolongeant dans Narrow Street. Là, on sentait l'haleine humide de la Tamise, on entendait le claquement caverneux de l'eau sur les balises. Une visite dans ce quartier sinistre et fangeux aurait été dangereuse en n'importe quelles circonstances, mais l'était d'autant plus pour une femme enceinte de cinq mois. Inquiète pour son enfant, elle persévéra cependant.

Freddie Lytton redoublait ses attaques. Déterminé à conserver son siège de Tower Hamlets, il déployait ses forces tous azimuts. Il visitait les soupes populaires, les docks, les pubs, serrait les mains et embrassait les bébés. Mais, surtout, il clamait de plus belle son intention de nettoyer les deux rives du fleuve. Les descentes de police se multipliaient. On embarquait les mendiants, les clochards, même les enfants des rues, et on les enfermait dans des cellules déjà pleines de voleurs, de souteneurs et d'assassins. Les journaux avaient rendu compte du saccage du Taj Mahal et du Barkentine par la police.

Pour obtenir de plus amples informations, Fiona était

discrètement allée voir son détective privé le matin. Michael Bennett lui avait appris que Lytton s'était personnellement rendu dans tous les commissariats de sa circonscription en promettant de l'avancement à ceux qui l'aideraient à épingler Sid Malone. C'était le branle-bas de combat. Les patrouilles avaient doublé, on faisait pression sur les informateurs, et tout cela pour prendre un seul homme.

Ces nouvelles terribles avaient poussé Fiona à l'action, et elle profitait d'un voyage d'affaires de Joe à Leeds qui l'éloignerait jusqu'au lendemain. Elle se sentait coupable d'agir contre son gré, mais il ne comprenait pas son attachement pour son frère. Charlie comptait autant pour elle que son mari, sa fille et le bébé qu'elle portait en son sein.

Les becs de gaz s'espaçaient, les trous et les ornières l'obligeaient à avancer avec précaution pour ne pas trébucher et se tordre la cheville. Si elle s'aventurait si tard en ces lieux, c'était qu'elle avait passé l'après-midi à de vaines recherches. Suivant les indications de Bennett, elle était allée au Taj Mahal, puis avait essayé la fumerie d'opium de Teddy Ko, sans succès non plus. Le plus risqué, lui avait rappelé le détective, serait d'aller jusqu'à son repaire. Pourtant, avait songé Fiona, on devait davantage se méfier des hommes que des femmes. Elle demanderait au tavernier d'avertir Charlie de sa présence. Il la recevrait, il le fallait. Elle ne partirait pas sans l'avoir vu.

Elle n'était plus qu'à une vingtaine de mètres de son objectif quand elle entendit marcher derrière elle. On la suivait. Soudain, le pub lui sembla comme un refuge où elle serait en sécurité. Elle pressa le pas.

— Eh ! La frangine !

Affolée, elle se mit à courir, mais trop tard. Une main lui accrocha le bras.

— Alors, où tu trottes comme ça ? grogna une grosse voix. Faut pas se sauver quand on t'appelle. Mon pote et moi, on voudrait te dire un mot.

— Lâchez-moi !

Elle essaya de se dégager et vit que son attaquant était un homme épais, accompagné d'un gamin d'une quinzaine d'années.

— Tiens, donne-moi ça, dit-il en lui attrapant la main gauche et en lui ôtant son alliance de force.

Il fourra sa main crasseuse dans la poche de sa jupe, à la recherche d'argent, mais en profita pour la tripoter.

— Arrêtez !

— La ferme…

Il la poussa contre le mur lépreux d'un entrepôt et colla sa bouche à la sienne tout en lui tâtant la poitrine.

Fiona arriva à détourner la tête, horrifiée et terrorisée.

L'homme se tourna vers son compagnon.

— Allez, Billy, tire-toi. Moi et ma nouvelle copine, on va faire une petite balade.

— Non, ne partez pas ! Aidez-moi ! Je suis enceinte !

Billy hésita.

— Barre-toi ! cria l'homme.

L'adolescent obéit, s'esquivant, la tête basse.

Ce dernier espoir envolé, Fiona hurla du plus fort qu'elle le put. L'homme la fit taire d'une claque, et lui tordit le bras dans le dos.

— Tais-toi, ou tu le regretteras.

— Pour l'amour de Dieu, sanglota-t-elle, je vous en prie, laissez-moi.

— Allez, en avant ! ordonna-t-il en la poussant vers

un escalier de bois accolé au pub et qui descendait au fleuve.

Fiona, les jambes tremblantes, n'osa résister de peur de provoquer d'autres violences.

Au milieu de l'escalier, elle trébucha. L'homme la remit sur pied en tirant sur son bras tordu, lui arrachant un cri de douleur. Il prit alors dans sa poche un mouchoir sale dont il la bâillonna.

Elle se désespérait. Personne ne savait où elle se trouvait. Elle était à la merci de cette brute. Mais elle tiendrait, elle s'en sortirait, pour son enfant.

En bas, il n'y avait que de la vase. Il la traîna vers un vieux bâtiment de pierre dont le pied s'enfonçait dans la rive. C'était le sous-sol du Barkentine, qui donnait sur la Tamise. Il la fit aller tout au bout et entrer par une porte étroite dans un cellier noir comme un four. Fiona entendit un grattement, puis une lanterne accrochée au mur s'alluma au-dessus d'eux.

Elle regarda autour d'elle, espérant trouver quelque chose qui pourrait lui servir d'arme, mais ne vit que des barriques pourrissantes et des rouleaux de cordage. Il y avait bien une pelle dans un coin, près d'un escalier qui menait à l'étage, sans doute au pub lui-même. Si seulement elle pouvait courir jusque-là...

Mais l'homme ne lui en laissa pas le temps. Il la poussa brutalement contre un tonneau et souleva ses jupes. Au comble de l'horreur, elle s'étouffait sur son bâillon. Des larmes brûlantes coulaient sur ses joues tandis que son agresseur se collait contre elle, répugnant, poussant des grognements.

Un trépignement retentit au-dessus d'eux et le son d'un accordéon éclata. Elle reprit espoir quand, surpris par un grand coup frappé dans la porte du haut, l'homme recula. Mais le répit ne dura pas. Il l'attrapa par le poignet et la traîna au milieu de la pièce. De sa main libre, elle tenta de se dégager de son bâillon, s'escrimant contre le nœud trop serré.

L'homme se baissa pour agripper un anneau de fer et ouvrit une trappe. La flamme de la lanterne éclairait juste assez la gueule béante pour permettre de voir des marches métalliques qui s'enfonçaient dans un trou ténébreux.

— Descends ! ordonna-t-il.

Si elle entrait dans ce souterrain, jamais elle n'en ressortirait vivante. Il la violerait, puis il la tuerait. La peur de ne plus jamais revoir sa fille et son mari la galvanisa. Révoltée, elle se jeta sur lui, cherchant à lui planter les doigts dans les yeux de sa main libre.

Surpris par la violence de son attaque, il tomba en arrière et l'entraîna dans sa chute. Elle atterrit sur lui, ce qui amortit le choc et le fit lâcher prise. Elle se releva le plus vite possible et se précipita vers l'escalier tout en se dégageant de son bâillon. Mais l'homme ne resta pas longtemps à terre. Il bondit pour lui couper l'accès aux marches et il s'en fallut de très peu qu'il ne la rattrape. Lui ayant échappé, elle monta à reculons en hurlant des appels à l'aide.

En haut, le vacarme continuait. On entendait des rires tonitruants, de la musique et des piétinements. Personne ne viendrait la secourir.

— Descends de là ! cria-t-il, un pied posé sur la première marche.

Elle s'égosilla, folle de terreur et de désespoir. Et soudain, miraculeusement, la porte s'ouvrit derrière elle.

— Au secours ! À l'aide !

Il y eut un pas lourd sur les marches, puis une voix masculine aux forts accents cockney éclata.

— Qu'est-ce que c'est que ce bastringue ?

C'était un garçon jeune, mince et athlétique, dont l'air farouche fit peur à Fiona. Elle voulut le dépasser pour s'échapper par la porte, mais il l'arrêta par le poignet.

— Qu'est-ce qui se passe, ma petite dame ?

— Lâchez-moi, gémit-elle.

— D'abord, va falloir être gentille.

— Il m'a enlevée dans la rue. Il m'a volée... il m'a forcée à...

— Frankie, mon gars, intervint l'homme. Te frappe pas. Je m'amusais un peu, c'est tout.

— Tiens, tiens, si c'est pas le vieux Ollie, le pointeur. Déjà sorti de taule ? Qu'est-ce qui t'arrive ? Tu trouves plus de gamines pour te soulager, que tu t'attaques à cette vioque ?

L'homme eut un rire nerveux.

— T'as qu'à te l'envoyer d'abord, Frankie. Vas-y, je passerai après.

— La ferme.

— Aidez-moi, supplia Fiona. Je venais voir Sid Malone. Je suis une amie. Il faut que je lui parle. Est-ce que vous pouvez le prévenir ?

Frankie s'assombrit.

— T'es avec cette doctoresse de malheur, hein ?

Trop étonnée pour répondre, Fiona bégaya une question qu'il prit pour un assentiment.

— Ça m'étonne pas ! C'est la faute de cette maudite femelle s'il en est là. Vous vous en foutez bien de nous, hein ! Tout ce que vous voulez, c'est vous mêler de ce qui ne vous regarde pas. Ça vous plaît de vous encanailler, ça vous donne des émotions ! Eh ben, si tu veux des émotions, tu vas en avoir.

Frankie la fit descendre, puis il la lâcha et ramassa une barre de fer.

— Non, supplia Fiona en levant les mains pour se protéger.

Mais ce n'était pas après elle qu'il en avait. Sans crier gare, il donna un coup en plein visage à son agresseur. Il y eut un craquement écœurant de dents qui explosent, et le sang gicla.

Fiona hurla. Elle se rencogna contre le mur, yeux fermés, se bouchant les oreilles. Peine perdue. Le bruit des coups et les cris lui parvenaient toujours. Cela lui sembla durer des heures. Puis elle n'entendit plus que des gémissements. Quand le silence revint, elle baissa les mains et ouvrit les yeux. Son agresseur était affalé sur le sol, massacré.

— Oh ! mon Dieu…

Frankie se tenait au-dessus de lui, la respiration haletante. Il laissa tomber la barre puis il approcha d'elle, et se baissa pour mettre ses yeux au niveau des siens.

— Ça t'a plu ? Tu veux toujours causer au Patron ?

— Laissez-moi partir, sanglota-t-elle. Je vous en prie !

— Dis à ton amie la doctoresse de lui foutre la paix. Vous déglinguez le Patron avec vos histoires. Il tourne le dos à ses amis, à ses affaires. Il a rien à faire avec vous autres. C'est avec nous qu'il est, pas avec vous ! Tu m'as entendu ? cria-t-il en l'attrapant pour la secouer. Tu m'as bien entendu ? Ne reviens plus ici !

Fiona voulut se dégager, mais il resserra son étreinte.

— Je te demande si t'as entendu !

— Oui !

Enfin satisfait, il se leva, jeta un bref « tire-toi » et remonta dans le bar.

Fiona crut que l'odeur du mort allait la faire évanouir. Tiens bon, s'intima-t-elle. Lève-toi. Va-t'en. Sois forte pour Katie, pour le petit. Allez !

Elle dut rassembler toutes ses forces pour se redresser. De peur de croiser Frankie si elle prenait l'escalier, elle sortit par la porte du fleuve, ce qui l'obligea à passer à côté du corps baignant dans son sang. Elle traversa de nouveau la vase, remonta les marches extérieures, et se retrouva devant le pub.

Je suis encore en vie, pensa-t-elle. Merci, mon Dieu !

Ce bonheur soudain lui rendit son énergie. Elle partit d'un pas d'abord trébuchant dans Narrow Street, puis, mains sur le ventre, elle se mit à courir. Elle s'enfuit à toutes jambes dans la nuit londonienne, laissant derrière elle la cave terrifiante du Barkentine, le dénommé Frankie… et son frère.

44

India était assise sur une caisse retournée au beau milieu de la cour des Moskowitz pour profiter de la lumière. Manches relevées, joues rouges, elle maintenait un enfant hurlant entre ses cuisses.

— Martin ! Arrête de remuer ! cria la mère du gamin.

— Ne bouge pas, Martin, sois sage… Je te donnerai un bonbon…

Grâce à cette promesse, India espérait le faire tenir tranquille assez longtemps pour le soigner. Il s'agissait de lui introduire une pince à épiler dans l'oreille sans lui percer le tympan. Elle apercevait le corps étranger à extraire et ne voulait surtout pas l'enfoncer davantage.

Deux poules passèrent en caquetant. Mme Moskowitz se pencha par la fenêtre de la cuisine, ordonnant à quelqu'un de lui apporter des pommes de terre. Un chien aboya dans le passage. Le chat cracha, puis il y eut un bruit de poursuite et de poubelle qui se renverse. Malgré ces distractions, India se concentrait sur l'oreille endolorie.

— Tu aimes les chocolats, Martin ? demanda-t-elle en lui faisant tourner la tête pour mieux voir. Tu préfères peut-être les berlingots ? Au citron ou à la menthe ?

L'hésitation le calma, et India saisit sa chance. Deux secondes plus tard, il se retrouvait dans les bras de sa mère, hurlant de nouveau, tandis qu'India examinait l'objet tenu entre les branches de sa pince.

— Un bouton de col, commenta-t-elle. Pas étonnant qu'il ait eu mal, madame Meecher. Je vais lui désinfecter l'oreille, et vous la lui laverez chez vous à l'eau salée et, dans une semaine, il n'y paraîtra plus.

— Je préfère les berlingots à la menthe, dit Martin en reniflant.

— Tu en as bien mérité un, répondit-elle en tirant une boîte de sa poche.

— Merci, docteur. Le pauvre petiot avait un mal de chien…

Elle s'interrompit, l'air honteux.

— J'ai pas grand-chose, cette semaine. Mon homme s'est présenté à l'embauche tous les jours et n'a pas été pris. Je vous ai apporté ça, j'espère que ça ira.

Elle sortit un papier d'emballage froissé de sa poche et le lui tendit. En le dépliant, India y trouva un napperon brodé main.

— C'est très joli, dit-elle avec reconnaissance. On a toujours besoin d'un napperon, merci beaucoup.

Mme Meecher eut l'air ravi.

Au moment où India se levait, Ella arriva, portant une bassine d'eau tiède savonneuse.

— Votre prochaine patiente est une petite fille de six

ans. Eczéma, je crois. Ce n'est pas facile à voir sous la crasse.

— Y a-t-il des vésicules ?

Elle fut interrompue par un choc. C'était Bijou qui courait sans regarder où elle allait, les doigts plongés dans un pot de miel presque vide.

— Attention ! protesta Ella.

— L'irritation cutanée… reprit India.

Une voix la fit taire.

— Je serai rentré vers neuf heures, maman. Peut-être dix, ne m'attends pas !

Yanki s'était arrêté à la porte de la cuisine. Il s'apprêtait à partir, propre comme un sou neuf, finissant de manger une pomme.

— Et où cours-tu tiré à quatre épingles comme ça ? cria Ella.

— Chez le rabbin Abramovitz, pour mon cours particulier, répondit-il en croquant une dernière bouchée.

— Ah ! oui, des cours particuliers, et de quoi, je te prie ?

— L'étude de la Torah, bien sûr !

— Je me demande si ça ne serait pas plutôt les cours très particuliers de Mimi Abramovitz…

Yanki ne daigna pas répondre, et s'éloigna en lançant son trognon dans la bassine d'Ella qui fut aspergée par les éclaboussures.

— *Ach, du Pisher !* s'écria-t-elle.

— *Kush in toches arein, Ella !* jeta-t-il avec un sourire espiègle.

— Yanki ! cria leur mère.

India se tourna au son de sa voix et la vit qui avançait d'un pas déterminé, brandissant une cuillère en bois.

— Je t'ai entendu, mon fils ! Aller lire la Torah

quand on parle comme ça ! Je me demande si tu mérites d'embrasser ta mère !

— Et Mimi Abramovitz... ajouta Ella pour se venger.

Mme Moskowitz s'arrêta net en se posant la main sur le cœur.

— La fille du rabbin, Yanki ? Est-ce que c'est vrai ?

— Mais non, maman, jeta-t-il, furieux. Et n'allez surtout pas raconter ça à tout le monde !

Il fusilla sa sœur du regard.

— Toi, tu vas voir !

Mme Moskowitz le regarda partir d'un air rêveur.

— Ça alors, vous imaginez ? Les Abramovitz dans la famille... *Halevei !* Et cette peste d'Alma Rosenstein qui crie sur tous les toits que le rabbin va donner Mimi à son fils. Elle va en faire une tête !

L'impolitesse de Yanki ainsi pardonnée, elle allait rentrer dans la cuisine, agitant sa cuillère en bois comme un chef d'orchestre, quand elle s'arrêta à la porte et se tourna pour brailler :

— Aaron ! Miriam ! Salomon ! Où en est mon poulet ? C'est pour aujourd'hui ou pour demain ?

— On a presque fini, maman !

C'était Aaron qui répondait du fond de la cour où, avec son frère et sa sœur, il plumait une poule.

Ella secoua la tête.

— Si Florence Nightingale voyait ça...

— Soixante-cinq mètres cubes par accouchée... soupira India.

— Du carrelage immaculé.

— De l'eau chaude à volonté.

— Le seul ennui véritable, ce sont les poules.

— Et le chat.

India et Ella se turent un instant, considérant la remise

vétuste qui servait de salle de consultation, et la salle d'attente de fortune seulement couverte par une bâche. Leur installation était peu orthodoxe, et pourtant, leur cabinet ne désemplissait pas. Stoïques, des femmes de tous âges attendaient, qu'elles soient enceintes, entourées d'enfants ou percluses de rhumatismes. Aucune ne se plaignait. Elles étaient prêtes à patienter toute la journée s'il le fallait, et même à revenir le lendemain au besoin, n'ayant pas d'autre endroit où se faire soigner.

— Docteur Jones, je crois que je vous parlais d'un eczéma. La peau est irritée, craquelée et suintante.

— Merci, mademoiselle Moskowitz.

— Je reviens tout de suite. Je repars chercher de l'eau.

Mais avant de s'éloigner, elle se tourna de nouveau vers India.

— Indy ?

— Oui ?

— Vous ne regrettez toujours pas d'être venue vous installer dans cet asile de fous ?

India regarda autour d'elle avec un sourire. Bijou déambulait avec son pot de miel ; Miriam, Aaron et Salomon étaient environnés d'un nuage de plumes. La toile rapiécée que M. Moskowitz et Yanki avaient tendue entre la remise et les cabinets pour permettre de patienter à l'abri avait piètre allure. Les femmes, assises sur des cageots et des caisses, leurs enfants sur leurs genoux, n'attendaient pas dans le plus grand confort. La vieille cabane de jardin où elles officiaient ne mesurait que deux mètres sur deux mètres cinquante, mais avait été récurée avec du savon noir et était propre. À quelques mètres, sur la corde à linge, pendaient les sous-vêtements de la famille.

Ce tableau lui apparut soudain pour le moins pittoresque. Elle éclata de rire, d'un rire énorme et salvateur qui lui mettait des larmes dans les yeux et la rendait ravissante.

— Je ne pourrais pas être plus heureuse, Ella. Sincèrement.

Son dispensaire, elle l'avait, malgré la perte de ses économies et tous les malheurs qui s'étaient abattus sur elle. Elle exerçait la médecine comme elle avait toujours rêvé de le faire, avec compassion et intégrité.

En retournant à la remise pour recevoir sa patiente suivante, elle pensa aux bouleversements qui venaient de transformer sa vie. Quinze jours plus tôt, elle vivait encore dans les beaux quartiers, travaillait chez le Dr Gifford et était fiancée à l'étoile montante du Parti libéral. À présent, elle était sans le sou, dormait dans le grenier des Moskowitz et soignait les malades dans leur cour. Pourtant, elle ne regrettait rien.

Tout était arrivé très simplement. Bouleversée par sa rupture avec Freddie, elle n'avait pas pu supporter de rester seule. Après une nuit blanche, elle était allée trouver Ella à Brick Lane et lui avait tout raconté : le testament de Wish, la perte de son investissement, la trahison de Freddie. Elle aurait voulu parler tranquillement à son amie, mais chez les Moskowitz on ne pouvait jamais rester seul bien longtemps. Bijou était grimpée sur ses genoux, Miriam avait demandé à Ella de lui refaire ses nattes, Yanki avait eu besoin qu'on lui noue sa cravate. Mme Moskowitz, voyant son air défait, était venue s'installer à la table avec du thé. Et là où elle allait, le reste de la famille suivait. En peu de temps, M. Moskowitz s'était donc assis avec elles, ainsi qu'Aaron, Salomon et son ami Reuben, le petit voisin.

En racontant son histoire, elle ne put s'empêcher de

pleurer, se sentant coupable de trop montrer ses émotions. Sa mère lui avait tellement répété que l'étalage des sentiments était la marque des comédiennes et des chiens de salon, qu'elle fut très étonnée par la réaction des Moskowitz. Exclamations de sympathie et d'indignation de la part des plus âgés, baisers de la petite Bijou et de Miriam. Salomon lui offrit même un mouchoir à la propreté douteuse. Mais ce ne fut pas tout. Tous prirent à cœur ses problèmes, en discutèrent, et tâchèrent de trouver des solutions.

— Qu'elle récupère au moins la bague et la montre, il les lui a données, dit Yanki.

— Non, protesta Ella, c'est une question d'honneur, elle ne peut rien accepter de lui.

— L'honneur, c'est bien joli, mais elle pourrait les mettre en gage, intervint Mme Moskowitz.

— Elle n'a pas besoin de ça ! Elle est docteur, elle peut travailler.

— Mais où ? puisqu'elle dit qu'elle ne sera prise nulle part, rétorqua Yanki. Toi non plus, tu n'as rien trouvé.

— Nous avons à peine commencé à chercher !

India voulut s'en mêler, mais personne ne l'écoutait. Il devint vite clair que son rôle se bornerait maintenant à boire son thé. Elle se demandait un peu pourquoi elle n'avait pas voix au chapitre, étant, après tout, la première concernée.

L'inaction lui donna le temps de les observer. M. Moskowitz, sourcils froncés, joignait les mains sous son nez, profondément attentif ; sa femme servait du thé à la ronde ; Ella et Yanki se contredisaient avec passion ; Bijou, toujours sur ses genoux, était accrochée à son pouce.

Soudain, elle sentit monter des larmes dans ses yeux.

C'était donc cela, une famille. Elle était fatiguée, triste et angoissée, et le sachant, ils avaient pris ses soucis à leur compte pour l'en soulager un moment. Elle s'essuya furtivement les yeux, ce que personne ne remarqua car la discussion faisait toujours rage entre Ella et son frère.

— Nous n'avons encore essayé que trois hôpitaux ! Il y en a d'autres !

— Ce sera partout pareil ! Le Dr Gifford a sûrement fait passer le mot. On ne voudra de vous nulle part, même pas pour laver par terre.

— Attendez un peu, intervint Mme Moskowitz. Je ne comprends pas bien. Je ne vois pas pourquoi vous allez quémander du travail dans les hôpitaux. Depuis des semaines, je n'entends parler que de votre dispensaire. Le dispensaire par-ci, le dispensaire par-là… Je suppose que vous n'avez pas changé d'idée…

Son regard passa d'India à Ella.

— Bien sûr que non, répondit sa fille.

— Alors ouvrez-le, ce dispensaire ! Vous n'avez qu'à vous installer ici.

— Dans le restaurant, maman ?

— *Bist du meshigeneh ?* Pas dans la salle, dans la cour. Il y a de la place. Nous n'avons qu'à déplacer la lessiveuse au fond pour libérer la remise. C'est assez grand pour recevoir des malades.

— Dans… votre cour ?… bégaya India. Mais, madame Moskowitz… c'est… c'est… une cour !

— Et alors ?

— Il n'y a pas de table d'examen. Il n'y a pas d'eau chaude. Il n'y a pas d'instruments. Il n'y a pas d'autoclave. Ce ne sont pas des conditions idéales.

— Idéales ! En voilà de grands mots ! Vous voulez un dispensaire ou pas ? À Saint-Pétersbourg, on allait voir les guérisseurs sur la place du marché. On se faisait arracher les dents sur le stand du boucher, à côté des têtes de porc. Plus on criait, moins on payait. Ça attirait le monde. Les clients regardaient et ensuite ils achetaient leurs saucisses.

— Mais les patients, justement, comment sauront-ils où nous trouver ? demanda Ella.

— *Oi vai*, que d'histoires pour rien, mes petites filles !

Elle se tourna sur sa chaise et cria :

— Herschel ! Herschel Fein !

Un gros jeune homme qui se dirigeait vers la cuisine avec un panier d'oignons sur l'épaule s'arrêta.

— Oui, madame Moskowitz ?

— Ton Eva va avoir un bébé, non ? C'est pour quand ?

— Le mois prochain.

— Elle est allée voir un docteur ?

Herschel eut un rire.

— Un docteur ? Avec ce qu'on gagne en vendant des légumes, on aura de la chance si on arrive à se payer le vétérinaire.

— Et si je te disais qu'elle peut avoir un docteur et une infirmière, et les meilleures de Londres, contre une semaine de fruits et de légumes pour le restaurant ?

Herschel réfléchit un peu, sourcils froncés.

— Moins les raisins secs. Les raisins secs sont hors de prix, et vous en prenez cinq livres au moins. Je vous fais tous les fruits et les légumes, moins les raisins secs.

Mme Moskowitz eut un soupir.

— Herschel, tu es dur en affaires, très dur. Mais je vais accepter. D'accord, les fruits et les légumes, moins les raisins secs. Marché conclu ?

— Marché conclu.

— Dis à Eva de venir demain, elle aura sa consultation.

— Mais le bébé ne doit naître que le mois prochain.

— Il y a une visite avant l'accouchement, c'est compris dans le prix. Pour évaluer la situation.

Herschel hocha la tête, impressionné.

— Je la préviendrai, dit-il avant de repartir vers la cuisine.

— Voilà, mesdemoiselles ! s'exclama Mme Moskowitz avec un air de triomphe. Votre première patiente. Le dispensaire est officiellement ouvert. Vous feriez mieux de nettoyer la remise. M. Moskowitz va vous donner un coup de main, n'est-ce pas, monsieur Moskowitz ?

Sans lui laisser le temps de répondre, India se récria :

— Mais c'est impossible ! Il faudra tout de même que je trouve un travail salarié. Je dois couvrir mes frais, payer mon loyer.

— Vous n'avez qu'à venir vivre ici.

— Merci, sincèrement, mais c'est impossible...

Mme Moskowitz tendit le bras pour prendre la main d'India dans la sienne.

— Ma chère India, et avec tout mon respect, je ne laisse qu'à Dieu le soin de me dire ce qui est impossible.

— Je vous dérangerais.

— *Zeeskyte*, vous n'avez pas idée de ce qui dérange. Moi, je sais ce qui dérange. Les Cosaques, ils dérangent. Voir son père, son mari, se faire battre dans la rue, oui, ça, ça dérange. Mais avoir chez soi une petite demoiselle qui ne mange presque rien et qui ne prend pas de place, ça ne dérange pas du tout.

Puis, se reprenant soudain, elle ajouta :

— Bien sûr, c'est M. Moskowitz qui décide. Si M. Moskowitz veut que vous restiez, vous restez.

Elle tapa sur la table du plat de la main.

— Monsieur Moskowitz ?

Mendel Moskowitz considéra pensivement sa femme. Il tira sur sa barbe. Il prit une gorgée de thé et reposa sa tasse, puis il se prononça.

— Elle reste.

Les plus jeunes enfants lancèrent des hourras.

— La question est réglée, conclut Mme Moskowitz.

Et ainsi, India s'était installée chez eux. Elle avait vendu toutes ses affaires sauf son lit, ses vêtements et ses livres, que Yanki et Aaron avaient déménagés à Brick Lane dans une charrette tirée par un âne. Le lit avait été monté au grenier, où Ella dormait avec ses sœurs. Il n'y avait plus la place de faire tomber une épingle. La chaleur étouffante de l'été rendait la cohabitation encore plus inconfortable, d'autant que Bijou les tenait éveillées jusqu'à des heures indues avec ses bavardages. Et pourtant, India ne s'était jamais sentie aussi bien de sa vie. Le soir, elle se glissait dans son lit, épuisée mais heureuse. Le matin, elle s'éveillait pleine d'énergie, se réjouissant de la journée à venir et des tâches qu'elle aurait à accomplir.

Et elle ne chômait pas. Avec Ella, elle travaillait de l'aube au coucher du soleil, ne prenant qu'une heure pour se restaurer. Elle voyait soixante-dix patients par jour.

Mais quand la consultation était terminée, leur travail n'était pas achevé pour autant. Il leur restait à nettoyer la remise, à balayer le sol en terre battue de la salle d'attente, et à mettre leurs instruments à bouillir dans la cuisine de Mme Moskowitz.

India sortait justement de la cuisine avec un seau et une serpillière pour aller à la remise quand la porte se rouvrit derrière elle. Elle s'attendait à voir surgir

Mme Moskowitz, mains sur les hanches pour mieux crier ses directives à ses enfants, mais ce fut Sid Malone qui apparut. Ils ne s'étaient pas revus depuis plusieurs semaines, précisément depuis le jour où il lui avait amené la petite malade. Elle le trouva très beau avec sa salopette et son gilet. Leurs regards se rencontrèrent, et il lui lança un sourire espiègle. Cet homme la déstabilisait totalement. Elle aurait voulu courir dans ses bras mais en même temps se cacher pour lui échapper. Son émotion était si grande qu'elle dut faire un effort insensé pour lui sourire à son tour.

— Malone ! s'écria Ella joyeusement. Tu es malade ? Tu tousses ? Tu craches ? Tu as mal au dos ? Viens t'asseoir, India va t'examiner.

— Non, merci. Je garde un trop mauvais souvenir de la dernière fois !

Il avança dans la cour, inspectant leur installation : la toile rapiécée, la vieille remise que les poules voulaient coloniser pour la nuit.

— Ta mère vient de me donner à dîner. C'est elle qui m'a dit que vous étiez dans la cour. Qu'est-ce que vous fabriquez, toutes les deux ?

— Ça ne se voit pas ? demanda India. Ella et moi, nous avons ouvert notre dispensaire. Nous recevons des patients, ajouta-t-elle en poussant une poule avec le pied. Là, vous vous trouvez devant la salle d'attente.

— Vous ne travaillez plus pour Gifford ?

Tandis qu'Ella repartait balayer, India lui parla de ce qui était arrivé, de la gentillesse des Moskowitz et du rôle qu'avait joué Freddie dans toute l'histoire.

Sid émit un long sifflement.

— Eh bien ! Lytton a fait tout ça ? Il est plus malin qu'il n'en a l'air. Vous pourrez lui dire que, si le

Parlement le met au chômage, il peut toujours venir travailler pour moi.

— Je ne pense pas en avoir l'occasion.

— Vous lui en voulez ?

— Assez, oui…

Il esquissa un sourire.

— Je suppose qu'il est inconsolable et qu'il ne peut pas vivre sans vous ?

— Ce n'est pas de moi qu'il ne peut pas se passer, c'est de mon argent. Si nous nous étions mariés, mes parents nous auraient donné leur hôtel particulier et vingt mille livres de rente par an.

— Vingt mille ! Bon sang, moi aussi j'aurais été inconsolable à ce tarif. C'est le montant de votre dot ?

— Plus maintenant. C'était à prendre ou à laisser.

— Alors l'honorable Freddie n'est pas si honorable, après tout. Il ne faut pas se fier aux apparences.

India lui lança un regard pénétrant.

— C'est bien vrai, les gens ne sont souvent pas tels qu'on les imagine.

Sid baissa les yeux un instant.

— Alors… vous êtes libre, maintenant, si je comprends bien.

India rougit, et ce fut son tour de fuir son regard.

— Mieux vaut ne pas y penser, nous le regretterions sûrement… reprit Sid

India releva vivement la tête, se demandant s'il était sérieux. Non. Il souriait. Il se moquait d'elle. Elle sourit aussi.

— Sûrement !

C'était tout le contraire de ce qu'elle aurait voulu dire. Les regrets ne lui faisaient pas peur, parce qu'elle l'aimait. Elle mourait d'envie qu'il la prenne dans ses bras, qu'il l'embrasse, mais elle ne le montrerait pas.

Elle l'aimait, oui, passionnément, mais ils étaient trop différents. Jamais ils ne pourraient s'entendre. Elle le savait, tout comme lui.

Une paix fragile semblait s'être instaurée entre eux, que mettrait en danger tout échange passionné, comme ceux qu'ils avaient eus en arpentant les rues de Whitechapel.

— Je vais vous laisser… dit Sid.

— Où allez-vous ?

— Dérober les bijoux de la Couronne. J'ai envie de m'amuser un peu ce soir.

— Sid, ce n'est pas drôle. Vous savez que Freddie vous surveille.

— En parlant de bijoux, coupa Sid, où est votre montre ? Vous ne la portez plus. Vous vous en êtes encore servie de monnaie d'échange ?

— D'une certain façon, mais ce n'est pas…

— Mais bon Dieu, India, il ne fallait pas !

— Si, je vous assure…

— Vous auriez dû me demander de l'aide ! À quoi cela vous sert-il d'être aussi fière ?

Elle s'emporta.

— Vous m'autorisez à parler ?

— Non, parce que je sais ce que vous allez me dire. « Je ne peux pas accepter votre argent, Sid, c'est de l'argent sale. » Mais on s'en fout !

Un tel vocabulaire lui attira un regard réprobateur d'India, ce qui ne l'empêcha pas de continuer.

— Vous en avez besoin ! Sans montre, comment pouvez-vous prendre le pouls de vos patients et je ne sais quoi d'autre ? Qu'avez-vous acheté avec cet argent ? Moi, j'aurais pu vous l'offrir !

— Ça ? Non, personne ne pouvait me l'offrir.

— Tiens ? Et qu'est-ce que c'était que ce trésor ?

India sourit, heureuse d'avoir retrouvé la vivacité de leurs échanges.

— Ce trésor ? C'est ma liberté !

45

Joe Bristow, fatigué et hagard, monta en courant les marches de Guy's Hospital. Il n'était de retour de son voyage à Leeds que depuis une heure. En rentrant chez lui, il avait trouvé dans le vestibule un agent de police, le majordome blanc comme un linge et la cuisinière en larmes. Fiona avait disparu depuis près de vingt-quatre heures et venait seulement d'être retrouvée. D'après l'agent, elle avait demandé de l'aide à un gardien de la paix à Limehouse, qui l'avait conduite à l'hôpital où un certain Dr Taylor s'occupait d'elle.

Joe entra en trombe dans le hall et demanda le Dr Taylor. La personne chargée de l'accueil lui indiqua un petit homme replet, occupé à morigéner une aide-soignante dont les chaussures ne brillaient pas assez à son goût.

— Docteur Taylor ? Je suis Joe Bristow.

La jeune fautive fut aussitôt oubliée, et le médecin conduisit Joe dans un couloir jusqu'à son bureau.

— Que s'est-il passé ? Comment va ma femme ? Comment va l'enfant ?

— L'enfant va bien, et votre femme se remettra vite.

— Mais c'est grave ? Qu'est-ce qu'elle a ?

— Je suis content de vous voir, M. Bristow, répondit le médecin d'un ton évasif. Votre femme tenait absolument à rentrer seule chez vous, mais je le lui ai interdit.

Je ne voulais la laisser sortir que sous la garde d'un membre de la famille.

— Que lui est-il arrivé ?

— Elle a été agressée à Limehouse, près d'un pub qui s'appelle le Barkentine.

— Bon Dieu !

— Vous connaissez cet endroit ?

— J'en ai entendu parler.

— Elle a failli se faire violer.

Le médecin introduisit Joe dans son bureau, puis lui raconta ce qu'il savait. En arrivant à l'hôpital, Fiona ne songeait qu'à son enfant. Il l'avait examinée, l'avait rassurée et avait soigné ses contusions. Mais il lui restait quelques éléments à tirer au clair.

— Savez-vous ce qui l'amenait à Limehouse ?

Joe n'avait aucun doute à cet égard, mais il ne dit rien.

— Je vous pose cette question parce que je ne comprends pas ce qu'une femme de son milieu, et dans son état, pouvait bien aller fabriquer dans ce quartier seule la nuit.

Le médecin attendit un peu, puis, en l'absence de réponse, continua.

— Monsieur, votre épouse a-t-elle déjà manifesté un comportement étrange ? Divague-t-elle, parfois ?

— Pourquoi cette question ?

— Parce que je me demande si elle ne souffrirait pas d'un trouble mental.

— Pardon ?

— Il reste une chose que je ne vous ai pas dite. Mme Bristow prétend avoir vu un homme se faire tuer dans ce pub. Ce serait arrivé sous ses yeux. Le sergent Hicks, l'agent qui l'a amenée, a envoyé une dizaine d'hommes sur les lieux, mais ils n'ont trouvé aucun corps. On n'en a signalé nulle part cette nuit-là non plus.

Il n'y a pas d'autres témoins. Rien. On a découvert du sang sur le sol de la cave, c'est un fait, mais le tavernier dit avoir tué des poules pour son ragoût.

Joe hocha la tête. En effet, cela pouvait sembler étrange si on ne savait pas qui fréquentait ce bouge. Le Dr Taylor avait sans doute entendu dire que c'était un coin dangereux, mais il n'avait pas la moindre idée de la situation réelle.

— Le sergent Hicks est revenu informer Mme Bristow de ce qu'il avait trouvé... c'est-à-dire rien. Elle n'a pas voulu le croire. Elle persiste à affirmer qu'un meurtre a été commis. Vous comprenez mon inquiétude. Elle vient de subir un grave traumatisme, et il lui faut prendre du repos à tout prix pour sa santé et pour celle de l'enfant. Évitez-lui la lecture des journaux. Elle doit éviter toute agitation. J'ai essayé de le lui expliquer et j'espère que vous ferez tout pour l'assagir.

— Soyez-en certain, docteur.

— Parfait. Si son comportement reste étrange, il faudra m'en informer. Je peux vous recommander un confrère au Bethlhem Hospital, qui a mis au point d'excellentes cures pour les hystériques.

Joe eut un frisson d'horreur en songeant aux asiles d'aliénés. Il remercia le médecin et demanda à rejoindre sa femme.

Le Dr Taylor le conduisit à l'étage, dans une chambre privée.

— Je pense que vous vous passerez de ma présence. Envoyez-moi chercher si vous avez besoin de moi.

Quand Joe entra, Fiona était assise sur le lit, portant des vêtements sales et déchirés. Elle avait les mains croisées sur les genoux, la tête baissée. Sur le lit à côté d'elle, se trouvait une pile de journaux.

— Je croyais que le médecin t'interdisait de lire la presse, remarqua-t-il. Comment les as-tu eus ?

— Les autres patients me les ont donnés, dit-elle à voix basse.

— Taylor pense que tu es folle. Un peu plus et il t'envoyait à l'asile.

Fiona ne répondit pas.

— Tu as vraiment vu quelqu'un se faire tuer ?

— Oui, murmura-t-elle. L'homme qui m'avait attaquée. C'est un certain Frankie qui l'a assassiné.

— Bon Dieu, Frankie Betts. Le même salopard qui a tué Alf. C'est lui qui a fait brûler mon entrepôt. Et tu étais là quand c'est arrivé ?

— Oui.

Joe eut comme un malaise. Un tel spectacle aurait été difficile à supporter même pour un homme, alors pour une femme enceinte... Elle n'aurait jamais dû voir une chose pareille. Elle n'aurait jamais dû approcher Sid Malone et sa bande de criminels.

— Alors, tu crois toujours que ton frère n'est qu'un pauvre garçon qui a mal tourné malgré lui ? Tu espères toujours en faire un bon petit toutou obéissant ?

— Ce n'est pas lui le coupable.

— C'est tout comme ! Tu sais qui est Frankie Betts, je suppose ! Non ? Eh bien, je vais te le dire. C'est le bras droit de ton frère. Son second. Pis qu'un dur, un fou dangereux. Tu aurais pu te faire tuer !

— Charlie veut s'en sortir, Joe. Il veut quitter la pègre. C'est Frankie Betts qui me l'a dit. Il voulait m'empêcher de me mêler de leurs affaires et m'obliger à laisser Charlie tranquille. Mais si je pouvais seulement le voir, lui parler, je le sauverais !

Joe ne répondit pas. Il se détourna d'elle, pris d'une

telle fureur qu'il se retint à grand-peine de jeter la cruche d'eau à travers la pièce et de renverser la table de chevet.

— Comment as-tu pu prendre le risque d'aller là-bas, Fiona ? Comment as-tu pu mettre ta vie et celle de notre enfant en si grand danger ? Dix fois je t'ai demandé de ne pas le faire !

Elle garda le silence.

— As-tu pensé une seule seconde que tu exposais Katie à grandir sans sa mère ? Et moi ? Tu as pensé à moi ? Réponds !

Elle leva le visage vers lui, et il eut un coup au cœur. Elle était horriblement tuméfiée, avait une lèvre fendue, un œil poché, et son cou était marbré de rouge.

Elle prit un journal sur le lit. Joe vit que c'était le *Clarion* dont le gros titre citait la dernière diatribe de Freddie Lytton contre Sid Malone. Yeux posés sur la page, elle essaya encore de s'expliquer.

— Un jour, j'avais dix ans, et Charlie en avait neuf, nous revenions de l'épicerie quand nous avons vu un groupe de gamins – ils devaient être cinq – qui malmenaient un chat. Ils lui avaient lié les pattes de devant et lui donnaient des coups de pied pour lui donner envie de se sauver. Ce qui les amusait, c'était de le voir tomber. Ils étaient plus âgés que nous, plus grands, plus forts. Charlie m'a confié le thé et le sucre que nous venions d'acheter, il s'est posté devant le chef de la bande et lui a envoyé un coup de poing dans le nez. Je ne crois pas qu'il le lui ait cassé, mais il pissait le sang. Le petit dur s'est mis à pleurer et, comme entre-temps Charlie en avait frappé un autre dans le ventre, ils se sont tous sauvés.

« Quand ils ont été partis, il a ramassé le chat. Le pauvre était en piteux état, avec une patte cassée. Il l'a ramené à la maison et l'a installé sur des chiffons, dans un vieux panier à œufs. Quand notre mère a vu le matou, elle n'a pas eu le courage de dire à Charlie de le remettre dehors. Mon frère a passé des nuits entières à veiller ce chat, à le nourrir à la cuillère. Il lui a même fabriqué une attelle pour sa patte. C'était ça, Charlie. Il n'y avait pas plus gentil.

Elle montra le journal.

— Et maintenant, tu as vu ça ? Voilà ce qu'on en a fait. Comment est-ce possible, Joe ? Je n'y crois pas, acheva-t-elle d'une voix brisée.

Joe s'assit à côté d'elle pour la prendre dans ses bras. Ils restèrent silencieux plusieurs minutes, puis Fiona demanda :

— On rentre ?

— Non, chérie, non.

Elle le regarda sans comprendre.

— Pas avant que tu m'aies promis de ne plus jamais recommencer.

— C'est impossible. Tu le sais bien. Je t'en prie, ne me demande pas ça.

— Si, je te le demande. Il faut choisir entre moi et Sid Malone.

Fiona le contemplait avec désespoir.

— Mais Joe…

Son hésitation lui fit une peine effroyable.

— Alors tu es prête à recommencer ? Je pourrais m'user la salive jusqu'à la fin des temps, que tu ne m'écouterais pas !

Il essayait de tenir bon, ayant besoin de toutes ses forces pour utiliser le seul moyen de pression qui lui restait. Fiona comptait plus que tout pour lui. Sans elle, il n'était rien, mais il ne voyait pas d'autre solution. Il ne la laisserait pas se détruire sans rien faire.

— La voiture est en bas. Je vais avertir le Dr Taylor

que tu vas rentrer seule tout à l'heure et je dirai au cocher de t'attendre. Moi, je vais prendre un fiacre.

— Mais pour aller où, Joe ?

— Je descendrai au Connaught pour l'instant. J'enverrai Trudy chercher mes affaires chez nous. Je t'aime, Fiona, et j'aime Katie. Je vous aime plus que ma vie. J'espère que tu changeras d'avis.

— Tu me quittes ? Tu me quittes encore ?

— La première fois, c'était ma faute, mais cette fois c'est la tienne.

Fiona éclata en sanglots. Il faillit faiblir, mais eut le courage de se lever et d'aller à la porte.

— Il faut que tu choisisses entre lui et moi, Fi, murmura-t-il en sortant. J'espère que ce sera moi.

46

— Notre amie Florence Nightingale n'a pu écrire ceci qu'après avoir découvert les vertus stupéfiantes de l'éther ! dit Ella en levant son exemplaire des *Notes d'introduction sur l'installation des maternités*. Un volume de soixante-cinq mètres cubes par accouchée, ainsi qu'une fenêtre…

— Elle a la folie des grandeurs, je le reconnais, répondit India. Nous allons devoir nous contenter de beaucoup moins. Moins d'espace, moins de fenêtres, moins d'eau, moins de lavabos.

— Le seul domaine où nous battrons ses estimations, c'est sur le nombre de patients !

— Mais le bâtiment n'est pas mal.

Il est en assez bon état, il me semble. Le toit a l'air

sain. Je ne vois pas de traces de pluie à l'intérieur. L'électricité fonctionne, l'eau s'écoule convenablement. Il y a des robinets à tous les étages. Le volume est brut, mais c'est ce que nous voulons.

— Il faudra installer une cuisine et un poêle pour le chauffage.

— Les travaux ne devraient pas coûter plus de mille livres, mais après cela, nous n'aurons plus rien pour les draps et les serviettes, les seringues et les bassins, les scalpels, les…

India soupira.

— Je sais. Nous aurions besoin de vingt-quatre mille livres et non de deux mille quatre cents.

India et Ella visitaient une ancienne fabrique de peinture dans Gunthrope Street, dont Mme Moskowitz avait appris la mise en vente. Le prix en était très raisonnable : mille cinq cents livres déjà ramenées à mille deux cents. Le propriétaire avait fait faillite et devait vendre vite. Quand elle avait conseillé à Ella et à India d'aller la visiter, elles avaient éclaté de rire.

— Maman, avait protesté Ella, pour nous, c'est comme si ton usine coûtait un million ! Nous n'avons pas d'argent. Nous n'avons que deux mille quatre cents livres. C'est loin d'être suffisant pour acheter un bâtiment, le rénover et le meubler.

— Ça ne peut pas faire de mal d'aller voir. Aide-toi, le ciel t'aidera.

Elles avaient donc accepté pour lui faire plaisir. L'agent immobilier était d'avis qu'elles pouvaient encore négocier le prix à mille livres. Ensuite, il était parti boire une tasse de thé en les laissant déambuler dans les lieux à leur guise.

— Mille livres… murmura India, songeuse.

— Nous ne pouvons pas.

— Tu sais ce qu'a dit ta mère…

— Oui, mais si Dieu doit nous aider, cette fois, il faudra qu'il aille dévaliser une banque.

— Bonjour ! cria une voix à la porte. India, Ella… êtes-vous là ?

India se tourna et vit Harriet Hatcher tirer une dernière bouffée de sa cigarette, puis en jeter le mégot d'une pichenette dans la rue.

— Harriet ! s'exclama-t-elle. Quel bon vent vous amène ?

— Je suis passée au restaurant pour vous saluer et prendre des nouvelles du dispensaire. La mère d'Ella m'a donné cette adresse. Je vous amène quelqu'un ! ajouta-t-elle avec un air très satisfait.

Une silhouette massive franchit le seuil.

— Jones ! tonna une voix familière. Alors, encore en train de rêver ?

— Professeur Fenwick ! s'écria India, ravie de retrouver son ancien professeur. Comme c'est gentil de venir nous rendre visite.

Mais Fenwick inspectait déjà l'éclairage au gaz.

— On ne parle plus que de vous, expliqua Harriet. Vous faites sensation à la faculté, dans les hôpitaux. Le professeur Fenwick me tannait pour que je l'emmène voir votre installation dans la cour des Moskowitz. Il renonce à l'enseignement. Les étudiantes de première année sont désespérantes, d'après lui.

— Des bécasses, toutes autant qu'elles sont ! gronda Fenwick se dirigeant à grands pas vers l'escalier. Elles passent plus de temps à prospecter Harley Street qu'à étudier leurs manuels.

Il monta.

— Nous pensions mettre la salle des enfants au

premier, professeur ! cria India en levant la tête dans la cage d'escalier.

— Non, non, non, avec ces vieux bâtiments, la pression de l'eau n'est pas toujours bonne. Mettez la maternité au premier, c'est là que vous aurez les plus gros besoins. Bon sang, Jones, on dirait que vous n'avez jamais mis les pieds dans un hôpital !

Harriet fit un signe de triomphe à India.

— Ça lui plaît ! murmura-t-elle.

— Il vous faut un administrateur pour diriger la maison. Tenir les comptes, se charger du personnel, dit Fenwick en redescendant. Bonjour, Arthur Fenwick, ajouta-t-il en tendant la main à Ella, enchanté.

— Connaîtriez-vous quelqu'un que cela intéresserait, professeur ?

— Pas d'insolence, Jones. Quand vous aurez terminé les travaux, appelez-moi.

— Nous ne sommes même pas encore sûres d'acheter, soupira India.

Elle parla de la disparition de son cousin et de l'état de leurs finances.

— Mais combien demande le propriétaire ?

— Mille deux cents livres. L'agent immobilier pense que nous pouvons faire baisser à mille.

— Proposez huit cents et acceptez à neuf. Je vous donnerai l'acompte. Vingt pour cent devraient suffire. Financez le reste avec un prêt. J'accepte de servir de caution.

India en perdit presque la voix.

— Oh ! professeur ! Vous feriez ça pour nous ?

— Parfaitement.

— Mais pourquoi ? C'est très généreux…

Il la considéra par-dessus ses bésicles.

— Une étudiante m'a dit un jour – une petite gamine

écervelée – qu'elle voulait être médecin pour changer les choses. Je serais curieux de voir comment elle s'y prendra.

Elle se jeta à son cou.

— Très bien ! Jones, très bien, vous pouvez me lâcher maintenant.

Elle le libéra, rayonnante, mais seulement pour le reprendre dans ses bras la seconde suivante, malgré ses protestations redoublées. Ensuite, ils visitèrent de nouveau le bâtiment tous les quatre, notant ses points forts et ses faiblesses. Fenwick savait que le Royal Free Hospital se débarrassait de vieux lits. Si on s'arrangeait pour aller les chercher, il garantissait qu'ils seraient gratuits. Au cours d'une conversation avec Mme Garrett Anderson, il avait aussi appris qu'elle songeait à moderniser la bibliothèque. Elle leur garderait certainement les meubles dont elle ne voulait plus s'il le lui demandait.

— Cela ne sera pas idéal, bien sûr, reconnut Fenwick. Les tables de la bibliothèque sont très anciennes, et les lits du Royal Free sont en bois, donc beaucoup moins faciles à entretenir que les lits métalliques modernes.

— Les pauvres n'exigent pas la perfection, trancha India. Ils ont besoin d'être soignés, même dans des conditions un peu rudimentaires, et ils ne peuvent pas attendre. De vieux lits valent mieux que pas de lits du tout. Nous les frotterons au phénol et à l'eau chaude.

Harriet leva des sourcils étonnés.

— Eh bien, en voilà un changement. Vous teniez un discours un peu plus virulent sur l'antisepsie en sortant de la faculté.

— Mais depuis, j'ai fréquenté Whitechapel, admit India en riant. À présent, je m'estime heureuse si je parviens à empêcher les poules d'entrer dans la salle de consultation.

Au retour de l'agent immobilier, India le prit à part et fit une offre à huit cents livres sterling. Il secoua la tête en disant que le prix était trop bas, mais qu'il le communiquerait au vendeur par acquis de conscience. Ensuite il les fit sortir, prétendant qu'il avait un autre rendez-vous.

Son départ précipité amusa Fenwick.

— Il n'a pas du tout d'autre rendez-vous. Il court communiquer votre offre au propriétaire. Vous l'aurez pour neuf cents.

Tout en rentrant d'un pas joyeux à Brick Lane, India et Ella se creusaient la tête pour trouver le moyen de financer les mensualités du prêt et les rénovations. Les deux mille quatre cents livres ne suffiraient pas à couvrir toutes les dépenses.

— Nous allons devoir reprendre le travail de Wish et aller frapper à la porte des mécènes, dit Ella.

— Et je vais tâcher de vendre le terrain de Point Reyes.

— Nous n'avons pas non plus réglé le problème du personnel. Comment allons-nous payer les médecins et les infirmières ?

— Je crois avoir la solution. À la faculté, les étudiantes sont très en manque d'expérience clinique. J'irai discuter avec le doyen une fois que nous serons prêtes à recevoir les patients. Elle nous enverra peut-être des externes.

— Quelle bonne idée !

India s'arrêta pour prendre la main d'Ella et la serrer dans les siennes.

— Nous y sommes, Ella, je le sens ! Nous ne ferons peut-être pas exactement ce que Wish avait prévu, mais nous y arriverons à notre façon.

Elles montèrent chez les Moskowitz, euphoriques, appelant à grands cris la mère d'Ella, impatientes de lui apprendre la nouvelle. Celle-ci les rejoignit dans l'entrée en s'essuyant les mains sur son tablier, et Salomon accourut pour leur montrer un paquet arrivé pour India.

— Qui est l'expéditeur ? interrogea India.

Le jeune garçon haussa les épaules.

— Ce n'est pas marqué.

— Tiens ? s'étonna Ella.

— On l'a apporté en voiture. Le cocher me l'a donné.

— Peut-être que Freddie a eu des remords et qu'il vous renvoie vos bijoux, suggéra Ella.

— N'abusez pas de l'éther, vous non plus !

Bijou arriva en sautillant.

— India a reçu un cadeau ! chantonna-t-elle. Ouvre, India, ouvre !

— Je parie que c'est encore un napperon, bougonna Miriam. On ne sait plus où les mettre.

À cet instant, M. Moskowitz entra, suivi de Yanki et d'Aaron.

— Que se passe-t-il ? s'étonna-t-il. Un encombrement ?

Sa femme lui parla du mystérieux paquet tandis qu'India déchirait le papier d'emballage.

— « Macanudo », lut Salomon sur la boîte. Qu'est-ce que c'est ?

— Une marque de cigares, répondit Yanki d'un ton docte.

— India fume des cigares ? demanda Bijou.

— Mais non, petite bête. On a juste utilisé la boîte pour lui envoyer quelque chose.

India souleva le couvercle et poussa un cri.

— *Gott in Himmel !* s'écria Mme Moskowitz en regardant par-dessus son épaule.

Le coffret était rempli de liasses de billets de cent livres.

— Comptez ! glapit Ella.

India fit non de la tête et posa le tout sur la table de l'entrée. Elle savait d'où venait l'argent et n'en voulait pas.

— Eh bien, moi, je veux savoir combien il y a, déclara Ella en l'attrapant.

Elle s'y reprit à trois fois, accompagnée de toute sa famille. Quand elle eut terminé, elle dut s'adosser au mur pour ne pas s'évanouir.

— Il y a dix mille livres, India. Dix mille !

— Il pleut de l'argent sur Whitechapel, souffla Mme Moskowitz.

— Regardez, il y a une lettre à l'intérieur, intervint Salomon.

Ella prit le papier. Il n'y avait que trois mots, sans signature : *Pour le dispensaire*.

— India, nous pouvons acheter la clinique comptant, se réjouit-elle. Et la rénover, et acheter des draps, et payer le personnel…

— Non, c'est hors de question.

— Mais pourquoi ?

— C'est un cadeau de Sid Malone. Cet argent provient d'activités criminelles. Je vais le lui rendre.

— Vous êtes folle !

— Ella ! Cette fois, ce ne sont pas des corbeilles de fruits, il s'agit d'une fortune.

— Une fortune, exactement !

— Et d'où vient-elle ? Du trafic de l'opium, de la prostitution, du viol. Nous ne pouvons pas financer notre dispensaire avec de l'argent qui a causé autant de souffrances.

— Ça ne me gêne pas le moins du monde !

Secouant la tête, India rassembla les billets, les remit dans la boîte et ferma le couvercle.

— Vous ne pouvez pas résister à ça, même vous ! s'écria Ella.

— J'ai raison, Ella, et vous le savez bien.

— Non, vous êtes raisonneuse, ce qui n'est pas pareil. Et trop moralisatrice.

India eut l'air blessée, mais ne céda pas.

— Je suis désolée, mais c'est comme ça.

Sur quoi, elle prit la boîte à cigares et quitta l'appartement des Moskowitz.

47

Sid était allongé sur son lit, yeux clos, cherchant le sommeil. Il n'avait pas dormi depuis trois jours et était exténué. Il ne pensait qu'à se reposer, mais n'y parvenait pas, par la faute de cris stridents qui montaient à travers le plancher. Finalement, n'y tenant plus, il se leva, mit ses bottes et descendit rageusement. C'était le début de la soirée et, le Barkentine étant encore presque vide, il vit la cause du vacarme dès qu'il arriva en bas. C'était India qui se disputait avec Desi par-dessus le bar.

— Je sais qu'il est là ! Il faut que je le voie ! Prévenez-le, au moins !

— Je sais pas de qui vous voulez parler.

— C'est un comble, vous travaillez pour lui !

Sid se décida à intervenir.

— C'est bon, Des, je m'en occupe.

India se tourna vers lui en l'entendant.

— Que me vaut l'honneur de votre visite, docteur Jones ? demanda-t-il, la voix rauque de fatigue.

India montra la boîte à cigares.

— Je crois que vous le savez aussi bien que moi.

— Ah, je vois. Venez, nous allons en parler dans mon bureau.

Il la précéda dans l'escalier pour la guider jusqu'à sa chambre, ferma la porte sur eux et passa aussitôt à l'attaque.

— Vous êtes revenue alors que je vous l'avais interdit ! Et cette fois, avec dix mille livres sur vous. Vous êtes complètement folle !

— J'ai pris un fiacre qui m'a presque amenée jusqu'au bout.

— Peu importe. Je vous interdis de venir ici !

India ne répondit pas, trop occupée à regarder autour d'elle. Le lit en fer avec ses draps défaits, les vêtements par terre. La bouteille de whisky sur la table de nuit.

— Tenez, dit-elle, soudain gênée. Reprenez ça. Je ne peux pas accepter votre argent. Vous n'auriez pas dû me l'envoyer. Vous savez très bien ce que je pense du… de…

— De l'argent sale ?

— Exactement.

— Vous êtes une vraie tête de mule.

— Enfin, Sid, nous connaissons parfaitement tous les deux la provenance de cet argent !

— Ne me faites pas la morale, je ne suis pas d'humeur.

Les yeux d'India lançaient des éclairs.

— C'est à vous que je pense, Sid, à vous !

Il se détourna, ne parvenant plus à soutenir son regard.

— Si vous me donnez cet argent, c'est pour soulager votre conscience sans changer de vie. Je ne peux pas vous laisser faire ça.

— Mais non ! C'est pour vous aider ! Pour aider vos patients ! hurla-t-il en redressant la tête.

Il se reprocha aussitôt son emportement. Ils se disputaient encore, alors qu'il n'avait envie que de s'allonger avec elle sur le lit, de la prendre dans ses bras, de l'écouter parler. Seul son corps, seule sa voix réussiraient à le calmer. Avec elle, il pourrait dormir. Si seulement elle voulait bien se coucher près de lui…

— Faites comme vous voudrez, soupira-t-il. Mais si vous me rendez cet argent, je vous le renverrai demain. Je l'adresserai à Ella, et je pense qu'elle le prendra. Elle est beaucoup moins cabocharde que vous.

India jeta la boîte sur le lit.

— Bravo, c'est bien, railla-t-il. Et pour quelle raison faites-vous ça ? Pour me donner une leçon ? Pour m'humilier ? Eh bien, je vais vous dire : je reste indifférent. Il n'y a que les malades qui en souffriront. Rendez-moi cet argent au nom de vos grands principes si vous voulez, restez blanche comme neige, refusez de prendre des risques et de mettre les pieds dans la fange, comme nous autres. Là, pourtant, vous feriez beaucoup. Vous sauveriez des vies, vous aideriez les gens d'ici.

Voyant qu'India avait les larmes aux yeux, il se reprocha d'avoir été trop dur. L'épuisement le rendait brutal.

— Pardon, je ne voulais pas vous faire de peine…

— Il y a une vie que je tiens vraiment à sauver, coupa-t-elle d'une voix tremblante. Plus que toutes les autres. Et si je prenais cet argent, je la perdrais aussi sûrement que si je l'avais tuée. Sid, il faut abandonner cette existence.

— Mais vous ne comprendrez jamais ! s'exclama-t-il en la fusillant du regard. Vous et votre belle morale ! Vous devriez savoir que certains criminels sont trop endurcis pour être sauvés.

— C'est faux !

Sans lui laisser le temps de réagir, elle franchit les quelques pas qui les séparaient et l'embrassa. Brutalement, passionnément. Il fut envahi par un puissant mélange d'émotions. Surprise, désir, amour, tristesse… crainte, aussi. Il avait peur d'elle et de ses exigences, mais il avait aussi peur de la faire souffrir.

Il la prit dans ses bras et la serra à la broyer. Puis il la lâcha. Elle leva vers lui un regard interrogateur.

Il secoua la tête.

— Pourquoi ? demanda-t-elle.

— Parce que vous êtes quelqu'un de bien, quelqu'un de bon. Vous êtes si droite que vous arriveriez presque à me faire croire à la possibilité d'une vie meilleure, alors que pour moi il n'y a que l'enfer.

— Vous ne voulez pas de moi.

— Si, bien sûr que si ! Je vous désire plus que je n'ai jamais désiré aucune femme. Mais je ne peux pas. Je ne veux pas. Il ne le faut pas. Vous le savez comme moi. Vous l'avez dit vous-même. Partez, ajouta-t-il doucement. Je vais demander à Ozzie de vous raccompagner à Brick Lane.

— Je ne partirai pas.

— India…

— Je… je vous aime.

Il y eut un long silence. Un brandon roula dans l'âtre, un chien aboya dans la nuit. Et, pendant tout ce temps, le cœur de Sid battait à tout rompre.

— Pardon ?

— Je vous aime.

— Non, India…

— Si. Je n'y peux rien.

Elle baissa la tête, vaincue par l'émotion.

Sid en resta muet. Elle était tout pour lui. Il ne rêvait de rien d'autre au monde que de son amour malgré ses craintes.

— Ce serait une terrible erreur, vous le savez.

Elle leva vers lui un regard empreint d'une profonde douleur.

— Je comprendrais que vous ne m'aimiez pas. Je l'accepterais. Mais si vous avez des sentiments pour moi, je vous en conjure, ne m'humiliez pas.

— Je vous aime, dit-il en la reprenant dans ses bras. Je vous aime, India. Bon Dieu oui, je vous aime !

Ils restèrent ainsi un long moment, puis il sentit des lèvres brûlantes se poser sur sa joue, sa bouche. Il répondit à ces baisers avec trop de violence. Il voulait son corps, il voulait sa peau contre la sienne, il voulait sentir cogner son cœur. Il la voulait tout de suite, sans attendre. S'il fallait se noyer, alors, qu'ils se noient. Cet amour était voué à l'échec, il le savait. Ils souffriraient, ils se damneraient, ils en mourraient tous les deux. C'était une passion dont on ne revenait pas, mais quelle importance, au fond ? Qu'avait-il à perdre ?

Il déboutonna le corsage d'India, la débarrassa de sa camisole. La lueur du feu dansait sur sa peau, y jetant des ombres. Il embrassa la courbe de son épaule, les creux délicats à la base de sa gorge. Ses seins délicats et adorables.

— J'ai besoin de boire un verre, dit-elle. J'ai froid.

— Je vais te réchauffer.

Il défit sa jupe, la lui retira, puis ôta ses jupons. Il

délaça ses bottes et fit glisser les bas le long de ses jambes. Quand elle fut nue, il la dévora des yeux. Elle rougit sous ce regard et voulut se cacher avec sa jupe.

— Non, dit-il en la lui enlevant des mains. Je veux te voir. Tu es belle, magnifique. Tu ne le sais pas ?

Il l'attira sur le lit et l'embrassa pour savourer toute sa beauté, toute sa douceur. Rien n'existait plus que cet instant, cette chambre, et elle. Il glissa les lèvres jusqu'à ses seins, puis goûta son ventre doux et plat, mordit sa hanche saillante. Elle rit parce qu'il la chatouillait, et il s'enchanta de ce rire. Il la voulait joyeuse, heureuse. Il sut la rendre aussi brûlante qu'elle s'était crue glacée.

— Sid, murmura-t-elle, prends-moi.

Il fut tendre, attentif et lui laissa le temps de s'ouvrir à lui, langoureusement.

Elle chercha sa bouche, plongea les doigts dans ses cheveux roux. Elle devenait sauvage, pressante. Et au moment où il croyait ne plus pouvoir l'attendre, elle fut prise d'un grand frisson et cria son nom. Éperdu, il la rejoignit dans le plaisir. Ensuite, il la garda dans ses bras et la couvrit de sa chemise.

— Je t'aime, Sid, je t'aime tellement, murmura-t-elle.

Fermant les yeux, elle se blottit contre lui, la tête posée sur son bras. Il souleva du bout du doigt une boucle moite collée à sa joue. La respiration d'India redevint plus lente, plus régulière, et elle s'endormit. N'osant plus bouger de peur de la réveiller, il resta songeur à regarder les flammes dans la cheminée. Il la veillerait toute la nuit et, au matin, il lui referait l'amour, puis il l'emmènerait dans un endroit très beau, un endroit merveilleux. Au bord de la mer… Elle eut un soupir heureux qui attira son regard. Admirant sa touchante beauté, il se demanda alors s'il ne venait pas de commettre le méfait le plus terrible de sa triste carrière.

Deuxième partie

Londres, septembre 1900

48

— Mes amis, nous sommes à Whitechapel, ne l'oublions pas ! cria Freddie Lytton aux ouvriers et aux dockers entassés dans la salle enfumée du Ten Bells. Nous souhaiterions tous vivre dans un monde idéal, mais il faut ouvrir les yeux. Voter pour le Parti travailliste, ce serait ne pas voter du tout. Les travaillistes n'ont aucune chance de l'emporter. Nous devons rassembler nos forces pour combattre l'ennemi commun, c'est-à-dire les conservateurs et Salisbury !

Il y eut des hochements de tête, quelques voix pour l'approuver, mais Joe Bristow n'attendit pas le silence pour lancer la contre-attaque depuis l'autre bout de la salle.

— Non, gardez espoir ! Les hommes politiques, la presse, les patrons se sont acharnés contre les ouvrières des allumettes en 1888, pourtant elles ont gagné ! On a voulu briser la grève des dockers en 1889, pourtant ils ont obtenu les six pence qu'ils demandaient. À cette époque, déjà, il ne fallait rien oser, rien rêver. Moi, je vous dis de ne pas les écouter. Bien sûr que votre vie peut changer ! Montrez votre force au Parlement, montrez-la au monde entier. Moi, je vous dis d'espérer, je vous dis d'oser vous battre. Le Parti travailliste vaincra !

Il y eut des acclamations, des sifflets enthousiastes, des cris. Enflammé, Joe continua sur sa lancée car il avait beaucoup à dire.

La dissolution anticipée de la Chambre des communes venait d'avoir lieu. L'élection législative avait été fixée au 24 octobre et aurait lieu à l'issue d'un mois de campagne. La fièvre électorale s'était emparée du pays tout entier, mais nulle part il n'y aurait de bataille plus suivie qu'à Tower Hamlets.

Il était près de dix heures du soir. Au sortir d'une réunion électorale, Joe avait entendu dire que Freddie Lytton rencontrait ses électeurs dans un pub voisin. Ses amis, brûlant de river son clou à Lytton, l'avaient quasiment porté jusqu'au Ten Bells. Il avait beau avoir la voix fatiguée et manquer de sommeil, la colère lui donnait de l'énergie.

Une telle rage bouillonnait en lui qu'il brandissait encore son étendard quand d'autres auraient cédé à l'épuisement. La pauvreté des bas-fonds londoniens le révulsait. Il n'avait pas oublié comme on grelottait dans une veste rapiécée, comme la faim affaiblissait. À présent, lui et sa femme étaient riches, mais ils ne se sentiraient pas libres tant qu'il y aurait de la misère. La pauvreté détruisait les gens même quand ils pensaient y avoir échappé. S'il était séparé de Fiona depuis trois semaines, c'était bien à cause du passé qui les poursuivait. Il broyait du noir à l'hôtel Connaught, l'ayant laissée avec Katie à Grosvenor Square. Il la blâmait, elle et surtout son frère, ce criminel qu'il ne pouvait plus appeler que Sid Malone ; mais les vrais coupables étaient le dénuement et le désespoir qui l'avaient mis au ban de la société.

Joe ne vivait plus que pour lutter. C'était sa façon de se libérer du malheur et de supporter d'être séparé des deux êtres qu'il aimait le plus au monde.

— De belles paroles, ironisa Freddie quand Joe eut terminé, mais elles sont creuses. Il faut de l'expérience pour gouverner un pays, et les travaillistes n'en ont pas.

— De l'expérience ? rétorqua Joe. Mais ils en ont ! Mon expérience, c'est la faim, c'est le froid, c'est seize heures de travail par jour par tous les temps. Vous avez travaillé le ventre vide ? Vous avez eu froid ? Bien sûr que non !

— Il ne s'agit pas de ça !

— Tiens ! Il me semble que si, pourtant ! lança Joe, s'attirant des rires.

— Vous devriez plutôt expliquer à ces braves gens quels sont vos projets pour réduire la criminalité à Whitechapel. Car vous avez bien des idées ?...

— Oui, j'en ai ! Je ferai construire des écoles.

— Comme si nous avions besoin d'écoles ! Non, ce qu'il faut, c'est...

— ... des prisons ?

— Ce n'est pas ce que...

Mais Joe ne le laissa pas achever. Il continua, profitant de l'occasion pour lui souffler des promesses qu'il devrait ensuite tenir.

— Moi, je vais vous dire pourquoi M. Lytton pense que les prisons valent mieux que les écoles. C'est parce qu'il préfère vous faire enfermer plutôt que de vous donner de l'éducation. L'éducation ouvre l'esprit et permet de se poser des questions. Quand ils iront à l'école, les gens se demanderont pourquoi leurs enfants doivent travailler dans les usines, les mines et les arrière-cuisines alors que ceux de la bourgeoisie et de l'aristocratie vont à Oxford et à Cambridge.

— N'écoutez pas ces élucubrations marxistes ! s'écria Freddie, hors de lui. Si le gouvernement pense qu'il faut plus d'écoles, on en construira, bien entendu. C'est évident, je m'engage formellement sur ce point…

Il continua sans voir que Joe se tournait en dissimulant un sourire vers un reporter qui notait fébrilement le débat sur son calepin.

— Vous notez tout, j'espère.

— Tout, absolument tout.

Les journaux se passionnaient pour la bataille de Tower Hamlets et en publiaient toutes les péripéties, toutes les réflexions aigres-douces et toutes les déclarations. Réaliste, Joe doutait d'être élu, mais il se faisait fort, après les élections, de s'assurer que le vainqueur tiendrait ses engagements. Ainsi, si les libéraux arrivaient au pouvoir, il y aurait quelques écoles de plus à Whitechapel, et un peu moins de désespoir.

Joe avala une goulée de bière brune qui lui rafraîchit la gorge. Il guettait le moment de reprendre la parole pour arracher à son adversaire d'autres concessions : construction de dispensaires, de soupes populaires, d'orphelinats, de foyers pour les veuves.

Contrairement à Freddie, il ne se battait ni pour les honneurs ni pour sa carrière politique. Ce siège au Parlement ne représentait pour lui qu'un moyen de donner des droits aux gens de l'East End, et de leur rendre la dignité et l'espoir.

Mais plus que tout, cette rage de vaincre, c'était la rage de sauver sa famille.

49

Sid aperçut India devant lui. India... son India... Elle remontait Richmond Hill dans la nuit froide, retenant son chapeau d'une main, et portant au bras un sac de toile dont dépassait le goulot d'une bouteille de vin.

Elle avait beau contenir ses pas, on devinait sa hâte. Elle tourna dans Arden Street, puis ouvrit la porte d'une petite maison d'un étage. C'était là qu'ils se retrouvaient, dans un appartement secret qu'il avait choisi éloigné de l'East End pour la protéger.

En pénétrant dans le hall étroit, il s'arrêta, l'entendant saluer leur vieille voisine sur le palier.

— Bonjour, Mme Ainsley, comment allez-vous ?

— Très bien, ma petite, merci. Et comment se porte M. Baxter ?

M. Baxter... Cela le fit sourire. C'était ainsi qu'ils s'étaient présentés en prenant l'appartement. M. Alfred Baxter et son épouse, Theodora. Ce nom lui avait été suggéré par les réclames pour le cacao Baxter affichées sur les omnibus. Il était voyageur de commerce, et sa femme, n'aimant pas être seule, vivait en son absence chez sa mère à la campagne. Ils n'occuperaient pas souvent les lieux et souhaitaient payer d'avance une année de loyer. Cela conviendrait-il ? La propriétaire, n'en revenant pas de sa bonne fortune, leur avait loué l'appartement sur-le-champ sans demander de références.

India dit au revoir à Mme Ainsley, et Sid monta quand il eut entendu leurs portes se refermer. En entrant chez eux, il vit qu'elle avait abandonné son sac et son manteau dans l'entrée, et l'entendit aller de pièce en pièce en l'appelant. Il ferma les yeux, écoutant cette chère voix, heureuse et impatiente.

Elle n'allait pas tarder à découvrir son absence, l'appartement ne comprenant qu'un salon éclairé par une belle baie vitrée, une chambre, une cuisine et un cabinet de toilette, le tout meublé très simplement par la propriétaire mais agrémenté de tapis et de rideaux par India. Il tirait la porte palière derrière lui au moment où elle revenait dans l'entrée, une expression inquiète sur le visage. Elle s'arrêta net en le voyant.

— Bonjour, madame Baxter, dit-il en lui tendant un bouquet de roses blanches. Je suis arrivé avant toi, mais je suis ressorti pour te trouver des fleurs. Je comptais être remonté plus vite, seulement...

Elle se jeta à son cou, étouffant la fin de sa phrase dans les baisers.

— Sid ! J'ai eu tellement peur ! J'ai cru que tu ne viendrais pas.

Il l'embrassa puis s'éloigna d'elle, juste une seconde. C'était trop, cet amour qui le submergeait.

— Tu dois être affamée après ta longue journée de travail. J'ai apporté de quoi pique-niquer.

Il alla récupérer à la cuisine le panier qu'il y avait déposé. Le couvert et les victuailles furent vite étalés sur la table.

— Je ne veux rien, dit-elle en l'embrassant de nouveau. Je ne veux que toi.

— Pas même un verre de vin ?

En prenant la bouteille, Sid laissa échapper le sac de voyage. Un dossier en tomba, et des photos colorées à la main s'éparpillèrent sur le tapis. Une prairie vert émeraude, une baie bleu turquoise et des falaises dominant la mer. Il les ramassa et les contempla quelques secondes en silence, trop stupéfait pour parler.

— Qu'est-ce que c'est ?

— Point Reyes, la propriété que m'a laissée mon cousin, en Californie. Invendable, d'après le marchand de biens américain que j'ai contacté. Que se passe-t-il ? Tu sembles surpris.

— Non… Je… C'est drôle. J'ai l'impression d'avoir déjà vu ce paysage. En rêve, sans doute. C'est bête.

Il se souvint alors qu'il avait imaginé un lieu presque identique en lui faisant passer la colonie de rats, dans le souterrain. Point Reyes, disait-elle… Il avait eu envie de la garder dans ses bras et de l'emmener loin de Londres dans cet endroit merveilleux et pur, au bord de la mer. C'était là. Là ! Il voulut le lui dire, mais elle l'embrassait si passionnément qu'il posa les photographies et lui rendit ses baisers.

Un peu plus tard, il ouvrit la bouteille et remplit les verres. India vida le sien d'un trait et, sans lui laisser le temps de boire, l'attira dans la chambre.

— Ciel ! s'amusa-t-il. Si j'avais su, j'aurais emmené mes gardes du corps !

— Ils n'auraient pas réussi à m'arrêter !

Elle s'attaquait déjà aux vêtements de son amant et déboutonna son gilet, sa chemise, tout en l'embrassant.

— Vous êtes bien pressée, mademoiselle !

— Vous parlez trop, monsieur !

Elle le poussa sur le lit – une antiquité baroque dont les montants de bois étaient surchargés de sculptures – et s'enfonça avec lui dans l'édredon de plumes. En un clin d'œil, elle avait jeté ses propres vêtements à terre, sans plus d'égards que pour de vulgaires chiffons, puis elle prit le visage de Sid entre ses mains pour lui donner un long et sauvage baiser. Il ferma les yeux, songeant à la froideur dont elle s'était crue affligée. Froide ! Elle ! C'était la maîtresse la plus brûlante, la plus délicieuse…

Elle lui attrapa les mains et les lui cloua sur l'oreiller au-dessus de la tête, puis elle se pencha pour embrasser ses joues, ses paupières, ses lèvres. Elle enfouit le visage dans son cou pour respirer son odeur puis elle s'allongea sur lui, douce, si douce, si amoureuse. Il se fit posséder plus qu'il ne la posséda. En quelques secondes, elle eut un frisson et cria son nom.

Quand elle rouvrit les yeux, il lui jeta un regard rieur.

— Comment ? C'est tout ? Mais tu me traites comme un jouet !

Il l'embrassa, puis retira le peigne libellule qui retenait ses cheveux. Sa longue chevelure blonde se déploya sur ses épaules. La camisole qu'elle avait gardée dans sa hâte retrouva les autres vêtements au sol, après quoi il lui embrassa les seins, caressa la peau satinée de son dos.

Avec un gémissement, elle enfouit les doigts dans les cheveux roux de Sid.

— J'exige des excuses, dit-il.

— Ah oui ? Et pourquoi ?

— Parce que tu me traites comme un homme de mauvaise vie !

L'éclat de rire d'India le ravit. Fou de désir, il s'empara d'elle et la prit.

— Oh, Sid… Je…

— Oui ?

— Je ne regrette rien ! jeta-t-elle avec un rire.

— Demande pardon !

Il la fit attendre, la menant au seuil du plaisir encore et encore, puis s'arrêtant, la laissant haletante.

— Et maintenant ? Tu demandes pardon ?…

— Non !

— Et maintenant ?

— Non, jamais je ne regretterai de t'avoir aimé, ni de te désirer. Jamais !

Sa sincérité le bouleversa. Il lui fit l'amour comme si c'était la première fois, avec une ardeur de désespéré. Après, il la garda dans ses bras, et, voyant qu'elle s'assoupissait, veilla sur elle. Quand elle fut endormie, il se leva en prenant garde de ne pas la réveiller, et remonta l'édredon pour la couvrir, lui embrassant la tempe. Elle était trop pâle, trop mince, trop fragile.

Il enfila son pantalon et alla garnir les assiettes. La maigreur d'India l'inquiétait. Elle travaillait très dur et se nourrissait peu. Le dispensaire devait ouvrir d'ici à un mois, et elle y passait tout son temps libre avec Ella, ne prenant aucun repos. Elle exigeait la perfection en toute chose. Il l'avait trouvée scellant elle-même une bouche d'écoulement dans le carrelage. Elle s'était entaillé le doigt, mais n'y avait mis qu'un petit pansement et continuait comme si de rien n'était.

— La grille doit être exactement au niveau du carrelage, avait-elle expliqué, et le joint cimenté parfaitement lisse. S'il y a le moindre creux, les déchets s'accumulent et deviennent des nids à microbes.

— Le carreleur ne pouvait pas s'en charger ? avait-il demandé en s'agenouillant près d'elle.

— Je le lui ai fait refaire deux fois, mais il ne comprend pas ce que je lui demande.

Alors c'était elle qui se retroussait les manches, tout cela parce qu'elle se préoccupait sincèrement, profondément, de la santé des femmes et des enfants pauvres de Whitechapel.

India ne ressemblait à aucune autre femme : elle ne s'intéressait ni aux bijoux, ni aux fourrures, ni aux robes. Son intérêt ne s'éveillait que pour les objets les moins frivoles : scalpels, pinces, seringues, médicaments, aiguilles, tubes et fioles.

Rien ne l'avait plus enchantée que la réception d'un

énorme caisson de verre à armature métallique relié à une chaudière, qui arrivait de New York.

— Nous allons sauver des nourrissons avec cette couveuse, lui avait-elle expliqué. Ceux qui naissent trop tôt, et qui ne pourraient pas survivre.

Elle avait fini par accepter l'argent qu'il lui avait offert, passant sur ses principes parce qu'elle le sentait animé des meilleures intentions, et parce que ses patients en avaient besoin. C'était, pensait-il, la plus belle action qu'il avait faite de sa vie.

Sur les assiettes, il disposa des mets de luxe achetés chez Harrods, l'épicerie fine de la bonne société. India apprécierait, en fille d'aristocrates. Il plaçait la bouteille de vin sur le plateau quand il l'entendit l'appeler d'une voix inquiète.

— Je suis là ! cria-t-il en apportant le plateau dans la chambre.

Elle s'était dressée dans le lit, cherchant à le voir dans la pénombre.

— J'avais peur que tu sois parti ! J'ai cru que c'était le matin.

Il se débarrassa de son plateau sur la table de chevet.

— Je préparais le dîner.

Elle semblait égarée. Il s'assit à côté d'elle et l'embrassa sur le front pour la rassurer. Ils avaient tellement peu de temps ensemble… Depuis un mois que l'appartement était loué, ils ne s'y étaient retrouvés que trois fois. India devait rentrer le lendemain pour recevoir une table d'opération, et lui pour régler des affaires pressantes. Il devait renforcer sa présence chez Teddy Ko et au Blind Beggar, des expéditions d'intimidation qui ne lui plaisaient nullement. Mais il ne fallait pas penser à cela maintenant. Ce soir, il ne voulait penser qu'à eux.

— Tu t'es endormie quelques minutes, ma chérie. Il n'est que huit heures du soir. Nous avons toute la nuit devant nous.

— C'est trop peu. Je veux passer plus que quelques heures avec toi. Des semaines, des mois, des années.

— C'est impossible.

— Pourquoi ?

— Parce que je suis qui je suis, et que tu es qui tu es. Tu le sais bien... Tiens, regarde ce que j'ai préparé. Il faut manger.

Il remplit le verre d'India et le lui tendit. Pendant qu'elle buvait, il souleva le plateau et le posa sur le lit.

— Je n'ai pas trouvé de brocolis et de porridge, mais j'espère que tu te contenteras de ça !

— J'essaierai, répondit-elle en riant.

L'assortiment de plats délicieux mettait l'eau à la bouche. Il y avait du poulet rôti au thym et au citron, de fines tranches de jambon caramélisé, des asperges à la vinaigrette, des pommes de terre nouvelles à la chair rose, des choux de Bruxelles assaisonnés au bacon. Et, pour la suite, un succulent morceau de cheddar et du stilton aux veines bleutées, puis de gros abricots juteux, un panier de cerises et des chocolats.

— C'est un festin ! D'où sors-tu tout ça ?

— Harrods !

— Je t'imagine, attendant ton tour au milieu des vieilles dames snobs...

Elle lui prit la main, posa un baiser sur sa paume et l'appuya à sa joue.

— Épouse-moi, Sid.

— Rends-moi ce verre, tu as assez bu.

— Je ne suis pas soûle, je t'assure. Marions-nous.

— Ça n'est pas plutôt à l'homme de se déclarer ?

— Réponds-moi, sérieusement.

Il la considéra sans rien dire.

— Tu pourrais changer de vie, insista-t-elle.

Le rire de Sid sonna faux.

— Tu ne connais pas la pègre. On ne peut pas changer de vie quand on est un voleur.

— Si ! Si tu le voulais ! Annonce à ta bande que tu pars.

— Tu crois qu'on se défile si facilement ?

— Pourquoi pas ?

— C'est trop tard.

— Mais pourquoi ? Tu ne veux pas arrêter tout ça ? La violence, la peur ?

— La peur… je ne connais que ça. Dévorer les autres, ou se faire dévorer.

— Mais tu pourrais…

— Bon sang, India, parlons d'autre chose ! Je n'ai que quelques heures pour oublier qui je suis, pour oublier ma vie et pour avoir un peu de bonheur. Une nuit avec toi de temps en temps, c'est trop demander ? Je t'en prie, ne gâche pas tout.

Il aurait tout donné pour tourner la page, mais c'était impossible. Il n'en disait pas trop pour l'épargner, mais on ne quittait la pègre que couché entre quatre planches de sapin.

India l'embrassa. Elle lui passa les bras autour du cou et l'attira contre elle.

— Excuse-moi, excuse-moi. Je n'en parlerai plus, je te le promets. Je t'aime, Sid. Je t'aime si fort…

— Moi aussi, je t'aime. C'est bien là le malheur.

50

— Maman ?

— Oui, Katie ?

L'énorme ventre de Fiona l'empêchait presque de tenir sa fille sur ses genoux.

— Raconte-moi une histoire.

— D'accord, une histoire.

— Dix histoires !

— Deux, si tu veux.

— Non, cinq !

— Je me demande où tu as appris à marchander aussi bien ! Tu es douée pour le négoce, ma fille. Je devrais t'emmener avec moi aux ventes de thé.

— Cinq histoires, maman, cinq !

— Marché conclu pour cinq histoires. Maintenant, cours vite prendre ton bain, et je te les raconterai quand tu seras au lit.

Katie se laissa glisser des genoux de sa mère et se dépêcha de rejoindre Anna, sa nurse, qui l'attendait à la porte du bureau.

— Maman ? dit-elle au moment de sortir.

— Oui, mon ange ?

— Je veux voir papa.

Le cœur de Fiona se serra.

— Je m'en doute, chérie, mais papa n'est pas là pour l'instant.

— Je veux mon papa !

— Il va bientôt venir.

— Mais…

Anna, gênée, intervint d'une voix douce.

— Viens, Katie. On va s'amuser. Je vais te mettre des jolis sels de bain roses dans la baignoire, tu veux ?

Katie la suivit, et Fiona laissa échapper un soupir. Le départ de Joe lui faisait infiniment plus de mal que le souvenir de l'agression dont elle avait été victime. Il lui manquait cruellement, Katie le réclamait sans cesse, et lui la tenait pour responsable de leur malheur. Leur éloignement, prétendait-il, n'était dû qu'à son entêtement. À l'instant où elle lui promettrait d'oublier son frère, leur calvaire prendrait fin. Joe reviendrait, et ils seraient de nouveau heureux. Heureux ? songea-t-elle. Non, je ne me le pardonnerais jamais.

Comment pouvait-on lui reprocher de vouloir sauver de la prison ou de la potence son frère bien-aimé ? Pourquoi exiger d'elle une indifférence impossible ? Elle aimait trop Charlie pour l'abandonner.

Souvent, elle pensait à ses parents. Ils lui manquaient si fort qu'elle en aurait pleuré. Ils auraient su l'aider, eux. Son père aurait mis tous les pubs de l'East End sens dessus dessous et aurait ramené Charlie par la peau du cou. Mais, sans eux, que faire, que faire ?

L'arrivée de Foster interrompit ses réflexions.

— Madame ?

— Oui ?

— M. Finnegan demande à vous voir, Madame.

— Mon frère ? murmura-t-elle, chancelante.

— Oui, Madame. Je le fais monter ?

— Mais bien sûr ! s'écria-t-elle en quittant lourdement son siège.

Charlie ! Charlie venait enfin la voir. Ah ! Comme elle avait rêvé de ce jour ! Elle le convaincrait de changer de vie, et Joe reviendrait.

Mais en entendant ses pas dans le couloir, elle fut soudain saisie d'angoisse. Que voulait-il lui dire ? Serait-il bien disposé ou, au contraire, en colère ? La porte s'ouvrit enfin.

— Salut, Fi.

Elle dévisagea avec stupéfaction le grand adolescent qui entrait. Elle s'était tellement attendue à voir Charlie…

— Seamie ? souffla-t-elle. Que fais-tu ici ?

— Épatant, ton accueil, commenta-t-il, railleur, en l'embrassant sur la joue.

Elle le serra dans ses bras, gênée par son gros ventre.

— Eh bien, combien y a-t-il d'enfants là-dedans ? demanda-t-il. Au moins cinq ou six.

Son ton badin ne la rassura nullement. Seule une catastrophe avait pu le ramener d'Amérique sans même avoir averti Fiona par un câble. Un membre de la famille était malade, ou blessé, ou pis.

— Il est arrivé quelque chose… Oncle Michael, tante Mary, les enfants…

— Non, tout va bien. Tout le monde est en parfaite santé et t'embrasse.

— Dans ce cas, je ne comprends pas. Nous ne sommes qu'en octobre. Il n'y a pas de vacances…

Seamie s'assit sur le sofa.

— J'ai quitté l'école.

— Comment ça, quitté ? s'exclama-t-elle en s'asseyant brutalement. L'année scolaire vient à peine de commencer. Tu n'as pas été renvoyé, au moins ?

— Non. Enfin… si…

— Mais pour quelle raison ? s'écria-t-elle.

— Le directeur trouvait que je passais plus de temps dehors que dans les salles de classe.

— Il aurait au moins pu te laisser ta chance, te donner d'abord un avertissement.

— Eh bien… à vrai dire, il m'en a donné quatre. On ne peut pas lui en vouloir. J'avoue que mes notes étaient très mauvaises, mais je n'avais plus rien à apprendre dans cette école.

Fiona était atterrée. Comment avait-il pu partir de Groton, la pension très cotée du Connecticut où elle l'envoyait ? Il devait en sortir en juin avec son diplôme de fin d'études secondaires, puis entrer à l'université.

— Comment cela, tu n'avais plus rien à apprendre ? Tu n'étais très doué ni en mathématiques, ni en physique, ni en histoire, ni en latin, que je sache…

— Peu importe, Fi. Ces matières n'ont aucune importance. Le directeur a raison. Je ne me consacrais plus qu'à mes passions. Je suis le plus jeune alpiniste à avoir grimpé les quarante-six grands sommets des Adirondacks. Le plus jeune à avoir réussi la traversée en solitaire de la Nouvelle-Angleterre jusqu'aux Keys de Floride.

— Et ton avenir ? Si tu ne poursuis pas tes études, tu n'auras pas une bonne profession.

— Je n'en ai pas besoin. Je veux être explorateur. Rien d'autre ne m'intéresse.

Fiona haussa les épaules, mais il continua.

— Je suis venu à Londres pour me joindre à l'expédition vers l'Antarctique que finance la Société géographique royale et qui sera dirigée par le capitaine Robert Scott. Je vais le supplier de me prendre dans son équipe. À genoux s'il le faut.

— Mais je t'interdis bien d'aller en Antarctique ! Tu n'iras ni en Antarctique, ni ailleurs ! Tu n'as que dix-sept ans !

— Le monde est de plus en plus petit. Si j'attends encore cinq ans, il sera trop tard. Toutes les régions du globe auront été découvertes, tous les sommets auront été vaincus.

— Mais quelle importance !

— La source du Nil vient d'être découverte. Il ne reste plus de fleuves à explorer. On s'est déjà attaqué au pôle Nord, et seules quelques montagnes restent vierges. Tous les bons grimpeurs veulent tenter l'ascension de l'Everest, et ils ne sont arrêtés que par les Tibétains qui en interdisent l'accès. Je sais que Francis Younghusband, l'explorateur, a donné une conférence à ce sujet à la Société géographique le mois dernier. J'ai un compte rendu de son intervention. Il paraît que le vice-roi va le dépêcher à Lhassa pour entamer des négociations. Il est allé partout, en Mandchourie, dans le désert de Gobi, en Mongolie, au Népal. Et maintenant, l'Everest. L'Everest, tu te rends compte ?

— C'est toi qui ne te rends pas compte de ta chance. Tellement de garçons de ton âge voudraient être aussi privilégiés. Je veux que tu finisses le lycée, Seamie. Je veux que tu ailles à l'université.

— Oui, mais pas moi.

— C'est pour ton bien.

— Mon bien ! Je sais mieux que toi ce qui me convient.

— Ah oui ? À dix-sept ans !

— Mais toi, tu as quitté l'école à quatorze ans !

— On ne m'a pas laissé le choix, figure-toi. J'ai dû travailler à l'usine chez Burton pour que la famille ne meure pas de faim.

— N'empêche. À dix-sept ans, tu vivais ta vie. Tu faisais tout ce qui te plaisait. Tu as vécu plus d'aventures avant tes dix-huit ans que beaucoup de gens dans une vie entière.

— Des aventures ! Tu appelles ça des aventures ? C'étaient des tragédies, Seamie, des tragédies !

Son ton grave impressionna le jeune homme qui eut la bonne grâce de se taire.

Après quelques secondes de silence, Fiona reprit l'offensive.

— Je vais envoyer un câble au directeur de l'école pour lui demander de te réintégrer. Et si j'arrive à le convaincre, tu reprendras le bateau pour New York.

— Je n'y retournerai pas.

— Et que feras-tu, si tu n'es pas pris dans ton expédition ? De quoi vivras-tu ? Après l'université, un bon emploi t'attendait à KaliThé ou chez Montague.

— J'avais plutôt pensé...

— Il n'est pas question que je te verse de pension, Seamie ! Si tu veux de l'argent, tu n'auras qu'à travailler comme manutentionnaire dans un entrepôt. Nous verrons s'il y a de la place chez moi ou chez Joe.

— Et l'argent que Nick m'a laissé... ?

Nicholas Soames, le premier mari de Fiona, l'avait considéré comme son fils. À sa mort, il lui avait légué deux cent mille dollars, placés dans un portefeuille jusqu'à ses vingt et un ans, sous le contrôle de Fiona.

— Il n'en est pas question. Je te répète que tu n'as que dix-sept ans et que tu dois continuer tes études.

Seamie se leva brusquement.

— Où vas-tu ?

— Chez des amis ! Je vais demander aux Alden de m'héberger puisque tu ne veux pas de moi !

— Ne dis pas de bêtises. Bien sûr que je veux de toi.

— Oui, tant que je t'obéis. Mais je ne suis plus un enfant, je suis un homme, et je vais aller en Antarctique. À un de ces jours !

— Seamie...

Fiona voulut le retenir, mais son énorme ventre la ralentit. Lorsqu'elle parvint à se lever, la porte de la rue se refermait déjà. Elle courut à la fenêtre. Il s'éloignait, son sac de voyage au bout du bras. Des larmes lui montèrent aux yeux. Mon Dieu ! C'était allé si vite ! Il venait d'arriver, et elle l'avait quasiment chassé...

Le sort s'acharnait contre elle. Charlie refusait de la voir, Joe l'avait quittée, et maintenant Seamie se fâchait aussi. Tous ses hommes l'abandonnaient. Une larme coula sur sa joue, puis une autre. Elle qui ne rêvait au contraire que de réunir sa famille...

La porte s'ouvrit, et Foster entra, apportant du thé sur un plateau. Il se racla la gorge.

— Excusez-moi, Madame, je ne voudrais pas vous déranger, mais il m'a semblé que vous auriez sans doute besoin d'une tasse de thé.

Évidemment, il avait entendu la dispute.

Elle resta pensive pendant qu'il posait le plateau sur le bureau, et, reconnaissante, le vit ajouter discrètement un mouchoir à côté de sa tasse. Il retourna à la porte.

— Merci, monsieur Foster.

— Aurez-vous besoin d'autre chose, Madame ? Si je puis vous être d'une quelconque utilité...

— Dites-moi ce qu'il faut faire pour que les hommes se tiennent un peu tranquilles.

— Ça, Madame, il n'y a rien de plus simple !

— Ah, oui ? Et comment faut-il s'y prendre ?

— Il n'y a qu'à en faire des femmes.

51

Des éclats de dispute venant du bar parvenaient jusqu'à la rue. Frankie s'étonna qu'il y ait du monde au Barkentine à quatre heures et demie : Desi fermait maintenant systématiquement l'après-midi entre trois et cinq heures pour éviter les descentes de police. Il s'arrêta et reconnut la voix de Gemma, perçante, furieuse. L'autre était celle de Sid, plus basse et contenue.

Il allait frapper quand il se ravisa. Mieux valait faire le tour par l'extérieur. Il descendit sur la berge, puis monta à la cuisine en passant par la cave. Il y trouva Desi qui lavait des verres tout en surveillant une marmite de soupe.

— Salut, Des.

— Salut, Frankie.

— Ça n'a pas l'air tout rose entre le patron et Gemma.

— Il l'a larguée, et elle ne le prend pas bien.

Il approcha de la porte vitrée pour regarder dans le bar. Sid était assis près de la fenêtre et contemplait le fleuve tandis que Gemma arpentait la pièce d'un pas rageur, les yeux rouges.

— Pourquoi, Sid ? Pourquoi tu ne veux plus de moi ?

— Je te l'ai déjà dit, Gem.

— Il y a une autre femme !

— Mais non, voyons…

— Menteur !

Un fracas de vaisselle brisée fit sursauter Desi et Frankie.

— J'espère que c'est pas le beau plat bleu de ma mémé, marmonna Desi.

— Ça, j'en jurerais pas…

Gemma poursuivait l'offensive.

— Elle embrasse aussi bien que moi, Sid ? Elle te donne du plaisir comme moi ?

— Rentre chez toi, Gem.

— Non, je ne bougerai pas tant que tu ne m'auras pas dit la vérité. Tu racontes que tu ne peux pas tomber amoureux, mais je n'y crois pas.

Sid ne répondit pas.

— Ah ! Tu vois, j'en étais sûre !

Desi remua le contenu de sa marmite.

— Ça me dépasse qu'on puisse laisser tomber Gemma. Moi, si j'avais une belle fille comme elle dans mon lit, je la garderais. Y a quelque chose qui cloche là-dedans.

— Y a tout qui cloche, Des, tout.

— Je te le fais pas dire. Pourquoi t'es venu, mon gars, pour manger un morceau ?

Pas fou, pensa Frankie en jetant un coup d'œil à l'immonde mixture qui mijotait sur le feu.

— Ben, je voulais parler au patron de nos soucis.

— Quels soucis ?

— Madden ! Ko ! Les Italiens !

— C'est sûr que Madden y va pas par quatre chemins.

— Tu l'as dit.

Big Billy Madden se permettait des libertés inquiétantes. Il commençait à exercer son pouvoir dans les pubs de Whitechapel, empiétait sur le territoire de la Firme le long du fleuve. L'entrepôt Butler avait été vidé, un bateau volé au dock St. Katherine, une boutique de matériel naval cambriolée dans la grand-rue de Wapping. Des coups de Madden. L'homme était un vrai requin, attiré par l'odeur du sang. Sid devait le remettre au pas, et vite.

Madden avait encore envoyé un messager à Frankie qui l'avait expédié d'un coup de pied bien placé. Ce gros imbécile ne l'aurait jamais dans sa bande ! Frankie ne jurait que par Sid. Avec lui, on faisait de beaux coups bien préparés et audacieux, on était admiré. Ils étaient les princes de l'East End, des frères.

De nouveaux cris éclatèrent.

Frankie vit Sid se lever et enfiler sa veste. Gemma voulut l'arrêter, mais l'instant suivant, la porte claquait.

— Ah, ben bravo ! maugréa Frankie. Le patron s'est barré en nous laissant Gemma sur les bras.

— La pauvre petite. Va lui servir un verre pendant que je finis ma soupe.

Frankie fronça le nez, se demandant ce qu'il mettait dans son infâme potage. Des cafards ? Des rats ? On aurait dit un chaudron de sorcière.

Dans le bar, Gemma était accoudée au comptoir, défaite.

— Salut, Gem. Alors, qu'est-ce qui se passe ? Des ennuis avec le patron ?

— T'es au courant ?

— Difficile de pas vous entendre.

— Moi, je l'ai dans la peau, ce type.

— Je te sers un coup ?

— Un gin.

— Ça va s'arranger.

— Je ne crois pas. Il a rencontré une fille.

— Les gars, c'est comme ça. Il reviendra, te fais pas de bile.

Il prit une bouteille sous le bar, la déboucha et remplit un petit verre qu'il poussa vers elle.

— Toi aussi, tu devrais t'en servir un, Frankie.

— Moi ? Et pourquoi ça ?

— T'es pas bête, quand même. Tu vois pas qu'il veut s'en aller ? Il en a par-dessus la tête de nous. Il en a marre de moi, il en a marre de la bande.

— Tu parles !

Mais Frankie avait beau nier, elle avait raison.

Gemma vida son verre, lui prit la bouteille des mains et s'en versa un deuxième. Elle but une gorgée puis se pencha vers lui.

— Tu l'aimes, hein ? Même plus que moi. Mais ça l'empêchera pas de te plaquer aussi.

— La ferme, Gemma !

— Tu ne l'as pas vu ? En esprit, il n'est déjà plus là.

— Ça suffit ! hurla Frankie en tapant la bouteille sur le bar.

Gemma termina son verre, la main tremblante. Frankie ne voulait plus entendre un mot. Sid avait toujours joué les Robin des bois, mais il était devenu complètement fou depuis qu'il avait rencontré le docteur. D'abord, il lui avait fourni une caisse de préservatifs pour rien. Ensuite, il avait pleurniché sur la suicidée du Taj Mahal. Et puis il avait donné une fortune au dispensaire et négligeait ses affaires. C'était grave.

Il laissait tomber la Firme. Il lâchait ses camarades.

Il fallait réagir. Sid ne pouvait pas les abandonner.

Il arracha le verre des mains de Gemma.

— Allez, viens !

— Où ça ? T'es fou ?

— Prends tes affaires.

— Et où tu veux m'emmener ?

Il attrapa le manteau de Gemma, son sac, et la tira par le bras.

— On le suit ! On va en avoir le cœur net. On va savoir ce qu'il nous cache.

52

— Joe, réveille-toi ! Elles sont là !

Joe ouvrit des paupières brûlantes. Il faisait très sombre, et il ne savait plus où il était. L'odeur de bois et de livres n'était pas familière. Et puis, il se souvint : il était à Brick Lane, dans l'école affectée au dépouillement. C'était le jour des élections, et il s'était endormi la tête sur un pupitre.

— Alors, tu viens ?

Son frère était sur le seuil de la salle de classe vide où il avait trouvé refuge.

— Quelle heure est-il, Jimmy ?

— Neuf heures et demie. Les premières urnes arrivent. Vite, debout, paresseux. Le dépouillement va commencer !

Joe laissa retomber sa tête sur ses bras et referma les yeux. Il ne s'était jamais senti aussi fatigué de sa vie. Les derniers jours, il avait redoublé d'efforts, ne prenant le temps ni de dormir ni de manger. Il lui semblait avoir visité tous les pubs, toutes les sections syndicales, tous les docks et toutes les usines de l'East End. Il n'avait presque plus de voix.

Son entourage, sentant qu'il gagnait du terrain sur ses deux rivaux, l'avait poussé à appuyer son avantage. Joe avait suivi leurs conseils tout en doutant de ses chances de gagner. Lytton et Lambert avaient plus d'expérience que lui, qui n'en avait pas du tout. Et Lytton était le député sortant, donc par définition difficile à déloger.

Freddie Lytton et Dickie Lambert devaient être dans le réfectoire, à superviser le décompte, entourés de leurs fidèles et des journalistes. Il aurait dû les rejoindre, mais il décida de voler encore quelques minutes avant de descendre. Quand les résultats seraient annoncés, il n'aurait plus qu'à féliciter Freddie, après quoi il pourrait enfin rentrer chez lui pour se mettre au lit.

Mais non, songea-t-il avec un coup au cœur. Il ne pourrait pas retrouver Fiona et Katie. Un mois avait passé, pourtant il lui arrivait encore d'oublier. Le matin, quand il se réveillait au Connaught, il se croyait couché près de sa femme. Et puis il voyait le papier mural déprimant de l'hôtel, les tentures pourpres, et il se souvenait.

Tant qu'elle voudrait mêler son frère à leur existence, il continuerait de se tenir à distance. Ils avaient à peine échangé une parole depuis son départ. Quand il allait voir Katie, Fiona s'arrangeait pour être absente, et lui prenait soin de partir avant qu'elle ne rentre. La semaine précédente, n'ayant pas vu le temps passer, il s'était trouvé nez à nez avec elle dans le vestibule au moment de sortir. Elle lui avait fait un signe de tête et l'avait dépassé sans un mot. N'y tenant plus, il l'avait arrêtée par le poignet.

— Fiona, tu me manques... Je t'aime.

— Dans ce cas, pourquoi m'as-tu quittée ?

— Tu le sais. Parfois, il faut savoir accepter la défaite... Certains rêves sont trop irréalistes, trop durs à concrétiser, même pour toi.

— Mais pourquoi vouloir m'empêcher d'espérer ? s'était-elle récriée en s'arrachant à lui.

— Que faudra-t-il qu'il fasse pour que tu comprennes ? Mon entrepôt a brûlé, Alf est mort, tu t'es presque fait tuer et ton agresseur a été massacré sous tes yeux. Et tu n'es toujours pas convaincue ? Faut-il qu'il étrangle quelqu'un de ses propres mains ?

Elle l'avait planté là, furieuse. Pourtant, Joe espérait encore la faire céder. Si elle souffrait autant que lui de leur séparation, elle finirait par entendre raison. Pourvu que ce soit vite... Il n'en pouvait plus. Il avait l'impression de s'être battu pour rien. Il ne songeait plus qu'à l'embrasser et à se glisser dans leur lit. Il lui raconterait sa campagne, il lui ferait l'amour et s'assoupirait dans ses bras. Bercé par ces heureuses pensées, il se rendormit. Il faisait nuit noire quand une main se posa sur son épaule pour le secouer.

— Joe, bon Dieu, debout !

— Une minute, Jimmy, une minute. Je suis crevé.

— Descends ! On n'attend plus que toi. Le dépouillement est terminé !

Joe releva la tête et porta la main à sa poche.

— Attends, je prends la déclaration que j'ai préparée. C'est Lytton que je dois féliciter, j'imagine ?

— Non !

— Tu veux rire ! Pas Lambert, quand même ! Ils n'ont pas élu Lambert !

— Non, imbécile, c'est toi ! C'est toi qui as gagné !

La stupeur fut telle qu'il en resta muet.

John Burns, haut responsable du Parti travailliste et conseiller de campagne de Joe, fit irruption dans la pièce.

— Je viens de recevoir un télégramme ! Keir Hardie a remporté Merthyr Tydfil et Richard Bell a été élu à Derby. Trois victoires pour la coalition travailliste !

— Trois ? Mais ce n'est rien, grommela Joe.

— C'est un début. Dans la dernière législature, nous n'avions qu'un seul siège. Nous avons triplé le nombre de nos députés ! Cela va faire boule de neige. Aujourd'hui, nous avons trois représentants. Demain, nous en aurons trente, pourquoi pas trois cents ?

— Allez, Joe, bon sang ! Debout, frangin !

— Les reporters attendent en bas, annonça Burns. Ils veulent un discours. Surpasse-toi. Il y a des photographes de presse, aussi, alors rafraîchis-toi un peu, mon gars. Je vais les faire patienter une minute.

Pendant que Jimmy et John redescendaient, Joe rajusta sa cravate, passa les doigts dans ses cheveux, rentra sa chemise dans son pantalon et reboutonna son veston. Il faudrait se contenter de cette toilette sommaire.

Il respira et ferma les yeux pour se préparer à son discours. Une joie immense montait en lui. La fatigue s'évanouissait, l'enthousiasme revenait. Il avait gagné ! Il était député ! Il allait s'inscrire dans l'histoire. Jamais plus il ne serait le même. Mais cela dépassait son seul destin. Ce bouleversement affecterait le pays tout entier. Dans l'East End, dans une vallée du pays de Galles et dans une ville industrielle des Midlands, on triomphait ce soir. Burns avait raison. C'était le début de grands changements. Les conservateurs et les libéraux multipliaient les promesses pour obtenir des suffrages, mais ils trahissaient les ouvriers. Maintenant, les pauvres auraient voix au chapitre. Leur pouvoir était encore faible, mais ils seraient représentés. On les défendrait à Westminster.

Cette victoire était minuscule et monumentale à la fois. Joe exultait, mais il aurait été encore plus heureux s'il avait pu partager ces moments avec Fiona. Il aurait voulu sentir sa main dans la sienne, voir la fierté briller dans son regard… Cette situation ne pouvait plus durer.

Et soudain, une idée lui vint. Il irait trouver Sid Malone, non pas en sa qualité de beau-frère, mais en celle de député. Il lui parlerait d'homme à homme et lui demanderait une trêve. Il l'obligerait à cesser ses activités en le menaçant de le poursuivre sans relâche s'il ne changeait pas de vie. Il doutait de réussir, mais Fiona attendait un geste de lui. Elle verrait qu'il la comprenait, qu'il faisait tout pour l'aider.

Rassuré par ce projet, il descendit dans le réfectoire où l'effervescence était à son comble. Ceux qui avaient participé au dépouillement échangeaient des propos animés, les journalistes rédigeaient leurs dépêches en fumant et en regardant leur montre. Freddie Lytton, hagard, défait, répondait aux questions en tâchant de se montrer bon perdant. Dickie Lambert, lui, était déjà parti.

Tous se ruèrent sur Joe.

— Monsieur Bristow ! Une déclaration ! Ici, monsieur Bristow ! Ne bougez pas ! Une photo !

Joe alla serrer la main de Freddie. Celui-ci afficha un sourire las et le félicita.

— Monsieur Bristow ? Allez-vous faire un discours ? cria un reporter. Une déclaration ?

Joe se tourna vers la presse, mais s'arrêta en voyant, par la porte ouverte de l'école, la foule massée dans la rue. Ceux qui l'avaient soutenu étaient là. Ses administrés, à présent. Des travailleurs qui étaient restés à attendre les résultats dans le froid pendant des heures, alors qu'ils devaient se lever aux aurores, et qui ne savaient toujours rien.

— Oui, messieurs, dit-il aux journalistes. Je vais dire quelques mots, mais pas à vous, à eux, ajouta-t-il en désignant la rue. Ce sont les gens qui viennent de m'élire que je veux remercier. Je vous invite à me suivre dehors si vous voulez m'entendre.

John Burns le précéda dans la rue.

— Messieurs, cria-t-il, j'ai le plaisir de vous présenter l'honorable représentant de Tower Hamlets, M. Joseph Bristow !

Il y eut un silence incrédule, puis des acclamations assourdissantes retentirent. Les vivats montèrent, roulèrent dans Brick Lane avec la puissance du tonnerre. Les casquettes volaient, les gens se jetaient dans les bras les uns des autres et dansaient, heureux comme des enfants. Les lumières s'allumaient, les portes et les fenêtres s'ouvraient sur des couche-tôt en vêtements de nuit, et les cris de joie montaient, montaient. Des petits pleuraient en se frottant les yeux, des hommes ouvraient des bouteilles de bière qu'ils entrechoquaient pour trinquer. Des ménagères frappaient leurs casseroles comme des cymbales. Et les clameurs montaient toujours.

Joe finit par lever les mains pour se faire entendre, mais personne ne lui prêtait attention. Il se tourna vers Burns dont le visage se fendait d'un large sourire.

— Tu as vu ça ? C'est fou ! C'est fou ce que l'espoir peut faire !

53

— Albie, regarde ! C'est Norman Collie, là-bas ! s'exclama Seamie.

— Où ? demanda son ami Albert Alden.

— Devant toi, qui monte les marches, les mains dans les poches. Il va entrer dans le hall.

— C'est bien lui qui faisait partie de l'expédition de Mummery dans l'Himalaya ?

— Oui, c'est lui.

Cette tentative était célèbre dans l'histoire de l'alpinisme pour avoir été une première. Cinq ans plus tôt, Collie, Albert Mummery et leur compatriote britannique Geoffrey Hastings s'étaient lancés à la conquête du difficile Nanga Parbat. Mais, avant le sommet, Mummery et deux de ses sherpas avaient été emportés par une avalanche, et seuls Collie et Hastings avaient survécu.

— J'aimerais tellement lui parler, soupira Seamie.

— Je ne sais pas si ce dieu de la montagne daignerait s'adresser à toi... Là ! Seamie ! Regarde ! Nansen.

Seamie pivota juste à temps pour voir un grand Norvégien traverser la rue. Avec ses cheveux blonds et sa moustache en guidon de vélo, il était très reconnaissable.

— Fridtjof Nansen, bredouilla Seamie en enlevant sa casquette.

Albert se mit à rire.

— Ne va quand même pas faire de génuflexions...

— J'en serais capable !

Nansen avait été le premier à traverser l'océan Arctique pour tenter d'atteindre le pôle Nord. Son navire, le *Fram*, ayant été pris dans les glaces, l'explorateur avait continué à pied. Il n'avait pas atteint son but mais était arrivé à 86° 14' de latitude nord, la position la plus boréale jamais atteinte.

— Je me demande combien nous allons voir d'explorateurs ce soir, dit Albert.

— Beaucoup, j'espère, et nous ferions mieux de nous dépêcher d'entrer avant qu'il n'y ait plus de places.

Ils se dirigeaient vers l'entrée en cherchant leurs cartes de membre de la Société géographique dans leurs poches quand un appel retentit derrière eux.

— Albie ! Albie ! Attends-moi !

— Flûte ! Ma sœur.

— Où ça ? Je ne la vois pas, dit Seamie en cherchant autour de lui.

Un garçon en culottes de golf, sac à dos sur une épaule, se dirigeait vers eux, mais il ne voyait Willa nulle part.

— Salut, Alb, dit le garçon en les rejoignant.

Remarquant alors Seamie, il s'écria :

— Seamie ! C'est toi ?

Sur quoi il l'embrassa sur la joue.

— Eh ! grogna Seamie en reculant.

— Mais Seamie, c'est moi, voyons, espèce d'idiot ! Willa !

— Willa ! Tu t'es fait couper les cheveux !

Il ne l'avait pas vue depuis plus de un an, à une garden-party chez les Alden, où elle portait une robe et des nattes. Sa nouvelle coupe à la garçonne lui arrivait à peine au menton.

— J'en avais assez de me coiffer. Maman en a été malade. Elle est restée au lit toute une semaine. Comment vas-tu, Seamie ? On ne s'est pas vus depuis une éternité. Que fais-tu ici ? Je croyais que tu poursuivais tes études en Amérique.

Willa, qui arrivait de la gare après de longues vacances, ne savait pas encore que Seamie avait demandé l'hospitalité à sa famille. Il lui expliqua qu'il resterait le temps que Fiona revienne à de meilleures dispositions, ou jusqu'à ce qu'il embarque à bord du *Discovery*. Tout en parlant, il s'étonnait de la transformation qui s'était opérée en elle. Jusque-là, elle n'avait été pour lui que la jumelle d'Albert, une fille sympathique quoiqu'un peu envahissante. Maintenant, il la trouvait… belle. Même avec ses cheveux courts et une vieille veste en tweed de son frère, elle était ravissante.

— Tu penses avoir des chances de te faire accepter au sein de l'expédition polaire ?

— Je vais essayer. Je ne vais pas m'adresser au capitaine Scott qui est beaucoup trop connu pour s'intéresser à moi. C'est Ernest Shackleton que je vise, et c'est pourquoi je suis venu à sa conférence ce soir. Il est troisième lieutenant et responsable de l'intendance. Je sais que je ne peux espérer qu'un emploi très subalterne, or c'est lui qui les attribue. J'insisterai jusqu'à ce qu'il cède. Je veux absolument partir. Je n'ai pas le choix. Soit c'est le pôle, soit je suis condamné à décharger des caisses d'oranges pour mon beau-frère.

— Comme tu as de la chance ! s'enthousiasma Willa. Tu imagines ? Fouler pour la première fois des terres inconnues...

Elle le regardait droit dans les yeux, et son regard vert d'eau le captiva, si beau qu'il eut du mal à s'en détacher. Gêné, il finit par détourner la tête.

— Et toi, Willa ? Albie m'a dit que tu passais des vacances en Écosse avec des amies.

— Oui, j'en reviens à l'instant. Elles sont restées à l'hôtel pendant que, moi, j'allais escalader le Ben Nevis. Une course magnifique.

Seamie fut impressionné, le Ben Nevis étant le plus haut sommet des îles Britanniques. Ceux qui s'y aventuraient devaient être des grimpeurs chevronnés mais aussi d'excellents navigateurs car le mauvais temps coupait souvent toute visibilité.

— Tu as pris le chemin principal, je suppose.

— Le chemin des grands-mères ? Sûrement pas. Je suis passée par l'arête de Carn Mor Dearg.

— Bravo.

Seamie n'en revenait pas. Il avait essayé par deux fois l'escalade par cette voie, et avait dû rebrousser chemin, découragé par une pluie diluvienne.

— Le temps ne devait pas être trop mauvais, alors.

— Épouvantable. Du grésil, de la pluie, un vent terrible.

— Et tu n'as pas abandonné ?

— Non. Ça n'a pas été facile, mais je suis arrivée en haut. Et je suis redescendue, ce qui est le principal, non ?

— Je suis navré d'interrompre votre passionnante

conversation, mais j'entre pour prendre des places, intervint Albert. À plus tard, Willa.

— Attends ! Fais-moi entrer avec toi. J'ai dû venir directement parce que le train avait du retard. Je n'ai pas eu le temps de passer prendre ma carte de membre à la maison et je ne veux manquer à aucun prix la conférence de Shackleton. Tu as droit à un invité.

— Tu veux entrer dans cet accoutrement ?

Les femmes étaient très minoritaires aux conférences de la Société géographique, et les rares à y assister portaient robe et chapeau.

— Un beau geste, Albie !

— Une fille habillée comme toi ! Tu vas nous faire refuser l'entrée à tous les trois, c'est tout ce qu'on va gagner.

Furieuse, Willa vola la casquette de Seamie et la posa sur sa tête.

— Qui a dit que j'étais une fille ?

— Si maman apprend que tu te promènes habillée en homme, elle va avoir une crise cardiaque. Et c'est moi qui vais me faire attraper, comme d'habitude.

— Si tu refuses, je ne bougerai pas d'ici ! Je resterai seule dans la nuit, sur ces marches désertes, à la merci de tous les malfrats et de tous les assassins de Londres. Tu ne laisserais pas ta sœur sans défense seule dans la rue ?

— Sans défense !

— C'est injuste ! Je veux écouter Shackleton avec vous ! Je connais mieux l'Antarctique que vous deux réunis !

Elle n'usait d'aucun artifice féminin pour les convaincre. Sous son regard critique, ils avaient l'impression d'être des grenouilles sur la table de dissection.

— Allez, soyez chics...

Albert soupira en lui rabattant un peu plus la casquette sur les oreilles.

— Bien, allons-y, mais si maman l'apprend, je dirai que je ne suis au courant de rien.

— Tu es chouette !

Il l'arrêta alors qu'elle allait se jeter à son cou.

— Willa, n'oublie pas que tu es un garçon !

— Oh, pardon !

Albert acheva de la rendre présentable en boutonnant sa veste de tweed et en redressant son col de chemise. Trouvant encore à y redire, il ôta ses lunettes et l'en affubla. Comme elle était mince et sportive, le déguisement passait. Pendant ce temps, Seamie se réjouissait à la perspective de s'asseoir à côté d'elle et de continuer leur conversation.

Ils gravirent le perron et entrèrent dans le hall décrépit de l'amphithéâtre de Burlington Gardens où la Société géographique royale organisait ses conférences. Albert et Seamie s'étaient justement rencontrés en ces lieux, étant tous deux membres depuis l'enfance. Ils étaient vite devenus les meilleurs amis du monde, admettant à contrecœur Willa qui partageait tous les goûts de son frère et le suivait comme une ombre.

Elle disait souvent, en prenant garde de ne pas être entendue par sa mère, qu'elle serait la première à vaincre l'Everest. Ils avaient beau lui faire valoir que même les hommes n'en avaient pas encore été capables, elle leur riait au nez.

Seamie avait passé des vacances chez les Alden dans la région des lacs. Willa aimait déjà l'escalade, à cette époque. Elle les accompagnait lors de leurs sorties, faisant croire à sa mère qu'elle se contentait de les regarder sagement. Au premier tournant, elle se dépêchait d'enfiler un vieux pantalon d'Albie pour grimper sur les rochers avec eux.

— Un membre et un invité, dit Albie en montrant sa carte.

L'employé leur jeta à peine un coup d'œil. En lui tendant sa carte à son tour, Seamie se fit la réflexion qu'il était bien utile que les gens soient si peu observateurs. Il entra avec ses deux amis dans l'amphithéâtre, et leur demanda de s'asseoir avec lui à l'avant.

S'il voulait être proche de l'orateur, c'était pour mieux le voir, mais surtout pour l'atteindre vite à la fin de la conférence. Ce serait le moment ou jamais de se présenter. Alors qu'ils s'installaient au troisième rang, un garçon, d'environ dix-sept ans comme eux, se rapprocha pour prendre place à leurs côtés. Seamie le connaissait de vue pour l'avoir souvent rencontré à des conférences.

— Il paraît qu'il est très intéressant, ce Shackleton, dit le garçon.

Willa allait répondre quand Albie lui coupa la parole.

— Oui, très bon orateur.

— Je sais qu'il a eu du mal à convaincre Scott de le prendre dans son expédition, ajouta Seamie.

La glace étant brisée, la conversation continua sur ce mode enthousiaste. Ils avaient tous les quatre beaucoup entendu parler du passé de héros de Shackleton. Il s'était opposé aux désirs de son père qui le destinait à la médecine et avait arrêté ses études à seize ans pour prendre la mer. Le premier bateau sur lequel il avait navigué s'appelait le *Hoghton Tower*. Parti de Liverpool, il devait rejoindre Valparaiso en passant par le Cap Horn. La traversée s'était effectuée en plein hiver, dans la tempête, et il avait fallu deux mois pour passer le cap. Pendant les cinq années suivantes, Shackleton avait navigué en Extrême-Orient et en Amérique. Il était devenu premier lieutenant puis capitaine sur des navires marchands jusqu'à son expédition en Antarctique qui remontait à l'été précédent. C'était grâce à une rencontre avec Llewellyn Longstaff, le principal commanditaire de l'expédition, et au soutien de sir Clements Markham, le président de la Société géographique, qu'il devait d'avoir intégré l'équipe. La persévérance avait été un atout essentiel, et Seamie était bien décidé à l'imiter.

Les lumières baissèrent dans la salle et le silence se fit peu à peu.

— À nous, l'Antarctique ! murmura Willa.

— Je donnerais n'importe quoi pour monter à bord de ce bateau, dit leur nouvel ami en la dévisageant.

Seamie se tut, soudain jaloux. Avait-il deviné que Willa était une fille ? Albert se pencha pour serrer la main de leur nouvel ami.

— Je m'appelle Albert Alden. Et je vous présente heu…

Willa rougit, les yeux étincelants.

— Nous sommes jumeaux, intervint-elle, même si ça ne se voit pas !

— George Mallory, dit le garçon en leur serrant la main. Enchanté.

Seamie se renfrogna sur son siège, irrité et mal à l'aise, alors que George et Willa proposaient d'aller au pub après la conférence. Cela ne le regardait pas. Willa était jolie, et après ? Lui, il n'était venu que pour voir Shackleton.

Les lumières s'éteignirent, sauf celle du pupitre dont s'approcha un personnage austère, le président de la Société géographique, sir Clements Markham.

Ils endurèrent avec des sourires goguenards son

interminable introduction, puis Ernest Shackleton monta enfin sur scène. Au bout de dix secondes, Seamie avait oublié Willa et George, et le monde entier. La personnalité de Shackleton était fascinante. Cet homme débordant d'énergie arpentait l'estrade, réussissant à transmettre sa passion à l'assistance. Il parla de l'appel des terres vierges, des océans sans fin et des fragiles navires qui partaient à leur conquête ; il chanta l'entente fraternelle qui unissait explorateurs, navigateurs et scientifiques ; il évoqua la gloire qui rejaillirait sur la Société géographique et sur le pays tout entier si Scott et son équipage du *Discovery* étaient les premiers à planter le drapeau au pôle Sud. Il rappela que la compétition était farouche. Nansen avait manqué de peu la conquête du pôle Nord. Un autre Norvégien, Carsten Borchgrevink revenait tout juste d'Antarctique après être parvenu au point le plus proche du pôle Sud jamais atteint. Cet exploit serait accompli un jour ou l'autre, restait à savoir par qui.

Seamie buvait ses paroles. Toutes les fibres de son être se tendaient vers cet homme, son audace, son courage, son idéal. Ernest Shackleton ne se laissait arrêter par rien.

Une heure plus tard, la conférence s'achevait dans un tonnerre d'applaudissements. Shackleton but de l'eau, salua l'assistance en levant les mains en signe de triomphe, puis attendit les questions.

Seamie écouta avec dédain les intervenants, jeunes comme vieux, qui ne feraient jamais rien de plus courageux que de prendre la parole en public pour interroger les vrais aventuriers. Pour rien au monde il ne voulait leur ressembler.

Il parlerait à Shackleton dès ce soir, même s'il devait le suivre jusque chez lui et dormir sur le pas de sa porte.

Shackleton l'écouterait et le comprendrait. Ils se ressemblaient. Qu'Albie et Willa et ce gêneur de George Mallory aillent au pub si cela leur chantait. Lui, il partirait pour l'Antarctique.

54

— Quelle misère, cette victoire des travaillistes ! dit Dougie Hawkins à Freddie d'un ton plein de commisération.

— En effet.

— C'est la fin des haricots. Vous verrez, maintenant qu'il y a un épicier aux Communes, rien n'empêchera un docker de devenir Premier ministre.

Freddie eut un sourire crispé. Si cet idiot lui présentait une fois de plus ses condoléances, s'il lâchait encore une mauvaise plaisanterie, il ne répondait plus de rien. Ce soir, il voulait oublier sa défaite.

— Superbe endroit…

Il avait été entraîné par des connaissances de son club à cette réception dans un atelier d'artiste de Chelsea, décoré dans le goût mauresque. C'était le somptueux cadeau d'un fils de duc à sa maîtresse, à l'occasion de sa première exposition de peinture.

— Gemma Dean est là, annonça Dougie.

— Tiens ?

— Là-bas, près du bow-window. Je lui trouve l'air fatigué. Elle a disparu de la circulation quelque temps, mais elle est de nouveau sur le marché, d'après ce que j'ai entendu dire. Il faut bien payer le loyer !

Voyant passer une connaissance, Hawkins abrégea pour se lancer à sa poursuite. Heureusement, car Freddie était au comble de l'exaspération. Dougie n'avait pas à se préoccuper de son loyer. Sa famille possédait cinq mille hectares de terres en Cornouailles et de nombreuses maisons à Londres. Qu'un imbécile comme lui se prélasse dans le luxe tandis que Freddie devait compter le moindre penny, c'était d'une injustice !

Il chercha Gemma et la repéra à l'éclat de ses diamants. Elle ne portait que les boucles d'oreilles, mais elles étincelaient comme des étoiles sous les lampes à gaz. Il se souvint que c'était Malone qui les lui avait données, et qu'il s'agissait de pierres véritables valant une fortune.

Une fortune, voilà justement ce qu'il lui fallait. Bingham, heureusement, avait réglé son ardoise au Reform Club pour lui éviter d'y être interdit, mais son tailleur ne le recevait plus. Son crédit était mauvais partout. Il prit une gorgée de whisky et tâcha de penser à autre chose. À la belle Gemma, par exemple. Elle avait en effet perdu un peu de son éclat, comme Dougie l'avait fait remarquer. Elle avait les traits tirés et semblait amaigrie, ressemblant aux pâles poétesses éthérées qui étaient tellement en vogue depuis peu. Cela ne lui allait pas. Il l'aimait ronde et pulpeuse.

— Alors, Gemma ? Comment vas-tu ?

— En grande forme, Freddie, rétorqua-t-elle d'un ton acide.

Elle vida sa coupe et fit signe à un domestique de lui resservir du champagne.

— Pas de chance, pour l'élection.

— Oui, pas de chance.

— J'ai aussi appris la rupture de tes fiançailles. Un malheur n'arrive jamais seul.

— Il semblerait.

Cette conversation n'allégeait nullement l'humeur de Freddie.

— Ça doit t'ennuyer, reprit-elle en buvant son champagne, mais au moins, tu es libre maintenant. Comme moi.

Cela devenait de pire en pire.

— Je me suis fait plaquer aussi, ajouta-t-elle pour s'assurer qu'il avait compris.

— Ah ? Toi aussi ? Je suis de tout cœur avec toi, Gem.

Elle le contempla pensivement.

— Vraiment ?

— Mais bien entendu.

— Tu te souviens de la dernière fois où tu es venu chez moi ?

— Cela va de soi, chérie, c'était inoubliable.

— Et tu te souviens donc de ce que tu m'as dit ?

— Pas exactement… Nous parlions de ma campagne électorale, peut-être ?

— Non, de mariage. Tu disais regretter de ne pas pouvoir m'épouser à la place d'India. Puisque nous sommes libres tous les deux…

— Gem… Voyons… Tu sais bien que ce n'est pas aussi simple.

— Ce que je sais, c'est que tu n'es qu'un sale menteur !

Le ton de sa voix fit se tourner des têtes vers eux.

Freddie l'entraîna à l'écart.

— Tu as trop bu…

— C'est vrai, et c'est à cause de toi. À cause de Sid Malone. À cause de tous les beaux parleurs qui ne s'intéressent qu'à une seule chose !

— Moins fort, moins fort. Tu sais que je suis fou de toi. Tu es la femme la plus belle de Londres, mais le mariage, c'est autre chose. Nous venons de deux milieux trop différents. Nous n'avons pratiquement rien en commun.

Elle lâcha un rire strident.

— Oh, que si ! Beaucoup plus même que tu ne le crois. Beaucoup plus !

— Gemma…

— Parfaitement. Et pour commencer, ton ancienne fiancée et mon ancien amant.

— Je ne comprends pas. Pose ton verre, chérie, tu es très confuse.

— Sid Malone couche avec India Selwyn Jones, c'est assez clair pour toi ?

Ce fut au tour de Freddie de rire.

— Très drôle ! C'est d'une absurdité !

— Je t'ai bien dit qu'elle était allée le voir pour lui demander des préservatifs…

— En effet.

— Tu ne voulais pas me croire, mais la suite a prouvé que j'avais raison. Tu devrais me faire plus confiance.

— Voyons. Tu ne connais pas India comme moi. Jamais elle ne pourrait tolérer ce Malone. Jamais.

— J'ai suivi Sid avec un de ses hommes, il y a quelques jours. Frankie avait l'impression que Sid lui cachait quelque chose. Nous avons découvert le pot aux roses. Il a pris un cab et il est allé à Brick Lane. Il s'est arrêté juste après le restaurant des Moskowitz où elle loge actuellement. Quelques minutes plus tard, elle est sortie et est montée avec lui. Ils ont quitté Whitechapel et se sont fait conduire à un meublé dans lequel ils sont entrés ensemble. Nous avons vu s'allumer des lumières à l'étage, et ils ne sont pas ressortis.

Freddie se taisait. Sid Malone et India… c'était impensable, impossible. Non seulement elle l'avait quitté, ruiné, mais elle se consolait dans les bras de son pire ennemi. Un homme qui, en cambriolant la Forteresse, lui avait coûté l'autonomie irlandaise, et très probablement son siège de député. Jamais il ne s'était relevé dans l'opinion de son humiliation à la Chambre des communes.

Une colère bouillonnante montait en lui. Une fureur assassine. Il se saisit du poignet de Gemma.

— Où est-il, cet appartement ?

Elle se dégagea.

— J'en ai assez de ta brutalité, Freddie. Ne prends pas ce ton avec moi ! Si tu veux l'adresse, tu n'as qu'à payer. Comptant. Deux cents livres, et merci.

— Gemma, je t'en prie…

— Tu sais où me trouver.

— Traînée !

— Quatre cents, pour la peine, et adieu !

55

Seamie ne rêvait que de boire un thé chaud, de passer des vêtements secs et de s'asseoir au coin d'un bon feu.

Il attendait devant la maison d'Ernest Shackleton depuis un jour et deux nuits. Il n'en pouvait plus, pourtant il n'abandonnerait pas. Toutes ces souffrances ne pouvaient pas avoir été vaines. Il attendrait encore deux jours, une semaine s'il le fallait.

À la fin de la conférence, il avait essayé d'aborder son héros, mais trop de gens l'assiégeaient et, aussitôt après, Shackleton avait fui ses admirateurs pour aller dîner avec des amis au Club des explorateurs.

— Monsieur Shackleton ! Je voudrais vous parler ! avait crié Seamie en le poursuivant.

— Que veux-tu, mon garçon ?

— Je voudrais me joindre à votre expédition.

Un éclat de rire lui avait répondu.

— Mais bien entendu, comme tous les lycéens de Londres ! Nous n'avons plus de place, désolé, avait-il ajouté plus gentiment avant de s'éloigner.

— Tant pis, avait commenté Albie. Viens noyer ton chagrin au pub. George dit qu'il y a de la bonne bière à deux pas.

Seamie suivait Shackleton des yeux.

— Tu as envie de lui courir après, avait deviné Willa Elle lisait dans ses pensées.

— Je m'en abstiendrais si j'étais toi, était intervenu Albie. Si tu le poursuis, il risque de se braquer, et tu seras bien avancé.

— Peu importe. Il verra que Seamie est déterminé.

— Je vous laisse. Je rentrerai sans doute tard. Ou pas du tout, avait lancé Seamie en partant au pas de course.

— Bonne chance ! avait crié Willa derrière lui.

Il avait suivi le navigateur jusqu'au Club des explorateurs ; Shackleton n'en était ressorti qu'à minuit.

— Je ne suis pas du gibier qu'on pourchasse ! avait-il protesté en voyant Seamie se précipiter vers lui.

Seamie ne s'était pas avoué vaincu. Quand Shackleton était monté dans un cab, il en avait arrêté un lui-même et demandé au cocher de le suivre. Il en était descendu au moment où l'explorateur entrait chez lui.

— Encore toi ! Mais que veux-tu à la fin, mon garçon ?

— Me joindre à votre expédition en Antarctique.

— C'est impossible, je te l'ai dit. Si tu ne me laisses

pas tranquille, je demanderai à la police de te faire vider les lieux.

— C'est votre droit, monsieur.

Shackleton avait passé sa porte et s'était dépêché de tirer les rideaux, mais, à un ou deux mouvements des tentures, Seamie avait deviné son intérêt. Sans avertir la police, Shackleton l'avait malgré tout superbement ignoré le lendemain en entrant et en sortant. Seamie était resté à son poste sans faiblir.

Il avait commencé son siège le mardi à minuit, et on était le jeudi matin, juste après neuf heures. Il se sentait prêt à s'évanouir, vaincu par la soif, la faim et le manque de sommeil. S'il s'effondrait, que ferait Shackleton ? L'enjamberait-il comme si de rien n'était ? Se contenterait-il de le pousser dans le caniveau ?

Alors qu'il ruminait ces noires réflexions, la porte de la maison s'ouvrit, et l'explorateur sortit, une serviette de table à la main. De délicieux arômes de bacon et de toasts beurrés flottèrent jusqu'à lui. Une véritable torture.

— Eh bien, mon garçon, tu m'épates. Voilà trente heures que tu attends là sans bouger.

— Trente-trois heures et dix minutes, très exactement, monsieur.

— Je suppose que tu comptes éveiller mon admiration.

— Je n'ai pas cette vanité. Je cherche simplement à vous montrer ma détermination, malgré la fatigue et le mauvais temps.

— Tu trouves que les conditions sont difficiles ? Par une température de sept degrés dans la journée et de cinq degrés la nuit ?

— Il a plu, aussi, la nuit dernière. De minuit à cinq heures et demie du matin.

Shackleton se frotta pensivement le menton.

— Vraiment ?

— Oui, monsieur.

— Mais l'important est de savoir si tu serais prêt à tenir quarante-huit heures, soixante-douze heures, une semaine, un mois, par des températures qui oscillent entre moins douze pendant la journée, et moins quarante la nuit. Serais-tu prêt à supporter des tempêtes de neige qui paralysent les mains et gèlent les doigts de pied ? Serais-tu prêt à affronter des conditions aussi dures ? Réfléchis bien avant de répondre. Bien des hommes, et des plus forts que toi, sont morts en chemin.

— Je n'ai pas peur de mourir. J'ai peur de ne pas vivre.

L'explorateur l'observa.

— De bien grands mots pour un si jeune garçon.

— J'ai dix-sept ans. Un an de plus que vous n'aviez quand vous avez franchi le cap Horn à bord du *Hoghton Tower*.

Un silence suivit, puis :

— Entre. Ma cuisinière a préparé des œufs et du bacon.

Il s'interrompit en levant un doigt.

— Mais attention, je ne te promets rien. Je veux simplement te nourrir un peu avant de te renvoyer à ta mère.

— Ma mère est morte, et vous aurez beau me renvoyer, je resterai. J'attendrai devant votre porte, qu'il pleuve ou qu'il vente. J'aime la mer, et je veux naviguer sur les eaux tumultueuses et inexplorées de l'Antarctique…

Shackleton leva les yeux au ciel.

— Suffit ! Et que je ne t'entende pas t'attendrir sur les baleines. Nous ne pourchassons pas Moby Dick :

nous partons en expédition scientifique. Sais-tu faire quelque chose, au moins ? Que peux-tu nous apporter ? As-tu seulement jamais mis les pieds sur un bateau ?

— Je détiens le record de la traversée la plus rapide de Yarmouth à Key Largo à bord d'un cotre. En solitaire.

— Un cotre ? Quel gréement ?

— Aurique. Avec foc génois.

— Un génois, tiens… Et tu as navigué de Nouvelle-Écosse jusqu'en Floride ! Mais pourquoi ?

— Parce que j'aime l'aventure.

— Eh bien, tu as dû être servi. Comment t'appelles-tu, déjà ?

— Seamus Finnegan.

— Ah ! Un Irlandais ? Je suis né en Irlande. Allez, viens, Seamus Finnegan, je vais t'offrir du thé, mais je répète que je ne te promets rien. Parle-moi un peu de ce cotre. Génois et trinquette, tu disais ?

Engourdi par l'immobilité, Seamie trébucha à la première marche, mais reprit son équilibre et suivit Shackleton chez lui. Cinq minutes plus tôt, il croyait s'effondrer, et maintenant il se sentait léger comme une plume. Il aurait poussé des cris de joie, dansé la gigue, s'il n'avait voulu paraître sérieux et responsable. Car s'il n'avait pas encore gagné, il avait au moins mis un pied dans la porte et se rapprochait un peu de l'Antarctique et de son rêve.

56

India s'éveilla, comme elle s'était endormie, dans les bras de Sid. Il lui sourit et posa un baiser sur son front.

— Tu ronfles… On te l'a déjà dit ?

— Certainement pas !

— Si, tu ronfles. Comme un vieux monsieur.

— Je ne te crois pas.

La pluie martelait les carreaux. Il faisait nuit à présent. Ils étaient arrivés à l'appartement au crépuscule, et la lampe à huile qu'ils avaient allumée sur le secrétaire répandait une douce lueur.

— Quelle heure est-il ?

— Minuit passé. Je viens d'entendre les cloches.

En l'observant, elle s'inquiéta de ses traits tirés.

— Pourquoi ne dors-tu pas ?

— Je n'en ai pas envie, répondit-il avec un sourire. Je veux profiter de chaque instant.

— Mais… tu ne dors jamais.

— Si, bien sûr que je dors.

— Très peu… As-tu bu du café ce soir ? Du thé ? Trop d'alcool ?

— Non, docteur Jones, je vous assure, je vais très bien.

India se mordit les lèvres.

— Quelque chose te préoccupe.

Il détourna les yeux.

— Que se passe-t-il, Sid ?

— Rien.

Jusque-là, elle avait toujours pensé que sa discrétion n'avait pour but que de la protéger. Elle se demanda soudain si ce n'était pas un manque de confiance.

— Je ne répéterai rien, ni à ta bande, ni à personne.

— Je te dis que ça va !

India repoussa les draps et se leva. Elle traversa la pièce et prit ses vêtements sur la chaise.

— Qu'est-ce que tu fais ?

— Je me rhabille, répondit-elle en enfilant son jupon.

— Mais pourquoi ?

— Je m'en vais.

— India, non !

— Je ne peux pas rester, puisque tu ne m'aimes pas.

— Mais je t'aime !

— Comment veux-tu que je te croie ? Quand on aime, on se parle. Moi, je t'ai tout dit de ma vie ! Tout ! Et avant même de t'aimer, à l'hôpital, alors que je te connaissais à peine, simplement parce que tu me le demandais. Tu avais promis de me raconter ton histoire, mais tu refuses de me parler de ton passé. Tu refuses même de parler de l'avenir ! Tu ne m'expliques même pas la raison de tes insomnies !

— India... Il y a des choses trop difficiles à raconter.

— Même à la femme qu'on aime ?

— Oui, même.

Voyant qu'il se retranchait dans le silence, elle passa son corsage et le boutonna. Son métier lui avait appris à sortir vite de chez elle au milieu de la nuit. Malheureuse, elle s'assit au bord du lit pour mettre ses chaussures.

— India, reste, je t'en prie...

Un tremblement dans sa voix la fit hésiter. Elle tourna son regard vers lui et fut touchée par son air désemparé.

— Qu'est-ce qui te fait si mal, Sid ? demanda-t-elle doucement.

Il eut besoin de temps pour trouver ses mots, pour vaincre son habitude de silence.

— J'ai fait de la prison, il y a longtemps. J'avais dix-huit ans.

— C'est là qu'on t'a fouetté ?

— Oui, c'est en prison. Trente coups de chat à neuf queues.

— Mon Dieu… mais pourquoi ?

— Parce que je me révoltais.

— Contre les gardiens ?

— Contre un, en particulier.

— Pourquoi ?

— Parce que… parce qu'il…

— Trente coups. Il aurait pu te tuer.

— J'ai failli y rester.

— Alors c'est à cause de cela que tu n'arrives pas à dormir. Tu as mal…

— J'ai mal… oui… mais c'est autre chose…

Il respirait avec difficulté. Il butait sur les mots.

— J'ai été violé, là-bas. En prison, dit-il soudain d'une voix tourmentée.

Le cœur soulevé, India murmura :

— Mais… par qui ?…

— Ce gardien. Wiggs. Deux autres me tenaient. Presque toutes les nuits pendant deux mois. J'entendais leurs pas dans le couloir. J'entendais leurs voix approcher. Je n'arrive pas à dormir parce que je guette encore.

India voulut lui poser la main sur le bras, mais il s'écarta.

— Non, ne me touche pas.

— Excuse-moi. Sid… C'est fini… Tu dis que ce calvaire a duré deux mois. Que s'est-il passé ensuite ? Pourquoi ont-ils arrêté ?

— C'est Denny Quinn qui m'a sauvé.

— Qui ?

— Le vieux Quinn, qui m'a appris le métier. Il a attendu Wiggs à la sortie de la prison. Il l'a suivi et il lui a tranché la gorge.

L'horreur d'India lui tira un rire sardonique.

— Alors, maintenant, tu m'aimes encore ?

Il fit alors une chose terrible : il s'adossa au mur et y cogna sa tête. India avait vu des patients se conduire ainsi à l'hospice. De pauvres êtres torturés par leurs souvenirs, qui essayaient de s'ouvrir le crâne pour laisser sortir leurs obsessions. Elle se glissa derrière lui.

— Arrête, Sid, arrête. Arrête…

Elle l'entoura de ses bras.

— Je t'aime, tu m'entends ? Je t'aime.

Il serrait si fort les poings que les veines saillaient sur ses bras. Son corps vibrait, sa respiration était saccadée. Il faisait presque peur. Il fallait l'aider à se libérer de tout ce désespoir, de ce poison qui le dévorait. Elle lui prit les mains et lentement, doucement, elle lui déplia les doigts.

— Laisse-toi aller, laisse tout sortir, murmura-t-elle.

Elle l'étreignit et résista quand il voulut la repousser. Alors il la prit dans ses bras à son tour, la serra à la briser en tremblant de tous ses membres, en sanglotant. Baignée de ses larmes brûlantes, elle le berça en lui murmurant des mots tendres. Elle ne le lâcha pas tant qu'il n'eut pas pleuré tout son soûl.

Après un long moment, il releva la tête et vit qu'elle pleurait aussi.

— C'est ma faute, India, c'est ma faute ! Jamais je n'aurais dû t'entraîner dans mon enfer. J'aurais dû te ramener chez toi la nuit où tu es venue au Bark. Maintenant, je t'oblige à pleurer sur mes crimes.

— Quels crimes ? C'est pour le mal qu'on t'a fait que je pleure.

Il y eut un silence.

— Tu pleures pour moi ? Personne n'a jamais pleuré pour moi.

— C'est que personne ne t'a aimé comme je t'aime.

Elle vit qu'il baissait la tête, vaincu par l'émotion. À présent, il fallait le faire parler. Ce n'était qu'à ce prix qu'ils se rapprocheraient vraiment, qu'ils établiraient une vraie confiance. Elle prit la bouteille entamée sur la table de chevet, remplit les verres et lui en tendit un.

— Tiens.

Sid but d'un trait, puis il s'appuya aux oreillers et ferma les yeux.

— Dis-moi ce que tu as fait quand tu es sorti de prison. Parle-moi de ta mère, de ton père.

Elle eut peur qu'il ne trouve pas la force de livrer ses secrets, mais, bravement, il commença, d'abord d'une voix hésitante, puis plus rapide, comme dans une sorte de transe. Il lui révéla que son vrai nom était Charlie, puis il lui parla de sa vie à Montague Street avec sa famille. Il lui raconta comment son père et sa mère étaient morts et comment il avait changé d'identité. Effarée, India apprit de quelle façon il était devenu le protégé de Quinn, et par quel engrenage il s'était trouvé pris dans une vie qu'il n'aimait pas mais ne pouvait plus quitter. Il parla deux heures durant, soulevant le poids écrasant qui l'étouffait. Enfin, épuisé, il rouvrit des yeux las.

— Voilà, mais je ne vois pas ce que cela change.

— Plus de choses que tu ne crois. Je n'ai plus aucun doute sur ce qu'il faut faire. Tu dois changer de vie, partir de Londres et t'éloigner des gens que tu fréquentes. Il faut quitter l'Angleterre et laisser ces horribles souvenirs derrière toi.

— Comme si c'était facile…

— C'est possible. Nous partirons ensemble.

— Mais comment veux-tu ? Et ton dispensaire ?

Le sage regard gris d'India se posa sur Sid.

— Pour toi, je partirai.

— Tu ne peux pas fermer la porte à tous les gens que tu voulais aider !

— La porte restera ouverte. Harriet, Fenwick et Ella seront là. Et puis, nous reviendrons peut-être un jour, quand on t'aura oublié.

— La pègre a bonne mémoire. Écoute-moi, India. Pour moi, il n'y a plus aucun espoir. Mais toi, tu peux encore réaliser ton rêve. Tu as travaillé très dur pour ouvrir ton dispensaire, je ne te laisserai pas y renoncer. C'est formidable, ce que tu as réussi à faire !

— Sid… C'est toi qui es formidable.

L'émotion l'empêcha de répondre.

India lui prit la main et la serra dans les siennes.

— Il n'est pas trop tard. Nous repartirons de zéro. Nous deviendrons M. et Mme Baxter pour de bon, et nous irons très loin. Jusqu'en Écosse, en Irlande… ou mieux, en France, en Italie.

Soudain, elle se redressa et lui agrippa le bras.

— Non ! Attends ! Mon Dieu, dit-elle avec un éclat de rire, comme je suis bête ! J'ai la solution sous le nez ! Mais comment ai-je pu ne pas y penser plus tôt ? Je sais où nous pouvons aller. Au bout du monde !

— Tu es folle.

India se leva d'un bond, courut au salon et revint dans la chambre avec un dossier.

— Mon cousin disait que là-bas, devant l'océan et le ciel qui s'étendent à l'infini, on a l'impression d'être le premier homme sur terre. Revenu à un monde pur que rien n'a sali. Un monde encore beau.

Elle lui tendit des photographies.

— Tu les as vues l'autre jour. C'est Point Reyes, en Californie. Le terrain m'appartient. Nous n'avons qu'à nous installer là-bas.

Sid contemplait les clichés, aussi fasciné qu'il l'avait été la première fois.

— Mais de quoi vivrons-nous ?

— Je suis médecin. On a besoin de médecins partout.

— Et moi ?

— Toi ? Mais tu ferais tout ce que tu voudrais. La cuisine, le ménage, du tricot !

— Tu as manqué ta vocation. Tu aurais dû écrire des contes de fées. Tu les racontes très bien. Un instant, j'ai failli y croire.

— Mais ce ne sont pas des contes ! Rien ne nous empêche d'y aller, Sid. Il y a une vieille ferme. Nous pourrons y vivre.

— Chérie…

— Si ! Crois-moi !

— India…

Elle prit le visage de Sid dans ses mains pour l'obliger à la regarder.

— Dis-moi que tu y crois, dis-le-moi !

Le doute ternissait ses yeux. Il ne répondit pas.

— On peut toujours se racheter, on peut toujours être pardonné. Même dans ce monde, même toi, Sid Malone. Tu peux refaire ta vie si tu le veux. Si tu as pu entrer dans la pègre, tu dois pouvoir en sortir ! Je t'aiderai.

Elle le regardait droit dans les yeux, voulant ranimer l'espoir dans cette âme torturée.

— Tu me crois ?

— Oui, dit-il enfin, oui, je te crois.

Elle lui posa un baiser sonore sur les lèvres, puis se déshabilla et se glissa entre ses bras. Ils firent l'amour avec une passion encore jamais atteinte. Quand ils eurent terminé, India le prit dans ses bras et lui proposa de partir dès que le dispensaire serait ouvert. Il n'y aurait que deux semaines à attendre. Trois tout au plus. Ils prendraient le train pour Southampton et embarqueraient sur un paquebot pour New York. Là-bas, le chemin de fer permettait de traverser l'Amérique jusqu'en Californie. Elle lui proposa de garder les photographies pour se rappeler qu'un bel avenir les attendait.

— Nous serons très heureux là-bas, acheva-t-elle.

Le silence de Sid l'inquiéta, mais elle se rendit vite compte que sa respiration était profonde et régulière, et qu'il avait les yeux fermés. Il dormait enfin. Elle resta sans bouger à écouter la pluie battante sur les carreaux. Des bourrasques effrayantes secouaient les branches dans un ciel noir d'encre. Mais la tempête pouvait souffler, le tonnerre gronder, la foudre frapper la ville endormie, elle s'en moquait ! Sid avait besoin d'elle, et elle ferait tout pour lui. Peu importait le sacrifice, il méritait une deuxième chance. Elle lui montrerait que l'espoir était possible, et le bonheur aussi. Ils oublieraient le passé, et elle ne laisserait plus jamais rien ni personne lui faire de mal. Maintenant, ils s'appartenaient pour toujours.

57

— Seamie, il faut annoncer ton départ à ta sœur !

Willa était appuyée à une cabine d'essayage chez Burberry, maison de confection pour hommes du Haymarket à Londres.

— Non ! protesta une voix étouffée.

— Tu ne peux pas disparaître sans un mot. Tu comptes lui envoyer une carte postale du pôle Sud ?

La cabine s'ouvrit brutalement, et Seamie en sortit, méconnaissable dans son équipement imperméable breveté par Thomas Burberry, qui comprenait un énorme pantalon informe, un anorak et un passe-montagne.

— Très élégant !

— On ne s'habille pas chez Burberry pour le chic des tenues, mais pour leur robustesse. Et parce qu'elles tiennent chaud.

— Je l'espère pour toi. Il fait un froid de tous les diables, là-bas.

— Il me semble détecter un soupçon de jalousie…

— Il n'y a pas de quoi… Tu n'y es pas encore, au Pôle.

— Nous y arriverons.

— Rien n'est moins sûr.

Albie se joignit à la conversation.

— C'est épatant tout de même, mon vieux ! Scott, Shackleton, le pôle Sud… et toi qui vas là-bas avec eux !

En se regardant dans la glace, Seamie voyait un explorateur. C'était incroyable, en effet. Il vivait un rêve.

Dire qu'à peine deux semaines plus tôt, il battait la semelle devant la porte d'Ernest Shackleton… Après leur petit déjeuner, ils s'étaient entretenus pendant deux bonnes heures, le navigateur étant curieux de l'entendre raconter ses traversées à la voile et ses ascensions hivernales dans les Adirondacks. Quand la bonne était venue débarrasser, Shackleton n'avait encore rien promis, mais on le sentait bien disposé.

Une petite semaine plus tard, l'aide-cuisinier de l'équipe était arrêté pour ivresse sur la voie publique. Deux jours après, Seamie recevait une lettre chez les Alden, lui proposant de se joindre à l'expédition. Il l'avait lue dans le secret de sa chambre, mais en découvrant son contenu, il avait poussé un hurlement de joie, et avait dévalé l'escalier pour avertir Albert et Willa.

C'était l'emploi le moins prestigieux que l'on puisse imaginer. Il éplucherait les pommes de terre et récurerait les marmites, mais Shackleton lui avait promis de le laisser descendre à terre pour quelques reconnaissances avec le reste de l'équipe. Il se ferait un nom, car il était sûr que Scott et Shackleton trouveraient le Pôle. Comment était-il pensable que des hommes d'une telle stature échouent ? C'était la chance de sa vie, et rien ni personne ne pourrait l'empêcher de s'en saisir.

— Que veux-tu qu'il arrive si tu avertis Fiona ? demanda Albie.

— Elle va en faire toute une histoire. Elle ne veut à aucun prix que j'arrête mes études.

— C'est ta sœur, elle comprendra.

— Tu ne la connais pas. Elle serait capable de venir jusqu'au port pour me faire descendre du bateau en me tirant par l'oreille.

Il avait beau dire, Seamie savait qu'il devait l'avertir. S'il avait osé ne lui envoyer un câble qu'après son départ, il aurait trouvé la solution idéale. Il faudrait calculer le bon moment : avant l'embarquement, mais assez tardivement pour qu'elle ne puisse pas lui mettre de bâtons dans les roues.

Willa tirait sur l'anorak pour le placer correctement sur ses épaules.

— Il te faut la taille en dessous.

— Non, c'est la bonne.

— Je t'assure. On doit se sentir à l'aise, mais pas flotter à l'intérieur.

— Qu'en sais-tu ?

— Elle vient ici toutes les semaines ! railla Albie.

Elle passe des journées entières à admirer les tentes et les sacs à dos.

Seamie rencontra le regard complice de Willa dans le miroir. Elle en profita pour revenir à la charge.

— Dis-lui ! Tu sais qu'elle s'inquiéterait de ne pas avoir de nouvelles. Ce n'est pas gentil. Tu t'en voudras.

Cela ne lui disait pas comment s'y prendre. Il réfléchissait tout en la contemplant, quand soudain une idée germa dans son esprit.

— Ah, je sais ! Tu n'as qu'à le lui dire à ma place, Willa.

— Moi ? Certainement pas !

— Je t'en prie. C'est la meilleure solution. Fiona t'aime beaucoup. Elle prendra mieux la nouvelle venant de toi que d'Albie.

— Ça, mon vieux, se récria son ami, je ne me chargerai de cette corvée pour rien au monde !

— Je vais à Dundee avec Shackleton le mois prochain, juste après Noël, pour lancer la construction du *Discovery*. Ce serait un bon moment pour l'avertir.

— Tu imagines comme ça sera agréable pour moi ?

— Je sais... Je m'en excuse, mais c'est mieux ainsi.

Mieux pour toi, certainement.

Seamie dut bien reconnaître qu'elle avait raison.

— Oui, pour moi bien sûr... Mais pour elle aussi ! Ce sera beaucoup moins dur de l'apprendre de ta bouche que par une lettre ou un télégramme.

— Seamie ! Un télégramme ! Tu n'oserais pas !

— Seulement si je ne trouvais pas d'autre moyen. Je t'en prie, Willa. Fais-le pour moi.

Il lui laissa le temps de réfléchir, la connaissant assez pour savoir qu'elle devait se sentir maîtresse de sa décision.

— C'est bon, j'accepte. Mais à une condition.

— Tout ce que tu voudras.

— Tu me rendras le même service le jour où je partirai pour l'Everest, en l'annonçant à ma mère.

Seamie allait rire et lui dire que, dans ce cas, il était quitte pour rien, quand la détermination qu'il vit sur le visage de la jeune fille l'arrêta. Ce sérieux, cette force, lui donnèrent l'étrange impression de se voir lui-même : ils avaient la même intrépidité, le même amour de l'aventure, la même soif de découverte. Son sourire s'effaça.

— C'est entendu.

Cette question réglée, il se regarda de nouveau dans la glace. Il se redressa, gonfla les pectoraux et tira sur son pantalon. Un rire le sortit de cette heureuse occupation. Willa l'observait d'un air espiègle.

— Suffit les élégances, marmiton. Et méfie-toi, si tu n'atteins pas le pôle Sud, je te coifferai sur le poteau… dès que j'aurai vaincu l'Everest.

58

— Frankie ? Y a un gars au bar qui demande Sid, dit Desi. Il paraît que c'est notre nouveau député.

— Ah oui ? Le Premier ministre est avec lui ?

— Je crois pas qu'il blague. Il dit que s'il ne parle pas à Sid tout de suite, il reviendra ce soir avec une vingtaine de flics qui casseront tout.

Frankie leva les yeux des cartes qu'il tenait en main, prenant à témoin son partenaire, Ozzie.

— Quel culot ! Dis-lui de venir, qu'il voie qui commande.

Desi alla chercher Joe.

— Frankie Betts ? demanda le nouveau député en approchant de la table.

— Et alors, qui c'est qui le demande ?

— Je m'appelle Joe Bristow. Je veux voir Sid Malone.

Pivotant sur sa chaise pour mieux le voir, Frankie remarqua ses vêtements de travailleur et la barre de fer qu'il tenait à la main.

— T'as laissé ta charrette dehors ?

Ozzie ricana, ce qui n'empêcha pas Joe de continuer.

— Frankie, je te connais. C'est toi qui as brûlé mon entrepôt.

— Je sais pas de quoi tu causes, mon gars.

— Je veux discuter avec Malone. Je veux passer un marché avec lui tout de suite avant qu'il ne soit trop tard. Avant qu'on ne puisse plus passer l'éponge.

— Tu nous demandes d'être sages ?

— En quelque sorte.

Frankie but une lampée de bière sans offrir à boire au visiteur, qui poursuivit.

— S'il n'est pas là, dis-lui de venir me voir quand il voudra. Mon bureau est dans Commercial Street, au 8. Je veux simplement lui parler, vous avez ma parole.

Frankie fut pris de panique. Ce n'était pas Joe lui-même qui lui faisait peur – ce devait être un mollusque, évidemment –, mais ce qu'il représentait. Le monde des honnêtes gens, qui semblait tellement attirer Sid dernièrement.

— Bah ! Fous-nous la paix. T'as qu'à aller vendre ta camelote ailleurs.

Sur quoi, il lui tourna le dos et reprit ses cartes.

Brutalement, la table s'effondra, fracassée par un coup de barre de fer qui fit sauter les chopes par terre.

— Tu m'écoutes, maintenant ? demanda Joe brandissant la barre.

Frankie se leva d'un bond, galvanisé. Il attaqua d'un direct du droit qui atteignit Joe au ventre et le fit se plier en deux et lâcher sa barre. Profitant de l'occasion, Frankie se baissa pour la ramasser. Il le regretta aussitôt, car Joe se redressa brusquement et lui assena un coup en traître à l'arrière de la tête. Aveuglé par un éclair blanc, Frankie tomba à genoux en grognant de douleur, la tête entre les mains. Il s'était laissé prendre à un coup de gars des rues. C'était toujours un tort de sous-estimer l'adversaire. Quand la brume se dissipa, il vit que Joe se penchait sur lui.

— Ça, c'était pour Alf Steven, petite ordure.

Joe se redressa, mettant les témoins au défi de se mesurer à lui. Personne n'en avait la moindre intention.

— Dites à Sid que je l'attends.

Il ramassa sa barre de fer, puis repartit sans qu'on fasse un geste pour l'arrêter.

Dès qu'il eut quitté le pub, un homme émergea de l'ombre. C'était Sid.

— Frankie, c'est toi qui as brûlé l'entrepôt de Bristow ?

— Quoi ? T'étais là, Patron ? Et t'as pas bougé ?

Sid empoigna Frankie par les revers de sa veste pour le mettre debout, et le plaqua brutalement contre le mur.

— Je t'ai demandé si c'était toi qui avais brûlé l'entrepôt de Bristow !

— Oui, bon Dieu. Lâche-moi !

Mais Sid, loin de le libérer, le cogna une fois, deux fois, puis le roua de coups. Il s'acharna malgré les supplications de Frankie, et aurait continué si Desi et Ozzie ne l'avaient pas pris par les épaules pour le contenir. Frankie glissa à terre, à moitié assommé.

— Pourquoi tu as fait ça ? hurla Sid. Alf Steven n'était qu'un vieux bonhomme qui n'avait fait de mal à personne !

— C'était pour toi, Patron. Pendant que t'étais à l'hôpital. Je voulais pas le tuer, ce cave. Je suis juste allé lui dire qu'il était temps que Bristow nous graisse la patte. Il a voulu me frapper, et c'est lui qu'a fait tomber la lampe. Je lui ai crié de se barrer, mais il a voulu rester.

— Et maintenant, il est mort. Et Bristow a appris que c'était toi.

Frankie se releva en chancelant.

— Tu vas pas aller le voir, hein, Patron ?

— Je ne sais pas.

Sid s'était mis à marcher de long en large, en proie au doute.

— D'abord la doctoresse, maintenant le député, grogna Frankie. Qu'est-ce que t'attends pour te faire des potes chez les cognes ?

Sid pâlit de rage, et Frankie crut qu'il allait de nouveau le frapper, mais il ne fit qu'aboyer :

— La doctoresse, pourquoi tu parles de la doctoresse ?

— Je me fous de qui tu mets dans ton lit, moi, Patron.

Menaçant, Sid fit un pas vers lui, mais Frankie ne se laissa pas intimider.

— Vas-y, donne-moi une raclée. De toute façon, on est foutus. Tu laisses tout le monde envahir ton territoire : les Chinois, les Juifs, les Italiens. Tous les jours, ils t'enlèvent une fumerie, un bordel, un pub, ces vautours. Et Madden, lui, ce qu'il veut, c'est tout le lot. T'es aveugle, que tu vois pas ce qui se passe ?

— Je vois, Frankie, et je m'en contrefous. Si Madden veut mon territoire, qu'il le prenne.

— Quoi ? Mais c'est ton gagne-pain, tu t'es battu pour avoir tout ça !

Sid plongea la main dans sa poche et en tira un revolver, une des armes du cambriolage de la Forteresse, qu'il posa sur une table.

— J'en ai assez, je me retire.

Frankie eut le souffle coupé. Les coups que lui avait donnés Sid n'étaient rien à côté de ce choc.

— Pourquoi, Patron ? demanda-t-il d'une voix d'enfant affolé.

— J'aime pas cette vie, Frankie. Je l'ai jamais aimée.

Sid regarda autour de lui comme s'il regardait pour la dernière fois Desi, Oz, le Bark, le fleuve.

— Desi, c'est toi le patron, maintenant. Tu ne le regretteras pas, et vous non plus les gars. Vous aurez largement de quoi voir venir avec ce que je vais vous laisser. Donnez-moi seulement quelques jours.

Puis, se tournant vers Frankie, il ajouta :

— Écoute Desi. Il peut encore t'apprendre beaucoup. Il en sait plus que nous tous réunis.

Puis, ne trouvant plus rien à ajouter, il tourna les talons. En le voyant partir, Frankie devint fou de rage.

— Mais pour qui tu te prends ? hurla-t-il. Tu peux pas te barrer comme ça !

Sid se retourna une dernière fois avant de sortir. Son regard tourmenté se posa sur lui.

— Prends soin de toi, mon petit…

59

Seamie, Albie et Willa regardaient les étoiles, allongés sur le dos dans le jardin des Alden. Le ciel, bien dégagé, semblait constellé de diamants.

— Interroge-moi encore, Willa, s'il te plaît, dit Seamie.

— Orion. Ascension droite ?

— Cinq heures.

— Déclinaison ?

— Cinq degrés.

— Visible entre ?

— Quatre-vingt-cinq et soixante-quinze degrés de latitude. Janvier étant le mois de meilleure visibilité.

— Étoiles principales ?

— Alnilam, Alnitak, Bételgeuse, Mintaka, et… ne me dis rien… Rigel !

— Et… et… ? Il y en a une dernière.

— Non, je suis sûr que non. Tu me tends un piège.

— Pas du tout.

— Vas-y, dis-moi…

— Bellatrix.

— Zut !

C'était difficile à admettre, mais Willa s'y connaissait mieux que lui en astronomie. Elle était capable de donner les coordonnées et les caractéristiques de toutes les constellations sans une erreur. Il l'avait vue naviguer avec un sextant sur le yacht familial ; elle était meilleure que lui et Albie, et presque aussi précise que son père, amiral dans la Royal Navy.

— Je n'y arriverai pas, soupira-t-il. Pourtant, Shackleton y tient absolument.

— Ce n'est qu'une question de temps et de travail. Si

tu t'y mets sérieusement, tu seras au point pour aller chercher tes toutous au Groenland.

— En rejoignant l'expédition, tu n'avais pas pensé qu'il te faudrait aussi devenir nounou ! ironisa Albie.

— Ne l'écoute pas, intervint Willa qui riait malgré tout. Emporte un sextant, le voyage en mer sera le moment idéal pour t'entraîner à repérer les étoiles.

— Quand tu ne seras pas en train de chanter des berceuses à tes molosses !

Cette fois, les jumeaux furent pris d'un fou rire qui ne dérida nullement Seamie.

L'expédition ne devait partir que dans plusieurs mois, mais la phase de préparation avait commencé. Clements Markham et le capitaine Scott étaient allés visiter le *Fram* à Christiania avec Fridtjof Nansen pour s'en inspirer et mettre au point les plans de leur navire. Shackleton avait ensuite été dépêché à Dundee avec mission de les présenter au constructeur. Seamie, désigné dans un premier temps pour l'accompagner, avait à la dernière minute reçu l'instruction de trouver des chiens de traîneaux au Groenland.

Shackleton, qui avait la charge de réunir les attelages, avait écrit à de nombreux éleveurs, mais sans succès. Scott avait suggéré de prendre des chiens russes, mais Shackleton n'en voulait à aucun prix. Les chiens esquimaux étaient les meilleurs : plus puissants, plus résistants, et mieux adaptés au grand froid, ils avaient tous les avantages, mis à part leur très grand succès qui les rendait plus rares. Les éleveurs n'en démordaient pas : ils n'avaient plus de chiens à vendre, mais Shackleton ne s'avouait pas vaincu. Il avait demandé à Edward Wilson, le zoologiste de l'expédition, d'aller frapper à leur porte en personne, et de ne pas hésiter à payer le prix. Seamie devait l'accompagner pour s'occuper des chiens, les nourrir, leur donner à boire, les promener et leur chanter des chansons en cas de besoin.

— Comment ça, leur chanter des chansons ? s'était-il étonné, croyant avoir mal compris.

— C'est très important pour leur moral. Il leur arrive d'être tristes quand on les éloigne de chez eux, comme les êtres humains. Si tu leur trouves l'air abattu, chante un peu, ils adorent ça. Ces chiens contribueront plus que toi à la réussite de cette expédition, mon garçon. Il faut les traiter comme des princes.

Après la réunion, Wilson, remarquant l'air déconfit de Seamie, lui avait rappelé qu'il avait de la chance. Au lieu d'aller chercher des chiens au Groenland, il aurait pu se retrouver enfermé dans un entrepôt à Dundee avec Clarke, le cuisinier en second, et Blisset, l'assistant d'intendance, pour compter des boîtes de bouillon Liebig et des conserves de sardines.

On lui touchait l'épaule. C'était Willa qui essayait de le tirer de sa bouderie.

— Allez, un petit sourire. C'est quand même un sort plus enviable que de vendre des oranges et du thé.

— Je sais...

Son visage rieur et ses joues roses la rendaient charmante, d'autant que, pour le dîner familial, elle avait mis une robe, des bas en dentelle et des chaussures à petits talons très seyants. C'est fou ce qu'elle est belle, se dit-il.

Comme il la regardait avec un peu trop d'insistance, il pensa qu'elle allait rougir. Mais non : il dut, comme toujours, détourner les yeux le premier.

— J'ai encore faim, dit Albie. Je vais voir si je ne peux pas dénicher un reste de gâteau à la cuisine.

— Il était délicieux. Ramène tout ce que tu trouveras, recommanda Willa.

— Ce sera tout, Mademoiselle ?

— Et de la citronnade.

Il partit remplir sa mission, laissant Willa et Seamie seuls. Willa roula sur le ventre et se redressa sur les coudes pour le regarder.

— Tu vas me manquer, Seamie. Je n'aurai plus personne avec qui parler d'alpinisme après ton départ.

— Et Albie ?

— Il cherche à me décourager. Il prétend avoir peur pour moi, mais je pense surtout qu'il est jaloux parce que je suis meilleure que lui, et que ça le vexe qu'une fille le surpasse.

Seamie ne se prononça pas.

— Tu te souviens de George Mallory ? demanda Willa. Nous l'avons rencontré à la Société géographique. Il est très bon grimpeur. Il veut tenter le mont Blanc au printemps. J'ai envie de l'accompagner. Tout dépendra d'Albie. Il faut qu'il vienne, autrement mes parents ne m'autoriseront jamais à partir. Ma réputation ne s'en relèverait pas.

Une vive jalousie, inattendue et très désagréable, s'empara de Seamie à l'idée que Willa et Mallory pourraient aller en montagne ensemble.

— Ah ? fit-il, croyant déguiser ses sentiments. Très bien... J'espère que vous vous amuserez.

— En es-tu sûr ? demanda-t-elle en l'observant avec curiosité.

— Bien sûr, pourquoi ?

Elle haussa les épaules et passa à autre chose.

— Tu ne t'es toujours pas réconcilié avec Fiona ?

— Non, je ne la vois pas. Je compte absolument sur toi pour l'avertir de mon départ.

Cette brouille lui pesait beaucoup plus qu'il ne voulait l'admettre. S'il avait su comment s'y prendre, il aurait couru chez elle, mais il lui faudrait présenter des excuses, accepter de retourner à Groton, ce qu'il ne voulait à aucun prix.

— Tu devrais aller la voir avant ton voyage au Groenland, conseilla Willa qui gardait la mauvaise habitude de lire dans ses pensées.

— Elle voudra m'empêcher de partir.

— Je suis sûre qu'elle est prête à faire des concessions.

— Tu ne la connais pas !

Willa poussa un soupir.

— Très bien…

Elle leva de nouveau la tête vers Orion, la constellation du Chasseur.

— Crois-tu qu'on aperçoit Orion en Antarctique en ce moment ? Ou sur le mont Blanc, le Kilimandjaro, l'Everest ? Je voudrais être dans le ciel avec les étoiles pour voir ce qu'elles voient… Le monde entier ! Quel mystère que cet univers ! Que de beauté, de force, de peine et de dangers…

Ces mots traduisaient si bien ce qu'il ressentait que Seamie fut pris d'une immense tendresse pour elle. Il regarda son visage illuminé par la lune au-dessus d'eux. La courbe de sa bouche, ses beaux yeux tournés vers les étoiles. Il se rendit soudain compte qu'elle allait lui manquer, elle aussi. Lui manquer terriblement. Elle lui manquerait beaucoup plus qu'Albie, plus que sa famille. Elle avait dix-sept ans. Elle en aurait dix-neuf ou vingt à son retour de l'Antarctique. Elle aurait changé, mûri. Elle serait fiancée, ou mariée probablement. Cette pensée l'emplit d'une tristesse infinie. S'il avait su comment lui avouer ses sentiments… Il était tellement maladroit…

— Willa…

Elle le regarda et devina tout.

— Oui, moi aussi. Tu me manqueras beaucoup.

Elle se pencha sur lui et l'embrassa vite et fort sur les lèvres, comme pour un baiser d'adieu.

— Sois prudent. Reviens.

— Tu m'attendras ?

Elle eut l'air ennuyée, trouvant la question indigne de lui.

— Non.

— Pourquoi ?

— Pense à tous les sommets qui restent à vaincre, aux déserts à explorer, aux rivières, aux jungles, aux forêts. Imagine que chaque minute qui s'écoule loin de ces merveilles me fait mourir un peu. À ma place, tu attendrais ?

Avec une autre jeune fille, il aurait essayé d'adoucir sa réponse, de la flatter, de lui mentir. Mais avec Willa, c'était impossible. Il lui devait la vérité.

— Non. Tu as raison, je partirais.

Il y eut un silence.

— Tu vas essayer de te joindre à une expédition, comme moi ?

— Comment veux-tu, avec des équipes entièrement masculines… ?

— Je n'y avais pas pensé.

— Au mieux, si j'épousais un capitaine, je pourrais effectuer quelques traversées avec lui. Personne ne prendrait une femme célibataire dans une expédition. Tu imagines le scandale ? Quant à une équipe uniquement composée de femmes, je ne pense pas qu'elle trouverait de financement. Même si j'étais meilleure que Scott et Nansen réunis, ça ne changerait rien. La Société géographique ne me donnerait pas un penny. Mais je m'en fiche, je me financerai seule.

— Comment ?

— Grâce à ma tante Edwina, que mes parents surnomment « la Folle ». C'est la sœur aînée de ma mère. Vieille fille et suffragette acharnée. Elle ne veut pas que je me marie. D'après elle, le mariage enferme les femmes, un peu comme une prison, ou un asile d'aliénés. Elle trouve que les jeunes femmes d'aujourd'hui doivent conquérir leur liberté. Mais la première condition pour être indépendante, c'est d'avoir de l'argent. Alors elle m'en a donné. Cinq mille livres placées pour moi jusqu'à mes dix-huit ans. Je ne pourrai pas monter une expédition de l'importance de celle de Scott avec cette somme, mais je pourrai faire plusieurs fois le tour du monde si j'en ai envie.

Seamie en resta ébahi.

— Alors, tu vas vraiment partir... Tu vas quitter ta famille pour devenir exploratrice...

— J'en ai la ferme intention. Ce n'est pas ma faute si personne ne me prend au sérieux.

Lui aussi avait eu du mal à y croire, mais à présent...

Il pensa à Mme Alden et à l'angoisse qui la prenait dès que Willa escaladait un rocher ou revenait de ses excursions avec des égratignures et des coups de soleil.

— Ça ne sera pas facile, Willa.

— Je sais...

Elle se tut quelques secondes, puis elle l'embrassa de nouveau. Le contact de ses lèvres le remplit de mélancolie car c'était sans doute la dernière fois.

— Rendez-vous là-bas, dit-elle.

— Où ça ?

Elle leva le visage vers le ciel étoilé et sourit.

— Je ne sais pas. Là-bas, n'importe où, sous le regard d'Orion.

60

Frankie avait décidé de réagir. Il eut une idée et la mit aussitôt à exécution.

Il alla au marché de Spitalfields sans se presser, s'arrêta même pour boire une pinte de bière au pub et acheta une rose rouge qu'il passa à sa boutonnière.

Il s'était habillé comme Sid, en ouvrier : pantalon de toile, chemise sans col, caban et bonnet de laine. La rose rouge était voyante et déplacée sur la veste de marin, mais Frankie voulait attirer l'attention. Juste ce qu'il fallait pour qu'un buveur au pub où il s'était arrêté ou bien la fleuriste avec laquelle il avait plaisanté se souviennent de lui.

En traversant Commercial Street, il dut s'arrêter brutalement pour éviter un tombereau de charbon. La secousse fit cogner contre lui le revolver qui alourdissait la poche de sa veste. C'était celui que Sid avait laissé au Bark en annonçant son départ.

La vitrine d'une mercerie lui renvoya son reflet. Parfait. Il ressemblait à s'y méprendre à Sid. Même les cheveux qui, sans être roux, étaient en partie cachés sous le bonnet et attachés en queue-de-cheval.

L'homme auquel il rendait visite semblait connaître Sid, mais les gens de son entourage ne l'avaient sûrement jamais rencontré. Tout dépendrait de leurs déclarations. Rien de tel que quelques témoins innocents pour désigner un coupable à la police.

Il entra au 8 Commercial Street, consulta la liste des bureaux dans le hall, puis monta à la pièce 21. La porte était garnie d'un panneau de verre dépoli qu'un vieux vitrier grattait pour enlever le nom qui y était peint : *F. R. Lytton, député.*

— Pardon, mon gars.

Il contourna l'ouvrier en enjambant ses outils, puis adressa un clin d'œil à la femme de ménage qui essorait sa serpillière sur le seuil.

La secrétaire n'avait pas fini d'emménager. Dos à la porte, elle rangeait des livres et vidait des caisses de dossiers dans les meubles de classement.

— Alors ma jolie, t'as pas peur, toute seule ?

Elle sursauta et se tourna vers lui.

— Que puis-je faire pour vous ? demanda-t-elle d'un ton aigre.

— Je veux voir Joe Bristow.

— Désolé, monsieur, mais M. Bristow n'est pas disponible pour l'instant. Sa permanence n'ouvre que dans une heure.

— Dis-lui que je suis là, ça va l'intéresser.

— Monsieur, il est tout à fait impossible de…

— Allez, un petit effort, ma poule ! Ton patron va se foutre en rogne s'il apprend que je me suis barré.

— Très bien. Votre nom, s'il vous plaît.

— Malone. Sid Malone.

— Un moment, monsieur Malone. Veuillez vous asseoir, je vous prie.

Frankie prit une chaise et, mains posées sur les cuisses, il contempla les motifs du tapis. Il avait la respiration régulière, et son cœur battait lentement. Oz aurait pris une suée, Desi aurait eu la tremblote, mais lui, il restait calme. Sid disait toujours qu'il n'avait peur de rien.

Il considéra la porte, jaugeant la distance entre le bureau de Bristow et l'escalier. Il faudrait faire vite et espérer ne pas rencontrer de flics quand il déboulerait dans Commercial Street. Une fois dehors, il se débrouillerait. Il irait à Whitechapel qu'il connaissait comme sa poche et où il pourrait se cacher.

Son idée ne pouvait que réussir. Sid devrait bien revenir, une fois qu'il serait accusé de meurtre. Il n'aurait rien à faire d'autre que de demander de l'aide à ses amis.

— Monsieur Malone ?

Frankie eut un sourire.

— Oui, ma jolie.

— M. Bristow va vous recevoir.

— Merci, poupée.

La secrétaire introduisit Frankie dans le bureau de Joe, puis referma la porte sur lui.

Joe était assis à sa table, en bras de chemise. Il se leva.

— Tiens, Frankie Betts. Ma secrétaire m'a annoncé Sid. Il t'accompagne ?

— Oui, il est là, dit Frankie en mettant la main dans sa poche.

Tout se passa si vite que Joe n'eut aucune chance de se défendre. Frankie sortit le revolver, visa et tira. Le recul lui ayant fait lever un peu la main, il tira une deuxième fois de peur d'avoir manqué le cœur. Joe tituba, se cogna au mur et s'effondra, deux balles dans la poitrine. Frankie jeta le revolver par terre et sortit du bureau.

— Que s'est-il passé ? J'ai entendu des détonations ! cria la secrétaire.

Frankie la dépassa sans répondre, mais fut bloqué par la femme de ménage qui passait la serpillière devant la porte. Il l'attrapa par le dos de la robe et la jeta contre le mur pour dégager le passage. En ouvrant, il entendit un cri indigné.

— Hé ! Y a quelqu'un qui travaille, ici !

C'était le vitrier. Frankie le poussa violemment en

arrière. Il heurta la rambarde, fit des moulinets, et tomba dans la cage d'escalier. Il y eut un cri, un choc, puis plus rien.

Frankie descendait déjà quatre à quatre. Il ne jeta qu'un coup d'œil au passage au vieil homme dont la tête avait éclaté sur le carrelage.

La lenteur de la secrétaire le fit sourire. Son hurlement ne retentit qu'au moment où il passait la porte de la rue. Il prit ses jambes à son cou.

61

— Mais voyons, India, c'est impossible ! s'écria Harriet. Le dispensaire est sur le point d'ouvrir, vous ne pouvez pas nous abandonner !

— Je suis désolée, soupira India qui arpentait nerveusement leur petit bureau. Je n'ai pas le choix. Il faut que je parte. Vous allez devoir me remplacer.

— Mais pour combien de temps ? Une semaine, un mois ?

— Pour toujours.

— Je ne comprends pas ! Vous n'avez pas travaillé d'arrache-pied pour tout laisser maintenant.

Pour se donner du courage, India pensa à Sid, et à la bravoure qu'il lui fallait pour quitter son ancienne vie. En se coupant de ses amis, il courait un réel danger. Il lui avait annoncé que le pas était franchi, et qu'il devait quitter Londres le plus vite possible. En attendant le départ, il trouverait un logement discret tandis qu'elle resterait chez les Moskowitz. Ils avaient pensé aller à Arden Street, mais Richmond était trop éloigné de l'East

End. Il aurait fallu des heures à India pour se rendre au dispensaire, et Sid avait encore à faire dans le quartier. Elle l'avait vu le matin même au restaurant où il était venu prendre son petit déjeuner. La nervosité l'avait empêchée de rien avaler. Sid s'en était inquiété, mais comment lui cacher son anxiété ? Il venait de lui annoncer son intention de retourner au Barkentine. Elle avait voulu l'en dissuader, mais il lui avait assuré qu'il ne ferait qu'entrer et sortir, et que, en dehors d'une autre tâche importante qu'il lui restait à accomplir, il en aurait fini pour de bon.

Elle l'avait embrassé et l'avait laissé partir à contrecœur. Sans doute n'aurait-elle pas dû s'inquiéter : sa décision de rompre avec son ancienne vie l'avait déjà transformé. Elle lui trouvait la démarche plus légère, plus fière. C'était un autre homme. Comme il le lui avait dit, il avait beau être sorti de prison depuis des années, il ne commençait à se sentir libre que maintenant. Quel bonheur il lui donnait ! Elle attendait avec une impatience fébrile le moment de monter dans le bateau. Ce serait un tel soulagement de laisser Londres derrière eux !

Harriet, bien sûr, ne pouvait pas comprendre.

— Ça n'a pas de sens, Indy. Expliquez-moi, au moins.

— Ma vie a changé… pour quelqu'un…

— Un homme ? Ça ne peut pas être Freddie. Alors est-ce celui dont m'a parlé Ella ? L'homme qui…

— Ne m'en demandez pas plus !

— Nom d'une pipe ! Vous rendez-vous compte ?

— Harriet…

Elle fut interrompue par un bruit de pas précipités dans le couloir. Une jeune infirmière fit irruption.

— Docteur Jones, Docteur Hatcher, vite ! Un blessé par balles !

India et Harriet se levèrent d'un bond.

— Pourquoi l'a-t-on amené ici ? s'étonna Harriet. Nous soignons les femmes et les enfants, et nous n'avons même pas encore ouvert !

— Les agents disent que c'est trop urgent pour aller au London Hospital. Ils savent qu'il y a des médecins ici. Les blessures sont très graves, docteur.

— Où est le blessé ?

— Dans la salle d'opération. Mlle Moskowitz est avec lui.

— Mais l'installation n'est pas terminée !

— Il faudra s'en contenter, intervint India.

Les trois femmes dégringolèrent l'escalier jusqu'au rez-de-chaussée, traversèrent le hall en courant et entrèrent dans la salle d'opération. Elles furent accueillies par des hurlements. Deux agents, à la porte, retenaient une femme couverte de sang qui voulait rester avec la victime.

— M. Bristow ! M. Bristow ! criait-elle. Sauvez-le, s'il vous plaît ! Faites quelque chose !

Elle s'accrocha à Harriet qui eut le plus grand mal à se dégager. India courut à la table d'opération. L'homme qu'on y avait allongé était inconscient. Ella s'était déjà lavé les mains et, masque couvrant sa bouche et son nez, découpait sa chemise.

— Ella, mais c'est Joe Bristow, le député !

— Je sais. Nous sommes en train de le perdre. Vite, vite !

La poitrine de Joe baignait dans le sang. Les deux entrées de balles étaient visibles. India courut se laver les mains tout en demandant à Ella de mesurer sa tension et son rythme cardiaque. Pendant ce temps, Mlle Dwyer, l'une de leurs infirmières, achevait de disposer les scalpels, les pinces, les ciseaux, les aiguilles à suturer et le fil dans l'autoclave.

Derrière elle, Harriet s'efforçait de calmer la femme affolée.

— Calmez-vous ! Nous avons besoin de silence !

Elle se tourna vers India.

— Je peux vous laisser un instant ?

Ayant obtenu son assentiment, elle entraîna les agents de police et la femme hors de la salle d'opération.

— Vite, India ! Vite ! cria Ella.

Joe Bristow avait repris conscience. Il secouait la tête de droite et de gauche en ouvrant des yeux aveugles.

— Dwyer, chloroforme ! cria India.

Entre-temps, elle avait fini de se laver les mains et avait passé un masque. À la table d'opération, Dwyer fixait déjà le masque d'anesthésie sur le visage de Joe. Il se débattit, puis ses paupières papillonnèrent, et il s'immobilisa. Quand Dwyer le lui retira, elles virent du sang, écarlate et mousseux, suinter du nez et de la bouche.

— Ses poumons sont touchés, commenta India. Combien de trous de sortie ?

— Il n'y en a pas, répondit Ella. Une balle a dû rester logée dans la colonne. Il n'y a pas de réflexes dans les jambes.

— Bon Dieu ! Pourvu que la moelle épinière n'ait pas été sectionnée.

India demanda un écarteur et un scalpel. Elle avait décidé de ne pas toucher à la colonne vertébrale. La blessure saignait, mais pas trop abondamment. Ce qu'il fallait, c'était s'occuper du second trou, beaucoup plus préoccupant dans l'immédiat. Il se situait au niveau du cœur, et les dommages étaient terribles. Deux côtes avaient été brisées. Des fragments d'os acérés avaient déchiqueté les chairs et empêchaient de distinguer le projectile.

Elle n'avait soigné que très peu de victimes de blessures par balles lors de sa formation, mais elle savait que, selon l'angle d'entrée, les balles pouvaient être ralenties par les tissus et que les os pouvaient dévier la trajectoire. La balle n'était pas entrée dans le cœur, car si ç'avait été le cas, il n'aurait pas survécu. Il y avait donc de l'espoir, mais le sort du blessé ne serait pas beaucoup plus enviable si le projectile avait atteint le péricarde ou le foie.

Il fallait procéder avec la plus extrême prudence pour ne pas enfoncer la balle. Travaillant le plus vite possible, India incisa la chair déchiquetée et retira tous les fragments osseux qu'elle put. Cela ne suffit pas à dégager suffisamment l'accès, la blessure étant profonde et étroite.

Elle demanda une pince fine et confia l'écarteur à Ella, lui demandant de tirer le plus possible sur les lèvres de la plaie pour lui permettre de localiser la balle.

— Je n'y vois pas assez clair !

— Les lampes à gaz brûlent au plus fort, docteur, répondit Dwyer.

— Alors apportez une lanterne.

Dwyer se précipita et revint avec une lampe à pétrole allumée.

— Tenez-la tout près !

Dwyer obéit, mais cela ne suffit pas.

— Plus bas !

— J'ai peur de vous brûler, docteur.

— Plus bas, je vous dis !

Dwyer s'exécuta, et India sentit la chaleur sur sa joue et une odeur de cheveux roussis. Mais peu importait :

elle avait enfin aperçu un faible éclat métallique parmi le rouge des tissus et la blancheur des os.

— Écartez un peu plus.

Ella parvint à lui donner de la place. Respirant calmement, India enfonça la pince dans la blessure. Elle attrapa la balle, serra, mais le métal glissa entre les branches, et le projectile lui échappa. La pince était trop courte, et le métal si visqueux à cause du sang qu'il était presque impossible d'avoir une prise.

— Curette !

Dwyer lui passa l'instrument à long manche terminé par une partie creuse. India l'introduisit dans la blessure, et entendit un léger cliquetis. Elle appuya alors l'instrument contre les tissus pour prendre la balle comme dans une cuillère.

Joe poussa un gémissement et fit un mouvement brutal.

La main d'India ne bougea pas. Quand il se fut calmé, elle continua, tirant doucement la curette vers elle.

— Allez, allez, viens…

La balle apparut, remontant lentement avec l'instrument. India reprit la pince, et cette fois parvint à l'attraper. Une fois qu'elle l'eut extraite, elle la laissa tomber dans une cuvette métallique et se saisit d'une compresse stérile pour enrayer le jet de sang qui jaillissait de la plaie. Peine perdue : le tampon de gaze fut aussitôt trempé. Avec l'aide d'Ella, elle bourra plusieurs fois la cavité, mais sans résultat.

— Zut, dit une voix.

C'était Harriet qui, revenue à leurs côtés, examinait la balle qu'India avait jetée dans le haricot. Une substance blanchâtre y était accrochée.

— Du tissu pulmonaire. Le pauvre homme. Il est fichu.

— Non, il peut s'en sortir. Le poumon, c'est moins grave que le cœur.

Étant élastique, le tissu pulmonaire cicatrisait mieux que les autres tissus. Les blessés touchés au poumon guérissaient, parfois, à condition d'avoir une constitution assez forte, que le saignement s'arrête vite et que l'infection ne s'installe pas.

La compresse était de nouveau trempée de sang.

— Bon Dieu !

India considéra Joe, puis, sourcils froncés, fit un pas en arrière et arracha ses gants.

— Que faites-vous ? demanda Harriet.

— Il a perdu trop de sang. Il faut transfuser.

— Trop risqué. Les transfusions tuent autant de patients qu'elles en sauvent. Vous risquez de l'achever.

— Mais il est perdu si nous ne le faisons pas.

— Alors, il faut déterminer son groupe et trouver un groupe compatible.

— Nous n'avons pas le temps, Harriet. Prenons mon sang. Je suis donneur universel.

India savait la tentative dangereuse. L'étude des groupes sanguins n'en était qu'à ses balbutiements. Trois groupes étaient répertoriés, A, B et O. Le mélange des groupes A et B provoquait des réactions fatales, alors que le groupe O semblait pouvoir se mélanger aux autres. Pourquoi ? Personne ne le savait, mais cela importait peu, du moment que le malade survivait.

— Indy, il lui en faudra beaucoup. Peut-être plus que vous ne pourrez lui en donner.

— Nous verrons. Commençons par cinquante centilitres !

Elle avait remonté sa manche. Elle prit un caoutchouc dont elle s'entoura le haut du bras et qu'elle serra avec les dents.

— Allez, Hatch, vous êtes une experte en la matière, dit-elle à Harriet en lui tendant la seringue. Vous avez sauvé un homme au Royal Free grâce à une transfusion. J'étais là.

— Et j'en ai tué deux…

Elle tamponna la saignée du bras avec une compresse imbibée de désinfectant, puis elle tapota la peau avant d'enfoncer l'aiguille dans la fine veine bleue. India crispa le poing puis l'ouvrit, et recommença pour que le sang coule plus vite. Harriet tira cent dix grammes, puis demanda une autre seringue avec laquelle elle tira encore cent dix grammes, criant à Ella de préparer le bras de Joe. Elle retira l'aiguille et appuya une compresse sur le bras d'India, qui prit le relais pour appuyer sur sa veine. La tête lui tournait.

— Ça va ? demanda Harriet.

— Parfaitement. Vite ! Transfusez-le avant que le sang ne coagule.

India s'appuya au mur carrelé et respira profondément. Il fallait s'oxygéner pour dissiper son étourdissement.

— Ça y est ? Le sang est passé ? demanda-t-elle.

— Presque.

— Ella, où en est-il ?

— Pas de changement. Le pansement rougit toujours.

— Bon Dieu ! Reprenez du sang, Harriet !

— Non.

— Encore cinquante centilitres.

— Il n'en est pas question. C'est un sacrifice inutile : il le perd aussi vite que je le lui injecte.

— Vingt-cinq centilitres, alors. Allez, encore une seringue. Faites-le, ou je le fais moi-même.

Harriet attrapa la seringue avant elle.

— Asseyez-vous, avant de tomber !

India s'assit par terre et ne le regretta pas, car quand Harriet eut terminé, elle n'aurait pas pu tenir debout, même avec toute la bonne volonté du monde.

— Ella, où en est-il ? demanda-t-elle faiblement.

Il y eut un silence, puis :

— Un ralentissement. Le saignement continue, mais il est moins abondant.

India sourit.

— Merci, Harriet, espèce de vampire !

— Il nous faut encore un peu de sang, annonça Ella.

— Je suis du groupe O, moi aussi, dit Dwyer.

— Bravo ! Levez votre manche et désinfectez-vous.

— India, restez assise, ordonna Harriet. Et vous, cria-t-elle à une infirmière qui restait, indécise, près de la porte, courez au pub le plus proche et ramenez deux pintes de bière et deux sandwichs. Vite !

La jeune femme sortit en courant.

— Fermez le poing, Dwyer, dit Harriet en approchant la seringue.

India resta dos au mur, yeux clos, jusqu'à ce qu'on lui apporte son sandwich. Après cette collation, elle se sentit un peu mieux et parvint à se lever pour aller voir où en était Joe.

— Le pouls se maintient, indiqua Harriet. Ce n'est pas merveilleux, mais il est encore vivant. Je dirais qu'il a une petite chance de s'en sortir, grâce à vous.

— Grâce à nous toutes.

— Je vais panser l'autre plaie, puis nous lui donnerons de la quinine. Ensuite, nous n'aurons plus qu'à prier pour lui.

— Je vais vous assister.

— Dès que vous aurez terminé, intervint Ella, il faudra aller dans la loge du gardien. Les deux agents qui ont amené Bristow demandent à voir la balle que vous avez récupérée. Ils veulent aussi vous poser quelques questions. Vous vous sentez de taille, India ?

— Certainement... Comment va la femme qui l'accompagnait ?

— Sa secrétaire ? Elle est encore en état de choc, mais elle s'est calmée. Je lui ai donné du cognac.

En arrivant dans la loge, India s'assit pour faire plaisir à Harriet. Les agents avaient été rejoints par un inspecteur de police qu'elle ne reconnut que trop bien : c'était Alvin Donaldson, l'inspecteur à la solde de Freddie. Elle tâcha d'étouffer une peur instinctive. Sa présence n'avait rien à voir avec Sid, et, Dieu merci, ils allaient bientôt quitter Londres.

Donaldson les salua et demanda des détails sur les blessures de Joe. Il voulut aussi savoir s'il avait prononcé des phrases intelligibles lors des soins. Elle fit de son mieux pour l'éclairer sur l'emplacement des balles, mais ne put lui rapporter aucune parole du patient qui était resté inconscient.

— Est-ce qu'il va s'en sortir ?

— Nous ne le savons pas. Nous faisons tout notre possible, mais son état est très préoccupant.

— Alors il tombera pour meurtre, ou tentative de meurtre, dit-il à l'un de ses hommes. Nous le tenons. Cette fois, ce sera la corde.

— Vous connaissez le coupable ?

— Oui, docteur Jones. La secrétaire de M. Bristow, Mlle Mellors, a pu nous le désigner. Elle était présente lors du crime, et elle l'a vu. Vous le connaissez, je crois. Vous l'avez soigné.

Le sang d'India se figea dans ses veines. Non, pria-t-elle en silence. Non, mon Dieu, faites que ce ne soit pas lui.

— C'était il y a quelques mois. Vous vous souvenez sûrement de Sid Malone ?

62

Du haut du Barkentine, Sid contemplait le brouillard qui voilait la Tamise. Les nappes de brume flottaient si bas sur l'eau que les bateliers ne pouvaient se diriger qu'à la voix. Leurs cris fantomatiques montaient dans la grisaille tels de longs doigts glacés.

Il s'écarta de la fenêtre, se souvenant qu'India l'avait supplié de ne pas retourner dans son ancien repaire. Malgré son inquiétude, il n'avait pas pu se dispenser de ce dernier adieu.

Un sac de voyage en cuir usé, ouvert sur le lit, constituait son seul bagage. Il ne contenait que très peu de choses : quelques vêtements, des affaires de toilette auxquelles il ne tenait pas. Il ne revenait que pour donner leur part à Desi et au reste de la bande. Le lendemain de son départ fracassant, il était allé trouver un notaire qui avait mis au nom de Desi les titres de propriété du Taj Mahal, du Barkentine et de l'Alhambra, ainsi que du reste de ses possessions. Desi était un homme juste qui continuerait à partager le fruit de leur travail. Les bâtiments ne valaient pas grand-chose, mais les activités qu'on y menait rapportaient de forts revenus. La Firme resterait riche après son départ.

Il plia son vieux caban, l'enfourna dans la sacoche, qu'il ferma. Le moment était venu de partir. Il jeta un dernier coup d'œil autour de lui. Longtemps, il n'avait rien imaginé d'autre que cette vie au bord des rives malodorantes du fleuve. Il avait été ancré à Londres, à Whitechapel, à son passé. Mais, à présent, grâce à India, tout devenait possible.

La nuit où il s'était confié à elle, il avait senti se rallumer un sentiment terriblement fragile, mais très beau. Cette flamme restée éteinte si longtemps, c'était l'espoir.

India lui avait permis de croire en la possibilité d'un nouveau départ. Peut-être méritait-il son amour, après tout. Cette nuit-là, elle lui avait guéri l'âme aussi miraculeusement qu'elle lui avait guéri le corps à l'hôpital. Il ne songeait plus qu'à elle. Que feraient-ils en Californie ? Peu importait. Il était fort, adroit de ses mains. Il trouverait un travail honnête. Il ne voulait plus de cette vie.

Il empoigna son sac et prit l'escalier. Il ne lui restait plus qu'à donner les actes de propriété à Desi, puis c'en serait fini. Ou presque.

Il devait encore récupérer son magot.

Ce n'était un secret pour personne qu'il avait un compte à la banque Albion. Il y versait les bénéfices de ses établissements, comme tout honnête homme d'affaires. Ce qu'on ne savait pas, c'était qu'il y disposait aussi d'un coffre rempli de billets. Il prendrait cinq cents livres pour lui-même, argent qu'il lui semblait avoir gagné au fil des ans, et qui servirait à payer leurs passages pour la Californie. Le reste irait au projet d'India. Puisqu'elle abandonnait le dispensaire pour lui, la moindre des choses serait d'en assurer l'indépendance financière. Cette fois, il adresserait directement l'argent à Ella qui saurait s'en débrouiller.

Londres était devenu un lieu dangereux depuis qu'il s'était retiré des affaires. Dès que la nouvelle se répandrait, les gens – des gens qui ne le portaient pas dans leur cœur – sauraient qu'il n'était plus protégé par ses hommes. Il ne fallait pas s'éterniser au Barkentine.

Il avait choisi l'heure de fermeture en milieu d'après-midi pour faire ses adieux à Desi tranquillement. Son vieil ami essuyait les verres derrière le bar.

— Tu n'emmènes rien d'autre ? lui demanda celui-ci en avisant la sacoche.

— Non. Tu n'as qu'à garder le reste. Et ça aussi, ajouta-t-il en posant les actes de propriété sur le comptoir.

— Merci, Patron. C'est bien. Tout le monde aurait pas fait ça.

Un silence gêné suivit, que Sid finit par briser.

— Frankie est dans le coin ?

— Non, je ne sais pas où il est passé. Je ne l'ai pas vu depuis plusieurs jours.

— Alors tant pis. Je m'en vais. Prends soin de toi, Des. Méfie-toi de Madden et de Ko, et surveille Frankie.

Desi fut empêché de répondre par un tambourinement violent à la porte.

— Hé ! Faut pas casser la baraque ! s'exclama-t-il en jetant son torchon sur le comptoir.

— C'est moi ! Oz ! Ouvre ! Vite !

Desi se dépêcha d'aller pousser le verrou.

— Il faut trouver le Patron ! cria Oz en entrant en trombe, un journal à la main et Ronnie sur les talons.

— Ouvre les yeux ! Il est là, devant toi !

Oz ferma brutalement, tira le verrou et fourra le journal dans les mains de Desi.

— Vite, les flics rappliquent ! Là, Patron, faut dire que tu tires ta révérence avec un grand boum !

— Qu'est-ce qui se passe, bon Dieu ? aboya Desi.

— T'as qu'à lui demander !

Desi et Sid échangèrent un regard interrogateur.

— Lisez le journal, alors ! On parle que de ça ! On ne peut pas faire un pas dans la rue sans se l'entendre crier par un marchand de journaux ! Les cognes vont arriver, je vous dis.

— Pete et Tom se sont déjà fait épingler, ajouta Ronnie.

Desi déplia le journal et lut avec Sid. Un gros titre énorme sautait aux yeux : *Le député laissé pour mort. Malone tire deux fois.*

Puis venait la suite.

Joseph Bristow, nouvellement élu à la Chambre des communes pour le camp des travaillistes, se trouve entre la vie et la mort après avoir reçu deux balles de revolver dans la poitrine vers dix heures ce matin à ses bureaux de Commercial Street. Plusieurs témoins, dont Mlle Mylene Mellors, sa secrétaire, ont vu l'homme d'affaires londonien, Sid Malone, sur les lieux à l'heure du crime. Gladys Home, de Smithy Street, Hoxton, a confié au Clarion *avoir vu Malone pousser dans la cage d'escalier en s'enfuyant Henry Wilkins, vitrier de son état, qui a trouvé la mort dans sa chute. La police a procédé à l'arrestation de plusieurs complices et recherche activement le coupable. L'inspecteur Alvin Donaldson prie toute personne détenant des informations de le contacter…*

Sid ne pensa d'abord qu'à sa sœur. Non, pas Joe, pas Fi. Par pitié. Pas eux…

— On est foutus, jeta Desi. Pourquoi t'as fait ça, Sid ? Un député, par-dessus le marché ! T'es devenu fou ?

— Ce n'est pas moi !

— Ah, non ? Et qui, alors ?

Des coups à la porte et des cris les interrompirent.

— Desmond Shaw ! Ouvrez ! Inspecteur Alvin Donaldson. J'ai un mandat d'arrêt contre vous.

— Bon Dieu, jura Desi dans sa barbe. Pour quel motif ? cria-t-il.

— Recel de criminel ! Ouvrez !

— J'arrive ! Une seconde !

Il se tourna vers Sid et chuchota.

— Le souterrain ! Vite ! Filez tous les trois ! Je vais les retenir le plus longtemps possible.

— J'y vais seul.

— Tu veux qu'Oz et Ronnie se fassent mettre en taule ?

— Ils ne vous garderont qu'une nuit.

— Si tu te grouilles pas, t'es cuit.

— Je t'accompagne, Patron. Plus on est de fous, plus on rit, dit Ronnie en entraînant Sid vers la cave.

Oz leur emboîta le pas. Malgré leur rancœur, ses anciens camarades détestaient trop la police pour ne pas vouloir l'arracher aux griffes de Donaldson.

Les trois hommes dévalèrent l'escalier et ouvrirent la trappe du souterrain. Ronnie et Oz sautèrent en bas de l'échelle et cherchèrent à tâtons la lanterne, pendant que Sid faisait retomber le lourd panneau de bois sur leurs têtes. La voix de Donaldson éclata.

— En bas, vite ! Il y a un souterrain.

Une cavalcade suivit. Sid se suspendit à l'anneau de fer fixé sous le volet. Ozzie sauta pour s'accrocher à ses jambes. À eux deux, ils pesaient plus de cent cinquante kilos.

— La trappe ne s'ouvre pas, inspecteur ! entendirent-ils crier.

Tirez ! Prenez une pelle pour faire levier !

— Il n'y a pas de pelle.

— Alors défoncez un tonneau, bon sang, on se servira du cerclage !

Sid entendit un chuchotement.

— Patron, je ne trouve pas la lanterne.

— Tant pis, accroche la trappe !

Une épaisse chaîne fixée au volet permettait de le tenir fermé de l'intérieur grâce à un crochet et à un anneau scellé dans le sol. Sid entendit des raclements dans le noir, puis un frottement métallique.

— Ça y est, c'est fixé, vous pouvez lâcher !

Sid et Oz se laissèrent tomber à terre. Un carré de lumière se dessina au-dessus de leurs têtes, formé par le volet soulevé de quelques centimètres. Il retomba et ce fut de nouveau le noir complet.

— C'est bloqué ! cria un agent.

— Alors on défonce tout ! Allez chercher une hache !

Sid trouva la lanterne, sortit des allumettes de sa poche et l'alluma. La lumière était faible, mais suffisait à éclairer à un mètre. Ils n'avaient pas besoin de davantage.

— On va au Blind Beggar ? demanda Ronnie en ouvrant la marche.

— Non, ils ont sûrement posté des hommes là-bas. Prenons une autre sortie.

Au bout d'une cinquantaine de mètres, Oz posa la question qui le tourmentait :

— Patron, pourquoi t'as fait ça ?

— Ce n'est pas moi, je t'ai dit.

— Et les témoins ?

— Tu me connais. Tu crois que c'est mon genre de tirer sur un bonhomme en plein jour avec des témoins en pagaille ?

— Mais qui voudrait te faire accuser ?

— Les ennemis, c'est pas ce qui manque.

— C'est un gars qui sait que Bristow est venu te chercher des noises au Bark l'autre jour. Il sait que le député s'est battu avec Frankie, mais peut-être pas que tu as filé une trempe à Frankie après…

Sid s'arrêta net.

— Bon Dieu… Frankie !…

63

India s'arrêta au milieu de Dean Street, inquiète et désorientée. Elle tourna sur elle-même, essayant de se repérer. Sid lui avait bien fait prendre ce chemin quand ils avaient échappé à Devlin. Mais la maison était-elle à gauche ou à droite ?

Elle se remit en marche, persuadée de n'être qu'à quelques pas de l'endroit qu'elle cherchait, puis s'arrêta de nouveau.

Une peur épouvantable l'empêchait de penser. Elle entendait encore Donaldson lui annoncer la nouvelle, puis les conseils de Harriet et ceux d'Ella. L'une l'enjoignait de se tenir à distance, l'autre de voler à son secours.

— Comment ! s'était indignée Harriet après le départ de Donaldson. Vous quittez le dispensaire pour suivre cet assassin ?

— Ce n'est pas un assassin ! Ce n'est pas lui qui a tiré !

— Mais enfin, India ! Vous faut-il d'autres preuves ?

Inutile de vous disputer, était intervenue Ella.

Quelqu'un connaît la vérité, et cette personne est ici. C'est Joe Bristow.

— Si seulement il pouvait reprendre conscience…

— Ce serait un miracle, avait coupé Harriet.

— Il faut qu'il s'en sorte. Lui, il dira à la police que Sid est innocent.

— Mais cela risque d'être long, avait remarqué Ella. On ne peut pas attendre. Courez retrouver Sid, India. Trouvez-le avant la police et sauvez-vous.

— Si vous vous associez à ce criminel, vous serez complice, avait averti Harriet. Vous risquez la prison.

India les avait regardées l'une après l'autre. Sa décision n'avait pas été difficile à prendre. Elle leur avait recommandé de prendre bien soin du blessé, avait attrapé sa sacoche médicale et sa veste, puis était sortie du dispensaire en courant. Elle était allée au Barkentine, puis au Taj Mahal, mais sans succès.

Une voix la tira de sa torpeur.

— Je peux vous aider, mademoiselle ?

Un homme grisonnant d'un certain âge, portant une petite moustache très noire, était appuyé à son balai au bord du trottoir.

— Je cherche quelqu'un… Une vieille dame qui s'appelle Sally. Assez petite…

— C'est la femme à Raysie, on dirait. Sally Garrett. Elle habite au 4. C'est juste là. Du côté droit.

India le remercia et se dépêcha d'entrer dans le hall. Elle se rappelait que le logement de Sally se trouvait au bout du couloir. Mais elle eut beau tambouriner, personne ne répondit. Elle s'entêta.

— C'est quoi qu'on me veut ? cria une voix à l'intérieur.

— Il faut que je vous parle ! Je suis une amie de Sid Malone…

La porte s'ouvrit brutalement.

— Moins fort ! siffla Sally en lui attrapant le bras pour la tirer sans ménagement dans son entrée.

— Pardon, je ne voulais pas…

— On t'a vue ?

— Comment ça ?

— Est-ce qu'on t'a vue entrer ? Le quartier grouille de cognes. Tu as été suivie ?

— Je… je ne crois pas.

— On t'a parlé ? On t'a demandé quelque chose ?

— Non… Enfin si. Un balayeur, à deux pas. Il m'a indiqué votre maison.

— À quoi il ressemblait, ce balayeur ?

— Cheveux gris…

— Moustache ?

— Oui.

— C'est gagné ! Tu t'es fait voir par cette vermine de Willie Dobbs. Les flics vont rappliquer.

— À cause de moi ?

— Ben tiens ! Willie travaillait au commissariat du coin dans le temps. Il se colle toujours la même moustache. T'es pas trop futée, hein ? Pas comme Sid se les choisit d'habitude. Gemma, elle, c'est une finaude. Tu ne sais pas qu'il y a une prime pour celui qui le dénoncera ? La moitié de Whitechapel lui court après. Willie pense qu'il va l'avoir en surveillant ma porte. Il a vu Sid entrer et sortir de chez moi, mais heureusement il ne sait pas qu'il y a un souterrain.

— Une prime, vous dites ?

— Oui, de mille livres. C'est le député qui la donne. Il a mit tout le quartier sur les dents. Il veut la tête de Sid, ce bougre d'enragé.

— Mais comment cela ? Je viens de l'opérer. Il est inconscient.

— Pas celui qu'on a voulu tuer, l'autre, celui d'avant. Lytton.

Mon Dieu, Freddie, songea India. Il continuait à poursuivre Sid de sa haine.

— Les gens d'ici vendraient leur mère pour deux pence.

— Je cherche Sid. Je suis allée partout. Au Barkentine, au Taj Mahal, au Blind Beggar…

— Eh ben, c'est pas malin.

— Mais je dois le rejoindre !

— Avec ces habits et cette allure, faut pas compter qu'on t'aura pas remarquée. Les flics sont pas si bêtes. Ils surveillent deux choses pour repérer un bonhomme en cavale : son fric et sa femme, c'est bien connu. On t'a sûrement suivie. Personne sait où il cache son magot, mais maintenant, tout le monde sait que t'es sa femme. Tu veux lui rendre service ? Retourne dans les beaux quartiers et fiche-lui la paix.

Tête basse, India dit d'une voix hésitante :

— J'ai une lettre pour lui… J'espérais que vous voudriez bien la lui donner.

Elle sortit l'enveloppe de sa sacoche.

— Je vous en prie…

Sally la lui arracha des mains et la jeta au feu. Impuissante, India la regarda brûler.

— Tu es dangereuse, toi ! Pas de lettres, triple buse ! Dis-moi ce que tu veux lui dire, je lui ferai passer le message.

— Dites-lui de me retrouver à l'appartement vendredi à midi. Nous partirons ensemble.

— C'est tout ?

— Oui, il comprendra.

Sally avait beau la trouver naïve, elle avait assez de jugeote pour ne pas donner l'adresse.

— Si je le vois, je lui dirai. Bon, il est temps de te sauver.

Elle ouvrit la porte du palier, mais la referma aussitôt.

— Les cognes arrivent. Grâce à toi ! S'ils m'arrêtent, je ne pourrai plus aller voir mon Raysie à l'hôpital, et il ne vit que pour mes visites. Allez, par ici. Au tunnel !

— Le tunnel ? Non ! Non ! Je ne peux pas !

Des coups ébranlèrent la porte.

— T'as pas le choix.

Deux minutes plus tard, India se retrouvait courbée dans l'étroit boyau, sa sacoche serrée contre elle, regardant Sally par l'ouverture de la penderie d'un air suppliant.

— Mais je vais me perdre !

Les coups redoublaient à la porte.

— La sortie du Blind Beggar n'est qu'à cinq cents mètres. On tourne deux fois à droite, une fois à gauche, et puis le tunnel fait un coude sur la droite. C'est juste après. Mais attention, il ne faut surtout pas prendre les petits passages secondaires. Surtout pas !

— Et si je me perds ?

— Ne te perds pas.

Sur quoi, la porte de la penderie lui claqua au nez, et elle se retrouva seule dans le noir. L'odeur de terre était si forte qu'elle eut l'impression d'en avoir plein la bouche, comme si elle était enterrée vivante.

Sally lui avait donné une petite boîte d'allumettes et une chandelle qu'elle réussit à allumer après quelques tentatives tremblantes. La mèche, trop courte, éclairait à peine le sol devant ses pieds. Une angoisse terrible lui étreignait la poitrine. L'air n'arrivait plus à ses poumons.

Respire, respire, se dit-elle. Une goutte d'eau glacée lui tomba dans le cou et lui donna le frisson. Des ruissellements creusaient les parois de terre brute. Elle avait les deux pieds dans une épaisse flaque de boue.

Allez… Tu n'as pas le choix…

Malgré sa peur, elle avança, la bougie tendue devant elle. Au bout de quelques mètres, elle vit un embranchement étroit vers la gauche. « Deux tournants à droite et un à gauche », avait recommandé Sally. Ou était-ce deux à gauche puis un à droite ? Non, d'abord deux à droite, c'était certain.

Elle l'ignora donc, et, un peu plus loin, elle trouva un boyau qui partait vers la droite et le prit. Plus qu'un, puis un à gauche, et elle y serait presque. Ce n'était pas aussi difficile qu'elle l'avait redouté. D'ici quelques minutes, elle arriverait à la cave du pub.

Mais, très vite, le plafond s'abaissa et les parois se rapprochèrent. Elle comprit alors qu'elle avait pris l'un de ces passages secondaires contre lesquels Sally l'avait mise en garde.

Une chose blanche attira son attention. Elle baissa sa bougie et retint un cri. C'était un squelette. Les os transperçaient les lambeaux de vêtements. Des insectes noirs grouillaient entre les côtes. Elle fut prise de tremblements. Elle avait souvent vu des morts, mais jamais un comme celui-ci, les poignets liés derrière le dos, le crâne défoncé.

Elle rebroussa chemin presque en courant. Une goutte de cire brûlante tomba sur sa main, lui donnant un sursaut salvateur qui la fit ralentir. Il fallait marcher avec plus de prudence. Si elle tombait sur le sol inégal, si elle cédait à la panique, elle ne s'en sortirait pas vivante.

Quand elle eut retrouvé le tunnel principal, elle entoura la base de la bougie avec le bas de sa robe pour se protéger de la cire chaude et reprit sa route. Quelques centaines de mètres, ce n'était rien. Il lui suffisait de ne pas se tromper. Il lui sembla pourtant marcher encore longtemps avant de trouver un autre embranchement. Elle leva sa chandelle. Le passage était large. Elle le prit. Quelques minutes plus tard, elle atteignit le deuxième tournant à droite. Il ne lui restait plus qu'à trouver celui vers la gauche, et elle toucherait au but.

Elle avait beau tâcher de se rassurer, elle trouvait le sol de plus en plus détrempé, les bruits de ruissellement plus inquiétants. Elle avançait sous les rues, les maisons, avec leurs citernes, leurs fosses d'aisances. Mieux valait ne pas penser aux ordures que charriait cette eau.

C'est alors qu'elle sentit une odeur, plus horrible pour elle que la puanteur des égouts : celle des rats. Elle avait essayé de les oublier, mais ils étaient là, embusqués derrière un coude du tunnel.

C'était terrible, mais c'était aussi une preuve qu'elle était sur la bonne voie. Ce soulagement ne dura pas. Face aux rats, l'absence de Sid lui devint soudain intolérable. Sid l'avait prise dans ses bras, il l'avait portée. Jamais elle ne s'était sentie aussi seule.

Mais il y avait pis que les rats. Elle tomba et, plus grave encore, elle perdit sa lumière. En trébuchant sur un caillou, elle avait lâché sa bougie. Elle se retrouva à plat ventre dans une boue nauséabonde qui lui pénétrait dans le nez et dans la bouche. Elle se redressa sur les genoux en toussant, en crachant et en s'essuyant frénétiquement. Puis elle essaya de trouver la paroi avec les mains, voulant y prendre appui pour se relever. Elle ne trouva que du vide autour d'elle.

Changeant alors de tactique, elle chercha la bougie à tâtons, sans méthode, et sans résultat. Elle n'avait aucune chance de la localiser dans le noir. D'ailleurs, c'était inutile car elle devait être enduite de boue, et si par miracle elle la récupérait, la mèche serait inutilisable.

Il fallait à tout prix lutter contre la peur épouvantable qu'elle sentait monter, trouver un moyen de s'éclairer. Elle se souvint d'avoir mis les allumettes dans sa jupe. Elle se releva en chancelant et palpa sa poche. Oui, la boîte était bien là, mais la jupe était trempée. Les allumettes seraient-elles encore sèches ? Elle s'essuya sur sa veste, puis sortit la boîte avec d'infinies précautions. Au toucher, elle put juger que le grattoir était encore utilisable. Elle entrouvrit le couvercle, prenant bien soin de tenir la boîte droite, puis sortit une allumette qu'elle alluma. Il y eut un pétillement, puis une flamme. Un soulagement extraordinaire accompagna la renaissance de la lumière. Elle leva l'allumette et vit qu'une partie de la paroi s'était effondrée en travers du tunnel sous l'usure de l'eau. Elle traversa l'éboulis, mais à peine eut-elle franchi l'obstacle que la flamme lui brûla les doigts. Elle lâcha l'allumette avec un cri, et se retrouva dans le noir. Malgré son envie d'en allumer une autre, elle se retint par peur d'en manquer. Combien lui en restait-il ? Elle ouvrit de nouveau la boîte et compta du bout des doigts. Il n'y en avait plus que cinq ! Et il lui fallait encore passer les rats, trouver le tournant à gauche et la sortie du souterrain. Avec cinq allumettes ! Jamais elle n'y parviendrait !

Elle resta indécise, n'osant ni avancer sans lumière à cause des rats, ni retourner en arrière à cause de la police. Des larmes de désespoir emplirent ses yeux.

Elle pensa à Sid pour se redonner du courage. Il avait traversé des épreuves beaucoup plus terribles et en avait triomphé. Il fallait qu'elle soit forte pour le retrouver. Il avait besoin d'elle, et elle l'aimait tant…

Soyez ingénieuse, Jones, servez-vous des moyens du bord, lui souffla une voix.

Dans de tragiques extrémités, d'aucuns entendaient la voix de Dieu, d'une mère bien-aimée, d'un mari. Elle, elle entendait celle du Pr Fenwick !

— Mesdemoiselles, disait-il, vous êtes sorties pour aller au théâtre. Alors que vous passez dans Drury Lane, un attelage emballé fait verser une voiture. Les chevaux blessent un homme qui a l'artère fémorale ouverte. Vous n'avez pas, bien sûr, votre sacoche médicale sous la main. Comment allez-vous le sauver ? Armstrong ?

— En établissant le bon diagnostic ?

Fenwick fermait les yeux, excédé par tant de bêtise.

— Hatcher ?

— Par notre connaissance approfondie de l'anatomie ?

— Jones ?

— Notre savoir-faire ?

— Non, non et non ! En cas d'urgence, sans matériel, la seule chose sur laquelle vous puissiez compter, c'est sur votre ingéniosité. Faites un tourniquet avec vos gants, vos bas. Demandez une bouteille de whisky au pub pour avoir du désinfectant. Les vestes, les chemises seront vos pansements. Ce n'est pas l'idéal, évidemment, mais en dernier recours, c'est mieux que rien.

India respira lentement. Sois ingénieuse, Jones, s'intima-t-elle. Elle n'avait pas comme Sid de gros godillots ni un épais pantalon pour se protéger les jambes des rats. Elle ne portait que de légers souliers, des bas de laine, des jupons en coton. Tout cela ne ferait pas obstacle aux dents de la vermine. Un feu leur ferait peur, mais que pouvait-elle brûler ? Il y avait les allumettes et leur boîte, seulement la flamme ne durerait pas, et ensuite, elle n'aurait plus rien.

Quoi d'autre, Jones, quoi d'autre ? Elle avait aussi sa sacoche médicale. Elle s'agenouilla pour en faire l'inventaire à tâtons. Scalpels, ciseaux, pinces… cela ne lui servirait à rien. Compresses, aiguilles, fil à suturer, chloroforme… Elle pourrait brûler quelques compresses, mais elles étaient minces et ne tiendraient pas assez longtemps pour lui permettre de dépasser les rats.

Le chloroforme… Le chloroforme… Elle cherchait ce qui pouvait bien encore se cacher dans son sac, mais revenait sans cesse au chloroforme. C'était un anesthésiant. Pourrait-elle endormir les rats ? Peu probable, mais l'odeur les ferait peut-être fuir… Ne risquait-elle pas de s'engourdir elle-même, alors, et de perdre connaissance ?

La panique la reprit. C'était sans espoir ! Les ténèbres l'étouffaient. Elle avait besoin de lumière, ne serait-ce que quelques secondes pour ne pas devenir folle. Il fallait sacrifier une allumette. Avant de la gratter, elle s'assura que le chloroforme était bien bouché, car le produit était hautement inflammable…

Inflammable ! En l'utilisant comme combustible, elle pouvait fabriquer une torche ! Il ne lui manquait que le tissu à imbiber.

Elle enflamma une allumette et éclaira le contenu de son sac, espérant avoir pris plus de compresses qu'elle ne l'imaginait. Elle fut déçue de voir qu'il n'en était rien. L'allumette s'éteignit. Elle cria de rage. Jamais elle ne sortirait de ce tombeau ! Quand on la retrouverait, il n'y aurait plus que des os rongés par les rats. Ils auraient tout dévoré hormis le cuir de sa sacoche et de ses chaussures, et peut-être ses vêtements. Ses vêtements ! Ils brûleraient, eux. Elle ôta sa veste, trop boueuse pour être utilisée. Au-dessous, son corsage était sec. Elle l'ôta. La jupe était mouillée, ses jupons humides, mais son long pantalon de dessous avait été protégé. Elle l'enleva.

Elle remit sa veste, puis, toujours à tâtons, elle prit une compresse dans son sac et l'étala sur le sol. Ensuite, elle sortit la boîte d'allumettes de sa poche, et étala les quatre allumettes restantes sur la gaze pour les garder au sec. À l'aide d'un scalpel, elle perça un trou dans le couvercle de la boîte, puis elle sortit le forceps et le flacon de chloroforme et les posa par terre. Ces préparatifs terminés, elle alluma une allumette qu'elle piqua dans le trou pratiqué dans la boîte. Momentanément éclairée et les mains libres, elle se dépêcha de tordre son corsage et son pantalon de dessous qu'elle tenta de coincer entre les branches du forceps. L'instrument se rouvrit, le tissu se déroula, et l'allumette s'éteignit.

— Bon Dieu !

Dans le noir, cette fois, elle recommença. Elle tordit son corsage bien serré, fit de même avec le pantalon et noua le tout. Cela ne faisait pas une masse très volumineuse. Elle aurait voulu en avoir le double, le triple. Elle alluma encore une allumette, mais la laissa tomber.

Elle attendit de se calmer, respira à fond pour ne pas trembler, et gratta son avant-dernière allumette qu'elle plaça dans son support. Vite, elle attrapa le rouleau de fil à suturer métallique utilisé pour recoudre les déchirures périnéales lors des accouchements. Elle s'en servit pour lier les branches du forceps autour de la boule de tissu, l'enroulant bien serré pour que la pince ne se rouvre pas.

L'allumette s'éteignit, mais la torche était presque prête. India attendit encore un peu que ses mains se stabilisent, puis elle vérifia que le flacon de chloroforme était à portée de main, et la torche en bonne position sur ses genoux.

Elle alluma la dernière allumette.

Vive comme l'éclair, elle déboucha la bouteille, versa le chloroforme sur le tissu, et présenta le tout à la flamme qui faiblissait déjà. Une longue seconde, elle crut que la torche ne s'enflammerait pas, puis il y eut un souffle et l'embrasement se fit.

Elle se leva d'un bond, torche en main. Le métal ayant chauffé presque instantanément, elle prit le bas de sa jupe pour tenir les branches de la pince, se saisit de sa sacoche et partit à toutes jambes. Le coude dépassé, l'odeur animale s'intensifia. Une mer de rats grouillait devant elle. Elle eut un instant de terreur, puis elle se précipita en hurlant comme une Amazone, brandissant sa torche près du sol. Effarés par la lumière et le bruit, les rats se mirent à fuir. Quelques-uns essayèrent de grimper à sa jupe dans la débandade, mais elle s'en débarrassa à coups de sacoche sans s'arrêter.

Les rats étaient rassemblés dans une portion de tunnel située entre deux coudes. Le deuxième coude franchi, ils disparurent. Le cœur battant à tout rompre, India ralentit, mais la torche faiblissante ne lui laissa pas le loisir de s'arrêter. Elle reprit sa course. Il ne lui restait plus qu'à trouver le dernier embranchement vers la gauche. Elle se savait presque arrivée car la distance était restée gravée dans sa mémoire, lui ayant paru trop courte dans les bras réconfortants de Sid. Elle vit le tunnel, le prit, courant de plus belle pour atteindre le dernier coude qui marquait la sortie.

Ce coude était en vue quand sa torche fuma, puis, cinq mètres plus loin, s'éteignit. Elle n'avait plus d'allumettes, plus de chloroforme. Il faudrait finir dans le noir.

La peur la reprit, mais le Blind Beggar n'était plus qu'à une vingtaine de mètres. Trente tout au plus. Cette distance pouvait se parcourir à l'aveuglette, à condition de ne pas se laisser désorienter. Elle rangea le forceps dans son sac, puis se guida de sa main libre le long de la paroi.

Un bruit la fit arrêter net. Une toux brève. Elle tendit l'oreille, mais plus un son ne brisa le silence. Elle garda une immobilité parfaite une minute entière, puis deux. Toujours rien, elle sentait pourtant une présence.

Était-ce le fruit de son imagination ? Qui pouvait se déplacer dans ce tunnel sans lumière ?

Sid, peut-être ! Il ne se signalerait qu'en la reconnaissant. Elle se risqua à l'appeler.

— Sid ? C'est toi ?

Le silence qui suivit l'horrifia. Si l'homme qui avait toussé n'était pas Sid, ça ne pouvait être qu'un ennemi.

Dans le noir, ce guetteur mystérieux ne pouvait pas la voir, mais elle avait dévoilé sa présence. Elle courait un immense danger. Vite, il fallait sortir ! Se courbant pour explorer le bas de la paroi, elle avança anxieusement, cherchant l'issue de la main. Un mètre, deux, trois... Soudain elle ne rencontra plus que du vide. C'était la sortie du pub ! Elle s'y engouffra, oubliant qu'un tonneau en fermait l'accès, et se cogna la tête. Sans se préoccuper de la douleur, elle tenta de le pousser, mais il était trop lourd. Elle y mit l'épaule et s'arc-bouta avec la force du désespoir. Le tonneau bougea, et un rai de lumière filtra dans le tunnel. Sa terreur redoubla. Le guetteur n'aurait plus aucun mal à la localiser.

Elle se jeta contre l'obstacle, s'y écrasant l'épaule, et parvint à déplacer le tonneau juste assez pour se glisser dans la cave. Elle ne prit pas le temps de le remettre en place, mais monta à toutes jambes l'escalier branlant.

Pendant ce temps, une allumette s'enflammait dans le tunnel à quelques mètres seulement. Sa lueur illumina le visage d'un homme occupé à allumer une lanterne.

C'était Alvin Donaldson qui se tourna vers un compagnon.

— Gemma Dean ne vous a pas menti, Freddie. La doctoresse semble beaucoup tenir à Sid Malone.

— Pourquoi ne lui mettez-vous pas la main au collet ? Suivez-la ! Arrêtez-la !

— Surtout pas. Si elle le cherche, parions qu'elle le trouvera. C'est elle qui nous mènera à lui. À leur appartement secret, à n'en pas douter.

— Ah ! Si seulement nous savions où il se trouve, cet appartement, nous n'aurions pas à attendre notre oiseau dans ce souterrain.

— Gemma Dean le sait, elle…

— Dame oui, mais elle veut quatre cents livres pour en révéler l'adresse !

— Si vous tenez vraiment à mettre la main sur Malone, vous les lui donnerez.

64

Fiona s'inspectait sans complaisance dans le miroir de son armoire. Elle devait se rendre à un rendez-vous d'affaires, or elle voyait devant elle un chapiteau de cirque ! Ces rayures bleu marine et crème étaient peu flatteuses maintenant qu'elle était presque arrivée au terme de sa grossesse. L'ensemble rouge en soie n'allait guère mieux, lui donnant l'aspect d'une tomate.

Elle soupira. Quelle que soit sa tenue, son ventre la rendait difforme. Elle posa des mains protectrices sur l'enfant qui se développait en son sein. Ce pauvre petit naîtrait-il avant que ses parents se soient réconciliés ?

Impulsivement, elle ouvrit la garde-robe de Joe et plongea le visage dans les costumes qu'il y avait laissés pour retrouver son odeur, fraîche et masculine. Il lui manquait tellement…

Son oncle Roddy lui avait conseillé de faire les premiers pas. C'était ce qu'elle avait tenté le matin même en l'appelant à son nouveau bureau de Commercial Street, mais personne ne répondait au téléphone. Trouvant la chose curieuse, elle avait ensuite essayé le numéro de sa société à Covent Garden, mais, là non plus, elle n'avait pas obtenu de réponse. Elle s'en était un peu étonnée, car Trudy répondait toujours. La seule explication possible était qu'il soit allé à Westminster avec elle.

La visite impromptue de Roddy à son siège de Mincing Lane lui avait fait chaud au cœur.

— Madame Bristow ? avait dit sa secrétaire, M. Rodney O'Meara vous demande. Il n'a pas de rendez-vous.

— Faites-le entrer ! s'était-elle écriée avec joie.

Roddy n'était pas son oncle à proprement parler, mais, ayant été le meilleur ami de son père, il tenait une énorme place dans son cœur. Il avait vécu chez eux quand elle était enfant, et il les avait recueillis, elle et Seamie, au moment du drame qui leur avait ôté le reste de leur famille. Sa fonction dans la police lui avait permis de piéger l'ignoble William Burton, mais en apprenant que Charlie était devenu bandit, il avait demandé un poste en province par peur de devoir un jour l'arrêter. Fiona et Joe mis à part, il était le seul au monde à connaître l'identité réelle de Sid Malone, car, comme eux, il avait été d'avis de cacher la vérité à Seamie.

— Fiona, ma petite ! avait-il lancé en entrant.

Elle l'avait accueilli avec de chaleureuses

embrassades. C'était bon de le retrouver, lui et cet accent irlandais qui lui rappelait tant son père. Elle ne l'avait pas vu depuis plusieurs mois et remarqua un peu plus d'embonpoint et de gris dans ses cheveux. C'était peu de chose.

— Quelle surprise ! Assieds-toi ! Je vais demander du thé. Je ne savais pas que tu venais à Londres. Pourquoi n'as-tu pas écrit pour t'annoncer ?

— Le voyage s'est décidé très vite, avait-il expliqué en prenant place dans le fauteuil qu'elle lui indiquait. Je viens d'aller identifier un assassin qui a sévi dans ma province avant de venir à Covent Garden… C'est bien le même homme. Nous le pendrons, et bon débarras.

Son œil exercé remarqua le malaise que ces mots éveillaient en elle. Il ne s'en étonna pas : c'était précisément de son frère qu'il était venu lui parler.

— Je suis passé voir Joe à son bureau pendant que j'étais dans le quartier de Covent Garden…

— Il t'a dit ?

— Oui…

— J'espère que tu lui as reproché de m'avoir abandonnée !

— Non, petite, c'est plutôt à toi que je viens faire des reproches.

— Tu ne vas pas le défendre, quand même !

— Si, je lui donne raison. Comme toi, je me désole que Charlie ait mal tourné, mais les criminels ne se rachètent pas.

— Charlie peut changer ! J'en suis sûre !

— Tu es tenace, petite, c'est une qualité que je te reconnais, mais, parfois, il faut savoir renoncer.

— Je veux seulement qu'on me donne une chance de le convaincre.

— Je sais, je sais. Mais il ne veut pas de ton aide. Il l'a dit clairement. N'insiste pas.

— Je ne peux pas abandonner, oncle Roddy. C'est mon frère. C'est trop dur !

— Tu as souffert, toi aussi, pourtant tu es restée honnête. Charlie a fait son choix. Il a fichu sa vie en l'air. Ne le laisse pas gâcher la tienne. Regarde comme tu te rends malheureuse à cause de lui. Tu as besoin de ton mari. Ton bébé va naître et Katie a besoin de son père.

Fiona hocha la tête. Elle l'écoutait car il comprenait les liens qui l'unissaient à son frère.

— Je souffre, oncle Roddy. Joe me manque à un point dont tu n'as pas idée. Je voudrais qu'il revienne.

— Alors va t'expliquer avec lui. Il est malheureux, lui aussi. Il t'aime, Fi.

— C'est trop dur de capituler. Je ne sais pas renoncer.

— Mais tête de mule ! Tu n'as qu'une seule chose à perdre, ton bonheur ! Le seul échec, ce serait de laisser le malheur qui a détruit Charlie te détruire aussi.

Oui, songea Fiona en refermant l'armoire de Joe, Roddy avait raison. Elle avait hâte de se réconcilier avec lui. Elle le rappellerait après son rendez-vous et lui proposerait de dîner avec elle.

On frappa.

— Oui ?

Sarah, la femme de chambre, apparut.

— Pardon, Madame, mais M. Foster m'envoie vous avertir qu'il y a un agent de police qui demande à vous parler.

— Tiens ? À quel sujet ?

— Il ne l'a pas dit, Madame, mais il paraît que c'est très urgent.

— Bien, dites à M. Foster que je descends dans cinq minutes.

Elle ne s'inquiéta pas outre mesure. Il s'agissait sans doute d'un vol dans un de ses salons de thé, ou d'une voiture de livraison accidentée. Ces sortes d'incidents étaient fréquents dans son métier.

Elle s'inspecta une dernière fois dans la glace, résignée devant son inélégance. Elle ajouta un rang de perles que lui avait offert Joe, puis elle descendit pour recevoir la police. Vol ou accident, elle espérait que cela ne lui prendrait pas trop de temps. Elle n'arrivait à penser qu'à Joe. La maison semblait bien vide en son absence. Elle avait envie de l'entendre siffler dans son bain, de le voir poursuivre Katie autour de la table de la salle à manger, ou même chasser les chiens à coups de journal. La nuit, surtout, la puissance réconfortante de ses bras lui manquait. Elle avait hâte de lui dire qu'elle l'aimait.

— Bonjour, madame, inspecteur Alvin Donaldson pour vous servir, déclara son visiteur en avançant vers elle quand elle entra au salon.

Elle eut l'impression de l'avoir déjà rencontré, sans doute à l'occasion de l'affaire Burton.

— Voulez-vous du thé, inspecteur ? demanda-t-elle en tendant le bras vers la sonnette.

— Non, rien, je vous remercie.

Il se tenait debout, chapeau à la main, considérablement embarrassé.

— Voulez-vous vous asseoir, madame ? demanda-t-il en désignant le canapé.

— J'ai échappé à William Burton, comme vous devez vous en souvenir, je devrais supporter le vol de quelques caisses de thé sans m'évanouir, même dans mon état.

— Tout de même, j'insiste.

— Si cela peut vous faire plaisir…

Elle s'assit avec un soupir et tourna les yeux vers lui avec une impatience mal dissimulée.

— Eh bien, que s'est-il passé ?

Donaldson prit place à ses côtés et se racla la gorge.

— Madame, connaissez-vous un certain Sid Malone ?

Fiona se pétrifia. Un froid glacé lui étreignit le cœur. Donaldson avait-il découvert leur lien de parenté ? Mais comment était-ce possible ? Puis une autre hypothèse, encore plus inquiétante, lui vint à l'esprit.

— Il… il lui est arrivé quelque chose ? demanda-t-elle, très pâle.

— Pardon ?

— Je vous demande s'il lui est arrivé quelque chose !

— À Malone ? Mais enfin… Non, pas pour l'instant, pour autant que je sache. Mais il sera dans de sales draps quand nous lui aurons mis la main dessus.

— Qu'a-t-il fait ? Il a mis le feu ? Cambriolé un de mes entrepôts ?

— Non. Pis. Cet individu – il y a quelques heures de cela, madame – a tenté de tuer votre mari.

Fiona crut avoir mal compris. Elle eut un petit rire.

— Mais c'est impossible !

— Hélas non ! Malone s'est rendu au nouveau bureau de M. Bristow, dans Commercial Street, et il lui a tiré deux balles dans la poitrine. Votre mari est dans un état grave. On lui a retiré une balle du corps, mais l'autre ne peut pas être extraite. On l'a emmené d'abord dans un dispensaire à quelques pas des lieux de l'attaque, puis il a été transféré au London Hospital… Ses chances de survie sont très minces. Je suis désolé.

— Mon Dieu ! Non ! C'est impossible !

La porte du salon s'ouvrit sur Foster qui accourait, alarmé par ses cris.

— Pardon, Madame, mais j'ai entendu du bruit.

— Monsieur Foster !

Elle essaya de se lever, mais ses jambes se dérobèrent sous elle, et elle retomba sur le canapé.

— Mon Dieu, Madame ! Que se passe-t-il ?

Donaldson aida le majordome à l'empêcher de se relever, tout en lui expliquant la situation.

— Ce n'est pas vrai ! Dites-lui, monsieur Foster ! Ce n'est pas possible…

Sarah attendait sur le pas de la porte, n'osant entrer.

— Je veux voir Joe ! criait Fiona en se débattant. Je veux être avec lui ! Lâchez-moi !

— Sarah ! cria Foster. Faites atteler et téléphonez chez les Alden, au 12 Wellington Crescent. Prévenez M. Seamus que M. Bristow a été blessé et se trouve au London Hospital, vite.

Sarah, tremblant de tous ses membres, ne fit pas un geste.

— Je vous ai demandé de faire atteler ! Vite !

Voyant qu'elle s'exécutait enfin, il se tourna vers Fiona.

— La voiture arrive, Madame. Restez assise en attendant. Pensez à l'enfant.

Elle éclata en sanglots.

— Mais pourquoi, monsieur Foster, pourquoi ? Je ne comprends pas pourquoi il a fait ça…

Donaldson essaya de l'éclairer.

— Nous ne le savons pas précisément, mais d'après nos informations, M. Bristow serait allé au Barkentine, un pub de Limehouse, il y a quelques jours, pour voir Malone. Il ne l'a pas trouvé, mais il est tombé sur un jeune malfrat du nom de Frankie Betts. M. Bristow l'a averti que Malone ferait mieux de quitter Londres avant d'avoir des ennuis avec son nouveau député. Il y a eu une dispute qui a dégénéré en bagarre…

— C'est ma faute, gémit Fiona, en larmes, c'est ma faute… Il a fait ça pour moi.

— Mais non, Madame, mais non… protesta Foster.

— Si ! C'est ma faute. J'ai tué mon Joe !

65

Freddie frappa à la porte de l'appartement de Gemma, qui occupait tout le dernier étage d'une petite maison de Stepney.

Il ne l'avait pas vue depuis la réception de Chelsea où elle lui avait révélé la liaison d'India et de Sid. La nouvelle l'avait rendu fou de rage, puis l'avait assommé. Ce Malone lui prenait tout : Gemma, son siège de député, et maintenant India ! Il avait broyé du noir pendant des jours, ne sortant plus de chez lui, mangeant à peine, dormant peu. Il était resté prostré dans son fauteuil, impuissant, rempli d'une haine épouvantable.

Et puis soudain, miracle, un événement incroyable était arrivé. Sans raison aucune, Malone était allé voir Bristow et avait tenté de l'abattre. Ainsi, ses deux rivaux disparaissaient en même temps ! La police remuait ciel et terre pour retrouver Malone, et Bristow était entre la vie et la mort.

Le chef de file du Parti libéral lui avait téléphoné pour lui annoncer l'événement en jubilant. Une élection partielle aurait probablement lieu très rapidement afin de pourvoir le siège laissé vacant.

Freddie avait ressuscité d'un coup. Il n'y avait pas une seconde à perdre. Il n'avait pris que le temps de se changer avant de sauter dans un cab et de se précipiter à l'hôpital.

Il était arrivé au même moment que Fiona Bristow. Les journalistes se pressaient autour d'elle, la bombardant de questions. Freddie avait couru la rejoindre, l'avait entourée d'un bras protecteur, et avait déclaré :

— Je vous fais le serment que le coupable sera puni. Je m'y engage personnellement.

Fiona lui avait jeté un regard éperdu, puis une infirmière était venue la chercher. Les reporters s'étaient alors intéressés à lui. Tous avaient voulu l'interroger, ce qu'il avait accepté de bonne grâce. Il n'avait pas tari d'éloges sur son ancien adversaire, et avait exprimé sa plus profonde sympathie à la famille pour cette épreuve.

— Le crime est un fléau dont on doit débarrasser l'East End de toute urgence ! avait-il clamé. Cette attaque était dirigée non seulement contre un honnête et admirable citoyen, mais aussi contre un membre du Parlement, donc contre le gouvernement lui-même. C'est une déclaration de guerre. Malone et tous ceux de son espèce doivent être mis hors d'état de nuire, et tout de suite !

Il avait achevé en annonçant l'octroi d'une prime de mille livres, prise sur ses propres deniers, pour récompenser toute personne qui permettrait la capture de Sid Malone. Somme dont il n'avait pas le premier penny, mais là n'était pas l'essentiel.

Dickie Lambert n'avait pas encore appris l'événement que Freddie avait déjà réussi à s'attirer l'intérêt de la presse et la sympathie du public. Plus tard, il était allé à son club pour souper et lire les journaux du soir. Tous les articles sur Bristow le mentionnaient en lui donnant le beau rôle. Son échec aux élections, le cambriolage de la Forteresse, le fiasco de l'autonomie irlandaise, tout était oublié. Pour séduire les lecteurs, et n'ayant pas autre chose à se mettre sous la dent, les journalistes l'avaient dépeint comme étant un homme droit et généreux, qui soutenait sans rancune son adversaire et sa femme touchés par le malheur. Mais, surtout, on disait qu'il avait compris mieux que personne, et sûrement mieux que l'homme qui venait d'être élu à sa place, quel danger la criminalité de cette circonscription faisait courir à la nation tout entière.

Avant d'aller à son club, il était passé voir Alvin Donaldson, qu'il avait rencontré devant le commissariat dont il sortait avec quelques hommes. L'inspecteur n'avait pas eu le temps de s'arrêter pour lui parler, trop pressé de se lancer sur les traces de Malone. Alors, Freddie l'avait suivi jusqu'au Blind Beggar et était descendu avec lui dans un tunnel. Là, ils avaient pu parler un peu. Donaldson lui avait confirmé que des témoins sûrs désignaient Malone.

— Et il n'est pas encore en prison ?

— Dès que nous l'aurons pris, nous l'y mettrons. Nous avons bien failli l'attraper au Barkentine, mais il nous a échappé. Il s'est enfui dans ce souterrain, et je pense qu'il va en sortir par ici.

Ce n'était pas Malone qui s'était montré, mais India, que l'inspecteur l'avait convaincu de laisser filer.

Freddie tâta une enveloppe dans sa poche intérieure. La consistance était bonne, le poids aussi. Elle ferait illusion, du moins l'espérait-il. Il l'avait préparée lui-même avant de venir. Entendant des pas, il se dépêcha de refermer son veston. Le verrou tourna, et Gemma apparut sur le seuil, vêtue d'un peignoir de satin. Elle avait l'air défait et sentait le gin.

— Gem ! Ma chérie ! Tu es radieuse, comme toujours.

Il voulut l'embrasser, mais elle s'écarta.

— Qu'est-ce que tu veux, Freddie ?

— Rien du tout ! Une petite information.

Elle lui jeta un regard, puis s'effaça pour le laisser entrer.

Il la suivit dans le long couloir qui menait au salon. Des malles et des valises ouvertes encombraient le plancher. Des vêtements s'étalaient sur les fauteuils, des chaussures jonchaient le tapis.

— Tu pars en vacances ?

— Non, je déménage à Paris.

— Vraiment ?

— Je ne compte pas revenir. J'en ai soupé de Londres. On gagne mieux sa vie au Moulin Rouge. À propos d'argent, tu m'en apportes, j'espère ! Je t'ai dit qu'il faudrait payer pour avoir l'adresse que tu veux. Le tarif n'a pas changé, c'est toujours quatre cents livres.

Freddie posa la main sur sa poitrine.

— Je les ai.

— Donne.

— Quand tu m'auras donné l'adresse.

— Pour ça, il faudrait que je te fasse confiance ! Tu n'as pas le sou. Je veux le palper, cet argent, sinon, rien à faire !

Freddie glissa la main à l'intérieur de sa veste et sortit l'enveloppe.

— Tiens, dit-il en espérant qu'elle ne l'ouvrirait pas.

Elle la prit avec un soupir à fendre l'âme.

— Ça m'ennuie de le trahir.

— Il a tué un homme, Gem.

— Tu crois vraiment que c'est lui ?

— C'est une certitude. Il y avait des témoins. Il mérite d'être arrêté et jugé.

— Allons… tant pis. La vie est chère à Paris.

Mais elle ne se contenta pas de prendre l'enveloppe, elle l'ouvrit, au grand regret de Freddie. La situation se compliquait diablement.

— Voleur !

Elle jeta à ses pieds l'enveloppe qui ne contenait que du papier journal découpé. Les faux billets de banque s'en échappèrent et tombèrent à terre en voletant.

— Je ne vois pas à quoi ça t'avance !

— Il me faut absolument cette adresse.

— Ah oui ? Eh bien, c'est quatre cents livres ou tu n'auras rien !

Freddie avança vers elle et lui lança une gifle retentissante. Elle posa la main sur sa joue en hurlant :

— Dehors ! Sors d'ici !

Elle n'avait pas compris qu'il ne partirait pas sans lui arracher ce qu'il voulait. Il la jeta sur le canapé et lui étreignit le cou à deux mains, les pouces sur la gorge.

— Où est l'appartement ? Parle !

Elle essaya de se dégager, lui griffa les mains, lui tira sur les manches pour le faire lâcher. Ses talons glissaient sur le parquet, elle étouffait.

— Lâche-moi…

— L'adresse !

— Au secours !

Elle parvint à lancer un coup de genou qui le frappa sous la ceinture. La douleur le fit lâcher prise et se plier en deux en grognant. Saisissant sa chance, elle s'enfuit vers le couloir. Freddie avait beau être au supplice, il la poursuivit, sachant que tout serait perdu si elle se sauvait. Il la rattrapa par l'arrière de son peignoir et la traîna jusqu'au canapé sur lequel il la jeta violemment. Mais en tombant, Gemma se cogna le crâne contre l'épais plateau de marbre de la table.

Il y eut un craquement sinistre, et Gemma s'effondra par terre. Elle poussa un gémissement, puis se tut.

Freddie, haletant, se pencha sur elle.

— Donne-moi l'adresse !

Elle ne répondit pas.

— Tu vas le regretter !

Il voulut la relever, mais elle était molle comme une poupée de chiffon. Sa tête roula, puis pendit vers l'avant. Il eut un sursaut et la lâcha.

Elle était morte, la nuque brisée.

Il resta là, effaré, songeant aux conséquences. Malgré sa peur, il ne ressentait ni regret ni tristesse. Plus rien ne l'atteignait, sauf la crainte de voir ses plans contrariés. Il lui fallait l'adresse de Sid et d'India, et il devait s'arranger pour ne pas être accusé de la mort de Gemma.

Il n'eut besoin que de quelques minutes de réflexion pour trouver la solution. C'était presque trop facile.

Tout d'abord, il savait que Gemma avait un agenda, un petit cahier à couverture de cuir rouge qu'il avait souvent vu. Si elle avait noté cette adresse, ce devait être dans ses pages. Il fouilla le secrétaire, en sortit les papiers, tira les tiroirs et en renversa le contenu par terre. Il dérangea les vêtements dans les malles, passa les mains au fond, visita toutes les poches. Rien ! Où pouvait-elle l'avoir fourré ?

Soudain il avisa son sac, posé près du fauteuil. Il l'ouvrit et le vida par terre. Un porte-monnaie, un poudrier, des bonbons, des cigarettes. Furieux, il le retourna. Il y avait une poche à l'intérieur, dans laquelle il découvrit enfin ce qu'il cherchait. Il s'empara fébrilement du carnet et feuilleta les pages du mois de novembre. Il y trouva des noms, des adresses de restaurants, de théâtres, mais pas celle qu'il cherchait. Il inspecta ensuite l'intérieur de la couverture, l'avant d'abord, puis l'arrière... Et, là, il vit une ligne griffonnée d'une main pressée ou nerveuse : 16, Arden Street, Richmond. Il triompha. C'était ça ! Il empocha l'agenda, puis ramassa l'enveloppe et les faux billets pour les faire disparaître. Il prit aussi le porte-monnaie pour rendre un cambriolage plus crédible, et acheva de mettre la pièce sens dessus dessous.

Il fit de même dans la chambre à coucher, renversant le miroir de la coiffeuse, balayant d'un geste peignes, brosses, bouteilles de parfum. Il ouvrit le tiroir à bijoux et le retourna sur le dessus du meuble. La magnifique parure de diamants tomba avec le reste. Il prit les boucles d'oreilles, puis le collier scintillant. *Pour Gemma... Merde... Ton Sid*, lut-il au dos du médaillon. Si, comme elle s'en était vantée, les diamants étaient vrais, il tenait là une fortune. Il les glissa dans sa poche. Un homme aux abois, ayant besoin d'argent pour assurer sa fuite, les aurait pris. Surtout si l'homme en question les avait offerts lui-même et en connaissait la valeur.

Il allait quitter la chambre quand il entendit un bruit qui l'arrêta. Le long grincement d'une lame de parquet.

— Il y a quelqu'un ? cria-t-il.

Pas de réponse. Il prit un tisonnier près de la cheminée, puis entra dans le salon. Il était vide. Il s'aventura alors à pas feutrés dans le couloir, jusqu'à la cuisine. L'intrus ne pouvait plus se cacher que là. Il leva le tisonnier et poussa la porte. Un chat blanc affublé d'un collier rose à paillettes bondit en le voyant. Furieux, Freddie voulut le frapper, mais l'animal lui fila entre les jambes.

Freddie ne s'intéressait déjà plus à lui. Il garda le tisonnier à portée de main et se résolut à terminer sa mise en scène. Il lui restait le plus difficile. Il s'inspecta les mains. Elles étaient griffées et sanglantes. Une de ses manches était déchirée. Un bon début, mais insuffisant. Il prit la théière, ferma les yeux et s'en cogna le front. L'impact le fit presque tomber, et il chancela contre l'évier. Dès qu'il eut de nouveau les idées claires, il chercha un couteau bien affûté dans le tiroir à couverts et se fit une estafilade de l'oreille au menton. Cette fois, il ne sentit presque rien. Il attendit que le sang coule sur son col de chemise, puis il descendit l'escalier en courant.

Arrivé dans la rue, il tituba vers deux ouvriers qui passaient.

— Au secours ! Au secours !

— Qu'est-ce qui se passe ? demanda l'un d'eux en le soutenant.

— Au meurtre ! À l'assassin ! J'ai voulu l'empêcher de se sauver, mais je n'ai rien pu faire. Vite, appelez la police ! Il est dangereux !

— Vous savez qui a fait le coup ?

— Oui, je l'ai vu ! C'est Malone ! Sid Malone !

66

— Il va falloir vous décider à quitter le trottoir, madame Durkin.

India auscultait une femme squelettique, assise sur la table d'examen de la remise des Moskowitz.

— Je ne peux pas, docteur, vous le savez bien.

India tapa sur les côtes, oreille collée à la poitrine. Les poumons étaient remplis de liquide, et la respiration laborieuse.

— Vos urines sont comment ?

— Il y a du sang dedans.

— Arrêtez de boire de l'alcool, au moins.

Elizabeth Durkin, prostituée de son état, lui rit au nez.

— Vous arrêteriez, à ma place ?

India soupira.

— Non, je ferais comme vous.

— Qu'est-ce que j'ai ?

— Hydropisie… inflammation… Probablement la maladie de Bright.

— C'est quoi ?

— Une affection des reins.

— C'est grave ?

— Si je pouvais vous mettre dans un sanatorium au repos complet, si votre syphilis se stabilisait, si vous ne buviez plus que du lait et pas une goutte d'autre chose, vous auriez de bonnes chances de vous en sortir.

— Et sinon ?

— Pas brillantes.

Elizabeth souffla, yeux tournés vers le plafond en planches.

— Vous m'avez tellement bien soulagée pour ma syphilis, ma bronchite, ma grippe. Ça m'ennuie que vous partiez.

— Moi aussi, je le regrette.

— Alors, restez !

— Une personne qui m'est très chère a besoin de moi.

— Qui va vous remplacer ?

— Le Dr Hatcher.

— Ça sera pas pareil.

— Elle est beaucoup plus drôle que moi. Je l'ai même vue faire rire une patiente pendant une piqûre.

— C'est sûr que ça fait du bien de rigoler.

Elle s'interrompit, puis demanda :

— Ça fait beaucoup souffrir, sur la fin ?

— C'est un peu dur, mais pas trop. On s'occupera de vous. Le nouveau dispensaire sera ouvert. Vous y aurez un lit, des infirmières pour s'occuper de vous, et de la morphine à la fin. Surtout, allez là-bas quand vous sentirez votre état s'aggraver.

Elizabeth hocha la tête, puis plongea la main dans la poche de sa jupe.

— J'ai un shilling pour vous, aujourd'hui. Un bateau a accosté hier soir. Je me suis fait des clients.

India lui prit la main et lui referma les doigts sur sa pièce.

— Gardez votre argent. Achetez-vous de la soupe.

— Les gens que vous soignerez après nous auront beaucoup de chance, docteur.

India avait les larmes aux yeux en la regardant partir. Elizabeth Durkin lui manquerait, ainsi que toutes ses autres patientes de Whitechapel. Les gouailleuses ouvrières, les prostituées désabusées, les jeunes épouses, et toutes les mères qui arrivaient à vêtir et à nourrir leurs enfants avec trois fois rien. Qu'elles soient anglaises, irlandaises, russes, chinoises, toutes lui avaient appris des leçons précieuses.

Les cloches de Christ Church sonnèrent dix heures. Il était temps de partir. Son rendez-vous avec Sid était dans deux heures. Si tout se passait comme prévu, ils quitteraient Londres le soir même, quinze jours avant la date initialement prévue. Viendrait-il au rendez-vous ? Elle n'avait aucun moyen de le savoir, n'ayant toujours pas de ses nouvelles.

Sally avait-elle pu lui communiquer son message ? Malgré l'accablant témoignage de la secrétaire et de la femme de ménage, elle savait Sid innocent. Il était incapable de tirer sur un homme sans défense et d'en pousser un autre dans le vide. La police et la presse n'avaient, pour leur part, aucun doute, et une terrifiante chasse à l'homme avait été lancée.

Si on le prenait, il irait droit en prison, et il ne le supporterait pas. Il préférerait mourir. Il fallait absolument lui faire quitter Londres. Le seul homme qui pouvait l'innocenter n'avait toujours pas repris conscience. Son médecin au London Hospital était compétent, mais elle était allée vérifier elle-même qu'il ne pouvait toujours pas parler. La pauvre Fiona était prostrée à son chevet, tellement éprouvée qu'elle arrivait à peine à prononcer un mot.

Harriet arrivait pour la remplacer à la consultation, suivie par une fillette et sa mère. En attendant l'ouverture du nouveau dispensaire, elle s'était jointe à India et à Ella dans la cour des Moskowitz pour apprendre à connaître ses nouveaux patients.

— Je me doute qu'Emily adore son chien, madame Burke, dit-elle en les faisant entrer, mais il ne faut pas la laisser dormir avec lui dans son panier. C'est comme ça qu'elle attrape des parasites.

Harriet leva les yeux au ciel pour communiquer son exaspération à India puis les suivit à l'intérieur.

India regarda autour d'elle avec une affection mélancolique. Le chat était perché sur la barrière. Eddie, le vieux bull-terrier édenté, aboyait dans le jardin des voisins. Les poules tournaient dans le poulailler. Le grand baquet était encore plein des eaux troubles de la lessive du matin. Des malades attendaient sous la bâche, des femmes, des enfants qui lui manqueraient et seraient dorénavant soignés dans le dispensaire qu'elle ne verrait jamais en activité. Elle avait déjà pris congé de Harriet. Restait le pire : ses adieux à Ella et à sa mère. Elles étaient dans la cuisine du restaurant où elle trouva Ella en train de laver la vaisselle, et Mme Moskowitz aux fourneaux.

— India, vous voilà ! Vous partez… Je n'arrive pas à y croire ! s'écria Ella en s'essuyant les mains à un torchon.

— C'est l'heure.

— Je ne sais pas ce que je vais devenir sans vous. Vous êtes ma meilleure amie.

— Vous aussi, dit India en la serrant dans ses bras. Je vous écrirai dès que nous serons installés.

— Mais vous reviendrez un jour ?

— Je l'espère…

— Ne pleurez pas.

— J'ai l'impression de perdre tellement… De quitter tout ce que j'aime. Je me demande si j'exercerai de nouveau la médecine un jour, ajouta-t-elle, la voix tremblante.

— *Du hok a chainik !*

— Maman dit que vous racontez des bêtises.

— Il n'y a pas de malades, en Amérique ? demanda Mme Moskowitz. Avec tout l'or qu'on y trouve, les gens de Californie doivent avoir de quoi se payer le docteur.

— Oui, vous avez raison. Vous avez toujours raison.

— Toujours ?

— Oui. Vous ne vous trompiez pas sur l'amour. On ne choisit pas, c'est l'amour qui choisit…

— Ne lui dites pas ça ! s'exclama Ella. Elle est déjà assez impossible !

Mme Moskowitz fit mine de la faire taire avec sa cuillère en bois.

— Sid est un bon garçon, et il sera encore meilleur à vos côtés.

Elle embrassa India sur le front, puis la serra sur son cœur. Elle sentait bon le persil, l'ail et le poulet, le linge propre et le pain frais. Les larmes qu'India retenait à grand-peine jaillirent. La maison des Moskowitz avait été pour elle un plus beau château que celui de son enfance. Son départ de Blackwood l'avait infiniment moins attristée.

— Au revoir, madame Moskowitz, et merci pour tout.

Celle-ci la libéra et s'essuya les yeux avec un coin de son tablier.

— *Ich bin verklempt.* Allez, partez, *zeeskyte*, avant que mes larmes ne salent trop ma soupe. Que Dieu vous garde.

Une voix qui appelait India les interrompit. Elle sursauta : c'était Freddie. Quand elle le vit, elle poussa un cri tant il était méconnaissable. Une énorme contusion lui bleuissait le front, et une estafilade lui zébrait la joue.

— Freddie ! Que t'est-il arrivé ?

— Il faut que je te parle.

— Désolée, je n'ai pas le temps, je m'en allais.

— Justement, nous venons t'empêcher de partir. Je suis en mission officielle avec ces deux messieurs, continua-t-il en désignant deux agents de police qui se tenaient derrière lui. Leur supérieur, l'inspecteur Donaldson, m'a chargé de te convaincre d'adopter la seule attitude raisonnable.

— Je ne comprends pas.

Freddie se tourna vers Mme Moskowitz.

— Je voudrais dire quelques mots au Dr Jones en privé. Pouvez-vous nous laisser seuls un instant ?

— Certainement pas ! Vous êtes dans ma cuisine, et je prépare le repas de midi. Allez dans le restaurant, comme tout le monde.

— Il y a des clients dans la salle, et j'ai besoin de lui parler tranquillement. Si vous ne sortez pas de votre plein gré, ces deux agents vous y contraindront.

Mme Moskowitz jeta sa cuillère dans l'évier, puis elle souleva la marmite pour l'ôter de la cuisinière et la posa sans ménagement sur la table. Après quoi, suivie d'Ella, elle poussa la porte qui donnait dans le restaurant, en grognant un mot en yiddish qu'il valait sans doute mieux ne pas comprendre.

— Nous sommes chez elle, Freddie.

— Désolé, je n'ai pas le choix. Une femme a été assassinée hier. On lui a volé son argent et ses bijoux. J'étais là. J'ai essayé de la défendre, mais comme tu vois, j'ai été blessé sans arriver à la sauver. Elle s'appelait Gemma Dean. C'était l'ancienne maîtresse de Sid Malone, et c'est lui qui l'a tuée.

Le cœur d'India avait beau s'être emballé, elle ne se trahit pas.

— Je ne vois pas en quoi cette histoire devrait m'intéresser.

— Je sais que tu projettes de t'enfuir avec lui. Réfléchis...

Une violente panique la prit. Comment l'avait-il appris ?

— Je ne sais pas ce qui te donne cette idée ! s'exclama-t-elle en tâchant de maîtriser sa voix. Je connais à peine Sid Malone, et je n'ai aucune intention de m'enfuir, ni avec lui ni avec qui que ce soit d'autre. Maintenant, si tu veux bien m'excuser, je dois soigner mes patients.

— India... La police sait tout.

— Il n'y a rien à savoir !

Freddie se contenta de la fixer, impassible.

Il se venge, songea-t-elle. Il prend un malin plaisir à me faire perdre contenance…

— La police l'attend à votre appartement.

La terreur faillit la perdre, puis elle pensa que cela ne pouvait être qu'un mensonge. La police ne pouvait pas en connaître l'adresse. Même sous la torture, Sally n'aurait pas pu la révéler puisqu'elle ne la connaissait pas.

— Je ne sais pas de quoi tu parles.

— Donaldson a appris que vous deviez partir aujourd'hui. Comment ? Très simplement. Un agent en civil a été chargé de demander un rendez-vous pour sa femme, et on lui a répondu que tu ne consulterais plus à partir d'aujourd'hui.

— Ça ? Mais ce n'est rien du tout ! Après, je serai au dispensaire.

— Le 16 Arden Street, à Richmond, cela te dit quelque chose ? C'est Gemma Dean qui m'a donné cette adresse. Je m'occupe un peu de l'affaire par amitié pour Joe Bristow, et il était évident que cette jeune femme, qui avait été la maîtresse de Malone, devait savoir beaucoup de choses. Elle a découvert l'adresse de votre cachette en suivant Malone, et elle me l'a communiquée avant de mourir. La police est embusquée là-bas depuis hier.

India fit un pas vers la porte, mais Freddie lui bloqua le passage.

— Laisse-moi sortir !

— Les agents qui m'accompagnent ont ordre de te retenir jusqu'à ce que Malone soit attrapé. Si tu essaies de partir, si tu tentes de l'avertir de quelque manière que ce soit, tu iras en prison.

— Est-ce vrai ? demanda-t-elle aux agents.

Ils firent signe que oui.

— Tout ça, c'est ta faute… murmura-t-elle.

— Ingrate ! Dès que j'ai appris que tu avais une liaison avec Malone, j'ai supplié Donaldson de t'éviter le scandale. Sais-tu ce qui arrive aux complices des assassins ? Tiens-tu vraiment à perdre le droit d'exercer la médecine ? Veux-tu aller en prison ?

— Ce n'est pas un assassin. Ce n'est pas lui qui a tiré sur Joe Bristow, et ce n'est pas lui qui a tué Gemma Dean. Tu mens, Freddie. Tu ne sais faire que ça.

— Je ne suis pas le seul à l'accuser. Il y a d'autres témoins ! Deux femmes qui travaillaient dans son bureau sont prêtes à jurer que c'est l'homme qui a tiré sur Bristow.

— Mais pourquoi lui veux-tu autant de mal ? Est-ce lui que tu poursuis de ta haine, ou est-ce seulement moi ?

— Je tiens profondément à toi, India, au contraire. Je ne peux pas te laisser gâcher ta vie sans réagir. L'histoire se répète. Tu n'as rien appris du passé ?

— Je ne te comprends pas.

— Souviens-toi de Hugh Mullins. C'était un voleur. Il a porté tort à ta famille et il t'a brisé le cœur. Or Sid Malone est dix fois plus dangereux que lui. Lui aussi te fera du mal.

India garda le silence. Elle s'assit à la table, les yeux baissés. La terreur qu'elle éprouvait pour le sort de Sid lui donnait mal au cœur. Si seulement elle pouvait s'échapper. Si seulement elle pouvait l'avertir…

— Est-ce que tu ne regrettes pas, India ? demanda Freddie à voix basse en approchant d'elle. Nous aurions fait un beau mariage, nous aurions eu des enfants, des amis, nous aurions travaillé ensemble, tenu notre place dans la société. Nous aurions été un couple parfait !

Elle redressa la tête.

— Et l'amour, Freddie ? Que fais-tu de l'amour ?

— Nous pourrions avoir l'amour aussi. Ne veux-tu pas me donner une nouvelle chance ?

Comment Freddie, qui œuvrait pour causer la perte de l'homme qu'elle aimait, pouvait-il espérer la reconquérir ?

Elle le considéra gravement et dit avec une fureur contenue :

— Va au diable.

Freddie s'empourpra, mais un coup frappé à la porte de la cuisine, immédiatement suivi par l'entrée d'Ella, détourna sa colère.

— Qu'est-ce que c'est ? aboya-t-il.

— Désolée de vous interrompre, mais nous avons une urgence. Une femme enceinte de huit mois, docteur Jones. Des jumeaux. Elle a des saignements sans contractions. Le Dr Hatcher l'a vue et craint que ça ne soit un *placenta prævia*. Elle veut l'envoyer à l'hôpital, mais préfère avoir une seconde opinion. Je suis que vous êtes occupée, seulement c'est un cas très grave. Pouvez-vous venir un instant ?

— Freddie, ça ne t'avancerait à rien de m'empêcher de porter secours à une malade.

Il hésita, puis, bon prince, se tourna vers les agents qui observaient la scène.

— C'est une remise de jardin, messieurs. Il y a un toit, des murs et un plancher. Elle ne pourra pas creuser de galerie pour se sauver !

Il ajouta à l'intention d'India :

— Rien ne s'y oppose, il faudra cependant que nous

venions avec toi. Nous tournerons le dos pendant l'examen.

— C'est parfait.

Les agents ne la laissèrent sortir de la cuisine qu'encadrée par eux, l'un devant et l'autre derrière. Freddie fermait la marche. Ella, tout en l'accompagnant, lui tendit un cahier.

— Les notes du Dr Hatcher.

India lui jeta un regard surpris. Elles prenaient rarement de notes à cause du prix du papier. Le cahier s'avéra être le cahier d'école de Miriam. Tout en passant dans la cour, elle feuilleta les pages d'exercices à la plume. À la fin, elle trouva ce qu'elle cherchait : deux lignes écrites de la main d'Ella.

Maman a tout écouté. Tenez-vous prête à prendre la poudre d'escampette.

India eut à peine le temps de lire qu'un charivari infernal éclata.

D'abord, il y eut des aboiements frénétiques, puis un bull-terrier furieux déboula dans la cour.

— Maman ! hurla Miriam. Au secours, maman ! Eddie est entré chez nous ! Il va nous égorger !

Comment ? songea India. Mais Eddie n'a plus une seule dent !

Le chat roux, délogé de son perchoir, passa comme une flèche entre eux, poursuivi par le chien qui devait en effet avoir l'air très féroce quand on ne le connaissait pas.

— *Gott in Himmel*, faites quelque chose ! cria Mme Moskowitz aux agents. Il va me tuer mes enfants !

Ce fut la débandade générale chez les mères et les enfants malades, qui ne se doutaient pas que, malgré sa voix puissante, Eddie n'aurait pas fait de mal à une mouche. Les chaises et les cageots furent renversés. Les mères soulevèrent leurs enfants du sol pour les mettre à l'abri dans leurs bras. Les deux agents se lancèrent à la poursuite d'Eddie, n'arrivant qu'à l'énerver davantage. Il en bouscula un et fit tomber l'autre, un seau de plumes vola en l'air, le baquet d'eau de lessive tomba, et la porte du poulailler s'ouvrit. Les poules sortirent en caquetant, ajoutant à la confusion, tandis qu'Eddie et le chat tournaient dans une ronde infernale. India sentit qu'on la poussait dans le dos et entendit Ella chuchoter.

— Vite, courez ! La petite porte !

Elle vit Salomon au bout de la cour. Il tenait ouverte la porte de la ruelle qui donnait à l'arrière. India remonta sa jupe et galopa vers lui. Dès qu'elle fut passée, il claqua la porte derrière elle et bloqua l'épais panneau de bois avec une planche appuyée au mur d'en face.

— Aaron vous attend au bout ! cria-t-il.

Elle vit qu'une voiture de livraison était arrêtée à l'extrémité du passage. Une vingtaine de mètres l'en séparait, qu'elle franchit à toutes jambes. Aaron lui tendit la main et la hissa à l'arrière, tandis que la voiture s'ébranlait. Le cocher la salua. Elle avait accouché sa femme peu de temps auparavant.

— Bonjour, M. Fein...

— Couchez-vous derrière les sacs à pommes de terre, docteur Jones. Vite, ou nous allons tous nous retrouver en prison !

De gros sacs de jute de vingt-cinq kilos étaient empilés au fond, mais il restait un espace derrière, dans lequel India se faufila. Aaron lui passa sa sacoche et sa veste, qu'il avait apportées, puis il boucha l'orifice avec quelques sacs.

— Vous arrivez à respirer ? demanda-t-il.

— Très bien.

— Herschel Fein va vous conduire jusqu'à Covent Garden. Vous n'aurez qu'à prendre un cab ensuite.

Il frappa sur le côté de la voiture.

— Je descends !

Le cocher fit ralentir les chevaux, et Aaron sauta à terre, puis India entendit le fouet claquer et sentit l'effort des chevaux. La voiture reprit de la vitesse. Dès qu'ils seraient dans Commercial Road, ils se perdraient dans la circulation qui entourait le marché de Spitalfields. Si seulement elle arrivait sans encombre à Covent Garden, il y aurait encore de l'espoir. En demandant au fiacre de rouler vite, elle atteindrait peut-être Richmond avant l'arrivée de Sid. Le carillon de Christ Church sonna. Il était onze heures. Il ne lui restait plus qu'une heure.

Sid aussi viendrait en fiacre, car il serait trop risqué de prendre l'omnibus. Il arriverait par Upper Richmond Road, comme elle, puis tournerait dans Hill Street et continuerait par Richmond Hill. Il fallait à tout prix l'arrêter avant qu'il n'arrive au coin d'Arden Street. Elle ferma les yeux, priant de toutes ses forces qu'il ne soit pas trop tard.

67

Sid fit arrêter le cab dans Richmond Hill, à l'entrée d'Arden Street. Il resta prudemment à l'intérieur, surveillant les alentours pour détecter des signes d'activité suspecte. Aucune voiture n'était arrêtée devant le numéro 16, aucun tombereau n'effectuait de livraison. Aucun ouvrier ne travaillait devant la maison ni ne réparait la chaussée. Rien ne sortait de l'ordinaire. Il descendit après avoir réglé la course.

Les cris des vendeurs de journaux montaient des rues commerçantes.

— Meurtre d'une danseuse de music-hall ! Le coupable court toujours ! Encore un crime dans l'East End !

Il rentra la tête dans les épaules, remonta son col et plongea les mains dans ses poches. Il avait appris le meurtre de Gemma par les journaux, comme tous les Londoniens, et savait qu'on l'accusait. Frankie l'avait-il tuée après avoir manqué Joe ? Mais pourquoi ? Pourquoi ? Cette pauvre fille n'était pour rien dans toute cette histoire. Était-ce seulement pour le faire accuser aussi de ce meurtre ?

Il entra dans Arden Street, les nerfs à fleur de peau, prêt à bondir au moindre danger. Mais tout était calme. Un chat traversa devant lui. Une dame taillait ses rosiers. Une autre balayait devant sa porte. Un voisin huilait son portail.

Sid venait de vivre des journées éprouvantes. Il était allé demander asile à Sally Garrett par le souterrain, le même soir où Joe avait été blessé. Elle lui avait donné à dîner et préparé un lit, et lui avait transmis le message. En apprenant qu'India avait bravé les tunnels dont elle avait si peur pour le retrouver, il avait été profondément ému. Dire qu'elle faisait tout cela par amour pour lui, c'était incroyable...

Le voisin le salua au passage.

— Beau soleil aujourd'hui.

— C'est sûr.

Il leva les yeux vers l'appartement. Le bow-window était vide. Il avait espéré y voir India guetter son arrivée. Il entra dans la maison avec prudence, puis monta l'escalier sans bruit. Il ne serait tranquille qu'au moment où le paquebot accosterait à New York et où ils pourraient se perdre dans la foule.

Il s'arrêta sur le palier et colla l'oreille à la porte. Pas de bruit. Il était un peu en avance. Mais quand il ouvrit, il la vit. Elle regardait dehors par le bow-window, au bout du salon. Elle venait d'arriver, sans doute. Elle m'attend, songea-t-il avec un sourire.

— Ah ! Tu es là ! Je m'inquiétais.

Elle ne répondit pas. N'avait-elle pas entendu ?

— Que se passe-t-il, chérie ? Ça ne va pas ?

Elle inclina légèrement la tête, mais resta silencieuse. Il approcha et posa doucement la main sur son épaule. Elle se tourna vers lui.

Ce n'était pas elle !

— Sid Malone, dit une voix grave dans son dos. Je vous arrête pour le meurtre de Gemma Dean et de Henry Wilkins, ainsi que pour la tentative d'assassinat commise sur la personne de Joseph Bristow.

La femme qui avait servi d'appât s'écartait, sans doute par peur de lui. Il tourna les talons pour fuir, mais l'homme qui venait de parler bloquait la porte. C'était Alvin Donaldson, aussitôt rejoint par deux agents en uniforme qui se placèrent derrière lui.

— Bonjour, Malone. Voilà longtemps que j'attends ce moment.

— Comment m'avez-vous trouvé ?

— C'est ta maîtresse qui nous a donné cette adresse.

Impossible, pensa-t-il. India ne peut pas m'avoir trahi… Mais un doute s'insinua en lui. Et si on avait réussi à la convaincre qu'il était coupable ?

— Vous mentez.

— Crois ce que tu voudras. Suis-nous sans résistance.

— Où m'emmenez-vous ?

— À Scotland Yard.

— Je n'ai pas tiré sur Joe, et je n'ai pas tué Gemma. Vous perdez votre temps au lieu de chercher le véritable coupable.

— Tu diras ça au tribunal. Tu pourras mettre au point une belle histoire à dormir debout pendant que tu attendras le procès en prison.

Sid secoua la tête, se rebellant de tout son être contre cette arrestation. C'était un animal qu'on menait à l'abattoir.

Donaldson sortit les menottes.

— C'est fini pour toi, mon ami.

Il jeta des regards éperdus autour de lui. Il n'y avait qu'une issue, que Donaldson bloquait. S'il n'y avait eu que l'inspecteur, il en serait facilement venu à bout, mais les deux agents qui assuraient sa protection étaient de solides gaillards.

Comprenant son intention, Donaldson écarta sa veste pour révéler son arme dans son étui.

— Ne fais pas de bêtise.

Sid recula d'un pas, puis de deux. Il ne se laisserait pas enfermer. Il regarda le ciel bleu une dernière fois par le bow-window. C'était une belle journée de novembre.

Il fit encore un pas, puis, prenant son élan, il se jeta à travers la fenêtre et tomba dans la rue au milieu d'une pluie de verre.

68

India descendit de voiture au coin de Richmond Hill et d'Arden Street à peine cinq minutes avant midi. Pourvu que Sid ne soit pas encore arrivé ! Il était souvent en retard. Ah ! comme elle souhaitait qu'il le soit aujourd'hui !

Parfois, il s'arrêtait dans la jolie rue commerçante avant d'aller à l'appartement, flânant pour acheter des fleurs, du vin, des gâteaux, mais il ne voudrait pas se montrer aujourd'hui... Elle attendit une demi-heure, guettant les voitures, les fiacres, les promeneurs qui venaient vers elle dans Richmond Hill. La demi-heure passée, elle en attendit une autre. Mais quand les cloches sonnèrent une heure, elle comprit qu'elle l'avait manqué.

Désespérée, elle se résolut à faire une reconnaissance dans Arden Street. Une terrible nausée l'avait prise. Seul l'espoir qu'il n'était pas venu la soutenait. Peut-être avait-il des informateurs qui surveillaient Donaldson. Il était expérimenté et intelligent, et connaissait comme personne la jungle londonienne. De toutes ses forces, elle priait le ciel pour qu'il ne se soit pas laissé prendre au piège.

Tout était calme dans la petite rue. Il n'y avait pas de fourgon de police, pas d'agents embusqués. Elle reprit espoir et allongea le pas. Puis elle s'arrêta net. Le bow-window semblait avoir explosé. Ce n'était plus qu'une gueule béante bordée de dents de verre acérées. Elle courut jusqu'au jardinet, poussa la barrière et vit, au milieu des carreaux brisés, du sang dans l'herbe, et des gouttelettes rouges sur les feuilles vernissées du rosier.

— Non... murmura-t-elle.

La porte de la rue n'était que poussée. Elle entra et courut à l'étage. L'appartement était grand ouvert.

— Sid ! cria-t-elle. Sid, tu es là ?

— Non, il n'est plus là, dit une voix.

Donaldson était dans le salon, avec un jeune agent.

— Que lui est-il arrivé ? Que lui avez-vous fait ?

— Mais rien du tout. Je l'attendais pour l'arrêter. À son arrivée, je lui ai demandé de nous suivre tranquillement, mais il s'est jeté par la fenêtre.

India tituba et se raccrocha à un fauteuil.

— Où est le corps ? Je veux le voir !

— Il n'y a pas de corps.

— Comment, pas de corps ?

— Il n'est pas mort, docteur Jones.

Des larmes de soulagement montèrent aux yeux d'India.

— Où est-il ? À l'hôpital ? En prison ?

— Il a réussi à s'enfuir, mais nous n'allons pas tarder à lui remettre la main dessus. Il s'est blessé dans sa chute, et il a reçu une balle dans le dos.

— Vous avez tiré !

— Puisqu'il s'échappait... Mais je n'ai pas tiré pour tuer.

— Quand on sait le danger des hémorragies et des infections, c'est tout comme ! Mais vous vous en moquez. Et pourquoi êtes-vous encore ici, inspecteur ? Vous ne le pourchassez pas ?

— Mes hommes s'en chargent. Nous venons de fouiller les lieux, et maintenant vous allez pouvoir me dire où il est allé, cela me fera gagner du temps.

— Je n'en sais rien. Mais si je le savais, vous vous doutez bien que je ne vous le dirais pas. Pourquoi vous acharnez-vous contre lui ? Il veut se réhabiliter.

Donaldson eut un rire narquois.

— Comme c'est amusant ! C'est ce qu'il vous raconte ? On vous ferait gober n'importe quoi.

India l'écoutait à peine. Il fallait chercher Sid, le retrouver, l'aider à fuir.

— Je devine ce qui est arrivé, allez, dit Donaldson d'une voix adoucie. Des femmes comme vous, j'en connais beaucoup.

— Ah oui ?

— Oui, des jeunes filles de la haute société, bien élevées et charitables qui se dévouent comme vous dans l'East End. On en trouve dans les missions, dans les soupes populaires, les orphelinats et les prisons. Elles ont le cœur tendre et sont animées d'excellentes intentions, mais, soyons francs, ce ne sont que des proies trop faciles pour des hommes sans scrupule comme Malone. Il s'est servi de vous. Un criminel reste un criminel. Il a fait beaucoup de mal à beaucoup de gens et, maintenant, il est temps qu'il paie pour ses crimes.

— Et vous ? jeta-t-elle d'une voix dure. Allez-vous payer pour les vôtres ?

— Je vous demande pardon ?

— Allez-vous payer pour vos crimes, inspecteur ? Vous êtes un homme corrompu. Vous recevez de l'argent pour saboter les réunions politiques. Vous revendez l'opium que vous confisquez. Vous acceptez des pots-de-vin pour protéger les proxénètes.

Le jeune agent écoutait, abasourdi.

— Suffit ! tonna Donaldson. Faites attention, docteur Jones ! C'est uniquement grâce à moi que vous échappez à la prison.

— C'est plutôt grâce à M. Lytton qui vous paie pour ne pas m'y mettre. Il espère encore m'épouser, et il ne veut pas que le nom de sa future épouse soit sali. Si vous voulez m'arrêter, ne vous privez pas. Sinon, sortez de chez moi !

— Je ne vous arrête pas, mais je rattraperai Malone, soyez-en sûre. Je mettrai un point d'honneur à ce qu'il soit jugé, condamné et pendu.

— Pour deux meurtres qu'il n'a pas commis ! Je n'y compterais pas si j'étais vous. La corruption de magistrats est un luxe que la bourse de M. Lytton ne peut plus s'offrir.

L'inspecteur la fusilla du regard, puis il partit sans ajouter un mot, suivi de son subordonné. Cet homme lui était odieux, et, pourtant, si elle avait pensé pouvoir le faire fléchir, elle se serait jetée à ses pieds pour le supplier d'épargner Sid.

Elle approcha du bow-window par lequel elle ne pourrait plus espérer le voir venir et, machinalement, enleva les morceaux de verre encore enchâssés dans l'encadrement. La pensée que Sid gisait seul et blessé dans une impasse sordide l'obsédait.

Elle enveloppa les débris dans du papier journal, puis s'effondra sur le canapé, la tête entre les mains, et éclata en sanglots. Une violente nausée la reprit, qui, cette fois, fut plus forte qu'elle. Elle fut aussi terriblement malade que le jour de la mort de Mme Coburn et de son fils Harry. Le même sentiment d'impuissance l'étouffait. Elle aurait tout donné pour sauver Sid, mais le plus terrible était d'être condamnée à l'inaction. Elle ne pourrait pas faire un pas sans risquer de conduire la police jusqu'à lui.

Avant de partir, elle demanderait au vitrier de réparer la fenêtre. Cela, au moins, elle pouvait s'en charger. Ensuite, il ne lui resterait plus qu'à retourner à Brick Lane chez les Moskowitz où elle attendrait des nouvelles de lui, l'angoisse chevillée au cœur.

69

— Madame, n'ouvrez pas ! C'est dangereux, à cette heure indue !

Foster accourait dans le vestibule, mais Fiona tournait déjà la clé dans la serrure. La main sur la poignée, elle manqua soudain de courage. Elle appuya sa tête à la porte, incapable d'ouvrir.

— Laissez-moi faire, dit doucement son majordome.

Elle secoua la tête en lui jetant un regard tourmenté. Ce coup de sonnette à minuit et demi ne pouvait qu'être annonciateur de mauvaises nouvelles. L'état de Joe devait s'être aggravé. Tremblante, elle ouvrit, s'attendant à trouver un messager de l'hôpital. Mais son visiteur tardif était un homme qu'elle n'espérait plus voir se présenter à sa porte. Il était d'une pâleur mortelle, ses vêtements étaient couverts de sang, et un de ses bras pendait.

— Charlie ! s'écria-t-elle. Va-t'en ! Assassin !

Elle se jeta sur lui, lui martelant la poitrine de ses poings. Il recula, faillit tomber en arrière, mais parvint à retrouver l'équilibre.

Foster se précipita.

— Madame, je vous en prie, rentrez, dit-il en la séparant de son frère. Monsieur, veuillez partir immédiatement, ou j'alerte la police.

— Fiona, ce n'est pas moi qui ai tiré sur Joe ! Je ne lui aurais jamais fait de mal, je te le jure !

Elle s'arracha à Foster.

— Tu mens ! Il y avait des témoins !

— C'est un de mes hommes le coupable. Il s'est fait passer pour moi. Il a donné mon nom.

— Mais pourquoi ?

— Je ne sais pas ! Pour me nuire ! Ce n'est pas moi, il faut me croire. Joe te le dira quand il reprendra conscience. Il te le dira !

Elle secoua la tête, en larmes.

— S'il reprend conscience…

— Il va s'en sortir. C'est une force de la nature.

— Pourquoi as-tu toujours refusé de me voir ?

— Je ne voulais pas te mêler à ma vie. C'était pour te protéger.

— Monsieur, intervint Foster, c'est mon dernier avertissement !

— Je t'en prie… Fi… Crois-moi ! Je n'ai pas tiré sur Joe.

Elle plongea les yeux dans ceux de son frère, fouillant son âme comme elle le faisait dans leur enfance pour démêler le vrai du faux. Elle vit qu'il ne lui mentait pas. Elle poussa un cri de joie et l'étreignit.

— Pardon, Charlie, sanglota-t-elle. Pardon.

— Tu n'as pas à t'excuser, murmura-t-il. Je voulais que tu le saches. Il faut que je parte, maintenant.

— Non, reste. Entre.

— Je ne peux pas.

— Tu es blessé. Je te dis d'entrer !

— Madame, êtes-vous sûre que ce soit prudent ? demanda Foster, alarmé.

— Oui ! Vite ! On risque de le voir. Vite, monsieur Foster !

Quand ils furent dans le vestibule, la porte bien fermée derrière eux, Foster voulut prendre la situation en main.

— Je vais appeler un docteur.

— Non ! intervint promptement Sid.

— Mais tu saignes, protesta Fiona. Il faut te soigner.

— C'est trop risqué. Ne faites venir personne.

— Dans ce cas, Monsieur, je peux essayer de vous soigner moi-même. J'étais assistant médical sur mon bâtiment, dans la marine. Allons dans la cuisine, je vais regarder votre blessure.

Une voix dans l'escalier les interrompit.

— Fiona ? Que se passe-t-il... J'ai entendu du bruit...

C'était Seamie, revenu de chez les Alden pour soutenir sa sœur dans ces heures difficiles. Il descendait en pyjama, l'air endormi.

Le cœur de Fiona se contracta. Elle n'aurait pas voulu que la vérité lui soit révélée si brutalement, mais on ne pouvait plus rien faire.

— Seamie, il faut que je te dise quelque chose. J'aurais dû te parler beaucoup plus tôt, mais je n'en ai jamais eu le courage.

— Quoi ? Qu'est-ce qu'il y a ?

— Salut, mon gars, tu te souviens de moi ? demanda Sid en s'appuyant au mur pour se soutenir.

Quand Seamie le vit, les couleurs disparurent de ses joues.

— Charlie ?

— Oui, c'est moi.

À peine Sid eut-il prononcé ces mots qu'il s'écroula par terre.

— Charlie ! hurla Fiona.

Elle se précipita, mais fut devancée par Foster.

— Monsieur Seamus, s'il vous plaît, pourriez-vous le prendre par les jambes ? demanda-t-il en le soulevant sous les bras.

Ils le descendirent à la cuisine, où ils l'allongèrent sur la table. Foster lui enleva sa veste et sa chemise.

— Mon Dieu ! souffla Fiona. Vous avez vu les marques sur son dos ? C'est épouvantable.

— Chat à neuf queues, commenta Foster. Il a fait de la prison. La blessure n'est pas trop profonde, ajouta-t-il en montrant l'endroit où la balle s'était arrêtée, en bas de l'omoplate gauche. Ça n'est pas trop grave, à première vue. L'extraction sera facile.

— Et son bras ? Il est cassé ?

— Non, déboîté. Je vais le lui remettre en place.

Il demanda à Fiona et à Seamie de faire bouillir de l'eau pendant qu'il réunissait du whisky, de la quinine, des compresses et des vêtements propres. La douleur fit reprendre conscience à Sid quand Foster lui remit l'épaule en place, mais la procédure fut rapide et lui redonna l'usage de son bras. Ensuite, l'extraction de la balle fut presque une formalité, facilitée par l'absorption d'une gorgée de whisky qui atténua les sensations. Quand le pansement fut fait, Sid enfila une vieille chemise de Joe et passa de la table à une chaise, sur laquelle il s'affala, pâle et tremblant, mais en bien meilleur état.

Foster sortit une bouteille de bordeaux, fit chauffer de la soupe et prépara des sandwichs.

— Je vais préparer le lit de Monsieur dans une des chambres d'amis, Madame, annonça-t-il ensuite. Puis-je suggérer que notre invité y reste enfermé après cinq heures ce matin pour éviter les bavardages des domestiques ?

— Merci, monsieur Foster. Merci mille fois. Nous serons très prudents.

Il inclina la tête et la laissa seule avec ses frères. Seamie avait pris place à un bout de la longue table, et Fiona et Sid s'étaient assis face à face près de lui. Passé la première émotion, un silence presque inquiétant était tombé, rythmé par le tic-tac de l'horloge.

Fiona dévisagea Charlie. Il avait changé, vieilli. Son

regard était devenu dur et méfiant, mais elle voyait encore, sous la carapace, le compagnon de son enfance.

Elle eut beau se mordre les lèvres pour retenir ses larmes, rien n'y fit. En pleurs, elle tendit la main vers lui. Il était là, enfin, après toutes ces années. Voilà douze ans qu'ils n'avaient pas été réunis tous les trois.

— Pardon, dit Charlie. Pardon pour Joe. Pour tout ce gâchis.

Elle s'essuya les yeux.

— Mange ta soupe, ça te redonnera des forces.

Elle se tourna vers son jeune frère. Lui non plus ne touchait pas à son assiette. Il semblait hébété.

— Seamie, chéri, mange.

— Je n'ai pas faim ! s'exclama-t-il. Peux-tu m'expliquer ce qui se passe ?

Voyant que Fiona arrivait à peine à parler, Sid se chargea de le mettre au courant. Il retraça les événements de 1889, raconta pourquoi et comment il avait pris l'identité de Sid Malone, parla de la vie de criminel qu'il avait menée jusqu'à ce jour, et dit pourquoi il fuyait la police. Il ne lui épargna rien, et, quand il eut fini, Seamie, qui avait gardé le plus profond silence, se tourna vers sa sœur avec indignation.

— Pourquoi m'as-tu caché tout ça ? C'est aussi mon frère, il me semble !

— J'avais peur que tu sois malheureux. Vous étiez si proches, toi et Charlie, et j'ai eu peur…

Il ne la laissa pas terminer. Se levant d'un bond, il s'écria avec rage :

— J'en ai assez que tu me traites comme un gamin !

— Sois poli avec ta sœur, petit, intervint Sid.

— Que je sois poli avec elle ? Venant de toi, c'est parfait ! Parce que toi, tu trouves poli de dévaliser des banques et de cambrioler les gens ?

— Seamie, tais-toi… protesta Fiona.

— Est-ce que tu avais l'intention de me le dire un jour ?

— Oui, bien sûr, mais d'abord, je voulais retrouver Charlie pour le convaincre de changer de vie, de…

— De changer de vie ? Pour quoi faire ? Pour vendre du thé ou des oranges comme tu voulais m'y obliger ? C'est inconcevable ! Mon frère n'est pas mort, il se porte comme un charme, c'est même devenu le plus grand bandit de Londres, et personne ne me dit rien. Tu me caches d'autres choses de cette importance ? Non, attends, ne me dis rien, ajouta-t-il en se saisissant du dossier de sa chaise. Je préfère me rasseoir.

Sid jeta un coup d'œil à Fiona.

— Il t'en veut.

— Non, je ne lui en veux pas, je suis fou de rage !

— Mais à quoi cela aurait-il servi de te mettre au courant ? Charlie ne voulait plus nous voir. Tu aurais eu de la peine. C'était pour te protéger.

— Je t'ai déjà dit cent fois que je n'avais plus besoin de ta protection, mais tu ne m'écoutes pas. Je suis un homme maintenant !

— Si tu es un homme, conduis-toi comme tel, intervint Sid. Le mari de Fiona est à l'hôpital, elle est sur le point d'accoucher et elle vient de recueillir un fugitif. Tu ne trouves pas que c'est suffisant ?

— Quand je pense que je t'ai cru mort pendant toutes ces années ! On m'a privé de mon frère.

— Je le regrette, crois-moi, plus que tu ne le penses. Mais je suis là, maintenant.

— Merveilleux. Et nous allons pouvoir jouer au gendarme et au voleur !

Seamie croisa les bras, l'air buté, Sid prit une bouchée de sandwich, et le silence retomba. Fiona les regarda, la mort dans l'âme. Elle avait tellement rêvé de ces retrouvailles, et voilà que plus personne ne se parlait.

Elle tourna la tête, passant de Charlie à Seamie. Ils se ressemblaient comme deux gouttes d'eau. Cheveux roux, yeux verts, énergiques, têtes brûlées, incontrôlables. Ils baissaient les yeux tous les deux, Seamie bouillant de colère, Charlie transi de culpabilité.

Comme elle aurait voulu qu'ils se comprennent ! Mais c'était mieux que rien. Il fallait profiter de cette soirée, car Dieu seul savait ce que leur réserverait le lendemain. Ce soir, au moins, ils étaient ensemble.

Seamie se racla la gorge.

— Charlie ?

— Oui, petit ?

Fiona ne respirait plus, attendant une réconciliation, une phrase qui ferait d'eux de nouveau des frères.

— Passe-moi le sel, tu veux ?

70

Prostrée au fond de son lit, India ne se levait plus, ne mangeait plus. Son état de santé préoccupait énormément Ella.

— Indy, vous devriez vraiment prendre un petit déjeuner. Un peu de lait, au moins ? Un toast ?

— Impossible. Toute idée de nourriture me soulève le cœur.

— Mais vous n'avez rien avalé depuis avant-hier.

— Pardon, Ella, je reviens…

Elle descendit du grenier en courant pour aller s'enfermer dans le cabinet de toilette de l'appartement des Moskowitz. À son retour, elle se jeta sur son lit en gémissant.

— C'est l'inquiétude qui me rend malade, Ella, ne me regardez pas de cette façon. Je n'y peux rien.

— Gardez confiance, dit son amie en lui prenant la main. Il s'en sortira.

— J'ai tellement peur pour lui ! J'ai peur qu'il souffre, qu'il soit seul. Cela fait deux jours. Il est peut-être mort...

— Chut... Bien sûr qu'il n'est pas mort.

— Nous n'en savons rien !

— Il est assez solide pour supporter une chute et une blessure par balle. Il a traversé de pires épreuves. S'il était mort, on aurait trouvé son corps et les journaux auraient rapporté la nouvelle. Sid est en vie, Indy, c'est une certitude.

— Il ne m'a donné aucune nouvelle...

— Ce serait la dernière des choses à faire. Il sait qu'on vous surveille. Le planton est d'ailleurs loin d'être discret. Votre courrier est passé au crible.

— Ella, croyez-vous qu'il pourrait m'abandonner ?

— Mais non, ne dites pas de bêtises. Il vous contactera d'une façon ou d'une autre. Il vous fera parvenir un message. Il vous suffit d'être patiente. Je sais que c'est dur.

Les propos rassurants d'Ella réconfortèrent un peu India, ce qui ne l'empêcha pas d'être prise d'une nouvelle nausée.

— Encore ! s'exclama Ella en la voyant se lever. India, je vais envoyer chercher Harriet !

À son retour, elle la soumit à une auscultation détaillée.

— Vous avez encore minci.

— C'est normal, je ne garde rien depuis des jours.

— Depuis combien de temps vous sentez-vous mal ? Combien de temps exactement ?

— Je ne sais pas. Une semaine. Peut-être deux. Je n'ai pas besoin d'Harriet pour savoir ce que j'ai. Ce n'est pas la grippe : je n'ai pas de douleurs articulaires, pas de symptômes bronchitiques. C'est l'angoisse, comme je vous le disais.

Ella secoua la tête.

— Et vous vous flattez d'être un bon médecin ! Ce n'est pas l'angoisse, voyons !

— Et quoi d'autre ?

— Avez-vous eu vos menstrues ?

— Oui, bien sûr. Je les attends pour… attendez…

Elle réfléchit, puis pâlit.

— Mon Dieu, Ella !

Elle était enceinte. Elle attendait un enfant de Sid ! C'était soudain une évidence. Les premières fois, elle n'avait pris aucune précaution. Une joie immense, d'une intensité rare, monta en elle.

— Je suis enceinte, murmura-t-elle. Ella, je suis enceinte !

— Ne vous faites pas de soucis.

— Je ne m'en fais pas. Je sais que je devrais, étant donné les circonstances, mais je suis tellement heureuse ! Nous irons en Amérique, Sid et moi, et le bébé naîtra là-bas. En Californie. J'ai tellement hâte de le lui dire. Je lui annoncerai la nouvelle dans le bateau, dès que nous serons loin des côtes. Ou plutôt non, quand nous serons arrivés à New York. Ou alors j'attendrai que nous soyons installés à Point Reyes. Chez Wish. C'est une si belle nouvelle…

Mais la situation s'imposa soudain à elle dans toute sa réalité, et son bonheur se transforma en un terrible effroi.

— À moins qu'il ne vienne pas… S'il ne vient pas… je serai fille mère. Je perdrai le droit d'exercer la médecine. Comment gagner ma vie ? Comment élever mon enfant ? Ce pauvre petit grandira sans père.

— Voulez-vous cesser d'imaginer des choses pareilles ! Cela n'arrivera pas. Sid trouvera un moyen de vous retrouver.

— Vous en semblez tellement sûre…

Ella eut un sourire.

— J'en suis sûre, parce que ma mère l'a dit, et que ma mère ne se trompe jamais. Vous êtes *beshert*. Destinés l'un à l'autre.

L'ombre d'un sourire passa sur le visage d'India qui serra frénétiquement la main de son amie dans les siennes, voulant y croire.

71

Dans son lit du 94 Grosvenor Square, Sid luttait contre une faiblesse extrême. L'infection qu'il combattait depuis trois jours l'empêchait de se nourrir, et la fièvre ne baissait pas. Il aurait pris le dessus plus vite si le désespoir ne l'avait pas miné. Une terrible certitude sapait ses forces : seule India avait pu le trahir. Qui d'autre aurait pu donner l'adresse de l'appartement à la police ?

Par moments, il en doutait encore. India l'aimait. Elle connaissait son passé et avait été prête à tout quitter pour lui. Mais l'enchaînement des événements n'était que trop facile à comprendre. Elle le croyait coupable.

Tout le désignait : les circonstances, les journaux, la

police. Pourquoi ne se serait-elle pas rangée à l'évidence ? Après tout, l'homme qu'on accusait était un criminel endurci, sans foi ni loi, capable de tout.

Le souvenir de leur dernier petit déjeuner ne faisait qu'accentuer cette peur. Il n'aurait été que trop facile de mal interpréter ses paroles. Malgré les craintes d'India, il avait annoncé son intention d'accomplir une dernière tâche importante. Quelques heures plus tard, Joe se retrouvait à l'hôpital, un témoin était mort, et les autres l'avaient formellement reconnu.

Les crimes qu'on lui imputait étaient si terribles qu'elle avait dû aller trouver la police. Ou si elle ne l'avait pas fait, les enquêteurs avaient appris leur liaison et l'avaient convaincue de parler. On avait menacé de l'arrêter. Il aurait voulu garder foi en elle... mais, au fond, il n'était pas surpris. Il méritait ce qui lui arrivait.

Il s'attendait depuis trop longtemps à payer ses crimes pour ne pas croire à une trahison. Il avait espéré qu'India le sauverait ; c'était elle qui le perdait. Cet amour, dont il s'était tant défendu, au lieu d'être rédempteur le vouait à l'enfer, et il acceptait son châtiment.

Mais il avait beau se savoir condamné à une perpétuité de souffrance, l'instinct de survie lui commandait de fuir. Il lui fallait quitter l'Angleterre. Il avait de nombreuses relations d'affaires le long de la Tamise. Des capitaines de navires commerçant avec la Chine, Ceylan, l'Afrique. Il trouverait à embarquer s'il parvenait à se rendre dans un grand port.

— Il faut que je sorte d'ici, bon Dieu !

Il se leva et fit quelques pas chancelants.

— Recouche-toi, dit Seamie sans se lever de son fauteuil. C'est trop tôt pour partir. Toute la police de Londres est à tes trousses.

Il feuilletait les journaux du jour, passant en revue les nouvelles concernant son frère.

Sid dut bien reconnaître qu'il avait raison. Faute de pouvoir rompre cet enfermement qui le rendait fou, il décida de prendre au moins de l'exercice. Il marcha de long en large, puis travailla à tendre et à lever son bras blessé. Des gouttes de sueur perlaient sur son front, des gémissements lui échappaient. Le moindre mouvement le mettait au supplice, mais il persista.

Le reste de la maison lui était interdit. On avait dit au personnel qu'un ami de Seamie, atteint d'une maladie contagieuse, occupait la chambre, et qu'il ne fallait pas en approcher. C'était le majordome qui montait ses plateaux.

— Rien d'intéressant ? demanda Sid.

— Pas pour l'instant…

Sid considéra son frère avec une affection mélancolique. Ils ne passeraient que quelques jours ensemble. On ne rattrapait pas le temps perdu, et les circonstances allaient de nouveau les séparer.

— Ah !… Voilà quelques lignes sur l'enterrement de Gemma Dean.

Sid écouta à peine la lecture de l'entrefilet. La mention de Gemma ranimait sa peine. Il se sentait responsable de sa mort. Si Frankie avait commis ces crimes, c'était à cause de lui, comme il l'avait expliqué à Fiona.

— Mais pourquoi ? s'était-elle étonnée.

— Parce que c'est un garçon violent qui a des comptes à régler.

— Avec Joe ? Avec cette femme ?

— Avec moi. Je pense que c'est sa façon de me retenir. Il ne veut pas que je change de vie.

— S'il tient tellement à toi, pourquoi risquer de te faire pendre ? était intervenu Seamie.

— Frankie pense rarement aux conséquences de ses actes. Il voulait simplement m'attacher à lui et à la pègre pour toujours.

Fiona, qui revenait de l'hôpital, trouva Seamie occupé à lire le journal à Sid lorsqu'elle entra dans la chambre.

— Que fais-tu debout ? s'exclama-t-elle en posant la main sur le front du malade. Tu es moins chaud que la nuit dernière, c'est déjà ça. Remets-toi au lit.

Il obéit sans protester.

— Comment va Joe ?

— Aucun changement. Il respire, mais il est immobile et sans connaissance. Les infirmières le nourrissent à l'aide d'un tube. Une bouillie d'avoine mélangée à du lait… Avant de venir vous voir, je suis allée dire bonsoir à Katie. Elle a encore demandé quand son papa rentrait. Je n'ai pas su quoi lui répondre…

Sa voix se brisa, et Sid lui prit la main.

— Ne pleure pas, Fi. Il dort pour mieux guérir. Il va s'en sortir.

— Tu crois ?

— J'en suis sûr. Il m'est arrivé un peu la même chose, un jour. Quelqu'un est resté près de moi comme tu le fais pour Joe. C'est très important.

Elle hocha la tête, mais semblait si lasse qu'il lui fit de la place sur le lit pour qu'elle s'allonge à côté de lui. Elle retira ses bottines et se coucha, jambes repliées. Les grincements inquiétants qui accompagnaient ses mouvements firent rire Seamie.

— Attention, le lit va s'effondrer !

— Comment se porte le bébé ? demanda Sid.

— Il bouge beaucoup. C'est un vrai petit diable.

Elle lui prit la main et la posa sur son ventre. Il ne fallut pas deux secondes pour qu'un coup le fasse sursauter.

— Un costaud ! commenta-t-il. Ce sera un bon joueur de rugby, avec des jambes pareilles.

— Tiens ! s'exclama Seamie, toujours plongé dans le journal.

— On parle de Charlie ? demanda Fiona.

— Non, de moi. Enfin... en quelque sorte. Il s'agit de l'expédition pour l'Antarctique. Le prince Édouard vient de faire un don de dix mille livres. Écoutez ça...

Sid eut un sourire. L'enthousiasme de son frère pour ce projet un peu fou lui plaisait. Il devait partir au Groenland la semaine suivante en voyage préparatoire, et, malgré les inquiétudes de Fiona, parlait sans cesse de son aventure. Cette passion faisait plaisir à voir, mais attristait leur sœur. Il la comprenait, car elle allait perdre ses deux frères : Seamie que ses voyages éloigneraient de Londres pour de longs mois, voire des années, et lui, banni de son pays sans doute pour toujours.

Quand Seamie eut terminé sa lecture, Fiona se désola.

— Je ne comprends pas ce qui te pousse à aller dans des endroits aussi dangereux.

— C'est dans sa nature, intervint Sid. Même petit, il ne tenait pas en place. On le perdait toujours partout. Tu te souviens ? Après la mort de papa, il nous a échappé sur la berge de l'entrepôt Oliver pour regarder les bateaux. Il était pratiquement à Limehouse quand nous l'avons rattrapé.

— Vous vous ressemblez, tous les deux. Toujours en train de filer.

— Je n'ai pas le choix, Fi. Il faut que je parte.

— Quand Joe reprendra conscience, il dira à la police que ce n'est pas toi qui as tiré.

— Oui, mais Gemma ne peut plus témoigner. Je dois quitter l'Angleterre, c'est ma seule chance.

— Mais comment vas-tu faire ? Tu seras arrêté dès que tu mettras le nez dehors.

Seamie prit un autre journal et lut un titre à la une à voix haute.

— *Le meurtrier échappe à la police*. Rien de nouveau, continua-t-il en parcourant l'article. Donaldson dit que Sid est tombé dans un piège à Richmond, qu'il a réussi à fuir mais qu'il est grièvement blessé. Il le croit mort, mais la traque ne s'arrêtera qu'au moment où on retrouvera le corps. Ah ! Ce n'est pas tout ! Il y a aussi une déclaration de Lytton : « Nous espérons prendre Malone vivant, mais, mort ou vif, nous mettrons fin à sa carrière. Il faut que Joseph Bristow, sur son lit de douleur, et ses autres malheureuses victimes au ciel sachent que justice a été rendue, si ce n'est par les hommes, du moins par Notre-Seigneur. »

— On dirait qu'il a déjà commencé sa campagne, soupira Fiona.

— Ils sont enragés. Je ne crois pas qu'ils veulent vraiment me prendre vivant.

Ce commentaire plongea Seamie dans une profonde réflexion.

— Eh bien, dans ce cas, nous n'avons qu'à te tuer.

— Pardon ?

— Il faut tuer Sid Malone.

— Hé, petit, pas de zèle !

— Je ne plaisante pas. S'ils te croient mort, la traque cessera, et tu quitteras le pays beaucoup plus facilement.

— Mais il faudrait qu'ils trouvent mon corps…

— Exactement comme tu l'as fait en 1889 !

— C'était un hasard, un accident. Tu ne voudrais quand même pas que je tue un homme qui me ressemble pour le jeter à l'eau ? Cette fois, si on m'arrêtait, j'aurais vraiment mérité de pendre au bout d'une corde !

— Nous n'avons qu'à trouver un cadavre.

— Tu es fou, interrompit Fiona. Tu ne peux pas exhumer un corps dans un cimetière ! Et puis, crois-tu que la police se laisserait prendre deux fois au même stratagème ?

— Personne ne se doute qu'il y a eu substitution la première fois, et c'était il y a douze ans. La police repêche des corps dans le fleuve tous les jours.

— C'est dangereux et immoral.

— Mais ça pourrait marcher.

— Seamie, on dirait que ça t'amuse ! Nous ne sommes pas dans un roman d'aventures.

— C'est pourtant logique, Fi. Si on identifie le corps de Sid Malone, la police arrêtera ses recherches, et il pourra partir où il voudra : en Inde, en Amérique. Il sera libre. Le plus dur sera de trouver un mort.

— Pas autant que tu le crois, intervint Sid. Je connais quelqu'un... un docteur... qui m'a montré où les cadavres sont conservés à la faculté de médecine. Rien ne serait plus facile que d'en récupérer un.

— Charlie ! C'est insensé ! Tu vas ajouter la profanation au reste de tes exploits, et faire arrêter Seamie par-dessus le marché.

Fiona tremblait de peur ; les larmes n'étaient pas loin. Sid chercha à l'épargner.

— Tu as raison, mieux vaut ne pas tenter le sort. Je resterai ici le temps qu'il faudra. L'attention de la police va finir par se relâcher.

L'ayant ainsi rassurée, il lui conseilla d'aller se coucher. Il fallait qu'elle se ménage pour Joe, pour Katie et pour le bébé. Elle reconnut être très fatiguée, les embrassa tous les deux et les laissa.

Dès que la porte fut fermée, Seamie se tourna vers Sid et demanda simplement :

— Quand ?

— Demain soir.

72

— Katie a quatre nouvelles dents et c'est un vrai moulin à paroles. Tu lui manques. Elle demande sans arrêt quand tu vas rentrer. Je lui ai dit que tu reviendrais bientôt… Elle t'envoie son lapin.

Fiona sortit la peluche de son sac et la posa sur l'oreiller contre la joue de Joe.

— C'est Walter. Tu te souviens de lui ? Ta mère le lui a donné à Pâques. C'est son jouet préféré. Elle m'a demandé de te l'apporter pour que tu ne te sentes pas trop seul.

Sa voix s'étrangla. Elle ferma les yeux pour retenir ses larmes.

— Elle te fait dire qu'elle t'aime beaucoup.

Elle lui caressa les cheveux, redressa le col de son pyjama, lui prit la main, l'embrassa et l'appuya contre sa joue.

— Réveille-toi, mon amour. Je t'en prie. Réveille-toi.

On frappa, et la porte s'ouvrit.

— Madame Bristow ? Je suis désolée, je vous dérange ?

— Pas du tout, India. Entrez, dit Fiona avec un sourire.

— Je suis déjà venue voir votre mari, mais… je pense que vous n'étiez pas en état de me reconnaître.

— C'est bien possible.

— Comment allez-vous ? Et l'enfant ?

— L'enfant va très bien, je crois. Il se prépare à naître.

— Et vous ?

— Ma santé est moins éclatante.

India prit une chaise de l'autre côté du lit.

— Il est très bien soigné, vous savez. Le Dr Harris est un excellent médecin.

— C'est ce qu'on m'a dit.

India prit le poignet de Joe pour tâter son pouls.

— Il a des réactions ?

— Non. J'essaie de le stimuler. Je lui parle beaucoup. Il me semble qu'il m'entend. C'est peut-être une illusion, mais enfin…

— C'est tout à fait possible. Beaucoup de patients se souviennent de choses qui leur ont été dites pendant qu'ils étaient dans le coma. Continuez, il est possible que ce soit bon pour lui.

Elle souleva les paupières de Joe pour examiner ses yeux, puis elle lui pinça doucement les paumes et les plantes de pied.

— Le dispensaire doit être prêt à ouvrir, dit Fiona. Je voulais vous rendre visite, mais je ne vais pas en avoir le temps, maintenant.

— Tout se passe bien. Nous serons prêtes dans une semaine. Le Dr Hatcher, comme vous le savez peut-être, dirigera notre service de pédiatrie. Ella sera l'infirmière-chef. Un de mes professeurs de faculté, le Pr Fenwick, sera notre administrateur.

— Et vous, quel sera votre rôle ?

— Je n'en aurai aucun. Je vais quitter Londres.

— Comme c'est dommage ! Et pour quelle raison, si ce n'est pas indiscret ?

— Une personne qui m'est très chère se trouve en grande difficulté, et pour l'aider il faut que je parte.

— Mais vous reviendrez…

— Je n'en suis pas sûre.

— Ce doit être difficile pour vous. Vous teniez tellement à ce dispensaire.

— Oui, c'est très difficile.

Voyant son regard se brouiller, Fiona voulut la faire sourire.

— Cette personne, j'espère pour vous que ce n'est pas votre frère ! J'en ai deux, et ils se fourrent sans arrêt dans les pires difficultés !

— Je n'ai pas de frères. Une sœur, seulement.

— Estimez-vous heureuse !

La plaisanterie avait coûté à Fiona qui s'inquiétait terriblement pour Charlie. La fièvre était tombée, mais il restait encore faible. Si elle ne pouvait pas faire appel à un médecin de famille ordinaire qui risquerait de le reconnaître et de le dénoncer, avec le Dr Jones, ce serait différent. Fiona avait une confiance absolue en elle. Peut-être aiderait-elle Charlie à se rétablir plus vite, et cela la rassurerait.

— India, j'aimerais vous demander un service…

— Tout ce que vous voudrez, n'hésitez pas.

— Pourriez-vous…

Non, c'était trop exiger d'elle. En la rendant complice d'un fugitif, elle lui ferait risquer la prison. Ce serait une curieuse façon de la remercier.

— … pourriez-vous continuer de venir voir Joe tant que vous serez à Londres ? J'ai tellement confiance en vous…

— Mais bien entendu. D'ailleurs, profitez de ce que

je suis là pour aller prendre une tasse de thé et vous restaurer un peu. Cela vous dégourdira les jambes. Je parlerai à votre mari pendant votre absence.

— Merci. Merci beaucoup. Et merci aussi pour tout ce que vous avez fait pour nous. Après m'avoir sauvée au meeting, voilà que vous sauvez la vie de Joe !

Elle tendit le bras par-dessus le lit pour lui prendre la main et la retint dans les siennes quelques secondes. Si elle ne la revoyait pas en revenant dans la chambre, peut-être ne la reverrait-elle jamais. Cette idée la peina. Quel dommage qu'elles n'aient pas eu l'occasion de mieux faire connaissance. Cette femme, si sensible et si forte, était remarquable.

Près de l'hôpital, Fiona trouva un petit salon de thé où elle s'installa, tremblant encore de l'imprudence qu'elle avait failli commettre. Charlie ne lui aurait pas pardonné son excès de sollicitude, et le Dr Jones aurait sûrement été très choquée d'être contrainte de protéger un homme recherché pour meurtre.

Pour une fois, elle avait réussi à faire taire son cœur et à se montrer raisonnable. C'est bien, se dit-elle. Il ne fallait pas la mêler à ça. Pour une fois, tu as bien agi.

73

Sid se sentait observé.

Il tourna discrètement la tête et vit la serveuse. C'était sa chope vide qui avait attiré son attention. Il en commanda une autre, comme l'aurait fait n'importe quel ouvrier à la pause de midi. Quand elle l'apporta à sa table, il paya sa consommation et marmonna un remerciement qu'elle n'entendit pas, trop occupée pour lui jeter plus qu'un coup d'œil. Il baissa la visière de sa casquette et reprit son guet, ressemblant en tout point aux autres buveurs.

Entre le pub et la banque Albion, qui se trouvait en face, la rue était encombrée de voitures, et les trottoirs fourmillaient d'employés qui allaient déjeuner. Sid scrutait la foule, cherchant Seamie. Il serait facile à repérer, vêtu qu'il était d'une veste de tweed couleur moutarde. Dans cette mer de robes et de redingotes noires, il ne passerait pas inaperçu.

Il leva les yeux vers le fronton de la banque. L'horloge marquait midi et vingt-huit minutes. Seamie devait entrer dans le hall à trente exactement, et en ressortir un quart d'heure plus tard. Si tout se passait bien, Sid aurait bientôt récupéré son énorme pactole. Sinon, il se retrouverait en prison.

L'opération avait commencé la veille. Tôt le matin, dès le départ de Fiona pour l'hôpital, Seamie avait été dépêché en mission de reconnaissance. Il était chargé de rôder autour de la faculté de médecine afin de repérer les portes, les fenêtres et les arbres susceptibles de leur permettre de grimper par-dessus le mur d'enceinte. Ensuite, il avait parcouru les rues avoisinantes pour effectuer quelques achats indispensables. Il s'était procuré de la teinture pour cheveux, des vêtements de travail, des gants, un revolver et des balles, de la corde, de la toile, des bougies et des allumettes, un poinçon, et enfin un paquet d'épingles à cheveux. Il s'était dépêché de rentrer avant Fiona, et avait caché ses emplettes sous le lit de Sid. Ensuite, il avait fallu attendre. Fiona était rentrée, ils avaient dîné dans la chambre de Sid, puis elle était allée se coucher. Enfin, peu avant minuit, alors que la maisonnée dormait enfin, ils étaient sortis sans bruit pour se rendre à la faculté de médecine.

Dans l'après-midi, Seamie avait loué un cheval et une carriole chez un chiffonnier, à deux rues de la faculté, au prix fort pour éviter les questions. La voiture attelée les attendait dans l'écurie. Ils la conduisirent jusqu'au mur d'enceinte et l'arrêtèrent sous un gros tilleul que Seamie avait remarqué à l'arrière. Ils grimpèrent sur le mur en s'aidant du tronc, sautèrent de l'autre côté, puis traversèrent le jardin en silence pour s'approcher du bâtiment dont ils firent le tour. Ils découvrirent une porte qui menait au sous-sol, fermée par une mauvaise serrure que Sid eut tôt fait de crocheter.

Le reste avait été fort pénible. À pas de loup, ils avaient parcouru la faculté vide à la recherche de la morgue. C'était un endroit sombre et mal aéré, rempli de cadavres dont certains dans un état de décomposition très avancée. Ils cherchaient un roux. Sid avait cru en découvrir un très vite à la lueur de sa chandelle, mais c'était une femme, et il avait fallu continuer. Au bout du compte, il n'y avait eu qu'une seule possibilité : un homme aux cheveux carotte, alors que Sid était auburn, et plus corpulent, mais ils ne pouvaient pas se montrer difficiles. Ils l'avaient enveloppé dans la pièce de toile achetée par Seamie pour le transporter, l'avaient hissé par-dessus le mur et l'avaient descendu dans la carriole.

Le trajet jusqu'à Limehouse leur avait semblé interminable tant l'odeur était infecte. S'il n'avait tenu qu'à Seamie, il se serait débarrassé du corps en le jetant dans la Tamise dès Tower Bridge, mais Sid avait tenu à un lieu d'immersion plus tranquille, un quai à quelques pas du Grapes, qu'il connaissait bien.

— Désolé, mon gars, avait-il dit à Seamie en s'arrêtant au bord de l'eau, mais le pire reste à faire.

Il avait dénoué le mouchoir qu'il portait au cou pour se l'attacher autour du nez et de la bouche. Ensuite, il avait pris le revolver que Seamie avait acheté le matin, et avait tiré dans l'épaule du cadavre. La balle avait traversé le corps alors que celle de Donaldson avait été arrêtée par l'omoplate, mais cela, la police ne pouvait pas le savoir. Ensuite, il avait mis au mort les vêtements ensanglantés qui lui restaient du guet-apens d'Arden Street, et que par bonheur il avait gardés. Seamie n'avait pas pu lui prêter main-forte, empêché d'agir par d'irrépressibles vomissements. Une fois l'habillage terminé, Sid avait placé sa montre en or et son portefeuille marqués à son nom dans les poches du cadavre en prenant bien soin de les fermer avec le bouton.

Avec l'aide de Seamie, un peu remis, il avait jeté à l'eau le corps qui avait flotté, puis s'était lentement enfoncé.

L'oraison avait été brève :

— Adieu, Sid Malone… Il remontera à la surface d'ici un ou deux jours, avait-il ajouté en se tournant vers son frère. Pas avant que les poissons ne lui aient mangé le visage, espérons.

Ils étaient rentrés à Grosvenor Square juste avant l'aube. Sid ne s'était autorisé que trois heures de sommeil avant de se lever pour se couper les cheveux et se les teindre en brun. Quand Seamie avait frappé à sa porte à dix heures avec le plateau du petit déjeuner, il avait failli le laisser tomber de saisissement.

— Tu es méconnaissable !

— Tant mieux, parce que j'ai encore un petit boulot à faire. Tu es partant ?

— Tu penses. De quoi s'agit-il ?

— D'aller à la banque Albion.

— Quoi! Tu veux dévaliser une banque ?

— Plutôt y retirer de l'argent. Tout à fait légalement, puisqu'il m'appartient. Beaucoup d'argent. J'ai besoin de toi. Tu n'as pas peur ?

— Pas du tout. J'ai hâte d'y être.

Il lui avait exposé son plan tout en prenant son petit déjeuner. Quand ils avaient été prêts, ils avaient quitté la maison à quelques minutes d'intervalle pour se rendre à la banque séparément, Sid ne voulant pas que Seamie soit vu avec lui.

Dans le pub, Sid s'impatientait. Le bon déroulement dépendait d'une parfaite synchronisation. Et encore, il fallait espérer que Donaldson n'avait pas fait saisir son coffre. Pour le compte, le directeur de la banque était certainement préparé à une visite, mais Sid se moquait de son compte. Il ne s'intéressait qu'au coffre.

L'astuce était d'emporter son trésor sans être ferré par l'hameçon. Seamie descendrait et demanderait l'accès aux coffres en se faisant passer pour lui. L'employé ne se risquerait pas à le maîtriser seul, le sachant dangereux. Après avoir vérifié le carnet d'identification, il le ferait passer dans la salle des coffres, lui ouvrirait le salon privé, et ne remonterait alerter la police qu'ensuite. Seamie n'aurait alors que très peu de temps pour sortir la boîte du coffre, l'emmener dans le salon privé, fourrer l'argent dans la sacoche et la pousser sous la table. Il avait pour consigne de quitter la banque aussitôt et de se diriger vers Cornhill Street. Dès qu'il serait hors de vue, il devrait enlever sa veste et se perdre dans le dédale des ruelles entre la City et Whitechapel. Ils avaient répété plusieurs fois l'enchaînement des événements, et Sid lui avait seriné un point essentiel : il devait laisser le carnet d'identification et la clé du coffre à la banque, car s'il était pris avec ces éléments compromettants, il serait perdu.

Le plan était risqué, mais Sid, qui pourtant n'aimait pas son argent, détestait encore plus l'idée de le laisser aux mains de la police. Il tenait à en faire bon usage pour se racheter de sa triste carrière.

Il reprit une gorgée de bière, et, au moment où l'aiguille de l'horloge passait sur la demie, il vit un jeune homme vêtu de jaune monter les marches de la banque, chargé d'un gros sac de voyage qui contenait la sacoche.

Pour un observateur non averti, Seamie pouvait facilement passer pour son frère : mêmes cheveux auburn, mêmes vêtements, même façon de marcher. C'était d'ailleurs cette démarche qui leur avait donné le plus de mal. Les mouvements de Seamie étaient trop rapides, trop élégants. Sid l'avait fait tourner dans la chambre pour corriger cette différence.

— On dirait que tu avances sur la pointe des pieds ! Fais comme si tu étais très sûr de toi, comme si tu étais lourd, bien ancré dans le sol.

Seamie s'était évertué à le copier, mais il n'avait pas l'allure crâne des voyous.

— Tu n'as pas d'ennemi ? Pense à un gars que tu n'aimes pas. Imagine qu'il essaie de te prendre une fille qui te plaît. Ça te donnerait envie de le frapper, non ? De le mettre par terre ?

Seamie n'avait eu aucun mal à imaginer la situation. Il avait pensé à Willa et avait refait le tour de la pièce, cette fois avec une rage contenue qui avait fait merveille. Sid avait compris en l'observant que la jalousie ne lui était pas étrangère et qu'il était amoureux. Le malheur, c'était que sa fuite l'empêcherait de connaître le fin mot de l'histoire.

Sid attendit que Seamie soit entré dans la banque, compta cinq minutes, puis quitta le pub.

Il traversa Cornhill Street et gravit les marches d'un

pas hésitant. Avec ses vêtements de travail, il avait l'air d'un ouvrier intimidé par le faste de la grande banque.

À la seconde où il mit le pied à l'intérieur, il vit que l'alerte était donnée. Le garde habituel, un vieux et frêle bonhomme, avait été remplacé par deux grands gaillards auxquels le directeur parlait à voix basse, très agité, en désignant l'escalier de la salle des coffres, au fond du hall. Sid était prêt à faire diversion pour permettre à Seamie de ressortir.

— Pardon, m'sieur, dit-il en tirant le directeur par les basques. Où qu'y faut que j'aille pour ouvrir un compte ?

— Là-bas, jeta celui-ci avec un geste impatient vers les guichets.

— Ben oui, mais moi, c'est tous mes sous que je veux mettre dans c'te banque, alors y faudrait pas…

— Monsieur, coupa l'un des gardes, veuillez aller aux guichets s'il vous plaît.

— Quoi ? Parlez plus fort. J'ai qu'une oreille de bonne !

À cet instant, Seamie reparut au fond du hall, remontant de la salle des coffres.

— Pousse-toi de là ! grogna le garde en écartant Sid.

Les deux gaillards marchèrent vers Seamie qui s'arrêta net en les voyant.

Continue d'avancer, mon gars, pensa Sid. C'est ta seule chance.

Mais Seamie ne bougeait pas.

Il a peur. Il ne sait pas quoi faire. Il n'a pas assez d'expérience. Jamais je n'aurais dû l'entraîner dans cette affaire. Il était prêt à se jeter sur les deux gardes et à se battre jusqu'à la mort pour permettre à Seamie de s'échapper, mais il n'eut pas besoin de bouger : Seamie plongea la main dans sa poche et en tira le revolver dont il s'était servi pour tirer sur le cadavre.

Bon Dieu ! pensa Sid. Et lui qui avait cru que son frère n'avait pas de cran ! Il en avait à revendre.

— Soyez raisonnables, messieurs, dit Seamie avec un accent cockney impeccable. Moi, je n'ai rien à perdre, mais vous ?

— Au secours ! C'est lui ! C'est Sid Malone ! cria Sid d'une voix tremblante en levant les mains en l'air.

Le directeur, les gardes, et quelques clients horrifiés firent de même.

— Dégagez la porte ! Poussez-vous tous de là ! ordonna Seamie.

Sid recula vers les guichets, s'arrangeant pour empêcher les employés de voir ce qui se passait. Les autres clients se rassemblèrent autour de lui pendant que Seamie se rapprochait de la sortie.

— Jetez-moi les clés ! ordonna-t-il au garde.

Celui-ci hésita.

— Mais obéissez, nom de Dieu ! cria Sid d'une voix tremblante. Il a déjà tué deux personnes !

Le garde décrocha son trousseau de sa ceinture et le lança par terre aux pieds de Seamie. Ce dernier posa son sac de voyage sans quitter des yeux ceux qu'il menaçait, puis il ramassa les clés et reprit son sac.

— Reculez, dit-il. Là-bas, vers les coffres.

Sid se glissa à l'arrière du groupe, se rapprochant de l'escalier avec une pensée admirative pour la présence d'esprit de son frère. Les regards du directeur et des gardes étaient rivés sur le revolver. Personne ne le vit descendre. Quelques secondes plus tard, Seamie sortait de la banque et fermait à clé derrière lui.

— Une clé ! hurla le directeur. Qu'on me donne une autre clé !

Pendant ce temps, Sid était arrivé en bas. Une employée autoritaire l'arrêta.

— Votre identification, monsieur !

— La banque est attaquée ! cria-t-il. Cachez-vous vite !

Pendant que la dame terrorisée s'enfuyait sans demander son reste, Sid se dépêcha d'entrer dans le salon privé et se saisit de la vieille sacoche laissée par Seamie sous la table. Il avait été si rapide que, en remontant, il trouva les clients toujours rassemblés dans le hall et se joignit à eux. Donaldson était devant la porte, entouré par trois agents, le directeur et les gardes. On avait rouvert, mais ce n'était pas le moment de passer devant lui.

— Comment avez-vous pu le laisser échapper ? hurlait l'inspecteur. Vous saviez que j'étais en haut ! Pourquoi ne m'avez-vous pas averti ? Voilà deux jours que j'attends, et tout ça pour rien !

— Il nous menaçait d'une arme ! s'indigna le directeur.

— Êtes-vous sûr au moins que c'était Malone ? À quoi ressemblait-il ?

— Cheveux roux, yeux verts. Et armé d'un revolver…

— Bon Dieu, dire que nous l'avions à portée de main ! Déployez-vous ! cria-t-il à ses hommes. Rattrapez-le !

Les agents partirent au pas de course, suivis par Donaldson.

Le directeur s'employa ensuite à rassurer le personnel et la clientèle. Avant que les gardes n'aient le temps de reprendre leur poste, Sid s'arrangea pour traverser le hall sans se faire remarquer en passant de pilier en pilier, et sortit. En descendant le perron, il chercha Seamie des yeux. Il devait être loin, et les agents de police avaient disparu. Restait à espérer que son frère arriverait à retourner à Grosvenor Square sans se faire prendre. L'ayant vu à l'œuvre, il ne se faisait pas trop de soucis. Seamie avait plus d'initiative et de courage que bien des mauvais garçons aguerris. Quant à lui, malgré sa nouvelle coupe de cheveux, il préférait ne pas s'éterniser dans le quartier de la banque.

Il arrêta un fiacre et se fit conduire à King's Cross. Là, il avait l'intention de prendre une chambre dans un petit hôtel près de la gare. Il y resterait jusqu'à la nuit, puis, une fois la cuisinière de Fiona repartie et les domestiques couchés, il rentrerait.

Pendant que la voiture roulait, il posa la lourde sacoche sur le siège, l'entrouvrit, et contempla les liasses de billets de cent livres qui la remplissaient.

De l'argent malhonnêtement gagné qui allait faire beaucoup de bien.

74

Dès qu'il eut tourné le coin de la rue, Seamie ouvrit son sac de voyage, en sortit une casquette qu'il s'enfonça sur la tête, puis y enfourna sa veste moutarde. L'homme roux à la veste jaune avait disparu. Il jeta un coup d'œil par-dessus son épaule tout en poursuivant son chemin. Pas d'uniforme à l'horizon.

— Va jusqu'à High Street, avait recommandé Charlie. C'est le jour du marché. Profites-en pour te perdre dans la foule. Continue jusqu'au London Hospital. Tu pourras prendre un cab pour rentrer.

— Mais là-bas, c'est Whitechapel. Tu ne connaîtrais

pas plutôt un endroit où je pourrais me cacher ? Tu n'as pas d'amis, des gens prêts à t'aider ?

Son frère lui avait ri au nez.

— À Whitechapel ? Oui, bien sûr, j'ai beaucoup d'amis. Des amis qui penseront d'abord aux mille livres qu'on a promis pour ma capture.

— Et le sens de l'honneur ?

— Ça, c'est bon pour les romans à quatre sous. L'honneur, ça n'existe pas chez nous. Voler les autres, tu crois que c'est honorable ?

Seamie prit Cornhill et traversa Bishopsgate. Jusque-là, tout allait bien, songea-t-il en se hâtant dans la rue bordée de petites boutiques. Des femmes lavaient le pas de leur porte, partaient au marché le panier au bras. Personne ne faisait attention à lui. Il arriva dans Leadenhall, tourna dans Aldgate, puis dans High Street.

Plus il s'éloignait de la banque, plus son pas redevenait léger. Le marché était en vue, joyeux désordre de marchands des quatre-saisons et de ménagères. Il venait de descendre du trottoir pour se mêler à la foule quand deux agents de police se rapprochèrent de lui par-derrière, l'un à droite et l'autre à gauche pour empêcher toute tentative de fuite. Un troisième homme en civil fermait la marche.

Seamie sentit leur présence avant de les voir. Un frisson lui monta dans le dos. Il jeta un coup d'œil derrière lui et comprit qu'il avait peu de chances de s'échapper. Il aurait voulu prendre ses jambes à son cou, mais il y avait trop de monde. Et où se cacher ? Dans une boutique, il serait fait comme un rat. Il aurait fallu qu'il croise une ruelle, une voie libre par laquelle il aurait pu fuir, mais il était trop tard.

— Hep ! Vous ! L'homme à la casquette ! Arrêtez-vous ! cria-t-on derrière lui.

Une main s'abattit sur son épaule.

Il se retourna, feignant une vive indignation, et protesta avec un accent américain très prononcé.

— Mais voyons, que se passe-t-il ? Voulez-vous ôter vos mains de là !

L'agent le relâcha et regarda son collègue avec une surprise à l'évidence partagée. L'homme en civil les rattrapa, essoufflé.

— Bravo !

Il dévisagea Seamie, sourcils froncés.

— Mais dites donc, ce n'est pas Malone, ça. Comment vous appelez-vous ?

— Byron K. LaFountain.

Donaldson le contemplait avec méfiance.

— Donnez votre sac, ordonna-t-il.

— Attendez une minute, je voudrais bien qu'on m'explique !

— Votre sac !

Il obéit, tout en se plaignant de l'impolitesse de la police anglaise.

— On se croirait attaqué par des voleurs de grand chemin ! C'est pire qu'à El Paso...

Donaldson ne l'écoutait pas. Il avait ouvert le sac dont il tira la veste.

— C'est cette veste que portait Malone ! Une veste jaune !

Il retourna le sac.

— Où est l'argent ?

Seamie lui jeta un regard interloqué. Il tira son portefeuille de sa poche et le lui tendit. Il y avait dix livres à l'intérieur.

Donaldson explosa.

— Vous étiez à la banque Albion, tout à l'heure !

— Oui, monsieur, j'y étais.

— Que faisiez-vous là-bas ?

— Je suis allé mettre des bijoux dans un coffre pour ma mère. Elle ne fait pas confiance à celui de l'hôtel. Je lui ai dit qu'elle était folle d'avoir tellement peur de se faire voler en Angleterre, mais je crois maintenant qu'elle a raison. À voir l'attitude de la police, je me demande comment se conduisent les criminels dans votre pays !

Malgré son apparente assurance, Seamie n'en menait pas large. L'inspecteur croirait-il à toutes ces sornettes ? Il ne l'espérait qu'à moitié et ne fut pas très étonné de l'entendre s'exclamer :

— Malone est encore là-bas ! Celui-ci n'a servi qu'à faire diversion ! Passez-lui les menottes, c'est un complice !

Seamie ne leur laissa pas le temps d'obéir. Il échappa des mains de l'agent qui le retenait et s'enfuit en se glissant dans la foule. Il se jeta derrière une vieille dame qui choisissait des navets et plongea sous une charrette de légumes. Le vendeur étonné poussa un cri en le voyant surgir de l'autre côté, mais il filait déjà, jouant des coudes pour se frayer un passage dans la cohue des acheteuses. Au bout de dix mètres, il fut bloqué par un groupe de fidèles qui sortait de l'église après l'office de midi, échangeant quelques propos avec le prêtre. Il n'y avait d'issue que vers les marches. Il les gravit comme une flèche, s'engouffra dans la nef, courut jusqu'à l'autel et se jeta sur une porte à l'arrière qui était celle de la sacristie. Elle était fermée à clé.

Les agents le suivaient de près. Ils l'auraient rattrapé d'ici quelques secondes. Il jeta des regards éperdus autour de lui et vit, dernière planche de salut, une porte étroite qui par chance était entrouverte, la clé dans la serrure. Sans savoir où elle menait, il traversa le chœur en quelques enjambées, sauta la barrière de bois, entra et claqua derrière lui. Au passage, il avait arraché la clé de la serrure et s'en servit pour fermer à double tour de l'intérieur. Il venait de pousser le gros verrou qui renforçait la fermeture quand on secoua la poignée. Par chance la porte semblait solide et ne céderait pas tout de suite.

Il se trouvait dans un espace étroit, point de départ d'un escalier en colimaçon qui menait vers le haut.

— Rendez-vous, au nom de la loi ! hurlaient les agents.

— Pas question que vous m'attrapiez, mes bons amis, marmotta Seamie en se lançant dans l'escalier.

Il grimpa, grimpa, dans ce qui semblait être une haute tour.

Arrivé au sommet, il trouva une trappe qu'il poussa. Il se retrouva dans un beffroi ouvert aux quatre vents.

La cloche, énorme, était suspendue au-dessus de sa tête. À ses pieds, la place était noire de monde. Des maisons encadraient l'église, et une ruelle déserte à l'arrière offrait une voie de fuite des plus séduisantes. Il n'y avait malheureusement aucun moyen de descendre, à moins d'avoir des ailes.

Dès que la police enfoncerait la porte, il serait pris. Les coups qui l'ébranlaient n'auguraient rien de bon. Il se désespérait quand il avisa un gros rouleau de corde par terre. Il ne lui en fallait pas davantage.

Rien ne lui serait plus facile que de descendre en rappel du clocher jusqu'à la toiture de l'église. De là, il glisserait jusqu'à la gouttière et sauterait sur un bâtiment voisin. Il avait très souvent descendu des parois verticales dans les Adirondacks et trouvait cela la chose la plus naturelle du monde.

Il craignait peu qu'on le remarque d'en bas : à Londres, on ne levait jamais le nez. Il se pencha par-dessus la balustrade. Il y avait vingt mètres jusqu'au toit et dix jusqu'à terre, mais il aurait accès à la rangée de maisons attenantes à l'église. De là, il regagnerait facilement la rue, d'autant qu'il apercevait des lucarnes ouvertes.

Mais en se penchant pour ramasser la corde, il vit qu'un bout montait jusqu'à la cloche et y était accroché. C'était fâcheux ! S'il tirait, elle tinterait, la police le repérerait sur-le-champ, et on l'attendrait en bas pour le cueillir. Il disposait par bonheur d'une grande longueur de corde, et savait comment rendre la cloche muette.

Un anneau de fer était fixé dans une pierre. Il y fit passer le bout libre et tira toute la corde. Prenant garde de laisser suffisamment de mou pour ne pas tirer sur la cloche, il noua solidement la corde à l'anneau. Pendant ce temps, les bruits sourds s'étaient amplifiés. La police semblait s'être procuré une sorte de bélier. Comme le temps manquait, il ne noua pas la corde autour de sa taille comme il l'aurait dû, mais se contenta de la passer rapidement autour de lui et d'enjamber la balustrade. Il n'avait pas de chaussures de montagne, pas de craie pour empêcher ses mains de glisser. Dans ces conditions, la descente, même si elle était courte, serait dangereuse. Il aurait bien fait une prière, mais aucune ne lui venant à l'esprit, il se contenta de se signer. Après quoi, il prit appui contre la paroi du clocher, et se lança dans le vide.

75

— Ella, j'ai l'impression qu'un malheur va arriver.

— Ça ne m'étonne pas, maman. Il faudrait demander à Yanki de ne pas dire le *Kaddish Yatom* dans la maison. Il y a autre chose à chanter que la prière des morts, il me semble. Tu te sentiras mieux dès qu'il arrêtera.

— Il faut bien qu'il s'entraîne, soupira Mme Moskowitz d'un ton distrait en regardant dans la rue par la fenêtre du salon.

Yanki avait une belle voix, qu'Ella aimait habituellement entendre, mais le chant des morts la mettait mal à l'aise.

— Je me demande pourquoi la police est partie, marmonna Mme Moskowitz. Voilà des jours qu'on nous assiège à cause de Sid, et puis tout le monde disparaît sans raison…

— Ils doivent suivre India. Elle est partie rendre visite à Joe Bristow à l'hôpital. Elle devrait bientôt rentrer.

— Il suffisait de la faire suivre par un seul homme. Non, je te dis que c'est bizarre. Tu crois qu'il pourrait avoir été pris ?

— J'espère que non.

— Je voudrais bien savoir ce qui se passe.

Plus d'une semaine s'était écoulée sans que ne leur parvienne la moindre nouvelle de Sid. L'angoisse était à son comble, et tous souffraient de la surveillance dont ils faisaient l'objet.

C'était samedi, jour du sabbat. Le restaurant était fermé, mais l'inaction leur pesait. M. Moskowitz prétendait faire la sieste sur le canapé, Aaron lisait, les trois plus jeunes enfants jouaient sans grand entrain. De son côté, Ella n'arrivait qu'à feuilleter son magazine, gênée par Yanki qui, bien qu'enfermé dans la salle à manger, avait la voix si puissante qu'on l'aurait cru présent dans le salon.

— *Ach !* cria Ella. *Yanki ! Genug !*

Cela ne sembla l'encourager qu'à monter la voix.

Malgré le bruit, on entendit frapper à la porte du bas.

— Le *shabbat* n'est pas plus tranquille que les autres jours chez les Moskowitz, soupira Ella.

— Va ouvrir, Aaron, sois gentil, demanda leur mère.

Il descendit et remonta un volumineux paquet enveloppé dans du papier d'emballage.

— C'était le facteur. C'est pour toi, Ella.

— Tiens ! s'étonna Mme Moskowitz. Tu attendais quelque chose ?

— Non…

— Ouvre ! s'impatienta Salomon que rejoignirent Miriam et Bijou, très curieuses.

Ella fut fort surprise de trouver une vieille sacoche en enlevant le papier, et poussa un cri en l'ouvrant.

— De l'argent !

M. Moskowitz ouvrit un œil.

— Encore ? Sid en a déjà envoyé, il me semble ?

— Mais là, ce n'est pas pareil, souffla Ella. Là, c'est autre chose. Regardez, il y a une fortune !

Elle ouvrit toute grande la sacoche pour montrer les liasses dont elle était bourrée. Ce faisant, elle découvrit une feuille de papier pliée qui avait glissé entre les billets. Elle se dépêcha de l'ouvrir.

— Zut ! Il y a au moins pour cinq mille livres, s'émerveilla Aaron.

— Non, rectifia Ella d'une voix blanche. Cinq cent mille.

Mme Moskowitz s'assit brutalement en posant la

main sur sa poitrine. Alarmé, son mari bondit du canapé et attrapa le magazine d'Ella pour l'éventer.

— Miriam, vite, du brandy !

— Cinq cent mille ? souffla Mme Moskowitz.

— Oui, c'est ce qui est écrit, répondit Ella. Je vous lis le mot.

Chère Ella,

Voici cinq cent mille livres pour le dispensaire. Je veux que cet argent serve à aider les plus démunis de Whitechapel, qu'il permette de sauver les pauvres gens auxquels personne ne s'intéresse et rende votre rêve encore plus beau. Qu'il soit permis au criminel que je suis de faire cette bonne action !

Il n'y avait ni date ni signature. C'était inutile.

— Et c'est tout ? s'écria Mme Moskowitz en se levant pour arracher le papier des mains de sa fille. Il ne dit pas où il est, quand il va venir ?

Miriam revenait avec un petit verre de brandy. Salomon, lui, comptait les liasses, les yeux ronds. Profitant de ce qu'Ella s'était accroupie pour l'aider, Bijou s'accrocha à son dos. Il y avait tellement de remue-ménage que personne ne remarqua qu'India était rentrée mais restait dans l'ombre au fond du vestibule.

— C'est le *Kaddish* que dit Yanki ? murmura-t-elle.

Elle avait appris à reconnaître beaucoup de prières juives en écoutant Yanki et son père s'entraîner à leur fonction de chantres.

— India ! s'écria Ella. Enfin ! Je m'inquiétais !

— C'est une très belle prière, continua India d'une voix étouffée. Belle et triste. Le plus dur, c'est de penser qu'il était seul, à la fin.

— India, peu importent les prières ! Regardez ! Cinq cent mille livres ! C'est de la part de Sid. Ça ne peut venir que de lui. Et vous ne refuserez pas ! Nous le remercierons, et nous nous en servirons.

— Nous ne pouvons pas le remercier, Ella.

— Pas aujourd'hui, mais bientôt, quand il viendra.

— Il ne viendra pas.

— Mais ne dites pas des choses pareilles ! Je vous ai interdit de perdre espoir. Ne restez pas au fond de l'entrée. Venez au salon ! Venez voir !

India les rejoignit lentement, et Ella se figea en voyant ses yeux rouges, son visage défait, baigné de larmes.

— Il est mort, et je ne le savais pas, dit India. Il est mort depuis des jours. J'ai entendu la nouvelle à la porte de l'hôpital.

— Mais comment ? Comment ?

— Par les vendeurs de journaux. C'est la nouvelle du jour. Ils ne crient que ça.

Elle tendit un exemplaire du *Clarion* à Ella.

Malone retrouvé mort ! clamait le gros titre en lettres énormes.

— Où l'a-t-on retrouvé ? s'écria Ella.

— Dans la Tamise. Ella… dans la Tamise…

76

India s'arrêta devant la porte de Freddie. Il devait être chez lui, car on entendait jouer le gramophone.

Le courage lui manquait et elle pressa les mains sur ses yeux, tremblante, accablée. Elle devait trouver la force de frapper. Il le fallait. Elle faillit pourtant s'enfuir à toutes jambes, mais, par amour pour son enfant, elle resta. Elle n'imaginait que trop bien la vie que mènerait sa fille – car elle sentait que ce serait une fille – si elle repartait. Son enfance serait marquée par le déshonneur. La flétrissure de l'illégitimité la mettrait au ban de la société. Elle serait marquée à jamais ; l'accès aux écoles que fréquentaient les enfants de son milieu lui serait interdit. Elle n'aurait pas d'amis, vivrait dans une solitude infamante.

L'avenir de son enfant, de l'enfant de Sid, valait tous les sacrifices. Rien d'autre n'avait plus d'importance pour elle qui aurait volontiers accueilli la mort. Le souvenir de Sid lui faisait si mal qu'elle dut s'asseoir sur les marches, les jambes coupées par le chagrin. Dire qu'elle avait cru ne plus pouvoir aimer après Hugh ! La perte de Sid l'anéantissait.

Les vendeurs de journaux s'en étaient donné à cœur joie. Leurs cris cruels résonnaient encore à ses oreilles, et le récit épouvantable des circonstances de sa découverte restait gravé dans son esprit. Son corps avait été arraché à l'eau grise, si décomposé qu'on n'avait pu l'identifier qu'à une blessure par balle et à quelques effets personnels. Mais pourquoi lui avait-on tué son Sid alors qu'elle allait le sauver ? C'était presque cela le plus difficile à accepter.

Elle avait refusé de manger, de boire, jusqu'à ce qu'Ella lui rappelle que la vie de son enfant dépendait d'elle. Elle s'était alors souvenue que Sid n'avait pas totalement disparu. Elle en gardait encore le germe en elle, une vie minuscule qui, en grandissant, le lui rendrait un peu. Elle ferait tout pour protéger son enfant.

Je n'ai pas le choix… songea-t-elle.

Profitant de cette seconde de courage, elle se leva et frappa.

— Une minute, cria Freddie, j'arrive !

La musique s'arrêta, et India entendit des pas. La porte s'ouvrit.

— Tiens, India ! lança-t-il sèchement.

— Je peux entrer ?

— Ah ! Tu veux entrer ? Il y a quelques jours, tu m'as ridiculisé en me faussant compagnie. Reste dehors maintenant !

Elle l'empêcha de refermer en bloquant la porte d'un pied.

— Je viens te faire une proposition financière. Une proposition très intéressante.

Il ouvrit, s'effaça pour la laisser entrer, puis claqua la porte derrière elle.

— Explique-toi.

Je veux t'épouser, Freddie.

Malgré son aptitude à la dissimulation, il ne parvint pas à masquer sa surprise.

— Je te demande pardon ?

— Je veux t'épouser. Fixons la date ce soir. Je suis allée voir mes parents aujourd'hui, et je les ai convaincus d'augmenter ma dot. En plus de ce qu'ils t'avaient promis, ils ont accepté de te donner cinq mille livres comptant.

India s'interrompit pour sortir de son sac une enveloppe qu'elle posa sur la table.

— Tu pourras disposer de cette somme tout de suite si tu acceptes ma proposition. Cela devrait t'être utile, je crois, puisque tu dois faire campagne pour l'élection partielle.

Freddie, yeux rivés sur l'enveloppe, était abasourdi.

— C'est très inattendu… Je ne comprends pas…

— Je suis enceinte, Freddie. Et le père de mon enfant est mort.

— Ah ! Je vois ! Tu veux que j'élève le bâtard de Sid Malone ?

— Je veux justement éviter que mon enfant souffre du déshonneur de l'illégitimité. Si nous nous marions, tu devras te conduire comme si cet enfant était le tien, en bon père. Je sais que tu as le cœur froid, donc je ne te demande pas de lui donner de l'affection. Il te suffira d'être civil. Ce sont mes conditions. Voici l'engagement de mes parents…

Elle sortit une autre enveloppe de son sac, que Freddie ouvrit. Il y trouva une lettre lui promettant le domaine de Blackwood et l'hôtel particulier de Berkeley Square, ainsi qu'une somme, non plus de cent mille livres mais de trois cent mille livres, accompagnée d'une rente dont le montant atteignait à présent vingt mille livres par an.

Freddie réfléchit un instant.

— Moi aussi, j'ai des conditions.

— Je t'écoute.

— Premièrement, je veux des héritiers.

— Je ferai de mon mieux pour t'en donner.

— Mon patrimoine reviendra à mes vrais descendants, pas à ton premier-né.

— Je me doutais que tu poserais cette condition. J'ai pris la précaution de demander à mes parents de faire une rente indépendante à mon enfant, à laquelle tu ne pourras pas toucher et dont je serai seule responsable.

— Comment ? s'étonna Freddie avec mépris. Tu leur as avoué que tu attendais un enfant ?

— Il le fallait. Cette dot était essentielle pour te convaincre.

— Et ils ont accepté ?

— Cela va de soi. Ils seraient prêts à tout pour éviter le scandale d'avoir un descendant illégitime.

— J'ai une troisième condition : tu dois arrêter d'exercer la médecine. Je t'interdis d'aller au dispensaire, de t'approcher de Whitechapel, de fréquenter Ella Moskowitz, Harriet Hatcher et toutes tes anciennes connaissances. Tu devras être une épouse de parlementaire irréprochable. Modeste, effacée, toujours à mes côtés.

— C'est entendu.

— Très bien, nous nous marierons samedi en huit, à Longmarsh.

Si vite… songea-t-elle.

— Nous sommes d'accord, India ?

— Absolument. Et moi, ai-je ta parole ? Autrefois, tu avais assez d'honneur pour tenir tes promesses. En es-tu encore capable ?

— Oui. Tu as ma parole.

— Bien. Je te retrouverai donc à Longmarsh.

Elle ne songeait plus qu'à rentrer chez les Moskowitz pour y cacher son désespoir.

Freddie la rattrapa par le bras.

— Attends.

Elle lui jeta un regard interrogateur.

— Et tout cela… tout cela, tu l'as fait pour ce criminel ? Je ne comprends pas.

Brisée, India eut à peine la force de répondre.

— Non, bien sûr. Pour comprendre, il faudrait que tu saches ce qu'aimer veut dire.

77

Fiona sentit son enfant bouger dans son ventre. Ses mouvements devenaient de plus en plus nets et puissants. Depuis quelques jours, elle avait le sentiment que ce serait un garçon. Elle posa les mains sur son ventre tout en regardant par la fenêtre de sa chambre. La lumière grise du matin creusait ses traits tirés.

— Ayez de belles pensées, lui avait conseillé l'infirmière lors de sa dernière visite au Dr Hatcher. Plus on est heureuse, plus le bébé est heureux.

Cela ne lui avait pas semblé trop difficile alors. Joe n'était pas encore dans le coma, la tête de Charlie n'était pas mise à prix et Seamie ne lui avait pas annoncé son départ pour l'Antarctique.

— Connaîtras-tu tes oncles, mon petit ? murmura-t-elle doucement, les yeux se remplissant de larmes. Connaîtras-tu seulement ton père ?

Elle fit tout pour se retenir de pleurer, sachant que si elle commençait elle ne pourrait plus s'arrêter.

Lipton et Twining dormaient au bout du lit. Sarah lui avait apporté du thé et des toasts qu'elle avait été incapable d'avaler. Elle s'était habillée, mais, rongée par l'angoisse, elle n'avait pas eu l'énergie de quitter sa chambre. La personne dont elle guettait le retour par la fenêtre, c'était Seamie qui avait accompagné Charlie au port de Gravesend. Charlie projetait de se faire embarquer comme matelot ou mécanicien. Il avait parlé de chercher un bâtiment en partance pour l'Orient et de s'installer dans un pays lointain où il vivrait du travail qu'on voudrait bien lui donner.

Ils s'étaient fait leurs adieux un peu après minuit.

Malgré sa terrible tristesse, Fiona avait contenu son émotion pour ne pas rendre la séparation trop difficile.

— Tu salueras bien Joe de ma part quand il reprendra connaissance, Fi, avait dit Charlie.

Elle avait hoché la tête, yeux baissés.

Il lui avait posé les mains sur les épaules.

— Écoute-moi. Il va se réveiller, je te le jure. D'autres que lui auraient pu ne pas s'en tirer, mais Joe est un costaud, et il a de bonnes raisons de se battre. Il y a toi, Katie, et le petit bonhomme qui va bientôt naître, pour le tenir en vie. Tu verras, ton Joe va guérir.

Il l'avait serrée dans ses bras en la remerciant et en lui disant qu'il l'aimait. Et puis il était parti avec Seamie. La nuit avait été difficile. Elle était restée éveillée, désespérée par le destin qui lui avait pris ses parents, une sœur, et maintenant ses frères et son mari.

L'horloge sonna neuf heures. Pourquoi Seamie n'était-il pas rentré ? Jamais elle n'aurait dû le laisser partir. Mais Charlie et Seamie n'en étaient pas à leur première escapade. Ils s'étaient tirés de leur première sortie dans Londres sans trop de difficultés. Ils étaient parvenus à voler un corps à la faculté de médecine, et l'idée n'avait pas été si mauvaise après tout, puisqu'on avait annoncé la mort de Sid Malone. Mais la deuxième fois, ils avaient bien manqué se faire prendre.

Seamie était revenu couvert de bleus et d'égratignures, et cette fois ils n'avaient rien voulu dire, se contentant de faire allusion à un contretemps.

C'est encore beaucoup trop risqué pour Charlie de se montrer, songeait-elle, même si on le croit mort. Il pourrait arriver n'importe quoi. Si on les arrêtait... s'ils étaient blessés... ou tués...

Le bébé remua dans son ventre. Ne pense pas à des choses tristes, se dit-elle, c'est mauvais pour lui.

On frappa.

— Fi ?

C'était Seamie.

Les chiens sautèrent du lit en jappant comme des fous. Fiona se précipita pour le prendre dans ses bras.

— Seamie ! Enfin ! Je me faisais un sang d'encre. Et Charlie ? Vite, dis-moi !

— Tout va bien, tout va bien.

— Où est-il ?

— Dans un bateau en partance pour Ceylan.

Il lui prit la main et la fit asseoir sur le lit avec lui.

— Je meurs de faim, avoua-t-il en avisant le plateau. Tu ne manges pas tes toasts ?

Fiona lui en beurra un qu'elle lui tendit, puis lui servit du thé.

— Les adieux n'ont pas été trop tristes ?

— Je l'ai accompagné jusqu'au canot qui devait l'emmener à bord. Il m'a dit : « Au revoir, petit ! Dommage, hein ? » Ensuite il a ajouté : « Bon voyage au pôle Nord. » Je lui ai rappelé que c'était le pôle Sud, et puis voilà, il est parti.

— C'est tout ce qu'il a trouvé à te dire ? « Bon voyage au pôle Nord » ?

— Les hommes ne sont pas de grands sentimentaux, tu sais.

Voyant que sa sœur avait les larmes aux yeux, il lui tapota la main.

— On n'y peut rien. Il fallait bien qu'il parte. C'était une question de vie ou de mort.

— Oui, bien sûr, mais j'aurais tellement aimé vous garder près de moi. Je voudrais avoir une famille unie, comme tout le monde… Est-ce trop demander ? Je perds tous les gens que j'aime… Charlie, toi…

Elle ne prononça pas le nom de Joe, mais c'était

inutile. Seamie savait comme elle que le temps jouait contre eux. Joe ne se réveillait toujours pas, et il s'affaiblissait.

— Moi et Charlie, nous sommes faits comme ça. Nous sommes incapables de mener des vies rangées. Que voudrais-tu que nous fassions ici ? Tu crois que nous aurions été utiles dans tes salons de thé ? Sûrement pas. J'aurais cassé toutes tes tasses, et il t'aurait volé ton argenterie.

Elle sourit à peine.

— Au moins, il va changer de vie, insista Seamie. C'est bien ce que tu voulais ?

— Tu as raison…

— Alors, sois heureuse pour lui. Et sois heureuse pour moi.

— Bien sûr…

— Viens, allons nous promener, dit-il en se levant. Emmenons Katie à Hyde Park. Cela te fera du bien de prendre l'air et le soleil au lieu de rester ici à te morfondre. Ce n'est bon ni pour toi, ni pour le bébé, ni pour Joe. La vie continue. Il faut en profiter, nous n'en avons qu'une.

— Quel grand sage tu es devenu…

— Il était temps que tu t'en aperçoives !

Ils allaient sortir de la chambre quand ils entendirent le bruit de la porte d'entrée puis des pas précipités dans le vestibule.

Elle attrapa le bras de Seamie, prise de terreur.

— Il est arrivé quelque chose à Charlie. C'est la police, j'en suis sûre.

Il y eut une course dans l'escalier, puis la porte s'ouvrit brusquement sur le majordome qui oubliait ses bonnes manières dans sa hâte.

— Monsieur Foster ? Que se passe-t-il ?

— Madame, Madame ! Il s'est réveillé ! Il a ouvert les yeux et il parle. Il est un peu désorienté, du moins c'est ce que dit le messager, mais il a repris connaissance !

— Vite ! s'écria-t-elle. La voiture !

— J'ai fait atteler. Sarah est en bas. Elle vous attend avec votre chapeau et votre manteau.

Fiona descendit aussi vite que le lui permettait son gros ventre, précédée par Seamie.

— Madame, dit Foster en la suivant. Pourriez-vous s'il vous plaît donner le bonjour à Monsieur de ma part ?

— Venez le saluer vous-même ! Il y a largement la place pour vous dans la voiture.

— Ce serait extrêmement inhabituel, Madame.

Fiona s'arrêta à mi-étage.

— Ce ne sont pas les conventions qui nous arrêtent, dans cette maison. Vous n'aviez pas remarqué ?

— Si, Madame.

— Et ça ne nous empêche pas de vivre pour autant ! C'est tout ce qui compte, monsieur Foster.

— C'est bien vrai, Madame.

— Dans ce cas, allez chercher Katie et attrapez votre pardessus !

78

— Alors, c'est Sid que tu t'appelles ? demanda le chef mécanicien. Sid comment ?

— Sid Baxter.

Pris au dépourvu, il avait donné son faux nom d'Arden Street.

L'homme lui mit une pelle dans les mains et indiqua la pile de charbon qu'il fallait enfourner dans la chaudière.

— Eh bien, Baxter, tu vas faire connaissance avec l'enfer !

Sid empoigna la pelle sans sourciller. Cette salle des machines ne l'effrayait nullement. L'enfer, il le portait dans son cœur. Le soir où India était venue le trouver au Barkentine, il avait eu peur que leur amour ne signe sa perte, et il avait eu raison. Il payait cher ses illusions. Il avait cru au paradis et devrait maintenant finir misérablement ses jours sans elle.

— McKean, Andy McKean, dit le chauffeur avec lequel il devait faire équipe. Mets-toi torse nu. On commence.

Sid n'était à bord de l'*Adélaïde* que depuis une demi-heure. On en avait retardé le départ pour lui. C'était bien le moins, le capitaine ayant fait fortune grâce à ses commandes d'opium de contrebande. Dès qu'il avait été à bord, un remorqueur avait tiré le gros navire à vapeur vers la pleine mer. Sid avait tout juste eu le temps de jeter son sac sur sa couchette et de descendre à la salle des machines avant que l'ordre de faire monter la pression ne descende de la timonerie.

— Allez, mon vieux, du nerf ! cria Andy.

Sid ôta sa veste et sa chemise. Dix minutes plus tard, il était en nage. Les deux hommes n'étaient plus qu'un rouage d'une énorme machine. La chaudière, monstre insatiable, avalait les pelletées de charbon qu'ils lançaient dans sa gueule. La chaleur du feu brûlait la peau. Les muscles se tétanisaient sous l'effort. De surcroît, mal remis de sa blessure à l'épaule, Sid souffrait à chaque geste. Mais il s'en moquait. Au contraire, il accueillait la douleur avec soulagement car elle occupait toutes ses pensées. Les tromperies s'effaçaient, les promesses rompues, les espoirs déçus. Plus il avait mal et moins il se souvenait du faire-part de mariage qu'il avait vu chez Fiona juste avant son départ. C'était un papier épais de qualité, couleur coquille d'œuf, imprimé d'élégants caractères, qui avait attiré son attention sur le manteau de la cheminée.

Le comte et la comtesse de Burnleigh ont le plaisir d'annoncer le mariage de leur plus jeune fille lady India avec l'honorable Frederick Lytton, second fils de lady Bingham et de feu le comte de Bingham. Le couple s'unira à Longmarsh, le château familial des Bingham, lors d'une cérémonie privée le samedi 24 novembre. Ils passeront une brève lune de miel en Écosse, et retourneront à Londres où ils résideront au 45 Berkeley Square.

Ces mots avaient été pour Sid comme un coup de poignard en plein cœur. Elle se mariait ! Déjà ! Et à Lytton ! Elle savait pourtant quel gredin était cet homme. Elle disait elle-même qu'il ne s'intéressait qu'à son argent !

Mais il avait vite compris. Il était le seul fautif. Le croyant coupable des crimes dont on l'accusait, se sentant trahie, elle avait cherché la stabilité auprès d'un homme de son milieu. Sans doute, par ce mariage de raison, cherchait-elle la sécurité plus que l'amour. Il ne pouvait pas lui en vouloir. L'amour est destructeur.

Plus jamais, se jura-t-il comme elle l'avait sans doute fait elle-même. Plus jamais !

L'*Adélaïde* transportait des socs de charrues et du matériel agricole vers Mombasa, en Afrique-Orientale britannique, puis repartait pour Colombo, dans l'île de Ceylan, où l'attendait une cargaison de thé. Sid comptait aller jusqu'à Colombo où abondaient les plantations de thé et de caoutchouc. Plus le travail serait harassant, moins il aurait le temps de souffrir.

Il avait toujours imaginé que la mer le laverait de ses péchés, et, en effet, dès que l'ancre fut levée, il ressentit un soulagement. Sid Malone avait disparu et, de ses cendres, Sid Baxter était né, simple manœuvre, invisible, anonyme. Un homme sans passé qui n'avait rien à attendre de la vie.

— Hé ! Moins vite, mon vieux ! cria Andy. Ménage-toi. Tu vas pas durer deux jours à ce rythme. Rappelle-toi qu'il faut tenir jusqu'à Colombo.

Sid se retint de sourire. Ne pas durer deux jours ? Il ne demandait que cela.

79

— India ? Ça ne va pas ?

Maud frappait à la porte du cabinet de toilette attenant à la chapelle de Longmarsh.

— Si, très bien. Une minute, je sors, répondit India de l'intérieur.

Mais elle mentait. Elle avait déjà vomi deux fois dans la matinée, et les nausées ne la lâchaient pas. À ceux qui remarquaient sa pâleur, elle répondait que c'était l'émotion du mariage. Elle se passa de l'eau sur le visage, puis se résolut à ouvrir.

Sa sœur, de retour de Paris, l'attendait dans la petite sacristie, sac de voyage encore en main.

— J'arrive à l'instant. Lady Bingham m'a indiqué où te trouver. Peux-tu m'expliquer ce qui se passe ?

— Eh bien… j'épouse Freddie. Dans moins d'un quart d'heure.

— C'est ce que mère m'a appris il y a trois jours quand je lui ai téléphoné de France pour savoir si elle voulait que je lui ramène des foulards en soie. Un pur hasard !

— C'est moi qui n'ai pas voulu qu'on t'avertisse. J'avais peur que tu ne cherches à empêcher le mariage. Mère avait les mêmes craintes que moi.

— Bien sûr que je veux l'empêcher, ce mariage ! Tu jurais ne plus jamais vouloir entendre parler de Freddie. Tu m'as raconté toutes les horreurs dont il s'est rendu coupable. Pourquoi as-tu changé d'avis ?

— J'ai mes raisons. Je t'en prie, ne me rends pas la tâche plus difficile qu'elle ne l'est déjà. Tu ne comprendrais pas…

— J'exige de savoir ce qui se passe !

India observa sa sœur, surprise que, pour une fois, elle ne tourne pas tout en dérision. Avec un soupir, elle s'assit sur un banc, prenant soin de ne pas froisser la robe très simple à col montant dans laquelle elle allait se marier.

— Bien. Je suis enceinte, mais pas de Freddie. Il a accepté de reconnaître l'enfant en échange de ma dot. Nous vivons dans un monde très dur, comme tu le sais, et je ne veux pas que mon enfant souffre des circonstances de sa naissance.

— Mais le vrai père ? Il ne peut pas t'épouser ?

— Il devait le faire. Nous devions partir en Amérique. Mais il est mort…

— Ma pauvre chérie… Qui était-ce ?

— Je ne peux pas te le dire. Il vaut mieux que tu l'ignores.

— Tout cela est très bien, et je comprends que tu

veuilles protéger ton enfant, mais c'est ta vie aussi, India. Tu seras malheureuse. C'est très grave.

— Je n'ai pas le choix.

Maud arpentait la pièce, effarée.

— Mère est arrivée ? Et papa ? Où sont-ils ?

— Ils attendent déjà dans la chapelle avec les Lytton. Ils sont venus hier de Londres après avoir réglé la question financière avec Freddie.

Avant même la signature du contrat de mariage, Freddie avait engagé un architecte et un décorateur pour refaire entièrement l'hôtel particulier de Berkeley Square.

— D'ici à un an, lui avait-il annoncé, ce sera la demeure la plus magnifique de Londres. Commande-toi des robes du soir dès maintenant. Nous organiserons un bal pour deux cents personnes dès que nous rentrerons du voyage de noces. Je convierai Campbell-Bannerman, les personnalités les plus éminentes des deux partis, toute la haute société. Cette fois, je ne laisserai pas le siège de Tower Hamlets m'échapper.

L'ambition de Freddie n'avait été freinée que par le manque de moyens. Avec l'argent des Selwyn Jones derrière lui, plus rien ne l'arrêterait. Elle songea à la suite ininterrompue de réceptions qu'elle devrait dorénavant organiser, aux menus à composer, aux convives à placer, aux conversations assommantes. Et jamais plus elle ne reverrait Sid, jamais plus elle ne reverrait ses yeux. Jamais plus elle n'entendrait sa voix. Un chagrin épouvantable l'envahit de nouveau. Elle baissa la tête pour cacher sa peine.

— C'est mère qui a choisi ma robe, dit-elle en tirant sur les dentelles à son poignet. As-tu déjà vu quelque chose d'aussi laid ?

Maud se laissa tomber sur le banc à côté d'elle et resta

longuement silencieuse. Enfin, elle reprit d'un ton rêveur.

— Tu te souviens, la dernière fois que nous nous sommes retrouvés ici tous ensemble ? Avec Wish ?

— Bien sûr.

— Je t'ai dit ce vers de Tennyson : « Mieux vaut avoir aimé et perdu l'être cher que de n'avoir jamais connu l'amour. » Tu n'étais pas d'accord. Et maintenant ?

— Je ne sais plus… Il n'a peut-être pas tort… Je préfère avoir aimé cet homme, je pense, même si mon bonheur n'a pas duré longtemps.

Maud posa la main sur la sienne.

— Cela n'ira pas si mal, tu verras. On peut toujours se distraire.

— À quelles sortes de distractions penses-tu ? À celles que tu trouves chez Teddy Ko ? Très peu pour moi.

— Je pensais plutôt au dispensaire.

— Le dispensaire ? Il ne faut pas y compter. Freddie exige que je devienne une épouse modèle. Je dois consacrer tout mon temps à sa carrière politique.

— Alors tu auras l'amour de tes enfants. De celui que tu portes, et de ceux que tu auras plus tard.

India tâcha d'être brave.

— Oui, tu as raison. Et pour m'occuper, je pourrai toujours apprendre le français. J'en ai toujours eu envie sans en avoir le temps. L'italien, aussi. Je lirai de la poésie, je me mettrai au dessin. Maud, murmura-t-elle en fermant les yeux. Au secours…

On frappa à la porte, et le pasteur passa la tête dans la pièce.

— Excusez-moi, lady India, êtes-vous prête ? Le futur époux est arrivé.

— Je suis prête, révérend.

Elle prit la main de sa sœur.

— Reste près de moi.

— India ! Tu ne peux pas faire ça ! Il doit bien y avoir une autre solution. Ne te sacrifie pas ! Sauve-toi ! Vite ! Je m'occuperai de Freddie et de la famille.

— Non. Ce soir, je veux m'endormir en pensant que mon enfant sera épargné. C'est tout ce qui m'importe.

Elle ne vivrait que pour cet enfant. Elle retrouverait dans ses yeux, ses sourires, l'homme qu'elle avait perdu.

Si c'était bien une fille, elle l'appellerait Charlotte, parce que Sid lui avait révélé un jour que son véritable prénom était Charlie. Charlotte... Son enfant. Son enfant à elle. Elle l'aimerait comme elle avait aimé Sid, de tout son cœur, de toute son âme.

Elle prit le bouquet de roses rouges que Freddie avait choisi pour elle. En le lui donnant, il avait lancé d'un ton venimeux :

— Des roses blanches n'auraient pas convenu. Le blanc est réservé aux vierges, pas aux traînées.

Surprise par sa violence, elle avait répondu du tac au tac :

— Mon père te donne trois cent mille livres pour m'épouser. Qui de nous deux est le moins honorable ?

Cet échange augurait mal de leurs relations futures. C'était avec cet homme qu'elle se condamnait à passer le reste de ses jours. Celui dont elle partagerait le lit. Elle avait failli perdre sa détermination, mais maintenant elle ne doutait plus.

— Viens, Maud, allons-y.

Elles quittèrent la sacristie, passèrent par le petit vestibule, puis entrèrent dans la chapelle. Lorsqu'elles franchirent la porte, une harpe se mit à jouer.

Freddie l'attendait devant l'autel, un sourire aux lèvres. Il était beau et élégant, en jaquette grise et pantalon rayé. Bingham, son témoin, se tenait à côté de lui. Résolue, India avança vers eux au bras de son père.

Le pasteur prononça un petit discours qu'elle entendit à peine. C'était la voix de Sid qui résonnait à son oreille. Il lui disait qu'en s'aimant ils commettaient une terrible erreur. Non, je ne regrette rien ! répondait-elle en silence. Je ne regretterai jamais.

Leur union fut célébrée simplement. Les prières furent dites, les consentements échangés. Freddie passa l'anneau au doigt d'India, et elle fit de même. Il l'embrassa du bout des lèvres, et la cérémonie prit fin. Ils étaient mari et femme.

Quand ils sortirent, le soleil se couchait. Les métayers des Lytton s'étaient rassemblés de chaque côté du portail pour acclamer les jeunes mariés et leur jeter du riz. Menant la noce, la mère de Freddie partit vers le château où un repas avait été préparé. Freddie prit le bras d'India. Tous, sauf elle, étaient d'humeur joyeuse et elle eut le soulagement de pouvoir se taire dans le brouhaha général.

Le sentier traversait une partie du parc. Le domaine de Longmarsh semblait triste et gris dans le paysage hivernal. Soudain, à un détour du chemin, ils eurent la surprise de découvrir, à une vingtaine de mètres devant eux, un cerf magnifique, doté de bois majestueux.

— Vite, une carabine ! s'écria Freddie. Où est ce maudit garde-chasse ?

Il lâcha le bras d'India, visa l'animal avec une arme imaginaire et fit un bruit de détonation. Le cerf l'entendit, mais sans broncher. Il regardait India.

Sauve-toi, ordonna-t-elle en pensée. Va-t'en, pars d'ici, pars très loin !

Le cerf sembla comprendre. Il inclina sa noble tête et s'enfuit en bondissant entre les arbres.

— Dommage, soupira Freddie.

— Tu l'auras un autre jour, dit Bingham en lui donnant une claque amicale dans le dos. Le jour de son mariage, ce n'est pas ce genre de sport qu'on recommande.

Il y eut des rires. La sœur de Freddie le taquina encore un peu, puis Bing leur demanda de se dépêcher car il mourait de faim. Ils reprirent leur route, mais India s'attarda, suivant le cerf du regard. Il avait sauté un muret de pierre, et s'éloignait à travers champs.

Les larmes montaient. Non, elle ne pleurerait pas. Plus tard, peut-être, mais maintenant c'était impossible. Je t'aime, Sid, songea-t-elle. Je t'aimerai toujours.

— Tu viens, chérie ?

La voix mielleuse de Freddie la fit sursauter. Il jouait la comédie parce qu'on pouvait l'entendre, mais le sourire artificiel qu'il arborait pour tromper sa famille avait disparu à l'instant où il s'était tourné vers elle. Se profilant sur la masse noire du château de Longmarsh, avec ce regard glacé, il était presque inquiétant. Elle tourna la tête pour voir le cerf une dernière fois, mais il avait disparu. Alors, avec un soupir, elle se résolut à rejoindre son mari.

Troisième partie

Londres, 1906

80

Sir David Erskine, sergent d'armes à la Chambre des communes, montait la garde devant Westminster par une sombre journée de février. La cérémonie d'ouverture de la nouvelle session parlementaire venait de se terminer. Les badauds s'étaient dispersés, le roi était parti, et les membres des deux chambres vaquaient à leurs occupations. Mais tout avait beau être tranquille, l'huissier scrutait la pelouse de Cromwell Green avec inquiétude.

— C'est trop calme, je me méfie, confia-t-il à M. Gosset, l'un de ses adjoints.

— Ses nouvelles fonctions l'ont peut-être assagi. Il ne fera pas d'esclandre maintenant qu'il est au gouvernement.

— Vous pensez ! C'est mal le connaître ! Il mijote quelque chose, j'en mettrais ma main à couper. Nous entendrons parler de lui avant la fin de la journée.

Bras croisés, regard vigilant, Erskine ressemblait à un vieux chef de clan écossais défendant son manoir. Son rôle était de maintenir l'ordre à la Chambre des communes avec l'aide de ses portiers et adjoints, ce qui n'était pas une mince affaire. Il remettait sur les rails les visiteurs égarés, bloquait la route aux fauteurs de troubles. Il faisait aussi régner l'ordre chez les parlementaires tapageurs et avait même essuyé quelques attaques à la bombe. Mais l'honorable représentant de Hackney lui donnait plus de fil à retordre que tous les autres perturbateurs réunis.

— Maintenant qu'il est ministre du Travail, reprit Gosset, il va se conduire avec la dignité attachée à sa fonction.

— J'en doute. Je pense au contraire que le Premier ministre regrettera de l'avoir pris dans son cabinet. S'il imagine qu'en l'intégrant au gouvernement il le fera taire, il se trompe. Son plus grand plaisir est de réclamer l'impossible. C'est la révolution qu'il veut.

— Il semblait tout à fait calme, ce matin.

— Ce n'est qu'une impression. Je l'ai observé pendant le discours d'ouverture. Il faisait une tête ! Et puis il s'est éclipsé dès le départ du roi, ce qui est très suspect.

L'ouverture officielle de la session parlementaire avait eu lieu avec d'autant plus de faste et d'apparat qu'un nouveau gouvernement venait d'être formé. Le roi Édouard avait été accueilli à son arrivée par les acclamations de la foule. Il était passé par la Galerie royale, puis était entré dans la Chambre des lords où il avait pris place sur le trône. Enfin, il avait envoyé le gentilhomme huissier chercher les membres de la Chambre des communes. Comme le voulait la tradition, on lui avait claqué la porte au nez, ce qui symbolisait le droit des députés à débattre en toute liberté sans ingérence des lords ni du souverain. Le gentilhomme devait frapper trois fois avant d'être admis, après quoi les députés venaient écouter le discours du roi. C'était un moment politique important, au cours duquel le souverain présentait le programme du nouveau gouvernement.

— Vous pensez que quelque chose dans le discours lui a déplu ? demanda Gosset.

— Le connaissant, cela pourrait même être une omission qui l'a mis en colère. Il est capable de réagir simplement parce qu'il n'a pas entendu promettre de logements pour les personnes âgées, d'écoles pour les orphelins, ou Dieu sait quoi d'autre. Mais ce qui est certain…

Erskine se tut brutalement. Il avait entendu le bruit qu'il redoutait par-dessus tout : le vrombissement d'un moteur.

— Sacrebleu, le voilà. Je le savais, Gosset, je le savais !

— Où ?

— Là bas !

Il désignait l'autre bout de Parliament Square où un homme en fauteuil roulant s'engageait sur la place beaucoup plus vite que s'il avait marché sur ses deux jambes. Son siège était pourvu d'un moteur Daimler dernier cri qui pouvait monter à quarante kilomètres à l'heure. Erskine savait d'expérience qu'il les atteignait vraiment pour avoir couru après l'engin diabolique à travers tout Westminster.

L'honorable représentant de Hackney était escorté d'un bataillon de trois cents femmes, armées de pancartes et de banderoles. Des reporters accompagnaient la procession, les journaux étant friands des manifestations et des provocations orchestrées par le député et nouveau ministre. De l'avis d'Erskine, on parlait davantage de lui dans la presse que du Premier ministre.

Il faisait figure de héros dans le pays, et beaucoup le considéraient comme un saint. Erskine connaissait son histoire comme tout le monde. C'était un enfant pauvre de l'East End qui avait fait fortune et voulait faire profiter les déshérités de son ascension sociale. Il s'était présenté en 1900 sous la bannière travailliste et, à l'étonnement général, il avait gagné. Coup du sort, quelques semaines seulement après sa victoire, un criminel l'avait paralysé à vie. Il avait dû renoncer à son siège qui avait été reconquis par Freddie Lytton, ancien député de la circonscription.

Mais ceux qui supposaient que sa carrière s'arrêterait là se trompaient. Son handicap ne l'avait aucunement ralenti. Dès le printemps 1901, il était de retour, remportant le siège de Hackney dans une élection partielle, grâce à son courage et à son énergie.

Erskine n'était pas de ses admirateurs. Il en avait même une peur épouvantable.

Gosset lisait les pancartes à voix haute :

— *« Droit de vote pour les femmes ! Égalité des droits pour tous ! »* Bon sang ! Mme Pankhurst est là aussi !

— Vous avez bouclé les portes ?

— Plutôt deux fois qu'une.

— C'est bien. S'il espère faire entrer ces harpies, il se trompe.

Erskine et Gosset attendirent de pied ferme la troupe qui descendait St. Margaret's Street vers l'entrée des visiteurs.

— Il ne pourra pas faire pis que l'incident des choux, commenta Gosset.

— Qui sait…

Pour protester contre une taxe que les députés conservateurs voulaient faire payer aux vendeurs des quatre-saisons, il avait clamé que le projet était aussi nauséabond que du chou pourri et avait encouragé les marchands ambulants à protester. Le prenant au mot, les intéressés avaient alors convergé sur Westminster pour déverser des tombereaux de vieux choux devant l'entrée des députés. Une puanteur insoutenable avait flotté sur Westminster pendant des jours, le nettoyage ayant été fort long. La loi n'était pas passée.

Un autre jour, pour faire reconduire l'aide au dispensaire pour les femmes et les enfants de Whitechapel, l'honorable représentant de Hackney avait rassemblé un groupe de mères en colère ainsi que leurs enfants dans la galerie des visiteurs. Le tintamarre avait obligé à interrompre les travaux de la journée. La police était intervenue, et la presse s'en était donné à cœur joie. Le gouvernement Balfour avait été accusé d'indifférence envers les pauvres, et, le lendemain, les fonds étaient accordés.

Peu après, la manœuvre des choux avait été réitérée, mais avec du fumier, cette fois. C'était pour manifester contre l'adoption de la loi Taff Vale qui rendait les syndicats responsables des pertes causées aux employeurs par les grèves. La foule en colère avait même perché une effigie du Premier ministre en haut du tas.

Toutes ces mesures impopulaires avaient eu pour résultat de faire perdre le Parti conservateur aux dernières élections. Non seulement les libéraux l'avaient emporté, mais ils l'avaient emporté avec une majorité écrasante. Henry Campbell-Bannerman était devenu Premier ministre, et, en fin stratège, il avait reconnu la progression du jeune Parti travailliste en nommant plusieurs ministres parmi ses élus.

Le plus turbulent d'entre eux arrivait justement à l'entrée des visiteurs. Il s'arrêta devant l'huissier et son adjoint et coupa le moteur de son fauteuil roulant.

— Monsieur Erskine ! Monsieur Gosset ! C'est toujours un plaisir de vous voir.

Son sourire espiègle était un brin provocateur.

— Bonjour, monsieur Bristow.

— Pouvez-vous nous laisser passer ? Je suis accompagné d'un groupe de Londoniennes qui souhaiteraient échanger quelques mots avec leurs élus. Enfin, je devrais plutôt dire, avec les représentants élus pour elles, et non par elles.

— Avant toute chose, monsieur, je souhaite vous dire à quel point j'espère que cette nouvelle session parlementaire se déroulera dans d'agréables conditions.

— Je ne demande pas mieux.

— Parfait, parfait. Comprenons-nous bien. Cette fois, nous ne tolérerons ni choux pourris, ni enfants brailleurs, ni tas de fumier…

Il jeta un regard aigre à une petite dame en manteau long et chapeau à large bord.

— … et nous ne voulons pas non plus de Mme Pankhurst !

Joe Bristow prit l'air contrit tandis que la célèbre suffragette disait sa façon de penser à l'huissier. Elle s'indignait que, dans le discours d'ouverture, aucune mention du droit de vote pour les femmes n'ait été faite. C'était trahir toutes celles qui avaient placé leurs espoirs dans ce nouveau gouvernement.

— Madame, nous ne vous laisserons pas entrer au Parlement. Nous ne voulons pas d'émeute.

— Mme Pankhurst a parfaitement le droit d'entrer, intervint Joe. En tant que citoyenne britannique, elle est autorisée à se rendre dans le Lobby pour rencontrer son député. Elle, ainsi que toutes les femmes ici présentes.

— Monsieur ! cria un reporter. Refusez-vous à ces femmes l'accès au Lobby ?

Le journaliste du *Times* avait sorti son carnet, tout

comme une dizaine de ses collègues. Erskine soupira. Mieux valait une digne retraite qu'une défaite sanglante.

Il se tourna vers Joe.

— Je ne peux pas les laisser entrer toutes. Elles sont trop nombreuses.

— Combien en acceptez-vous ?

— Cinq.

— Cinquante.

— Trente.

— Marché conclu.

Au moment où Erskine donnait l'autorisation d'ouvrir à Gosset, il se mit à pleuvoir.

— Nous pourrions peut-être faire apporter à ces femmes des parapluies et du thé chaud, suggéra le nouveau ministre.

— Je ne suis pas à votre service, monsieur Bristow !

— Je m'en occuperai moi-même, cela va de soi. Les femmes sont trop délicates pour rester dehors par un temps pareil sans un peu de réconfort.

— Délicates... Délicates, ces tigresses !...

Joe fit redémarrer son moteur et entra dans St. Stephen's Hall par une rampe fixée sur les marches pour son usage personnel. Il partit vers les salles à manger, suivi par la voix d'Erskine qui lui criait :

— Et pas d'excès de vitesse !

Il leva la main pour montrer qu'il avait entendu et respecterait cette mise en garde.

— Il a renversé trois huissiers l'année dernière et ébréché la statue de Cromwell, soupira Erskine en retournant à son poste.

Trente déléguées furent choisies, que Gosset escorta jusqu'au Lobby tandis qu'Erskine restait surveiller le gros de la troupe. Les manifestantes trempées criaient leurs slogans sans se décourager. Après un temps qui parut assez long, on leur apporta du thé chaud et quelques parapluies que Joe avait réussi à leur obtenir. Il les rejoignit pour recevoir à leurs côtés les doléances des pauvres de sa circonscription, des femmes surtout, venues à pied de Hackney pour lui parler. Erskine se demanda comment il parvenait à les entendre malgré le vacarme.

Il fit part de sa lassitude à Gosset quand celui-ci revint du Lobby.

— Et dire que ce n'est que le premier jour de la session parlementaire…

— Un de mes amis qui était en poste en Chine pendant la révolte des Boxers m'a raconté que, si un Chinois vous veut du mal, il vous souhaite de « vivre en des temps intéressants ».

— Ah, ça, il n'y a aucun doute sur ce point. Nous vivrons en des temps intéressants, très intéressants même, avec M. Bristow au gouvernement.

81

— Encore un, Maggie ? proposa Sid.

— Allez, un petit, répondit son employeuse.

Ici, le whisky valait de l'or car il venait de Nairobi, à deux jours de voyage à pied. Généreux, Sid remplit bien les verres.

La prodigalité, en général, vient de ce que les gens, trop conscients de la brièveté de la vie, veulent en profiter. Sid, au contraire, la trouvait trop longue et ne savait qu'en faire. Pour lui, c'était le bonheur qui durait peu, pas l'existence. Alors, quand un plaisir se présentait, même sous sa forme la plus éphémère comme cette agréable soirée, il en profitait.

— On ne va plus se tourner les pouces longtemps, déclara Maggie de sa voix rude. Les pluies vont arriver, il était temps. J'en ai plus qu'assez d'avaler de la poussière.

La saison sèche avait durci la terre de Thika ; elle se pulvérisait et recouvrait les champs d'une mince pellicule rouge, s'introduisait dans les maisons et les granges, donnant aux gens et aux animaux une teinte de terre cuite. Mais, ce soir, un petit vent soufflait sur les longues herbes de la savane. Des éclairs zébraient l'horizon vers le mont Kenya, accompagnés du roulement sourd du tonnerre.

— Il va pleuvoir la semaine prochaine, jugea Maggie. Nous allons pouvoir planter.

Elle avala une gorgée tout en considérant ses terres.

— Trois cent cinquante hectares de caféiers en production, et cent labourés prêts à être plantés. Si je ne le voyais pas de mes yeux, je n'y croirais pas. Tu es un travailleur acharné, Baxter.

— Parce que j'ai une patronne acharnée.

Maggie Carr était une femme d'une cinquantaine d'années. Elle ne mesurait pas plus d'un mètre cinquante-cinq, taille que sa voix de stentor et son fort caractère compensaient amplement. Veuve depuis dix ans et sans enfants, elle dirigeait sa plantation seule, dépendant de la main-d'œuvre locale pour le travail de la terre et les récoltes. Elle avait engagé Sid comme contremaître, et une forte amitié s'était nouée entre eux.

Pieds posés sur la balustrade de la véranda de Sid, elle prenait le frais avec lui devant sa cabane. Elle avait des attitudes d'homme et jurait comme un charretier. Il l'avait souvent vue travailler de l'aube à la nuit, plantant sous la pluie, récoltant le café sous le soleil écrasant. Aux champs, elle portait un casque colonial, des chemises d'homme dont elle roulait les manches, et un pantalon de son défunt mari, retenu avec une ceinture. Elle ne mettait jamais de robes, même pour aller en ville, n'aimant pas davantage les jupes-culottes que portaient les femmes de colons.

Sid, échoué en Afrique lors d'une escale de l'*Adélaïde*, travaillait pour elle depuis cinq ans. Il l'avait providentiellement rencontrée à Mombasa, grand port d'Afrique-Orientale britannique, à l'instant où il s'apercevait que son navire repartait sans lui. Il avait profité de l'escale pour descendre à terre, ayant la ferme intention de remonter à bord avant l'aube, mais il avait trop bu et s'était endormi d'un sommeil de plomb dans une maison de passe. Pendant la nuit, on l'avait dévalisé mais en le laissant dormir, si bien que, lorsqu'il avait couru au port le lendemain, ne possédant plus qu'une chemise et un pantalon, l'*Adélaïde* était déjà au large.

Il était resté à faire les cent pas sur le quai, désemparé. Il n'avait plus rien dans les poches et plus rien à faire, et, soudain, beaucoup trop de temps pour penser. À bord de l'*Adélaïde*, la cadence à la chaufferie avait été infernale, et les tempêtes et le mal de mer avaient achevé de secouer ses idées noires. À terre, c'était le calme plat.

Son désarroi avait attiré l'attention d'une femme habillée en homme qui supervisait le chargement d'une charrue, de caisses de matériel et de quatre cages à poules dans une carriole. Elle s'était approchée de lui.

— Ça ne va pas ?

— Pas très fort !

— Qu'est-ce qui vous arrive ?

La situation expliquée, elle l'avait fixé.

— Vous savez conduire un attelage de bœufs ?

— Non.

— Vous avez déjà planté du café ?

— Jamais.

— Vous êtes en bonne santé ?

— Pourquoi toutes ces questions ?

— J'ai besoin d'un contremaître. Mon mari est mort, et l'homme qui m'aide à la plantation est un ivrogne que je veux renvoyer. Je ne pourrai pas vous payer beaucoup, mais vous serez copieusement nourri et vous aurez une cabane et un lit. Ce n'est pas un palace, mais le toit ne laisse pas passer l'eau, et il y a une véranda.

— Pourquoi moi ?

— Pourquoi pas vous ? J'ai besoin de quelqu'un, et vous cherchez du travail, non ?

— C'est vrai.

— J'ai six cents hectares de terres à Thika, au nord de Nairobi. Le travail est difficile, je ne le nie pas, mais cela vaut mieux que de mourir de faim. Vous êtes preneur ?

— Pourquoi pas…

— Alors venez. Le train part dans une demi-heure.

Il l'avait donc suivie jusqu'à la gare avec la carriole.

— Comment vous appelez-vous ? lui avait-elle demandé en chemin.

— Sid. Sid Baxter.

De même qu'à bord de l'*Adélaïde*, le premier nom qui lui était venu à l'esprit était celui qu'il avait pris à Arden Street avec India. Il l'avait aussitôt regretté car il penserait à elle dès qu'on s'adresserait à lui.

Maggie n'avait pas cru bon de l'avertir que, faute de moyens, il devrait voyager dans le compartiment à bagages, assis sur les cages à poules. Les cahots étaient si violents sur les rails sans ballast qu'il était couvert de bleus en arrivant à Nairobi. Deux grands et beaux Kikuyu à la peau couleur d'ébène, simplement vêtus d'une courte tunique rouge, les attendaient avec un char à bœufs.

Deux jours plus tard, après une nuit passée à la belle étoile dans la plaine, ils étaient arrivés fourbus à Thika, village longé par une étroite rivière. Ils n'étaient plus qu'à une quinzaine de kilomètres de la ferme de Maggie. À l'arrivée, elle lui avait fait visiter sa cabane, une modeste construction en bois sur pilotis, puis lui avait montré le lopin qu'il devait labourer. Il ne voulait pas de salaire, avait-il dit. Du whisky, seulement. Elle lui en avait donné une bouteille mais en l'avertissant qu'il faudrait la faire durer.

Le soir, il buvait pour oublier et, pendant la journée, il s'épuisait pour ne pas penser. Jamais il n'arrêtait, malgré ses vêtements trempés de sueur, ses mains en sang. Il continuait même quand la chaleur lui donnait mal au cœur, même après la tombée de la nuit, jusqu'à ce que, harassé, il s'effondre sur son lit et sombre dans un sommeil sans rêves.

Après plusieurs semaines de ce régime, Maggie était sortie un soir pour le chercher aux champs. Il déterrait une énorme souche à la lueur d'une lanterne. Elle l'avait observé un long moment sans rien dire, effrayée par sa peau brûlée et son corps émacié.

— Ça suffit, maintenant ! s'était-elle emportée. Si tu veux te tuer, va faire ça ailleurs, je ne veux pas de ça chez moi.

Il s'était redressé et l'avait défiée du regard en silence.

— Je ne sais pas ce que tu as fait, ou ce qu'on t'a fait pour te mettre dans un état pareil, mais tu n'arrangeras rien en te tuant au travail. Tu n'es pas le seul à souffrir, il faudra t'y faire.

Il avait jeté sa pioche par terre et était rentré à sa

cabane, furieux d'avoir été trop bien deviné. Depuis, il avait trouvé d'autres moyens d'oublier. Quand il n'avait rien à faire à la ferme, après les récoltes par exemple, il partait seul dans la brousse à cheval. Il explorait au hasard, parfois pendant plusieurs semaines. Il était allé jusqu'au mont Kenya, au nord, jusqu'à la réserve de Mau à l'ouest, et au fleuve Tana à l'est.

Il ne prenait qu'une tente, une gourde et une carabine, ne tirant que pour se nourrir car il détestait tuer les animaux. Il avait vu trop de malheurs pour aimer la mort. Il traversait les plaines, grimpait sur les hauteurs, découvrait des lieux sur lesquels aucun homme blanc n'avait jamais posé les yeux. Il observait les lions, les éléphants et les rhinocéros, suivait les grands troupeaux sauvages.

Par beau temps, il dormait à la belle étoile, guettant les bruits nocturnes, espérant presque se faire emporter par un lion. Pendant la journée, il marchait sous l'immense ciel africain en adressant des reproches à India. Il exigeait des explications, l'accusait de s'abriter derrière de fausses excuses. Parfois, sa colère montait au point qu'il se mettait à hurler. Un jour, deux ans après son arrivée en Afrique, il s'était déshabillé pendant un orage et s'était étendu par terre, espérant se faire transpercer par les hallebardes de pluie. Mais il n'avait réussi qu'à prendre froid et était rentré à la plantation, boueux et transi.

Maggie l'avait soigné. Elle lui avait épongé le front avec un mouchoir, et lui avait administré de la quinine.

— Cette femme que tu n'arrives pas à oublier, elle n'en vaut pas la peine…

— Mais si, Maggie, c'est bien ça le plus terrible.

Ensuite, il s'était un peu ménagé, mais il n'avait pas cessé de boire. Tout ce qu'il gagnait, il le dépensait en whisky, en vin, ou tout autre alcool qu'il réussissait à dénicher. Il buvait avec Maggie et ses voisins planteurs, mais, quand il n'avait pas de compagnons, il buvait seul.

Maggie descendit les pieds de la balustrade.

— Je suis impatiente qu'il pleuve. J'adore voir fleurir les caféiers. Les fleurs blanches sont belles comme de la neige. Quand les baies de café mûrissent sur le feuillage vert, j'ai l'impression de voir du houx. On se croirait en Angleterre à Noël.

— Il ne manque que le Christmas pudding !

Maggie eut un rire et indiqua d'un mouvement de menton le journal qu'elle avait posé pour lui sur la table de la véranda. C'était un quotidien de Londres qui datait de bientôt deux mois, mais à Thika, on n'avait pas de nouvelles plus fraîches. Il annonçait l'éclatante victoire du Parti libéral à l'élection législative.

— Tu l'as lu ? demanda-t-elle.

— Non.

Il n'aimait pas se rappeler l'existence du monde.

— Eh bien, tu devrais t'informer. Il y a un nouveau gouvernement. Le protectorat africain est transféré du ministère des Affaires étrangères à l'Office colonial. Lord Elgin a été nommé secrétaire d'État aux Colonies, et on dit que le gouverneur lui a demandé d'envoyer un représentant en voyage diplomatique en Afrique.

Sid détestait la politique, contrairement aux colons qui n'avaient pratiquement pas d'autres sujets de conversation.

— Ça ne m'intéresse pas, grommela-t-il. Je me méfie de ces gens-là.

— Je voudrais bien être comme toi, mais si on ne s'occupe pas de politique, c'est la politique qui s'occupe de nous. Si Londres a décidé de nous envoyer quelqu'un, c'est qu'il se trame quelque chose, je te le garantis.

— Que veux-tu qu'il fasse ? Il va massacrer quelques malheureux lions, se faire prendre en photo pour les journaux et puis il rentrera chez lui et il ne pensera plus à l'Afrique.

— Mais il faut que le gouvernement agisse ! De plus en plus de colons arrivent. On va les installer où ? Les Massaï n'apprécient pas d'être parqués dans les réserves. Les Kikuyu non plus. Les Nandi sont hors d'eux. Ils nous ont déjà attaqués une fois, et ils recommenceront. Le Bureau d'attribution des terres est débordé. Les préfets de district aussi. Ça va mal tourner, Sid.

— Tu resteras, s'il y a des soulèvements ?

Maggie poussa un long soupir.

— Je n'ai pas le choix. Je n'ai rien à part la ferme et mes quatre cents caféiers. Dix ans de travail, et je commence seulement à gagner un peu d'argent. Et toi ? Tu feras quoi ?

Sid pensa à sa cabane, petite mais confortable, à son amitié pour Maggie, à ce pays, difficile et indifférent, mais si beau, qu'il considérait maintenant comme le sien. Il pensa à la paix fragile qu'il était parvenu à trouver.

— Tant que tu resteras, je resterai.

— Tu pourrais demander des terres, toi aussi.

Sid secoua la tête. Pourtant, comme tout le monde, il aurait eu droit à trois cents hectares dans la province du Kenya, loués aux colons par le ministère des Affaires étrangères britannique pour quatre-vingt-dix-neuf ans au prix d'un penny par hectare et par an. D'autres auraient bondi sur l'occasion. Lui ne voulait pas se mêler à ce trafic. Il avait assez volé dans sa vie.

— Le gouvernement prend des terres aux gens d'ici pour les donner à ceux qui arrivent. Si on faisait ça en Angleterre, ça s'appellerait du vol, mais tant que c'est en Afrique, on appelle ça le progrès.

— Pense ce que tu voudras, mon garçon, mais arrange-toi pour que la récolte soit bonne cette année. Autrement, toi, moi, la cuisinière et le boy, nous mourrons de faim.

Bougonne, elle lui rappela ses devoirs, c'est-à-dire de monter une clôture autour du champ nord pour empêcher les gazelles de revenir ravager les caféiers. Il lui dit merci et ajouta qu'il n'avait pas besoin de ses directives. La clôture était déjà presque entièrement posée. Il remplit de nouveau les verres, et ils discutèrent de la récente épidémie de mammite qui avait affecté les vaches, de la naissance d'un chevreau et du cobra qui avait été vu près du poulailler. Dans le ciel crépusculaire, les lumières de la ferme Thompson scintillaient au loin.

— Tu as l'intention d'aller bientôt à Nairobi ? demanda Maggie, pensive.

— Dans une quinzaine. Nous allons être à court de grain, et nous avons besoin de paraffine et d'un harnais neuf pour le cheval. Alice m'a donné une liste longue comme le bras pour la cuisine.

— Pendant que tu y seras, tu devrais rapporter un petit cadeau à cette mignonne Lucy Thompson, tu ne crois pas ? Il paraît que tu lui plais beaucoup.

— Tu parles d'un honneur !

— Voyons ! Elle est ravissante. Et les Thompson ont mille hectares.

Sid soupira. Ce n'était pas la première fois que Maggie essayait de le marier. Cette rude nature possédait une âme romantique.

— Je n'ai pas le cœur à ça, dit-il d'un air éploré. Je m'intéresse bien à une femme, mais elle ne veut pas de moi.

Maggie se redressa, l'œil brillant.

— Ah oui ? C'est vrai ? Qui est-ce ?

— Toi, ma belle. Tu ne veux pas m'épouser ?

— Mais quel zèbre ! protesta-t-elle, un sourire plissant la peau tannée de son visage.

— Allez, Maggie, tentons notre chance.

— Non merci, un seul homme m'a suffi. J'ai rendu mon tablier. J'apprécie de me retrouver seule dans mon lit avec un bon livre.

— Comme moi ! Essaie d'y penser la prochaine fois que tu voudras me caser.

— Je me demande comment était cette femme qui t'a dégoûté de toutes les autres. Ce n'est pas normal, pour un homme. Vous êtes perdus sans les femmes, vous autres.

Elle se leva lourdement et lui souhaita bonne nuit. Sid lui répondit avec chaleur, la sachant trop discrète pour l'importuner vraiment. S'il n'aimait pas parler de son passé, elle n'aimait pas non plus parler du sien. Ils se comprenaient. Maggie savait simplement qu'il venait de Londres et qu'il n'avait ni femme ni enfants. D'elle, il avait entendu dire qu'elle et son mari avaient émigré du Devon pour l'Australie, puis qu'ils étaient venus en Afrique. Rien d'autre.

La vie de Sid était moins monotone qu'il n'y paraissait. Son existence était régie par une nature inconstante. On ne savait jamais si les jeunes plants de caféiers allaient prendre, ni si la récolte serait bonne. Les gazelles, les singes ou les maladies pouvaient détruire les plantations, le soleil dessécher les arbrisseaux, la pluie les faire pourrir. Et puis les Kikuyu pouvaient se révolter du jour au lendemain, brûler les plantations, assassiner les colons dans leur lit. Aimait-il l'Afrique ou la détestait-il ? Mourrait-il sur ce sol, ou partirait-il avant la fin de l'année ? Il n'en savait rien. Mais le plus dur était de n'avoir personne à aimer, ni aucun rêve.

Souvent, il avait l'impression de ne plus rien savoir de l'Afrique. Seule lui restait une certitude : India Selwyn Jones avait disparu de sa vie, et il ne la reverrait plus jamais.

82

Le Premier ministre, Henry Campbell-Bannerman, était assis à son bureau du 10 Downing Street.

— C'est un puits sans fond, ce pays, une ruine.

— Au contraire, répondit lord Elgin, secrétaire d'État aux Colonies. Nous commençons à faire rentrer de l'argent.

— Combien ?

— Nous évaluons les bénéfices à au moins quarante mille livres pour cette année.

— Quarante mille livres ? Mais c'est une misère ! Leur maudit chemin de fer nous a coûté plus de cinq millions ! L'Afrique doit nous rapporter plus. Il ne se passe pas une semaine sans qu'on me reproche cette ligne ferroviaire aux Communes. Joe Bristow demande pourquoi on a dépensé cinq millions pour financer un train en Afrique alors que des enfants ont faim en Grande-Bretagne. Que puis-je lui répondre ? Regardez-moi ça ! Il use et abuse de sa position.

Il désignait une pile de journaux sur son bureau.

— Mon cher Henry, ne me le reprochez pas, c'est vous qui avez voulu le prendre au gouvernement. C'est à vous de le dompter.

— Personne ne peut le dompter ! Personne ! D'ailleurs, le problème n'est pas là. C'est ce chemin de fer qui m'empoisonne. Dites-moi à quoi il nous sert.

— C'est très simple. De ce chemin de fer dépend la prospérité des colons, et de celle des colons, la nôtre. Les planteurs produisent des récoltes. Les récoltes nous fournissent des exportations, et les exportations nous rapportent de l'argent, autant par les produits vendus que par leur transport. Plus il y aura de colons, plus il y aura de profits. Bientôt il ne s'agira plus de quarante mille livres, mais de quatre cent mille.

— Alors, trouvez des colons, trouvez des colons !

Elgin se tourna vers Freddie Lytton, le nouveau sous-secrétaire d'État. C'était une occasion en or de montrer ses compétences et il s'en saisit.

— Ce n'est pas si facile, monsieur le Premier ministre. Les gens ont souvent peur de partir à l'autre bout du monde. Ils exigent certaines garanties avant d'accepter d'aller risquer tout ce qu'ils possèdent en Afrique. Malheureusement, ces garanties ne sont pas offertes, et nos concitoyens le savent. Beaucoup de rumeurs courent sur l'Afrique-Orientale. On entend dire qu'il serait difficile d'obtenir des terres. Les parcelles mettent trop longtemps à être attribuées. La construction de routes et de ponts avance trop lentement. Les différentes administrations se chicanent. Le gouverneur est à couteaux tirés avec l'Office colonial. Les préfets de district se plaignent des préfets de province. Et les colons en veulent à tout le monde.

— Avez-vous des suggestions pour mettre tous ces gens d'accord ?

— Il faudrait tout d'abord envoyer un représentant de notre nouveau gouvernement en Afrique.

— Et bien entendu, ce serait vous ?

— Pourquoi pas ?

Freddie avait réussi à intéresser Campbell-Bannerman. Il fallait maintenant le convaincre.

— Ce serait une mission d'étude et de conciliation. Je vous demande de m'autoriser à m'en charger.

— Que proposez-vous de faire ?

— Tout d'abord, j'écouterai ce qu'ont à dire les parties concernées. Je rencontrerai lord Delamere et ces messieurs de l'Association des colons. Je verrai le gouverneur, les préfets de district et de province. Ensuite, je ferai encore mieux : j'irai dans les plantations pour rencontrer les colons eux-mêmes. À mon retour, je me serai forgé une idée complète de la situation. Quand nous saurons précisément quels sont les problèmes, et où il faut intervenir, nous pourrons trouver des réponses appropriées.

Freddie déroula une carte qu'il étala sur le bureau. Elle représentait l'Afrique telle que se l'étaient partagée les grandes puissances européennes depuis un demi-siècle. Le continent était morcelé en protectorats et en territoires appartenant à la Grande-Bretagne, à la Belgique, à l'Allemagne, à la France et à l'Italie.

Freddie montra la frontière de l'Abyssinie.

— Il faut achever la reconnaissance du terrain dans la zone frontalière nord. La province pourra ainsi être découpée et louée. La ligne de chemin de fer devrait être prolongée dans la province du Kenya et vers l'ouest jusqu'au lac Magadi.

Il suivait du bout de l'index les plaines et les cours d'eau.

— Des droits commerciaux doivent être accordés et

des voies de circulation ouvertes de la frontière ougandaise jusqu'à Mombasa. Et finalement, ajouta-t-il en tapotant une région à l'oucst du Kilimandjaro, finalement, il faut accélérer le déplacement des indigènes vers les réserves.

— Même si un tel voyage permettait de s'attaquer aux difficultés que rencontrent les colons actuels, il n'attirerait pas de nouveaux arrivants, objecta Campbell-Bannerman.

— Je pense que si.

— Expliquez-moi ça.

— Je compte emmener ma femme et ma fille avec moi pendant ce voyage.

— Et comment vos vacances familiales permettront-elles de redresser les affaires du protectorat ?

— Pendant ce périple que nous ferons ensemble, j'enverrai des photos et des récits de voyage au *Times*. J'ai des amis dans ce journal qui seront enchantés de publier ce que j'enverrai. J'irai à Mombasa, à Nairobi, dans la brousse, les plantations, les montagnes. Je peindrai un tableau idyllique du pays. Quand les gens verront qu'il n'y a aucun danger pour les femmes et les enfants, quand ils comprendront qu'on offre des terres fertiles pour rien, quand ils liront des récits de chasses miraculeuses, ils se précipiteront, je vous le garantis.

Campbell-Bannerman réfléchit un peu.

— Ce serait un agréable changement de voir le nom d'un membre de notre parti en première page, n'est-ce pas, Elgin ? Nous délogerons peut-être Bristow des colonnes du *Times* un moment. Mais, ajouta-t-il en se tournant vers Freddie, votre femme ne voudra peut-être pas partir.

Ma femme fera ce que je lui dirai, songea Freddie.

— India a l'esprit d'aventure, et Charlotte aussi.

Elles feront sortir les malles dès que je leur parlerai de ce voyage.

— Est-ce bien raisonnable ? s'inquiéta Campbell-Bannerman. Les colons laissent souvent leurs enfants en Angleterre à cause des dangers de l'Afrique : la malaria, la dysenterie, pour ne parler que des maladies. Il y a aussi les lions, les léopards…

— Des dangers très exagérés.

Le Premier ministre le contempla, puis se tourna vers Elgin.

— Vous approuvez ce projet ?

— Oui, bien entendu.

— Très bien. Dans ce cas, Lytton, vous partirez dès que possible.

— Merci de votre confiance.

Freddie reprit sa carte et ses papiers et sortit du bureau, laissant Elgin et le Premier ministre finir leur entretien.

— Très bon élément, ce garçon, entendit-il en refermant la porte.

Freddie jubilait. Il avait hâte de partir. S'il avait pu embarquer le soir même, il l'aurait fait. Il fallait régler la question africaine le plus tôt possible. Le Premier ministre avait raison : le chemin de fer ougandais était un gouffre financier, mais, bien géré, il procurerait du profit. La ligne reliait le gigantesque lac Victoria à l'océan Indien, une excellente configuration pour le transport de marchandises. Elle traversait une immense étendue de terres fertiles qui ne demandaient qu'à être exploitées. Des fortunes pouvaient se faire dans l'agriculture, l'élevage, le tourisme, la chasse. L'afflux des voyageurs – visiteurs ou colons – stimulerait le secteur du bâtiment, le commerce de détail.

Il suffisait de réconcilier les parties concernées et de

remettre tout le monde au travail avec un objectif commun. Ce serait difficile, mais rien ne lui semblait impossible. L'homme qui réussirait cet exploit verrait sa carrière faite. Le récent succès du Parti libéral n'avait fait qu'accroître son ambition, mais il devait être habile. L'arrivisme était très mal vu dans la bonne société. On ne pouvait progresser que sous le couvert du devoir. Il irait donc en Afrique par devoir, pour son roi et pour sa patrie. L'Afrique le lui rendrait.

Il sortit d'un pas résolu du 10 Downing Street et se dirigea vers sa voiture, qui l'attendait. S'il réussissait, il dépasserait Elgin, Churchill, Asquith, Grey, et tous les autres. Et – ce qui comptait davantage à ses yeux – il éclipserait Joe Bristow. Son adversaire était plus redoutable dans son fauteuil roulant que sur ses deux jambes. Freddie avait cru en être débarrassé, et voilà qu'il revenait en héros. C'était d'un contrariant !

Il monta dans sa voiture et cria au cocher de le ramener à l'hôtel particulier de Berkeley Square. Il fallait maintenant annoncer le voyage à India et l'obliger à risquer la santé de sa précieuse fille.

Si seulement elles pouvaient toutes les deux mourir d'une maladie tropicale au retour, ce serait trop beau ! Rien ne le satisferait davantage que de perdre sa traînée de femme et sa bâtarde.

Il avait le plus grand mal à cacher sa haine en public. Si seulement India lui avait donné un fils, leur mariage aurait été plus tolérable. L'idée que son argent irait à l'avorton de Sid Malone plutôt qu'à un Lytton lui était insupportable.

En six ans de mariage, elle aurait largement eu le temps de lui donner un ou deux enfants. Mais rien. Il la rejoignait souvent dans son lit malgré l'horreur qu'il en avait, mais rien n'y faisait. Plus d'une fois, il l'avait accusée d'éviter la grossesse par une méthode inconnue de lui. Elle était médecin, après tout. Il mettait sa chambre sens dessus dessous, retournait ses tiroirs, vidait la garde-robe, cherchant tout produit ou dispositif suspect. Il ne trouvait jamais rien, et elle démentait ses accusations avec véhémence, affirmant être une femme de parole, et se tenant à sa part du marché tant qu'il respecterait la sienne.

Il ne la croyait pas. Elle se vengeait du guet-apens d'Arden Street et de la mort de Sid Malone. Alors, il rêvait de refaire sa vie avec l'argent d'India, mais sans elle. De se remarier avec une femme qui lui donnerait un enfant.

La voiture s'arrêta devant le 45 Berkeley Square, emblème de sa fortune et de sa position sociale. En dehors des fêtes et des réceptions qu'il y donnait, il y passait aussi peu de temps que possible. Aujourd'hui encore, il n'y entrerait que pour ordonner à India de se préparer à leur prochain voyage, puis il irait se réfugier au Reform Club. S'il était assez soûl au retour, il forcerait la porte de sa chambre pour essayer de produire un héritier.

Que d'efforts tout cela exigeait de lui ! Allons, se dit-il, courage. Tu l'as épousée pour son argent, c'est le prix à payer.

83

— Heureux que tu sois venu, Seamie ! Je finissais par me demander si nous nous reverrions un jour ! dit Albert en levant sa bière.

— Que veux-tu, ce n'est pas si facile. Tu t'enterres à Cambridge !

— Et toi, tu disparais au pôle pour un oui pour un non !

Ils attendaient ces retrouvailles depuis six ans. Albert venait d'aller chercher Seamie à la gare de Cambridge et, après avoir déposé son sac dans sa chambre de Trinity College, il l'avait conduit au Pickerel, un vieux pub où il avait ses habitudes. Ils ne s'étaient pas vus depuis le départ de Seamie à bord du *Discovery*, mais l'amitié a ceci de particulier que les années ne comptent pas. Ils avaient presque l'impression de ne s'être jamais quittés.

Albie terminait une thèse de physique théorique. Seamie s'en était étonné, la physique étant pour lui une matière plus pratique que théorique. L'explication de son ami lui avait semblé obscure, car il n'avait jamais entendu parler de mouvement brownien, ni de relativité, ni d'Albert Einstein, le jeune physicien qui avait proposé ces brillantes idées.

Seamie, quant à lui, était revenu depuis déjà deux ans de son expédition. Elle s'était achevée à sept cent soixante huit kilomètres du pôle, stoppée par la maladie. Depuis, il voyageait beaucoup, parcourant le monde pour donner des conférences.

Il prit d'abord des nouvelles des parents d'Albie, puis s'enquit de Willa, tâchant de ne pas montrer son impatience. Évidemment, il ne s'intéressait à rien d'autre.

— Elle a toujours la bougeotte. Elle fait de l'escalade partout où elle peut : en Écosse, au pays de Galles. Elle a gravi le mont McKinley. Elle est allée au mont Blanc.

— Impressionnant.

— Tu la connais ! Cette vieille excentrique de tante Edwina lui a donné de l'argent, ce qui fait qu'elle peut financer ses voyages. Elle est devenue excellente alpiniste, je dois admettre. Elle détient le record de l'ascension féminine la plus rapide du Matterhorn. Du mont Velon, aussi. Elle veut aller en Afrique s'attaquer au Kilimandjaro.

— Et à présent, où est-elle ?

— À Cambridge, figure-toi !

— C'est vrai ? s'exclama Seamie avec un peu trop d'enthousiasme.

— Je ne te l'avais pas dit ? Elle est venue pour une quinzaine avec des amies de Londres. Les sœurs Stephen, Virginia et Vanessa. Elles connaissent beaucoup de monde à Cambridge. Leur frère Thoby est à Trinity College. Des filles très intelligentes. Elles sont un peu bizarres, mais il faut dire que Willa n'est pas ordinaire non plus. Elles s'entendent à merveille. À dire vrai, nous voyons peu Willa depuis leur arrivée. Elle passe tout son temps à grimper avec Mallory.

— George Mallory ? Ce garçon que nous avions rencontré à la Société géographique ? demanda Seamie, réprimant un désagréable accès de jalousie.

— Lui-même. Il étudie l'histoire à Magdalen College. Il est renommé dans les cercles d'alpinisme. Il est devenu très bel homme. Il plaît beaucoup aux filles !

— Mais quels sommets trouvent-ils à Cambridge ? Ce n'est pas très montagneux par ici !

— Ils se spécialisent dans les clochers, ces originaux. Celui de St. Botolph, celui de l'hôtel de ville, celui de St. Mary, de King's College… C'est devenu une vraie manie. Ils se lancent des défis, font des paris sur qui sera le plus rapide. Willa a perdu un médaillon et l'a regagné deux fois. Pour l'instant, elle détient la montre de George.

Seamie trouvait ce jeu très peu à son goût. Il avait toujours pensé que Mallory s'intéressait à Willa.

— Et on les laisse faire ?

— Un agent de police les a surpris avant-hier et leur a donné un avertissement. Si on les y reprend, ils risqueraient de réels ennuis. George, étant un garçon raisonnable, a décidé de ne pas recommencer, mais Willa ne veut rien entendre. Si elle se fait arrêter et que notre mère l'apprend, cela fera une scène épouvantable, et, bien entendu, on me tiendra pour responsable, comme toujours.

Seamie allait poser la question qui lui brûlait les lèvres, c'est-à-dire si Willa et George étaient fiancés, quand la porte du pub s'ouvrit brutalement. Il entendit un rire joyeux de femme, qu'il reconnut aussitôt. Ce rire l'avait accompagné en Antarctique. Il lui avait tenu chaud, lui avait permis de survivre aux plus terribles tempêtes.

Elle aurait toujours pu être le jeune frère d'Albie. Elle portait un énorme pull-over, des culottes de peau et des chaussures de montagne. Elle lui parut grandie, affinée, tonifiée. Elle était plus belle que jamais. Sa coupe de cheveux, extrêmement courte, aurait été disgracieuse chez une autre femme, mais pas chez elle. Cela dégageait son cou de gazelle, son menton bien dessiné, illuminant ses yeux vert d'eau.

Elle était accompagnée d'un garçon grand et séduisant avec lequel elle plaisantait en chahutant. C'était George Mallory qui n'avait, bien entendu, pas perdu son temps. Seamie se demanda comment il avait pu espérer qu'elle l'attendrait. Il jouait de malchance, aussi : depuis son retour, chaque fois qu'il allait la voir chez elle, elle était en expédition, et lui n'était jamais là quand elle lui rendait ses visites.

Le jour de leurs adieux, elle avait promis de le retrouver sous le regard d'Orion. Ils s'étaient embrassés, et ce baiser et cette phrase l'avaient soutenu pendant des années. Il n'aurait pas dû y croire.

Willa, qui cherchait autour d'elle, avisa son frère.

— Albie ! Nous avons fait le tour de tous les pubs de Cambridge pour te dénicher ! Nous aurions dû essayer d'abord ici, bien entendu. Nous revenons de promenade. L'humidité est terrible… J'ai l'impression d'avoir moisi. Quelle riche idée d'avoir choisi une table près du feu ! Faites-nous un peu de place. Je peux manger votre dernier sandwich ? Présente-moi à ton ami… Oh, mon Dieu ! C'est toi, Seamie ?

— Bonjour, Willa.

Elle le prit dans ses bras, lui donna une brève mais vigoureuse accolade et frôla sa joue de ses lèvres. Puis, se rappelant les bonnes manières, elle s'écarta pour le laisser saluer George Mallory. Ils s'assirent, commandèrent des bières, et la conversation roula joyeusement. Willa et George posèrent beaucoup de questions à Seamie sur son expédition. Ils en avaient lu des comptes rendus, mais voulaient connaître ses impressions personnelles. Il leur parla de la lenteur de la traversée, des tempêtes de neige, du froid terrible, des expériences scientifiques. Il raconta sa sortie avec Scott et Shackleton, et expliqua que le scorbut et la cécité des neiges avaient contraint les explorateurs à rebrousser chemin. Le pôle n'avait pas été atteint, mais ils en avaient rapproché le drapeau de quatre cent cinquante kilomètres.

— Quel dommage de devoir renoncer si près du but, commenta Mallory.

— C'est vrai, mais nous y retournons. Scott monte

une expédition, et Shackleton en monte une autre de son côté. Je penche pour Shackleton, je l'aime bien.

La gorge asséchée par ses récits, il se levait pour commander une tournée quand Mallory le fit rasseoir et alla au bar à sa place. Albie s'excusa un instant, ce qui fit que Seamie et Willa se retrouvèrent seuls. Cette occasion de lui parler, il l'avait espérée et redoutée à la fois.

Willa s'appuya au dossier de la banquette et croisa les bras en le considérant.

— Alors, il a fait froid, en Antarctique ?

— Très froid.

— C'est sans doute pour ça que tu n'as pas écrit. L'encre devait geler dans ton stylo.

— Il n'y a pas beaucoup de bureaux de poste à 82° 17' de latitude sud.

— Et à 51° 30' de latitude nord ? Il n'y en a pas non plus ? répliqua Willa en donnant la position de Londres.

— Et toi ? Pas de stylos, dans les Alpes ? Tu étais trop prise par tes activités avec le beau George ?

— Je n'ai pas beaucoup vu George pendant notre voyage dans les Alpes. Il a été malade. Moi, j'ai battu un record.

— On dirait que rien d'autre ne compte pour toi.

— Nous nous ressemblons, dans ce cas, répliqua-t-elle, les yeux lançant des flammes.

Seamie se pencha vers elle.

— Alors ? Ça ne voulait rien dire pour toi ? murmura-t-il, en colère. Tu te souviens que tu m'as embrassé, au moins ?

— Je ne pense pas que ça t'ait beaucoup marqué.

Il ne put répondre, car George revenait avec un plateau chargé de chopes.

— J'ai commandé des sandwichs au fromage fondu,

annonça-t-il en posant les quatre bières moussantes sur la table.

Albie les rejoignit presque aussitôt et parla un peu avec George d'amis communs qu'ils avaient à Cambridge, puis un silence se fit. Pour relancer la conversation, Seamie demanda à Mallory quelle serait sa prochaine expédition.

— Je vais faire de la varappe dans la région des lacs, cet été. Ensuite, j'aimerais retourner dans les Alpes. Tu devrais venir avec moi, Willa. Tu pourrais battre le record féminin d'ascension du mont Blanc.

— Ça ne m'intéresse pas. J'en ai assez des records féminins. Je veux être la première à vaincre un sommet, toutes catégories confondues. Tu sais comme c'est important. C'est le seul moyen d'obtenir des financements, et de décrocher des conférences à la Société géographique.

— Tu parlais du Kilimandjaro, lui rappela Albie.

— Il a déjà été vaincu par un Allemand et un Autrichien en 1889, intervint Mallory.

— Oui, mais seulement le pic Uhuru, rectifia Willa. C'est le plus haut, mais il n'est pas très difficile, mis à part le risque de souffrir du mal des hauteurs. Le Mawenzi est plus intéressant. Il faut être très bon grimpeur et savoir évoluer sur la glace pour s'y attaquer. C'est lui qui m'intéresse. Ce serait une première.

— Et qu'attends-tu ? demanda Seamie, provocateur.

— Je ne trouve personne pour m'accompagner, répliqua Willa sèchement.

— Et George ?

— Il n'en a pas envie.

— Prends des porteurs indigènes.

— Ils n'acceptent d'aller que jusqu'au pied de la

montagne. Ils n'aiment pas le Kilimandjaro. Ils disent qu'il abrite de mauvais esprits.

Seamie allait commenter que, dans ce cas, elle s'y sentirait à l'aise, quand on leur apporta les sandwichs. Ils se servirent avec appétit tout en se racontant leurs exploits.

Ils firent si bien que Willa finit par s'exclamer :

— Toutes ces histoires m'ont donné envie de me dérouiller les jambes. Qui a envie d'escalader un clocher avec moi ? Albie ?

Son frère, devenu un respectable universitaire portant tweed et lunettes, la regarda avec consternation.

— Tu plaisantes, j'espère.

— George, alors ?

— Non, Willa, il n'en est pas question. Tu devrais t'abstenir, toi aussi, après l'avertissement qu'on nous a donné. Tu risques de finir la nuit en prison.

— Qu'ils m'attrapent, s'ils le peuvent ! Et toi, Seamie ?

Cet exercice lui en rappelait un autre qui l'avait sauvé de la police quelques années plus tôt, mais il devait garder ce souvenir pour lui.

— Je ne sais pas. Je n'ai jamais escaladé de clocher.

— Tu as peur ?

— Non.

— Je suis sûre que si. Je te parie que je monterai plus vite que toi en haut de St. Botolph. Ce n'est pas difficile : la façade est très irrégulière. Il y a beaucoup de prises.

— Je ne cherche pas la facilité.

— Moi, je pense que si. Des distractions faciles. Des conquêtes faciles…

— On remporte quoi, si on gagne ?

— Tu suggères quelque chose ? demanda-t-elle en le regardant droit dans les yeux.

— Rien de particulier, rétorqua-t-il, espérant la blesser. Rien ne me tente.

— Tu dois bien avoir un désir.

— Ah, oui ! Peut-être…

Elle attendit.

— … une paire de chaussures de marche.

— Entendu, répondit-elle avec une colère contenue.

— Et toi, que veux-tu, si tu gagnes ?

— Si je gagne, je veux que tu fasses l'ascension du Kilimandjaro avec moi.

Il eut un rire.

— Mais je ne peux pas, même si j'en avais envie, ce qui n'est pas le cas. Je t'ai dit que Shackleton montait une expédition. Je vais l'accompagner. Il compte partir l'année prochaine, et d'ici là il y aura un gros travail de préparation.

— C'est très flatteur pour moi, Seamie. Tu dois t'attendre à perdre pour t'inquiéter autant. Si tu as si peur, tu peux toujours renoncer. Nous sommes entre amis. Nous ne nous moquerons pas trop de toi.

— C'est bon, dit-il, cédant par crainte de sembler lâche devant George. Si tu tiens tant que ça à m'acheter des chaussures de marche, je ne peux pas te refuser ce plaisir.

Les yeux de Willa pétillaient de malice.

— Parfait, pari tenu !

Ils sortirent tous les quatre du pub, et Mallory leur fit ses adieux.

— Tu ne viens pas nous encourager ? s'étonna Willa, déçue.

— Je rentre me plonger dans mes livres, désolé.

— Eh bien, bonsoir, dans ce cas, mon cher George !

Elle lui jeta les bras autour du cou et lui embrassa la joue.

Si Seamie n'avait pas été aussi gêné et s'il n'avait pas détourné les yeux, il aurait vu que George semblait stupéfait.

— Eh bien... bonne nuit, dit ce dernier en les quittant.

— Albie, tu nous accompagnes ? demanda Willa.

— Je n'ai aucune intention de voir ma sœur et un de mes meilleurs amis s'écraser sur les pavés. Je te prie de m'excuser.

— À demain, alors, petite nature.

— Je l'espère. Je laisserai ma porte ouverte pour toi, Seamie, au cas où vous survivriez.

Après son départ, Willa se tourna vers Seamie.

— St. Botolph te convient, alors ?

— Tout à fait.

Alors qu'ils se dirigeaient vers le clocher, Willa brisa le silence :

— Le ciel est dégagé, et la lune est pleine, on ne devrait pas avoir trop de mal à monter. Et qui sait, ajouta-t-elle d'un ton pincé, avec un peu de chance, nous verrons peut-être Orion.

84

Tower Bridge était pratiquement désert par cette froide soirée de mars. Quelques personnes traversaient encore le pont, des retardataires de la City qui rentraient de leur bureau pour s'attabler à un bon dîner au coin du feu.

Seule une femme restait au beau milieu, immobile, une main posée sur le parapet, l'autre tenant un bouquet d'une dizaine de roses blanches. Elle portait un manteau et un chapeau noir à voilette, vêtements de deuil qui avaient l'avantage de la dissimuler car elle ne voulait pas être reconnue. On aurait trouvé étrange que lady India Lytton, épouse de Frederick Lytton, sous-secrétaire d'État aux Colonies, se livre à cet étrange rituel.

Elle venait là souvent, autant qu'elle le pouvait, pour pleurer Sid Malone. C'était ici qu'elle se sentait le plus proche de lui, tournée vers Whitechapel. Elle le revoyait aussi clairement que s'il avait été auprès d'elle. On disait que la disparition d'un être cher était comme un départ et laissait une impression de vide. India, elle, sentait encore sa présence. Six ans s'étaient écoulés depuis sa mort, mais il restait plus vivant pour elle que bien des personnes de son entourage. Seule leur fille était plus réelle à ses yeux.

Charlotte était son unique bonheur. Elle était sa joie, sa seule lumière dans un monde de grisaille. Quand India venait sur le pont, elle parlait beaucoup d'elle à Sid, s'autorisant un murmure car il n'y avait personne pour l'entendre.

— Elle est très belle… Elle est gentille, intelligente et très sage. Pas seulement parce qu'elle se conduit bien et qu'elle apprend ses leçons, mais aussi parce qu'elle a le cœur bon, l'âme généreuse. Elle te ressemble, et je t'interdis de te croire indigne d'elle. Elle va avoir six ans cette année. Je te reconnais tellement en elle, Sid. Tous les jours, je te vois dans ses yeux. Ils sont gris, comme les miens, mais son regard lui vient de toi. Et ses sourires, aussi.

Une inquiétude la saisit.

— Mais elle ne sourit pas assez. C'est une enfant trop sérieuse, trop attentive. Je voudrais qu'elle soit plus insouciante, qu'elle fasse quelques bêtises. Elle a besoin de… elle a besoin de toi. Elle a besoin d'un père. De quelqu'un qui lui apprendrait d'autres choses que moi. D'un vrai père qui jouerait avec elle et qui la ferait rire. Freddie ne lui consacre aucun temps. Il n'est ni tendre ni affectueux, bien au contraire. Il est dur, mais l'essentiel, c'est qu'il n'a jamais laissé supposer à personne qu'elle n'était pas sa fille. C'est le seul point positif, la seule chose qu'il ait jamais faite pour moi.

India songea à son triste mariage. Freddie lui avait tout volé : Sid et la médecine. En lui interdisant de revoir ses amis et d'aller au dispensaire, il lui avait interdit tout réconfort. De son côté, elle jouait consciencieusement son rôle d'épouse, organisant une suite ininterrompue de dîners, de réceptions, recevant et rendant des visites pour favoriser la carrière de son mari. Elle s'abrutissait de conversations mondaines et de tâches sans intérêt, au point qu'elle se sentait vidée de sa substance. La jeune femme idéaliste qui avait soigné les malades de Whitechapel avait laissé place à un fantôme.

Sa vie aurait peut-être été différente si elle avait eu d'autres enfants. Pourtant, malgré les efforts de Freddie qui voulait à tout prix un héritier, elle n'arrivait pas à concevoir. Leurs entrevues ne prenaient guère de temps, mais lui étaient très pénibles. Elle s'agrippait à la tête de lit ou aux draps pour s'empêcher de crier de dégoût, et se voyait accuser d'éviter la grossesse par des moyens cachés.

— Tu ne l'emporteras pas au paradis, fulminait-il en passant ses affaires au crible.

— Tu ne trouveras rien, je ne te mens pas.

— Je ne vois pas pourquoi tu t'en priverais !

— Parce que je ne veux pas te ressembler. J'ai le sens de l'honneur.

S'il ne la croyait pas, c'était surtout parce qu'il aurait

dû admettre que l'anomalie venait de lui. Alors, il continuait à lui rendre des visites nocturnes, et elle continuait à endurer son calvaire.

Une douleur la ramena au temps présent. Elle serrait si fort les roses que les épines avaient pénétré dans sa chair. Du sang tachait son gant. Elle l'ôta.

Freddie trouvait ses mains laides, alors que Sid les avait admirées. Il en aimait la force, l'adresse. Il les disait magiciennes, guérisseuses. À l'époque, elles étaient moins bien soignées, abîmées par les lavages trop fréquents. À présent, elles ne guérissaient plus, n'accouchaient plus, mais rédigeaient des cartons d'invitation et des lettres de remerciement. C'était devenu des mains de femme du monde.

Ses yeux s'embuèrent de larmes qu'elle tâcha de ravaler, ayant peur de rentrer les yeux rougis. Freddie ne s'en rendrait pas compte même si, pour une fois, il n'était pas à son club ou dans le lit de la femme d'un ami. Mais Charlotte, elle, le verrait tout de suite. Rien ne lui échappait.

Au loin, une cloche sonna six heures du soir. Il était temps de rentrer. La préparation du voyage en Afrique absorbait tout son temps car ils partaient dans quinze jours. Elle avait tout fait pour ne pas emmener Charlotte, redoutant les fièvres, le soleil, les serpents et tous les autres dangers de ce grand continent, mais Freddie ne voulait rien entendre.

— Tu la couves trop, lui disait-il. Il ne lui arrivera rien.

Dans sa voix vibrait une menace, et elle savait que si elle ne lui obéissait pas, sa vengeance serait redoutable.

Un jour, quand elle n'avait que trois ans et demi, Charlotte avait eu la fièvre juste avant de partir quelques jours avec eux à Blenheim. India avait refusé de partir et fini par obtenir gain de cause. Freddie n'avait plus rien dit. Il avait attendu une journée que Charlotte se soit un peu rétablie et qu'elle puisse s'asseoir dans son lit, puis il était allé dans sa chambre, où India lui lisait une histoire.

— Comment va notre petite malade ? avait-il demandé.

— Mieux, père, avait répondu la petite, ravie qu'il vienne la voir.

Il s'était assis au bord du lit, avait pris le livre des mains d'India et l'avait donné à Charlotte, lui demandant de lire. Charlotte avait répondu qu'elle ne savait pas encore lire. Il avait insisté, l'obligeant à répéter dix fois qu'elle n'en était pas capable. Il avait fini par lui jeter un regard méprisant et s'était dit très déçu. Elle devait vraiment être fort bête, avait-il ajouté, pour ne pas savoir lire à presque quatre ans. Elle avait fondu en larmes.

— Alors ? avait-il demandé à India sans se préoccuper de ses sanglots. Pouvons-nous aller à Blenheim, maintenant ?

— Tu es un criminel, Freddie ! Comment peux-tu…

Il lui avait coupé la parole.

— Je t'ai demandé si nous pouvions aller à Blenheim.

— Oui ! avait-elle sifflé.

— Parfait.

La discussion s'était arrêtée là, et il était sorti de la chambre d'enfant un sourire aux lèvres.

Charlotte était son moyen de pression. La pauvre petite ne comprenait pas la méchanceté de ce père si beau, si impressionnant, et se désespérait au moindre reproche.

India dénoua le ruban de soie qui entourait le bouquet,

et jeta une à une les roses dans le fleuve. Un désespoir brutal s'empara d'elle. Incapable de retenir ses larmes plus longtemps, elle baissa la tête et les laissa couler. L'apaisement que lui apporteraient les eaux noires de la Tamise semblait bien attirant. Un instant, elle s'appuya de tout son poids au parapet, imaginant qu'elle se penchait et perdait l'équilibre. Elle eut un mouvement de recul, horrifiée par sa faiblesse. Non ! Charlotte avait besoin d'elle. Elle l'aimait trop pour l'abandonner. Elle se contenta de regarder les roses s'éloigner au fil de l'eau, emportées par le courant.

— Sid, tu me manques, murmura-t-elle d'une voix étranglée. Tu me manques tellement... Je t'aime. Je t'aimerai toujours.

Elle remonta sa voilette pour s'essuyer les yeux. Son visage n'était plus celui qu'avait connu Sid. La passion s'en était échappée. Les joues étaient livides, le regard terne. Elle descendit du pont, dos droit, encore, mais la démarche lente, vidée de son énergie, de son appétit de vivre. C'était une triste et sombre silhouette qui repartait ainsi dans les rues de Londres.

85

Fiona, enceinte de son quatrième enfant, entra d'un pas lourd dans le bureau et s'assit avec difficulté dans son fauteuil, devant la cheminée. Joe lisait les journaux du dimanche en face d'elle, les jambes enroulées dans une couverture. Katie, âgée de huit ans, dessinait par terre avec ses crayons de couleur. Charlie, six ans, collait du coton hydrophile sur un lapin en carton qu'il préparait pour les fêtes de Pâques. Enfin, Peter, quatre ans, jouait avec ses cubes. Lipton et Twining étaient assoupis près du feu.

— Vous avez faim, mes chéris ? demanda Fiona. J'ai demandé à Sarah de nous apporter du thé et des scones.

— Oui, je meurs de faim ! s'exclama Katie.

— Moi aussi ! s'écria Charlie.

— Moi aussi ! répéta Peter avec enthousiasme.

— Merci, Fi, marmonna Joe, les yeux rivés à son journal.

Fiona leur sourit, heureuse de cet instant de paix. Avec ses enfants, la tranquillité ne durait jamais bien longtemps. Elle fut en effet de courte durée.

Peter, soudain lassé de ses cubes, arracha une touffe de coton au lapin de Charlie et s'en servit pour frotter le dessin de Katie.

— Maman ! Maman ! Peter a abîmé mon lapin !

— Maman ! Il a gâché mon dessin !

— Peter, c'est très vilain. Demande pardon à ta sœur et à ton frère.

Mais Peter riait.

— Tu trouves ça drôle ? s'indigna Katie.

Elle fit écrouler la pyramide de cubes.

— Là ! Tu vois ? Ça t'amuse moins, maintenant !

Peter éclata en sanglots.

— Katie, voyons ! Il est trop petit pour comprendre.

— Il a sali mon dessin.

— Tu es plus grande que lui, tu devrais être plus raisonnable.

— Mais regarde ! insista Katie en brandissant sa feuille.

Malheureusement pour elle, Twining, croyant qu'elle jouait, s'en saisit et se sauva en l'emportant dans sa gueule.

— Maman !

Fiona aurait bien voulu récupérer le dessin, mais sa grossesse de sept mois la ralentissait.

— Joe, chéri, pourrais-tu faire quelque chose ?

Joe baissa son journal juste le temps de crier : « Hé ! Peter, ça suffit ! », puis se remit à lire.

Fiona leva les yeux au ciel et s'arrangea pour apaiser tout son petit monde. Quand le thé arriva, l'ordre était rétabli.

Sarah leur servit de l'assam cuivré et fit circuler un plat de scones aux raisins secs encore tièdes. Joe y prêta à peine attention.

— Je me demande ce qu'il peut bien y avoir d'aussi captivant dans ce journal, commenta Fiona.

Il lui adressa un sourire espiègle par-dessus les pages.

— On parle de moi !

— Ah ! Je comprends !

— Le *Times* et la *Gazette* publient des articles sur l'enquête que j'ai demandée sur les asiles de nuit de Hackney. Je vais faire rénover les deux plus insalubres.

— De quoi as-tu menacé ce pauvre Campbell-Bannerman, cette fois ? D'une autre marche sur Westminster ?

— Non, j'ai trouvé mieux. J'ai menacé de lui envoyer Jacob Riis.

— Le photographe ? Je croyais qu'il était à New York.

Fiona avait beaucoup d'admiration pour cet artiste américain qui s'employait à dénoncer la misère urbaine. Il avait rassemblé des photos des quartiers pauvres new-yorkais dans un livre dont la force avait réveillé les Américains.

— Je lui ai écrit. Je voudrais lui faire photographier l'East End et lui propose de financer son voyage. En attendant sa réponse, le *Clarion* a déjà accepté de publier ses reportages et ses photos. Le *Daily Mail* s'y intéresse aussi.

Il reprit sa lecture pendant que Fiona le couvait du regard. Elle avait cru ne pas pouvoir l'aimer davantage, mais, depuis qu'elle avait failli le perdre, elle l'aimait plus que sa propre vie. Ses premiers mots quand il était sorti du coma avaient été : « Où est Fi ? Où est Katie ? » Puis presque aussitôt : « Où est ce fumier de Frankie Betts ? »

Quand il avait compris qu'il ne pourrait plus marcher, son désespoir avait déchiré le cœur de Fiona. Elle avait reconnu cet air perdu, angoissé, le même qu'elle lui avait vu le jour où il lui avait annoncé son mariage avec Millie Peterson.

Elle lui avait pris la main et l'avait embrassée.

— Ne t'en fais pas, chéri, ce n'est pas grave.

— Si, c'est grave, très grave. Mais je ne me laisserai pas abattre, je te le promets.

Il avait conservé toute sa mémoire et avait pu raconter par le menu à Alvin Donaldson ce qui était arrivé. L'inspecteur avait eu du mal à dénicher le coupable, mais il avait fini par y arriver. Betts avait été arrêté, jugé et condamné. Il avait échappé à la pendaison en prétendant n'avoir brandi son revolver que pour faire peur à Joe, sans intention de le tuer. D'après lui, les deux coups étaient partis tout seuls. La mort du vitrier aussi avait été accidentelle. Le juge l'avait cru et l'avait condamné à une peine de prison à perpétuité.

Joe avait donc pu désigner le vrai coupable et il avait survécu, mais les médecins ne lui avaient donné aucun espoir de retrouver l'usage de ses jambes.

— Comprenez qu'il faut s'attendre à des complications, monsieur Bristow. Les jambes s'étiolent, les muscles s'atrophient. Le sang ne circule plus correctement. Les paraplégiques souffrent d'escarres qui risquent de s'infecter et de se gangrener. Je dois vous avertir qu'il sera peut-être nécessaire de vous amputer des deux jambes.

Fiona savait que son Joe était courageux, mais la façon dont il avait réagi à cette condamnation du corps médical l'avait remplie d'admiration.

Deux jours après sa sortie de l'hôpital, il avait fait installer chez eux une salle de gymnastique avec des barres parallèles entre lesquelles il avançait à la force des bras. Les premières fois, ses muscles affaiblis par son séjour à l'hôpital avaient tremblé sous l'effort, les supports métalliques qui entouraient ses jambes étaient entrés dans sa chair. Quand il s'effondrait, Fiona se précipitait, les larmes aux yeux, le suppliant d'arrêter. Mais il ne voulait surtout pas qu'on le plaigne.

— Non, je n'arrêterai pas ! Laisse-moi faire !

— Excuse-moi… ça me fait mal pour toi…

— Tomber, ce n'est rien ! Ce qui fait souffrir, c'est l'inaction, la mollesse ! Si tu veux m'aider, encourage-moi !

Il avait donc continué ses exercices, travaillant sans relâche, s'imposant un rythme impitoyable. Il était ainsi parvenu à redonner du tonus aux muscles de ses jambes, avait fait venir un masseur pour stimuler sa chair inerte et y faire circuler le sang. Il fallait bien accepter de ne plus marcher, mais il refusait de perdre ses jambes et de se laisser mourir. Malgré le verdict des médecins, il avait recouvré ses forces et la santé. Rien, après cela, ne pouvait plus lui faire peur.

Six mois plus tard, il annonçait sa décision de se représenter au Parlement. À Westminster, personne n'y avait cru. La presse aussi avait pensé à une plaisanterie, ainsi que les électeurs. Jusqu'au jour où, dans son fauteuil roulant équipé d'un moteur, il avait commencé à faire le tour des pubs de Hackney, des usines et des sections syndicales. Il avait mené cette deuxième campagne avec encore plus de passion et de verve que la première.

Fiona, Katie et le petit Charlie étaient à ses côtés le jour où il avait prêté serment au Parlement. Quel événement inoubliable ! À leur sortie de Westminster, ils avaient été éblouis par les flashs. Joe, le fils de l'East End, prenait sa revanche.

À ce bonheur s'était ajouté celui d'une nouvelle grossesse pour Fiona. Car, si beaucoup de choses avaient changé, certaines capacités de Joe étaient restées intactes.

— Si ce misérable m'avait ôté cela, disait-il souvent, il m'aurait plus sûrement ôté la vie qu'un coup de canon.

Un an après la naissance de Charlie, Peter avait été conçu, et le petit quatrième était à présent en bonne voie.

Joe posa son journal pour prendre un scone. Fiona y étala une généreuse couche de crème fraîche et de confiture de framboises et le lui tendit. Aucune femme au monde, se dit-elle, ne pouvait être plus heureuse. Seule la ressemblance entre son premier fils et son frère, avec ses yeux verts et son sourire espiègle, lui serrait parfois le cœur.

Charlie lui manquait. Elle espérait qu'il s'était établi quelque part, qu'il avait fondé une famille. Elle aurait trouvé trop dur de le savoir seul à l'autre bout du monde. Pourtant, bien qu'il lui arrivât de penser encore à lui, plus jamais elle n'en parlait. Elle avait eu trop peur de perdre Joe, trop peur que Katie et Charlie deviennent orphelins pour vouloir forcer le destin. Son bonheur lui suffisait.

— Oncle Seamie ! Oncle Seamie ! s'écria Katie.

Charlie et Peter joignirent leurs cris aux siens.

Leur jeune oncle entrait, portant son sac à dos d'une main.

— Tu t'es bien amusé à Cambridge ? demanda Katie. Tu m'as rapporté un cadeau ?

— Quelle impolitesse ! protesta Fiona. On ne réclame pas ! Va embrasser Seamie, chérie.

— Bonjour tout le monde !

Il se tourna vers sa nièce et ses neveux et prit un air contrit.

— Je suis désolé, je n'ai rien eu le temps d'acheter.

La consternation des petits le fit rire.

— Mais non, je plaisante ! Voilà des cadeaux pour tous les trois.

Il plongea une main dans son sac, et en sortit, sous les cris de joie des enfants, des objets que seul un oncle aussi farfelu pouvait offrir : un canif pour Charlie, un sucre d'orge à la menthe pour le petit Peter, et une boussole pour Katie. Malgré les protestations des enfants, Fiona s'empressa de leur ôter le canif et le sucre d'orge, et les fit jouer avec la boussole.

— Comment s'est passé ton voyage ? demanda Joe tandis que Seamie s'emparait d'un scone.

— Très bien, mais je dois me décommander pour Pâques.

— Vraiment ? Quel dommage ! s'exclama Fiona.

— Je repars en voyage.

— Shackleton a déjà bouclé son financement ? s'étonna Joe.

— Non, je ne pars pas pour l'Antarctique. J'ai fait un pari stupide que j'ai perdu. Je dois aller en Afrique pour gravir le Kilimandjaro.

— En Afrique ? s'écria Katie. Tu vas nous ramener un tigre, oncle Seamie ?

— Un zèbre ? renchérit Charlie.

— Un gros néléphant ! cria Peter.

— Toute une ménagerie, c'est promis.

Les enfants poussèrent des cris de joie pendant que Fiona protestait :

— Ne fais pas de promesses en l'air, voyons. Ils te croient.

— Eh bien, commenta Joe, tu devais avoir de bonnes cartes en main pour prendre un pari pareil.

— Ce n'est malheureusement pas aux cartes que je jouais. Aux cartes, j'aurais eu au moins quelques chances de gagner. C'était un pari d'escalade.

— Avec qui ?

— Vous vous souvenez d'Albert et de Willa Alden ?

— Bien sûr, dit Fiona. C'est avec lui que tu pars ?

— Non, avec sa sœur.

Fiona et Joe échangèrent un regard.

— Non, non, non ! protesta Seamie, n'allez pas croire je ne sais quoi.

Fiona eut un sourire.

— Non. Willa n'est pas mon genre, et puis elle est amoureuse.

— Pourquoi ne part-elle pas avec cet autre garçon, alors ?

— Il est trop pris par ses études.

— Et il ne s'inquiète pas que sa fiancée file à l'autre bout du monde avec toi ?

— On voit que tu ne connais pas Willa ! Elle n'écoute jamais personne, que ce soit George ou n'importe qui. Elle veut partir, alors elle part. Elle l'aurait fait depuis longtemps si elle avait trouvé un autre alpiniste avec qui faire équipe. C'est hélas sur moi que l'honneur est tombé. Mais si nous arrivons en haut, nous aurons vaincu un sommet encore invaincu, et nous

nous couvrirons de gloire. Finalement, ce voyage pourrait avoir du bon.

— Quand partez-vous ? demanda Fiona.

— Vendredi.

— Déjà !

— C'est rapide, en effet. Je vais avoir tout juste le temps de me préparer.

— Et elle est haute, cette montagne ?

— Et comment ! Le sommet auquel nous nous attaquons culmine vers les cinq mille mètres.

— Tu feras attention. Tu te couvriras bien, j'espère.

— Me couvrir ? Mais certainement. J'ai l'intention d'emporter une bouillotte, aussi !

— C'est vrai que je suis ridicule. Tu es allé jusqu'au pôle Sud…

— Pas tout à fait…

— … et moi, je te recommande de te couvrir. Excuse-moi, c'est plus fort que moi.

Imaginant que Seamie cachait de l'irritation malgré son sourire, elle se reprocha d'avoir encore tenté de le couver. Mais elle se trompait. Seamie, pour une fois, l'enviait. Le tableau familial était charmant : Fiona tenait Peter sur ses genoux, Lipton tirait sur la couverture de Joe qui essayait vainement de le chasser, Charlie faisait tomber de la confiture par terre, et Katie renversait son thé. Il aurait voulu être aimé, lui aussi, avoir des enfants, une vie plus stable. Au lieu de quoi il repartait à l'aventure avec une fille magnifique et indomptable qui était amoureuse d'un autre homme.

India se massait les tempes pour faire passer un mal de tête récalcitrant. Le départ pour l'Afrique devait avoir lieu dans cinq jours, et les préparatifs, commencés depuis des semaines, n'étaient pas terminés. Elle était au salon avec Mlle Lucinda Billingsley, sa secrétaire, qui faisait le point sur l'itinéraire du voyage, et sur la liste des choses à emporter au Kenya.

— … le jeudi suivant, vous irez à Nairobi, où vous séjournerez cinq jours chez le gouverneur. Au cours de cette visite, vous…

Elle fut arrêtée par la sonnerie de la porte d'entrée. Les interruptions étaient incessantes. Quelques minutes plus tard, le majordome apparut à la porte du bureau, hésitant.

— Oui, Edwards, qui est-ce ?

— Le secrétaire de Monsieur, Madame.

— Faites-le entrer dans le bureau de Monsieur, dans ce cas, je vous prie.

Nouveau coup de sonnette. Cette fois, ce fut Mary, la femme de chambre, qui apparut avec des rouleaux de cotonnade couleur kaki. India se rappela alors que Charlotte était enfermée pour un essayage avec Mme Pavlic, la couturière, depuis près de deux heures.

Elle arrêta sa domestique qui s'apprêtait à sortir.

— Mary ?

— Oui, Madame ?

— Charlotte est-elle toujours avec Mme Pavlic ?

— Oui, Madame.

— Deux heures, c'est beaucoup trop long pour demander à une enfant de son âge de rester debout immobile. Mlle Gibson aurait dû l'emmener faire sa promenade au parc depuis longtemps.

— C'est Monsieur qui les retient. Il trouve que Mademoiselle n'a pas assez progressé dans ses leçons.

India se leva d'un bond, très inquiète.

— Merci, Mary. Veuillez m'excuser, Lucinda.

— Mais, lady India, nous n'avons pas terminé.

— Nous reprendrons plus tard.

Elle sortit du salon et monta en hâte. Elle n'aimait pas les savoir ensemble. C'était sa faute, elle aurait dû faire plus attention.

Par la porte entrouverte, elle entendit la voix de Freddie, sèche, sévère.

— Exportations principales ?

La voix fluette de Charlotte répondit, hésitante :

— Café... sisal, peaux... laine, copra...

— Recommencez, par ordre décroissant d'importance, je vous prie.

Il y eut un silence, puis :

— Peaux... café... sisal... laine... copra...

— Le copra avant la laine, voyons ! Je vous l'ai déjà dit, et vous avez oublié la cire d'abeille.

— Pardon, père, je...

— Voyons si vous vous souvenez mieux des importations.

— Farine, sucre, thé...

India ouvrit la porte. Charlotte était debout sur un tabouret, devant une psyché. Fatiguée et angoissée, elle serrait les poings. Lorsqu'elle vit entrer sa mère, elle eut encore plus de mal à retenir ses larmes. À ses pieds, Mme Pavlic épinglait un ourlet, n'osant quitter sa tâche des yeux. Mlle Gibson, la gouvernante de Charlotte, surveillait tristement la scène.

— Que se passe-t-il ? demanda India assez

calmement. Elle est fatiguée, cette petite, ça se voit. Faut-il vraiment qu'elle retienne tout cela ?

— C'est sa faute, rétorqua Freddie. Elle n'a pas appris ses leçons.

— Je fais de mon mieux, père, dit Charlotte d'une petite voix.

— Eh bien, ça ne suffit pas. Un âne ferait mieux. Recommencez. Importations.

— Freddie…

Il tourna vers India un regard flamboyant de haine. Il lui lançait un avertissement silencieux : pas devant les domestiques. India ne pouvait pas le défier. Il avait mille façons de se venger, et de fort cruelles.

— … ton secrétaire est arrivé. Il t'attend dans ton bureau.

Il se leva.

— Mademoiselle Gibson, je suis très déçu par les résultats de cette enfant. Je vous avais demandé de lui apprendre les importations et les exportations de l'Afrique-Orientale britannique ainsi que la géographie du Kenya. Je lui reposerai les mêmes questions demain, et j'exige qu'elle y réponde parfaitement

— Bien, Monsieur.

India accompagna Freddie dans le couloir, fermant la porte de la chambre derrière eux pour ne pas être entendue.

— Comment oses-tu la traiter ainsi ? murmura-t-elle dans un chuchotement furieux. C'est une enfant, pas un singe savant !

— Une enfant, certes, mais mon enfant, paraît-il. C'est bien ce que tu souhaitais ? Charlotte est la fille du sous-secrétaire d'État aux Colonies, et elle devra assister à des réceptions officielles en Afrique et répondre à des questions. Elle ne doit pas me faire honte. Je compte sur toi.

Il la laissa, humiliée. C'était là le jeu qu'ils jouaient sans répit. Elle défendait sa fille, et lui prenait un malin plaisir à lui rappeler ses devoirs. En Afrique, en particulier, ni elle ni Charlotte ne devraient commettre le moindre impair. De la réussite du voyage dépendait la suite de sa carrière. Si elles s'écartaient du droit chemin, il y aurait des représailles, petites ou grandes.

India se dépêcha d'aller libérer sa fille.

— Merci, madame Pavlic, cela suffira pour l'instant.

La couturière se dépêcha de rassembler ses affaires et quitta la pièce.

— La petite se débrouille très bien, lady Lytton, je vous assure, dit la gouvernante. Elle fait de son mieux.

— Mais vous, mademoiselle Gibson, faites-vous de votre mieux ? gronda India. Aidez-la en transformant ces listes en jeu. Faites des rimes, des chansons. Débrouillez-vous ! Je ne veux pas qu'une telle scène se reproduise, est-ce compris ?

La gouvernante sortit, tête basse. India se savait dure, mais c'était plus fort qu'elle. Elle passait trop de temps à s'assurer que Freddie ne trouverait rien à redire à la conduite de Charlotte. Elle vivait dans l'angoisse, et son humeur s'en ressentait.

Dès que Mlle Gibson fut partie, Charlotte se jeta sur son lit en sanglotant.

— Il est méchant, maman ! Il est méchant !

— Chut, Charlotte, c'est ton père, ne dis pas des choses pareilles.

— Je me sauverai quand nous serons en Afrique !

India s'assit sur le lit et lui caressa le dos.

— J'espère que non. Je serais très triste si tu partais. Je ne sais pas ce que je deviendrais sans toi, tu sais.

Charlotte se tourna vers elle.

— Vous viendrez avec moi, maman, dit-elle en reniflant. L'Afrique, c'est très grand. Je le sais, parce que père m'a fait apprendre la taille de tous les pays.

India lui essuya les joues. Chacune de ses larmes était comme un acide qui lui rongeait le cœur.

— Où voudrais-tu aller, ma chérie ? demanda-t-elle en s'allongeant à ses côtés.

— Nous pourrions aller dans le désert du Sahara, mais il nous faudrait des chameaux. Ou alors, dans la jungle, comme Mowgli et Bagheera. Ou alors sur la mer. Nous pourrions nous sauver dans un bateau en arrivant en Afrique. Mlle Gibson dit que la mer est bleu turquoise là-bas, et qu'il y a des perroquets, des singes et des fleurs qu'on ne peut même pas imaginer.

— Et si nous prenions la mer, que nous arriverait-il ? Raconte moi.

— Nous serions des pirates ! Nous porterions des jupes rouges et un bandeau sur l'œil, et nous aurions des fleurs roses derrière l'oreille.

— Un bandeau et des fleurs, ça ne serait pas bizarre ?

— Si ! Et nous aurions beaucoup de bijoux aussi. Des grosses bagues en rubis, des colliers en diamants que nous aurions volés. Et une caisse au trésor remplie de pièces d'or.

— Et que ferions-nous ?

— Rien ! Nous voguerions sur notre grand bateau, un bateau vert. Il ferait très beau, très chaud. Nous serions beaucoup mieux qu'ici. J'adore la mer, maman. Je voudrais vivre au bord de la mer toute ma vie.

Sid aussi avait aimé la mer. Il avait voulu vivre dans une maison sur la côte et se réveiller tous les matins derrière une fenêtre inondée de soleil. Ils auraient été heureux, à Point Reyes. India n'avait pas vendu la propriété. Elle ne le pouvait pas. Dans son cœur, c'était chez eux. Ah ! si Charlotte avait pu connaître son père, son vrai père !

— Mon histoire vous a rendue triste, maman ?

— Non, ma chérie, pas du tout.

— Vous avez l'air triste.

— Non, je réfléchissais. Je me demandais si un bateau violet ne serait pas mieux qu'un bateau vert.

— Alors à rayures ! Violet et vert ! Avec un gros soleil dessiné sur les voiles. Ce serait plus joli que le crâne et les os croisés des pirates.

India fut heureuse de voir que sa fille avait retrouvé le sourire. Elle se demanda, comme elle l'avait déjà fait un millier de fois, si elle avait pris la bonne décision. Elle avait voulu protéger Charlotte en épousant Freddie, mais y était-elle parvenue ? Il lui arrivait de se dire que son mari était plus dur que ne l'aurait été la société qu'elle avait tant redoutée.

— Nous nous sauverions sur une île mystérieuse, très, très loin...

J'aurais peut-être dû me sauver avec toi, avant ta naissance, songea India. Que t'ai-je fait ?

Elle pensait parfois que la plus difficile, la plus misérable des existences, mais sans Freddie, aurait été plus heureuse que la vie de luxe dont elle jouissait avec lui. Pourtant, les enfants pauvres attrapaient des maladies et grandissaient mal, quand ils grandissaient... Ils avaient faim, froid, travaillaient dans des usines. Charlotte avait des difficultés à surmonter, mais elle n'aurait jamais faim. Et elle ne vivrait pas toujours avec Freddie. Un jour, quand elle serait grande, elle hériterait de l'argent que son grand-père lui avait laissé. Elle quitterait Berkeley Square, libre de bénéficier des avantages que l'argent, une bonne naissance et une bonne éducation pouvaient apporter.

Charlotte se blottit contre elle.

— Je suis contente, même si ce n'est pas vrai.

— C'est un beau conte de fées.

— Mais maman, les contes se réalisent, parfois.

India sourit, lui laissant croire ce qui lui plaisait. Elle lui avait fait bien pire mensonge en lui disant que Freddie était son père. C'était plus facile, plus charitable que la vérité.

87

Avec les pluies, les rues de Nairobi se transformaient en marécage. La terre rouge formait une boue si épaisse que les chars à bœufs s'y embourbaient, les bêtes s'y enlisaient et les hommes y perdaient leurs bottes. Sid, qui arrivait de Thika, dut laisser l'attelage au dépôt de chemin de fer et s'occuper du ravitaillement à pied.

Il commença par la forge où il déposa des harnais et des outils à réparer, puis il continua par l'épicerie indienne pour se procurer du sel et des épices, passa chez l'armurier pour les munitions, au magasin général pour la teinture d'iode, la quinine et le whisky. Il acheta aussi de la paraffine, des bougies, des sacs de farine de vingt-cinq kilos, des journaux, des lacets, du savon et de la Worcestershire sauce. Sa tournée s'acheva par une visite à la boulangerie Elliot, où il prit un cake pour Maggie qui en était friande.

Une fois qu'il eut rapporté ses achats au dépôt et recouvert la carriole d'une bâche, il retourna en ville pour aller boire un verre à l'hôtel Norfolk. Sa mission accomplie, il se sentait plus libre de flâner le nez au vent. Nairobi n'était pas une belle ville, et c'était justement cela qui la lui rendait sympathique. Sans coquetterie ni prétention, elle prenait les gens tels qu'ils étaient.

Sa fondation remontait à la construction de la ligne entre Mombasa et le lac Victoria par la Société des chemins de fer ougandais. Au kilomètre cinq cent vingt-trois, et trois ans après le début des travaux, un camp avait été installé pour les travailleurs et les ingénieurs à l'approche des hauts plateaux. À l'emplacement choisi, passait un cours d'eau que les Massaï appelaient Enkara Nairobi, c'est-à-dire « eau froide », et qui lui avait donné son nom. Ce village étape permettait aux équipes de se reposer et d'entreposer matériel et vivres pour préparer le dur travail en altitude.

En retraversant les rues boueuses, Sid croisa plusieurs familles venues de la brousse chercher des provisions. On reconnaissait les gens des plaines à leur habitude de marcher en file indienne même dans les larges artères de Nairobi, comme s'ils avançaient sur un étroit sentier, attentifs à éviter les épines et les tiques. Il vit au moins dix bâtiments en construction avant d'arriver au Norfolk, et des armadas de charpentiers et de peintres employés à rafraîchir les façades de Station Road et de Victoria Street.

Malgré ses modestes débuts, Nairobi était à présent une ville en pleine expansion. Les boutiques en bois branlantes côtoyaient les grands hôtels et les magasins aux belles vitrines destinées aux colons. Le Norfolk avait engagé un chef français pour son restaurant, et on pouvait prendre le thé l'après-midi dans Duke Street. On donnait des bals chez le gouverneur ; un hippodrome avait récemment été construit, et les courses étaient devenues des sorties mondaines très prisées. Mais, si quelques bâtiments administratifs massifs en pierre rassuraient par leur aspect officiel, et si des poteaux télégraphiques apportaient la modernité, il suffisait de jeter un coup d'œil autour de soi pour voir qu'il ne s'agissait que d'un vernis. Nairobi restait un avant-poste de la colonisation. On trouvait encore des lavoirs dans Victoria Street, les maisons closes et les fumeries d'opium y étaient florissantes, et une faune de spéculateurs, d'aventuriers et d'excentriques composait toujours l'essentiel de la population.

Ali Kahn, qui détenait le monopole des transports en ville, déchargeait des malles devant l'hôtel Norfolk. Ses passagers venaient de la gare, ayant voyagé avec des poules, des chèvres et même un piano. Le saluant au passage, Sid monta sur la véranda. Rosendo Ribeiro, le médecin originaire de Goa, sirotait une citronnade installé dans un fauteuil en rotin. Sid ne fut pas surpris de le trouver là, ayant vu, attaché à un pilier, le zèbre qui lui servait de monture pour rendre visite à ses patients.

Avant même d'entrer dans le bar, il entendit la voix tonitruante de lord Delamere. Ce grand propriétaire anglais, à la tête de dix mille hectares de terres kényanes, avait le verbe haut et était animé d'une énergie indomptable. Martha la pionnière était là elle aussi, une colporteuse qui parcourait la brousse un fouet en cuir de rhinocéros à la ceinture. Elle buvait plus sec que Delamere et repartait le soir de certaines beuveries assise à l'envers sur sa mule.

— Tiens, voilà Baxter ! s'exclama Delamere en faisant signe à Sid de les rejoindre.

Sid toucha le bord de son chapeau en guise de salut et approcha. Jo Roos, un voisin de Maggie, était assis à la table, ainsi que les frères Cole, planteurs eux aussi, et quelques autres. Sid, qui côtoyait les Kikuyu depuis cinq ans, voyait à présent les Blancs avec les yeux des indigènes. Pour eux comme pour lui, les colons se divisaient en deux catégories : les crapules et les autres – dont certains ne restaient fréquentables que s'ils étaient sobres.

— Nous détenons ton voisin en otage, clama Delamere. Nous ne le rendrons que contre rançon.

Sid sourit, mais considéra sans grande sympathie Jo Roos, accroché à son verre de whisky. Ce colon boer venu de Pretoria était un éternel pessimiste poursuivi par une malchance qui confirmait toutes ses craintes.

— Garde-le, que veux-tu que j'en fasse ?

La plaisanterie les amusa tous, sauf Roos.

— Assieds-toi, Bax, dit Delamere. Qu'est-ce que tu bois ?

Sid n'était jamais très à l'aise en compagnie des colons, qui le jugeaient bizarre. Personne ne comprenait pourquoi il ne se faisait pas attribuer de terres ou, à défaut, pourquoi il refusait de servir de guide de safari, occupation qui lui aurait rapporté beaucoup plus que son emploi de contremaître. Ses bons rapports avec les Kikuyu semblaient eux aussi suspects aux habitués du Norfolk, qui l'accueillaient malgré car, à Nairobi, si on était trop regardant, on se retrouvait vite tout seul.

Vidant des bouteilles de whisky et de gin, ils passèrent un moment agréable à parler politique et agriculture. Roos, fidèle à sa réputation, se spécialisait dans les mauvaises nouvelles.

— Vous avez appris ce qui est arrivé au préfet de district de Turkana ? Il était isolé dans son trou depuis trop longtemps. La solitude l'a rendu fou. Il s'est pendu.

— Comment as-tu appris ça, Jo ?

— Par le préfet de district de Baringo. Il est venu hier. C'est lui qui l'a découvert. Il dit que ce n'est pas l'envie qui lui manque de se pendre, lui aussi, et qu'il l'aurait déjà fait s'il y avait moyen de trouver un arbre assez haut pour s'y accrocher.

Delamere préféra changer de sujet : la solitude et ses conséquences n'étaient une réalité que trop présente.

— Comment se porte Maggie ? Comment va la ferme ? demanda-t-il à Sid.

— Nous avons déjà trois cent cinquante hectares en production. Je vais planter encore une centaine de caféiers. Elle pense mettre aussi du sisal. Vingt-cinq hectares environ, pour voir ce que ça donne.

— Thika est un bon coin pour le café. En altitude, mais pas trop.

— Bah, maugréa Roos. On peut avoir la meilleure terre du monde, elle ne vaut rien si on ne trouve personne pour la travailler. Les Kikuyu sont de fieffés paresseux. Je leur offre des ponts d'or, mais il n'y en a pas un qui accepte d'aller dans mes champs. Tu peux m'expliquer ça, Bax ?

— Tu as vu les lions dans les plaines ?

— Oui.

— Tu as regardé le soleil se coucher sur Thika ?

— Bien sûr, c'est là que je vis !

— Eh bien, ne va pas chercher plus loin.

— Comment ça ?

— Les Africains ne veulent pas de notre argent. Que veux-tu qu'ils en fassent ? Qu'ils achètent des services à thé décorés du portrait du roi ? Leur richesse, c'est l'Afrique.

Jo fronça les sourcils sans comprendre.

— Ne te fatigue pas, intervint Delamere, ça le dépasse.

— Toi, tu arrives à récolter ton café, Bax, insista Jo. Comment tu te débrouilles ?

Sid soupira. Si seulement Jo avait pris la peine d'apprendre à connaître les gens du pays…

— Il faut demander aux femmes, pas aux hommes.

— C'est bien ce que je pensais. Quelle bande de fainéants !

— Ça n'a rien à voir avec la fainéantise. Ici, ce sont les femmes qui cultivent. Demander aux hommes d'aller aux champs, ce serait comme de me faire étendre le linge ou tricoter de la layette. Ça n'est pas la coutume. Va trouver les femmes, ce sont elles qui s'occupent de la terre et qui ont le sens du commerce.

— Ah ! L'argent les intéresse quand même un peu !

— L'argent ? Non. Mais elles prennent des chèvres, des couvertures, des lanternes. De la quinine, de la pommade, du tissu. Et des jouets pour leurs enfants. Les femmes feraient n'importe quoi pour leurs gosses. C'est partout pareil.

Sid ne voyait pas de différence, dans ce domaine, entre les femmes africaines et celles de Whitechapel. Il eut une pensée douloureuse pour un petit dispensaire bondé qui avait vu le jour dans la cour d'un restaurant de Brick Lane. Il chassa ce souvenir, comme il le faisait avec tous ceux qui concernaient India. Il consulta sa montre. Il était presque quatre heures, largement temps de se mettre en route s'il voulait s'éloigner de Nairobi avant la nuit.

— Eh bien, les gars, à la prochaine. J'ai du chemin à faire.

— Attends, lança Delamere. Avant que tu partes, j'ai une proposition. J'ai dîné la semaine passée avec le préfet de province du Kenya qui cherche un guide.

— Encore un safari ?

— Non, cette fois, c'est un géomètre. Le dernier qui s'est aventuré là-bas s'est fait avaler par un python en traversant le Chinga. La sale bête a aussi englouti son sac avec toutes ses cartes. Le remplaçant refuse de mettre un pied dehors sans un bon guide. Personne ne connaît le Kenya comme toi, Bax, et la paie est intéressante. Tu devrais y réfléchir, ça t'occuperait entre les plantations et la récolte.

— D'accord, je verrai, merci.

Au moment où il se levait, deux peintres entrèrent dans le bar, portant une échelle. Leur arrivée rappela à Sid les travaux de rénovation qui agitaient la ville.

— Qu'est-ce qui se passe ? Pourquoi tout ce chambardement ?

— Tu n'es pas au courant ? Nous allons avoir une visite officielle. Le sous-secrétaire d'État aux Colonies.

Sid se souvint de la conversation qu'il avait eue avec Maggie.

— Elgin ?

— Non, Elgin est secrétaire d'État. Le sous-secrétaire s'appelle... Zut, ça m'échappe...

Delamere attrapa un journal qui traînait sur une chaise.

— C'est annoncé là-dedans, dit-il en le feuilletant. Il va y avoir une série de réceptions, des bals, des banquets...

— Il va nous faire tout un tas de promesses, grommela Roos, et il n'en tiendra aucune.

— ... et un safari, évidemment, ajouta Delamere en cherchant toujours. Il va vouloir tuer un lion, comme tout le monde. Ah ! Voilà ! Lytton.

Sid, qui fouillait dans sa poche de pantalon pour trouver des pièces, s'arrêta net.

— Lytton ?

— Oui, c'est ça. Freddie Lytton. Il arrive avec tout un bataillon. Sa fille, sa femme, lady India Lytton... Je connaissais son père, paix à son âme. Lord Burnleigh. Riche comme Crésus et excellent…

Delamere s'interrompit, pris d'inquiétude.

— Dis donc, ça va, Bax, mon vieux ? Tu es blanc comme un linge !

88

— Regarde la beauté de ce paysage, Seamie ! Jamais je n'aurais imaginé que l'Afrique serait aussi colorée. Tu as vu ce turquoise, ces rouges, ces violets ?

— C'est vrai. Moi qui voyais l'Afrique tout en brun ! Avec des zèbres…

Sur le pont du *Goorka*, Seamie et Willa s'émerveillaient, subjugués par l'arrivée sur Mombasa. De grosses vagues venaient se briser sur la digue blanche, retombant en écume dans les flots scintillants de l'océan Indien. Le port était entouré de baobabs géants, et des bougainvilliers éblouissants s'accrochaient aux murs et cascadaient des falaises. Au-delà d'un haut phare, la forteresse se découpait sur un ciel d'azur.

— Là-bas, le fort Jésus ! s'écria Willa. Les guides de voyage ne mentent pas, il est vraiment rose !

Elle avait réuni une importante documentation sur l'Afrique-Orientale, qu'elle avait passionnément étudiée à bord durant le voyage et dont elle lisait des passages à voix haute tous les soirs pendant le dîner. Les Portugais avaient pris la ville aux marchands d'esclaves en 1500 et avaient bâti une solide forteresse pour se protéger. Deux cents ans plus tard, elle avait été conquise par le sultan d'Oman. En 1840, le sultan de

Zanzibar l'avait envahie par la ruse, puis avait demandé la protection des Britanniques. Le drapeau écarlate flottait toujours sur le fort, rappelant aux Anglais qu'ils n'étaient pas seuls maîtres des lieux.

Le *Goorka* venait d'entrer dans les eaux du port par le Mlango, passage dans la barrière corallienne, et avait mouillé à une quarantaine de mètres des quais. De petites embarcations arrivaient déjà pour déposer les passagers à terre.

— Quel bonheur d'être enfin en Afrique !

Willa agrippait le bras de Seamie à lui en faire mal, mais cela l'enchantait.

— Si nous allions visiter la forteresse tout de suite ? proposa-t-elle. Ou alors le village.

— Le mieux serait de faire porter nos bagages à l'hôtel et de nous arrêter en route aux bureaux de l'organisateur de safaris.

— Oui, tu as raison. Si tu savais comme j'ai hâte de descendre !

— Ce sera bon de marcher sur la terre ferme.

La traversée avait pris six longues semaines en bateau à vapeur. Il y avait eu des escales à Malte, à Chypre et à Port-Saïd, puis une dernière à Aden après le passage du canal de Suez. Pour Seamie, qui s'était rendu en Antarctique à bord d'un vaisseau moderne dont l'équipage avait hâte d'arriver à destination, le *Goorka* avançait à une allure d'escargot. Aux escales, on embarquait de l'eau fraîche, ainsi que du bétail et de la volaille qui restaient à fond de cale pour être abattus à mesure des besoins. Willa, fatiguée du confinement et passionnée de voyages, demandait à descendre pour explorer les ports où ils s'arrêtaient. À Chypre comme à Aden, elle avait tant tardé à retourner au bateau qu'ils avaient dû courir à toutes jambes pour ne pas le manquer.

Seamie l'observait secrètement pendant qu'elle écrivait dans son carnet. C'était pour lui un délice d'être en sa compagnie.

— À quoi vont te servir toutes ces notes ? Tu as le nez plongé dans tes cahiers depuis notre départ.

— C'est pour mes conférences, tiens ! Surtout pour celle que je vais donner à la Société géographique quand nous rentrerons à Londres. Plus tard, j'écrirai un récit de voyage qui se vendra comme des petits pains et qui servira à financer ma prochaine expédition. C'est ce que j'ai fait après l'ascension du mont McKinley et j'ai gagné pas mal d'argent. Comment aimerais-tu que je te décrive ? Préfères-tu être un « explorateur accompli » ou un « brillant explorateur » ?

Il fit mine de réfléchir. Il aurait préféré être simplement l'élu de son cœur.

— Eh bien, je choisis les deux, répondit-il. Brillant et accompli.

— Et modeste, n'oublions pas !

Il sourit et détourna la tête de peur de trahir ses sentiments. Il regrettait d'avoir accepté de partir avec elle, mais, à Cambridge, il ne lui avait pas semblé être aussi amoureux.

Avec Willa, tout devenait une aventure et un plaisir. Du raisin noir et du fromage de chèvre goûtés à Chypre ; les femmes voilées aperçues sur les balcons d'Aden ; les marchands et leurs dromadaires ; les marchés aux épices et aux tissus ; la voix des muezzins appelant les fidèles à la prière. La vitalité et l'enthousiasme de la jeune fille étaient uniques, son énergie et sa curiosité communicatives. Seamie se rappelait avec délice leurs cavalcades éperdues pour reprendre le bateau en criant à l'équipage de les attendre.

Que serait sa vie après ce voyage ? Un gouffre

d'ennui. Jamais il n'oublierait ces moments, et jamais plus il ne pourrait tomber amoureux parce que les autres femmes lui sembleraient médiocres et fades à côté de Willa.

Il aurait voulu déclarer sa flamme, mais elle aimait George, et il devait se taire. Quel embarras il lui causerait s'il parlait… Leur complicité s'évanouirait à jamais.

Une voix éclata derrière eux.

— Eh bien, il ne nous reste plus qu'à vous dire adieu !

C'était Eamon Edmonds, accompagné de sa femme Vera, un jeune couple fraîchement marié, qui allait prendre possession d'une plantation de café sur les hauteurs de Ngong. Seamie et Willa avaient sympathisé avec plusieurs couples de colons pendant le long voyage en mer.

— Vera, vous allez me manquer ! s'écria Willa en la serrant dans ses bras.

— Vous aussi ! Faites-nous un petit bonjour du haut du Kilimandjaro !

Les deux femmes s'embrassèrent encore. Eamon et Seamie se serrèrent la main, puis un membre de l'équipage aida Vera à descendre l'échelle pour prendre place dans une barque.

Seamie et Willa descendirent dans l'embarcation suivante avec leurs bagages. Ils n'avaient emporté que leurs sacs à dos, leur matériel de montagne et leur tente. Il leur faudrait acheter le reste sur place, et trouver des porteurs, ce qu'ils pensaient faire avec l'aide de Newland & Tarlton, une société d'organisation de safaris, qu'ils avaient avertie par câble de leur arrivée.

Seamie retrouva le plancher des vaches avec plaisir. Il était heureux de quitter le navire, mais, surtout, il avait hâte de commencer l'ascension du Kilimandjaro, dont la difficulté le distrairait un peu de ses pensées obsessionnelles pour Willa.

Arrivés dans le port, ils payèrent leur passeur, puis louèrent les services d'un porteur, qu'ils chargèrent de transporter leurs bagages au Mombasa Club dans sa carriole tirée par un âne. De nombreuses sentes menaient du port à la ville, mais il n'y avait qu'une seule rue digne de ce nom, baptisée du nom du grand explorateur Vasco de Gama. C'était là que se trouvaient les bureaux de Peter Boedeker, l'homme qu'ils devaient rencontrer.

— Rue Vasco-de-Gama, dit Willa, songeuse. Je me demande s'il y aura un jour une rue Seamus Finnegan, ou une avenue Willa Alden…

Elle marchait à reculons pour mieux voir les minarets et les coupoles de la ville arabe avec ses jolies maisons blanchies à la chaux, aux persiennes closes pour garder la fraîcheur. Elle trébucha bien une ou deux fois, mais Seamie était là pour la rattraper.

Au bout de dix minutes, ils arrivèrent au numéro 46, un bâtiment blanc, arborant la plaque en cuivre de Newland & Tarlton, organisateurs de safaris.

— N'oublie pas : ils ne doivent pas se douter que nous sommes alpinistes, rappela Seamie.

La recommandation était inutile, car Willa le savait aussi bien que lui. Ils montèrent l'escalier jusqu'au bureau, situé au premier. La porte était ouverte.

— Monsieur Boedeker ? appela Seamie.

Willa le suivit à l'intérieur. Ils découvrirent une petite pièce décorée de cartes d'Afrique, ne contenant qu'un bureau, quelques chaises et un meuble de classement.

L'homme blond et athlétique qui était assis derrière la table devait avoir une trentaine d'années, mais son visage avait tellement été exposé au soleil qu'il avait la peau d'un homme de cinquante ans.

— Ah, monsieur Finnegan et mademoiselle Alden. Je vous attendais. J'ai appris que le *Goorka* devait accoster aujourd'hui. Asseyez-vous donc. Comment s'est passé le voyage ?

Il donna un ordre en swahili à un boy assis en tailleur par terre dans un coin. Celui-ci sortit en courant et, le temps qu'ils échangent quelques mots sur la traversée, il revint avec trois hauts verres de thé à la menthe chaud et très sucré. Boedeker prit une gorgée du sien, puis ouvrit un dossier dont il tira le câble que lui avait envoyé Willa avant leur départ de Londres.

— Donc, vous voulez partir en safari à l'ouest du Kilimandjaro, commenta-t-il en leur lançant à chacun un long regard. Le Kilimandjaro vous intéresse en particulier ?

— Nous avons simplement envie de le voir, répondit Seamie.

Peter Boedeker hocha la tête pensivement.

— Mais, rassurez-moi : vous vous contenterez de le voir de notre côté de la frontière ?

— Bien entendu, répondit Willa.

— Vous n'envisagez pas d'en tenter l'ascension ?

— L'ascension ? répéta-t-elle innocemment. Bien sûr que non !

— Parfait, car vous savez sûrement que cette montagne est située en Afrique-Orientale allemande. Si vous passiez sur leur territoire, les Allemands vous demanderaient vos papiers. Ils fouilleraient vos bagages et voudraient savoir ce que vous comptez faire. Et s'ils supposaient que vous aviez l'intention de s'attaquer à leur montagne, ils vous refouleraient très probablement.

Et si vous décidiez de passer outre et de franchir la frontière clandestinement, vous risqueriez la prison.

Tout cela, Seamie et Willa le savaient. Leur intention était d'accéder à la montagne en passant discrètement par la jungle. S'ils arrivaient au sommet, ils repartiraient tout aussi secrètement pour Mombasa et ne rendraient leur exploit public qu'à leur retour en Grande-Bretagne. Ils n'avaient aucun scrupule, car, pour eux, les montagnes devaient rester hors frontières et n'appartenir qu'aux alpinistes.

— Nous voulons prendre des photos, expliqua Seamie.

— Eh bien, parfait. Je vais vous organiser un très agréable petit voyage jusqu'à Taveta, non loin de la frontière. Vous pourrez faire une belle randonnée dans la brousse au pied du Kilimandjaro. De quoi vous régaler les yeux.

Ils acquiescèrent, très soulagés que Boedeker semble les croire. Ils discutèrent un long moment des provisions et des bagages à emporter, et de la durée du voyage. Seamie et Willa se finançaient eux-mêmes grâce à leur fortune personnelle et jouissaient d'une certaine liberté, mais leurs fonds n'étaient pas illimités et ils devaient surveiller leurs dépenses. Ils se déclarèrent prêts à porter des bagages eux-mêmes pour réduire le nombre de porteurs. Tous calculs faits, Boedeker établit que neuf hommes et un chef d'équipe seraient suffisants.

— Dix, alors que nous ne sommes que deux, cela semble énorme, remarqua Seamie.

— Ce n'est rien. Le dernier safari que j'ai organisé vous aurait paru démesuré. Il s'agissait d'un petit groupe de riches Américains amateurs de confort. Il a fallu transporter cinquante caisses de champagne, vingt de whisky, des verres en cristal, de la porcelaine de

Wedgwood, des couverts en argent, du linge de table, et prévoir des repas de huit plats... J'ai employé cent cinquante porteurs. La colonne s'étalait sur un kilomètre et demi.

Boedeker leur promis qu'ils pourraient partir d'ici cinq jours au plus tard. Ils achèteraient leurs provisions à Mombasa, puis prendraient le train pour Voi, une petite ville de la province du Kenya située à environ quatre-vingt-dix kilomètres au nord-ouest. Là-bas, ils trouveraient le chef d'équipe, un Massaï du nom de Tepili, qui les emmènerait à Taveta avec ses neuf porteurs.

Seamie et Willa lui réglèrent sa facture et le remercièrent. Il leur promit de les faire avertir au Mombasa Club dès que le voyage serait organisé, puis il les raccompagna à la porte où il leur serra la main. Mais au lieu de les laisser partir, il les arrêta sur le seuil.

— Mademoiselle Alden, monsieur Finnegan, quelques dernières recommandations, si je puis me permettre.

— Mais bien entendu, dit Seamie.

Le sourire jovial avait disparu, remplacé par une expression extrêmement sérieuse.

— Méfiez-vous des Chagga. Employez-les si vous n'avez pas le choix, mais gardez-les à l'œil. En approchant de la frontière, que je vous suggère de traverser bien au nord de Taveta, vous serez sur leur territoire. Ce sont les meilleurs guides. Personne ne connaît comme eux les alentours du Kilimandjaro, mais ils sont très imprévisibles. Des Allemands et des Anglais ont été leurs victimes. Apportez-leur des cadeaux. Ils aiment particulièrement les couteaux et les miroirs.

— Mais nous ne voulons pas... commença Willa.

— Bien sûr, bien sûr. Seulement, il se trouve que je sais qui vous êtes, mademoiselle Alden : vous avez établi des records d'ascension dans les Alpes et au mont McKinley.

— Comment le savez-vous ?

— Je suis alpiniste moi-même et je me tiens au courant. J'ai lu des informations intéressantes sur vous aussi, monsieur Finnegan. Je connais l'expédition du *Discovery*, comme tout le monde. Ne doutez pas que les Allemands ont aussi entendu parler de vous. Soyez prudents, je vous en conjure. L'Afrique, ce n'est ni les Alpes ni l'Antarctique. C'est une tout autre paire de manches.

— Merci pour vos conseils, monsieur Boedeker, dit Willa. Nous ferons très attention quand nous aurons passé la frontière.

— La frontière ? répéta-t-il en haussant les sourcils. Je ne songerais pas à vous conseiller de la passer. Newland & Tarlton n'a pas pour habitude de contrevenir aux traités internationaux, ce serait très irresponsable. Bonne journée.

— Drôle de bonhomme, jugea-t-elle quand ils se retrouvèrent dehors.

— Il ne faudra pas compter sur son soutien si nous sommes arrêtés, mais son avertissement peut être utile.

— Oui, nous n'avions pas pensé aux cadeaux pour les Chagga. Occupons-nous-en ici. Pour la frontière, nous avions déjà l'intention de la passer au nord, comme il l'a suggéré. En attendant, allons nager. Tu as vu ces plages ? Nous avons cinq jours de sable blanc et d'eau bleue devant nous. Un paradis !

Seamie soupira, songeant qu'il ne tenait pas à voir Willa en tenue de bain. Ce n'était pas le meilleur moyen de cesser de penser à elle…

— Seamie ? Tu es soucieux ?

— Non. Je pensais à nos bagages. Allons voir à

l'hôtel s'ils sont bien arrivés, et profitons-en pour nous installer.

— Bonne idée.

Le vestibule du Mombasa Club était sombre et paisible. Au plafond, un ventilateur en feuilles de bananier, actionné par un jeune boy qui tirait à coups réguliers sur une corde, brassait l'air lourd. Des trophées de chasse ornaient le haut des murs, et quelques fauteuils entouraient une vieille peau de lion. Un bar occupait toute une partie du hall, en face de la réception où présidait un grand Somali portant tunique blanche et turban rouge.

Seamie et Willa se présentèrent. À l'hôtel comme chez Newland & Tarlton, ils avaient annoncé leur arrivée par un câble précisant qu'ils seraient à bord du *Goorka*.

— Nous avons réservé deux chambres, expliqua Seamie en donnant son nom.

— Désolé, Monsieur, mais il n'y en a qu'une.

— Nous avions bien dit deux… Nous sommes deux…

— Désolé, Monsieur. Il y a beaucoup de monde aujourd'hui. Une délégation est arrivée de Londres il y a deux jours. Un ministre, avec sa femme et beaucoup de gens. L'hôtel est plein. Deux hommes, pour une chambre, c'est bien.

— Il me prend pour un homme, murmura Willa.

— Y a-t-il d'autres hôtels en ville ? demanda Seamie.

— Tout est plein, Monsieur.

Très ennuyé, Seamie leva la tête vers leurs bagages que deux porteurs montaient déjà.

— Attendez…

Willa l'arrêta et murmura du coin de la bouche.

— Tant pis, prenons-la quand même. J'ai peur que nous ne trouvions rien d'autre si nous la refusons.

Quand ils furent dans la chambre, Seamie donna un pourboire aux porteurs et regarda autour de lui. La fenêtre donnait à l'arrière sur un jardin planté d'acacias. Les murs étaient blancs, le lavabo petit, et le lit à deux places ne semblait pas très grand.

— Je dormirai par terre, s'empressa-t-il de dire.

— Tu n'y penses pas ! Nous partagerons le lit. J'espère que tu ne ronfles pas. Je vais me rafraîchir, et puis nous irons nous baigner.

Se retrouvant seul, Seamie considéra le lit. Il avait cru que l'épreuve de la plage serait difficile, mais ce partage serait un enfer. Il aurait donné n'importe quoi pour prendre Willa dans ses bras. Il eut l'idée de s'allonger sur le lit pour ne plus le voir, mais ce fut pire. Dans quelques heures, il s'y coucherait avec Willa, entendrait sa respiration sans oser bouger.

L'ascension la plus dure, la chaleur la plus intense, le froid le plus cruel vaudraient mieux que ce supplice de Tantale. Même de dangereux guides n'attendant qu'une occasion pour les tuer.

Les Chagga me sembleront des anges, songea-t-il juste avant de sombrer dans un profond sommeil.

89

— Combien prenez-vous de chevaux ? demanda Maggie.

Elle tenait compagnie à Sid dans sa cabane pendant qu'il préparait son sac.

— Seulement deux. Un pour lui et un pour moi. Les porteurs suivront à pied.

— Bien entendu. Combien ?

— Six.

— C'est peu.

— Pas d'armes, pas de munitions, pas de peaux ni de trophées à rapporter. Quelques télescopes et quelques boussoles, une planche à dessin, du papier, des tentes et de la nourriture, c'est tout.

— Ce sera plus facile.

— Je pars demain à l'aube. Le géomètre m'attend à Thika. L'expédition ne durera pas longtemps, ne crains rien. Deux semaines tout au plus. Je serai de retour bien avant la récolte. Les femmes savent quoi faire. J'ai nommé Wainaina responsable. Elle leur fait labourer le dernier champ.

Maggie le contemplait, songeuse.

— Je comprends que tu aies envie de partir faire un tour, mais j'ai l'impression que tu ne me dis pas tout.

— Je veux gagner un peu d'argent.

— Il y a autre chose… Tu as un drôle d'air. Tu sembles aussi malheureux qu'à ton arrivée.

Sid n'en démordit pas : s'il emmenait le géomètre au mont Kenya, c'était pour faire l'acquisition d'un poêle à bois. Même s'il avait déjà tout à fait de quoi s'en acheter un. Jamais il n'avouerait que son départ était causé par la peur d'une certaine visite.

Alors qu'il passait annoncer à Maggie l'incursion d'un chacal dans le poulailler, il avait trouvé Mme Thompson et sa fille Lucy chez elle. Il avait accepté une tasse de thé et avait appris une nouvelle qui les mettait en ébullition.

Le sous-secrétaire d'État et sa famille étaient arrivés à Mombasa. Ils y resteraient une semaine, puis continueraient leur voyage par Nairobi, où un bal serait donné en leur honneur chez le gouverneur. Ce serait l'occasion mondaine la plus marquante de l'année. Mais ce n'était pas tout.

— Le gouverneur les invite à un safari, avait expliqué Lucy. Ils vont venir jusqu'à Thika ! Quelle chance ! Ils camperont à Deux-Rivières, puis ils continueront vers les montagnes Aberdare. M. Lytton veut tirer un lion, et ce n'est pas ça qui manque ici !

L'annonce du choix de Thika comme étape de la visite officielle, qui enchantait tant Lucy, avait éveillé une certaine inquiétude chez Sid. Il avait d'abord pensé avoir peu de chances de les croiser, mais la ferme de Maggie n'étant éloignée que d'une quinzaine de kilomètres du campement prévu, il avait préféré ne prendre aucun risque.

En entendant Mme Thompson annoncer qu'elle allait emmener Lucy à Nairobi le lendemain pour lui faire confectionner une robe pour le bal du gouverneur, il avait eu une idée. Il s'était excusé et avait couru à sa cabane pour écrire un mot au préfet de province du Kenya. Il expliquait que lord Delamere lui avait suggéré de servir de guide à son géomètre, et qu'il serait libre immédiatement. Ensuite, il était retourné en toute hâte chez Maggie pour prier Mme Thompson de porter sa lettre lors de son séjour à Nairobi.

Si celle-ci avait été enchantée à cette demande, ce n'avait pas été le cas de Lucy qui lui avait apporté la réponse quelques jours plus tard, l'air contrarié.

— C'est à propos d'un géomètre, avait-elle crié en jetant la lettre sur la table.

— C'est vrai… avait-il répondu, décontenancé.

— Le préfet m'a dit que vous alliez l'emmener au mont Kenya pour tracer des cartes.

— C'est exact. Et c'est ça qui vous met en colère ?

— Je croyais que vous lui écriviez pour demander une invitation au bal du gouverneur, et que vous vouliez m'y emmener !

Sid n'avait pas pu retenir un rire. Le bal du gouverneur ! C'était le dernier endroit au monde où il désirait se rendre. Quelles têtes auraient faites India et Freddie en l'y rencontrant… Mais Lucy avait très mal pris sa désinvolture, et était partie en larmes. Maggie était venue lui demander des comptes peu de temps après.

— Tu aurais pu être plus gentil avec cette pauvre petite ! Je t'ai pourtant dit qu'elle avait un faible pour toi.

— Elle m'a surpris.

— Elle est jolie, bien élevée. Tu ne pourras pas trouver mieux.

— Je ne suis pas un très bon parti, je t'assure que…

— Et tout ça pour emmener un géomètre dans la brousse, alors qu'une belle fille ne demande qu'à danser avec toi.

— Maggie, je n'irai pas à ce bal, ni avec Lucy ni avec une autre. J'ai mes raisons.

Elle n'avait pas insisté et était même venue à sa cabane avant son départ pour s'assurer qu'il avait suffisamment de quinine. Maggie le regardait maintenant remplir son sac à dos, un whisky à la main. Elle prit le journal de Mombasa, qui traînait sur la table.

— Où as-tu eu ce journal ?

— Jo Roos me l'a laissé.

— Ça ne te ressemble pas de t'intéresser aux nouvelles…

Elle feuilleta les pages froissées pendant que Sid bouclait les sangles de son sac d'un air buté. Une photo attira son attention sur une page dont l'encre s'était estompée à force d'être touchée. C'était celle du sous-secrétaire d'État Freddie Lytton, en visite en Afrique. Il posait devant le fort Jésus avec sa femme et leur fille. L'enfant baissait les yeux, Lytton fronçait les sourcils, et seule son épouse regardait directement l'objectif. Maggie examina son visage et eut une intuition.

— J'ai compris ! C'est elle qui t'a fait tellement souffrir ! C'est à cause de la femme de Lytton que tu te sauves dans la brousse !

— Que vas-tu chercher ?

— India Lytton… Alors, c'est à cause d'elle que tu veux rester célibataire ? C'est à cause d'elle que tu pars avec le géomètre…

— Mais non, je te dis !

— Sid, tu ne m'as encore jamais menti.

— Parce que tu ne m'y as jamais obligé !

L'insistance de Maggie l'étonnait. Elle était d'ordinaire discrète, et un respect réciproque caractérisait leur rude camaraderie.

— Excuse-moi, Sid. C'est parce que je m'inquiète pour toi.

— C'est compliqué. Très compliqué.

Elle hocha la tête, les yeux fixés sur la photo.

— Elle est très belle, même si on ne voit pas grand-chose.

— Ce n'est rien à côté de la réalité…

Le tremblement de sa voix exprima le reste.

Maggie se leva avec un soupir.

— Tu rentres ? demanda-t-il.

— Non, je vais passer chez les Thompson. Il faut bien que quelqu'un se charge de mettre dans la tête de cette pauvre Lucy qu'elle n'a pas l'ombre d'une chance.

— Maman, il faut vraiment qu'on enlève nos dents ? murmura Charlotte. Le monsieur a dit que tous les passagers devaient enlever leurs dents.

— Leurs fausses dents, chérie, répondit India avec un sourire.

— Mais pourquoi ?

Ce fut lord Delamere qui lui répondit d'un ton claironnant.

— Parce que ces jean-foutre ont posé les rails directement sur la terre, sans ballast !

— Hugh ! protesta sa femme. Ce n'est pas une façon de parler devant une petite fille.

— J'oublie son âge. Elle est plus instruite et plus polie que beaucoup d'adultes que j'ai rencontrés.

— C'est bien possible, mais…

— Oui, oui, ça va !

Il se pencha à l'oreille de Charlotte, s'arrangeant pour qu'elle soit la seule à entendre.

— N'empêche que ce sont tout de même des imbéciles. Vous allez voir comme c'est agréable quand on arrive dans la plaine. Les cahots sont terribles.

Il avisa un serviteur qui passait avec un plateau de meringues et en attrapa une au vol.

— Rien de tel qu'un bon rembourrage. Regardez, voilà ce qu'il faut faire.

Il enfonça la meringue entre ses dents et lui fit un sourire tout rose.

Charlotte éclata de rire, et India interrompit sa conversation avec lady Delamere pour rire avec elle.

— Comme votre mari est gentil avec les enfants !

— C'est parce qu'il en est resté un lui-même.

India, qui souhaitait par-dessus tout que Charlotte s'amuse, n'en appréciait que davantage leurs compagnons de voyage. Malgré sa peur de l'Afrique, force lui était de constater qu'après une semaine, la santé de sa fille était florissante. Elle avait les joues roses, et ses yeux pétillaient de bonheur. À Mombasa, elle avait passé ses journées sur les plages de sable blanc à ramasser des coquillages et à jeter du pain aux mouettes avec Mary, la femme de chambre qui les avait accompagnés d'Angleterre. Elle y avait croisé un jeune couple charmant qui s'apprêtait à partir en excursion au Kilimandjaro. Même les réceptions officielles lui avaient plu. Elle s'intéressait aux gens qu'elle rencontrait, les Africains, les Arabes, les Indiens, et à toutes les langues qu'elle entendait parler.

— Maman, lui avait-elle dit, est-ce que vous saviez qu'en swahili on dit *mzoungou* pour désigner une personne blanche, mais que ça ne veut pas dire « blanc » du tout, mais « chose bizarre » ?

Avant même le départ du train pour Nairobi, Charlotte s'amusait déjà beaucoup. Le wagon privé du gouverneur James Hayes Sadler où elle était installée lui plaisait énormément. Elle le partageait avec ses parents, les Delamere et divers représentants officiels. Son costume de voyage la ravissait : corsage blanc, jupe-culotte kaki, bottines lacées et une masse de colliers de perles massaï de toutes les couleurs, que lui avait donnés lord Delamere et qu'elle refusait d'enlever.

— Vous aimez les animaux, Charlotte ? lui demanda celui-ci après avoir avalé sa meringue.

— Oui, beaucoup.

— Vous allez être heureuse, alors. Vous en verrez des centaines, peut-être même des milliers quand nous traverserons la plaine d'Athi.

Elle eut du mal à le croire.

— Vous pensez que je vous raconte des histoires ?

— Vous exagérez peut-être un peu, monsieur.

Il éclata de rire.

— Eh bien, prenons-en le pari. Vous n'avez qu'à les compter. Vous aurez une roupie par zèbre, un *anna* par girafe et un *pice* par lion. Alors ?

— Ah, oui ! Je veux bien !

Hayes Sadler, qui les avait rejoints, posa la main sur l'épaule de Delamere.

— Freddie a des questions à vous poser sur l'Association des colons. Vous serez plus à même d'y répondre que moi.

— Avec plaisir ! J'attendais justement une occasion de lui dire à quel point Londres nous traitait mal.

Il quitta Charlotte en lui recommandant de bien compter, puis il suivit Hayes Sadler dans le compartiment où Freddie avait installé son bureau.

Un coup de sifflet retentit, et le chef de train cria : « En voiture ! »

Les portières des wagons claquèrent, puis la locomotive s'ébranla en crachant un jet de vapeur. Les roues d'acier grincèrent sur les rails, et le train quitta la gare. Un quart d'heure plus tard, ils franchissaient le pont qui reliait l'île de Mombasa à la côte.

Pendant plusieurs heures, le convoi roula vers l'ouest à travers une jungle verte, humide et dense, peuplée de papillons et d'oiseaux aux couleurs vives. Ils dépassèrent des plantations de caoutchouc, de coton et de sisal, longèrent des vallées et des gorges, et firent quelques haltes dans de petites gares proprettes et fleuries qui rappelaient étonnamment celles de la campagne anglaise. Charlotte passa son temps le nez collé à la vitre. Sa fascination était telle qu'il fallut l'appeler plusieurs fois pour qu'elle vienne déjeuner, et de même à l'heure du thé.

Le soir, la forêt fit place à la savane. Ce fut là, sur fond d'un éclatant soleil couchant, que Charlotte vit enfin la multitude d'animaux que lui avait promise lord Delamere.

— Maman ! Maman ! Regardez ! s'écria-t-elle en voyant son premier troupeau de zèbres. Il y en a au moins cinquante !

— Cinq cents, même, je dirais, intervint lord Delamere.

Il était sorti en hâte du compartiment de Freddie, où il avait passé l'après-midi, et avait couru s'asseoir à côté de Charlotte, s'amusant au moins autant qu'elle.

Elle lui rappela sa promesse et compta avec enthousiasme, atteignant la centaine en peu de temps.

— À ce rythme, mon époux va nous ruiner ! s'amusa lady Delamere.

— Qu'on fasse ralentir le train ! cria son mari. On n'a pas le temps de voir !

Lady Hayes Sadler sourit avec indulgence, lady Delamere eut l'air attendri, et Tom Meade, le jeune sous-préfet du Kenya, courut transmettre la demande au chef mécanicien. India était aux anges, prête à pardonner toutes les excentricités pour que sa fille soit heureuse.

— Madeleine, bon Dieu, où sont mes jumelles ? cria lord Delamere.

— Voyons, Hugh, ne jurez pas tant, pensez à cette enfant. Les voici.

Delamere s'en saisit et les tendit à Charlotte.

— Là-bas ! hurla-t-il. À dix heures ! Vous les voyez, petite ?

Charlotte chercha un peu, puis demanda, stupéfaite :

— Lord Delamere… Ce sont vraiment des girafes ? Des vraies ?

— Il y en a six, comme je vous vois ! Et maintenant, un troupeau de gazelles. Et là, d'horribles gnous. Vous savez ce que disent les Massaï de ces animaux, Charlotte ? Ils disent qu'ils ont été assemblés par Dieu avec les rebuts des autres, et que c'est pour cette raison qu'ils sont si laids.

— Et des lions, nous allons voir des lions ?

— Pas pour l'instant, mais ne craignez rien, nous en verrons. Nous sommes sûrs d'en prendre au safari de Thika. La dernière fois que je suis allé là-bas, j'en ai eu trois.

Charlotte eut l'air horrifiée.

— Mais je ne veux pas les tuer…

Lady Delamere jeta à son époux un regard si courroucé qu'il fit vite machine arrière.

— Moi non plus, moi non plus ! Je voulais dire que nous allions les prendre en photo. D'ailleurs, je connais un très bon guide, à Thika, qui refuse de tuer les animaux. Nous lui demanderons de nous emmener voir les lions. Je sais où le trouver. Il s'appelle Sid Baxter.

India, qui regardait par la fenêtre, se tourna lentement vers lui.

— Sid Baxter ? répéta-t-elle.

— Oui, Baxter. Vous le connaissez ?

— Non, bien sûr que non, répondit-elle en lâchant un petit rire nerveux. J'ai entendu mentionner son nom à Mombasa. Il paraît qu'il est très fiable.

— Il connaît la brousse comme personne. Il travaille dans une plantation non loin de Thika. C'est un solitaire, mais nous saurons le convaincre de nous accompagner. Je veux bien être pendu s'il ne trouve pas des lions pour Charlotte.

Lord Delamere continuait, mais India ne l'écoutait plus. La douleur était encore si forte… Un instant, elle s'était revue dans l'appartement d'Arden Street. Elle avait revu Sid entrer, un bouquet de roses blanches à la main. « Bonjour, madame Baxter », avait-il dit avant de la prendre dans ses bras.

— Maman ? Vous êtes triste ? demanda Charlotte, soudain inquiète.

— Non, chérie. Un peu fatiguée, c'est tout.

Charlotte l'observa, se demandant s'il fallait la croire.

— Ma chère India, vous devriez aller vous allonger un peu, conseilla lady Delamere. Je vais tenir compagnie à Charlotte.

— Ça ne t'ennuie pas, chérie ?

— Non maman…

Charlotte la laissa partir, mais elle ne croyait pas à cette soudaine fatigue. Elle connaissait ce regard. C'était celui qu'avait sa mère quand elle regardait trop longtemps le vase de roses blanches dont elle ornait toujours son secrétaire. Parfois, elle avait même cet air malheureux en la regardant.

— Ne vous inquiétez pas, Charlotte, dit lady Delamere en lui tapotant la main. Un petit somme et il n'y paraîtra plus.

Charlotte se dépêcha de sourire. Elle avait beau ne pas avoir encore tout à fait six ans, elle avait déjà compris que les adultes laissaient plus volontiers tranquilles les enfants heureux.

Elle se tourna de nouveau vers la fenêtre pour regarder défiler le paysage. Le ciel s'assombrissait, mais on distinguait encore des animaux qu'elle montrait du doigt pour faire plaisir à lord Delamere, mais son intérêt s'était envolé. Elle se demandait qui était Sid Baxter, et pourquoi son seul nom rendait sa mère bien-aimée si triste.

91

Un porteur chauffait une aiguille à la flamme du feu de camp. Quand l'extrémité fut incandescente, il posa la main sur le pied de Seamie en lui parlant en maa.

Tepili, le chef d'équipe, traduisit.

— Il vous dit : pas bouger. Surtout, pas bouger du tout.

— Facile, ce n'est pas lui qui va se faire charcuter le pied, maugréa Seamie.

Sans un mot, le garçon glissa l'aiguille sous l'ongle et l'enfonça. Il l'inclina, puis, retenant son souffle, la ramena lentement. Une petite poche d'œufs blanche sortit entière de la plaie. Le porteur eut un grand sourire.

— Pou des sables, dit Tepili. Très mauvais. Très malade. Peut plus marcher, peut plus grimper.

— Ce sont des sortes de tiques, expliqua Willa en tamponnant l'orteil de Seamie avec du désinfectant. Ils pondent leurs œufs sous les ongles. Si la poche éclate pendant qu'on l'extirpe, les petites bêtes se répandent partout et font de gros dégâts. C'est très douloureux, et on risque la gangrène.

— Charmant, soupira Seamie. À côté, l'Antarctique est une partie de plaisir. Cinquante degrés en dessous de zéro, des tempêtes de glace qui font frémir même les manchots, mais là-bas, il n'y a pas de poux des sables, pas de tiques, de serpents, de scorpions ni d'araignées grandes comme des assiettes à soupe.

Cet éclat fit rire Willa.

— N'exagérons rien ! Elle n'était pas si grosse, cette araignée.

— Tout de même, avoue…

— Bon, une soucoupe, si tu veux.

— Et elle m'a sauté sur la tête !

— Elle est tombée, ce n'est pas pareil.

— Moi, je te dis qu'elle m'a sauté dessus !

C'était leur premier jour de marche, et Seamie avait joué de malchance. D'abord, il avait eu le plus grand mal à se débarrasser d'une monstrueuse araignée, puis, incident très rare, il s'était fait charger par une gazelle. Ensuite, il s'était égratigné avec des épines, et une fois le campement monté, l'inspection des pieds avait révélé sur lui une attaque de poux des sables. Il attendait la nuit avec impatience pour se reposer sous sa moustiquaire à l'abri de tous ces dangers. Quand on se trouvait si loin de la civilisation, mieux valait éviter tout ce qui pouvait provoquer blessures et infections.

Tepili et le porteur leur souhaitèrent bonne nuit, puis rejoignirent les porteurs massaï qui passaient la nuit dans leur *manyatta*, petit enclos traditionnel fait de branchages d'épineux que l'on construisait le soir pour se protéger des animaux sauvages.

Willa et Seamie restèrent près de leur tente et du feu de camp, à écouter les bruissements de la nuit africaine. Willa avait posé sur la table les livres qu'elle étudiait. Elle s'intéressait pour l'instant au récit de la première tentative d'ascension du pic Kibo par Samuel Teleki von Szek, l'explorateur hongrois, et aux souvenirs de l'Allemand Hans Meyer, le premier à l'avoir finalement vaincu.

Elle se pencha sur la page mais sans lire, inquiétée par les malheureuses expériences de Seamie.

— Tu regrettes d'être venu ?

— Non, pas du tout. Au contraire, je suis très heureux d'être là. Je n'aime pas beaucoup toutes ces petites bestioles, mais quand j'ai vu les sommets enneigés du Kilimandjaro se dresser au loin au départ de

Voi, j'ai été transporté de joie. Cette montagne est grandiose et j'ai hâte de m'y attaquer.

— C'est vrai, c'est extraordinaire. La savane qui s'étend à l'infini, les doux vallonnements…

— Ça ne te rappelle pas Cambridge ?

— Je ne plaisante pas !

— Je sais. C'est extraordinaire. Le plus étonnant pour moi, c'est ce sentiment de liberté. C'est une impression aussi directement physique que d'être sous le ciel immense, ou d'entendre le galop des troupeaux de zèbres, ou de sentir la chaleur du soleil. Jusqu'ici, il faut croire que je ne m'étais encore jamais senti vraiment libre nulle part. Même en Antarctique.

Willa lui jeta un long regard.

— Seamus Finnegan, explorateur et poète, commenta-t-elle. Voilà comment je vais te décrire dans mon livre.

La voyant reprendre son étude, Seamie s'abîma dans la contemplation de son touchant profil. Ils avaient parcouru vingt-cinq kilomètres avant de planter la tente, ils étaient sales et fatigués, et pourtant elle était plus belle que jamais.

Il leur avait fallu une journée entière pour aller à Voi. Le voyage avait pris du retard pour la raison la plus étonnante qui soit. La délégation officielle arrivée en Afrique juste avant eux, et qui voyageait dans le wagon privé du gouverneur, avait fait ralentir pour qu'une petite fille voie mieux les zèbres ! C'était par ailleurs une charmante enfant qu'ils avaient rencontrée sur la plage à Mombasa. À leur arrivée à Voi, il faisait déjà nuit. Ils avaient été accueillis par Tepili qui les avait fait dormir dans une hutte de branchages. Le lendemain matin, les porteurs s'étaient partagé les bagages, et ils étaient partis à pied vers le village de Taveta où ils s'étaient arrêtés pour compléter leur approvisionnement. De là, ils avaient bifurqué vers le nord, évitant les villages et la curiosité des trop consciencieux représentants du protectorat qui pouvaient s'y trouver.

Seamie, qui était en excellente forme physique, avait d'abord craint que Willa ne puisse suivre son rythme et celui des porteurs. Ses craintes s'étaient vite dissipées. Elle marchait d'un bon pas, sans jamais se plaindre, sans réclamer des pauses, sans avoir peur de rien, même des gros crocodiles qu'ils avaient réveillés dans la rivière. C'était même elle qui l'avait débarrassé de son araignée. Il avait beau chercher, il ne lui trouvait aucun défaut. Ses espoirs de s'en dégoûter étaient vains. Bien au contraire, ses sentiments ne faisaient que croître.

Il devinait la moindre de ses humeurs, connaissait toutes ses expressions. Son odeur était un mélange de grand air et d'herbe chauffée par le soleil. Elle prenait du thé nature au petit déjeuner, elle était émue par les vieux messieurs, elle aimait les chiens, mais avait horreur des mots croisés. Après six semaines d'intimité à bord du bateau, le partage du lit au Mombasa Club pendant cinq nuits lui avait semblé atteindre un degré de cruauté encore inconnu. Jamais il n'oublierait ces moments, le rythme de sa respiration, la chaleur de son corps. Il avait enduré un supplice qui ne faisait que croître quand il découvrait au réveil qu'elle avait posé le bras sur lui pendant son sommeil. Sachant qu'elle serait gênée si elle s'en apercevait, il s'arrangeait pour se dégager sans la réveiller, et il se levait, non sans l'avoir embrassée, juste une fois, sur le front ou sur la joue.

Willa leva les yeux vers lui, marquant sa page avec le doigt.

— Fosbrooke dit que Teleki est monté à cinq mille six cents mètres sur le Kibo et que, s'il a rebroussé chemin avant le sommet, c'est parce que ses lèvres s'étaient mises à saigner et que la fatigue était trop forte. L'altitude sera notre plus grande ennemie.

— Il faudra procéder par étapes pour nous acclimater. Boire beaucoup de neige fondue. Dormir dans des bivouacs bas avant nos ascensions. Nous ne monterons que par paliers de trois cents mètres pour commencer. La meilleure méthode est de porter l'équipement jusqu'au campement suivant, puis de redescendre dormir au bivouac pour reprendre des forces. Pour la dernière ascension, au contraire, nous irons le plus vite possible. Nous atteindrons le sommet d'une bonne poussée, et nous redescendrons comme des flèches.

— Heureusement que le Mawenzi n'est estimé qu'à cinq mille mètres. Si Teleki n'a pas souffert de saignements avant cinq mille six cents mètres, nous devrions nous en tirer.

— Mais c'était le Kibo. Le Mawenzi a l'air beaucoup plus difficile. Meyer et Purtscheller disent que le sommet est composé d'aiguilles. Tu as lu ce qu'écrit Meyer sur l'ascension du glacier ? Il devait donner vingt coups de piolet pour tailler chaque marche. Vingt, tu te rends compte ? Alors qu'il souffrait du mal des montagnes. Pourtant, il ne grimpait qu'une pente à trente-cinq degrés alors que la nôtre sera beaucoup plus raide.

— Mais nous avons des crampons, contrairement à lui.

Ils avaient fait l'acquisition d'une invention nouvelle et encore peu expérimentée, des semelles à pointes qui se fixaient sous les chaussures de montagne comme des patins à glace.

— Et si ça ne fonctionnait pas ?

— Je suis certaine que c'est épatant. Nous avons aussi une meilleure carte que Meyer et Purtscheller, et un quadrant, un télescope, une arbalestrille. Nous prendrons des repères, ajouterons nos observations aux relevés existants, et notre carte sera encore plus complète quand nous nous lancerons.

Comme tous les très bons alpinistes, Willa savait que l'ascension se faisait d'abord avec les yeux. Pendant le long voyage en mer, ils avaient tracé une carte sommaire du Mawenzi à partir de photos, de descriptions et d'ébauches de cartes faites par leurs prédécesseurs. Mais ils auraient beau la compléter par des repérages sur le terrain, ils se trouveraient tout de même face à l'inconnu. Il leur faudrait décider d'une voie d'approche, braver les cascades de glace, les crevasses, les corniches. S'ils surmontaient toutes les embûches, ils seraient les premiers à poser le pied au sommet du Mawenzi, et sinon… ils risquaient tout simplement de ne pas en revenir.

Willa contemplait le feu.

— Hadrien est monté en haut de l'Etna en l'an 121 pour regarder le soleil se lever. Pétrarque a gravi le mont Ventoux en 1336, Balmat et Paccard ont vaincu le mont Blanc en 1786, et Whymper a fait le Matterhorn en 1865. Tu imagines ce qu'ils ont dû ressentir ? Être le premier à mettre le pied au sommet, à voir ce que personne n'a encore jamais vu !

Leurs regards se croisèrent. Seamie crut lire de l'amour dans les yeux de Willa. Il faillit faire un geste vers elle, mais se retint. Non, il devait s'être trompé. C'étaient l'espoir, l'ambition, qui les faisaient briller. Il détourna la tête avec gêne et, prétextant la fatigue, dit qu'il allait se coucher.

— J'arrive, répondit Willa. Prends la lanterne, la lumière du feu me suffit.

Se maudissant de sa lâcheté, il s'arrêta, tâchant de vaincre sa peur, et voulut dire quelque chose. Mais, à l'instant où il allait parler, des ricanements étranges éclatèrent dans la nuit qui le firent sursauter.

— Tu as entendu ? s'exclama Willa. Des hyènes. C'est sans doute à cause de ta blessure. Elles sont attirées par l'odeur du sang qu'elles sentent à des kilomètres, même quelques gouttes.

Les rires diaboliques se rapprochèrent. Soudain, une forme massive et voûtée surgit de l'ombre. Seamie vit des crocs et entendit un grognement. L'animal s'empara de son bonnet, posé par terre près de la tente, et l'emporta.

Il poursuivit la bête en criant, mais seuls des glapissements lui répondirent. Soudain, il s'arrêta. Des regards inquiétants pesaient sur lui. Il crut distinguer des yeux brillants dans la nuit. Il s'était trop éloigné du feu de camp. Il battit en retraite, accompagné par leurs ricanements.

— Elles se moquent de toi, il me semble !

— Ah, tu crois ? Eh bien, voyons si elles rient longtemps !

Il attrapa sa carabine et tira un coup en l'air. Il y eut des jappements et des cavalcades, puis le silence revint.

— Tu crois que Tepili nous laisserait dormir avec lui et ses hommes ? demanda Seamie.

— J'en doute. Il trouve que nous sentons mauvais.

— Quelle idée !

— Il me l'a dit, mon cher.

— Je ne te crois pas !

— Mais si. D'ailleurs, il a raison.

Seamie renifla son pull-over et dut se rendre à l'évidence.

— Espérons que nous croiserons une rivière demain pour nous tremper. Tu ne veux pas rentrer sous la tente, Willa ? J'ai peur que les hyènes ne reviennent.

— Tu as raison ; en fait, je suis épuisée.

Ils remirent des branches sur le feu, puis entrèrent sous la tente. Ils n'en avaient pris qu'une pour moins se charger, mais elle était assez grande pour y dormir confortablement à deux. Une toile la séparait dans la longueur pour leur donner un peu d'intimité.

— Prends la lanterne, proposa Seamie. Je vais tomber comme une masse. Je garde la carabine à portée de main, au cas où les hyènes reviendraient. Bonne nuit.

— Bonne nuit.

Il enleva ses chaussures, ses chaussettes et son pantalon, et se glissa sous la moustiquaire qui pendait du double toit. Il tenta de garder les yeux en l'air, mais sa tête tourna malgré lui vers la légère paroi qui lui cachait Willa. La lumière de la lanterne projetait une ombre qui la révélait en train de se déshabiller. Il vit ses longues jambes, puis la rondeur de ses seins au moment où elle enlevait sa chemise. C'en était trop ! Il était à bout. Il avait besoin de lui avouer ses sentiments. Tant pis si cela gâchait leur amitié, il ne pouvait plus continuer ainsi.

Elle s'était assise sur son sac de couchage et prenait des notes dans son carnet. Il allait ouvrir la bouche quand elle le devança.

— Seamie ?

— Oui ?

La lanterne s'éteignit. Il entendit des froissements, et devina qu'elle s'allongeait.

— Seamie, tu dors ?

— Non.

— Je me demande quelles sont les qualités d'un bon alpiniste. C'est pour mon livre. George dit que l'expérience est essentielle, mais moi je pense qu'il faut aussi de la témérité. Bien sûr, la méthode et la rigueur sont primordiales pour la préparation des expéditions. Il faut s'assurer que le matériel est en parfait état, préparer le trajet et tout le reste, mais, cela acquis, il faut aussi savoir prendre des risques. On ne peut pas grimper si on pense sans arrêt à une chute possible.

Seamie réfléchit.

— À mon avis, c'est l'orgueil qui caractérise surtout les alpinistes.

— L'orgueil ? Mais comment ça ?

— Quand on gravit une montagne, on se trouve dans un milieu hostile. Tout est contre soi : la gravité, les conditions climatiques, l'altitude, les contretemps, les accidents de terrain. Les montagnards sont des insectes minuscules sur un géant de pierre. Mais on ne pense pas à ça. On fait un pied de nez à la mort. Ce n'est pas de l'orgueil, ça ?

Il y eut un silence.

— Je serais tentée de dire que tu as raison, mais cela reviendrait à reconnaître que je suis orgueilleuse.

— Orgueilleuse… et ambitieuse, et rongée par l'esprit de compétition, et…

— Ça suffit ! Très bien, tu peux t'arrêter là ! s'exclama-t-elle avec un rire.

Le silence retomba, puis elle reprit d'une voix ensommeillée :

— Que comptes-tu faire, après le Kilimandjaro ? Quand nous rentrerons ?

— Je verrai si Shackleton est déjà parti pour l'Antarctique. S'il est encore là, j'essaierai de le convaincre de m'emmener. Et toi ?

— Je pense tenter un autre record dans les Alpes. Nous avons aussi envie d'aller sur l'Everest, avec George, mais c'est un peu un projet en l'air. Il fait trop froid, là-bas, et le sommet est trop haut, mais nous n'arrivons pas à nous le sortir de la tête. George est encore plus obsédé par cette montagne que moi, ajouta-t-elle avec un bâillement. Je crois que s'il ne la tentait pas, cela gâcherait sa vie. Je lui ai demandé pourquoi, et tout ce qu'il trouve à dire, c'est : « Parce que personne ne l'a encore jamais fait. » C'est tout George, ça. Explorateur et poète, comme toi.

— Willa ?

— Mmmm ?

— Il faut que je te dise quelque chose.

— Mmmm ?

Seamie eut une longue hésitation. Enfin, il se lança.

— Je… je t'aime, Willa. Je t'aime depuis des années. Je me doute que ça n'est pas réciproque. Je sais que tu es liée à George. Mais il fallait que je te le dise. J'espère que ça ne va pas tout gâcher entre nous… mais voilà… c'est dit. Désolé.

Le silence retomba. Seamie souffrit mille morts en attendant une réponse, regrettant son moment d'égarement. Plus les secondes passaient, plus il se persuadait qu'elle était trop fâchée pour répondre.

Puis il entendit un petit bruit, comme un tissu qui se déchire. Elle ronflait ! Elle s'endormait vite et profondément. Même un tremblement de terre ne la réveillerait pas, ainsi qu'il s'en était aperçu au Mombasa Club.

Il poussa un soupir de soulagement. Puisqu'elle n'avait pas entendu sa déclaration, leur amitié pouvait continuer sans gêne ni complications. C'était mieux ainsi. Toute distraction pouvait leur être fatale. Il leur restait encore quatre-vingts kilomètres à parcourir, puis commencerait la dangereuse ascension du Mawenzi.

Les ronflements de Willa montaient en puissance. Il eut un sourire. Voilà qui tiendrait les hyènes en respect !

92

— Sans les palettes que leur mère a récupérées sur les docks, ces quatre enfants dormiraient à même le sol sur le plancher mouillé ! fulminait Joe. Trois d'entre eux sont tuberculeux. Pas très étonnant, dans ce taudis. La mère fait des ménages. Elle part à cinq heures du matin et ne rentre pas avant sept heures du soir. Le père est un débardeur invalide du travail qui ne touche aucune pension.

Joe avait arrêté son fauteuil dans un étroit couloir, sur le seuil d'une pièce située au sous-sol humide et minuscule d'un garnis miteux de Wapping. De l'eau ruisselait sur les murs de cet endroit où vivait une famille de six personnes. Les enfants décharnés portaient des loques. Le père était couché dans un lit étroit, le regard vide. La mère fixait d'un œil inquiet l'énorme appareil photographique couvert d'un drap noir qui avait été installé sur un trépied au milieu de son logis.

Le photographe était Jacob Riis. Il réglait l'objectif en écoutant Joe d'une oreille tandis que son assistant notait ses commentaires dans un carnet.

Riis finit par émerger de sous son drap pour parler à Joe à voix basse :

— Vous criez un peu fort. J'ai besoin de me concentrer.

— Vraiment ? Toutes mes excuses, Jake. C'est que je suis hors de moi quand je vois ça.

Jacob lui tapota l'épaule avec un soupir.

— Oui, je comprends. Mais avec de bonnes photos, de bons récits, votre colère sera plus efficace. Nous informerons les gens honnêtes qui diront leur façon de penser à leur député. C'est leur colère à eux qu'il nous faut éveiller. Et pour les intéresser, moi, j'ai besoin de silence.

Joe hocha la tête, penaud, et comme il ne servait à rien, il partit chercher à manger pour les enfants et leurs parents qui en avaient grand besoin. Il gravit la planche qui servait de rampe à son fauteuil, et remonta du sous-sol dans la rue. Il ne trouverait de magasins d'alimentation qu'assez loin, mais il savait où aller.

En roulant dans les rues creusées d'ornières, il pensa à ce qu'avait dit Jacob Riis. La colère rendait plus combatif. C'était cette rage qui lui avait fait emmener le photographe dans ce quartier déshérité, et qui lui permettait de secouer sans relâche l'inertie complaisante du gouvernement. Il espérait non seulement éveiller l'opinion publique, mais aussi aiguillonner le Premier ministre jusqu'à ce qu'il accepte de financer ses projets pour les pauvres de sa circonscription.

Le Premier ministre céderait. Le harcèlement constant auquel le soumettait Joe à propos du chemin de fer ougandais le mettait hors de lui. Un mois plus tôt, il l'avait même convoqué à une réunion avec quelques membres de l'Office colonial.

— Ce sera donnant, donnant, avait proposé Campbell-Bannerman. Vous ne parlez plus de ce chemin de fer, et je vous donne votre argent.

— Combien ?

— J'irai jusqu'à vingt mille livres.

— J'en demande cinq fois plus ! On se moque de moi !

Il avait fait mine de partir.

— Voyons, soyez raisonnable ! avait dit le Premier ministre en le rattrapant. Ce chemin de fer, nous en avons besoin.

— Pour quoi faire ? Pour trimballer des chasseurs bien nourris ? Pour montrer le paysage aux nantis ? Pour emmener vos rapaces de colons jusqu'aux plus belles terres ?

— Vous êtes bien cynique, mon cher, avait rétorqué Freddie Lytton. La ligne ougandaise n'a jamais eu pour but de favoriser les spéculateurs, mais plutôt de développer les explorations et de transporter les missionnaires auprès des indigènes.

— Laissez-moi rire ! Le gouvernement a dépensé cinq millions pour transporter des missionnaires ? Ils en ont de la chance, ces Africains ! Nous nous emparons de leurs terres agricoles, nous accroissons les importations et les exportations, nous étendons notre empire, et eux héritent d'un Dieu dont ils n'ont que faire et de missels ! Peut-être ne perdent-ils rien au change. Ils pourront toujours chanter de belles hymnes pendant que leurs troupeaux crèveront de faim sur les quelques arpents que nous leur aurons laissés.

— Monsieur, je vous en prie ! C'est tout à fait déplacé !

— Vous projetez de prolonger la ligne. J'ai lu les rapports des ingénieurs. Combien cela va-t-il coûter ? Encore un million ? Deux ? Combien dépensez-vous pour construire un hôpital à Hackney, des écoles à Whitechapel, des soupes populaires à Limehouse ? Savez-vous qu'en ce moment même, à l'instant où nous parlons, des enfants meurent de faim ici, à Londres ? Ils meurent de faim, je vous dis ! Si vous ne le savez pas, c'est que vous ne mettez jamais les pieds dans l'East End.

— Cette compassion est très touchante, intervint Freddie d'un ton sec. C'est très inhabituel pour un homme aussi riche que vous. Vous n'auriez pas quelque intérêt à vous attirer les votes de vos électeurs, par hasard ?

— Absolument pas. D'ailleurs, je ne me classe pas parmi les riches. Je suis un homme pauvre qui a beaucoup d'argent. La différence est énorme ! Je sais de quoi je parle.

— Si nous vous donnons ce que vous demandez, demanda Campbell-Bannerman, arrêterez-vous tous ces scandales ?

— Oui.

— Et sinon ?

— Ce sera la curée.

— Je dirais presque que vous me faites du chantage.

— Mais bon sang, Henry, bien sûr que je vous fais du chantage !

— Que demandez-vous exactement ?

— Je veux cent mille livres pour monter cinq dispensaires et cinq écoles dans ma circonscription. Cela revient à dix mille livres par projet, pour construire ou rénover des bâtiments, acheter les fournitures et constituer un capital.

Il jeta un épais dossier sur la table.

— Voilà tout mon projet, dans le détail, avec les sites, les entreprises, les devis, l'estimation des dépenses.

Campbell-Bannerman n'avait pas dépassé le stade des vagues promesses, et Joe avait quitté le 10 Downing Street plus en colère que jamais. En arrivant à son bureau, il avait crié à Trudy de télégraphier à Jacob Riis de venir tout de suite de New York.

Depuis son arrivée, Jacob n'avait encore publié que trois articles, deux dans le *Clarion*, l'autre dans le *Times*, et déjà le Lobby de Westminster se remplissait d'administrés qui venaient demander des comptes à leurs élus. Le bureau de poste des Communes recevait deux fois plus de courrier que d'habitude. Joe s'attendait à être convoqué d'ici peu chez le Premier ministre.

Cherchant toujours une épicerie, il passa devant la vieille église St. Patrick, adossée à son cimetière. En approchant, il vit une voiture noire à deux chevaux qui attendait devant la grille. Il était rare qu'un véhicule aussi luxueux se rende dans ce quartier. Mais soudain, il reconnut l'un de ses deux coupés de ville, et plus précisément celui dont se servait Fiona. Ce n'était finalement pas étonnant, car les parents et la sœur de sa femme étaient enterrés ici, et qu'elle venait régulièrement entretenir leurs tombes. Il ne pouvait pas passer sans l'embrasser.

Il l'aperçut entre les stèles. Des jonquilles et des jacinthes des bois fleurissaient tout autour. Elle avait ratissé l'herbe et coupait les feuilles fanées à genoux, les mouvements ralentis par son volumineux ventre de femme enceinte. Elle s'arrêta pour contempler la pierre tombale de son père, puis celle où était inscrit le nom de Charlie Finnegan. Ce n'était bien sûr pas Charlie qui reposait là, mais le vrai Sid Malone dont il avait pris l'identité. Quand Fiona avait découvert la supercherie, elle s'était bien gardée de rectifier l'erreur pour ne pas attirer l'attention. Joe la vit baisser la tête et cacher son visage dans ses mains. Elle pleurait.

Le bruit du fauteuil roulant sur le gravier du chemin lui fit relever la tête.

— C'est toi, Joe ? dit-elle en s'essuyant les yeux en hâte. Qu'est-ce que tu fais là ?

— Des séances de photographie avec Riis. Tu pleures ?

— Non, ce n'est rien.

Elle ne mentionnait plus son frère, trop consciente du terrible danger qu'il leur faisait courir. Elle avait avoué l'avoir recueilli chez eux et l'avoir aidé à se sauver, mais de ses peines, de ses inquiétudes, elle ne parlait jamais.

— Je t'ai vue, chérie. Dis-moi ce qui se passe.

— J'essaie de ne pas trop penser à Charlie, mais quand je viens ici, c'est très dur. Il est encore accusé du meurtre de Gemma Dean, alors Dieu seul sait s'il pourra rentrer un jour. Quand je pense que je ne le reverrai sans doute jamais plus…

Ses larmes s'étaient remises à couler. Joe lui essuya les yeux, souffrant de cette douleur qu'elle se croyait obligée de lui cacher. Mais que faire pour l'apaiser ? Gemma Dean n'était plus là pour révéler le nom du vrai coupable comme il l'avait fait lui-même, et Freddie Lytton ne reviendrait pas sur son témoignage.

Une grande culpabilité le prit. Lui qui se battait comme un lion pour des gens qu'il ne connaissait pas, il laissait sa femme pleurer seule dans un cimetière. Il lui recommanda de quitter cet endroit lugubre, et d'aller se reposer dans leur jardin, lui promettant de la rejoindre dès que Jacob Riis aurait terminé. Tout en la raccompagnant à sa voiture, il réfléchit. Il fallait agir, et la seule chose à faire était de réhabiliter Sid. Pour cela, il faudrait trouver qui avait tué Gemma Dean.

Une idée lui vint : un homme savait peut-être ce qui était arrivé, parce que, ayant usurpé l'identité de Sid une fois, il avait fort bien pu le refaire.

Il décida d'aller rendre visite en prison à Frank Betts, l'homme qui avait voulu le tuer.

93

— Bon sang, ça recommence, gémit Willa.

— Encore ?

Sans répondre, elle posa son stylo et courut se cacher derrière un rocher. Seamie, qui repérait le flanc ouest du Mawenzi avec le quadrant, l'entendit vomir.

— Ça va ?

— Oui...

Elle revint au bout de quelques minutes, et alla prendre la casserole de neige fondue sur le réchaud. Elle se rinça la bouche puis recracha.

— Toujours ce satané mal des hauteurs ? demanda Seamie.

— Ce n'est pas l'altitude, c'est le dieu des Chagga, le grand Vomitus Montagnus, qui se venge de moi.

Seamie rit si fort que le quadrant se déplaça et que son travail fut à recommencer.

À Taveta, le dernier village où ils s'étaient arrêtés pour renouveler leurs provisions, ils avaient réussi à convaincre deux membres de la tribu chagga de les guider à travers la forêt vierge au pied de la montagne. Les Chagga la nommaient Kilemireiroya ou « la montagne invaincue ». Ils croyaient qu'un dieu féroce l'habitait, qui punissait toute personne ayant l'audace de la gravir, et n'aimaient pas s'en approcher. Willa avait dû leur offrir une lanterne, un miroir, un couteau et sa chevalière en or pour les décider. Tepili, lui, aurait préféré se passer de leurs services. Il ne leur faisait pas confiance et était resté sur ses gardes et silencieux pendant toute la traversée de la forêt. Pourtant, même si Peter Boedeker leur avait recommandé de se méfier, Willa et Seamie n'avaient rencontré aucune difficulté avec eux. Les rumeurs sur leur compte étaient certainement exagérées, et ils s'étaient révélés être d'irremplaçables guides.

Dans la jungle, ils se dirigeaient sans l'aide d'aucune carte ni de boussole. Après les longues journées de marche dans les plaines chaudes et arides, Seamie avait apprécié la luxuriance de la forêt. Ils étaient montés à l'ombre des camphriers, des figuiers, des podocarpus. Des singes noir et blanc étonnants, des colobes, les suivaient, se balançant de liane en liane. Des calaos et des touracos aux couleurs chatoyantes volaient au-dessus de leurs têtes en poussant des cris. Ils avaient même vu un léopard filer entre les fougères.

Plus en altitude, la forêt humide cédait la place à des pentes alpines. Là, leurs guides chagga les avaient laissés. Ensuite, la colonne avait continué sur le flanc verdoyant jusqu'à un terrain plus accidenté. Il fallait alors gravir les pentes ravinées qui menaient aux hauteurs de la Selle des vents, un grand plateau désertique s'étendant entre le Kibo et le Mawenzi. Les tout premiers signes du mal des montagnes s'étaient déclarés vers trois mille mètres : d'abord de violents maux de tête, puis des nausées et une grande fatigue.

Suivant leur plan de s'acclimater lentement, ils avaient installé un campement à trois mille mètres, où attendrait leur escorte massaï qui ne voulait pas monter plus haut. Ils avaient ensuite pris cinq jours pour apporter leur matériel à quatre mille mètres en redescendant dormir au campement. Cela n'avait pas été facile de transporter la tente, le réchaud et l'huile, les sacs de couchage, les lanternes, la nourriture, les vêtements, l'appareil photo et le matériel d'escalade dans les sacs à dos.

Seamie n'avait mis que trois jours pour s'acclimater. Il avait encore quelques migraines et avait moins d'énergie que dans la plaine, mais il retrouvait ses forces. Willa, elle, avait beaucoup plus de difficultés. Il s'inquiétait, mais elle refusait de se laisser dorloter. Elle souffrait, il le savait, pourtant elle traitait ses symptômes par l'indifférence. Elle assurait sa part de travail avec acharnement, effectuant autant de sorties que lui. Leurs crampons les aidaient beaucoup sur le glacier, leur adhérence étant bien supérieure à celle des chaussures ferrées. Ils étaient devenus un complément indispensable aux piolets.

Willa émietta un bloc de neige dans la casserole pour remplacer l'eau qu'elle avait utilisée.

— Willa, il faut boire, pas se contenter de recracher.

— C'est très mauvais.

— Bois. Tu n'as pas le choix. Autrement, les symptômes vont s'aggraver.

— Quelle guigne…

Elle le rejoignit à leur table à dessin et étudia la carte qu'ils établissaient. Elle vérifia les relevés nouvellement notés, puis scruta le flanc de la montagne. La phase de reconnaissance était terminée. Ils avaient exploré toute la face ouest et, dès ce soir, ils en auraient une carte convenable. Elle avait pris toutes les photographies dont elle aurait besoin pour son livre. Dans deux jours tout au plus, ils commenceraient l'ascension proprement dite.

— Alors, nous empruntons toujours le couloir ? demanda t elle.

— C'est faisable, je pense, mais risqué.

Les couloirs, formés par des fissures dans le rocher, ouvraient de bonnes voies à l'ascension. C'était souvent le meilleur moyen d'accéder aux sommets, mais ils étaient dangereux car ils canalisaient les éboulements. Au soleil, il arrivait souvent que la fonte provoque des chutes de pierres et de neige qui dévalaient dans ces goulets sans crier gare.

— Il faudra partir aux premières lueurs de l'aube, continua Seamie. Tu vois l'endroit où l'éperon rejoint la crête ? Il faut traverser la combe nord-ouest pour l'atteindre et l'escalader pour redescendre jusqu'au couloir. Arrivés là, on monte le plus vite possible, on atteint le sommet et on redescend au bivouac. S'il est trop tard pour repartir, nous dormirons ici, autrement, nous attraperons le matériel et nous descendrons le plus bas possible.

Willa l'écoutait, contemplant les pentes neigeuses, sourcils froncés.

— Il ne faut pas laisser au soleil le temps de chauffer, insista-t-il. Il faudra aller très vite.

Cette remarque était destinée à lui faire comprendre qu'ils ne pourraient pas ralentir même si le mal des montagnes la fatiguait.

— Nous serons les premiers à vaincre le Mawenzi, dit-elle après un petit silence.

Il fut frappé par son ton déterminé. Quel courage ! Elle ne s'accordait pas la moindre faiblesse. Ce serait vaincre ou périr. Il connaissait cette volonté de fer. Il avait entendu ce même acharnement chez Shackleton, chez Scott, chez lui-même.

Willa était une passionnée, compétitive et ambitieuse. Elle lui inspirait l'admiration, mais aussi un certain malaise. Non pas parce qu'elle était une femme, car il avait été élevé par Fiona, femme courageuse s'il en était, mais parce qu'il était amoureux d'elle et qu'il avait peur de la voir souffrir.

Il fallait parfois payer très cher ce genre de victoire. La longue marche pour arriver jusqu'au pied du pic puis l'avancée sur le glacier, bien que difficiles, n'étaient rien comparées aux souffrances qui les attendaient dans le couloir glacé, alors que l'oxygène manquerait cruellement à leurs poumons. Il devrait oublier qui elle était pendant l'ascension du Mawenzi, ne jamais faiblir, ne pas la ménager. Il doutait d'en être capable.

— C'est une voie tout à fait praticable, dit-elle d'un ton décidé. Espérons que le dieu des montagnes ne sera pas trop en colère contre nous.

Seamie considéra une nouvelle fois le long couloir glacé qui menait aux aiguilles du sommet, entourées de nuages.

— Espérons même qu'il ne sera pas en colère du tout…

94

Charlotte contemplait avec horreur le lion mort qui gisait à ses pieds. Il avait la gueule ensanglantée, les yeux noirs de mouches. Les porteurs l'avaient traîné jusqu'à elle, imaginant qu'elle aimerait le voir. Comment pouvait-on tuer un animal aussi beau ? Elle leva la tête vers son père, qui semblait enchanté de son crime. Tous le félicitaient. Lord Delamere lui tapait dans le dos, et sir James Hayes Sadler lui tendait une coupe de champagne. Elle le détestait. Du plus loin qu'elle s'en souvienne, elle pensait que ce n'était pas son père, mais un voleur qui avait pris sa place, comme dans les contes pour enfants.

Songeant qu'il serait bon de l'amadouer, elle lui prit la main et dit :

— Je vous félicite, père.

Il se tourna vers elle avec un bref sourire et lui tapota la tête. C'était le seul geste d'affection qu'il avait parfois pour elle, et uniquement en public. Elle ne s'y trompait pas, sachant parfaitement qu'il ne l'aimait pas. Ils jouaient tous deux la comédie, mais elle s'y prenait beaucoup plus habilement que lui.

Les porteurs défilaient, rapportant d'autres animaux abattus : un zèbre, une gazelle, suspendus par les sabots à des branches, tête en bas, langue pendante. Lord Delamere lui avait menti en prétendant que les animaux ne seraient pas tués, mais simplement pris en photo. Les adultes disaient rarement la vérité.

L'odeur du sang lui donnait mal au cœur, mais il ne fallait surtout pas qu'elle vomisse. Elle s'éloigna des animaux morts et des rires des chasseurs pour rejoindre sa mère et les autres épouses, assises sur des chaises pliantes sous l'épaisse frondaison des acacias. Sa mère était ravissante avec sa chemise de cotonnade et sa jupe kaki. Charlotte la prit par le cou et appuya la joue contre la sienne.

— Ah, te voilà, ma chérie, dit India en tournant la tête pour l'embrasser.

— Père est de retour avec lord Delamere et sir James.

— Dommage, soupira lady Delamere avec un sourire, nous passions un si bon moment.

Ces dames répondirent par des rires, sauf India. Dès que son époux était là, elle se raidissait. Le mouvement était à peine perceptible, sauf pour sa fille qui la connaissait si bien. Elle semblait ne pas parvenir à respirer en sa compagnie. C'était comme s'il lui ôtait son essence vitale. Il lui faisait du mal, non pas en la frappant, mais avec ses paroles… et ses silences.

Quand le travail appelait son père dehors, ce qui était heureusement fréquent, sa mère se transformait. La tristesse s'envolait de ses yeux. Charlotte rêvait souvent de se sauver avec elle. En mer surtout, parce qu'elle adorait la mer, mais elle serait allée n'importe où pour échapper à cet homme. Elle rêvait de se faufiler hors de sa tente la nuit et de partir à cheval avec sa mère dans la brousse pour ne jamais revenir. Elle adorait la savane, cet océan d'herbe qui s'étendait à l'infini. Elle aimait le ciel africain et les guerriers massaï, si grands, si effrayants avec leur teinture rouge sur la peau et leurs plumes noires. Elle trouvait jolis les villages kikuyu avec leurs cases, les fermes, et les Somalis dont les femmes se voilaient des pieds à la tête.

Peut-être trouverait-elle le moyen de se sauver, rien qu'un après-midi, pour échapper au safari.

Pourtant, le trajet de Mombasa à Nairobi en train avait été très amusant. À Nairobi, ses parents avaient été reçus comme des rois, avec des bals, des dîners, des déjeuners et des réceptions. Ils étaient ensuite allés dans l'immense plantation des Delamere, où ils avaient passé une semaine, puis au lac Victoria, tout au bout de la ligne de chemin de fer. Ce safari à Thika était l'avant-dernière étape. Ensuite, ils passeraient encore deux semaines de vacances dans les montagnes, au mont Kenya, dans une maison qu'ils avaient louée à une comtesse dont elle avait oublié le nom. Ils ne seraient que tous les trois, accompagnés de quelques domestiques. Son père avait besoin de tranquillité pour écrire ses articles et ses rapports. Là, peut être, y aurait-il moyen de se sauver.

— Les grands chasseurs sont de retour ! rugit lord Delamere en apportant du champagne.

— De belles prises, mon cher ? demanda sa femme.

— Des quantités ! Et Lytton a tiré un lion. Une énorme bête !

Les animaux morts s'empilaient, formant un tas de plus en plus haut. Charlotte pensa au lion dont toute la grâce et toute la majesté avaient disparu dans la mort. Les yeux brûlants de larmes, elle détourna la tête. Elle ne voulait plus les voir. Elle partit se réfugier sous sa tente.

En la voyant s'éloigner, Delamere l'arrêta.

— Ça ne va pas, petite ?

Elle ravala courageusement ses larmes.

— Si, je suis juste un peu fatiguée.

En observant sa mère, elle avait appris que c'était l'excuse qui servait à cacher tous les sentiments.

— C'est le soleil, allez faire une sieste, ça vous remettra d'aplomb.

Il lui caressa affectueusement la tête, décoiffant ses nattes blondes, et elle put enfin partir.

— Charlotte ? appela sa mère.

Elle fit semblant de ne rien entendre.

— Où va-t-elle, Hugh ?

— Ce n'est rien, India, laissez cette pauvre petite.

— Charlotte ! dis à Mary où tu vas !

— Mais enfin, brama Delamere, elle ne va pas loin, juste faire la sieste !

La tente qu'elle partageait avec Mary étant vide, elle chercha un peu la femme de chambre de sa mère, mais, ne la trouvant pas, elle alla s'allonger sur son lit de camp. Mais elle n'était pas vraiment fatiguée. En tout cas, pas de la fatigue qui vous donne envie de dormir. C'était une lassitude tout intérieure, de celles qui vous font rechercher la solitude. Au bout de quelques minutes, elle se releva. Elle avait trop envie de s'éloigner de son père, de ce pauvre lion qui la rendait si triste. Elle se souvint d'une magnifique cascade qu'elle avait vue en arrivant. Cela ne devait pas être loin. Elle irait écouter l'eau, pourrait même enlever ses bottines et ses bas pour y tremper les pieds. Elle prit sa poupée Jane et partit.

Charlotte était une enfant discrète et raisonnable. On n'avait pas à craindre qu'elle approche trop près d'un réchaud ou qu'elle s'amuse avec une carabine chargée. On lui faisait confiance, si bien qu'on ne la surveillait pas d'aussi près qu'on l'aurait fait pour d'autres enfants. Personne ne s'assura qu'elle était bien dans sa tente. India, puisqu'elle était la femme du sous-secrétaire d'État, était tenue d'écouter avec le plus grand intérêt lord Delamere qui se lança dans une longue diatribe contre le Parlement, et expliqua par le menu quelles mesures il conviendrait d'adopter pour le protectorat. De son côté, Mary aussi écoutait parler un homme, mais sous la tente qui servait de cuisine. C'était un guide des plus séduisants qui expliquait comment un buffle l'avait blessé au bras autrefois. Elle ne pensa pas à s'inquiéter de Charlotte.

Ce ne fut donc pas avant le dîner, près de trois heures après son départ, qu'India alla la chercher sous la tente et ressortit en criant, affolée.

— Où est Charlotte ? Quelqu'un a-t-il vu ma fille ?

95

Sid sentit la vibration des sabots avant d'entendre les chevaux. Il prenait son petit déjeuner devant le feu de camp quand la terre se mit à trembler. Pourquoi galopent-ils aussi vite ? se demanda-t-il.

Il se leva et scruta l'horizon en s'abritant les yeux d'une main. Deux cavaliers venaient de Thika. La ferme n'était pas loin. Il aurait très bien pu y rentrer la veille au soir s'il n'avait eu envie de passer une nuit de plus à la belle étoile et de garder ses distances avec les Lytton. Il reconnut d'abord Maggie. Elle était accompagnée d'un homme, jeune et mince… C'était Tom Meade, le sous-préfet.

— Je me demande ce qu'on me veut encore, marmonna Sid. Je viens de promener leur maudit géomètre dans tout le Kenya.

Maggie s'arrêta devant lui, le visage grave. Son cheval était en sueur, ce qui l'inquiéta car elle respectait ses montures d'habitude.

— Que se passe-t-il ?

— On a des ennuis. Prends ton cheval.

Elle sauta à terre et éteignit son feu en y lançant de la terre à coups de botte.

— Une gamine s'est perdue, expliqua Tom. Delamere m'a envoyé te chercher chez Maggie. Personne ne connaît mieux la région que toi. Comme Maggie t'attendait d'un jour à l'autre, nous avons regardé vers le nord, sans grand espoir je dois dire, et nous avons aperçu la fumée de ton feu.

Sid sella son cheval sans perdre une minute.

— Qui est cette gamine ?

— La fille du sous-secrétaire d'État, Freddie Lytton.

La famille était en safari avec les Delamere, le gouverneur, moi, et…

— Comment s'appelle-t-elle ?

— Charlotte. Elle s'est éloignée du camp toute…

— Quel âge ?

— Six ans.

— Depuis combien de temps ?

— Hier, après midi.

Sid, qui allait mettre le pied à l'étrier, s'interrompit.

— Bon Dieu… Si longtemps ! Mais bon sang, Tom, que fabriquent vos guides ?

— Ils ont cherché partout depuis que la mère nous a alertés. Pas la moindre trace.

— Où l'a-t-on vue pour la dernière fois ?

— Dans sa tente. Mais un des guides a trouvé des traces qui mènent à la rivière.

— La rivière ? Elle est pleine de crocodiles, et il y a un python gros comme un arbre !

— Il n'y est plus. Les guides ont tué tous les animaux.

— Le serpent aussi ?

— Oui. On les a ouverts, et on n'a rien trouvé.

— Il n'y a pas que les animaux de la rivière…

La fille d'India… Il aurait fait n'importe quoi pour éviter ce qui, fatalement, devait suivre. Il aurait même donné sa vie pour sauver cette petite, mais cela ne servirait à rien. C'était trop tard, évidemment…

— Allons d'abord au campement pour te présenter au sous secrétaire d'État.

— Sûrement pas.

— Mais…

— Je vais tout droit à la rivière, en espérant que ces imbéciles de guides n'ont pas effacé toutes les empreintes.

— Mais les Lytton sont fous d'inquiétude. Ils veulent te voir.

— Cela prendrait trop de temps ! La savane est pleine de lions. Une petite fille seule n'a aucune chance de s'en tirer, aucune.

— Tu penses qu'il n'y a pas d'espoir ? demanda Tom d'une voix blanche.

— Non, aucun. Tout au plus, je trouverai une dépouille que les parents pourront enterrer. Mais le temps presse : les vautours ne nous laisseront rien.

96

Sid considéra la carcasse qui gisait à ses pieds avec un soupir de soulagement. En sentant l'odeur de sang, en voyant le nuage de mouches, il avait cru trouver Charlotte Lytton, mais ce n'était qu'une gazelle. Il recula prudemment, sachant que l'animal qui l'avait tuée ne devait pas être loin. Il fit faire demi-tour à son cheval et repartit pour continuer ses recherches.

Il cherchait la petite depuis deux jours. Accompagné de Tom, il avait galopé vers la rivière où plus personne ne faisait de recherches. La battue continuait, séparée en deux groupes, l'un vers l'est et l'autre vers l'ouest, et comptait converger vers la Tana, une rivière qui coulait plus loin au nord.

La troupe de maladroits avait imprimé des pas un peu partout, mais Sid ne s'était pas découragé. Il avait cherché une piste en décrivant des arcs de cercle de plus en plus larges sur la rive la plus proche du campement, espérant détecter malgré tout un signe du passage de

Charlotte. Et, enfin, il avait trouvé une petite trace de bottine dans la terre rouge, la pointe se dirigeant vers l'est. En l'examinant, il avait pensé que c'était tout à fait logique. Elle avait quitté le camp dans l'après-midi, donc au moment où le soleil aveuglant descendait vers l'ouest. Charlotte, qui était évidemment blonde comme ses deux parents, devait redouter le soleil africain. Elle avait préféré lui tourner le dos.

Il avait voulu partir seul et avait annoncé à Tom son intention de se donner trois jours avant de rentrer. À la fin de la première journée de recherches, il avait découvert un petit mouchoir blanc brodé de la lettre C, accroché dans les hautes herbes. Il était très chiffonné, ce qui pouvait indiquer qu'elle avait pleuré. L'absence de traces de sang indiquait qu'elle était en vie quand elle l'avait perdu. Il avait alors eu un sursaut d'espoir et avait passé des heures à l'appeler jusqu'à en perdre la voix. Il se sentait à présent relié à elle par un fil invisible. S'il avait su la deviner jusqu'ici, son instinct le mènerait jusqu'au bout.

Vingt-quatre heures après la découverte du mouchoir, le découragement s'était installé. Il ne voulait plus se faire d'illusions. Une enfant seule dans la brousse n'avait aucune chance de survivre. Les lions n'étaient pas les seuls ennemis à craindre. Il y avait aussi les prédateurs de la nuit, les hyènes et les chacals. Et si elle parvenait à éviter les animaux, le soleil aurait raison d'elle, ainsi que la soif. Il fallait aussi redouter les pièges à gibier des Kikuyu, ces fosses qu'ils creusaient dans la terre et camouflaient avec des feuillages pour y faire tomber les animaux. On pouvait aussi redouter les *siafu*, ces terrifiantes fourmis noires. Elles sortaient avec la pluie, or il avait plu la première nuit. Ceux qui manquaient de prudence pour s'écarter de leur chemin, ou qui ne le pouvaient pas, se faisaient dévorer. Des poules enfermées dans les poulaillers, des chiots, des bébés dans leurs berceaux avaient été victimes de leurs longues colonnes.

Il écarta cette macabre pensée, souhaitant de toutes ses forces rendre sa fille à India. L'idée qu'elle aurait à pleurer son enfant lui était insupportable. Si les lions l'avaient attrapée, il ne ramènerait qu'un objet : une chaussure, un ruban pour aider sa mère à accepter. Les gens voulaient toujours voir. Ils pensaient être assez forts, mais ils ne se rendaient pas compte de la brutalité de l'Afrique.

Il gravit une hauteur et arrêta son cheval. Il sortit ses jumelles et scruta lentement la savane, guettant un mouvement qui pourrait indiquer une présence, le museau ensanglanté d'un lion, une bagarre autour d'une prise. Il scrutait aussi le ciel, car un vol de vautours indiquerait une dépouille. Rien. Il baissa ses jumelles, mais, avant de continuer, il balaya une dernière fois l'horizon au ralenti. Encore en peu, pensa-t-il. Il faut prendre son temps. Et soudain, il s'arrêta.

Une tache blanche dans un acacia sous lequel il était passé éveilla son attention. Il revint en arrière. C'était une forme insolite, trop grande pour être un oiseau, trop blanche pour être un animal. Il régla ses jumelles. Les branches masquaient sa vue, mais il discerna un mouvement, d'abord dans l'arbre, puis au-dessous. Un animal de couleur fauve rôdait dans l'herbe.

Il se dépêcha de ranger ses jumelles et donna des talons dans le flanc de sa monture. C'était elle, il en était sûr ! Elle était perchée dans l'arbre, encerclée par des lions. Un espoir fou l'avait repris. Il se rappela pourtant qu'il arrivait aux grands félins de hisser leurs proies dans les branches basses à l'abri des prédateurs.

Quand il ne fut plus qu'à une centaine de mètres, il vit qu'il s'agissait de deux lionnes. L'une voulait sauter dans l'arbre : elle se dressait, les pattes de devant posées sur le tronc, et tendait l'arrière-train, puis retombait en grognant. À cinquante mètres, il arrêta son cheval et tira un coup de carabine en l'air. Les deux fauves déguerpirent. Il fit avancer son cheval jusqu'à l'arbre en regardant en l'air. Une petite fille blonde et très sale était assise à environ six mètres du sol, calée dans une fourche, la tête appuyée à une branche. Elle tenait des pierres dans ses mains, et d'autres gonflaient les poches de sa jupe. Sid admira son intelligence. C'était en lançant ces cailloux qu'elle avait réussi à se protéger des lions.

— Charlotte ? Charlotte Lytton ?

La petite le dévisagea de ses grands yeux gris, doux comme une aile de mouette. Elle avait les yeux d'India.

— Pardon, monsieur, dit-elle d'une voix éraillée par la soif, mais je n'ai pas le droit de parler aux inconnus.

— Je m'appelle Sid Baxter, et tes parents m'ont envoyé pour te chercher.

— Vous pouvez me dire leur nom ?

— India. India et Freddie… enfin, Frederick Lytton.

Charlotte voulut répondre, mais ses paupières se fermèrent et elle vacilla. Sid grimpa à l'arbre aussi vite qu'il le put pour l'attraper avant qu'elle tombe. Une fois qu'il l'eut atteinte, il la plaça sur son épaule et descendit. Il l'allongea par terre, prit sa gourde et fit couler un peu d'eau sur son visage et entre ses lèvres. Elle se réveilla et attrapa la gourde à deux mains.

— Doucement, conseilla Sid en la maintenant en position assise. Pas trop vite, ou tu vas te rendre malade.

Elle prit encore une gorgée, puis regarda en l'air.

— Excusez-moi, mais vous avez oublié Jane.

— Jane ?

— Là-haut. Ma poupée.

Il leva la tête et vit la poupée coincée dans une petite fourche.

— J'irai la chercher tout à l'heure, mais d'abord je vais m'occuper un peu de toi. Comment as-tu pu venir si loin toute seule ?

— J'ai couru. J'entendais des bruits.

— Ça ne m'étonne pas.

Il l'appuya à l'arbre et lui donna des petits morceaux de fromage, puis encore un peu d'eau. La laissant se reposer un instant, il alla récupérer la poupée, puis enduisit le petit visage brûlé par le soleil d'une pommade adoucissante que lui avait donnée Maggie. La petite revenait peu à peu à elle. Ses yeux retrouvaient de la vivacité, ses mouvements de la rapidité. Elle n'avait plus besoin du soutien du tronc pour se tenir assise. Sid éprouvait une immense admiration pour cette enfant courageuse.

— Tu es très maligne, tu sais ? Je connais beaucoup d'adultes qui n'auraient pas pensé à grimper dans un arbre, et encore moins à prendre des pierres avec eux.

— Ma maman dit que c'est bien de se débrouiller seule, même quand on est une fille.

— Elle a raison.

— Vous connaissez ma maman, monsieur Baxter ? demanda-t-elle en le dévisageant de ses grands yeux gris.

— Non, bien sûr que non.

— Moi, je crois qu'elle vous connaît. Dans le train, quelqu'un a dit votre nom, et ça l'a rendue très triste. Je ne sais pas pourquoi. Vous savez pourquoi, vous ?

— Non, je ne sais pas, dit-il d'une voix brisée.

Il se racla la gorge, puis abrégea.

— Tu te sens prête à monter à cheval ? Une heure ou deux, pas plus. Ça nous rapprochera.

— Oui.

— Nous irons aussi loin que nous en aurons la force avant de nous arrêter pour dormir. Si nous repartons à l'aube et que tout se passe bien, tu seras à Thika dans l'après-midi.

Charlotte se leva, les jambes encore tremblantes. Sid avait peur de la fatiguer, mais il redoutait encore plus les lions. C'était pour leur échapper qu'il voulait s'éloigner sans attendre. Il prit une chemise de rechange dans son sac et la noua sur la tête de la fillette pour la protéger du soleil encore fort, puis il la fit monter en selle. Il la prit devant lui, la retenant d'un bras.

— Merci de m'avoir retrouvée, monsieur Baxter, dit poliment Charlotte. Maman aurait été très triste si les lions m'avaient mangée.

— Oui, sûrement, et ton père aussi.

— Non, je ne crois pas.

Il crut avoir mal entendu, mais alors que son cheval se mettait en marche, elle ajouta cette étrange remarque :

— Je voudrais bien que vous soyez le Sid Baxter que ma maman connaît. Vous avez l'air gentil. Avec vous, elle serait plus heureuse.

— Chut... Repose-toi. Appuie-toi contre moi et détends-toi. Il ne faut pas que tu te fatigues.

Il n'imposa pas un rythme trop rapide à son cheval pour permettre à Charlotte de somnoler. Ils mettraient beaucoup moins de temps pour rentrer qu'il n'en avait mis pour la retrouver, le chemin direct étant plus court.

Quand ils s'arrêtèrent pour la nuit, il lui fabriqua un matelas d'herbes et l'enveloppa dans une couverture. Pendant qu'il la veillait en alimentant le feu, il eut l'idée de la laisser à la ferme des McGregor avant d'arriver au campement du safari. Ils vivaient dans une confortable maison où Charlotte pourrait se remettre de sa mésaventure au calme, soignée par Elspeth McGregor qui avait été infirmière à Édimbourg avant son mariage et son départ pour l'Afrique. Un de ses fils irait à cheval annoncer la bonne nouvelle aux Lytton.

S'étant assuré qu'elle était en de bonnes mains, il pourrait retourner chez Maggie sans risquer de rencontrer India. Car, malgré ce que pensait Charlotte, il doutait qu'elle serait très heureuse de le revoir.

97

Joe attendait un prisonnier dans le parloir de la prison de Wandsworth. C'était une salle sinistre et froide, aux murs nus et aux meubles sombres. Ce face-à-face avec l'homme qui avait failli le tuer lui serait fort pénible, mais il tenait à innocenter Sid. Si Frankie Betts était coupable comme il le croyait, il trouverait le moyen de le convaincre d'avouer.

Il n'avait pas hésité à se servir de ses relations politiques, et était allé voir directement le ministre de l'Intérieur pour lui demander personnellement de faire rouvrir le dossier. Herbert Gladstone ne s'était pas laissé convaincre sans résister.

— Mais elle est close, cette affaire !

— Pas vraiment. L'homme qu'on soupçonnait du meurtre n'a pas été inculpé. Sa mort a arrêté l'enquête.

— Mais enfin, d'après ce que vous m'avez exposé, il y avait un témoin, et ce témoin est Freddie Lytton, un homme parfaitement fiable qui a vu Malone tuer cette pauvre femme.

— Peut-être s'est-il trompé sur son identité.

— Fort peu probable. Lytton est en pleine possession de ses moyens. Il n'a ni la vue basse ni l'esprit embrouillé par l'âge.

— Pardonnez-moi, Herbert, mais c'est tout à fait plausible, au contraire. L'homme qui a tiré sur moi se faisait passer pour Malone. S'il avait réussi son coup, personne n'aurait démenti sa version des faits. Quand on l'a arrêté, il a avoué avoir usurpé volontairement l'identité de Malone. Ce qui, entre nous, contredit l'affirmation selon laquelle il n'aurait brandi son revolver que pour me faire peur. Je n'y crois aucunement car seule ma mort l'empêchait d'être reconnu. Je pense qu'il a procédé exactement de la même manière pour le meurtre de Gemma Dean. Il s'est fait passer pour Malone dans l'intention de lui faire endosser le crime.

— Mais pourquoi aurait-il tué cette actrice ?

— Je n'en sais rien. C'est ce que je voudrais essayer de découvrir, si vous m'y autorisez.

Gladstone le considérait pensivement par-dessus la monture de ses lunettes en demi-lune.

— Votre intérêt soudain pour cette affaire ne serait-il pas motivé par un désir de vengeance, par hasard ? Le verdict ne vous a peut-être pas satisfait. Sans doute auriez-vous préféré le voir pendre au bout d'une corde. En l'accusant du meurtre de cette femme, vous espérez, j'imagine, le faire condamner à mort.

— Non, Herbert. Je ne cherche pas à me venger. Je veux simplement que justice soit faite.

Gladstone n'avait pas semblé convaincu, mais il avait donné à Joe l'autorisation de reprendre l'enquête. Il avait même écrit au directeur de la prison de

Wandsworth pour lui expliquer l'intérêt que Joe portait à ce prisonnier, et lui demander de tout mettre en œuvre pour le soutenir dans son entreprise.

Joe n'avait pas revu Frankie depuis le jour où il avait été blessé, n'ayant pas pu assister au procès à cause de son état de santé. Il lui fallut quelques secondes pour reconnaître l'individu qu'on faisait entrer et asseoir face à lui à la table du parloir. Sa dégradation physique était effrayante. C'était un homme usé, maigre, voûté comme un vieillard. Il avait les cheveux gris, les joues creusées et rouges, et les yeux trop brillants.

Ils se considérèrent un long moment sans rien dire. Ce fut Frankie qui rompit le silence.

— Alors, t'es venu voir si je m'amusais pas trop en prison ? T'es content ?

Joe considéra sans sourciller l'homme qui lui avait volé l'usage de ses jambes et presque la vie.

— Non, Frankie, je ne suis pas content. Je préférerais que tu ne sois pas en prison. Et je préférerais ne pas être paralysé.

— Ah ! Mais tu peux encore te servir de tes bras. Les gardiens vont m'attacher à ma chaise, et ils vont fermer les yeux pendant que tu me tapes dessus.

— Quelle idée ! Je ne suis pas venu pour ça.

— À d'autres !

— La violence ne m'intéresse pas. Je préfère me servir de ma tête que de mes poings.

— Tiens, je croirais l'entendre, marmonna Frankie entre ses dents.

— Qui ça ?

— Personne. Qu'est-ce que tu me veux, alors ?

— Je suis venu te demander ton aide.

— C'est la meilleure…

— Je veux tirer au clair le meurtre de Gemma Dean.

Frankie serra les lèvres et le regarda sans rien dire. Joe continua.

— La police croit que c'est Sid qui a fait le coup, mais moi, je suis persuadé que ce n'est pas lui.

Le regard de Frankie s'égara un instant.

— Et alors ? grommela-t-il.

— Je pense que tu as fait comme avec moi et que tu t'es fait passer pour lui. C'est toi qui l'as tuée. Je me trompe ?

Frankie eut un rire.

— Bon Dieu, oui ! Et même si c'était moi, tu crois que je te le dirais ? La perpétuité, ça me suffit. J'ai pas l'intention d'y laisser ma peau.

Joe le dévisagea gravement.

— Même si les magistrats ne t'ont pas condamné à mort, j'ai l'impression que tu n'en as plus pour longtemps.

Frankie ne répondit pas.

— Tu as la tuberculose…

Cette fois, Frankie se tourna vers le gardien qui attendait à la porte.

— J'en ai assez. Ramenez-moi à ma cellule.

— Tu rentreras quand on te le dira, Betts !

— Je ne veux pas lui parler, cria Frankie en se levant. On ne peut pas m'obliger.

— Le directeur a dit que tu devais répondre aux questions du député. Assis !

— Frankie, tu me dois bien ça, insista Joe.

— Je paie déjà ma dette !

— Si ce n'est pas pour moi, parle pour Malone. C'est pour le réhabiliter que je fais tout ça.

Frankie leva ses poings menottés et les frappa sur la table.

— Malone, tu sais ce que je lui dis ? hurla-t-il.

Le gardien prit la matraque qu'il portait à la ceinture, mais Joe leva la main pour l'arrêter.

— Rien de tout ça ne serait arrivé sans lui ! cria Frankie. Je serais pas en prison. Et puis, comme si ça changeait quelque chose ! Il est mort ! Il l'emportera pas au paradis. Il peut bien brûler en enfer avec sa saleté de docteur !

— Quel docteur ? demanda Joe.

— Le docteur ! Le docteur et son bon Dieu de dispensaire !

Il s'interrompit, puis reprit d'une voix cassée :

— On était les rois. On avait tout. Ç'aurait pu durer. Y avait rien qui l'empêchait. C'est le docteur qui a tout foutu par terre. Après ça, y a plus rien eu à faire.

Il secoua la tête et continua, semblant avoir oublié la présence de Joe.

— Y m'avait bien dit que les blessures du dehors ont rien à voir avec les blessures du dedans. T'avais raison, Sid, nom de Dieu. J'aurais dû t'écouter.

Voyant qu'il se prenait la tête à deux mains, Joe lui laissa le temps, puis il repartit à la charge.

— Quel dispensaire ? Frankie ? Quel docteur ?

Frankie releva la tête, paraissant surpris de le voir.

— Hein ? Personne. Je sais pas de quoi tu causes. Je dirai plus rien.

Il se leva si vite que sa chaise bascula en arrière. Joe comprit qu'il n'en tirerait rien.

— Vous avez fini, monsieur ? demanda le gardien.

Il hocha la tête.

— Écris-moi si tu changes d'avis, Frankie.

— C'est ça. Sur du beau papier parfumé.

Alors que le gardien faisait sortir le prisonnier, Joe fit une dernière tentative :

— Ça te donnerait la chance de faire quelque chose

de bien pour une fois dans ta vie. Tu n'en auras plus souvent l'occasion !

Pour toute réponse, il entendit le claquement métallique de la porte qui se refermait.

Ce n'est pas lui, mais il sait qui a tué Gemma Dean, songea Joe. Ça se voit à son regard. Il sait, seulement il ne veut rien dire. Et ce n'est pas la peur qui lui fait tenir sa langue, c'est la colère. Il en veut à Sid. Et à ce docteur... Qui cela peut-il bien être ?

Absorbé par ses réflexions, Joe en oubliait de sortir du parloir. Il avait approché si près du but ! Il lui faudrait revenir faire une tentative. En attendant, il essaierait de trouver qui était ce mystérieux médecin.

Soudain, il eut l'idée de qui pourrait l'aider. C'était une femme qui connaissait tout le monde, et que tout le monde connaissait dans le milieu médical. Elle l'aiderait d'autant plus volontiers qu'il lui avait obtenu dix mille livres de fonds publics et cinq mille livres de donations privées pour ajouter à son dispensaire une annexe pour le service de pédiatrie.

— Nous rentrons, Monsieur ? demanda le cocher qui entrait pour le chercher.

— Non, Myles, pas encore. Je veux passer par Gunthrope Street auparavant. Le Dispensaire de Whitechapel pour les femmes et les enfants.

98

India et Charlotte montèrent sur la véranda de Sid Baxter et essayèrent de regarder à l'intérieur par la fenêtre.

— Bonjour ? Monsieur Baxter ?

Pas de réponse.

— Je pensais bien qu'il ne serait pas là, commenta Maggie qui les suivait.

Elle avait accueilli au portail les deux visiteuses qui venaient de la ferme des McGregor, India à cheval et Charlotte à poney.

— Il avait l'intention d'aller faire un tour dans la savane aujourd'hui. Je lui dirai que vous êtes venues.

— Vous pouvez lui donner ma lettre ? demanda Charlotte en lui tendant une enveloppe. Je l'ai écrite pour le remercier de m'avoir sauvée.

— Mais bien sûr. Tu n'as qu'à la poser sur sa table.

Charlotte entra chez Sid avec India. Elles regardèrent autour d'elles, agréablement surprises. Il y avait peu de meubles, mais des petits détails rendaient l'occupant des lieux sympathique : une étole massaï drapée sur un fauteuil, une théière ébréchée et des tasses posées près de la cheminée, des livres alignés sur un banc de bois. C'était un homme solitaire qui vivait là, mais non sans âme.

— J'aimerais bien habiter ici, dit soudain Charlotte.

— Il n'y aurait pas assez de place pour trois personnes, chérie. M. Baxter se sentirait peut-être à l'étroit.

— C'est mieux qu'au campement. C'est même mieux qu'à Nairobi. Lady Hayes Sadler nous embête tout le temps.

— Elle est très hospitalière et un peu envahissante, reconnut India avec un sourire complice.

Charlotte avait raison, la modeste cabane de Sid Baxter était si accueillante qu'elle en semblait presque familière. India aussi s'y sentait chez elle.

— J'aimerais m'asseoir à la table pour manger un bol

de soupe, dit Charlotte. Et puis je dormirais dans le lit. On doit bien se reposer, ici !

— Tu me fais penser à Boucle d'or, remarqua sa mère en riant. Nous ferions mieux de partir avant le retour de la famille ours.

— Voulez-vous prendre le café chez moi ? proposa Maggie.

— Vous ne buvez pas de thé ? demanda Charlotte.

— Du thé ? Dans la meilleure plantation de café d'Afrique ? Sûrement pas ! Je vais demander à Alice de mettre de l'eau dans le tien avec un peu de sucre et beaucoup de lait. J'ai aussi des gâteaux secs. Tu en veux ?

— Oh, oui ! Merci ! s'écria Charlotte sans laisser le temps à India de refuser.

Maggie les conduisit donc chez elle, une maison en bois beaucoup plus grande que celle de Sid Baxter mais tout aussi simple. Il y avait un salon, une cuisine, une salle à manger et deux chambres, sur un seul niveau. Maggie demanda à sa cuisinière d'apporter du café et des biscuits, puis elle fit asseoir ses invitées sur la véranda.

India contempla les champs de caféiers aux feuilles vernissées. Au-delà s'étendait la savane blonde, et, à l'horizon, le mont Kenya s'élevait dans un ciel sans nuages.

— Si j'avais un paysage comme le vôtre devant chez moi, je resterais toute la journée à le regarder sans rien faire.

— Pas si vous aviez trois cent cinquante hectares de café à cultiver !

— Vous avez de l'aide, j'espère.

— Heureusement. J'ai la chance d'avoir Sid. C'est un très bon contremaître. Il sait y faire avec la main-d'œuvre. Il emporte la récolte au marché, aussi. L'année dernière, le café d'Afrique-Orientale s'est vendu à Londres au prix le plus haut jamais atteint. Nous devons encore griller les grains chez le voisin, ce qui n'est pas gratuit, mais bientôt nous pourrons le faire ici. J'ai commandé la machine qui doit arriver en septembre. Nous avons déjà commencé à construire la remise pour la loger. Nous devrions avoir fini pour l'été.

Elle se tourna vers Charlotte.

— Il faudra dire à ton papa de faire prolonger la ligne de chemin de fer de Nairobi jusqu'à Thika. Nous transporterions plus vite les récoltes au marché.

— Mon père n'écoute pas les conseils des enfants, madame. Les enfants n'ont pas voix au chapitre, répondit la fillette avec son sérieux désarmant.

— Moi, je trouve que les enfants disent beaucoup de choses très intelligentes. L'autre jour, la petite Mattie Thompson m'a conseillé de monter aux arbres au soleil couchant. J'ai essayé, et elle avait raison. Le ciel est encore plus magnifique quand on est perché. Dis à ton papa de venir me voir, Charlotte. Je lui dirai qu'il faut écouter les enfants.

— Il serait sûrement ravi de venir, madame, intervint India, mais, malheureusement, il n'aura peut-être pas le temps. Il a un emploi du temps très chargé.

Maggie Carr l'écoutait, toujours tournée vers Charlotte qu'elle observait pensivement.

— Quel âge as-tu, Charlotte ?

— Bientôt six ans, madame.

— À cet âge, on s'ennuie vite avec les adultes. Dans l'enclos, il y a un veau qui vient de naître, et une dizaine de poussins au poulailler. Nous avons aussi une gazelle apprivoisée qui s'appelle Moka et qui se promène partout en liberté. Tu veux les voir ?

— Oh, oui !

— Alors, va à la cuisine et demande à Baaru de t'emmener. C'est le boy, il a dix ans. Il te montrera tout ça. Seulement, attention de ne pas entrer dans la grange. J'y enferme un taureau dangereux.

— Oui, madame ! Merci, madame !

Maggie sourit tandis que Charlotte courait à la cuisine.

— Qu'elle est mignonne cette petite.

— Merci.

— Elle vous ressemble.

India rougit en baissant les yeux. Sa voix était douloureuse quand elle reprit la parole.

— Si vous saviez comme j'ai souffert quand elle a disparu. De la savoir seule dans la brousse, avec les lions, les serpents, et Dieu sait quels autres animaux féroces… Je suis devenue folle. Il a fallu me donner des calmants, autrement je serais partie à cheval la chercher toute seule. Les hommes disaient que je ne ferais qu'empirer la situation en me perdant à mon tour.

Elle parla des journées et des nuits interminables passées à attendre. Quand elle n'avait pas trouvé Charlotte sous la tente, elle l'avait cherchée partout, puis avait dû se rendre à l'évidence. Un guide avait vu des traces de pas qui se dirigeaient vers la rivière… On avait exploré la rive, mais sans succès. Elle s'était effondrée, incapable de faire autre chose que de pleurer. Ce n'était qu'au bout de trois jours que Madeleine Delamere était arrivée en courant pour lui apprendre que Charlotte était en vie, et qu'elle se reposait dans une ferme des environs. Sans attendre que l'effet du tranquillisant se dissipe, India avait demandé un cheval. Madeleine avait voulu la dissuader de partir dans son état, mais elle n'avait rien voulu entendre. Freddie s'était interposé, mais elle se garda de raconter leur échange venimeux.

— Mais bon sang, India ! Tu n'es pas en état de monter à cheval ! Charlotte va bien. On la ramènera dès qu'elle pourra faire le trajet.

— Tu pourrais au moins faire semblant de te préoccuper d'elle ! Pour sauver les apparences, si ce n'est pour son bien.

Elle avait pris un cheval, et Tom Meade l'avait escortée jusqu'à la ferme des McGregor qui se trouvait à une quinzaine de kilomètres. Oubliant toute politesse, elle n'avait pas pris le temps de saluer ses hôtes et avait demandé à être conduite au chevet de sa fille. Elle s'était jetée à genoux près de Charlotte, riant et pleurant à la fois, lui reprochant sévèrement son imprudence et l'étouffant en même temps de baisers. Quand elle s'était rappelé ses devoirs, elle s'était présentée dans les formes à Mme McGregor, lui prenant les mains pour la remercier.

— La pauvre femme a dû me trouver un peu bizarre, avoua-t-elle à Maggie. Elle me répétait que c'était Sid Baxter que je devrais remercier et non pas elle. Nous avons eu tellement de chance que M. Meade le connaisse et arrive à le trouver.

— C'est vrai. Personne ne connaît la région comme Sid.

India posa sa tasse.

— Vous savez, je trouve sa modestie tout à fait extraordinaire. Après un tel sauvetage, un autre homme n'aurait sûrement pas disparu aussi vite. Dans un cas pareil, on peut espérer une récompense, des avantages.

— Sid Baxter est un cas à part.

— C'est bien ce qu'il me semble.

Elle hésita, puis continua avec émotion.

— Je tiens à Charlotte plus que tout. Ma vie ne serait rien sans elle. Je ne sais pas ce que je serais devenue si je l'avais perdue. J'ai une immense dette envers M. Baxter. Si je peux faire la moindre chose pour lui, s'il a le moindre besoin…

— Il a été heureux de la retrouver à temps. C'est sa plus belle récompense.

India sourit.

— J'ai l'impression que c'est un message qu'il vous a demandé de me transmettre. Est-ce qu'il nous évite ?

Cette fois, Maggie fut gênée.

— Vous savez, il est très timide, très sauvage. Il ne vivrait pas ici, dans cet endroit perdu, s'il aimait les gens.

— Je comprends, mais je suis déçue de ne pas avoir pu le remercier moi-même. Vous le lui direz ?

— Oui, je lui dirai.

— Maintenant, nous allons devoir vous laisser…

— Vous continuez votre safari ?

— Mon Dieu, non ! Je ne veux plus qu'on me parle de safari !

Elle expliqua qu'elle avait demandé l'hospitalité aux McGregor pour elle et sa fille pendant que le reste de leur petite équipe continuait la chasse encore quelques jours. Freddie et Hayes Sadler étaient repartis pour Nairobi. Quand son mari aurait terminé sa mission, il reviendrait les chercher chez les McGregor, et, de là, ils partiraient ensemble au mont Kenya pour se reposer une quinzaine de jours avant de repartir pour l'Angleterre.

Maggie et India trouvèrent Charlotte sur les marches de la cabane de Sid Baxter avec Baaru. Ils donnaient des morceaux de carotte à manger à Moka la gazelle.

India remercia Maggie et, une fois les adieux faits, Baaru fit avancer les montures que leur avait prêtées les McGregor.

Maggie fit de grands signes d'adieu, puis, quand ses

visiteuses eurent quitté le chemin et repris la route, elle se rendit à la grange. Mains sur les hanches, elle leva la tête vers le grenier à foin et cria :

— Tu peux descendre, grand lâche !

Une tête apparut.

— Elles sont parties ?

— Oui, tu n'as plus rien à craindre.

Sid fit glisser l'échelle de son perchoir et dégringola les échelons.

— Tu aurais pu les saluer. La petite était déçue de t'avoir manqué.

Il ne répondit pas.

Maggie lui jeta un long regard songeur.

— Elle est jolie, cette petite, tu ne trouves pas ? Le portrait de sa mère. Elle a six ans, d'après ce qu'on m'a dit. Ou presque.

Toujours muet, Sid se dirigea vers la porte.

— Tu les as regardées de là-haut, je suppose ?

— Non.

— Menteur… Je ne te comprends pas, Bax. D'abord, tu perds ton temps à balader un géomètre, ensuite, tu te terres dans la grange et tu te promènes avec des airs de désespéré… India Lytton est une belle femme, c'est certain, mais elle n'en vaut pas la peine. Aucune femme ne vaut la peine qu'on la pleure toute sa vie. Aucun homme non plus, d'ailleurs. Il est temps que tu l'oublies.

Sid se tourna vers elle.

— Merci du conseil, mais, maintenant, sois gentille de m'expliquer comment m'y prendre.

— Bon sang ! s’exclama Seamie.

Il ôta ses gants et glissa ses mains glacées sous ses aisselles pour essayer de les réchauffer.

— C’est une cascade de glace, et haute, avec ça ! Je me demande comment nous avons pu ne pas la voir !

— À cause de la réflexion de la lumière sur la neige, dit Willa en considérant la paroi miroitante. Les distances sont raccourcies, les saillies aplaties. Nous n’avons pas vu la différence avec le haut du couloir.

Il la regarda avec effarement.

— Qu’est-ce qu’il y a ? demanda-t-elle.

Il lui toucha les lèvres et lui montra le sang sur ses doigts. Elle haussa les épaules.

— Ce n’est rien !

— Willa, tu es malade. Et cette cascade de glace fait au moins vingt mètres avec une pente à soixante-dix degrés. Tu n’es pas en état de l’escalader. Il faut renoncer.

— Je me sens très bien.

— Le soleil est trop haut. Nous avons mis trop de temps. La glace est en train de fondre. Nous avons déjà dû éviter des éboulements en montant dans le couloir.

— Nous ne sommes plus dans le couloir.

— Willa…

— Écoute, Seamie, je suis épuisée, je l’avoue. J’ai un mal de crâne épouvantable, une nausée insupportable. Mais je sais que j’ai encore assez d’énergie pour atteindre le sommet. Je le sais ! Je sais aussi que je ne pourrai pas refaire la tentative demain. Si je redescends, je ne remonterai pas.

— Ce ne sont pas de bonnes conditions.

— Il faut continuer.

— Mais bon sang, tu te rends compte du risque que tu prends ? hurla-t-il. Tu es malade et fatiguée. Tu ne raisonnes plus avec lucidité. Tu as trop… trop…

— Trop quoi ?

— Trop l'esprit de compétition !

— Ah oui ? Alors, dis-moi une chose. Si je redescendais, tu ferais quoi ?

Seamie hésita, mais pas plus d'une seconde.

— Je grimperais au sommet.

— Évidemment, espèce de traître !

— Et alors ?

— Je ne suis pas venue d'aussi loin pour te laisser récolter tous les lauriers, mon cher. Je veux vaincre le Mawenzi avec toi. Je monterai, même si je dois ramper.

— Un bon grimpeur renoncerait.

— Non. Seul un faible renoncerait. Un bon grimpeur atteindrait le sommet.

— Ce n'est pas le tout d'arriver là-haut. Après, il faut redescendre.

— Si tu étais avec George Mallory, lui conseillerais-tu de redescendre ?

Seamie détourna la tête sans mot dire.

— Ah, tu vois !

— C'est parce que…

Elle lui coupa la parole.

— Parce que je suis une femme.

— Non, Willa, ce n'est pas ça.

— Vraiment ?

Non, c'est parce que je tiens trop à toi, songea-t-il. Parce que s'il t'arrivait quelque chose, j'en mourrais.

— Tu vois bien ! s'écria-t-elle. Fais-moi plaisir, Seamie, épargne-moi ta condescendance.

— Parfait ! Dans ce cas, grimpe, puisque tu y tiens tant. Après toi !

En la laissant passer la première, il cherchait encore à lui démontrer qu'elle n'avait pas la force d'arriver au sommet. Il faudrait qu'elle gravisse la pente abrupte en ne se servant que de ses crampons et des piolets, en creusant des marches dans une glace épaisse et dure. Cette ascension aurait été difficile en n'importe quelles circonstances. À cinq mille mètres d'altitude, quand on était atteint du mal des montagnes et que les poumons ne recevaient pas assez d'oxygène, ce serait un exploit.

— Pousse-toi, je ne demande que ça !

Il la regarda préparer son matériel, puis la surveilla pendant qu'elle se lançait à l'assaut de la cascade de glace. Sa technique était irréprochable, jusqu'à la respiration rapide et profonde qu'elle avait apprise pour mieux s'oxygéner le sang. On ne pouvait pas la regarder grimper sans ressentir une profonde admiration. De tous les alpinistes qu'il connaissait, homme ou femme, elle était la plus accomplie. Elle montait avec une fluidité et une assurance admirables, semblait savoir d'instinct où placer ses mains et ses pieds. Des prises qu'il aurait crues trop petites lui convenaient. Là où d'autres auraient hésité, elle passait. Elle glissa une fois, perdant trois mètres avant d'arrêter sa chute d'un coup de piolet. Scamie en eut des sueurs froides, mais, malgré cet incident, elle parvint en haut en moins d'une heure.

En la voyant, si puissante et si agile, animée de cette volonté inébranlable, il se dit que les qualités essentielles d'un bon alpiniste n'étaient finalement ni la témérité, ni l'expérience, ni la force, ni l'orgueil, comme ils l'avaient cru. Ce qui les poussait, c'était le besoin irrépressible d'atteindre un but qui se trouvait hors de portée. Willa était ainsi. Elle avait en elle cette grandeur, cette aspiration, ce désir à jamais inassouvi d'aller plus loin.

Il vit son visage radieux apparaître au bord de l'à-pic.

— Je suis sur un col ! cria-t-elle joyeusement. Il y a un gros rocher qui est parfait pour t'assurer. Je t'envoie la corde !

Quelques minutes plus tard, il vit descendre la corde qu'elle avait montée enroulée autour de son épaule. Il en attrapa le bout et se l'attacha autour de la taille. L'inquiétude le reprit pendant la montée en voyant les gouttes de sang qui constellaient la glace. Elle saignait de plus en plus. Il fallait à tout prix l'épargner, maintenant. Grâce à la corde et à ses crampons, il réalisa l'ascension en quelques minutes seulement.

— Le sommet est là, dit-elle en désignant une éminence à faible distance. Le pic Alden-Finnegan !

— On dirait bien du rocher, répondit Seamie avec enthousiasme. Mais je regrette, ce sera le pic Finnegan-Alden.

Elle rit de bon cœur.

— Nous n'avons plus qu'un peu de poudreuse à traverser, quelques rochers, mais ils ont l'air bien ancrés. Nous ne devrions plus rencontrer trop de difficultés. Allons-y.

Le trajet s'effectua sans surprises, et, une demi-heure plus tard, ils atteignaient le sommet. Seamie, qui menait la marche, s'arrêta à trois mètres du sommet. Il se tourna vers Willa, et s'écarta pour la laisser passer.

— Non, ensemble, dit-elle.

Elle lui prit la main et ils firent les derniers pas l'un à côté de l'autre, plaçant le pied exactement au même moment au point culminant. Ils se turent un instant, fous de joie, pour regarder le panorama grandiose qui s'étendait sous eux. Le Kibo à l'ouest, l'océan à l'est, les montagnes et les vastes plaines au nord et au sud. Puis Seamie poussa un rugissement de triomphe auquel se joignit Willa. Ils sautèrent dans la neige comme des enfants, criant, riant, étourdis de bonheur dans cette atmosphère raréfiée. Willa se jeta à son cou, et il la serra dans ses bras, pressa sa joue à la sienne, puis, sans le vouloir, il l'embrassa. Il sentit le goût de sa bouche, le sang qu'elle avait sur les lèvres. Puis, elle s'accrocha à lui et lui rendit son baiser.

Il se détacha d'elle pour regarder son beau visage épuisé, mais un instant seulement car il avait trop envie de l'embrasser. Il fut arrêté par un remords soudain.

— Excuse-moi, excuse-moi ! Je n'aurais pas dû. Bon Dieu, quel gâchis.

Le visage radieux de Willa se rembrunit.

— Pourquoi ?

— Comment ?... Mais à cause de George, évidemment.

L'inquiétude de Willa sembla s'accentuer.

— Je ne comprends pas, Seamie. Il y a quelque chose entre toi et George ?

— Entre moi et George ? Mais quelle idée ! Non, entre toi et lui !

— Tu crois que j'ai une liaison avec George ?

— Eh bien, naturellement. Je vous ai vus ensemble à Cambridge. Tu l'as embrassé.

— J'ai aussi embrassé Albie.

— C'est ton frère.

— J'ai embrassé George comme j'ai embrassé Albie, crois-moi. Il est comme un frère pour moi. Pourquoi ne m'en as-tu pas parlé ? Tu aurais pu nous poser la question, à moi ou à George. Il t'aurait dit qu'il ne s'intéresse pas aux filles. Il n'a qu'une seule passion, l'alpinisme. Que tu es bête ! Tu aurais pu dire quelque chose, à Cambridge.

— Je devais être trop jaloux.

— Et moi qui mourais d'envie de t'embrasser en haut de St. Botolph.

— Tu aurais dû.

— Mais je l'avais déjà fait dans mon jardin !

— Il y a six ans !

— Prendre deux fois l'initiative, c'est un peu trop en demander à une fille, même libre comme moi. Je croyais que tu avais rencontré une autre femme.

— Non, je n'ai rencontré personne…

— Si tu savais comme j'ai souffert pendant ce maudit voyage en mer ! Et au Mombasa Club. J'avais tellement envie que tu me prennes dans tes bras… Et toi, tu ne bougeais pas. Il fallait bien qu'il y ait une raison.

— Willa, il n'y a jamais eu personne d'autre. Depuis la soirée que nous avons passée dans ton jardin, sous le regard d'Orion.

Il l'embrassa de nouveau avec passion. Jamais de sa vie il n'avait été aussi heureux. C'était un sentiment de plénitude sans égal, une joie puissante et pourtant sereine. Il lui prit la main et dit :

— Je t'aime, Willa.

Il eut peur qu'elle ne tourne en dérision cette déclaration un peu solennelle, ou qu'elle le remette à sa place en le traitant de fou. Mais non, elle répondit tout simplement.

— Moi aussi, je t'aime. Je t'aime depuis toujours.

Elle l'embrassa amoureusement, puis ils regardèrent une dernière fois la vue extraordinaire. Ensuite, ils prirent des photographies, deux de chacun, avec l'appareil que Seamie portait dans son sac à dos.

Il était près d'une heure de l'après-midi quand ils

amorcèrent la descente. Le soleil était haut et brillant dans le ciel, mais ni Seamie ni Willa, tout à leur bonheur, n'y prêtèrent attention. Ils ne virent pas que des rochers noirs pointaient maintenant à travers la neige sur le chemin du col qui était entièrement blanc quand ils étaient montés. Ils ne remarquèrent pas l'eau qui gouttait le long de la cascade de glace. Aucun de ces signes, qui auraient dû les alerter, n'attira leur attention jusqu'au moment où ils se retrouvèrent dans le couloir et virent à quel point la neige était molle. Seamie glissa sur un caillou, et évita la chute d'un coup de piolet.

Mais un événement plus grave se préparait. En fondant, la glace délogea une grosse pierre sur une corniche en surplomb. Cette pierre bloquait un rocher qui, privé de son support, se détacha à son tour, entraînant une avalanche de pierraille qui dégringola avec lui dans le couloir.

Seamie fut alerté par le grondement, mais trop tard. Il releva la tête au moment où l'éboulement atteignait Willa. En la heurtant à l'épaule, le rocher la projeta sur le côté, puis il entendit un cri et la vit tomber.

100

— Bonne récolte, dit Wainaina en cueillant le fruit rouge d'un caféier.

— Je crois, répondit Sid, mais je ne veux pas vendre la peau de l'ours avant de l'avoir tué.

Voyant qu'elle ne comprenait pas, il lui expliqua l'expression dans son mauvais kikuyu. Elle rit et dit qu'elle estimait la future récolte à une tonne.

— Une tonne ? En cueillant bien, il devrait plutôt y en avoir deux.

Elle réfléchit et transigea à une tonne et demie. Mais, avertit-elle, une bonne récolte augmenterait les exigences des récoltantes. Elles voudraient des chèvres et de belles et grandes clôtures pour leur *shambas*. Wainaina demandait en plus un gril en fonte, comme celui qu'utilisait la cuisinière blanche.

— Vous aurez vos clôtures et vos chèvres, et tu auras ton gril, mais seulement si nous récoltons deux tonnes.

Wainaina hocha la tête. Sid hocha la tête. Ce n'était que le premier assaut de la bataille annuelle que Wainaina lui livrait. Sid avait tout intérêt à ce que les récoltantes cueillent toutes les baies de café mûres sans rien laisser dans les buissons. Alors c'était un marchandage sans fin entre Sid et leur porte-parole avant le début de la récolte. Il exigeait des quantités toujours plus importantes, tandis que Wainaina ajoutait un ustensile convoité, une longueur de tissu, deux poules, une lanterne.

Ils avaient entamé leur discussion au soleil couchant. Quand ils eurent terminé, Wainaina ramassa un vieux moule à tarte métallique qu'elle frappa avec un bâton pour avertir les femmes dans les champs que le moment était venu de rentrer.

Sid lui souhaita une bonne soirée, heureux d'aller se reposer. Il était fatigué, ayant passé la journée avec ses travailleuses à sarcler et à désherber les caféiers qui seraient l'objet de soins constants jusqu'à la récolte. Ce soir, il devait dîner seul. Maggie avait été invitée chez les Thompson, sans lui, car Lucy et sa mère lui en voulaient toujours. En début de journée, il avait demandé à Alice de lui laisser une assiette froide sur sa table car il n'aimait pas manger chez Maggie en son absence. En approchant de sa cabane, il vit de la lumière. Alice avait dû allumer sa lanterne, attention qu'il trouva agréable.

Mais, en arrivant, il eut la surprise de voir un cheval attaché à la balustrade. On aurait dit Ellie, la jument de Maggie, mais pourquoi l'aurait-elle attachée devant chez lui ? Elle aurait déjà dû être en route pour aller chez les voisins.

Et puis, il se rendit compte que ce n'était pas Ellie. La jument de Maggie était une pure alezane, tandis que celle-ci avait les jambes et les naseaux noirs. Elle ressemblait à la jument des McGregor, que prenait Elspeth pour se promener dans la savane.

Un jour, il l'avait arrêtée pour lui demander pourquoi elle aimait tant sortir seule.

— C'est dimanche, monsieur Baxter. Je vais à l'église.

— À l'église ? Mais quelle église ?

Elle avait désigné d'un large mouvement de bras la plaine, le ciel et les montagnes.

— Celle que vous avez devant vous. En avez-vous jamais vu de plus belle ?

Oui, c'était bien la jument de Mme McGregor. Il pressa le pas, ayant peur qu'il ne soit arrivé quelque chose à la ferme. Si la fatigue de sa longue journée de travail ne l'avait pas rendu moins vigilant, il se serait souvenu qu'India Lytton passait quelques jours chez ses voisins.

Ce fut donc sans s'y attendre que, arrivant sur le seuil, il vit une femme à sa table qui n'était pas Mme McGregor. Elspeth avait les cheveux châtains. Sa visiteuse était blonde, coiffée d'un chignon dont quelques mèches s'étaient échappées. Elle était belle. Belle à se damner. En six ans, elle n'avait pas du tout changé. Elle était toujours mince, droite et ravissante. Sid reçut un coup au cœur. Six ans, et sa trahison le faisait encore autant souffrir que si elle avait eu lieu la veille.

India avait les paupières closes, mais fut tirée de son assoupissement par le bruit des pas de Sid. Ses yeux s'ouvrirent au moment où il tournait les talons. Elle se leva d'un bond. Il était déjà en bas des marches quand il l'entendit crier du pas de la porte.

— Monsieur Baxter ! C'est vous ? Ne partez pas, s'il vous plaît. Je vous attends depuis des heures.

Sid s'arrêta, les poings serrés, mais sans se retourner.

— Je suis désolée d'être entrée chez vous sans votre autorisation. J'ai frappé chez Mme Carr avant d'aller chez vous, mais comme il n'y avait personne je suis venue ici. Je ne voulais pas vous effrayer. Je ne viens que pour vous remercier. Ma fille et moi allons bientôt partir, et elle m'a chargée de vous donner ceci… Bien, puisque vous ne voulez pas revenir, je vais vous dire ce que c'est. C'est un portrait photographique qui la représente. Elle aurait préféré vous l'apporter en main propre, mais je l'ai obligée à garder la chambre car elle est victime d'un petit refroidissement. C'est peu de chose, mais j'ai peur qu'elle ne soit fragilisée par l'épreuve qu'elle vient de traverser.

Comme Sid ne répondait toujours pas, India fit quelques pas sur la véranda.

— Vous ne voulez pas me pardonner mon intrusion ? Je ne savais pas où vous attendre. Ne pourrions-nous pas repartir d'un bon pied ? Je recommence : Bonjour, monsieur Baxter, comment allez-vous ?

Alors, Sid se tourna lentement, très lentement, vers elle. Il la regarda droit dans les yeux et dit avec émotion :

— Pas très bien pour l'instant. Et vous, madame Baxter ?

101

Il fallut un long moment à India pour encaisser le choc. Elle ne pouvait plus respirer, ne sentait plus rien, n'entendait plus rien. Seuls ses yeux ne la trahissaient pas. Sid. Son Sid qu'elle avait cru mort était là, devant elle, pétrifié, silencieux malgré les larmes coulant sur ses joues.

Ses sens lui revinrent d'un coup, avec une intensité si violente que ses jambes se dérobèrent sous elle et qu'elle dut se retenir à la rampe pour ne pas tomber.

Sid, toujours immobile, ne fit pas un geste pour l'aider.

— Je n'arrive pas à le croire ! s'écria-t-elle. Pourquoi ? Pourquoi ?

Il la contemplait toujours, silencieux, sans essuyer les larmes qui inondaient son visage.

— Tous les journaux ont raconté que tu étais mort ! La police en était certaine !

— C'était une mise en scène. Je n'avais pas le choix. Ton mari tenait un peu trop à me faire pendre.

— C'est trop cruel ! Comment as-tu pu me laisser croire à ta mort ?

— Et toi ? rétorqua-t-il avec amertume. Comment as-tu pu me laisser croire que tu m'aimais ?

— Mais je t'aimais !

— Dans ce cas, pourquoi avoir épousé Lytton ? Par amour pour moi, sans doute ?

— J'avais mes raisons. Tu ne peux pas comprendre.

— Je comprends très bien, au contraire. Tu voulais une vie facile, de l'argent, la sécurité.

India se redressa de toute sa taille, descendit les quelques marches qui la séparaient de Sid et le gifla de toutes ses forces.

À cet instant, elle faillit lui jeter à la face la raison pour laquelle elle avait épousé cet homme qu'elle détestait, pourquoi elle avait accepté de se sacrifier, de se soumettre à son autorité et de supporter sa cruauté. Mais elle se tut, vibrant d'une colère trop intense, trop effrayante pour la laisser s'exprimer. Elle préféra prendre son cheval et monter en selle. Elle allait partir quand il l'arrêta en saisissant la bride.

— Il est trop tard pour repartir, c'est dangereux. La nuit est presque tombée. Attends le matin.

— Tant pis.

— Est-ce que tu te rends compte que tu as détruit ma vie une deuxième fois en venant ici ? cria-t-il soudain. J'avais retrouvé un peu de paix, un peu de soulagement… et tu as tout fichu par terre !

— Moi, j'ai détruit ta vie ? De quelle façon ? Et toi, tu ne t'es pas demandé quelle torture j'ai vécue en t'attendant sans savoir où tu étais ni ce qui t'était arrivé ? Un jour, j'ai appris que tu étais mort en entendant les crieurs de journaux. Ils hurlaient que ton corps avait été retrouvé dans la Tamise !

— C'est arrivé un peu vite. Le corps est remonté trop vite à la surface.

— Ah ! Alors cela explique tout ! Si le corps est remonté trop vite, je comprends !

L'expression de Sid s'adoucit un peu en voyant sa douleur. Son regard devint incertain, mais sa voix était toujours aussi ferme.

— Ton chagrin ne t'a pas empêchée d'épouser Freddie. Tu as attendu combien de temps ? Un jour ? Deux ?

— Je t'ai dit que j'avais de bonnes raisons de l'épouser.

— Oui, bien sûr. Il était de ton milieu.

— Si c'est ce que tu penses, je bénis le ciel que tu sois parti en me laissant croire que tu étais mort. Cela m'a épargné une vie de souffrances à tes côtés. Tu n'as pas de cœur !

Hors d'elle, elle fit faire demi-tour à son cheval et entendit Sid lui dire :

— Ne reviens pas, India. Laisse-moi tranquille.

— Ne crains rien. Je n'ai aucune intention de revenir.

Elle baissa la tête, les joues baignées de larmes.

— Je ne comprends pas comment t'est venue toute cette haine, dit-elle d'une voix brisée.

— De la haine ?... Non, je ne ressens aucune haine. C'est bien ça le plus dur. Je t'aime, India. Je t'aime encore.

102

Seamie s'arrêta pour reprendre son souffle. Il regardait autour de lui avec angoisse, essayant de trouver un point de repère, une forme de rocher ou un arbre dont il se souviendrait. Il était épuisé, mais il ne pouvait pas s'arrêter. Willa l'attendait sous la tente, au bivouac des quatre mille mètres, à peine consciente, la jambe droite gravement fracturée. Elle avait chuté d'au moins quarante mètres dans le couloir, puis avait roulé sur une dizaine de mètres avant de s'arrêter en s'accrochant à une aspérité.

L'accident n'avait duré que quelques secondes, et, pourtant, pour Seamie, l'angoisse lui avait paru durer des heures. Il avait appelé dans la pente, et soudain, miracle, un cri lui avait répondu. Elle était en vie ! Il était descendu trop vite, avait glissé, s'était rattrapé de justesse. Doucement, imbécile ! avait-il pensé, sachant que s'il se blessait maintenant plus personne ne pourrait les sauver.

— Willa, ça va ? demanda-t-il en la rejoignant.

Elle semblait mal en point : son visage, entaillé, était couvert de sang, et ses mains étaient déchirées. Mais le pire, c'était sa jambe droite, tordue sous elle, et de toute évidence fracturée.

— Ma jambe… J'ai mal. Dis-moi…

Il hésita.

— Seamie, je veux savoir !

— On ne voit pas bien.

— Est-elle cassée ?

— Ça m'en a tout l'air.

De désespoir, elle se frappa la tête dans la neige.

— Arrête, Willa, courage. Il faut que tu tiennes. Ce n'est pas le moment de craquer.

— Je ne pourrai plus jamais grimper.

— Ce n'est pas le plus important pour l'instant. Nous verrons plus tard. Ce qu'il faut, c'est arriver à te sortir d'ici.

Après le couloir, il y aurait encore l'éperon de glace à franchir, la combe à traverser. Le couloir ne serait pas le plus difficile. Willa avait encore la corde enroulée autour du buste, ce qui allait leur être très utile. Il se creusa une assise dans la neige, puis attacha un bout de la corde autour de la taille de Willa, et l'autre autour de la sienne. Ses mains étaient gelées, et la corde humide et raidie par le froid ; il lui fallut un long moment pour réussir à la nouer.

— Qu'est-ce que tu fais ? demanda Willa d'une voix faible.

— Je vais te faire descendre le long du couloir.

— Et ensuite ?

— Je n'en sais rien. Je verrai quand nous y serons. Il faut que tu te tournes sur le dos.

En essayant de bouger, elle poussa un hurlement de douleur. Seamie faillit perdre courage, mais il devait rester inflexible. Il ne pouvait la descendre que sur le dos.

— Allez, Willa, continue. Crie si tu veux, mais continue.

Elle souffrait atrocement mais finit par parvenir à se mettre en position. Il l'aida à plier ses jambes sur sa poitrine, et lui fit tenir les cuisses avec les mains. Ensuite, il se cala dans le trou qu'il avait creusé, prit un bon appui avec ses pieds et laissa doucement filer la corde. Entraînée par son poids, Willa commença la descente. Elle souffrait à toutes les secousses, tous les creux, toutes les bosses. Quand ils arrivèrent au bout de la corde, il lui cria de baisser son pied valide et de planter ses crampons dans la neige pour se retenir pendant qu'il descendait à son tour. Ils répétèrent l'opération jusqu'en bas du couloir. Willa était livide.

Mais les difficultés ne faisaient que commencer, car il fallait à présent passer l'éperon glacé. Seamie pensa d'abord à monter en avant pour la hisser ensuite avec la corde, mais à cinq mille mètres, il lui serait impossible de tirer ce poids inerte. La seule solution était de la porter sur son dos. Il la fit s'accrocher à son cou, puis passa la corde sous ses cuisses et autour de ses épaules, formant une sorte de harnais. Willa était au supplice. Le moindre choc ranimait la douleur. Le poids de sa jambe suffisait à lui faire souffrir le martyre. Il devinait son calvaire et la sentait mordre son anorak pour s'empêcher de crier. Elle perdit plusieurs fois connaissance pendant l'ascension de l'éperon. Ses bras se relâchaient autour du cou de Seamie, qui devait planter ses crampons dans la neige pour la retenir et l'appeler pour la faire revenir à elle.

La montée lui demanda un effort surhumain. À chaque pas, il perdait le souffle, s'arrêtait et devait mobiliser toutes ses forces pour gagner quelques centimètres. En haut, il dut s'asseoir pour récupérer avant de la redescendre au bout de la corde jusqu'à la combe. L'éperon franchi, le terrain devenait beaucoup plus facile, et la glace laissait peu à peu place à la roche. Il reprit Willa sur son dos et, reprenant espoir, il alla plus vite dans la descente, ayant hâte de la ramener au bivouac. Il le regretta vite. Des pierres roulèrent sous sa chaussure, il trébucha et tomba en avant, entraînant Willa avec lui. Dans la chute, sa jambe cassée cogna par terre, et la douleur fut telle qu'elle perdit de nouveau connaissance. Il se maudit et, quand il l'eut ranimée et de nouveau hissée sur son dos, il redoubla de prudence.

Ils n'arrivèrent au bivouac qu'en fin de journée. Il la déposa dans la tente, fit un feu puis entreprit de nettoyer ses blessures. La plaie au front était profonde, ainsi qu'une entaille à la paume, mais le reste n'était que des égratignures. Il les lui nettoya avec de la neige fondue, puis versa le whisky qu'ils avaient emporté dans une gourde sur les coupures. Il savait qu'il lui faisait mal, mais c'était nécessaire.

— Et ma jambe ? demanda-t-elle dans un souffle.

— Je m'en occupe.

À l'aide de son canif, il découpa son pantalon, sentant le regard de Willa peser sur lui. Il tâcha de ne rien montrer, sachant qu'elle surveillait son expression, mais ce ne fut pas chose facile. Il fut horrifié par ce qu'il découvrit. Les extrémités des os cassés perçaient la chair. Jamais il n'arriverait à réduire la fracture. C'était un travail de chirurgien. Il ne pouvait même pas espérer lui poser une attelle tant le moindre contact devait être insupportable. Mieux valait ne pas lui toucher la jambe. Faute de mieux, il décida de verser du whisky sur les parties ouvertes pour éviter l'infection.

— Ça va faire mal, avertit-il.

Elle eut un petit hochement de tête et se tétanisa en sentant la brûlure de l'alcool.

Quand elle put de nouveau parler, elle demanda :

— Tu crois que ça va guérir ?

— Peut-être, si nous parvenons à trouver un médecin pour la remettre en place.

— Mais Mombasa est à deux cent cinquante kilomètres, et Nairobi n'est pas plus proche.

— Nous y arriverons.

— Mais comment ? Je suis incapable de faire un pas, et toi, tu ne peux pas me porter aussi loin !

— Je vais descendre chercher les porteurs au campement.

C'était l'espoir qui l'avait soutenu pendant toute la descente.

— Ils refuseront de monter. Ils ont trop peur.

— Je les convaincrai. Je leur offrirai notre matériel. Les boussoles, les jumelles, les tentes. Tout ce que nous avons. Ils accepteront. Ils en tireront une fortune. Je leur ferai construire une civière, et nous te descendrons.

— Et tu veux aller jusqu'à Mombasa comme ça ?

— Non, jusqu'à Voi. Nous prendrons le train.

Il lui prépara une assiette de fromage et de sardines en boîte, remplit une gourde avec de la neige fondue qu'il avait fait bouillir sur le réchaud, et posa le tout près du lit avec la lanterne. Quand il eut terminé, il la couvrit avec les deux sacs de couchage.

— Je serai de retour avec les guides demain, dit-il en passant sa gourde en bandoulière.

— Seamie… S'il arrivait quelque chose…

— Il ne va rien arriver, Willa.

— Mais au cas où… Je veux juste que tu saches que… Je t'aime.

Il devina alors à quel point elle avait peur malgré ses efforts pour le cacher. Il s'agenouilla près d'elle et prit ses mains dans les siennes.

— Moi aussi, je t'aime. Nous aurons tout le temps de nous aimer quand nous serons rentrés. Tu me crois ?

— Oui…

— C'est bien. Repose-toi. Tu vas avoir besoin de toutes tes forces pour la descente.

Il l'embrassa, puis il partit, très vite parce qu'il voulait parcourir le plus de distance possible avant la nuit. Il descendit presque en courant, et réussit à continuer à bonne allure sous la lune, car elle était pleine et brillante. Grâce à cette lumière providentielle, n'ayant plus de sac à dos pour l'alourdir, de neige ni de glace pour le ralentir, il allait comme le vent. Son voyage en Antarctique lui avait appris à se diriger grâce aux étoiles. Il ne s'arrêta que très rarement pour vérifier à la boussole qu'il ne déviait pas de sa direction.

Peu après trois heures du matin, après huit heures de descente, il arriva dans la zone du campement. Vu l'heure tardive, il ne s'attendait pas à une activité quelconque, mais il pensait apercevoir la lumière d'un feu de camp et sentir une odeur de fumée. Il espérait même qu'on l'entendrait et qu'on viendrait à sa rencontre, car Tepili et ses hommes avaient le sommeil léger et connaissaient tous les bruits de la nuit.

Mais ce ne fut pas un feu de bois qu'il sentit. Une puanteur répugnante lui souleva le cœur – une odeur de décomposition. Il appuya son mouchoir contre son nez, puis avança prudemment, saisi de terreur.

C'était bien le campement, mais la toile de tente était arrachée. La malle ouverte était retournée, les caisses éventrées. Tout avait été mis à sac.

— Tepili ? appela-t-il. Tepili, tu es là ?

Un grondement sourd lui répondit. Il chercha autour de lui et vit un léopard qui gardait des restes humains en montrant ses crocs étincelants.

— Va-t'en ! cria Seamie.

Il jeta un caillou qui fit fuir l'animal, puis il fit le tour du campement, découvrant des corps. Ils avaient été tués par des flèches. Le léopard n'était arrivé qu'après coup. Ce devait être les flèches empoisonnées qu'utilisaient les Chagga.

Boedeker les avait mis en garde. Tepili aussi s'était méfié. Le chef de la tribu chagga n'aimait pas les étrangers, il s'en prenait à tout le monde : aux Massaï, et même à des membres d'autres villages de sa propre ethnie. Willa et lui avaient voulu croire que Tepili imaginait des difficultés là où il n'y en avait pas… Comme ils avaient eu tort !

Si les Chagga avaient accepté de les guider à travers la forêt, c'était sans doute pour revenir les attaquer plus tard avec d'autres membres de leur village. Seamie se souvint que les deux guides lui avaient demandé quand ils comptaient redescendre et qu'il le leur avait dit. Ils s'étaient débarrassés des porteurs massaï pour mieux les prendre en embuscade à leur retour.

Son sang se figea dans ses veines. Il devait à tout prix fuir au plus vite. Les assassins étaient sûrement encore dans les parages. Mais, bon Dieu, pourquoi avait-il commis l'imprudence d'appeler Tepili à voix haute ? Pourquoi avait-il fait autant de bruit ? Son seul espoir était de profiter de la nuit pour remonter sans être vu.

Il était à bout de forces, mais il ne pouvait prendre aucun repos. Si les Chagga le tuaient, Willa serait condamnée à une mort lente et solitaire sur les pentes du Kilimandjaro.

Poussé par la peur, il reprit la montée en silence. Peu à peu, le choc de sa macabre découverte laissa place à une angoisse presque plus terrible : il allait devoir descendre Willa de la montagne sans l'aide des porteurs. Tepili et ses hommes n'étaient plus là. Il était seul.

103

Joe frappa à une porte vitrée, au rez-de-chaussée du Dispensaire de Whitechapel pour les femmes et les enfants.

— Entrez ! cria une voix de femme.

Joe manœuvra son fauteuil.

— Mademoiselle Moskowitz ?

Elle était assise à son bureau, visiblement enceinte, et même très enceinte.

— Monsieur Bristow ! Bonjour ! Mais ce n'est plus « mademoiselle », comme vous le voyez, ni « Moskowitz ». Je suis mariée. Je m'appelle Ella Rosen à présent, et je suis médecin. Fraîchement diplômée au printemps dernier. Mais peu importe, appelez-moi Ella.

Un homme qui a fait attribuer dix mille livres au dispensaire a bien droit à cette marque d'amitié de ma part !

— Toutes mes félicitations pour votre mariage et votre diplôme. Qui est l'heureux élu ?

— David Rosen, un médecin du Royal Free Hospital que j'ai rencontré pendant mon internat.

— Et, sans indiscrétion, pour quand est l'heureux événement ?

— Encore quatre semaines. Et il n'y a pas d'indiscrétion ! Vous êtes dans mon service, à l'étage de l'obstétrique, alors vous imaginez bien que nous parlons de grossesses à longueur de journée. Mais approchez, approchez ! Vous voulez des *rugelachs* ? C'est ma mère qui les a faits.

Elle demanda à une infirmière de leur apporter du thé et lui tendit les pâtisseries qu'il prit avec plaisir. Qu'il aille voir Ella au dispensaire ou sa famille au restaurant, il fallait toujours en passer par un thé copieux, même si la discussion portait sur la mortalité infantile des quartiers pauvres ou sur l'intégration des émigrés. Il avait aussi aidé Yanki, devenu rabbin de la plus grande synagogue de l'East End, à obtenir des fonds pour l'orphelinat juif.

Les gâteaux étaient excellents, et ils en engloutirent une dizaine à eux deux avant d'aborder le but de sa visite.

— Bien, dit Ella, que puis-je faire pour vous ? Vous voulez présenter un nouveau projet de loi aux Communes ? Vous avez besoin de chiffres pour vos dossiers, de cas intéressants ?

— Non, pas aujourd'hui. Je viens solliciter votre mémoire. J'ai demandé au ministère de l'Intérieur de rouvrir le dossier d'une affaire de meurtre.

— Tiens ? Et je connaîtrais cette affaire ?

— Peut-être. Il s'agit de l'assassinat de Gemma Dean, une artiste de music-hall. Elle a été tuée quelques jours après la tentative de meurtre dont j'ai été victime.

— Oui, je me souviens de ce nom, mais je ne la connaissais pas personnellement.

— J'ai une question à vous poser. Sans doute allez-vous me trouver fou, mais peu importe. Vous souvenez-vous de Sid Malone, un mauvais garçon du quartier ? Un grand chef de bande, même.

— Bien entendu. Je le connaissais bien. Il venait souvent au restaurant avec ses hommes. Oz, Ronnie, Des... C'était quelqu'un de bien, Sid. Je sais que ce n'est pas l'avis de tout le monde, mais j'avais de l'estime pour lui.

— On l'avait accusé à tort dans mon affaire. Ce n'était pas lui le coupable, mais un de ses hommes, Frankie Betts, comme j'ai pu en témoigner plus tard. Sid a aussi été accusé du meurtre de Gemma Dean, et je pense qu'il n'en est pas coupable non plus. J'ai d'abord pensé que Frankie avait utilisé le même stratagème une deuxième fois, alors je suis allé le voir en prison. Il nie, et j'ai tendance à le croire. Pourtant, je pense qu'il cache quelque chose. Il sait qui a fait le coup, et j'aimerais comprendre pourquoi il se tait.

— En quoi tout cela me concerne-t-il ?

— Frankie s'est mis en colère quand j'ai parlé de Sid. Il dit que tout ce qui est arrivé est la faute d'un certain docteur. D'après ce que j'ai compris, il s'agirait d'un médecin qui aurait travaillé à Whitechapel dans un dispensaire. Or, je n'en connais qu'un, et c'est le vôtre. Vous qui avez participé à sa fondation, vous allez peut-être pouvoir me dire qui est cet homme mystérieux.

Ella semblait fort mal à l'aise.

— Je vous assure que je n'ai aucune intention de

mettre en difficulté cette personne ni le dispensaire, ajouta Joe. Sid venait ici ?

— Il nous a beaucoup aidées… C'est lui qui nous a mises à flot, et qui a financé les annexes que nous avons construites. Il nous a donné un demi-million de livres avant de mourir.

— Eh bien ! Et le docteur ?

— C'est une femme. C'est India Selwyn Jones.

— Le Dr Jones ? La jeune femme qui a sauvé Fiona au meeting du Parti travailliste, et moi quand j'ai reçu ces balles ? Elle a épousé Freddie Lytton, il me semble.

— C'est cela.

— Mais quel était son lien avec Sid ?

Ella le considéra un moment en silence.

— Si vous voulez le savoir, il va falloir me promettre la plus grande discrétion.

— Bien entendu. Je vous assure que je ne répéterai rien.

— Dans ce cas… si cela vous aide… Sid et India étaient amants. Elle était sur le point de tout abandonner pour lui. Ils devaient partir pour un autre pays. Et puis les drames que vous savez sont arrivés. On a accusé Sid d'avoir voulu vous abattre et d'avoir tué cette actrice. Il a dû se cacher. India mourait de peur pour lui. Il risquait la pendaison.

— Ils n'ont pas pu partir…

— Non. Sid est mort, et elle a tout de suite épousé Freddie Lytton.

— Pourquoi si vite ?

— Je ne sais pas.

— Ella, je ne vous crois pas. Vous le savez certainement. Il faut tout me dire pour que je puisse réhabiliter Sid. On l'accuse d'un crime qu'il n'a pas commis.

— Quelle importance, puisqu'il est mort ? Il est plus

nécessaire de protéger les vivants. Si je vous faisais des révélations, cela nuirait énormément à certaines personnes.

Pour la convaincre, il décida de lui révéler la vérité.

— Ella, Sid n'est pas mort.

— Pardon ?

— Il a organisé la découverte d'un cadavre qui n'était pas le sien, et il s'est enfui à l'étranger.

— *Gott in Himmel !* Comment savez-vous tout cela ?

— Parce que je connais Sid. C'est le frère de ma femme.

— Le frère de votre femme !

— Je vous assure.

— Comment a-t-il pu faire une peine pareille à India ? Comment a-t-il pu lui faire croire qu'il était mort ? Quand elle a appris que son corps avait été repêché dans la Tamise, elle a failli en mourir.

— Il a peut-être pensé qu'elle vivrait plus heureuse sans lui.

— Mais comment aurait-il pu croire ça ? Elle est malheureuse comme les pierres ! Mon Dieu… mais quelle nouvelle… quelle nouvelle !…

— Vous comprenez pourquoi je veux réhabiliter Sid. Tant qu'il sera recherché pour le meurtre de Gemma Dean, il ne pourra plus remettre les pieds en Angleterre.

— Eh bien, c'est mieux ainsi.

— Vous êtes bien sévère !

— Vous ne pouvez pas comprendre…

— Il faut tout me dire. Faites-moi confiance.

— Si vous y tenez absolument… Mais il faut me jurer de ne rien répéter à personne. Surtout pas à votre femme !

— Mais…

— Si vous ne me le jurez pas, je ne vous dirai rien.

— C'est bon, dit Joe à contrecœur. Je le jure.

— Eh bien… India était enceinte de Sid Malone. Elle venait de l'apprendre quand sa mort a été annoncée. Alors elle est allée trouver Freddie Lytton et lui a demandé de l'épouser pour que l'enfant ait un père. Il a accepté parce que India lui proposait beaucoup d'argent.

Pour mieux lui faire comprendre le sacrifice, elle expliqua les rapports qu'India avait entretenus avec Freddie, et leur première rupture.

— Elle n'aurait jamais épousé Lytton si elle avait su que Sid était en vie, jamais, conclut-elle. Elle l'aimait profondément et n'avait aucune estime pour Freddie. Elle a pensé ne pas avoir le choix. Elle ne voulait pas donner le jour à un enfant illégitime.

— Bon Dieu ! Et Sid ne savait pas ?

— India n'a pas eu le temps de le lui dire.

Cette fois, c'était au tour de Joe d'éprouver un choc.

— Mais alors… alors…

— La fille de Freddie Lytton est en réalité la fille de Sid Malone. Et vous et votre femme avez une nièce.

— Mais bon sang, Ella, comment voulez-vous que je cache cette nouvelle à Fiona ? C'est ma femme. Sid est son frère. Et lui… S'il rentre, il a le droit de savoir. C'est le père.

— Joe ! Vous m'avez promis le silence ! Fiona ne saurait pas tenir sa langue. Rendez-vous compte ! Si Sid rentrait, si vous lui révéliez la vérité, s'il exigeait de voir la petite, imaginez la tragédie que ce serait pour l'enfant et pour India. Freddie Lytton est un méchant homme.

Joe tournait et retournait la question dans sa tête. Ce serait une trahison de cacher la vérité à Fiona.

— Freddie accepterait peut-être de… Je ne sais pas…

— D'inviter Sid à prendre le thé ? De l'autoriser à

rendre visite à sa fille le dimanche ? Vous voyez à quel point c'est peu réaliste. Fiona ne doit apprendre la vérité que le jour où India choisira de la lui dire... Je vois que vous croyez à cette éventualité aussi peu que moi.

— Vous m'avez mis dans une situation impossible.

— Vous vous y êtes mis tout seul. Je ne voulais rien vous dire, mais vous avez insisté. Si je n'avais pas cru en votre parole, je n'aurais rien dit. Vous êtes content, maintenant ? Cela résout-il votre mystère ?

— Loin de là. Il n'en est que plus épais. Je me demande comment Frankie Betts est mêlé à tout ça.

— Ce que je sais, c'est qu'il a vraiment voulu vous tuer. Je n'ai jamais cru une seule seconde que les coups étaient partis par accident. J'ai vu vos blessures. Cet homme a visé.

— C'est ce que je pense aussi. Il pouvait vouloir se venger parce que je m'étais battu avec lui au Barkentine, mais pourquoi se faire passer pour Sid ?

Ils réfléchirent un moment, puis Ella hasarda une hypothèse.

— Peut-être par amour...

— Comment ? Frankie aurait été amoureux du Dr Jones, lui aussi ?

— Non, mais il aimait Sid comme un frère, ou comme un père. D'une certaine façon, Sid le trahissait en partant avec India.

— Mais s'il l'aimait, pourquoi s'ingénier à le faire pendre ?

— Vous pensez en honnête homme, mais Frankie Betts est un criminel dangereux et violent. Mettez-vous à sa place. Il était furieux. Il voulait se venger. Comment faire du tort à un homme qui veut se racheter aux yeux de la société ? En l'accablant. En le faisant accuser de meurtre. Il essaie de vous tuer, assassine une autre personne et s'arrange pour faire désigner Sid. Recherché par la police, Sid ne pouvait se cacher qu'auprès de ses amis de la pègre, et il n'avait plus aucune chance de devenir un honnête citoyen.

— Si vous avez vu juste, rien n'empêcherait Frankie de parler, puisqu'il croit Sid mort.

— Sauf s'il veut salir sa mémoire – parce que, d'une certaine manière, ça le rapproche de lui.

— Dr Rosen, vous êtes étonnante ! Vous êtes même inquiétante. Où avez-vous pris cet esprit criminel ?

— Mon cher Joe, à Whitechapel, tout comme vous.

— Moi, j'ai l'esprit criminel ?

— Il me semble que vous utilisez certains moyens en politique qui sont ceux d'un véritable bandit.

— Un bandit ! se récria-t-il en riant. Comment cela ?

— J'ai lu les articles de Jacob Riis. De véritables brûlots.

— Des reportages photographiques d'excellente qualité qui n'ont pour but que d'encourager la réforme sociale...

— Eh bien, je suis de tout cœur avec vous ! Continuez...

Joe la remercia, puis il actionna les roues de son fauteuil pour sortir du bureau. Ella le raccompagna.

— Que comptez-vous faire, à présent ? demanda-t-elle alors qu'ils arrivaient à la porte de la rue.

— Je vais retourner à la prison de Wandsworth pour tenter une nouvelle fois ma chance auprès de Frankie. Je veux qu'il me dise qui a tué Gemma Dean.

— Vous ne pensez toujours pas que c'est lui ?

— J'ai vu son regard quand je lui ai demandé s'il était coupable. À moins qu'il ne soit excellent acteur, ou moi très mauvais juge, il est innocent. Et s'il est innocent, qui est l'assassin ?

104

Freddie s'abrita les yeux pour mieux voir la savane africaine, mouvante sous les brûlants rayons du soleil. Joshua, l'étalon rouan d'Ash McGregor, secoua la tête avec un hennissement impatient.

— Attends… Attends…

Une douce brise faisait onduler les hautes herbes de l'océan d'or, mais Freddie était insensible à cette beauté. Il imaginait ces terres fertiles transformées en labours, plantées de caféiers, de sisal, ou mises en pâture pour le bétail et les moutons.

Si son voyage en Afrique l'avait convaincu d'une chose, c'était que le protectorat pouvait être le moteur d'une croissance économique sans égal. Une croissance qui profiterait non seulement à la colonie elle-même, mais aussi à toute la Grande-Bretagne. Les possibilités de développement étaient immenses, tant pour l'agriculture et l'élevage en plaine que pour l'exploitation du caoutchouc et de la quinine dans la jungle. Les taxes à elles seules seraient une manne. Avec l'argent gagné par leurs productions, les colons relanceraient l'activité industrielle en commandant de l'acier à Sheffield, du tissu dans le Lancashire, de la porcelaine dans le Staffordshire.

L'argent investi ne l'avait pas été en vain, et l'effort devait être poursuivi. Les bénéfices seraient immenses. Il se faisait fort à son retour de convaincre les membres de la Chambre des communes, lord Elgin et le Premier ministre du potentiel énorme de l'Afrique.

Il recommanderait le développement du chemin de fer ougandais, la construction de routes et de barrages, l'installation d'un réseau de distribution d'eau et l'extension des lignes télégraphiques. Il faudrait beaucoup d'argent. Au moins quatre millions pour commencer.

Il allait devoir faire preuve d'une grande éloquence, car les députés rechigneraient à accroître les dépenses. Il travaillait déjà à se rallier l'opinion publique en écrivant pour le *Times* des articles dithyrambiques sur l'Afrique. Il envoyait aussi à Elgin des rapports détaillés, bourrés de chiffres, de tableaux, et illustrés de photographies. Quand on verrait qu'il avait eu raison, il volerait enfin la vedette à Joe Bristow. Quel plaisir ce serait ! Joe n'était qu'un empêcheur de tourner en rond sans envergure qui ne voyait pas plus loin que quelques dispensaires et quelques écoles pour les quartiers défavorisés. L'avenir de l'Angleterre était dans ses colonies, et non dans ses taudis.

Joshua trépignait, réclamant son galop. Freddie lui claqua l'encolure. Depuis son retour de Nairobi, il était resté enfermé dans le bureau d'Ash McGregor, et cette petite promenade lui faisait grand bien. Il avait besoin de prendre l'air, et il en profiterait pour tirer au clair le comportement étrange d'India.

Elle semblait oublier ses devoirs d'épouse de député. Elle était pâle, nerveuse, avait les yeux rouges comme si elle avait pleuré.

Quand il était rentré de Nairobi, Elspeth McGregor lui avait appris qu'elle était partie se promener à cheval comme elle le faisait longuement tous les matins.

Il avait pris possession du bureau de son hôte et lisait des documents et des télégrammes arrivés en son absence quand il avait entendu frapper à la porte.

— Elspeth m'a dit que tu étais rentré, avait dit India en pénétrant dans la pièce.

— Oui. Et il y a du nouveau…

En relevant la tête, il s'était interrompu, étonné par sa mauvaise mine.

— Tu es malade ?

— Non.

— Tu as les yeux cernés.

— Je me porte comme un charme.

— Mets-toi de la poudre, alors. Tu es d'une pâleur effroyable.

— Je te remercie pour ta sollicitude, mais ce n'est pas ce que tu voulais me dire, je suppose.

— En effet. C'est ennuyeux, mais nous allons devoir retourner à Nairobi avant nos vacances au mont Kenya. Cet idiot de Meade a oublié un dîner organisé en mon honneur par l'Association des colons. Je ne peux pas refuser. Bien entendu, tu dois m'accompagner ainsi que Charlotte.

— Charlotte n'est pas en état de passer deux jours sur cette mauvaise route.

— Tu la dorlotes trop. Je suis persuadé qu'elle a repris des forces.

— Il est hors de question qu'elle retourne à Nairobi !

— Il faudra bien qu'elle vienne. Mon épouse se doit de m'accompagner, et tu ne voudrais pas la laisser seule. Cela semblerait bizarre… et imagine qu'il lui arrive quelque chose…

India mettait un point d'honneur à remplir ses devoirs, et Freddie cherchait constamment à la prendre en défaut. Une fois de plus, elle s'était pliée à sa volonté.

— C'est bon, nous viendrons.

— Parfait.

Elle avait déjà la main sur la poignée de la porte.

— Où vas-tu ?

— Faire un tour à cheval. On étouffe, ici !

— Encore ?

— J'ai envie de voir les montagnes.

Freddie resta songeur. Elle flottait dans ses vêtements. Avait-elle cessé de s'alimenter ? Il tapota le bout de son stylographe contre ses dents. Ce n'est pas normal…

India n'avait jamais su mentir. La politesse étant souvent faite de dissimulation, elle savait bien sûr complimenter une femme mal fagotée, sourire aux importuns, s'intéresser aux raseurs. Ses obligations exigeaient une certaine hypocrisie, mais elle n'arrivait à cacher ses émotions à personne, même pas à son mari.

Il se leva pour la guetter par la fenêtre du bureau. Quelques minutes plus tard, il la vit partir sur la jument alezane. Elle n'allait pas vers la montagne mais vers l'ouest.

On frappa. C'était Elspeth McGregor.

— Voulez-vous une tasse de thé ? proposa-t-elle. Ou du café ?

Freddie lui adressa son plus charmant sourire.

— Vous m'avez surpris en train de rêvasser !

Elle rosit d'embarras.

— La vue est tellement belle, continua-t-il. J'ai du mal à m'en détacher.

— C'est très beau, en effet.

— Éclairez-moi… Je ne me repère pas encore très bien. Devant, il y a les montagnes, et Nairobi est derrière nous, au sud. Je ne sais plus ce qu'il y a à l'est.

— La province d'Ukamba, et l'extrémité nord de la chaîne de Luitpold.

— Et de l'autre côté ?

— On trouve tout de suite la ferme de Roos, un petit planteur. Ensuite, il y a celle de Maggie Carr. Elle est bien meilleure cultivatrice et elle a la chance d'avoir pour contremaître Sid Baxter. Vous savez, l'homme qui a sauvé Charlotte. Lady India va souvent là-bas.

— Elle lui est très reconnaissante.

— Oui, et elle aime la promenade. Le paysage est encore plus magnifique et sauvage vers l'ouest. Après la ferme de Maggie, il y a la grande réserve forestière des Kikuyu, et, plus loin, le lac Naivasha.

— Il faudrait que je trouve le temps de partir en excursion pour le visiter avec mon épouse. Il y a tant de choses à voir en Afrique, mais malheureusement mon emploi du temps est tellement chargé…

— Bien sûr, c'est dommage. Je vous apporte du café ?

— Avec plaisir, je vous remercie.

— Avec du lait, du sucre ?

— Non, rien. Je l'aime noir et amer, comme mon âme.

Mme McGregor était sortie, très amusée par son mot d'esprit. Dès que la porte s'était refermée, le sourire artificiel de Freddie avait disparu.

Baxter… Sid Baxter… Ce nom lui était décidément familier. Déjà, lors du sauvetage, il l'avait intrigué. Pourtant, cela ne lui revenait pas…

Il s'était remis au travail sans plus y penser, mais, par la suite, l'étrange attitude de sa femme lui était plusieurs fois revenue en tête.

Ce matin-là, alors qu'il s'interrogeait de nouveau sur sa pâleur et son manque d'appétit, il avait compris.

Elle devait être enceinte, et elle montait à cheval à longueur de journée pour faire passer l'enfant. Sans doute n'allait-elle pas à la ferme de Margaret Carr comme elle le prétendait, mais galopait-elle sans discontinuer. Elle avait dû laisser à Londres sa diabolique méthode contraceptive de peur qu'elle ne soit découverte pendant le voyage.

Il avait alors décidé de rendre visite à Margaret Carr dans l'après-midi pour l'interroger. Elle ne trouverait pas sa visite surprenante : elle était planteuse et serait enchantée qu'un membre du gouvernement lui rende visite pour écouter ses doléances. D'ailleurs, il se devait d'aller remercier Baxter d'avoir sauvé sa fille. Il se montrerait très aimable, poserait des questions sur la culture du café, puis demanderait si India était venue les voir. Ainsi, il saurait si elle avait menti…

L'animal nerveux n'eut pas besoin d'autre encouragement pour partir au galop. Il lui fallut moins d'une heure pour arriver à la ferme.

Freddie approcha au trot de la maison de bois, puis mit pied à terre et confia les rênes au boy qui sortait pour l'accueillir.

— Fais-le marcher et donne-lui de l'eau ! Mme Carr est là ?

Le boy ouvrit de grands yeux sans répondre.

— Bon sang ! Ces sauvages ne parlent même pas anglais, bougonna Freddie. Où est Mme Carr ? répéta-t-il plus fort. Où est la *msabu* ?

Le garçon lui indiqua un point dans les champs au loin.

Freddie sortit ses jumelles de sa sacoche et scruta la plantation. Des femmes kikuyu vêtues de rouge se déplaçaient lentement à travers les arbustes verts. Le mouvement d'une personne vêtue de blanc lui permis de repérer une femme portant une chemise d'homme. Elle était petite et carrée, et criait à travers champs en mettant les mains en porte-voix.

Margaret Carr, songea-t-il. Il déplaça un peu ses jumelles pour voir qui elle appelait. C'était un homme, penché sur un caféier, le visage caché sous un casque colonial. Baxter, songea-t-il. Ça ne peut être que lui.

Il allait baisser ses jumelles pour les rejoindre quand Baxter se redressa et ôta son couvre-chef pour s'essuyer le front. Freddie le vit alors presque de face.

— Bon Dieu, murmura-t-il, c'est impossible. Il est mort…

Il régla ses jumelles pour mieux voir. Baxter était toujours face à lui, tête nue. C'était Malone, sans l'ombre d'un doute.

Baxter, Sid Baxter… Cela lui revenait maintenant, évidemment ! C'était le nom que Malone avait pris dans sa cachette d'Arden Street.

Une fureur terrible s'empara de lui. Il comprenait maintenant pourquoi India venait à la plantation tous les matins. Elle avait retrouvé Malone, ils avaient repris leur liaison !

De la peur se mêlait à sa colère. India ne l'avait épousé que parce qu'elle croyait son amant mort. Si elle demandait le divorce, le scandale anéantirait sa carrière et le priverait de la fortune des Selwyn Jones. Jamais il ne deviendrait Premier ministre.

Il s'efforça de respirer profondément pour se calmer et mieux réfléchir. Rien n'était perdu. D'abord, il était essentiel de quitter la plantation avant que Malone ne se sache découvert. India ne devait se douter de rien, autrement elle donnerait l'alerte. Il la laisserait rejoindre son amant le matin et, pendant ce temps, il enverrait une dépêche à Scotland Yard. Il ne faudrait que quelques jours pour le faire arrêter.

— Hé toi, là-bas ! cria-t-il au boy qui emmenait son cheval.

En quelques pas il le rejoignit, lui arracha les rênes et monta en selle. Il repartit aussi vite qu'il était arrivé, ne laissant derrière lui qu'un peu de poussière rouge dans l'air. Le boy lui semblait trop peu éveillé pour parler de sa visite. De toute façon, il ne pourrait pas donner son nom.

Il rentra au galop, usant de sa cravache pour obliger Joshua à forcer l'allure. Il ne comprenait pas le prodige de cette résurrection, mais il saurait le fin mot de l'histoire quand Malone serait jugé.

Cette fois, il ne le laisserait pas échapper. Il le ferait reconduire en Angleterre et le mènerait à la potence.

105

Seamie sentait la tête de Willa ballotter dans son dos. Elle avait encore perdu connaissance. Le délire lui faisait marmonner des propos incohérents depuis une heure, mais il préférait encore cela à un évanouissement. Son état s'aggravait. C'était terriblement inquiétant.

Il s'arrêta pour essuyer la sueur qui coulait sur son front. Ils s'éloignaient du Kilimandjaro, mais le terrain était encore très vallonné, et le soleil était de plomb.

Quand donc atteindrait-il la gare ou, à défaut, la voie de chemin de fer ?

À une centaine de mètres, un bouquet d'acacia offrait un peu d'ombre. Il y porta Willa et l'allongea avec précaution puis il lui souleva la tête et lui tapota la joue.

— Allez, réveille-toi.

Elle marmonna une protestation.

— Il faut boire. Ouvre la bouche.

Il déboucha sa gourde et l'approcha de ses lèvres. Elle détourna la tête avec une grimace.

— Je t'en prie, juste une gorgée, pour moi.

Ses paupières se soulevèrent sur un regard vague.

— C'est bien, allez, bois.

Il fit couler un mince filet d'eau dans sa bouche, mais elle s'étouffa presque aussitôt.

— Non, gémit-elle en toussant.

Il la laissa se rallonger dans l'herbe.

— Je vais regarder ta jambe.

La cheville avait triplé de volume. Quand Seamie eut enlevé le pansement, il poussa un soupir qui n'échappa malheureusement pas à Willa.

— Qu'est-ce qu'il y a ? demanda-t-elle d'une voix faible.

— Ferme les yeux. Repose-toi.

Il déchira des bandes de tissu de sa chemise et se dépêcha d'entourer la jambe pour la lui cacher. L'infection était terrible. La peau était enflammée et brillante, avec de vilaines marbrures rouges. L'extrémité des os brisés avait noirci, et du pus s'écoulait des plaies.

— Ça sent mauvais ! C'est ma jambe ! s'exclama Willa, soudain lucide.

— Tu penses, c'est moi qui ai besoin d'un bain, plaisanta Seamie.

— Donne-moi la carabine. Laisse-moi ici.

— Ne dis pas des choses pareilles.

— Je n'en peux plus.

— J'ai encore la force de te porter.

— Sauve ta peau. Je suis foutue, mais toi, tu as encore une chance de t'en tirer. Laisse-moi, bon sang !

— Tais-toi. Allez, on repart. En selle…

— Laisse-moi !

Il la tira par les bras et la chargea sur son dos. Les mouvements imprimés à sa jambe blessée lui tirèrent des hurlements. Elle jura, le frappa, puis éclata en sanglots, mais il ne céda pas. Plus rien ne comptait pour lui que d'avancer, vaille que vaille, jusqu'à la voie de chemin de fer. Il était à bout après une marche épuisante de cinq jours, mais tenait bon.

En s'éloignant du campement saccagé, il avait craint à chaque pas de recevoir une flèche dans le dos, et ne s'était senti en relative sécurité qu'une fois arrivé dans les hauteurs. La montée avait été épuisante, mais il avait atteint sans encombre le bivouac du Mawenzi où Willa l'attendait, au comble de l'angoisse. En apprenant le drame, elle avait été horrifiée par le sort qui s'acharnait contre eux et avait pleuré pour les porteurs. Seamie supposait que certains avaient réchappé au massacre, et que les Chagga s'étaient lancés à leur poursuite. C'était sans doute à cela qu'il devait d'être encore en vie.

— Alors nous n'avons plus rien... Plus de provisions... et plus personne pour nous aider à descendre.

— Je vais te porter.

— Tu es fou !

— J'en ai la force. J'ai déjà porté du matériel très lourd au pôle Sud, mais il faudra abandonner tous les bagages.

— Pas les plaques photographiques !... Pas les cartes !...

— Ce serait trop lourd.

— Nous ne pouvons pas laisser les plaques ! Sans elles, il n'y aura aucune preuve de notre exploit.

— On s'en fiche !

— Seamie, nous avons trop souffert...

Il s'emporta.

— Tu as une fracture ouverte et tu t'inquiètes pour ces maudites photographies ? Tu ne comprends pas que tu risques de mourir si je ne t'amène pas à un médecin ?

— Une seule, juste une. Je t'en prie. Je serai plus

légère sans mes chaussures de marche et sans ma ceinture.

La discussion avait été âpre, mais ils avaient fini par tomber d'accord. Ils prendraient une plaque, le carnet de Willa, une gourde pleine, de la nourriture, une boussole, leur argent et la carabine. Seamie rangerait le reste dans les sacs à dos, emballant précieusement les autres plaques, leurs notes et leurs relevés, ainsi que leurs instruments de mesure. Il envelopperait le tout dans la toile de tente et cacherait le ballot dans un creux de rocher, avec l'espoir de revenir les chercher un jour.

Il avait alors rempli la gourde, bourré les poches de sa veste de viande séchée et de fromage, puis il avait entreposé leurs affaires comme convenu. Ensuite, il avait confectionné un siège en cordage qui lui permettrait de porter Willa sur son dos même si elle était trop faible pour se tenir à lui. Enfin, il avait entrepris la tâche qu'il redoutait le plus : la pose de l'indispensable attelle.

— Tu vas avoir très mal, mais on ne pourra pas faire deux pas si ta jambe n'est pas soutenue, avait-il expliqué. Il faut que tu puisses supporter les secousses.

— Vas-y.

Il lui avait donné à mordre un morceau de corde, puis, retenant le genou, il avait tiré sur la jambe. Willa s'était cambrée de douleur et avait labouré la terre avec ses ongles. La jambe s'était un peu redressée, mais les os brisés sortaient toujours. Incapable de faire mieux, il avait emmailloté la jambe avec du tissu de sa chemise, puis il avait installé une gouttière composée du carton des couvertures arrachées à leurs livres.

Il était parti ainsi, Willa sur le dos, et était descendu par le chemin qu'il connaissait, aussi bas qu'il l'osait pour arriver sur un terrain plus praticable. Voi étant exclu à cause des Chagga, il avait bifurqué vers le nord-est en direction de Tsavo, autre gare de la ligne ougandaise d'où ils pourraient prendre le train pour Mombasa.

Il y avait une centaine de kilomètres à parcourir. En terrain plat, raisonnablement chargé, Seamie aurait facilement fait des étapes de plus de trente kilomètres, mais le chemin n'était ni plat ni facile, et sa charge était lourde.

Au début, il avait espéré trouver un village où il aurait embauché des porteurs ou, mieux encore, une plantation disposant de chars à bœufs. Mais ils n'avaient pas rencontré âme qui vive. Il avait plu pendant les deux premiers jours, ce qui leur avait évité de se déshydrater. La nourriture, elle, s'était vite épuisée. Le troisième jour, ils avaient trouvé une rivière dans laquelle Seamie avait pu remplir la gourde. Mais une gourde, c'était insuffisant, et l'eau commençait à manquer.

Tout en marchant, le dos brisé, les jambes lourdes comme le plomb, Seamie était obsédé par sa trajectoire. Avait-il mal calculé ? Avait-il pris trop au nord au pied de la montagne ? S'ils ne croisaient pas la voie ferrée, il faudrait encore parcourir cent quarante kilomètres jusqu'à la côte. Autant dire qu'ils n'auraient plus aucune chance.

— Nous devons être près de la voie ferrée, dit-il à voix haute, autant pour ranimer le courage de Willa que pour se rassurer. Je ne m'oriente pas trop mal. Je ne peux pas m'être trompé de beaucoup. Même si j'ai pris trop au nord, nous manquerons Tsavo, mais nous tomberons sur une autre gare. Kenani, par exemple, ou Mtoto Andei. Nous allons y arriver, Willa. On va te soigner.

Elle marmonna quelques mots incompréhensibles, qu'il ne lui fit pas répéter. Il abordait une nouvelle côte quand il entendit un long sifflement au loin.

— Willa ! hurla-t-il. Tu as entendu ? C'est un train ! La voie doit se trouver juste derrière cette colline.

S'il courait, il parviendrait peut-être à arrêter le train en faisant signe au machiniste. C'était un immense espoir, car s'il fallait encore marcher jusqu'à la gare, attendre le prochain départ, Willa ne survivrait sans doute pas.

— Willa ?

Pas de réponse.

— Willa, réveille-toi.

— Non, je t'en prie, Seamie, je t'en prie... murmura-t-elle.

— Je vais te poser. J'ai entendu un train !

Il l'allongea dans l'herbe, posa la gourde près d'elle ainsi que la carabine pour lui permettre de se défendre contre les animaux.

— Je me dépêche, il faut que je l'arrête ! Tu vas voir, on va y arriver !

Willa dodelinait de la tête, ses yeux se fermaient. Il la secoua brutalement par les épaules en criant :

— Réveille-toi, Willa ! Il ne faut pas que tu perdes connaissance !

Ensuite, il ne songea plus qu'à arriver avant le train. Il gravit la montée au pas de course et, dès qu'il fut arrivé en haut, il vit les rails. Il n'en était qu'à quatre cents mètres. Il mit quelques secondes à repérer le train parce qu'il le cherchait dans la mauvaise direction. Le convoi arrivait de l'est à vive allure en crachant un panache de fumée. Il ne se dirigeait pas vers Mombasa comme il l'avait escompté, mais vers Nairobi.

Il dévala la colline comme un fou, trébucha en arrivant en bas, mais reprit son équilibre. Il continua sa course dans les longues herbes de la savane, qui le ralentissaient en s'enroulant autour de ses jambes. Il titubait, peinait, mais ne faiblissait pas. Les rails approchaient. Plus que cent mètres, plus que vingt… Il était arrivé !

Le train n'était même pas à un kilomètre. Seamie monta sur les rails, et sauta en agitant les bras et en criant. Il enleva son haillon de chemise pour le brandir au-dessus de sa tête.

— Arrêtez ! Arrêtez ! hurlait-il en se démenant.

La locomotive fonçait sur lui et donna un coup de sifflet assourdissant, avançant sans ralentir. Il ne sauta du talus qu'au dernier moment.

— Non ! Non ! Arrêtez !

Le train le dépassa, emportant avec lui les dernières chances de Willa.

Et puis, il lui sembla qu'il perdait de la vitesse. Le grincement strident des freins se fit entendre. Des visages, intrigués et inquiets, se penchaient aux fenêtres.

Il s'arrête, songea-t-il. Il s'arrête ! Merci, mon Dieu !

Il se remit à courir pour rejoindre la locomotive, mais le chef de train le héla d'un wagon.

— Au secours, aidez-moi ! cria Seamie, courant toujours pour rester au niveau de la portière qui s'était ouverte. Mon amie est grièvement blessée. Je l'ai laissée de l'autre côté de la colline. Il faut aller la chercher et l'emmener chez un médecin…

Le train s'immobilisa enfin, lâchant d'énormes jets de vapeur sous le châssis. Le chef de train sauta à terre.

— Je n'ai rien entendu, mon garçon, que se passe-t-il ?

Seamie s'expliqua de nouveau. Il dit qu'il avait compté aller à Mombasa et demanda s'il y avait un médecin à Nairobi. Oui, il y en avait un, et le train attendrait qu'il aille chercher son amie. Avait-il besoin d'aide ? Il en avait grand besoin ! L'homme cria au mécanicien de venir leur donner un coup de main.

Le soulagement qu'éprouva alors Seamie fut extraordinaire. Willa était sauvée. Il se tourna vers l'endroit où il l'avait laissée, faisant signe aux deux hommes de le suivre, mais il n'avait pas fait deux pas qu'il entendit un bruit qui lui glaça les sangs. C'était un coup de feu.

106

— C'est bizarre, dit Maggie en regardant Sid fixement. J'ai aperçu Joshua, l'étalon des McGregor, tout à l'heure. Sans doute cette charmante Mme Lytton. Je l'ai déjà vue se promener par ici hier, mais elle montait la jument.

Sid ne lui fit pas le plaisir de réagir. Impassible, il continua de sarcler le pied des caféiers. Le jour baissait, et Wainaina et les autres femmes étaient rentrées chez elles depuis déjà une heure. Sid, lui, continuait sans relâche, comme s'il n'avait pas déjà sué sang et eau sous le chaud soleil depuis l'aube.

— Je sais qu'elle est passée, Sid, et que tu l'as vue, continua Maggie en roulant entre ses doigts quelques baies de café. Baaru me l'a dit. Tu ne pensais pas m'en parler ?

— Pour quoi faire ?

— Que s'est-il passé ?

— Rien.

— Comment ça, rien ? Et ce bleu sur ta joue, il est apparu tout seul ?

Sid redoubla la vigueur de ses coups de sarcloir, irrité par les efforts maladroits de Maggie pour lui arracher des confidences.

— Nous nous sommes disputés, et j'ai reçu une gifle, admit-il, espérant ainsi arrêter l'interrogatoire.

— Tu le méritais, c'est certain. J'imagine que tu n'as pas pu t'empêcher d'être désagréable. C'est drôle, mais j'aurais juré que le cavalier de tout à l'heure était en pantalon. Je me demande si elle porte des culottes quand personne ne la voit. Pauvre femme ! Toujours seule, comme toi.

— Je ne m'ennuie pas.

Maggie s'éloigna dans une rangée de jeunes buissons, inspectant les feuilles, coupant des rejets. Le répit ne serait que de courte durée, car Sid sentait les regards de Maggie dans son dos. Quand sa déambulation la ramena vers lui, elle fit une proposition qui n'était pourtant pas inhabituelle.

— Tu viens dîner à la maison ? Alice a mis à rôtir un gigot de la gazelle que tu nous as ramenée.

— Je préfère continuer ici.

— Tu cherches à punir qui en te fatiguant comme ça ? Mme Lytton ou toi ?

— Je travaille pour que nous ayons une bonne récolte. Je pense que ça ne te dérange pas.

— Depuis cinq heures ce matin, jusqu'à sept heures ce soir. Quatorze heures, et sans déjeuner à ce que je sais. Tu as les mains couvertes d'ampoules.

— Mes mains vont très bien, je te remercie.

— On dirait un bagnard.

La remarque de Maggie tombait trop juste.

— Nom de Dieu, fous-moi la paix !

Mais Maggie n'avait aucune intention de se laisser décourager.

— Tu te crois pis que tout le monde, orgueilleux ! Mais tu es comme nous tous !

— Tu ne sais pas ce que j'ai fait !

— Rien de plus grave que moi.

— Tu as cambriolé des banques, Maggie ? Terrorisé des gens pour qu'ils te donnent de l'argent ?

— Non.

— C'est bien ce que je pensais.

— J'ai tué mon mari.

Sid s'arrêta net et se redressa, dévisageant Maggie, qui continuait d'une voix sourde.

— Il s'appelait Sam. Samuel Edward Carr. Nous avions deux enfants. Un garçon de quatre ans, qui s'appelait Andrew, et une fille de deux ans, Mary. Nous venions d'arriver en Australie. Moi, je serais volontiers restée dans le Devon. J'étais bien chez moi, mais Sam avait la bougeotte. Il rêvait de grands espaces, d'avoir une terre à lui. Alors nous avons vendu notre maison, fait nos bagages, et nous sommes partis avec les enfants. Nous avons acheté un ranch de deux cent cinquante hectares en Nouvelle-Galles du Sud. Nous voulions élever des moutons…

Elle se tut, les yeux dans le vague.

— Je t'écoute… dit-il doucement.

— Un soir, le jour tombait, comme maintenant. Nous n'avions pas encore fini de construire la maison. Nous dormions sous la tente. Nous venions de terminer de souper. J'ai ramassé les assiettes et je suis allée laver la vaisselle au ruisseau. D'habitude, j'emmenais les enfants avec moi, mais Andy s'était tordu la cheville, et je préférais qu'il ne marche pas trop. J'ai demandé à Sam de les surveiller pendant mon absence. Nous avions un feu de camp près de la tente, et je ne voulais pas que les enfants s'en approchent. Je n'aurais jamais dû les laisser. C'était dangereux. Sam n'avait pas l'habitude de s'en occuper. Il ne se rendait pas compte à quel point ils pouvaient être turbulents.

« À peine j'ai eu le dos tourné que notre chien s'est mis à aboyer. Nous avions quelques moutons dans un enclos et des poules dans un poulailler branlant. Sam avait toujours peur que les dingos ne s'y attaquent. Ils avaient déjà emporté un mouton et des poules. Alors il est allé voir ce qui se passait en demandant à Andy de surveiller sa sœur. Je venais de terminer la vaisselle quand j'ai entendu des cris. J'ai tout laissé tomber et je suis revenue en courant. Il faisait presque nuit, mais j'ai vu les enfants. Leurs vêtements étaient en feu, et ils couraient dans tous les sens, ignorant que c'était la dernière chose à faire. Sam a attrapé Mary, moi j'ai pris Andy. Nous les avons roulés par terre pour étouffer les flammes.

Maggie se tut brusquement, incapable de continuer. Sid n'imaginait que trop bien quels souvenirs, quelles images la hantaient.

— Mary a hurlé jusqu'à sa mort, dit-elle finalement. La fin a été plus longue pour Andy. Il a tenu presque toute la journée du lendemain. Lui, il gémissait. Il nous a dit qu'il avait voulu empêcher sa sœur d'approcher du feu, mais que la jupe de Mary s'était embrasée. Il avait essayé d'éteindre les flammes, mais le feu s'était propagé à ses vêtements. Je ne pouvais pas le prendre dans mes bras pour le consoler. Je ne pouvais même pas le toucher. Il n'avait plus de peau. Il n'arrêtait pas de dire : « Pardon, maman, pardon... »

— Ils sont morts tous les deux...

— Oui, tous les deux. Nous les avons enterrés. Sam voulait rester en Australie, mais j'ai mis le feu à la maison. J'ai voulu me jeter dans le brasier. C'est Sam qui m'a retenue. Après, il a vendu les bêtes et le terrain. Nous n'en avons pas tiré grand-chose. Il m'a emmenée ici parce qu'il avait entendu dire que le gouvernement cherchait des colons, et qu'on donnait des parcelles pour une bouchée de pain. Il est mort cinq ans plus tard. Par ma faute. Je n'arrivais pas à lui pardonner ce qui était arrivé. J'étais trop en colère. Je souffrais trop. Nous vivions ensemble, mais il n'y avait plus aucune tendresse. Il me suppliait du regard, mais rien n'y faisait. C'est le désespoir qui l'a tué. C'était un homme bon. Il méritait d'être pardonné. Maintenant, j'ai compris que si je lui en voulais tellement c'était parce que je ne me pardonnais pas l'accident à moi-même.

Maggie se tut, le visage défait. Quel courage il lui a fallu pour raconter cette histoire, songea Sid, profondément touché.

— Il est tard, dit-elle enfin. Je vais rentrer. Je dirai à Alice de te garder ton assiette au chaud.

Il ne lui avait jamais entendu une voix aussi accablée.

— Maggie… je…

Il s'interrompit, ne sachant que dire pour la réconforter.

Elle lui posa la main sur le bras.

— Pardonne si tu veux être pardonné.

107

Du haut de la colline où elle venait tous les matins, India contemplait la plaine de Thika pour la dernière fois. Elle partait le lendemain avec Freddie et Charlotte et n'aurait pas l'occasion de revenir. Elle essayait d'imprimer ce paysage dans sa mémoire : la vague ondoyante des herbes de la savane, les nuages dans le ciel immense, les montagnes au loin, la ferme de Maggie

Carr à ses pieds. C'était dans ce décor qu'elle se souviendrait maintenant de lui.

Sa rencontre avec Sid l'avait plongée dans un état second. Elle ne mangeait plus, ne dormait plus, savait à peine où elle se trouvait. Le sol, autrefois ferme, se dérobait sous ses pieds. Elle s'enfonçait dans les sables mouvants d'un passé construit sur un mensonge. Elle avait tant perdu ! Et sans raison… Le destin faussé de Charlotte l'accablait. Son vrai père était en vie, et elle ne le saurait jamais. Et Sid ne connaîtrait pas son adorable fille…

Elle vivait un supplice. Quelle cruauté ! Les dieux lui avaient enlevé Sid une première fois et allaient l'en séparer de nouveau. Charlotte devrait grandir sous le regard froid d'un homme qui la détestait, alors qu'elle avait un père aimant qui l'aurait choyée. Et elle, comment parviendrait-elle à vivre jour après jour, année après année, en sachant que son malheur n'était pas inéluctable et qu'une existence heureuse aurait été possible ?

Un mouvement attira son attention : un cheval quittait la ferme. Maggie, sans doute, qui allait rendre visite à un voisin. Mais le cavalier, au sortir du chemin, se dirigea droit vers elle. L'angoisse au cœur, elle comprit que c'était Sid. Il l'avait vue…

Prise de panique, redoutant plus que tout une nouvelle dispute, elle tira sur les rênes et dirigea son cheval vers la propriété des McGregor.

— India ! cria Sid derrière elle. India, attends !

Malgré son désir de le voir, elle ne s'arrêta pas. Elle encouragea sa monture et partit au galop. Mais Sid était plus rapide et, quelques secondes plus tard, la rejoignit.

— Arrête-toi !

— Non !

— India, je t'en prie !

La jument dut sentir son hésitation, car elle ralentit de son propre chef. Les deux chevaux continuèrent au pas, côte à côte.

— C'est Maggie qui t'a vue. Il paraît que tu viens te promener ici tous les jours.

— Je suis venue plusieurs fois… mais c'est la dernière. Je pars demain et…

— Je voulais te demander pardon pour l'autre soir, coupa-t-il. Je me suis très mal conduit. Je n'aurais pas dû te faire de reproches, et je n'aurais pas dû… Bon Dieu !… Je n'y arrive pas… Il ne fallait pas venir chez Maggie, India ! Tu cherches à me faire souffrir ?

— Mais je ne savais pas que tu étais là !

— Sid Baxter ! Ça aurait pu te rappeler quelque chose !

— Oui, j'y ai pensé bien sûr. Mais enfin, tu étais mort !

— Je ne dors plus ! Je ne mange plus !

— Je t'avertis, je m'en irai si tu hausses le ton.

— Pardon. Reste encore un peu, je t'en prie.

Il plongea la main dans sa sacoche de selle.

— Tu veux de l'eau ? J'ai une gourde.

Voyant qu'elle hésitait, il insista.

— Je ne te ferai plus de reproches, c'est promis. Regarde ce bouquet de flamboyants. Asseyons-nous à l'ombre.

— Bien… Un moment, si tu veux.

Ils se dirigèrent vers les arbres, puis ils mirent pied à terre et attachèrent les chevaux. Sid choisit un coin d'herbe agréable, mais ils ne s'assirent pas. Ils restèrent debout face à face, bras croisés, sur leurs gardes.

— Alors, tu es venue en Afrique…

— Comme tu vois.

— Freddie va plaider la cause des colons auprès du gouvernement ?

— C'est ce qu'il compte faire, oui.

— Il est devenu secrétaire d'État, je crois.

— Sous-secrétaire d'État.

— Sa carrière est en bonne voie.

— Il a de l'ambition.

— Et Charlotte ? Elle va mieux ?

— Oui, merci.

— Elle est très mignonne. Très intelligente. Et très débrouillarde.

India retint les larmes qui lui montaient aux yeux. Elle retrouvait Sid, vivant, qu'elle aimait de toute son âme, et ils ne savaient pas quoi se dire.

— India, tu pleures ?

— Non, bien sûr que non !

Elle parvint à se reprendre en fixant l'horizon. Il ne fallait surtout pas le regarder. Du fond des temps, le souvenir du Pr Fenwick lui revint. « Le sentiment est l'ennemi de l'intelligence, Jones. » Il avait raison. Mieux valait ne pas avoir de sentiments, on souffrait trop. Hugh Mullins le lui avait appris. Whitechapel aussi. Sid lui donnait le meilleur exemple d'indifférence.

— Je voulais simplement te demander pardon pour l'autre soir, India. Je regrette sincèrement. Je suis heureux que tu sois heureuse…

Alors, malgré ses bonnes résolutions, une colère terrible s'empara d'elle. Elle eut beau essayer de l'étouffer, elle perdit contenance, d'autant qu'il continuait.

— … tu mérites d'être heureuse, plus que n'importe qui.

C'en était trop. L'entendre supposer qu'elle était

heureuse avec un homme qu'elle subissait à cause de lui était insultant, injuste, insupportable !

— Parce que tu crois que je suis heureuse ?

— Mais…

— Bien sûr que je ne suis pas heureuse, égoïste !

— J'essayais d'être aimable.

— Aimable ! Sans-cœur, monstre !

— Pourtant, tu as eu ce que tu voulais ! s'écria Sid, oubliant sa politesse forcée. C'est toi qui as préféré épouser un homme respectable plutôt qu'un criminel. Ta fortune, tes chevaux, tes propriétés, tes bals ne te suffisent pas ?

— Au revoir, Sid.

Elle tourna les talons, ayant peur de dire des choses qu'elle regretterait.

Sid la retint par le bras.

— Pas si vite ! Personne ne t'a obligée à l'épouser.

— Ce qui est fait est fait.

— Pourtant, tu le méprisais ! Mais toi, tu as cru la police ! Tu as cru que j'avais voulu tuer Joe et assassiné Gemma. Comment as-tu pu avaler ça ? Tu me reproches d'être parti sans rien te dire. Mais comment faire confiance à quelqu'un qui vous a dénoncé ?

— Comment ça ?

— Le piège qu'on m'a tendu à Arden Street, ça ne pouvait être que toi !

— Moi ? Mais jamais, jamais…

— Tu me trahis, et puis ensuite tu fais l'innocente…

— Tu as cru que je t'avais dénoncé ? Tu as cru que j'aurais pu te trahir pour Freddie, alors que j'étais prête à tout quitter pour te suivre ? Tu me faisais si peu confiance ? Ma vie a été ruinée par ta faute, et tu m'accuses !

Cette fois, elle éclata en sanglots.

— Personne d'autre que toi n'a pu parler du rendez-vous d'Arden Street ! Donaldson m'a dit que ma maîtresse lui avait donné l'adresse !

— Il te parlait de Gemma ! Elle a donné l'adresse à Freddie avant de mourir.

Ils échangèrent un long regard.

— Je t'ai attendu, Sid... Je t'ai attendu des jours durant. J'ai failli mourir de peur et de chagrin.

— Je croyais que tu avais changé d'avis, que tu ne voulais plus me voir...

Sid avait l'air bouleversé.

— Toutes ces années de souffrance... murmura-t-il.

— Pendant tout ce temps, tu m'as méprisée parce que tu croyais que je t'avais trahi.

— Je ne te méprisais pas, non... Je n'ai jamais cessé de t'aimer... Si j'avais pu t'arracher de mon cœur, ma vie aurait été plus supportable.

Voyant à quel point il souffrait, India s'émut. Son être tout entier se tendait vers lui. N'y tenant plus, elle le prit dans ses bras.

— Sid...

— Je croyais que tu avais préféré Freddie.

— Te préférer Freddie ! C'est que tu me connaissais mal. Tu ne t'es jamais cru digne d'être aimé. Tu ne pensais pas avoir droit au bonheur.

— India, c'est terrible. Te retrouver, comprendre et devoir te perdre encore...

— Ne pars pas, je t'en prie ! chuchota-t-elle. Aime-moi, Sid. Même si ce n'est qu'une heure, même si c'est la dernière fois. Je t'en prie, aime-moi encore une fois.

Elle l'embrassa, ramenée à la vie par sa saveur, son odeur, comme le désert se réveille sous la pluie. Son âme asséchée, exsangue, ressuscitait. Elle sanglotait et riait à la fois, le serrant à l'étouffer, l'embrassant à en perdre le souffle. Peu à peu, il finit par répondre à ses baisers, et ses bras se refermèrent autour d'elle.

— Je n'ai jamais cessé de t'aimer, murmura-t-elle. Pas un seul instant, pas une seule seconde.

Il la fit s'allonger dans l'herbe et la posséda, vite, sans égards, presque sauvagement. Ensuite, il roula sur le dos, se couvrant les yeux avec un bras. Elle se pencha sur lui et but les larmes qu'il voulait cacher. Elle lui ouvrit sa chemise, lui embrassa la gorge, la poitrine, tout en défaisant les boutons. Elle redécouvrait son corps, sa peau… Mais il avait changé. Le soleil lui avait donné une couleur de cuir, le travail des champs avait durci ses muscles. Elle posa les lèvres sur la peau plus pâle, plus fragile, au niveau de son cœur. Prenant son temps, elle lui fit l'amour tendrement, lentement, comme s'ils avaient la vie devant eux.

Quand ce fut fini, elle resta couchée sur lui, serrée dans ses bras comme à Arden Street. Il lui raconta sa fuite de Londres, son arrivée à Mombasa. Elle lui dit comme elle avait souffert en apprenant sa mort, et qu'elle allait souvent jeter des roses blanches dans la Tamise en souvenir de lui. Elle parla peu de sa triste vie, privée de tout ce qu'elle aimait, et surtout de lui. Son seul bonheur, et quel bonheur, c'était Charlotte.

— Reste en Afrique avec moi, dit-il soudain. Reviens-moi.

Elle lui posa un doigt sur les lèvres.

— Chut… C'est impossible. Il ne me rendra jamais ma liberté.

— Parce qu'il vous aime trop, toi et Charlotte ?

— Nous aimer ! Il ne nous aime ni l'une ni l'autre. Tu sais bien que c'est l'argent de mon père qu'il aime. C'est une fortune colossale, et qui ne lui revient qu'à travers moi. Mon père s'est s'assuré qu'il ne divorcerait pas.

— Mais tu pourrais le quitter.

— Si je partais, il me prendrait Charlotte. Je ne doute pas une seconde qu'il y arriverait. Il a le bras long, comme tu t'en doutes. Jamais je ne lui abandonnerai ma fille. Ce serait comme de livrer l'agneau au loup.

— Alors c'est moi qui viendrai à Londres.

— Non ! Si Freddie s'en rendait compte, s'il apprenait que tu es en vie, il te ferait arrêter.

— Mais pourquoi ? Joe m'a disculpé et les journaux ont annoncé l'arrestation de Frankie. Même à Thika nous recevons quelques informations.

— Pour le meurtre de Gemma, voyons.

— Mais je ne suis pas coupable !

— Quelle importance, pour lui ? Il a trop peur de perdre mon argent. Et puis, il a la rancune tenace. Tu n'as pas idée de l'homme sans pitié qu'il est.

— Il est dur avec toi ?

Elle détourna les yeux.

— Et avec Charlotte ?

— Il n'a aucune affection pour elle… à moins qu'un photographe de presse ne veuille prendre un cliché.

— Comment peut-on ne pas aimer sa propre fille ?

À cet instant, India faillit tout lui dire. Elle aurait voulu qu'il sache ce qui était arrivé. Qu'il soit fier de l'enfant merveilleux qu'ils avaient fait ensemble. Mais elle se tut, trouvant trop cruel de lui révéler que Charlotte était sa fille pour la lui enlever aussitôt.

— Il faut que je rentre. On va se demander où je suis. Je dois préparer les malles.

Elle remit sa camisole et sa chemise, puis sa tenue de cavalière.

— Vous rentrez à Londres ? demanda Sid tristement en se levant avec elle.

— Nous devons d'abord passer une quinzaine de jours au mont Kenya.

— Je ne veux pas te perdre.

— Moi non plus.

C'était si terrible qu'ils ne parvenaient même pas à pleurer.

— Il me semble par moments que rien n'est arrivé, dit-il. Que je me réveillerai demain et que tout sera comme avant, comme si je ne t'avais pas revue.

— Pour moi, rien ne sera plus comme avant. Nous aurons nos souvenirs. Notre amour. Personne ne pourra nous les enlever. Je sais que tu es vivant, cela me soutiendra.

— Si seulement j'avais trouvé le moyen de t'avertir, à Londres… Si j'avais pu te parler…

— À quoi bon les regrets ?

— Je t'aime, India.

— Moi aussi, je t'aime.

Ils se serrèrent dans les bras l'un de l'autre, ne parvenant pas à se quitter. Ce fut India qui s'arracha à lui la première. Elle lui prit la main, la porta à sa joue et dit :

— Où que je sois, quoi que je fasse, sache que je penserai toujours à toi, et que je t'aimerai. Toujours, Sid, toujours.

Elle l'embrassa une dernière fois, monta en selle, puis reprit le chemin de la ferme des McGregor. Freddie ne devait rien savoir. Elle devait cacher ses larmes, son émotion, sa faiblesse. Elle prendrait l'excuse de sa longue promenade pour expliquer la rougeur de ses joues, ses cheveux décoiffés. S'il apprenait la vérité, il arriverait malheur.

108

— Il n’y a aucun espoir de sauver sa jambe, annonça l’unique médecin de Nairobi, le Dr Rosendo Ribeiro. La gangrène est trop avancée.

Seamie était épuisé. C’était le soir, et le train venait d’arriver après un interminable voyage. Il avait demandé au premier passant de lui indiquer l’hôpital, et on l’avait dirigé vers une maison de bois branlante à quelques mètres de la gare. Il y avait aussitôt porté Willa évanouie. Ce n’était qu’un hôpital de brousse très sommaire, guère plus grand qu’un cabinet médical, avec un sol de terre battue, quelques lits défoncés, un évier rouillé et beaucoup de mouches.

— Et cela fait cinq jours ? répéta le Dr Ribeiro. Cinq jours ! Je m’étonne qu’elle soit encore en vie. Il faut amputer immédiatement.

— C’est inévitable ?

— Absolument, ou alors la gangrène la tuera. Nous essaierons de couper aussi près que possible de la fracture, mais si l’infection s’est propagée au genou, il faudra sectionner plus haut.

— Non ! s’écria Willa qui venait de reprendre conscience. Je ne veux pas qu’on me coupe la jambe !

— Si nous ne vous amputons pas, vous allez mourir.

Il fit signe à son assistant.

— Pinto, j’ai besoin de toi ! Lave-toi les mains ! La gangrène se répand vite, expliqua-t-il à Willa, et, de toute façon, l’infection empêche les os de se ressouder. Votre seule chance, c’est l’opération.

Willa jeta un regard suppliant à Seamie.

— Ne le laisse pas faire, je t’en prie !

Il lui caressa le front. Elle avait du sang dans les

cheveux et une brûlure à la tempe. Elle avait essayé de se tirer une balle dans la tête pendant qu'il arrêtait le train, mais elle était si faible qu'avec le recul la carabine lui avait échappé des mains. Elle n'avait qu'une éraflure. Un moment de folie passagère, avait pensé Seamie. La douleur lui a fait perdre l'esprit.

— Willa, il faut t'opérer. Tu vas mourir si on ne fait rien.

— Mais mourir… de toute façon, je vais mourir si on me coupe la jambe ! Je vais mourir si je ne peux plus grimper !

— Elle ne sait plus ce qu'elle dit, jugea le médecin. C'est la fièvre, elle délire. J'ai besoin de votre accord immédiatement. Si nous voulons qu'elle ait une chance, il faut agir tout de suite !

Seamie se frotta les yeux. S'il le laissait amputer, ce serait contre la volonté de Willa. Mais si elle mourait – et elle mourrait sûrement –, il serait responsable.

— Alors ?

— Allez-y.

— Non ! hurla Willa. Non, Seamie, non, je t'en prie !

— Il le faut, je t'assure, dit-il d'une voix tremblante. Tu verras, ça ira.

— Si vous voulez bien nous laisser faire notre travail, maintenant, dit le médecin en avançant vers le lit. Pinto, le chloroforme.

L'infirmier apportait le masque. Elle le lui fit tomber des mains en se débattant. Le Dr Ribeiro dut lui tenir les bras.

— Vite, Pinto.

— Non ! criait Willa en agitant frénétiquement la tête de gauche à droite. Non !

L'infirmier lui immobilisa la tête, puis lui appliqua le masque sur le visage. Elle cherchait encore Seamie des yeux pour essayer de le faire fléchir en le suppliant du regard. Il s'écarta.

— Voilà, ma petite, c'est bien, dit le Dr Ribeiro d'un ton apaisant. Respirez à fond. Bien. Encore une fois…

Au bout de quelques secondes, Pinto enleva le masque.

— Elle dort.

— Parfait. Dépêchons-nous. Désinfecte la jambe du genou à la fracture, puis donne-moi la scie, les scalpels, les pinces, la pointe à cautériser, le fil et les aiguilles.

— Quelle horreur, remarqua l'infirmier en dégageant la jambe des tissus souillés. Le muscle est en putréfaction, et le…

— J'ai vu, Pinto, coupa le Dr Ribeiro. Monsieur, ajouta-t-il en se tournant vers Seamie, à moins que vous ne soyez particulièrement endurci, je vous conseille de nous laisser travailler. Il y a un bon hôtel en ville, le Norfolk. Ce n'est pas loin. Nous allons la sauver.

Seamie eut le plus grand mal à se décider.

— Laissez-nous, c'est mieux, je vous en prie.

— Je ne peux rien faire pour elle, docteur ?

— Prier.

109

Tom Meade passa la tête dans le bureau que Freddie Lytton occupait au palais du gouverneur à Nairobi. Il avait les bras chargés de dossiers et de documents.

— Bonjour, monsieur.

— Oui, bonjour, bonjour.

Freddie terminait un article pour le *Times*, relatant sa

chasse au lion à Thika. Il passait sous silence la disparition de Charlotte, ne voulant pas donner l'impression que l'Afrique était un pays dangereux, ou qu'il ne surveillait pas convenablement sa fille.

— Votre emploi du temps, monsieur, dit Tom en plaçant un papier dactylographié sur le bureau.

Freddie y jeta un coup d'œil.

— Nous croulons sous les invitations, expliqua Tom. Tout le monde réclame votre présence. À dix heures, vous devez inaugurer les nouvelles écuries de l'hippodrome ; à onze heures, le géomètre de la province de Seyidie a demandé un entretien à cause d'un litige sur le tracé de la frontière avec les Allemands dans le district de Vanga. À midi, déjeuner avec l'Association des commerçants ; à deux heures, rendez-vous avec le préfet de district de la frontière Nord. Après cela, je n'ai rien accepté car vous devez vous préparer pour le dîner du gouverneur.

Tom posa un à un les dossiers sur le bureau.

— Pour votre intervention, ce soir. Ici, un inventaire de la population pour tout le protectorat, par district, classe et taille des exploitations, type de production…

— Pas de télégramme de Londres ? coupa Freddie avec impatience.

— Si, de Scotland Yard, il me semble !

Le sous-préfet se dépêcha de le lui trouver.

— C'est bien, merci, dit Freddie en s'en saisissant.

Il avait envoyé une dépêche à Alvin Donaldson, promu commissaire à Scotland Yard, lui demandant de trouver le rapport du médecin légiste sur l'autopsie de Sid Malone et de lui dire si l'identification était irréfutable. La réponse était claire. Le corps repêché dans la Tamise six ans plus tôt était en trop mauvais état pour rendre l'identification certaine. Seuls quelques cheveux roux avaient permis de le reconnaître, et surtout les effets personnels trouvés dans les poches. Freddie avait vu juste. Malone avait lancé un leurre, cette réponse en était la confirmation. Il n'en avait d'ailleurs guère besoin, l'ayant vu en excellente santé en début de semaine à Thika.

L'attitude d'India le préoccupait. Elle semblait extrêmement perturbée... À l'évidence, elle songeait à le quitter. La veille de leur départ pour Nairobi, il l'avait trouvée particulièrement fiévreuse et agitée. Sans doute cherchait-elle un moyen de lui échapper. Mais il ne la laisserait pas faire : il avait eu trop de mal à mettre la main sur sa fortune pour la laisser échapper.

— Mauvaise nouvelle, monsieur ?

Perdu dans ses sombres pensées, Freddie avait oublié la présence de Meade qui attendait ses instructions.

— Oui, Tom, malheureusement. Un homme très dangereux a trouvé refuge dans le protectorat. Un homme recherché pour meurtre à Londres. Je dois parler au gouverneur dès ce matin pour organiser son arrestation.

— Un meurtrier ? Comment s'appelle-t-il ?

— À Londres, on le connaît sous le nom de Malone, mais ici il se fait appeler Baxter. Sid Baxter.

— Baxter ? Je ne peux pas le croire !

Freddie eut un sourire.

— Croyez-le ou non, c'est un fait.

L'expression de Meade se durcit.

— Il y a une procédure à respecter, répondit-il sèchement. Même à Nairobi. Il ne suffit pas de l'accord du gouverneur. Puis-je savoir ce que vous avez l'intention de faire ?

— Mais le rapatrier, évidemment. Et puis le faire pendre.

Joe avait toujours cru le malheur immatériel. Mais ici, à la prison de Wandsworth, il l'appréhendait, il l'entendait comme un être réel dont le pas résonnait dans les couloirs. Il suintait le long des murs de granit gris, moisissait dans les fissures, envahissait les lieux de sa puanteur. Il s'insinuait dans la chair, humide et froid comme une tombe.

— À l'époque de sa construction, Wandsworth était une prison modèle, expliqua d'un ton guilleret le directeur qui l'escortait au parloir. On lui a donné une forme d'étoile, ce qui était révolutionnaire il y a cinquante ans. Les couloirs rayonnent autour du bloc de surveillance d'où les gardiens peuvent tout voir. Une prison panoptique, comme on dit, et beaucoup plus humaine.

— Plus humaine, vous trouvez ?

— Tout est relatif, certainement, mais à côté de la prison de Reading, c'est un paradis. Vous connaissez ?

— La prison de Reading ? Pas du tout.

— Elle a été construite quelques années avant celle de Wandsworth. Le principe était l'isolement total des prisonniers. Des cellules individuelles avec des portes et des murs épais, qui les empêchaient de se voir et de parler. Dès qu'ils sortaient de leur cellule, ils portaient des cagoules longues seulement percées de trous pour les yeux. Ils prenaient leurs repas seuls. Ils vivaient sans aucun contact avec les autres. On pensait que la solitude aurait une valeur éducative, mais les prisonniers devenaient fous… Vous espérez encore tirer quelque chose de ce pauvre Betts ? Votre dernière entrevue n'a pas suffi ?

— Il est plutôt récalcitrant.

Le directeur poussa un soupir compatissant.

— Je vous souhaite plus de chance cette fois. Vous risquez de ne pas avoir l'occasion de le revoir. Il a la tuberculose, vous savez.

— Je l'avais deviné.

— Nous y voilà. Je vous laisse. Restez bien de l'autre côté de la table. Le gardien est là, mais il arrive que les prisonniers aient des accès de violence.

— Il ne peut guère me faire plus de mal qu'il ne m'en a déjà fait !

Le directeur le salua et repartit pendant que Joe faisait rouler son fauteuil vers l'une des longues tables du parloir. Depuis qu'il avait appris l'existence de l'enfant de Sid, Bristow était plus que jamais déterminé à réussir. Son serment lui pesait terriblement. S'il parlait, il trahirait Ella, le Dr Jones et sa fille. Mais, en se taisant, c'était Fiona qu'il avait le sentiment de tromper. Seul Frankie Betts pouvait les aider.

Quelques minutes plus tard, la lourde porte de fer du couloir des cellules s'ouvrit, et Frankie apparut.

— Encore toi, Bristow ! s'exclama-t-il.

Il était tellement décharné que Joe eut presque pitié de lui.

— Bonjour, Frankie.

— Je ne veux pas le voir, ramenez-moi à ma cellule !

— Assieds-toi, Betts ! tonna le gardien.

Quand ils furent face à face, Joe alla droit au but.

— J'ai compris beaucoup de choses depuis la dernière fois, Frankie. J'ai découvert que le docteur dont tu parlais était le Dr Jones. Tu ne devais pas l'aimer beaucoup. Elle t'a volé Sid, en quelque sorte.

— Connais pas. Tu perds ton temps.

— Ça devait te mettre en rogne que Sid veuille partir avec elle. Tu as voulu me tuer pour lui faire du tort. Avec une accusation pareille, on ne risquait pas de le laisser filer.

— Des inventions, tout ça.

— On dit que c'est toi qui as tué Gemma Dean. Après m'avoir raté, il fallait rattraper le coup.

— Les gens disent ce qu'ils veulent. Gemma est morte. Sid aussi. Qu'est-ce que ça change ?

— Beaucoup de choses, parce que tu ne sais pas tout. Sid n'est pas mort. Le corps trouvé dans la Tamise n'était pas le sien. Il a fait cette mise en scène pour pouvoir s'enfuir.

— Tu me racontes des histoires !

Il avait beau protester, Joe vit un doute dans les yeux de Frankie.

— C'est la vérité, Frankie.

Il le considéra gravement, puis il ajouta :

— Sid n'a pas tué Gemma. Il a donné sa parole. Toi non plus, tu n'es pas coupable, j'en suis certain. Alors, qui l'a tuée, Frankie ? Qui ?

Une toux terrible lui répondit, profonde, déchirante. Frankie cracha du sang dans son mouchoir.

— Tu vas mourir, dit doucement Joe. N'emporte pas dans ta tombe la dernière chance de Sid. Aide-le.

Faible et profondément abattu, Frankie baissa la tête. Joe devina qu'il se débattait avec sa conscience.

— Je t'en prie, parle. Si ce n'est pas pour Sid, fais-le pour moi, l'homme que tu as privé de ses jambes. Tu sais qui a tué Gemma Dean ?

Frankie leva les yeux vers lui.

— Ben oui, je le sais. Je l'ai vu. Comme je te vois. J'y étais.

111

Sid devina qu'on venait l'arrêter bien avant que les chevaux n'entrent dans le chemin qui menait à la ferme, et que les hommes venus de Nairobi ne montent chez Maggie. Ce fut la poussière qui l'avertit, la poussière rouge de la route qui montait au loin. Il avait toujours su que cela se terminerait ainsi.

Il ferrait la jument de Maggie quand Baaru attira son attention sur le nuage révélateur. Alors, il acheva sa tâche, puis il confia le cheval à Baaru pour que celui-ci le ramène à la grange. Il eut le temps de rentrer chez lui, de se laver et de préparer quelques affaires. Il rassembla du linge propre et des livres. Les journées lui paraîtraient longues en prison.

Il aurait facilement pu se cacher dans la brousse, mais il préférait se rendre. Quelle importance ? Il se moquait d'être pendu. Pour vouloir vivre, il fallait quelques raisons de rester sur terre. Il regretterait l'existence qu'il avait menée chez Maggie, mais, maintenant qu'il avait revu India, cela ne lui suffirait plus.

Quand il eut bouclé son sac, il alla chez Maggie en passant par l'arrière. Il traversa la cuisine et s'arrêta à la porte du salon. Ils étaient venus à six, et des éclats de voix prouvaient que Maggie se montrait coriace.

— Si vous ne nous menez pas à lui, nous le trouverons sans vous, lança une voix qu'il reconnut.

C'était Ewart Grogan, juge à Nairobi.

— Et moi, je veux savoir pourquoi vous voulez l'arrêter. Vous ne pouvez pas me l'enlever ! J'ai besoin de mon contremaître !

— Je suis là, Maggie, inutile de résister, dit Sid en entrant dans la pièce.

— Vous savez pourquoi nous sommes là ? demanda Grogan.

— Je m'en doute.

— Bien. Emmenez-le.

Un policier se dirigea vers Sid en décrochant les menottes qui pendaient à sa ceinture.

— Sid Malone, je vous arrête pour le meurtre de Gemma Dean.

— Il ne s'appelle pas Malone, coupa Maggie. Vous vous trompez d'homme !

— Si, c'est bien lui, répondit l'homme qui passait les menottes à Sid.

Ils sortirent, suivis de Maggie qui protestait toujours. L'éclair d'un flash fusa. Elle poussa une exclamation en voyant un homme qui avait installé son trépied sur la pelouse pour prendre des photographies. Elle se précipita, le bouscula et fit tomber l'appareil.

— Sortez de ma propriété tout de suite !

— Calme-toi, Maggie !

Elle fit volte-face.

— Tom ! Où te cachais-tu ? J'exige des explications !

— Désolé, mais nous sommes obligés de l'arrêter. Ce sont les ordres du gouverneur.

— Où l'emmenez-vous ?

— À la prison de Nairobi.

— Ils m'accusent d'avoir assassiné une femme à Londres, expliqua Sid.

— Mais tu n'es pas coupable ?

— Non, ce n'est pas moi, je n'ai rien fait.

— Alors ne t'inquiète pas. Le temps de demander à Roos ou aux fils Thompson de surveiller la ferme pendant mon absence, et je te rejoins à Nairobi. Je vais te trouver un avocat. Je vais te sortir de là.

Elle se tourna vers Grogan.

— Ça va vous coûter cher, ce petit caprice ! Venir chez moi sans mon autorisation, entrer dans ma maison, m'enlever mon contremaître…

Alors que Maggie continuait à vitupérer, Sid vit approcher un cavalier blond resté sur le chemin à quelque distance. Son sang se glaça.

— Monsieur Malone. Voilà bien longtemps que nous ne nous sommes pas vus.

— Pour mon plus grand plaisir, Freddie.

Maggie, rouge d'indignation, lui agrippa le bras.

— Ne t'en fais pas, mon garçon, je m'en occupe. Tu seras de retour avant la récolte.

Sid considéra Freddie et son air cruel et triomphal.

— Non, Maggie, soupira-t-il. Je ne crois pas.

112

India trouva Freddie dans sa chambre, en train de nouer sa cravate devant la psyché.

— Freddie ! s'écria-t-elle. Pourquoi ? Pourquoi as-tu fait une chose pareille ?

— Que se passe-t-il ? demanda-t-il avec ennui sans se tourner vers elle.

— Tu le sais très bien !

— Je te prie de parler plus bas. Tu vas déranger nos hôtes.

— La femme du gouverneur vient de m'apprendre l'arrestation de Sid Baxter. À la table du petit déjeuner, alors que je me servais du thé !

La nouvelle avait failli lui arracher un cri, et elle avait

eu toutes les peines du monde à retenir ses larmes. Au prix d'un énorme effort, elle était parvenue à avaler la moitié d'un toast et à finir sa tasse, puis dès que la bienséance le lui avait autorisé, elle avait quitté la table de lady Hayes Sadler.

— Fais-le libérer.

— Je n'ai pas un tel pouvoir.

— C'est tellement inutile…

— Mais enfin, India, on ne peut pas laisser courir un criminel.

— C'est toi le criminel !

— Ce n'est pas moi qui ai tué Gemma Dean.

— Ce n'est pas lui non plus.

— Ce sera au juge d'en décider.

— Un juge que tu auras acheté !

Freddie vit qu'il avait fait son nœud de travers, et il pesta en le recommençant.

— Comment as-tu appris qu'il était ici ? Tu m'as suivie ?

— J'ai fait un tour à la ferme de Margaret Carr, et je l'y ai vu. Si je ne l'avais pas fait arrêter, j'aurais manqué à tous mes devoirs.

— Il risque d'être pendu, tu le sais. Si tu le fais rentrer en Angleterre, il sera condamné à mort.

— C'est bien ce que j'espère.

— Mais pourquoi t'acharnes-tu sur lui ?

— Je protège mes intérêts, voilà tout.

— Mais si ce n'est que cela, l'argent, les propriétés, je te les donne. Je signerai tous les papiers que tu voudras. Je t'en supplie, laisse-le partir.

— Ce n'est pas aussi simple que tu sembles le penser. Ton père était un vieux renard et il a prévu toutes les éventualités. Il n'y a aucun moyen de transférer tes biens. Et puis, il n'y a pas que l'argent. Je me préoccupe aussi de ma réputation. Je ne deviendrai jamais Premier ministre si ma femme m'abandonne, et pour un criminel, par-dessus le marché.

India reprit l'offensive. Il fallait à tout prix trouver un terrain d'entente, sinon Sid allait mourir.

— Je te donne ma parole de ne jamais le revoir. Je resterai ta femme et je sauverai les apparences. Mais s'il est pendu, je divorcerai. Je causerai un terrible scandale.

Freddie éclata de rire.

— Tu oublies Charlotte. Tu ne feras rien du tout. Pense à elle.

— J'aime infiniment ma fille, mais j'ai de l'argent, et je peux payer de très bons avocats. Les meilleurs de Londres. Je divorcerai, sois-en assuré. J'emmènerai Charlotte et, toi, tu ne deviendras jamais Premier ministre.

— Je ne doute pas que tu sois capable de divorcer, mais si tu le fais, je te jure que tu ne reverras jamais ta fille. J'ai des amis haut placés au ministère de l'Intérieur, à la Justice. Même au cabinet du Premier ministre. Je ferai ce qu'il faudra pour qu'on te déclare mère indigne, et on te l'enlèvera.

— Tu n'y arriveras pas ! Il faudrait prouver que je manque de moralité, or je n'ai pas fait le moindre écart depuis que nous nous sommes mariés.

— Non, en effet, mais auparavant, tu as mené une vie très dissolue. Combien de contraceptifs as-tu distribués à l'insu de ton employeur ? Le Dr Edwin Gifford ne demandera pas mieux que de témoigner contre toi. Et je trouverai des témoins de ta liaison avec Malone. Ta propriétaire d'Arden Street, par exemple, dira qu'elle vous croyait mari et femme. Et puis, il y a ta fuite des mains des agents chez les Moskowitz. Tu as tenté d'aller avertir ton amant du piège que lui tendait la police. Tu pourrais aller en prison pour complicité. Aucun juge ne te trouvera apte à élever un enfant.

Cravate impeccablement nouée, Freddie s'approcha d'elle, si près qu'elle sentit l'odeur de son savon et de sa chemise amidonnée. Malgré le dégoût qu'il lui inspirait, elle rencontra son regard. Il était souverainement sûr de lui.

— Si tu divorces, tu ne la reverras jamais. Pas un seul jour. Même pas le dimanche, même pas à Noël ou pour son anniversaire. J'enfermerai Charlotte quelque part avec une gouvernante sévère qui aura pour ordre de ne lui donner aucune affection. Je lui dirai que tu l'as abandonnée parce que tu ne l'aimais plus. Je la rendrai très malheureuse, et je lui dirai que c'est à cause de toi. Tu n'as qu'à choisir entre ta fille et ton amant.

India ferma les yeux. Quelle naïveté que de croire qu'elle aurait pu marchander quoi que ce soit avec lui ! Elle n'avait pas plus le choix de sa décision aujourd'hui qu'elle ne l'avait eu quand elle l'avait épousé.

On frappa à la porte.

— Entrez ! cria Freddie.

C'était la femme de chambre.

— Pardon, lady India, je voudrais savoir si vous comptez emporter vos robes du soir au mont Kenya, ou si je dois les emballer dans les malles qui retournent à Londres ?

India garda le silence un instant, puis, le cœur brisé, elle répondit calmement :

— Faites-les partir pour Londres, Mary. Je ne prendrai que mes robes d'après-midi et ma tenue de cheval.

— Bien, Madame, dit Mary en ressortant.

— Sage décision, commenta Freddie. Maintenant, excuse-moi, mais j'ai du travail. Prépare bien notre voyage. Une quinzaine de jours en famille. Quels agréables moments en perspective ! J'ai hâte d'y être.

113

Seamie essayait de voir à l'intérieur de l'hôpital par une des fenêtres. Le soleil n'était pas encore levé, mais une lampe à pétrole éclairait la pièce. Un homme lisait, assis près d'un lit. C'était le médecin qui veillait Willa, immobile sous les draps.

Il frappa doucement au carreau. Quelques secondes plus tard, le Dr Ribeiro ouvrit la porte et sortit le rejoindre sur la véranda. Son air épuisé et ses vêtements fripés indiquaient qu'il n'avait pas pris de repos.

— Comment va-t-elle ?

— Je vous attendais, mais pas aussi tôt. Il n'est même pas encore cinq heures. Vous n'avez pas trouvé le Norfolk ?

— Si. J'ai pris une chambre, je me suis rafraîchi, mais impossible de fermer l'œil. Alors, comment va-t-elle ?

— Aussi bien que possible. C'est une forte constitution. Elle a perdu du sang pendant l'opération, bien sûr, et elle est affaiblie, mais la fièvre a diminué. Maintenant que la gangrène est éliminée, elle va remonter la pente. Une amputation, c'est très dur, surtout pour une femme. C'est une telle obsession pour elles d'avoir de jolies jambes et des chevilles fines !

— Pas pour Willa. Pour elle, c'était leur force qui primait. C'était une alpiniste accomplie.

— Eh bien, il faudra qu'elle trouve une autre occupation. Les femmes n'ont rien à faire sur les montagnes.

— Elle aimait l'escalade…

— Et voyez où ça l'a menée !

Seamie n'insista pas, voyant que l'homme n'avait pas l'habitude de la contradiction.

— Je lui ai apporté quelques affaires, dit-il. Je peux les laisser près de son lit ?

Il lui avait acheté des vêtements et des journaux la veille.

— Si vous voulez, mais ne la réveillez pas. Elle a besoin de sommeil. Il n'y a rien de plus réparateur.

Le Dr Ribeiro le laissa entrer, puis alla s'affairer dans un coin de la pièce. Seamie entendit de l'eau couler et sentit l'odeur d'un réchaud, puis celle du café.

Il avança vers le lit en silence et posa le sac qu'il apportait. En se redressant, il vit qu'elle avait les yeux ouverts, tournés vers le plafond. Elle était si pâle, si frêle… Son expression tragique lui étreignit le cœur.

— Willa ? murmura-t-il. Comment te sens-tu ?

Elle ne le regarda pas.

— On m'a coupé la jambe, dit-elle d'une voix monocorde.

— Je sais…

Il se força à regarder le drap. Il retombait à plat après le genou.

— Je t'avais dit de ne pas l'autoriser à m'opérer.

— Tu n'aurais pas survécu.

— Ça ne m'aurait pas gênée de mourir.

— Ne dis pas des choses pareilles. Ce n'est pas vrai.

— Je ne vais plus pouvoir aller en montagne.

— Je ne sais pas, Willa, je ne sais pas…

Elle ferma les yeux, et des larmes glissèrent sous ses cils noirs.

— Ne pleure pas, je t'en prie. Ça va aller, je t'assure.

Il ne savait pas quoi faire, ni quoi dire. Il aurait voulu la prendre dans ses bras, embrasser ses joues pâles, mais il avait peur de lui déplaire. Il redoutait sa colère, son désespoir, et craignait aussi qu'elle ait raison. Et si, en lui enlevant la jambe, le médecin lui avait aussi enlevé son appétit de vivre ?

— Je t'ai apporté quelques affaires. Des vêtements neufs, des journaux…

— Je suis fatiguée.

Seamie soupira, blessé par sa froideur. Si seulement elle lui avait dit qu'elle l'aimait encore, il aurait eu le courage de la réconforter, mais il était trop désemparé.

— Bien, je vais te laisser te reposer. Je reviendrai plus tard, dit-il, découragé.

Il sortit les vêtements du sac et les plaça sur une chaise, au pied du lit. Il posa le journal local sur la petite table de chevet. Un gros titre annonçant l'arrestation d'un assassin attira vaguement son attention, mais sans qu'il le lise vraiment.

Il allait repartir quand il vit le médecin lui faire signe de le rejoindre.

— Elle vous a parlé ?

— À peine. Elle m'en veut de vous avoir autorisé à opérer. Elle est très en colère.

— C'est normal. À la longue, elle acceptera. Il faut lui laisser le temps.

Seamie hocha la tête en se frottant le visage.

— Vous avez mangé depuis votre arrivée, monsieur Finnegan ?

— Je ne sais plus… On m'a donné un sandwich dans le train, je crois.

— Ne vous laissez pas dépérir. Occupez-vous un peu de votre propre santé, ou vous allez finir par occuper un de nos lits. Rentrez au Norfolk, prenez un bon petit déjeuner, dormez. Laissez Mlle Alden se reposer. La prochaine fois que vous viendrez, elle ira un peu mieux, vous verrez.

Seamie le remercia et, comme il le lui avait conseillé, retourna à son hôtel. Ribeiro avait raison. Il était à bout de forces, et Willa venait à peine de réchapper à la mort. Plus tard, quand ils se seraient un peu reposés, l'avenir leur semblerait moins noir.

Nairobi n'était pas une grande ville et il ne mit pas longtemps à retourner à l'hôtel, un beau bâtiment entouré d'une longue véranda.

— La salle à manger n'est pas encore ouverte, Monsieur, lui apprit le réceptionniste. Le petit déjeuner n'est servi qu'à partir de sept heures. Mais vous pouvez vous installer au bar, on vous apportera du café et des toasts.

Seamie s'installa donc au bar. Des clients s'y trouvaient déjà : quelques planteurs, un prêtre, deux militaires, un voyageur de commerce. Une serveuse lui apporta une cafetière de bon café kényan bien chaud. Il s'en servit une tasse, qu'il savoura accompagnée de toasts tièdes, de beurre et de confiture de fraises. Après son régime de viande de chèvre séchée et d'eau trouble, ce café et ces toasts lui semblèrent d'un luxe inouï.

Il ne rêvait plus que d'un grand bain chaud et d'un sommeil réparateur. Willa finirait par comprendre qu'il avait pris la seule décision possible. Rien ne pourrait lui faire oublier le bonheur incroyable qu'ils avaient partagé au sommet. Il avait avoué son amour à Willa, et il avait découvert qu'elle l'aimait aussi. Rien d'autre ne comptait. Ils auraient la force de surmonter cette épreuve terrible, parce qu'ils avaient cet amour pour les soutenir.

Il reprit un toast et du café. Avec ses forces, son optimisme revenait. Il eut envie de lire le journal en fumant une cigarette, comme un jour normal. Il n'avait pas de cigarettes, mais un journal était posé sur la table des planteurs.

— Excusez-moi. Ce journal est à vous ? Cela vous ennuierait que je vous l'emprunte ?

— Allez-y, dit l'un d'eux en le lui tendant. Vous avez vu la nouvelle ? reprit-il en se tournant vers ses compagnons. On a arrêté Baxter, vous vous rendez compte ?

— Quoi, le contremaître de Maggie ?

— Oui, Sid. Il était recherché pour meurtre à Londres. Il aurait tué une actrice il y a des années. Il a changé de nom en arrivant ici.

Seamie eut un coup au cœur. Il posa sa tasse et déplia le journal.

Non ! pensa-t-il. Non, ce n'est pas possible ! Ça ne peut pas être lui ! La coïncidence serait trop incroyable.

Mais c'était bien lui. Il y avait une photographie, mal contrastée, barrée d'un long trait, comme si la plaque avait été cassée. Elle montrait cependant clairement un homme descendant d'une véranda, les menottes aux poignets. Il baissait la tête, mais Seamie le reconnut.

C'était son frère Charlie.

114

Sid était assis par terre, dos au mur, tête entre les mains. Un bol encore plein de *suferia*, une bouillie de haricots, refroidissait à côté de lui. Il gardait le plus de distance possible avec le matelas grouillant de vermine posé à même le sol de terre battue de son cachot vide, qui ne contenait qu'un pot de chambre en fer-blanc dans un coin.

Il avait les yeux fermés, mais luttait contre le sommeil. Dès qu'il sombrait, des visions atroces de ses premiers mois de prison à Londres le réveillaient en sursaut. Il entendait des pas dans le couloir. Il entendait le rire des gardiens. Il entendait Wiggs dire qu'il reviendrait le lendemain.

Sa vie ne serait plus que ce désespoir, cette terreur suffocante, cette solitude, jusqu'au jour où on le mènerait au gibet, et où le bourreau lui passerait la corde autour du cou.

Un bruit de pas le fit tressaillir.

— Bon Dieu, c'est bien toi ! Tu sais que je n'en reviens pas !

Il redressa la tête. Un jeune homme le regardait à travers les barreaux. Le visage décharné lui rappelait quelqu'un, mais…

— Non ! s'exclama-t-il. Impossible ! Seamie ! Par quel miracle ?

— Oui, c'est moi, en chair et en os… enfin, plus en os qu'en chair, pour l'instant.

Sid se leva vivement et saisit la main que Seamie lui tendait à travers les barreaux.

— Que fais-tu ici ? Que t'est-il arrivé ? Tu es d'une maigreur !

— Je vais te raconter.

Seamie trouva une chaise qu'il approcha des barreaux. Il s'assit pendant que son frère reprenait place par terre, et, penché en avant, coudes sur les genoux, il lui parla avec autant de plaisir que s'ils ne s'étaient pas trouvés dans une prison. Il lui raconta toute son aventure. L'accident de Willa désola Sid, surtout quand il comprit à quel point son frère tenait à elle.

— Je l'aime plus que tout au monde, et elle me tient pour responsable de son amputation…

— Elle se remettra, petit, tu verras.

Seamie secoua la tête, loin d'être convaincu.

— Voilà, tu sais tout, dit-il avec un soupir. Raconte-moi comment tu te retrouves ici.

Sid lui parla d'India, ce qu'il n'avait encore jamais fait. Il lui dit que, chez Maggie, il avait retrouvé un peu de sérénité, mais que cette paix avait volé en éclats avec l'arrivée des Lytton.

— J'ai lu dans le journal qu'on te rapatriait à Londres pour être jugé.

— Il veut me faire pendre.

— Il a peur que tu lui prennes sa femme ?

— Non, ses millions.

— Heureusement ce n'est pas lui mais la justice qui décidera. Comme il n'y a aucune preuve, on te libérera.

— Lytton prétend m'avoir vu. C'est la parole d'un député contre celle d'un homme au passé trouble…

L'accablement chassé par l'arrivée inopinée de son frère le reprenait.

— Je n'ai aucune chance de m'en sortir.

— Voyons…

Il fut interrompu par des cris au bout du couloir.

— Attends ici ! tonnait le gardien. Le règlement n'autorise les prisonniers à recevoir qu'une seule visite à la fois !

— Pousse-toi de là, George ! J'ai fait deux jours de voyage pour le voir. J'ai dû laisser ma ferme aux mains d'un pleurnichard alcoolique. Mes ramasseuses refusent de travailler quand je ne suis pas là, et j'ai trois cent cinquante hectares de caféiers qui pourrissent pendant que tu me fais attendre. Et tout ça parce que le gouverneur a fait arrêter mon contremaître sans aucune raison. Alors, ton règlement ne m'impressionne pas. Laisse-moi passer !

Maggie n'avait rien perdu de sa pugnacité. Elle fit si bien qu'elle obtint gain de cause.

— Maggie ! s'exclama Sid en se levant. Tu es passée, à ce que je vois.

— Pour qui se prend-il ? On dirait qu'il détient un dangereux criminel ! Bon Dieu, qui est-ce ? On dirait ton jumeau.

— Je te présente mon frère, Seamus Finnegan. Seamie, ma patronne, Margaret Carr.

Seamie se leva pour lui serrer la main.

— Comment se fait-il que vous soyez ici ? s'étonna-t-elle.

— C'est une longue histoire, madame.

— Vous me raconterez ça plus tard. Nous avons des choses sérieuses à régler.

Elle se laissa tomber sur la chaise que Seamie venait de libérer.

— Je suis allée voir cette mauviette de Tom Meade. Je suis arrivée à lui faire honte et je l'ai obligé à me dire ce qui se tramait. Il paraît qu'ils comptent te garder ici encore trois jours, puis qu'ils te feront prendre le train pour Mombasa. Ensuite, on te fera embarquer sur un bateau pour Londres, direction la prison de Wandsworth.

Sid en eut des sueurs froides.

— Sid ! Sid, tu m'écoutes ? Il faut s'organiser.

— Que veux-tu organiser ?

— Ton évasion, bien sûr, dit-elle un ton plus bas.

— Je n'ai pas l'intention de m'évader. Qu'ils me

ramènent à Londres, s'ils y tiennent. Moi, je m'en fous. Je me fous de tout.

— Ne dis pas des choses pareilles. Change de pays. Le monde est grand. Va à Ceylan, va en Chine. Lytton ne peut pas fouiller la terre entière.

— Mais comment veux-tu me faire sortir ?

— Nous trouverons un moyen. La prison de Mombasa n'est pas une forteresse. Ce n'est qu'un vieux poulailler, dont on doit pouvoir s'évader comme un rien.

Sid secoua la tête. Il n'avait plus envie de se battre.

— Allez, Charlie, madame a raison, il faut tenter le coup, intervint Scamie.

— Comment ça, « Charlie » ? s'étonna Maggie en ouvrant de grands yeux.

— C'est son vrai nom.

— Charlie…

Maggie se tut, perdue dans ses pensées, puis elle marmonna :

— Je le savais ! Je l'ai tout de suite pensé en la voyant.

— Quoi, qu'est-ce que tu racontes ? grommela Sid.

— Quand as-tu quitté Londres ?

— En 1900, pourquoi ?

— La date correspond. Elle a presque six ans. Elle a dû naître un peu tôt après le mariage, mais c'est fréquent.

— Qu'est-ce que tu racontes ?

— J'ai voulu t'en parler quand Mme Lytton est venue nous voir, et puis je me suis dit que ça ne me regardait pas. Ce n'est pas toujours facile de te parler de sujets personnels. Pourtant, c'était pour ton bien.

— Maggie…

— Tu aurais pu t'en rendre compte tout seul. Même

forme de visage et d'yeux, même sourire. Ça ne t'a même pas traversé l'esprit ?

— Mais quoi, bon sang ? Quoi ?

— Réfléchis, Sid, réfléchis un peu. India Lytton a appelé sa fille Charlotte. Charlotte…

— Et alors ?

Maggie leva les yeux au ciel.

— Elle ne l'a pas appelée Fredericka, cette petite… Tu comprends ?

Il fallut quelques secondes à Sid pour suivre son raisonnement.

— Tu ne penses tout de même pas que…

— Si, bien sûr. C'est plus que probable.

Seamie n'y comprenait rien.

— Pourriez-vous m'expliquer ?

Sid tourna vers lui un regard grave, mais plein d'émerveillement, rempli d'une joie qui n'y était pas un instant auparavant.

— J'ai une fille, mon vieux. Elle s'appelle Charlotte.

115

Seamie retourna au Norfolk à midi, vaincu par un profond épuisement. Il était au bout de ses capacités d'endurance. Avant de faire échapper son frère de prison, il devait trouver le temps de dormir.

Il monta dans sa chambre et s'allongea, ne comptant se reposer qu'une demi-heure avant d'aller voir Willa, mais il sombra dans un sommeil de plomb dont il ne se réveilla que le lendemain matin à huit heures. En voyant le soleil matinal, il eut un coup au cœur. Il avait manqué son rendez-vous avec Maggie pour le dîner. Il se leva, se lava à la hâte, s'habilla puis descendit en courant. Il la trouva au bar.

— Pardon, je suis tombé en catalepsie.

— C'est bien ce que je pensais. Je suis montée frapper à votre porte hier soir, mais je n'ai pas insisté. Vous aviez l'air d'avoir besoin d'un bon somme. Venez prendre le petit déjeuner.

Seamie lui expliqua qu'il devait aller voir Willa à l'hôpital. Il avait compté passer l'après-midi de la veille avec elle, et il ne voulait pas rester trop longtemps sans nouvelles. Il s'inquiétait aussi pour son frère.

— Ne vous tracassez pas, mon garçon. Nous trouverons un moyen de le sortir de là. Vous êtes bien parvenu à ramener votre amie du Kilimandjaro, vous arriverez à faire sortir Sid de prison. Allez la voir et retrouvez-moi ici à midi, nous établirons notre plan.

Seamie courut à l'hôpital. En arrivant, il trouva Willa pâle, les traits tirés, mais debout. Elle sautillait entre son lit et la fenêtre appuyée sur deux béquilles.

Il se précipita, affolé.

— C'est encore un peu prématuré pour te lever, tu ne crois pas ? Tu te remets tout juste d'une opération. C'est le médecin qui te pousse à aller si vite ?

— Personne ne me pousse. C'est moi qui l'ai demandé.

Le Dr Ribeiro les rejoignit.

— C'est très bien, mais suffisant pour aujourd'hui. Il vaut mieux vous recoucher.

Willa obéit, s'allongeant avec l'aide du médecin qui la cala en position assise avec des oreillers. Seamie vit bien qu'elle souffrait dès qu'elle bougeait la jambe droite. Le médecin lui donna à boire, puis les quitta pour aller s'occuper d'un autre patient.

— Tu vas un peu vite, tu ne crois pas ?

— Je ne me suis levée que quelques minutes, pour essayer. Il faut bien. Il va falloir que je m'habitue aux béquilles, tu sais.

— Comment te sens-tu ?

Le sourire de Willa semblait un peu forcé, mais c'était un sourire.

— Mieux… mais je me fatigue vite.

Elle est plus calme, songea-t-il. Ce n'est plus le désespoir d'hier matin, ni les cris d'avant-hier… Elle progresse.

Pourtant, la résignation n'était pas naturelle à Willa. Si Seamie n'avait pas été aussi fatigué lui-même, et aussi inquiet pour son frère, il aurait vu la colère qui bouillonnait dans ses yeux clairs. S'il l'avait mieux écoutée, il aurait perçu le tremblement qui vibrait dans chacune de ses paroles. Il aurait alors compris que son calme apparent ne faisait qu'annoncer la tempête.

Willa donnait le change. Elle lui demanda s'il s'était reposé, comment était son hôtel. Et puis une chose inattendue se produisit. Une chose qui ne leur était jamais arrivée : ils ne surent plus quoi se dire.

Après quelques instants d'un silence embarrassé, Willa reprit la parole.

— Excuse-moi, je suis barbante. C'est la fatigue. Je dors tout éveillée.

— Non, c'est moi. Je t'empêche de te reposer. Je vais te laisser.

Il remplit son verre.

— Je ne pourrai peut-être pas venir te voir demain. Peut-être pas avant deux jours…

— Tu as des ennuis ?

— Non, pas moi, un ami.

— Tu as rencontré un ami à Nairobi ? C'est extraordinaire, ça !

— C'est un vieil ami de lycée. Je vais être obligé de l'accompagner quelques jours dans la brousse. Pas longtemps. Je serai de retour avant la fin de la semaine. Je ne suis même pas sûr de partir. Tu ne te feras pas de soucis si je ne viens pas ?

— Non, bien sûr, si tu me dis que c'est sans importance. Tu pourras m'apporter mes affaires avant de partir ? Mon portefeuille et de l'argent ? J'aimerais les avoir si tu t'en vas.

— Bonne idée. Si je ne peux pas te les apporter moi-même, j'enverrai quelqu'un de l'hôtel.

— Seamie, dit-elle en lui prenant les mains d'un geste impulsif. Seamie, je t'aime.

— Moi aussi, je t'aime. Si tu savais comme je t'aime !

Il la prit dans ses bras et la serra contre lui, heureux d'avoir entendu ces mots qu'il n'osait plus attendre.

— Je voudrais te demander pardon, dit-elle.

— Pardon ? Mais pardon pour quoi ?

— Pardon pour tout.

Ses yeux se remplirent de larmes, et il ne voulut pas la voir pleurer.

— Chut… Willa… Tout va bien…

— Mais ça ne va pas bien, pas du tout.

— Tu te sentiras mieux. Repose-toi.

Elle retomba sur ses oreillers, semblant acquiescer. Il fit le tour des plaies qu'elle avait au visage et aux mains pour s'assurer qu'elles guérissaient, ignorant ses protestations. Il lui remonta le drap jusqu'aux épaules, l'embrassa sur le front, et la laissa.

En sortant, il arrêta le Dr Ribeiro pour lui demander s'il n'était pas un peu tôt pour laisser Willa se lever.

— C'est bon signe qu'elle demande les béquilles, répondit le médecin. Cela indique qu'elle va s'adapter. Les amputés mettent parfois très longtemps à accepter leur nouvelle condition, et ne veulent pas entendre parler de béquilles pendant des semaines. Mlle Alden est une jeune femme très déterminée et très courageuse. Je vous recommande de l'encourager.

Cette visite avait réconforté Seamie. Ils avaient vécu une épreuve terrible, mais il avait pu sauver Willa. Elle allait guérir, aussi bien de ses blessures physiques que morales. Elle l'aimait encore, elle le lui avait dit et, sachant cela, il se sentait plus fort.

C'était une bonne chose, car il lui faudrait du sang-froid et du courage pour organiser l'évasion. Rien n'arrêterait Freddie Lytton pour faire pendre Sid, il n'y avait donc pas d'autre solution. Le meilleur moment serait à Nairobi. Dans le train pour Mombasa, il serait gardé par des hommes en armes, et, une fois à bord du bateau pour l'Angleterre, il n'y aurait plus aucun espoir. Mais comment s'y prendre ? La prison de Nairobi avait beau ne pas être aussi inattaquable que celles d'Angleterre, elle était malgré tout surveillée par son directeur, un gardien et des *askaris* armés postés devant la porte. Il faudrait prendre quelques risques.

Il dévala les marches branlantes de l'hôpital, ayant hâte de retrouver Maggie pour échafauder un plan. Ses préoccupations lui firent oublier de se retourner en s'éloignant. Il ne vit donc pas Willa qui s'était levée pour s'approcher de la fenêtre et qui, appuyée sur une béquille, la main posée sur le carreau, le regardait partir, le visage ruisselant de larmes.

116

— Mais c'est de la diffamation !

Herbert Gladstone, l'air scandalisé, jeta sur le bureau le document qu'il venait de lire.

— Betts jure pourtant que c'est la vérité, protesta Joe.

— Pourquoi aurait-il attendu six ans avant de parler ?

— Parce qu'il pensait qu'on ne le croirait pas.

— Et il avait raison ! De pareilles sornettes ! Qui pourrait y accorder du crédit ? Je vous conseille de ne pas vous mêler de cette affaire, Joe. Vous allez vous ridiculiser, et me mettre dans l'embarras ainsi que tout le ministère de l'Intérieur.

— Je veux que l'affaire Gemma Dean soit tirée au clair.

— Comprenez-vous bien ce que vous me demandez ? Vous voulez accuser de meurtre un membre du gouvernement, un homme d'une honnêteté irréprochable, qui s'est distingué au service de son roi et de la nation ! Et l'accuser gratuitement, sur la foi de la déclaration d'un criminel endurci ! C'est absurde !

— Mais c'est la vérité ! Le témoignage est authentifié. Je sais que c'est difficile à croire, Herbert, mais il le faut.

Gladstone le considéra longuement.

— Je vais vous dire ce que je crois, et ce que tout le monde va penser : c'est un assassinat, certes, mais c'est vous qui voulez le commettre. Un assassinat politique. Une manœuvre d'un député travailliste pour éliminer un rival libéral.

— Voyons ! Jamais je ne ferais une chose pareille.

Quand je veux me débarrasser d'un ennemi politique, je le combats sur la scène politique. Je l'attaque aux Communes, comme je l'ai déjà fait maintes fois. Cette affaire n'a rien à voir avec la politique. Je veux simplement que justice soit faite.

Gladstone ne quittait pas Joe des yeux, jugeant de sa sincérité, puis il reprit le témoignage de Frankie Betts et le relut.

Joe ne lui tenait pas rigueur de sa réaction. Lui-même n'avait tout d'abord pas voulu y croire.

— Je l'ai vu comme je te vois, lui avait affirmé Frankie. J'étais allé dire bonjour à Gemma. C'était quelques jours après t'avoir tiré dessus. J'y avais apporté un chaton blanc avec un petit collier rose pour lui remonter le moral. Elle se remettait pas de sa rupture avec Sid, et comme elle aimait les chats, je m'étais dit que ça lui ferait plaisir. Et puis, je voulais qu'elle me dise si elle savait où Sid se planquait. Je pensais même qu'il était peut-être chez elle. En arrivant sur le palier, j'ai entendu une dispute dans l'appartement. Une voix d'homme et une voix de femme. J'ai d'abord cru que c'était Sid, mais la voix était celle d'un type qu'avait de l'instruction.

— Tu es resté sur le palier ?

— Au début, et puis comme ça beuglait vraiment fort, j'ai crocheté la serrure, et j'ai avancé sur la pointe des pieds dans le couloir pour jeter un coup d'œil à ce qui se passait. Ça n'a pas été facile, surtout avec le matou que je tenais sous ma veste. C'était Lytton qui lui filait une raclée. Elle se défendait comme une diablesse. Elle a même réussi à lui échapper, mais il l'a rattrapée.

— Tu n'es pas intervenu ?

— Je pouvais pas me douter qu'il allait la tuer… Il la secouait un peu pour lui faire peur. Il voulait savoir où

Sid retrouvait la doctoresse. L'adresse, je la connaissais comme elle, vu qu'on l'avait suivi ensemble. C'était dans Arden Street, je ne sais plus le numéro. J'étais allé fouiner de ce côté avant d'essayer chez Gemma, mais il n'y était pas. Moi, ça m'intéressait ce qu'elle avait à dire, vu qu'elle savait peut-être des choses. Ça me dérangeait pas que Lytton lui tire les vers du nez, au contraire.

— Et ensuite ?

— Quand Lytton l'a rattrapée, il l'a jetée par terre, mais sa tête a cogné sur la table. C'était un plateau en marbre, et c'est ça qui l'a tuée.

— Et Lytton a fait quoi ?

— Il a eu l'air de réfléchir, et puis il a tout mis à sac, comme s'il y avait eu un cambriolage. Il avait dû penser accuser Sid. Il avait l'air de chercher quelque chose. Il est allé dans la chambre. Il a mis le foutoir là aussi. J'ai vu de loin qu'il prenait ses bijoux. Le collier de diamants et les boucles d'oreilles que Sid lui avait donnés. Ça valait des millions, ces breloques. Les flics ont attendu, mais ils ont rien vu venir.

— Ils ont attendu quoi ?

— Eh ben, le coupable, c'est-à-dire Sid, puisque Lytton le désignait. Les cognes ont espéré le prendre grâce aux bijoux. Un bijoutier honnête y aurait pas touché. Un prêteur sur gages aurait pas eu de quoi, c'était trop cher. Alors ils ont surveillé les receleurs. C'est Joe Grizzard le plus grand et le meilleur. La police dormait devant chez eux. Sid n'a pas essayé de les fourguer, bien sûr, puisque c'était Lytton qui les avait.

Ensuite, Frankie avait failli se faire surprendre. Il avait fait grincer une latte de parquet et s'était réfugié dans le placard à balais de la cuisine, en lâchant le chat, qui était resté étourdi au milieu de la pièce. Par l'entrebâillement, il avait vu Freddie arriver, armé d'un tisonnier. Sans le chat, il aurait été découvert. Ensuite, Freddie s'était donné un coup sur la tête avec la théière, et puis Frankie n'avait plus rien vu du fond de son placard. En l'entendant descendre l'escalier, il s'était dépêché de sortir de l'appartement. Bien lui en avait pris car l'alerte avait vite été donnée.

— Pourquoi n'as-tu pas dit ce que tu savais à la police ?

— Pour quoi faire ?

— Pour aider Sid…

— L'aider ? Mais j'en avais pas envie. Moi, ça m'allait très bien qu'on l'accuse du meurtre de Gemma. Et qui m'aurait cru ? Toi-même t'as des doutes.

C'était difficile à croire, en effet, mais quel intérêt Frankie aurait-il eu à mentir ? Il courait un danger en accusant Lytton qui avait tout pouvoir d'ordonner son transfert dans une prison plus stricte, ou de le faire jeter au cachot.

Après lui avoir arraché ce témoignage, Joe avait organisé avec ses avocats, la police et le directeur de la prison une dernière visite destinée à obtenir une déposition signée en bonne et due forme. Jusqu'au dernier moment, il avait redouté un revirement, mais Frankie avait tenu parole, ne posant pour condition que de ne pas avoir à répondre aux questions d'Alvin Donaldson.

— Je veux pas de ce cogne-là, avait-il dit. Pas question qu'il se serve de moi pour prendre du galon.

Une fois la déposition signée et les témoins repartis, Joe avait demandé au directeur la permission de rester encore quelques minutes avec Frankie, ce qui lui avait été accordé.

— Merci, Frankie. C'est bien, ce que tu as fait là.

— Tu vas faire tomber Lytton ?

— Ça ne sera pas facile.

— C'est les diamants qui le perdront, les diamants. Si tu mets la main sur les diamants, tu tiens ton homme.

— Je peux toujours essayer.

Frankie avait soupiré.

— Hier, on m'a donné les derniers sacrements. Je suis catholique. Enfin, je l'étais, dans le temps. J'étais pas beau à voir. Je crachais le sang comme une fontaine. Si j'ai pas cassé ma pipe, c'est rien que pour te signer ton papelard. Tu lui diras, à Sid, que j'ai fait ça pour lui ?

— Peut-être que tu le lui diras toi-même un jour.

— Ah ça, y a aucune chance.

— Alors, je lui dirai.

— Merci.

Frankie avait regardé les jambes de Joe, immobiles dans son fauteuil, avec un air de regret.

— Si j'ai pu rattraper… un peu…

C'était un mourant qui demandait l'absolution. Joe avait du mal à lui pardonner. Plus jamais il ne pourrait courir avec ses enfants, danser avec sa femme… Et pourtant, si quelqu'un était à plaindre, c'était Frankie, qui n'avait pas eu le temps de vivre. Il n'avait pas connu l'amour, n'avait pas de famille. Il ne savait pas ce que c'était d'être fier de soi.

— Je comprends, Frankie. Je comprends. Tu as bien agi.

Joe se rappelait un merci murmuré, puis le départ laborieux du prisonnier sous l'œil du gardien.

Herbert Gladstone tapotait le bras de son fauteuil, très ennuyé.

— Que voulez-vous que je fasse ? J'ai tout relu, de la première à la dernière ligne. Il n'y a rien de concret. Ce n'est que la parole d'un homme contre celle d'un autre. Et l'un d'eux est condamné à la prison à perpétuité.

— Interrogez Lytton. Envoyez des inspecteurs chez lui.

— Il faudra attendre plusieurs semaines, dans ce cas, puisqu'il est en Afrique. Et puis, à quoi cela nous avancerait-il ? Que croyez-vous qu'il va répondre quand on lui demandera s'il a tué cette femme ? Si par extraordinaire il était coupable, je n'imagine pas une seconde qu'il puisse avouer.

Joe cherchait des arguments quand le secrétaire du ministre entra.

— Pardon, monsieur le Ministre, mais un câble vient d'arriver pour vous.

Gladstone lut le télégramme, le visage grave.

— Ça alors, quelle coïncidence… Votre Malone vient de ressusciter d'entre les morts et il a été arrêté.

Joe feignit la plus grande surprise, quoique le choc de la nouvelle fût bien réel.

— Non ! Où ça ?

— À Nairobi. Il a été mis en prison et doit être rapatrié à Londres. C'est Lytton, justement, qui l'a reconnu et fait arrêter.

— Voilà une circonstance qui va au moins obliger à prendre un parti ou un autre. Je ne m'étonne pas que Lytton l'ait fait arrêter, il tient à le faire condamner pour ne pas risquer d'être inquiété lui-même.

— Vous arrangez cela à votre façon ! Lytton veut simplement que justice soit faite. Il accomplit son devoir.

Joe savait sur l'affaire bien des choses qui l'éclaireraient d'un tout autre jour s'il avait pu les révéler.

— Je vous en prie, Herbert, faites au moins en sorte que ce témoignage soit versé au dossier. Freddie Lytton doit répondre de ses actes, comme tout citoyen. Il doit être interrogé par la police.

— Il n'en est pas question. Il me faut des éléments plus solides que ce papier. Le témoignage d'un criminel n'est pas digne de foi.

— Alors, pour me faciliter la tâche, faites-moi l'amitié de ne pas diffuser la nouvelle de l'arrestation de Malone trop vite.

Gladstone le dévisagea longuement.

— Pour vous, mon cher, je peux donner l'ordre que les journaux ne soient pas avertis immédiatement par mon bureau, mais je ne contrôle pas les informations en provenance d'Afrique. Si Lytton parle à la presse, je ne pourrai rien faire. M'est avis qu'il ne s'en privera pas. Il aime occuper les gros titres presque plus que vous.

Joe passa sur cette pique.

— De combien de temps diriez-vous que je dispose ?

— Très peu. Un jour. Peut-être deux. Trois au maximum.

— Merci... Je reviendrai.

— Je n'en doute pas, soupira le ministre.

Dans sa voiture, Joe se laissa aller à un découragement inhabituel chez lui. Il avait trouvé l'identité du meurtrier de Gemma Dean et, pourtant, il n'était toujours pas près de faire disculper Sid. S'il avait demandé de retarder l'annonce de son arrestation, c'était surtout pour ménager Fiona qui serait désespérée, mais il ne gagnerait que quelques jours. Il fallait aussi penser à l'enfant dont il devait malheureusement taire l'existence. Un scandale l'atteindrait, quoi qu'il fasse.

Il ne voyait aucune issue. Secoué par le trot des chevaux, il broyait du noir en pensant à ce que lui avait dit Frankie : « C'est les diamants qui le perdront. Si tu mets la main sur les diamants, tu tiens ton homme. »

Mais comment faire ? Il ne pouvait pas câbler à

Nairobi pour demander à Freddie ce qu'ils étaient devenus !

Au moins, c'était une piste. Il se pencha, frappa à la vitre qui le séparait du siège du cocher et l'ouvrit.

— Oui, Monsieur ?

— Nous ne rentrons plus, Myles. Emmenez-moi à Limehouse. Dans Narrow Street, à ce pub qui s'appelle le Barkentine.

— Mais Monsieur…

— Au Barkentine !

— Bien, Monsieur.

Il referma la vitre un peu rasséréné. Il poserait quelques questions à Desi Shaw qui tenait sans doute encore l'établissement. Le receleur Joe Grizzard y serait peut-être. Il fallait se hâter de trouver ces diamants et des témoignages sur celui qui les avait revendus. C'était indispensable pour Sid, pour l'enfant. Pour toute la famille.

117

De la véranda de lady Elizabeth Wilton, on pouvait admirer les pics blancs du mont Kenya qui se détachaient sur un ciel turquoise. La maison, elle, aurait pu faire oublier qu'on se trouvait en Afrique tant elle semblait tout droit sortie de la campagne anglaise, avec ses rosiers grimpants, sa terrasse pavée, ses hautes fenêtres et son toit à chiens-assis.

La propriétaire avait écrit que tous les visiteurs trouvaient cet endroit le plus beau d'Afrique. India, pour sa part, était totalement insensible à ses charmes. Elle ne vivait plus depuis l'arrestation de Sid. Elle se rongeait d'inquiétude, souffrait pour lui. Plus que tout, elle redoutait le retour à Londres, le jugement et la condamnation.

Elle aurait voulu l'aider, mais comment ? Elle avait assez d'argent pour engager de bons avocats pour sa défense, mais il faudrait les contacter à l'insu de Freddie. Il n'y avait pas de télégraphe, pas de poste à moins de quinze kilomètres. Fort-Henri était le village le plus proche, mais si elle y envoyait un domestique, Freddie l'apprendrait.

Il fallait donc attendre le retour à Londres, mais ne serait-il pas trop tard ? Elle avait su par Tom Meade que Sid devait être rapatrié à Londres dans les deux ou trois jours. Il arriverait une quinzaine de jours avant elle et aurait le temps d'être jugé et pendu avant même qu'elle ne rentre à son tour. Il fallait donc à tout prix trouver le moyen de contacter des avocats lors du passage à Nairobi ou à Mombasa, avant de prendre le bateau.

Elle aurait maudit le destin qui semblait s'acharner contre elle si elle n'avait su que le destin n'y était pour rien : Freddie était le seul responsable.

— Du thé, *msabu* ?

India se tourna vers le majordome de lady Wilton qui avait été laissé à leur service pendant leur séjour. C'était un homme grand et svelte, vêtu d'une tunique blanche et d'un pantalon.

— Non merci, Joseph.

— Et pour la demoiselle ? demanda-t-il en montrant la chaise vide de Charlotte.

Elle sursauta en voyant que sa fille n'était plus à son côté. Comment avait-elle pu ne pas s'en apercevoir ?

— Non, je ne pense pas qu'elle en prendra. L'avez-vous vue ?

— Elle était dans la cuisine. Elle aidait la cuisinière à faire un gâteau, mais je crois qu'elle joue, maintenant.

— Elle ne vous importune pas, j'espère.

— Non, *msabu*, c'est une enfant très sage.

— Quand vous la verrez, pourriez-vous me l'envoyer, s'il vous plaît ?

India se sentit terriblement coupable d'être aussi peu attentive. Charlotte devait s'ennuyer. Il fallait lui trouver des occupations, organiser un pique-nique. Sa fille n'avait qu'elle au monde, elle devait ne pas la négliger.

Ici, au moins, elle semblait épanouie. Il n'y avait plus de cérémonies fatigantes, et Freddie la laissait courir à sa guise. Elles le voyaient fort peu, d'ailleurs. Il se levait tard, déjeunait et partait se promener à cheval, comme aujourd'hui, annonçant qu'il ne rentrerait que pour le dîner. Le reste du temps, il disparaissait dans la pièce dont il avait fait son bureau, où il travaillait parfois jusqu'à deux ou trois heures du matin.

India fut tirée de ses réflexions par un fracas provenant de la maison, suivi par quelques notes aigrelettes du *Prélude de la goutte d'eau*, qui s'arrêtèrent sur un rythme faussé.

La boîte à musique de Freddie ! Son bien le plus cher, sans doute. Elle trônait à Londres sous le portrait du Comte rouge et il ne se déplaçait jamais sans elle. Personne n'avait le droit d'y toucher, et surtout pas Charlotte, irrésistiblement attirée bien entendu par cet objet interdit et sa ritournelle mélancolique. Si ce trésor était cassé, ce serait une tragédie.

Elle se levait quand Charlotte surgit, très pâle.

— Ah ! Chérie !

— Maman… maman… J'ai cassé la boîte à musique de père.

— Mon Dieu ! Mais comment ?

— Je jouais dans le bureau avec Jane. Je faisais semblant que le secrétaire était sa maison, mais je me suis cognée au guéridon, et la boîte est tombée par terre.

— Charlotte ! Tu sais bien que tu n'as pas le droit d'entrer dans le bureau de ton père !

— Je ne le ferai plus, c'est promis !

India eut pitié de son affolement, qu'elle n'était pas loin de ressentir elle-même.

— Comment est-elle cassée, cette boîte ? Peut-être pouvons-nous la réparer.

— Elle s'est ouverte au milieu, et il y a plein de bijoux qui en sont tombés.

— Qu'est-ce que tu racontes ? Allons voir.

La boîte à musique gisait à terre, entrailles ouvertes. India s'agenouilla et vit qu'une sorte de double fond s'était libéré en déversant son contenu sur le tapis.

— Un tiroir secret… Il s'est ouvert sous le choc.

Elle ramassa l'un des objets épars sur le tapis, et le contempla, sans comprendre. C'était son peigne à chignon en forme de libellule, celui que lui avait donné sa mère et que Hugh avait volé. Elle le tourna. Les initiales I.S.J., les mêmes que les siennes, y étaient bien gravées.

Mais c'est impossible, songea-t-elle en portant la main à son chignon. Le sien retenait ses cheveux. Était ce le deuxième, celui qui était perdu ? Hugh avait toujours juré n'en avoir pris qu'un, celui qu'il avait rendu, et ne pas savoir où était l'autre qu'on lui réclamait.

— Maman, un peigne comme celui que vous portez dans les cheveux !

India retira le sien pour les comparer. Ils étaient

identiques, commandés chez Tiffany par son père pour sa mère. Il n'en existait que deux au monde.

Une angoisse oppressante lui étreignit la poitrine.

— Charlotte, chérie, donne à maman ce bijou qui est là-bas.

Elle montra une boucle d'oreille qui brillait à quelques pas. Quand elle l'eut, elle la tourna dans sa main. C'était un long pendant d'oreille, composé de très beaux diamants blancs, avec un petit médaillon à la base. Les initiales G.D. en brillants y étaient incrustées. Ne reconnaissant ni le bijou ni le monogramme, elle ramassa la magnifique rivière de diamants. Le même médaillon, mais plus grand, en constituait le centre. Au dos, il y avait une inscription : *Pour Gemma... Merde... Ton Sid.*

« Merde », c'était ce qu'on disait aux artistes avant leur entrée en scène pour leur porter chance. Gemma... Gemma Dean. L'ancienne maîtresse de Sid, la femme qu'on l'accusait d'avoir assassinée. Elle se souvenait d'avoir entendu dire que ses bijoux avaient disparu à sa mort. Comment étaient-ils entrés en la possession de Freddy ?

Une peur sourde monta en elle.

— Charlotte, donne-moi cette bague, là...

Elle désigna le dernier bijou, une grosse chevalière en or incrustée de diamants. Charlotte la ramassa et la lui remit. Elle la reconnut immédiatement, avec un coup au cœur. Les armes qui y étaient gravées étaient celles de la famille Nelson. Elle avait si souvent vu cette chevalière au doigt de son cousin Wish...

— Non... non... gémit-elle, yeux clos, poing crispé sur le bijou. Hugh... Wish... Gemma Dean... Non, c'est impossible.

— Maman ! que se passe-t-il ? Maman ! Répondez !

La voix de Charlotte lui semblait étouffée et lointaine. Puis elle entendit autre chose, une voix d'homme en colère.

— Joseph ! Où est ce maudit boy ? Qu'il vienne dans mon bureau me tirer mes bottes !

India prit brutalement conscience du danger. C'était Freddie, rentré beaucoup plus tôt que prévu de sa promenade. Ses pas résonnèrent sur la véranda, puis dans le couloir, se dirigeant vers le bureau.

118

India attrapa le bras de Charlotte si brutalement qu'elle lui fit peur.

— Chut ! souffla-t-elle. Ne dis rien de ce que tu as vu à personne. Monte vite dans ta chambre. Passe par l'extérieur, il ne faut pas qu'il te voie. Vite ! Je te rejoindrai tout à l'heure.

— Mais maman…

— Fais ce que je te dis !

Charlotte lui obéit et sortit par la porte-fenêtre, alors que les pas de son père approchaient dans le couloir. India ramassa fébrilement les bijoux et les entassa dans le tiroir. Elle le poussa pour le fermer, mains tremblantes. Mais elle eut beau faire, il ne fermait pas.

Les pas s'arrêtèrent devant la porte.

— Ah, te voilà ! dit Freddie au boy.

Elle retira le tiroir de son logement qu'elle explora du bout des doigts. Un ressort bloquait le mécanisme. Elle le poussa, et réussit à refermer le tiroir qui retrouva sa position avec un déclic. Elle posa la boîte sur le guéridon, mais vit qu'elle était bancale. Un pied s'en était détaché ! Freddie s'en apercevrait à l'instant où il entrerait dans la pièce.

— … je t'ai demandé mes chaussures marron, pas les noires ! Tu comprends ce que je dis ?

Elle se jeta à genoux sur le tapis et chercha avec angoisse en tâtant le sol des mains tout autour d'elle. Un petit objet dur lui entra dans le genou. C'était ce qu'elle cherchait ! Elle glissa le pied sous la boîte. Faute de colle, et de temps, pour effectuer la réparation, il fallait espérer que Freddie n'y toucherait pas. La poignée de la porte tourna. Elle n'avait plus le temps de sortir par la porte-fenêtre. Elle jeta un coup d'œil affolé autour d'elle.

Apercevant la poupée restée sous le secrétaire, elle se baissa. Elle la ramassait quand la porte s'ouvrit.

— Qu'est-ce que tu fabriques ? gronda Freddie en la voyant.

— Je récupère Jane.

— Jane ? Qui est-ce ?

— La poupée de Charlotte.

Elle se redressa. Ses cheveux en bataille, sa rougeur, pouvaient être attribués au sauvetage de la poupée.

— Je voudrais bien savoir ce que fabrique la poupée de Charlotte dans mon bureau !

— Elle est venue jouer sans que je m'en aperçoive. Je l'ai tout de suite chassée, mais elle avait oublié Jane.

— Je ne veux pas d'elle ici, je te l'ai dit mille fois ! Que ça ne se reproduise plus !

— Pardon. Je ferai plus attention.

Le boy entra avec les chaussures de Freddie, suivi par Joseph apportant du thé sur un plateau.

— Mais bon sang, je t'ai dit les chaussures marron ! hurla Freddie. C'est pourtant facile.

Ses cris affolaient le jeune domestique qui comprenait de moins en moins.

— Tant pis. Je vais mettre celles-ci. On ne va pas y passer la journée. Pose-les et tire-moi mes bottes.

Soulagée que la mauvaise humeur de Freddie trouve une autre victime, India se dépêcha de sortir du bureau. Elle monta se réfugier dans sa chambre. Là, elle s'assit sur son lit, serrant Jane fiévreusement sans s'en rendre compte.

— C'est impossible, impossible... Il n'a pas pu les tuer...

Elle se souvenait de Hugh, qui, en larmes, lui jurait n'avoir pris qu'un seul peigne et ne rien savoir du second. Elle entendait son cher cousin énumérer avec fierté, juste avant de mourir, les dons obtenus pour le dispensaire. Elle revoyait la photo de Gemma Dean, parue dans un magazine, exhibant sa magnifique parure de diamants.

Pourquoi ? Pourquoi a-t-il fait ça ? À cette question, il n'était pas très difficile de répondre, si on acceptait une froide et sinistre logique. C'est pour toi. Pour ton argent. Il les a tués pour t'avoir. Et s'il découvre que tu as compris, il te tuera aussi.

119

— Bonjour, George, dit Maggie en s'arrêtant devant le bureau du gardien avant d'aller à la cellule.

Elle mit la main devant sa bouche et toussa si fort que Seamie dut lui taper dans le dos.

— Eh ben, Maggie, t'as attrapé un rhume ? demanda le gardien.

— Je ne sais pas ce que j'ai. Je tousse comme ça depuis hier.

Elle toussa encore et sortit de sa poche une boîte de cachous en fer-blanc.

— C'est l'angine de Nairobi, diagnostiqua George. Toute cette poussière, c'est irritant pour la gorge. Tes cachous ne te serviront à rien. Le mieux, c'est de boire de l'eau chaude au citron et au miel. C'est ce que me donne ma femme, y a rien de tel.

Maggie feignit être intéressée, puis se dirigea vers la geôle avec Seamie, tandis que George reprenait son journal. Il s'était habitué à les voir aller et venir à toute heure, et ne se fatiguait plus à essayer de leur imposer le règlement.

Maggie se remit à tousser, et Seamie lui fit les gros yeux. Il ne fallait pas exagérer. À leur arrivée, Sid se leva et empoigna les barreaux.

— Salut fiston, dit Maggie. On est venus te tenir un peu compagnie. Comment ça va aujourd'hui ?

— Ça va. Est-ce que vous avez…

Maggie se posa un doigt sur les lèvres pour lui recommander la prudence, puis elle meubla le silence.

— Oui, oui, j'ai reçu des nouvelles de la récolte. Roos a envoyé une lettre par un des fils Thompson. Les caféiers donnent bien.

Sid la laissa parler et attendit, tendu, pendant que Seamie plongeait la main dans sa poche. Depuis qu'il avait deviné que Charlotte était sa fille, Sid n'était plus le même homme. Il ne songeait plus à rentrer à Londres pour se faire pendre. Il avait retrouvé toute sa combativité et n'avait plus qu'une idée en tête : aller voir India pour entendre cette révélation de sa bouche. Il était comme un lion en cage, attendant avec impatience le plan d'évasion que Seamie lui avait promis. Le temps était compté.

Seamie jeta un coup d'œil derrière lui. Le couloir était vide. Il tira un papier de sa poche et le lui tendit. En haut de la page, il avait écrit : *Continue de parler tout en lisant ceci.* Il savait que George s'étonnerait d'un trop long silence. La veille, Maggie était partie en avant et s'était arrêtée pour saluer George pendant que lui-même parlait avec Sid. De la petite pièce où se tenait le gardien, on entendait parfaitement les conversations.

Sid posa quelques questions sur la ferme tout en lisant ses instructions. Le plan d'évasion que Seamie avait mis au point avec Maggie était le suivant :

Tu vas sortir tout de suite. Nous échangeons nos vêtements et je prends ta place dans la cellule. Tu repars avec Maggie en te faisant passer pour moi. Elle t'expliquera la suite dehors. Il faut que tu crochètes la serrure.

Sid releva la tête en haussant les sourcils. Il articula dans un souffle : « Avec quoi ? »

Seamie lui fit signe qu'il avait apporté des outils. Tout en parlant de façon assez décousue d'un avocat de Londres qu'il disait avoir contacté pour le défendre, il enleva sa botte et en tira un couteau à beurre, une fourchette à poisson et un tire-bouchon qu'il lui passa à travers les barreaux. Il les avait empruntés à l'hôtel, ne voulant pas prendre le risque d'acheter un tournevis ou un poinçon chez le quincaillier de peur d'attirer l'attention.

Sid étudia ces ustensiles et choisit le tire-bouchon. Passant les mains à travers les barreaux, il se mit au travail. La tâche n'était pas aisée dans cette position, car la torsion de ses poignets lui enlevait beaucoup de force. Maggie et Seamie dialoguaient avec animation, faisant de leur mieux pour couvrir les raclements métalliques. La serrure était massive, et le pêne dur et lourd. Cinq minutes s'écoulèrent, puis dix. Le front de Sid était trempé de sueur, et Seamie et Maggie commençaient à manquer d'inspiration. Soudain, un claquement bruyant annonça l'ouverture.

— Zut ! s'écria Maggie pendant que Sid s'éloignait de la porte. J'ai fait tomber mes cachous ! Seamie, fiston, ramasse-les-moi, tu veux ?

La chaise de George racla le sol. Il allait venir. Maggie donna vite sa boîte à Seamie, qui en répandit le contenu par terre. Le gardien le trouva à genoux.

— Qu'est-ce qui vous arrive ? demanda George en cherchant Sid des yeux.

Son prisonnier était assis par terre à l'endroit de sa cellule qu'il semblait avoir adopté.

— J'ai fait tomber mes cachous, se plaignit Maggie.

Seamie lui rendit la boîte.

— Que veux-tu que j'en fasse ? Je ne vais pas les manger, maintenant, puisqu'ils ont traîné par terre.

Elle la donna au gardien.

— Tiens, George, tu pourras me les jeter à la poubelle au passage ?

— Donne. Ça n'est pas bien grave. Comme je te l'ai dit, les cachous, ça ne sert à rien. Il n'y a que le citron et le miel pour calmer le mal de gorge.

Ce fut le cœur battant que Seamie, Maggie et Sid le virent retourner au bout du couloir et rentrer dans son bureau. Ils reprirent leur conversation, puis après un délai prudent, Seamie poussa doucement la grille de la cellule, il entra et échangea ses vêtements avec Sid. Ensuite, il lui confia le tire-bouchon et la fourchette à poisson pour qu'il les emporte et garda le couteau à beurre. Sid les glissa dans sa botte comme Seamie l'avait fait.

Quand ils furent prêts, Seamie serra son frère dans ses bras avec émotion, après quoi il enleva sa casquette et la lui enfonça sur la tête. Sid sortit de la cellule et poussa la porte derrière lui. Ils se dirent au revoir bruyamment, puis il partit avec Maggie dans le couloir, visière baissée. Il avait beau ressembler beaucoup à Seamie, le danger était immense.

Le jeune homme se plaqua aux barreaux pour mieux voir. Sur la pointe des pieds, il apercevait la porte du gardien.

— Au revoir, George ! cria Maggie en passant.

— Au revoir, dit George sans lever les yeux de son journal. N'oublie pas, citron et miel !

Seamie courut sous la fenêtre percée en haut du mur de sa cellule. Il attendit, l'angoisse au ventre, redoutant d'entendre monter des cris, des bruits de course, des coups de feu… Non… rien… La vie suivait son cours dans les rues de Nairobi. Des voitures à cheval passaient, les travaux de construction suivaient leur cours. Il poussa un soupir de soulagement. Ils avaient réussi, du moins pour cette partie du plan. Il fallait maintenant que Maggie parvienne à faire partir Sid de Nairobi très vite.

Il traversa la cellule, ramassa le pot de chambre, le retourna, et se frappa le visage de toutes ses forces. Quand il reprit ses esprits, il s'assit par terre et, avec le couteau à beurre, réussit à arracher l'anse du pot qui n'était heureusement pas très solide. Il retourna le matelas, y fit une fente, y glissa le couteau et la poignée pour bien les cacher, puis le reposa par terre. Tout en accomplissant ces gestes en silence, il pensait à Willa. Il s'écoulerait plusieurs heures avant que George apporte le déjeuner de Sid. Une fois l'alerte lancée, il ne fallait pas compter être relâché tout de suite. On l'interrogerait pour déterminer son rôle dans l'évasion. Il ne pourrait pas aller la voir avant deux jours au mieux. Il lui envoya un message par la pensée, pour lui dire qu'il l'aimait et qu'il serait bientôt à son côté.

Ensuite, il se coucha par terre et ferma les yeux, tâchant de prendre l'air d'un homme assommé.

120

India attendait, allongée sur son lit dans le noir. La maison était silencieuse. L'horloge du salon venait de sonner trois heures. Elle attendit encore quelques minutes, puis se leva. Elle était habillée ; il ne lui restait qu'à mettre ses bottes. Une besace contenant du pain, du fromage, une gourde d'eau et de l'argent était cachée sous le lit. Elle ne pouvait rien emmener d'autre car le trajet devrait être effectué rapidement, et que tout poids supplémentaire ralentirait les chevaux.

Les yeux accommodés à l'obscurité, elle approcha à pas feutrés de la porte de sa chambre et tourna lentement la poignée. Elle ouvrit, retenant son souffle, sortit dans le couloir puis referma derrière elle. La chambre de Charlotte était en face de la sienne, celle de Freddie au bout du couloir.

Elle attendait dans l'angoisse depuis onze heures qu'il aille enfin se coucher. Il n'avait arrêté de travailler qu'à une heure. Elle l'avait entendu monter dans sa chambre et elle avait laissé s'écouler deux heures pour être bien sûre qu'il dorme profondément. Elle avait rassemblé tout son courage pour réfréner son impatience, mais si Freddie l'entendait, elle était perdue. Une autre chance de fuir ne se présenterait pas.

Alors qu'elle traversait le couloir, son pied fit craquer une lame du parquet. Elle se figea et attendit, aux aguets, prête à battre en retraite si elle entendait du bruit dans la chambre de Freddie. Au bout de cinq minutes, elle estima pouvoir continuer.

— Maman, c'est vous ? dit la petite voix de Charlotte quand elle poussa sa porte.

— Chut, chérie, murmura-t-elle en s'agenouillant près du lit. Ne fais pas de bruit, et obéis-moi. Tu vas te lever et t'habiller tout doucement. Mets les affaires de cheval que j'ai sorties tout à l'heure sur ta chaise. Il faudra te débrouiller dans le noir. D'accord ?

— Oui, maman.

— Nous devons nous sauver. Je vais aller seller les chevaux. Descends m'attendre sous la véranda dans dix minutes. Tu garderas tes chaussures à la main pour ne pas faire de bruit. Tu ouvriras la porte d'entrée tout doucement et tu la refermeras derrière toi. Là, tu pourras mettre tes chaussures, mais surtout ne fais pas de bruit. D'accord ?

— Oui... souffla Charlotte, inquiète.

— C'est bien. À tout à l'heure.

India la laissa, descendit et sortit par la porte de la cuisine. Elle courut à l'écurie où elle prit le risque d'allumer une petite lanterne pour seller une jument et un poney. Elle leur parla doucement, leur flattant l'encolure pour les rassurer et les empêcher de s'agiter. C'étaient des bêtes nerveuses, mais elle avait confiance en Charlotte dont elle avait fait une excellente cavalière.

Une fois le cheval et le poney sellés, elle versa de l'avoine dans deux musettes qu'elle suspendit à leur tête. Occupés à manger, ils ne henniraient pas. Elle les fit sortir de l'écurie et les mena devant la maison. En approchant, elle vit que Charlotte l'attendait, sa poupée dans les bras.

India l'aida à monter en selle, puis lui donna à tenir ses rênes et la besace. Il ne restait plus qu'à aller chercher la boîte à musique. Il la lui fallait à tout prix pour prouver la culpabilité de Freddie.

La peur chevillée au corps, elle retourna dans la maison. Doucement, se dit-elle en ouvrant la porte. Dans l'entrée, elle leva la tête vers le haut de l'escalier. Le palier était désert. Un profond silence régnait. On n'entendait que le tic-tac de l'horloge. Elle alla dans le bureau sur la pointe des pieds, avançant avec mille précautions. Si Freddie se réveillait, s'il la surprenait maintenant...

Elle reprit courage en pensant à Sid. Le contenu de la boîte à musique était son salut. Elle galoperait comme le vent avec Charlotte jusqu'à Nairobi. Une fois là-bas, elle irait trouver le gouverneur et lui montrerait les bijoux en lui expliquant les circonstances de leur découverte. Il faudrait bien qu'il admette que tout accusait Freddie. S'il ne voulait pas libérer Sid, elle prendrait le même bateau que lui pour rentrer à Londres. Là, elle engagerait les meilleurs avocats qui le blanchiraient et elle ferait payer ses crimes à Freddie.

Pourvu qu'il ne soit pas trop tard, et que le gouverneur n'ait pas déjà renvoyé Sid à Londres ! S'enhardissant, elle ouvrit la porte du bureau et le traversa dans le noir. Un mouvement la fit sursauter. Elle s'arrêta net, la main sur le cœur... mais ce n'étaient que les rideaux qui voletaient devant la porte-fenêtre. Elle fut surprise de la voir ouverte, Freddie préférant la fermer la nuit.

Le guéridon d'ébène était près du secrétaire. Elle

parvint à se diriger, mais en l'atteignant, elle se cogna au pied et faillit le faire basculer. Elle le retint des deux mains, et chercha sur le plateau.

La boîte n'y était pas.

Elle tâtonna encore, espérant se tromper, mais il n'y avait rien. Elle avait été déplacée... Prise de panique, elle avança à l'aveuglette vers la cheminée et fit courir la main sur le manteau. Rien là non plus. Il fallait pourtant absolument qu'elle l'emporte !

Soudain, elle entendit un bruit derrière elle. Elle fit volte-face, terrorisée. Une allumette s'enflamma et, dans sa lueur, elle vit le visage de Freddie. Il était assis au secrétaire, souriant. La boîte à musique était posée devant lui.

— Bonjour, ma chère. Tu as perdu quelque chose ?

121

Freddie alluma la mèche de la lampe, moucha l'allumette, puis replaça le manchon de verre.

— Croyais-tu vraiment que je ne me rendrais compte de rien ? demanda-t-il.

Il savait ! Tout espoir de récupérer la boîte à musique s'évanouissait, mais il était peut-être encore possible de lui échapper. Elle devait fuir, sauter sur son cheval et partir au galop avec Charlotte.

— Comment voulais-tu que je ne m'en aperçoive pas ? Tu ne sais pas que je l'écoute tous les soirs ? Le pied est cassé, le tiroir aussi. Tu as vu mes trésors...

India recula d'un pas, puis d'un autre. Si elle pouvait atteindre la porte, si elle arrivait à sortir...

Il se leva du secrétaire.

— Et où allais-tu, en pleine nuit ?

Si elle lui montrait sa peur, tout était perdu. Sa seule chance de salut était de rester forte et de garder son ascendant sur lui.

— Je vais à Nairobi avec Charlotte. Je vais voir le gouverneur pour lui dire ce que tu as fait.

— Projet audacieux, dit-il en avançant lentement vers elle. Et qui aurait pu fonctionner si tu avais eu la boîte à musique… ou plutôt, ce qu'elle contient. Mais tu ne l'as pas.

Il allait la tuer ! Les domestiques ne dormaient pas dans la maison, mais dans des dépendances. Si elle parvenait à sortir, il faudrait hurler pour les alerter. Mais Freddie ne lui en laissa pas le temps. Il se rua sur la porte et la verrouilla.

— Personne ne viendra à ton secours, ma chère, et tu n'iras pas à Nairobi. Tu vas retourner te coucher et ne plus penser à tout cela. Demain matin, tu auras oublié tes idées folles.

— Je sais ce que tu as fait ! Je montrerai les bijoux au gouverneur, à la police, à la justice. J'imagine que tu as donné un des deux peignes à Hugh, et que tu as gardé l'autre. C'était un homme d'honneur. Il ne pouvait pas se disculper sans t'accuser. Toi seul aurais pu le sauver, et tu ne l'as pas fait.

— Bien deviné…

À chaque pas qu'il faisait vers elle, elle reculait pour maintenir la distance entre eux.

— Comment as-tu pu Freddie ? Quand nous étions petits, à Blackwood, tu étais pourtant un garçon aimant…

Le regard de Freddie se troubla. Il baissa les yeux,

l'air accablé. Elle reprit espoir. S'il était encore accessible aux remords, elle arriverait à le faire plier.

— Tu as tué Wish, n'est-ce pas ? Tu lui as enlevé sa bague, et puis tu nous as fait croire qu'il l'avait mise en gage. Étais-tu très près de lui quand tu as tiré ? T'a-t-il vu appuyer sur la détente ? T'a-t-il supplié de l'épargner ?

— Non, je t'en supplie, tais-toi, India, par pitié.

Il fit un pas chancelant vers elle, puis un autre. Il s'arrêta, plongeant la tête dans ses mains.

— C'était ton plus vieil ami, Freddie. Ton plus cher ami. Et tu l'as tué à cause du dispensaire. Tant que j'exerçais mon métier, tu ne pouvais pas toucher l'argent de ma dot. Tu craignais même que je décide de ne pas t'épouser. Mais cette pauvre Gemma Dean. Quel mal t'avait-elle fait ? Tu ne t'en es servi que pour te débarrasser de Sid, je me trompe ? Tu as tué trois personnes innocentes.

— Mon Dieu, gémit-il, la voix brisée.

— Tu m'as pris tout ce que j'aimais. Tu es un assassin. C'est toi le criminel, et pas Sid.

Mais elle avait commis une grave erreur en le laissant approcher. Freddie redressa la tête, bondit sur elle et la saisit à la gorge. Il la poussa contre le mur, lui serrant le cou à deux mains. Il avait endormi sa vigilance en jouant la comédie. Quelle folle elle avait été de le croire capable de regrets !

— Lâche-moi ! dit-elle d'une voix étranglée.

— Ah, tu voulais partir, eh bien, tu vas partir. Tu vas partir avec Charlotte, mais pas pour Nairobi.

— Ne fais pas de mal à Charlotte !

— Ah, tu y tiens à ta petite bâtarde ! Je veux des héritiers. Des enfants à moi et une vraie femme. Vous ne m'empoisonnerez plus la vie !

— Laissez maman tranquille ! cria la voix de Charlotte derrière eux.

Elle était près du secrétaire, sa poupée sous un bras, la boîte à musique serrée contre elle.

Voyant cela, Freddie relâcha India. Elle nous a entendus, pensa celle-ci en se redressant. Elle est entrée par la porte-fenêtre. Qu'a-t-elle pu comprendre ?

— Charlotte, posez ma boîte à musique tout de suite ! cria Freddie.

Elle ne bougea pas.

— Rendez-moi ça tout de suite, ou je vais vous fouetter !

India s'accrocha à lui pour l'empêcher de se jeter sur elle. Elle s'agrippa à son bras avec la force du désespoir. Mais il en fallait plus pour l'arrêter. Il lui donna un violent coup de poing au visage, qui faillit l'assommer. Aveuglée par le choc, elle sentit du sang sur ses lèvres, et n'eut que le temps de lever le bras pour parer un autre coup. Elle hurla :

— Sauve-toi, Charlotte ! Sauve-toi !

122

Un bruit de cavalcade dans la résidence du gouverneur remplit de stupeur les fonctionnaires besogneux. C'était le pacifique Tom Meade qui, le visage écarlate, dévalait les couloirs. Il se rua dans l'antichambre, passa outre à la main levée du secrétaire et fit irruption dans le bureau, haletant.

Une dizaine de personnes étaient réunies autour d'une table ronde : le supérieur de Tom Meade, préfet de province du Kenya, ainsi que des préfets de district, lord Delamere et les représentants de l'Association des colons. Sir James Hayes Sadler interpella Tom avec courroux.

— Mais quelle mouche vous pique ? Vous interrompez une séance de travail très importante.

— Je sais bien, monsieur, mais un télégramme vient d'arriver…

— Cela ne peut-il vraiment pas attendre ?

— Je ne pense pas, monsieur. Il émane du secrétariat du ministre de l'Intérieur.

— Tiens ! Faites-moi voir ça…

Hayes Sadler prit la dépêche et la lut.

— Eh bien fichtre ! J'ai du mal à le croire. Êtes-vous absolument certain que personne n'essaie de nous induire en erreur ?

— Oui, monsieur. Je n'y ai pas cru moi-même pour commencer, et j'ai répondu pour demander confirmation. Le câble est authentique.

— Que se passe-t-il, James ? demanda Delamere.

Hayes Sadler retira ses lunettes.

— Le ministre de l'Intérieur demande que Lytton rentre à Londres au plus vite pour être interrogé dans une affaire de meurtre.

Des murmures étonnés montèrent autour de la table.

— C'est ridicule, commenta Hayes Sadler, mais une accusation a été lancée contre Lytton – par un repris de justice, je tiens à le préciser – et un enragé de député travailliste menace de crier au scandale en se servant de la presse si l'affaire est étouffée. Gladstone rappelle Lytton pour lui éviter l'embarras de voir son nom inutilement sali dans les journaux. Les rumeurs de ce genre sont toujours très dangereuses. Il doit rentrer au plus vite.

Autour de la table, les commentaires fusèrent. Personne ne croyait Lytton capable de meurtre, mais certains semblaient trouver curieux que le ministre de l'Intérieur soit directement mêlé à l'affaire.

Une fois le brouhaha apaisé, Hayes Sadler reprit la parole.

— Il va falloir aller chercher Lytton sur son lieu de villégiature, au mont Kenya. Tom, vous feriez mieux d'y aller en personne. Demandez au juge Grogan de vous donner deux hommes pour faire les choses dans les règles. Je suis sûr que c'est une erreur, et j'espère que Lytton pourra régler l'affaire par quelques télégrammes. C'est dommage de le tirer de ce repos bien mérité. Sans doute serait-il bon d'informer Sid Baxter. Tom, pouvez-vous vous en charger ? Quel ennui, cette histoire.

— Oui, monsieur, mais... Enfin, c'était un autre incident déplorable que je venais vous annoncer.

— Eh bien, parlez !

— C'est justement à propos de Sid Baxter... Nous n'allons pas pouvoir l'informer parce que... parce qu'il n'est plus à la prison.

— Comment cela ? On l'a déjà expédié à Mombasa ? Je pensais qu'il ne devait partir que demain.

— Il est parti, mais pas pour Mombasa, je pense. C'est très ennuyeux, très fâcheux... Il s'est évadé.

123

Charlotte, les joues enflées par les gifles, bâillonnée par un foulard beaucoup trop serré, se tordait le cou pour essayer de voir sa mère. India en était bouleversée. Cette enfant était tellement courageuse… malgré sa peur et la souffrance qu'elle devait éprouver, elle trouvait encore la force de s'inquiéter pour sa mère. Elle aurait donné n'importe quoi pour la prendre dans ses bras, mais elle était impuissante. Après l'avoir frappée, Freddie l'avait ligotée puis il avait réussi à rattraper Charlotte. Mains entravées devant elle, India avait dû monter sur la jument déjà sellée qu'elle avait compté prendre pour fuir. Quant à Charlotte, il l'avait prise avec lui sur son cheval et l'obligeait depuis des heures à se tenir droite, sans nourriture et sans eau, et sans protection contre le soleil impitoyable. Freddie ouvrait le cortège, tenant Charlotte devant lui, puis suivait India sur sa jument, attachée par une longe, et enfin le poney en bout de file.

— Tenez-vous bien au pommeau, avait-il recommandé à Charlotte avant le départ. Si vous tombez, je ne m'arrêterai pas.

Ensuite, il avait emmené ses prisonnières.

Dans l'obscurité, India n'avait pu que deviner la direction générale, vers l'ouest du mont Kenya, mais, quand le jour s'était levé, elle s'était trouvée en terrain inconnu. Elle avait essayé de déduire des vêtements de Freddie et de ce qu'il avait emporté quelles étaient ses intentions, mais il n'avait pris qu'une sacoche et une gourde, ce qui n'indiquait pas grand-chose.

La violence de Freddie lui avait causé une peur épouvantable. Peut-être ne voulait-il que les effrayer pour les réduire au silence, mais les coups qu'il leur avait donnés laissaient présager le pire. Il voulait les tuer. Non, il n'oserait pas… On poserait trop de questions. Il ne pouvait pas espérer s'en tirer.

Mais où les emmenait-il ? Il ne semblait pas avoir l'intention de faire demi-tour. Il était maintenant près de midi, et India souffrait d'une soif abominable. Elle se rongeait d'inquiétude en songeant que Charlotte devait avoir encore plus soif qu'elle. Enfin, quand le soleil fut à son zénith, il s'arrêta au bord d'une rivière. Mais au lieu de leur faire mettre pied à terre, il descendit seul de cheval. Il prit la boîte à musique dans sa sacoche et la jeta à l'eau. En la voyant disparaître, India fut désespérée. Sans cette preuve de la culpabilité de Freddie, elle perdait toute chance de révéler la vérité.

Il s'accroupit et but longuement en prenant de l'eau dans ses mains. Souffrant mille morts, India le regardait. Le bruit de la rivière était une torture. Et puis, s'il remontait en selle sans les laisser se désaltérer… ce serait la preuve qu'il n'y avait plus d'espoir. Mais même s'il voulait les tuer, qu'il fasse au moins boire Charlotte ! Cette cruauté était plus difficile à supporter que tout le reste.

Pourquoi un homme qui avait tué de sang-froid se serait-il soucié de leur confort ?

Il avait certainement un revolver dans sa sacoche, et il les tuerait d'une balle dans la tête. Les joues inondées de larmes, elle pria pour que la fin soit rapide, et pour que Charlotte parte la première afin qu'elle ne voie pas mourir sa mère.

Ils continuèrent encore une demi-heure, puis Freddie s'arrêta. Il descendit de cheval et empoigna Charlotte pour la poser à terre. Il avait en effet une arme qu'il sortit de sa sacoche pour la glisser à sa ceinture sans même se cacher. Ensuite, il tira India à bas de sa jument. À sa grande surprise, il défit leurs liens et ôta leurs bâillons. Dès qu'elle put parler, elle tenta de le fléchir.

— Freddie, je t'en supplie, ne fais pas ça…

— Allez là-bas, allez !

Il désignait un acacia. India refusa d'avancer.

— Non ! je t'en prie ! La petite est innocente, ait pitié d'elle, au moins.

— Va là-bas, je te dis, gronda-t-il en pointant son revolver sur sa tempe.

Charlotte, affolée, partit en courant, et India se lança à sa poursuite. Et soudain, alors qu'elle allait la rattraper, Charlotte disparut. India s'arrêta, ne comprenant pas.

— Charlotte ? Charlotte ? s'écria-t-elle.

Elle fit quelques pas hésitants et vit un trou béant. C'était une fosse, en partie couverte d'herbe, qui s'ouvrait à ses pieds. Charlotte était au fond.

— Chérie ! Tu t'es fait mal ?

Mais elle n'entendit pas sa réponse. Une violente poussée dans le dos la fit tomber à son tour. Elle eut le réflexe de dévier sa chute pour éviter sa fille. Le choc expulsa l'air de ses poumons, la faisant suffoquer. Quand elle parvint enfin à respirer, elle fut assaillie par une odeur de terre et de sang. Charlotte se relevait, ne semblant pas blessée. À part un fort étourdissement, India sortit indemne de sa chute. Elle regarda vers le haut, sentant la présence terrifiante de Freddie. Il était agenouillé au bord de la fosse et les observait.

— Inutile d'essayer de remonter. Il y a plus de trois mètres de hauteur. Vous ne pourrez pas ressortir. C'est un piège à gibier creusé par les Kikuyu. J'ai découvert celui-ci il y a deux jours, par hasard. Toutes sortes d'animaux tombent au fond. Des fauves, même, parfois. Le trou est profond et camouflé par de la végétation, c'est extrêmement ingénieux.

— Freddie, tu ne peux pas nous laisser là. Tu seras suspecté si nous disparaissons.

— Je ne pense pas. Je vais encore traîner un ou deux jours dans la brousse en prenant quelques coups de soleil, et puis je reparaîtrai désespéré, à moitié mort de soif. Je raconterai que nous sommes partis à l'aube pour voir les lions. Je dirai que nous nous sommes arrêtés pour pique-niquer et que, pendant notre sieste, Charlotte s'est encore sauvée. C'est plus que plausible, puisque cette petite nigaude l'a déjà fait. Je dirai ensuite que nous nous sommes séparés pour la chercher, que nous nous sommes perdus, que j'ai battu la brousse comme un désespéré, et puis que je suis rentré pour demander de l'aide. J'organiserai les recherches, mais en indiquant une mauvaise direction. On ne vous retrouvera pas, bien entendu, et on pensera que vous vous êtes fait dévorer par les bêtes sauvages.

India prit la main de Charlotte, qui était blanche de peur.

— Laisse-moi si tu veux, Freddie, mais remmène Charlotte, je t'en prie. Elle n'a rien fait.

— Mais cela ficherait tout par terre ! J'ai besoin que vous disparaissiez toutes les deux pour être riche.

Ce n'était que trop évident. S'il se débarrassait d'elles, la fortune des Selwyn Jones lui reviendrait. Elles étaient perdues et elles allaient mourir d'une mort lente, dans d'horribles souffrances.

Freddie se redressa et s'éloigna.

— Non ! hurla India. Tu ne peux pas nous abandonner comme ça. Donne-moi au moins ton revolver ! Aie pitié de nous !

— Désolé, mais c'est impossible, ma chère. Réfléchis un peu. Si on vous retrouvait, il ne faudrait pas qu'on découvre mon revolver avec vous. Cela m'accuserait tout de suite.

Il disparut, on entendit les chevaux, puis plus rien. Elles étaient seules, n'ayant qu'un rectangle de ciel bleu au-dessus d'elles, dominé par l'impitoyable soleil africain.

124

Sid arriva chez les Wilton après deux journées complètes de cheval. Il ne s'était arrêté que la nuit, car l'obscurité rendait la progression trop dangereuse et son cheval avait besoin de se reposer. Le trajet prenait habituellement trois ou quatre jours, mais il avait poussé l'allure pour s'éloigner au plus vite de Nairobi.

Son évasion lui rappelait les heures intrépides de sa vie de voleur. La remontée du couloir lui avait semblé bien longue, mais George, occupé par les nouvelles hippiques, ne lui avait pas jeté un regard. Il était passé devant lui avec Maggie, puis ils avaient rejoint la rue. Les *uskaris*, gardes austères postés de part et d'autre de la porte de la prison, semblaient davantage occupés à maintenir une parfaite immobilité et le regard fixe qu'à surveiller les allées et venues, et ne leur avaient pas prêté la moindre attention.

Maggie l'avait mené tambour battant à l'écurie du Norfolk, où attendait Ellie, sa jument. Elle l'avait attiré dans la stalle et l'avait fait accroupir avec elle pour échapper aux regards pendant qu'elle lui chuchotait ses instructions.

— Tiens, avait-elle dit en sortant une corde cachée dans le foin. Vite, lie-moi les pieds et les mains. Je dirai que tu m'as emmenée de force et obligée à te donner mon cheval. Je ne tiens pas à me retrouver en prison à ta place.

— Bravo pour le plan d'évasion, avait dit Sid en se dépêchant de lui obéir.

— C'est ton frère qui a tout combiné. Lui aussi va faire semblant d'avoir été attaqué. Il va détacher la poignée du pot de chambre et la cacher. Il racontera que tu l'as utilisée pour le menacer. On peut imaginer que tu l'as aiguisée sur la pierre des dalles, et que tu t'en es aussi servi pour crocheter la serrure. Tu as ouvert et tu as attendu notre visite. Quand nous sommes arrivés, tu l'as contraint à entrer dans la cellule, tu l'as assommé, tu l'as laissé à ta place, et tu m'as obligée à couvrir ta fuite.

— Et tout ça sans attirer l'attention de George ? Je suis vraiment très fort !

— Ce n'est pas très crédible, mais nous espérons nous en tirer. J'ai sellé Ellie, comme tu vois. Il y a deux gourdes dans les sacoches, et de la nourriture pour deux ou trois jours, avec vingt livres pour tes frais. Ma carabine est cachée sous la paille, à gauche de la porte.

Sid avait achevé de lui lier les chevilles et les poignets, puis avait récupéré l'arme.

— C'est bien, avait dit Maggie. Maintenant, pars vite, avant que l'alerte soit donnée. Sors du Kenya dès que possible. Si j'étais toi, j'irais vers le sud. La frontière allemande est la plus proche.

— Non, je dois aller voir India... je veux les voir toutes les deux. Il faut que je sache.

— Lytton va te reprendre ! Tu joues avec le feu !

— Tant pis, je cours le risque !

— Tête de mule ! Fais bien attention à toi.

Il se pencha pour lui poser un baiser sur la joue.

— Merci, Maggie. Merci pour tout.

— Ce n'est rien. N'oublie pas de me bâillonner. Il y a un mouchoir dans ma poche.

Il était sorti de Nairobi par des ruelles peu fréquentées et, en un quart d'heure seulement, s'était retrouvé dans la savane, galopant vers le nord. Il était arrivé à Thika à la nuit, avait contourné la ville et n'avait dressé son camp qu'après l'avoir dépassée. Il était trop connu dans la région pour prendre le risque de se montrer.

En arrivant chez les Wilton, il agit avec prudence. Si Freddie découvrait sa présence, il pouvait très bien ordonner qu'on lui tire dessus. Mais il découvrit vite que ni India, ni Freddie, ni Charlotte n'étaient là. Il ne trouva que des domestiques affolés.

Le plus âgé d'entre eux, un certain Joseph, lui expliqua que M. Lytton avait laissé un mot sur la table de la cuisine. Le *bwana* y annonçait qu'il partait en promenade avec sa femme et sa fille pour voir les lions à l'aube. Ils pique-niqueraient dans les collines et reviendraient pour le thé. Or le *bwana* exigeait d'être servi à quatre heures précises. Quand, à six heures, les hôtes n'étaient toujours pas rentrés, il s'était sérieusement inquiété. Un malheur était arrivé. Il le sentait.

Sid aussi avait un mauvais pressentiment. Son sixième sens de cambrioleur se réveillait.

— Par où sont-ils partis ? demanda-t-il à Joseph en scrutant l'horizon.

— Il a dit les collines, mais les collines sont au nord, et la cuisinière, qui s'est levée dans la nuit à cause de son bébé, les a vus partir vers l'ouest, vers la plaine. Elle dit que la petite fille était devant, sur le cheval de son père, et que le poney suivait à l'arrière.

— Tiens, pourquoi ?

— Je ne sais pas, mais ce n'est pas un endroit où se promener, surtout avec une femme et un enfant. Il y a beaucoup de lions dans les collines, mais encore plus dans la plaine.

— Quelle heure était-il ?

Joseph posa la question en swahili à la cuisinière.

— Elle dit trois heures et demie.

Il était maintenant plus de sept heures du soir. Au bout de seize longues heures, la piste serait difficile à suivre.

— Vous pouvez me donner un cheval ? Le mien est fatigué. Je pars à leur recherche tout de suite.

— Non, *bwana*, c'est trop tard. La nuit, c'est dangereux. Attendez le matin.

— Ne vous inquiétez pas pour moi. Il faut les sauver.

Joseph lui fit seller un cheval, remplit ses gourdes et lui donna de la nourriture. Sid empaqueta ses provisions dans les sacoches, le remercia et partit, profitant de ce qu'il restait de jour pour suivre la piste d'herbe couchée par les chevaux. Vers l'ouest, comme l'avait indiqué la cuisinière.

À quoi joues-tu, Freddie ? Où les as-tu emmenées ? se demandait-il, au comble de l'inquiétude.

125

La nuit était tombée, mais la lune éclairait la savane et le fond du piège à gibier. India serrait Charlotte dans ses bras, car trois lionnes patrouillaient autour de la fosse. L'une, couchée au bord, jouait, une patte dans le vide, espérant les attraper. Elle se penchait si loin en avant qu'elle manquait perdre l'équilibre, puis sautait en arrière pour se rattraper. La frustration faisait gronder l'autre sans discontinuer. La troisième, la plus effrayante, restait assise au-dessus d'elles, telle une statue, les yeux phosphorescents, un filet de salive coulant des babines.

— Ils ne vont pas sauter dans le trou, les lions, maman ? murmura Charlotte.

— Non, chérie, ils ont trop peur de ne pas pouvoir remonter.

India l'espérait sans pourtant en être sûre. Qu'en savait-elle, après tout ? Les félins étaient d'excellents sauteurs. Si les lionnes décidaient de braver la fosse, elles seraient dévorées. Mais cette mort serait-elle pis que la longue agonie qui les attendait ? Certainement pas. Les neuf heures déjà écoulées avaient été une torture d'angoisse, aggravée par la faim et par la soif.

La formation médicale d'India ne la rendait que trop consciente des souffrances terribles causées par la déshydratation. Ce serait le manque d'eau qui aurait raison d'elles, et non le manque de nourriture. Dans certains cas, on pouvait tenir cinq ou six jours sans boire, mais, le plus souvent, deux ou trois jours suffisaient pour vous tuer quand il faisait chaud. La bouche et les lèvres se desséchaient, la langue gonflait et se craquelait, les yeux s'enfonçaient, les os de la face saillaient, la vessie s'enflammait, le cœur battait plus fort, la respiration devenait précipitée. Le mal de tête, la nausée venaient, puis l'engourdissement et le délire. Mais, le pire, c'était la sensation de soif. L'envie de boire rendait fou.

Faute de pouvoir être sauvée, India ne souhaitait qu'une seule chose : tenir plus longtemps que Charlotte pour la réconforter jusqu'à la fin. Car elle avait bien dû se résigner. Les premières heures, elle avait été animée d'une volonté farouche de s'échapper. Elle avait essayé par tous les moyens de s'extraire de cette prison plus profonde qu'une tombe. Elle avait fait grimper Charlotte sur ses épaules, mais il leur manquait beaucoup de hauteur pour arriver au bord. Elle avait tenté de faire s'ébouler la terre, mais celle-ci était trop dure. Elle avait songé à prendre appui sur les parois opposées pour se hisser, mais elles étaient trop écartées. Après s'être épuisée, elle avait abandonné. Elles étaient seules et condamnées. Sans Charlotte, elle aurait cédé au désespoir.

Voyant que les lionnes devenaient trop entreprenantes, India se leva et leur lança des poignées de terre. Ces jets, bien que souvent trop courts, provoquèrent des grondements effrayants mais firent reculer les fauves. Elle hurla pour leur faire peur et ne s'arrêta qu'en sentant les bras de Charlotte autour de sa taille.

— Ça suffit, maman, ils sont partis.

Elle se laissa retomber à terre, dos à la paroi et reprit sa fille sur ses genoux.

— Maman, je vais vous montrer quelque chose. Je vous ai fait une surprise !

— Ah oui, ma chérie ? répondit-elle distraitement en l'embrassant sur la tête.

— Oui, j'ai emporté le trésor !

Charlotte plongea les mains dans ses poches et en tira des objets qu'elle posa sur sa jupe. Les yeux accommodés à l'obscurité, India y voyait presque comme en plein jour. Elle avança la main pour s'assurer qu'elle ne rêvait pas. C'étaient les bijoux, qui scintillaient doucement sous la lune !

— Mon Dieu ! Mais comment... ?

— Je les ai volés dans la boîte à musique quand je me suis sauvée. Je vous ai entendue dire qu'il fallait les montrer au gouverneur et à la police, alors je les ai mis dans ma jupe avant que père me rattrape.

Après un instant de stupeur, India étouffa un soupir. À quoi bon ?

— C'est bien, ma chérie. C'est très bien.

— Il ne faut pas vous inquiéter... Il va venir nous sauver.

— Qui ça, mon ange ?

— M. Baxter. Il m'a retrouvée quand je me suis

perdue. Il retrouve tous les gens qui se perdent en Afrique.

— C'est vrai. Tu as raison.

India fut heureuse que sa fille se soit bâti cet espoir. Elle ne voulait pas lui mentir, mais ce serait moins dur.

Sid, cependant, devait être dans le bateau pour l'Angleterre. Elle avait bien fait, en fin de compte, de ne pas lui révéler qu'il était le père de Charlotte. Ainsi, il ne saurait pas que sa fille était morte dans la brousse... s'il vivait assez longtemps pour apprendre leur disparition.

India avait fermé les yeux quand elle entendit un grondement. Une des lionnes s'était approchée ; sa silhouette noire se découpait sur le ciel nocturne. Ses crocs étincelaient sous la lune.

— Va-t'en ! cria Charlotte.

Puis, comme elle venait de le voir faire à sa mère, elle se leva pour lancer de la terre, qui retomba sur elle. Elle prit alors le peigne libellule et le projeta de toutes ses forces. Par une sorte de miracle, il alla piquer le museau de la bête qui recula.

— Bravo, chérie, bien visé, dit India en tâchant de sourire.

Charlotte se réfugia de nouveau dans ses bras. La terre était froide et humide. India ferma les paupières, ne voulant que se reposer un peu, mais elle sombra dans un profond sommeil. Elle n'entendit pas Charlotte qui, tête levée vers les étoiles, lui disait avec conviction :

— Il viendra, maman, vous verrez. Il viendra nous sauver.

Seamie aurait voulu apporter des fleurs à Willa, mais il n'y avait pas de fleuriste à Nairobi. Il ne put pas non plus trouver de chocolats. On n'était pas à Londres. Dans Victoria Street, il découvrit une boutique de matériel pour safaris où il lui acheta un canif et une gourde. Il repartit vers l'hôpital, satisfait, sachant qu'elle préférerait ces cadeaux à des fleurs ou à des bonbons.

Il avait pour projet de convaincre le Dr Ribeiro de la laisser sortir pour aller déjeuner au Norfolk. La connaissant, elle devait s'ennuyer à mourir. Il pourrait louer une carriole à âne pour lui faire visiter la ville. Cela lui changerait les idées. Lui aussi avait besoin de repos et de distractions faciles après la semaine éprouvante qu'il venait de passer.

Deux jours entiers s'étaient écoulés depuis sa dernière visite, et il avait bien failli rester en prison. Personne n'avait cru à l'histoire qu'il avait concoctée avec Maggie. Ni le gardien, ni le directeur, ni Ewart Grogan, le juge, ni le gouverneur. Ils avaient été accusés d'avoir aidé Sid à s'évader, et on les avait enfermés une nuit. La ressemblance de Seamie avec Sid n'était pas passée inaperçue, mais personne n'avait pu prouver leur lien de parenté. Les papiers de Seamie étaient au nom de Finnegan, et il affirmait n'avoir que très vaguement connu Sid à Londres. Il s'était déclaré très dépité de n'avoir écouté que son bon cœur qui l'avait poussé à aller soutenir un repris de justice. Pour sa peine, il n'avait gagné que de se retrouver avec une lame sur la gorge. Que d'ennuis tout cela lui causait !

On avait essayé de leur arracher des aveux, mais ni lui ni Maggie n'avaient admis leur complicité. Finalement, faute de preuves, il avait bien fallu les relâcher. Dès qu'il était sorti de cellule, il avait couru voir Willa, mais l'hôpital était fermé pour la nuit, et il n'avait pas réussi à se faire admettre à l'intérieur. Il était alors directement allé au bar du Norfolk. Jamais de sa vie il n'avait eu autant besoin d'un whisky. En y retrouvant Maggie, et en apprenant que Sid était allé se jeter dans la gueule du loup en cherchant à revoir India, il avait commandé une bouteille entière.

— Il va se faire reprendre, soupira-t-il.

— Eh bien il n'aura qu'à s'évader tout seul, cette fois ! Moi, j'en ai assez.

Ils avaient vidé la bouteille, puis étaient montés à leurs chambres en titubant de fatigue. Le matin, ils s'étaient fait leurs adieux après le petit déjeuner car Maggie devait retourner s'occuper de sa récolte. Elle l'avait invité à lui rendre visite à Thika avec Willa quand elle aurait repris des forces.

Impatient de revoir celle qui occupait toutes ses pensées, il monta les marches de l'hôpital en deux bonds. Il eut la surprise de trouver le lit de Willa vide. Il approcha, interdit. La table de chevet était débarrassée, les vêtements avaient disparu. Où l'avait-on emmenée ?

— Ah, monsieur Finnegan…

C'était le Dr Ribeiro.

— Mlle Alden est partie, malgré mes récriminations.

— Comment ça, partie ? Où est-elle allée ? À l'hôtel ?

— Je ne crois pas. Elle a demandé à mon assistant de l'emmener à la gare.

— Quoi, à la gare ? Je ne comprends pas !

— Elle a laissé ceci pour vous.

Il lui tendit une lettre, puis le laissa pour retourner auprès de ses patients.

Seamie s'assit sur le lit, posa son paquet à côté de lui et ouvrit l'enveloppe qui ne contenait qu'une seule feuille, datée de la veille.

Très cher Seamie,

Quand tu liras cette lettre, je serai déjà loin. Je vais prendre le train de Mombasa tout à l'heure, et le premier bateau en partance pour n'importe où. Je suis désolée de t'annoncer mon départ aussi brutalement, mais je ne sais pas comment m'y prendre. Je ne veux pas te revoir. Je ne le peux pas. C'est trop douloureux. Tu m'as sauvé la vie au péril de la tienne, et je sais que je devrais t'en être reconnaissante, seulement je n'éprouve que de la colère et un profond désespoir. J'ai envie de mourir en me réveillant, j'ai envie de mourir en m'endormant. Je ne sais pas quoi faire, je ne sais pas où aller. Je n'ai plus de rêves, plus de sommets à gravir, de montagnes à conquérir. Il aurait mieux valu pour moi que je meure sur les pentes du Kilimandjaro plutôt que de me retrouver si terriblement diminuée.

Je quitte l'Afrique, mais je ne sais pas pour où. Ne cherche pas à me retrouver, je t'en prie. Oublie-moi. Oublions ce qui est arrivé entre nous en haut du Mawenzi. Trouve une femme qui te rendra heureux. Moi je ne peux pas.

Je te demande pardon.

Willa

127

Freddie contemplait les flammes de son feu de camp, heureux sous le ciel étoilé de la savane.

Il porta sa flasque de whisky à ses lèvres et but en fermant les yeux. La fatigue aidant, l'alcool lui montait à la tête. Il était resté très longtemps au soleil. Sa peau brûlée, cloquée par endroits, rendrait sa version des événements plus crédible. Il aurait l'aspect d'un homme affolé s'étant livré à des recherches frénétiques et même dangereuses pour retrouver sa femme et sa fille.

Le désagrément était minime quand on songeait aux bénéfices. Il était enfin libre, débarrassé d'India et de sa bâtarde. D'ici peu, il serait à la tête de leur immense fortune. Tout ce que le comte et la comtesse de Burnleigh avaient laissé à India et à Charlotte lui appartiendrait. Il lui avait fallu plusieurs années pour arriver à ses fins, mais, maintenant, il avait gagné son indépendance.

À son retour à Londres, il organiserait de belles funérailles, puis, après avoir observé un deuil de rigueur, il se remarierait. Il choisirait une épouse à son goût, une femme jeune et belle, une élégante de bonne naissance. Non seulement elle devrait être un atout en société, mais elle devrait lui donner des enfants. Un fils, à tout le moins. Un héritier. Cette épouse l'accompagnerait dans ses nouvelles fonctions de Premier ministre qui ne manqueraient pas de récompenser les services insignes qu'il avait rendus à la nation en Afrique.

Enfin ! Enfin !...

Soudain, des cris éclatèrent dans la nuit. Des gémissements.

Il se figea, l'oreille en alerte, certain, l'espace d'un instant, que c'étaient India et Charlotte qu'il entendait. Elles pleuraient encore, comme elles le faisaient quand il s'était éloigné de la fosse.

Mais non, c'était impossible. Il était beaucoup trop loin de l'endroit où il les avait laissées pour les entendre.

Ce n'étaient que les criailleries des hyènes. Il en avait entendu au cours du safari. On lui avait dit qu'elles avaient peur des hommes, et du feu. Elles rôderaient peut-être un peu, mais ne montreraient pas leurs silhouettes grotesques et bossues, et se sauveraient au moindre mouvement brusque. Il avait beau ne pas en avoir peur, leurs voix étaient tout de même horribles à entendre. Pour un peu, il aurait cru à des esprits malins venus se venger. Les chevaux, attachés non loin, se mirent à hennir et à piaffer.

Il scruta la nuit. Des yeux brillaient dans le noir. Il en vit une, puis deux, puis trois, puis quatre. Il tapa dans ses mains pour les faire fuir. Deux disparurent, mais deux restèrent.

— Ouste ! Partez !

Elles ne bougèrent pas, et un ricanement épouvantable retentit. Il eut l'idée macabre que les fantômes d'India et de Charlotte l'observaient.

— Allez ! Partez ! hurla-t-il en faisant de grands gestes.

Cette fois, les yeux s'évanouirent, et il y eut des glapissements et des bruits de course. Il se passa une main tremblante sur le visage.

— Voyons, mon vieux, du nerf, se dit-il. Ce sont des pleutres.

Pour se distraire, il tâcha de penser à Londres, au Reform Club, au Parlement, aux courses d'Ascot. Mais il revenait sans cesse à India. Il la revoyait, non pas telle qu'il l'avait abandonnée à une mort certaine au fond du piège à gibier, mais enfant, à Blackwood. Elle avait pleuré en comprenant qu'il avait été battu. C'était bien la seule à avoir jamais éprouvé la moindre compassion pour lui. Elle avait été tendre, alors. Elle l'avait aimé. Si Hugh ne s'était pas mis en travers de son chemin…

Hugh avait mérité de mourir. Wish aussi, qui faisait tout pour aider India à gagner son indépendance au lieu de l'encourager à devenir une bonne épouse. Et Gemma Dean autant qu'eux tous, parce qu'elle refusait de lui donner l'adresse qu'il cherchait. India, comme eux, n'avait eu que ce qu'elle méritait. Menacer de le dénoncer à la police, cette traîtresse ! Et Charlotte, Charlotte qu'il détestait…

Il imagina l'innocente morte au fond de la fosse. Des vautours lui picoraient les os. Ses yeux gris, les yeux d'India, se tournaient fixement vers lui.

— Non ! cria-t-il en se redressant brutalement.

Des piaillements, des aboiements et des ricanements éclatèrent. C'est à peine s'il les avait entendus, trop occupé à se justifier en pensée. D'ailleurs, c'était trop tard. Elles étaient mortes. Il ne regrettait rien. Sa vie allait changer. Il porta la flasque à ses lèvres d'une main tremblante.

En la rabaissant, il pensa au Comte rouge. Son ancêtre lui avait répété toute sa vie : *Si tu veux être roi, c'est ton propre cœur que tu devras d'abord arracher…* C'est ce que j'ai fait, songea-t-il. Il n'y a plus rien depuis longtemps dans ma poitrine. Je me le suis extirpé du corps entièrement.

Il entendit encore un rire. Celui du Comte ou celui des hyènes ? Il n'en savait plus rien. Cette crise de remords devait cesser. La fatigue l'affaiblissait, et sans doute la faim. Il avait oublié de dîner. C'était cela. Il fallait manger, puis dormir. À la lumière du jour, ses crimes lui sembleraient moins terribles.

Il ajouta des branches sur le feu. Il avait ramassé du bois en s'arrêtant, qui lui durerait toute la nuit. La chaleur des flammes le rassura. Il se rassit et prit dans sa sacoche un morceau de fromage, une tranche de pain d'épice et quelques figues sèches. Alors qu'il coupait le fromage avec son canif, la lame glissa et lui entailla le doigt. Il jura, puis porta la coupure à sa bouche. Il fallait la désinfecter vite car, en Afrique, aucune blessure, même bénigne, n'était à négliger. Si la gangrène s'y mettait, on pouvait y perdre le bras.

Il prit une fiole de désinfectant dans sa sacoche et s'en versa sur le doigt. Les hyènes aboyèrent et ricanèrent de plus belle, ce qui lui rappela que, comme le lui avait dit Delamere, ces bêtes étaient attirées par le sang. D'un coup d'œil, il s'assura que sa carabine était bien à portée de main, puis il reboucha la fiole et s'emmaillota le doigt avec un mouchoir propre.

Autour de lui, les hurlements montaient, de plus en plus forts, de plus en plus frénétiques.

Gagné par l'inquiétude, il rangea la fiole dans la sacoche pour prendre sa carabine. Il tendait la main quand un choc dans le dos le fit tomber sur le côté. Il entendit un claquement de mâchoires, un grondement. Une odeur pestilentielle le prit à la gorge tandis qu'il se défendait à coups de poing et à coups de pied. Il réussit à cogner au flanc la bête qui l'attaquait, provoquant sa fuite au milieu de cris et de glapissements. Haletant, tremblant, il se jeta sur son arme, mais il était trop tard. La horde se lançait à l'assaut. Il se recroquevilla, cherchant à se protéger, mais vainement. Les hyènes étaient sur lui et le mordaient. Criant, se débattant, il sentit des crocs s'enfoncer dans son épaule, dans sa cheville, dans sa cuisse. Il vit des yeux tout près des siens, et une gueule se referma sur sa gorge.

Le sang de Freddie se répandit dans l'herbe de la savane, imbibant la terre rouge. La nature se montra pourtant assez clémente. Les hyènes firent leur œuvre rapidement. Pourtant, il était encore conscient quand une grande femelle, ne trouvant plus de place à la gorge ni au ventre, se jeta sur sa poitrine avec un hurlement frénétique. Elle broya ses côtes de ses mâchoires puissantes, lacéra la chair à coups de griffes.

Aucun son ne passait plus par la gorge ouverte de Freddie qui se tordait d'horreur en silence. L'énorme hyène leva alors sa tête ensanglantée dans la mêlée puis replongea pour achever son œuvre.

Triomphante, elle arracha le cœur dont elle allait se repaître.

128

Sid termina d'éteindre son feu de camp à coups de botte, jetant les dernières braises dans la rivière. Son sac de couchage était déjà roulé et attaché derrière sa selle, et il avait avalé son petit déjeuner. L'aube se levait sur le troisième jour de ses recherches et il avait hâte de se remettre en route.

Il avait suivi la piste jusqu'à la rivière, puis il avait perdu la trace. Peut-être avait-il plu, ou peut-être le vent avait-il redressé l'herbe, mais il était maintenant contraint de faire rayonner ses recherches autour du dernier point où les chevaux étaient passés. Il privilégiait pourtant l'ouest, car c'était jusqu'à présent la direction qui avait été suivie en ligne droite. Tout en s'éloignant de la rivière, il notait les caractéristiques du terrain pour se repérer au retour : un gros rocher, un bouquet d'arbres.

Il poursuivit ses recherches sans succès toute la matinée, avançant lentement à travers la plaine tel un voilier contraint à dériver faute de vent, cherchant le moindre creux de terre enfoncé par un sabot, la moindre herbe pliée. Juste avant midi, d'une hauteur où il était monté, il aperçut du mouvement. Des animaux s'affairaient dans l'herbe de la savane. L'angoisse l'envahit. Il n'avait même pas besoin de lever ses jumelles. C'étaient des vautours. Il y en avait une vingtaine, aux plumes noires souillées de poussière rouge. Ils se repaissaient au soleil, piquant du bec et sautant pour se disputer une proie.

Il fit avancer son cheval, priant avec ferveur d'avoir la force de supporter le spectacle qui l'attendait.

Un bourdonnement de mouches l'accueillit d'abord, qui montait de plus en plus fort à chaque pas. Puis ce fut une odeur de sang et d'entrailles chauffées par le soleil qui assaillit ses narines. Les vautours battirent des ailes et poussèrent des cris à son approche. Ils terminaient les restes d'un poney noir. Une morsure était encore visible au cou, plus petite que celle d'un lion… Des hyènes, songea-t-il, transi de peur.

— Charlotte !

Il sauta à bas de son cheval, et fendit les hautes herbes ensanglantées, sûr de trouver son petit corps fragile. Une enfant était une proie si facile.

Ce ne fut pas le corps de Charlotte qu'il découvrit, mais celui de Freddie. Les vautours n'avaient pas fini de le défigurer. Il lui restait un œil, fixé vers le ciel.

Il plaça ses mains en porte-voix.

— India ! hurla-t-il en tournant sur lui-même. Charlotte !

Il n'y eut pas de réponse. Il recommença, encore, encore. Toujours rien.

Il reprit son cheval et décrivit autour des carcasses des

cercles de plus en plus larges, cherchant des herbes couchées, du sang.

Plus il s'éloignait, plus il trouvait étrange de ne rien trouver. Les hyènes déchiquetaient leurs victimes, elles les tiraient, les secouaient. Il restait toujours des traces. Même en admettant que les corps aient disparu, il y aurait eu des marques de lutte, des lambeaux de vêtements.

— Où sont-elles, Lytton ? hurla-t-il. Espèce de salaud ! Assassin ! Qu'en as-tu fait ?

Il finit par découvrir un autre cheval, mort, lui aussi, puis le troisième, vivant celui-là, qui s'était enfui à une centaine de mètres et s'était arrêté dans des buissons. Il lui fallut une heure pour rassurer l'animal à l'aide d'avoine et de douces paroles. Quand il parvint à prendre ses rênes, il l'attacha à la selle de son cheval et continua ses recherches.

Un profond découragement s'était emparé de lui.

Et puis, soudain, enfin, il vit de l'herbe foulée par des chevaux. La piste, cette fois, était nette. Il la suivit, étonné de son parcours sinueux. Il appelait tout en avançant, cherchant des signes, mais sans rien trouver. Vers midi, la piste s'arrêta.

Il y avait une colline à environ cinq cents mètres, sur laquelle il monta pour scruter le terrain avec ses jumelles. Il cherchait un animal, le blanc d'un vêtement, n'importe quelle couleur ou mouvement qui romprait avec le paysage. Il balayait lentement le terrain, s'arrêtant au moindre doute, revenant en arrière puis continuant. Il n'y avait que des buissons et de l'herbe. Il avait presque terminé un tour complet de l'horizon quand un éclat de lumière lui accrocha l'œil à peu de distance. Un point d'eau, peut-être… Le soleil, à son zénith, faisait scintiller tout ce qui pouvait briller à terre. Si c'était de l'eau, il y en avait très peu. Et puis, il ne voyait pas de boue, pas de marques de sabots ou de pattes. Mais, en regardant mieux, il s'intéressa à une couleur différente que prenait le sol tout à côté, comme une ombre. Une grande ombre circulaire… Mais une ombre… projetée par quoi ? Il n'y avait pas d'arbre.

Bon Dieu ! Une fosse à gibier ! Et si elles étaient tombées dans une fosse à gibier ?

Il descendit la colline au galop, encourageant son cheval à aller plus vite, les appelant à pleins poumons, priant qu'il ne soit pas trop tard.

Il s'arrêta à quelques mètres de la fosse, sauta de cheval et courut s'accroupir au bord.

— India ! Charlotte !

Elles étaient bien là. India était allongée au fond, immobile, la tête posée sur les genoux de Charlotte.

— India ! Non !… Charlotte, tu m'entends ?

La petite leva vers lui un visage sali par la poussière et les larmes.

— Monsieur Baxter… dit-elle d'une voix faible, plissant les yeux dans le soleil.

Puis elle baissa la tête et caressa la joue de sa mère doucement.

— Maman, maman, réveillez-vous. C'est M. Baxter. Il nous a retrouvées, comme je vous l'avais dit. Maman, je vous en prie, réveillez-vous.

129

India mourait.

Elle s'était sentie partir. La soif l'avait rendue folle et

l'avait tuée. Elle avait tout fait pour rester avec Charlotte, mais elle avait perdu la bataille.

Wish s'occupait d'elle, à présent. Il lui tenait la main, sans lui parler, sans doute parce qu'il lui manquait la moitié du visage. Hugh aussi était là. Il lui mit les peignes à chignon dans les mains pour qu'elle les garde. Il lui dit qu'il l'aimait, mais que d'autres aussi l'aimaient et qu'elle ne devait pas les quitter.

— Ouvre les yeux, India.

Elle voulut obéir, mais n'y parvint pas. Ses paupières pesaient comme du plomb. Elle était fourbue, son cœur peinait, ses poumons se soulevaient laborieusement.

— India, je t'en prie, ouvre les yeux.

Ce n'était plus la voix de Hugh. Elle fit encore un effort, cette fois couronné de succès. Où était-elle ? Des flammes dansaient près d'elle. Elle voyait leur lumière, sentait leur chaleur. Je suis en enfer, songea-t-elle. Non, j'en suis sortie. L'enfer était cette fosse où elle était morte avec Charlotte.

Charlotte !

Le sang afflua dans ses veines à la pensée de son enfant. Charlotte, où était Charlotte ? Elle déglutit, voulu parler, mais sa langue était engourdie, sa gorge sèche.

— Charlotte, murmura-t-elle, Charlotte, réponds-moi.

Une main se posa sur son front, et une voix lui dit :

— Chut... Charlotte va bien. Elle est là. Elle dort.

— Sid ? C'est toi ?

Elle voyait si mal...

— Oui, c'est moi.

Il la prit doucement dans ses bras pour l'asseoir et lui posa une gourde contre les lèvres. Elle but avidement, mais il l'empêcha de continuer.

— Il faut y aller doucement.

— Tu es mort aussi, alors ? On t'a pendu. J'ai voulu te sauver, mais…

— India, voyons…

— Nous sommes au paradis, sûrement, puisque Charlotte est avec nous.

— India, s'il te plaît, reviens à la raison. Tu n'es pas morte, ni Charlotte, ni moi. Tu as beaucoup souffert. J'ai cru te perdre aujourd'hui. Je t'en prie, reste avec nous, tiens bon.

— Où sommes-nous ?

— Dans un campement, au bord de la rivière.

Soudain, tout lui revint. Une terreur folle s'empara d'elle.

— Vite ! Il faut se sauver ! Va-t'en, Sid ! Freddie va nous tuer. Il a déjà tué beaucoup de gens…

— Reste couchée.

— Non, il est dangereux…

Sid introduisit une cuillère entre ses lèvres. Un liquide amer coula dans sa gorge. Elle se débattit.

— Non ! Pas de laudanum ! Je ne veux pas dormir !

— N'aie pas peur. Nous ne courons plus aucun danger. Tu dois te reposer pour supporter le trajet du retour.

India ne lui résista plus, déjà engourdie par le médicament.

— J'étais médecin, autrefois, dit-elle d'une voix brisée. Et puis, j'ai eu un enfant. C'était ta fille, Sid. Je l'ai perdue. Je t'ai perdu. J'ai tout perdu…

— Non, rien n'est perdu. Tu peux redevenir médecin. Tu peux refaire ta vie. Nous allons vivre ensemble, tous les trois. Nous serons heureux.

India l'entendait à peine, ne comprenait plus. Elle

rêvait, sûrement. Elle ferma les yeux et sombra dans un profond sommeil.

130

En se réveillant, India sentit une odeur de roses. D'où venait ce parfum, au fond de cette fosse où on l'avait jetée ?

Elle ouvrit les yeux et vit de belles fleurs blanches odorantes dans un vase posé sur une table de nuit.

— Tu aimes mon bouquet, maman ?

C'était Charlotte qui se penchait sur elle en souriant.

— Joseph m'a aidée à les cueillir dans le jardin de lady Wilton. Elles viennent de fleurir. Je suis contente que tu sois réveillée.

— Charlotte, ma chérie !

Elle serra sa fille dans ses bras, des larmes de soulagement plein les yeux. Quel bonheur de la voir vivante !

Après un long moment, elle la relâcha. Ainsi, elle était revenue dans sa chambre, chez les Wilton.

— Comment sommes-nous rentrées ?

— Vous savez bien, c'est M. Baxter qui nous a ramenées.

Oui… Elle se souvenait de Sid. Il l'avait prise dans ses bras, il lui avait parlé. Ainsi, ce n'était pas un rêve.

— Je vous avais bien dit qu'il nous retrouverait, maman ! Il nous a tirées du trou avec une corde accrochée à la selle des chevaux. Il nous a soignées et il nous a raccompagnées.

Une terreur folle s'empara d'India, balayant son bonheur. Freddie allait le tuer. Il allait tous les tuer. Elle voulut se lever, mais un étourdissement la fit retomber sur l'oreiller.

— Charlotte, vite, où est M. Baxter ? Où est ton père ?

— M. Baxter n'est plus là. Il aurait voulu rester, mais il était pressé. Il est parti hier. Père s'est fait manger par les hyènes. Il paraît que je n'ai pas le droit de vous le dire.

— Comment ?... Charlotte... Mon Dieu... Il est mort ?

— Tant mieux. Il était très méchant.

On frappa à la porte, puis Mary entra.

— Ah ! Je pensais avoir entendu des voix. Je suis bien soulagée de vous voir réveillée, Madame ! Restez au lit. Vous nous avez inquiétés, vous savez. Comment vous sentez-vous ?

— Mary, est-ce que c'est vrai ? Mon mari est mort ?

— Charlotte ! Vous saviez pourtant qu'il ne fallait rien dire...

— Répondez ! coupa vivement India.

— Oui, Madame... C'est ce que M. Baxter nous a appris. Il a indiqué à Joseph où trouver le corps, et Joseph a envoyé des hommes pour le ramener. Ils sont partis hier. Nous les attendons. Je suis désolée, Madame.

India ferma les yeux pour cacher son soulagement, loin d'éprouver la peine qu'on attendait d'elle.

— Et M. Baxter ?

— Il est parti.

— M'a-t-il laissé un message, une lettre ?

— Non, Madame.

— Rien ? Il n'a rien dit ?

— Il a dit qu'il allait vers l'est. Je lui ai proposé de rester pour que vous puissiez le remercier, mais il n'avait pas le temps. Par chance, vous n'êtes pas seule.

De la visite vient d'arriver pour vous. Mme Margaret Carr et un monsieur. Je leur ai dit d'attendre. Vous n'avez pas encore la force de les recevoir.

— Mais si ! fit une voix tonitruante. Ça lui fera du bien, au contraire !

— Madame, voyons…

Malgré les protestations, Maggie entra sans autre forme de procès.

— Taratata ! Donnez-lui son peignoir, et pas de chichis entre nous. Bonjour, madame Lytton. J'ai beaucoup de choses à vous dire et il faut que je vous les dise vite avant l'arrivée de Tom Meade qui nous suit de près. Nous n'avons pas plus d'une demi-heure d'avance sur lui. Vous êtes présentable ? Alors parfait. Seamie ! Viens, mon garçon ! Dépêche-toi !

Quand Seamie entra dans la pièce, India eut un sursaut.

— Pardonnez-moi, j'ai cru voir quelqu'un d'autre.

— Sid ?

— Oui, Sid.

— Je suis son frère, Seamus. Ravi de faire votre connaissance. J'ai déjà rencontré Charlotte, ajouta-t-il en souriant à la petite fille. Nous nous sommes croisés sur la plage à Mombasa, tu te souviens ?

— Oui ! Je me souviens très bien !

— Le frère de Sid… murmura India.

— Faut-il servir du thé, Madame ? demanda Mary d'un ton pincé.

— Un petit remontant plutôt, intervint Maggie, si ça ne vous ennuie pas. Nous sommes venus d'une traite. Dix heures de cheval, c'est infernal pour le dos !

— Du brandy, du porto et des sandwichs, Mary, ordonna India.

Mary les laissa donc, et Maggie et Seamie tirèrent des

chaises près du lit. Charlotte resta tout contre sa mère, refusant de la quitter, et écouta la conversation de toutes ses oreilles.

India expliqua tout, la découverte des bijoux et ses terribles conséquences, jusqu'à leur sauvetage par Sid.

— Votre mari aurait mérité d'être rapatrié à Londres pour être jugé publiquement ! s'emporta Maggie.

— Je me demande si les bijoux à eux seuls auraient suffi…

— Il y avait aussi le témoignage d'un prisonnier à Londres, un certain Frankie Betts, qui dit l'avoir vu tuer l'artiste de music-hall. Le ministre de l'Intérieur a câblé pour demander de faire rentrer M. Lytton pour l'interroger. Tom Meade est chargé de venir le chercher. C'est lui qui m'a tout raconté en faisant étape à Thika avec Seamie qui venait de Nairobi avec lui. Seamie et moi sommes partis avant son réveil. Nous savions que Sid était allé vous rejoindre, il fallait l'avertir de l'arrivée de Tom.

— Et vous dites que ces bijoux ont été jetés dans la rivière ? intervint Seamie. C'est bien dommage. Cela aurait démontré la culpabilité de Freddie Lytton sans le moindre doute.

— Mais maman, les bijoux ne sont pas dans la rivière ! s'exclama Charlotte. Je les ai pris, vous ne vous souvenez pas ? J'ai même jeté le peigne pour éloigner la lionne. M. Baxter a dit que c'était grâce à cela qu'il nous avait sauvées, parce qu'il l'a vu briller au soleil.

Elle sortit en courant, tandis qu'India, Maggie et Seamie échangeaient des regards interdits. India se souvenait vaguement d'un rêve, mais sans consistance aucune. Il ne fallut pas longtemps à Charlotte pour revenir les mains pleines de bijoux étincelants qu'elle étala sur le lit d'India.

— Quelle petite fille incroyable, s'enthousiasma Seamie.

Elle se rengorgea.

— Bravo, approuva Maggie d'un ton bourru.

India s'abîma dans la contemplation des bijoux retrouvés. C'était à la fois la preuve des crimes commis et un souvenir des êtres chers qu'elle avait perdus. Trois personnes étaient mortes, Hugh, Wish et Gemma Dean, et tout cela à cause de la jalousie et de la cupidité de Freddie.

Maggie interrompit ses réflexions.

— Nous devons vous parler de Sid avant l'arrivée de Tom Meade, et j'ai peur qu'il ne nous interrompe. Tom va vouloir savoir où Sid est allé. Si vous le savez, ne dites rien.

— Mais puisque Sid a été libéré, pourquoi doit-il encore se cacher ?

Maggie et Seamie échangèrent un regard.

— Charlotte, ma jolie, dit Maggie. Tu veux bien aller voir où en est Mary à la cuisine ? Dis-lui que la cuisinière ne se donne pas trop de mal pour les sandwichs. Du fromage et des cornichons feront l'affaire.

Charlotte sortit en sautillant pour accomplir sa mission. Quand il n'y eut plus à craindre de heurter ses oreilles innocentes, Maggie raconta l'évasion de Sid, et les mensonges qu'elle et Seamie avaient servis à la police pour ne pas être accusés de complicité.

— Pourquoi est il venu ici, s'il se sauvait ?

— Il est venu, dit Seamie, parce qu'il pensait que Charlotte était sa fille, et qu'il voulait l'entendre de votre bouche.

— Oui… oui… Charlotte est bien sa fille.

— Sa fille, répéta Seamie avec un sourire. Alors,

c'est ma nièce. J'en suis ravi, et cela explique pourquoi elle est aussi intelligente et aussi débrouillarde !

India ne put s'empêcher de rire. Il ressemblait tellement à son frère. Il avait l'air aussi courageux, aussi généreux. Il avait son regard, vert et vif, profond… et si triste à la fois.

— Mais s'il savait que Charlotte est sa fille, soupira-t-elle, pourquoi est-il parti après nous avoir sauvées ? Il ne m'a pas laissé le temps de lui parler moi-même. Il n'a pas dit où il allait, ni s'il reviendrait…

— Il avait certainement peur d'être rattrapé par la police, intervint Maggie. N'oubliez pas qu'en s'évadant de Nairobi, il ne savait rien du témoignage de Frankie Betts, et donc qu'il y avait un espoir pour lui d'être disculpé.

— Sans doute… Mais j'ai surtout peur que ce soit par colère contre moi. J'ai eu tort de ne pas lui dire tout de suite en le retrouvant qu'il était le père de Charlotte. J'ai voulu le faire, à Thika, mais nous allions bientôt repartir pour Londres, et j'ai eu peur de lui causer une peine inutile. Lui donner une fille et la lui reprendre aussitôt, je trouvais cela cruel. J'ai préféré me taire. Il ne me l'a pas pardonné.

Maggie et Seamie échangèrent des regards atterrés.

— J'espère bien que ce n'est pas ça ! protesta Maggie.

— Mais sinon, pourquoi serait-il parti sans me parler, sans dire où il allait, sans même laisser une lettre ?

À cet instant, ils entendirent un bruit à la porte.

— Charlotte ? appela India.

Pas de réponse.

— Mon Dieu, j'espère qu'elle ne nous a pas entendus…

Elle ne termina pas sa phrase car Mary entrait, affolée.

— Mary, avez-vous vu Charlotte devant la porte ?

— Non, Madame. Je suis désolée, mais le thé n'est pas prêt. Les hommes sont de retour avec le corps de Monsieur et le sous-préfet est arrivé avec des hommes à l'instant pour voir Monsieur. J'ai dit que vous étiez souffrante, mais je ne sais pas comment leur expliquer la situation, continua-t-elle, au bord des larmes. Que faut-il dire ?

— Je me charge de lui parler. Dites à Joseph d'apporter une collation à nos invités, et qu'il prépare des chambres pour tout le monde. Dites à M. Meade que je le recevrai dans un petit moment, et revenez me faire couler un bain.

— Vous voulez vous lever ? Mais vous êtes encore trop faible, Madame, ce n'est pas raisonnable.

— Sans doute, mais je n'ai pas le choix. Et pendant que j'informerai M. Meade de la situation, vous pourrez commencer à faire nos bagages.

— Vous serez assez forte pour prendre la route ? demanda Maggie quand Mary fut partie.

— Je dois rentrer le plus vite possible. Il faut ramener le corps de Freddie à Nairobi pour l'enquête. Je vais tout expliquer à Tom, et je lui remettrai les bijoux. J'ai hâte de me retrouver à Londres avec Charlotte.

— Alors nous vous laissons vous habiller.

Seamie, pendant tout ce temps, avait gardé le silence. Il s'apprêtait à passer la porte quand il se tourna vers India.

— Lady India… India… Ne partez pas. Attendez-le.

— Il ne reviendra pas, je le sais. Je l'ai perdu.

— Si, il reviendra.

Elle secoua tristement la tête.

— J'aurais dû lui parler. J'ai eu ma chance. Je n'en aurai pas d'autre, malheureusement.

131

Très découragé, Joe revenait en voiture d'une entrevue avec le ministre de l'Intérieur. Gladstone n'avait pu lui donner aucune nouvelle. L'enquête était au point mort, et il ne pouvait toujours pas dire la vérité à Fiona. Son secret l'empoisonnait. Pourtant, il avait cru un moment avoir réussi. N'ayant trouvé aucune nouvelle piste au Barkentine, il était revenu à la charge auprès du ministre et avait obtenu gain de cause.

— Imaginez le scandale, Herbert ! Si Lytton était coupable et que surgissait un nouveau témoin, ou une preuve irréfutable pour appuyer les dires de Betts, on vous reprocherait de n'avoir rien fait… On accuserait le gouvernement de se placer au-dessus des lois. Il y aurait une violente réaction de l'opinion contre les libéraux.

Gladstone avait cédé de mauvaise grâce.

— C'est plus prudent de faire revenir Lytton, en effet. Je vais télégraphier à Nairobi pour avertir le gouverneur, et nous allons le rappeler à Londres pour l'interroger. Il faudra du temps, bien entendu. Plusieurs jours sûrement. Il est en Afrique, que diable. Il n'y a que quelques télégraphes et pas du tout de téléphones. Laissez-moi une marge de manœuvre avant d'ameuter les journaux.

Joe avait promis d'être patient et de s'abstenir d'avertir la presse avant un délai raisonnable. Mais une semaine s'était écoulée, et il commençait à se demander si le gouverneur, de mèche avec Gladstone, ne ralentissait pas la procédure à dessein. Hayes Sadler avait télégraphié pour annoncer que Lytton était en vacances au mont Kenya et que des retards s'étaient produits. Lesquels ? Il ne le précisait pas, et promettait des nouvelles qui ne venaient pas.

Cette attente devenait insoutenable. En dehors d'éventuels aveux de Freddie Lytton, il ne restait plus rien à faire. Au Barkentine, Desi Shaw affirmait ne rien savoir. Joe Grizzard n'avait pas entendu parler des bijoux de Gemma Dean. Les dernières pistes se refermaient les unes après les autres. Il ne lui restait que la parole de Frankie, qui ne pèserait pas bien lourd contre celle de Lytton.

La voiture s'arrêta devant le 94 Grosvenor Square. Un mécanisme avait été spécialement adapté à la voiture pour lui permettre d'y monter et d'en descendre seul en fauteuil roulant. Ensuite, il ne restait plus qu'à prendre la rampe du perron. Il s'attendait à voir Foster, mais ce fut Fiona qui ouvrit.

— Enfin ! Te voilà ! s'écria-t-elle.

Elle tenait à la main une dépêche-fleuve de deux pages, et avait le visage inondé de larmes.

— Vite, entre ! J'ai reçu des nouvelles terribles de Seamie !

Il roula dans l'entrée et vit Katie et Charlie assis en haut de l'escalier, pressant leurs frimousses pleines de curiosité entre les balustres pour regarder en bas. Anna, la nurse, était avec eux sur les marches, le petit Peter dans les bras.

— Attends de t'asseoir pour me raconter ça.

Il redoutait tout ce qui pourrait lui causer des chocs et provoquer un accouchement prématuré.

Le majordome entra à cet instant dans le vestibule, portant du thé sur un plateau.

— La cuisinière a préparé un délicieux quatre-quarts, Monsieur, avec de la crème anglaise bien onctueuse.

Joe le crut devenu fou.

— Mais, voyons, Foster, je n'ai pas la moindre envie de gâteau !

Foster fit un mouvement de tête vers l'escalier.

— Les enfants, Monsieur.

— Ah, oui, bien sûr. Katie, Charlie, qui veut goûter ?

— Maman a pleuré ! gémit Katie.

— C'est oncle Seamie, il doit être malade, pleurnicha Charlie.

— Mais non, voyons. Anna va vous emmener à la cuisine, et elle vous donnera du gâteau. Ensuite, elle vous racontera une histoire. Tout va bien, ne vous inquiétez pas.

— Mais…

— Obéissez ! Maman viendra vous voir plus tard, et gardez-nous une petite tranche, d'accord ?

— Je vous sers le thé au salon, Monsieur, annonça Foster en disparaissant avec le plateau.

Les enfants partirent à la cuisine avec Anna, tandis que Joe faisait entrer Fiona au salon. Foster servit le thé puis sortit discrètement en refermant derrière lui. Quand Fiona fut assise, Joe approcha son fauteuil, s'arrangeant pour que leurs genoux se touchent.

— Voyons, Fi, chérie, calme-toi. Ce n'est pas bon pour le bébé. Si Seamie a des ennuis, nous ferons tout pour l'aider. Explique-moi ce qui se passe.

— Tiens, lis toi-même.

Joe prit le long message.

Cher Joe, chère Fiona,

Je ne suis pas en prison, je me porte bien.

Ce début augurait mal du reste. Joe se dépêcha de lire, tâchant de tirer au clair une histoire fort confuse. Seamie s'excusait de n'avoir pas donné de nouvelles plus tôt, mais disait en avoir été empêché par un rhinocéros qui avait abattu un poteau télégraphique à quelques kilomètres de Nairobi. Il avait fallu une semaine pour réparer les dégâts. Il espérait qu'aucune nouvelle n'avait encore filtré jusqu'à eux. Il mentionnait ensuite brièvement l'ascension du Mawenzi, l'accident, le sauvetage et l'amputation de Willa.

— Bon sang, la pauvre ! s'exclama Joe. C'est un miracle qu'elle soit encore en vie.

— Il faudra rendre visite aux Alden comme Seamie nous le demande. Il craint qu'elle n'ait pas contacté sa famille.

— Nous irons ce soir. Ne pleure pas. Seamie est en bonne santé et Willa ne se laissera pas abattre.

— Continue, tu verras !

La suite lui expliqua mieux son émotion. Sid avait été retrouvé par Freddie Lytton dans une plantation d'Afrique-Orientale britannique, et il avait été arrêté pour le meurtre de Gemma Dean.

— Ne t'inquiète pas, Fiona, il sera disculpé.

— Je ne vois pas ce qui te permet de le croire. Lytton veut sa perte. Il témoigne contre lui pour le faire pendre. Il l'aurait déjà fait condamner si Seamie et toi n'aviez pas aidé Charlie à fuir de Londres.

— Que dit-il ensuite ? Il reste encore une page.

— Je ne sais pas, je n'ai pas eu le temps de lire plus loin. J'en étais arrivée là quand tu es rentré. La dépêche venait d'être apportée.

— Bon Dieu ! s'exclama Joe qui parcourait rapidement la suite.

— Quoi ? Parle !

— Freddie Lytton ne fera plus pendre personne…

— Comment cela ?

— Il est mort. Dévoré par des bêtes sauvages.

— Mon Dieu, le pauvre homme. Et sa femme, India… et leur fille ? J'espère qu'elles sont saines et sauves.

— Attends… Il a essayé de les tuer.

— Qui ça ?

— Lytton ! Il a voulu assassiner sa femme et sa fille.

— Tu plaisantes ?

— C'est Sid qui l'en a empêché. Il a sauvé India et la petite.

— Je ne comprends pas. Je croyais qu'il avait été arrêté.

— Il s'est évadé, il les a secourues, et puis il a disparu. On ne sait pas où il se trouve.

Fiona le dévisageait, affolée.

— Chérie, calme-toi. Il est vivant. Et Seamie va bien. Il rentre à Londres par le même bateau qu'India et Charlotte Lytton.

— Ce pauvre Charlie… seul en Afrique. Il faut faire quelque chose. Il faut le retrouver, l'aider…

Joe termina le câble. Seamie concluait en disant qu'il y avait encore des quantités de détails à raconter, qu'on avait retrouvé des diamants et qu'il leur raconterait le reste de vive voix.

Des diamants, songea-t-il avec un regain d'espoir. Si c'étaient les bijoux de Gemma Dean, on pouvait espérer que Sid serait disculpé. Et si India l'avait revu, sans doute savait-il maintenant que Charlotte était sa fille. Il ne lui manquait qu'une confirmation avant de se sentir le droit de révéler toute la vérité à Fiona, et d'être enfin délivré de son secret. Il prit la main de sa femme.

— Il y a certaines choses que tu ne sais pas encore…

— Je t'écoute.

— Il y a quelque temps, avant même que tous ces événements ne se produisent en Afrique, j'ai fait rouvrir l'enquête sur le meurtre de Gemma Dean.

— Vraiment ? Mais pourquoi ne m'as-tu rien dit ?

— Je ne voulais pas te donner de faux espoirs. J'y travaille depuis des semaines. J'ai trouvé un témoin du meurtre. Frankie Betts.

— Mon Dieu ! Tu es allé voir cet homme en prison ?

— Je me doutais qu'il n'avait pas tout dit, et j'avais raison. Il a signé une déposition en bonne et due forme. Je sais maintenant pourquoi Lytton accusait Sid du meurtre. Je le sais, parce que Frankie a vu le meurtrier.

— Tu sais qui a tué Gemma Dean ?

— Oui, et c'est Freddie Lytton lui-même.

— Non…

— C'est une longue, très longue histoire, et cette dépêche est loin de rendre compte de tout. Il y a d'autres révélations que je ne peux pas encore te faire…

Fiona retira sa main, heurtée.

— Pourquoi ?

— Chérie… Il y a six ans, je t'ai demandé de ne pas chercher à revoir Sid, de ne pas nous mêler à sa vie, tu te souviens ?

Elle hocha la tête en détournant les yeux, honteuse comme chaque fois qu'elle se reprochait les événements qui avaient coûté ses jambes à Joe.

— Fi, regarde-moi.

Il fut profondément touché par sa peine.

— Je te demande la même chose aujourd'hui. Je t'en prie, fais-moi confiance. Ne cherche pas à savoir.

— Mais, Joe…

— Donne-moi un peu de temps, je ne te demande

rien d'autre. Quelques semaines, tout au plus. Ne t'inquiète pas, tout va s'arranger, mais tu ne dois plus poser de questions.

Elle n'avait aucune raison de lui faire confiance. Il avait toujours méprisé son frère et refusé tout contact avec lui. Voudrait-elle bien se reposer sur lui et croire que, cette fois, il était réellement de son côté ? Il lui demandait l'impossible. Il lui reprit la main.

— Fi, tu as confiance en moi ?

Il vit la réponse dans ses yeux avant même qu'elle ne parle.

— Bien sûr, Joe. Entièrement, et de tout cœur.

132

Cinq semaines après l'arrivée de sa dépêche, Seamie sonna au 94 Grosvenor Square.

C'était un dimanche matin ensoleillé du mois de juin. Fiona et Joe lisaient les journaux dans le jardin d'hiver en buvant du thé. Elle avait beau se reprocher de ne pas se consacrer à une activité plus utile, Fiona était encore fatiguée par l'arrivée de leur quatrième enfant, une fille, née depuis quinze jours. Ils l'avaient prénommée Rose, du prénom de la mère de Joe.

C'était un bébé adorable et florissant qui faisait la joie de ses parents. La naissance avait mobilisé toute l'énergie de Fiona et l'avait distraite pour un temps des récents événements d'Afrique. Mais, à présent, elle ne pouvait plus échapper aux détails terribles de la mort de Freddie Lytton que la presse détaillait avec une morbidité écœurante.

Sa vie était également passée au crible, et avait été aussi terrible que sa mort. En plus de l'assassinat de Gemma Dean, il avait d'autres crimes sur la conscience, dont sa femme avait découvert la preuve en retrouvant des bijoux disparus.

C'était pour la faire taire qu'il avait voulu la tuer et, sans Charlie, elle aurait connu une fin atroce avec sa fille au fond du piège à gibier dans lequel il les avait jetées. Sid Malone, autrefois vilipendé par la presse pour des crimes qu'il n'avait pas commis, était devenu un héros. Un héros qui, à peine ressuscité, avait disparu.

L'affaire soulevait encore de nombreuses questions qui attisaient la curiosité du public. On ne savait pas pour quelle raison Lytton avait tué l'artiste de music-hall, ni pourquoi Sid Malone s'était donné tant de mal pour sauver lady India Lytton. La veuve refusait de parler à la presse, et les autres témoins se taisaient obstinément. Une certaine Margaret Carr, planteuse de café, avait même tiré sur les journalistes à coups de carabine depuis le pas de sa porte.

Mais, si le mystère devait rester entier pour les lecteurs de la presse britannique, Fiona, elle, s'estimait en droit de savoir. Surtout, elle voulait des nouvelles de son frère pour l'aider à rentrer en Angleterre. Joe aurait pu l'éclairer sur bien des points, mais pour une raison qu'elle ne comprenait pas, il refusait de parler. Lui ayant promis sa confiance, elle ne posait aucune question, ce qui mettait sa patience à rude épreuve. Fiona n'aimait guère l'inaction. Elle aimait réfléchir, elle aimait se battre et détestait attendre.

Alors qu'elle se servait une tasse de thé et en proposait une à Joe, le timbre de la porte tinta.

— Tiens, qui cela peut-il bien être, un dimanche ? s'étonna-t-elle.

Joe leva un visage plein d'espoir.

— Je crois savoir. Une visite qui va te faire plaisir.

— Pourquoi ne m'as-tu pas avertie ? Je me serais changée ! s'exclama-t-elle en se levant prestement.

— Inutile, reste, tu es ravissante.

Elle se rassit à contrecœur.

— Dis-moi au moins qui est notre visiteur.

— Seamie.

— Il est de retour ? Quel bonheur ! Mais mon frère, ce n'est pas de la visite… c'est mon frère.

— J'espère qu'il amène avec lui quelques autres personnes.

— Joe, explique-toi !

— Tu te souviens de la dépêche qu'il nous a envoyée ?

— Évidemment, je ne pense à rien d'autre depuis des semaines.

— Eh bien, je lui ai répondu en lui demandant de venir ici directement à l'arrivée du bateau, et d'emmener India et Charlotte Lytton avec lui.

— Tiens ? Après un si long voyage, tu penses vraiment que ce soit chez nous qu'India veuille venir en débarquant ? Nous nous connaissons très peu.

— Tu verras.

— Alors c'est qu'il y a un lien avec Charlie !

— Tout juste.

— Joe, je veux savoir !

— Fais-moi confiance.

Les visiteurs furent introduits dans le jardin d'hiver. Fiona serra son frère dans ses bras à l'étouffer. Katie et Charlie, qui jouaient dans le jardin, surgirent en poussant des cris de joie à la vue de leur oncle, et le bombardèrent de questions sur l'Afrique.

Fiona les fit taire et salua chaleureusement India, qui semblait fort fatiguée, puis sa fille.

— Comme je suis contente de vous revoir, et la petite Charlotte. J'aurais préféré bien sûr que les circonstances soient moins dramatiques…

— Merci, Fiona, merci beaucoup.

Bien entendu, les événements l'avaient éprouvée. Sa fille aussi était pâle, mais ravissante et plus timide, semblait-il, que malheureuse. Fiona était enchantée de les accueillir, mais s'étonnait toujours de cette invitation qui, selon elle, aurait pu attendre.

Katie et Charlie se prirent très vite d'amitié pour Charlotte à qui ils proposèrent d'aller dans le jardin.

— Nous jouons aux pirates, expliqua Katie. Tu veux bien faire la prisonnière ?

Fiona eut un geste protecteur vers Charlotte qui avait sursauté. La pauvre petite avait connu assez de violence pour ne pas avoir envie de revivre ce qui n'avait été que trop réel en Afrique.

— N'aie pas peur, dit Katie, on ne te gardera pas trop longtemps. On te libérera contre un coffre de doublons d'or.

La perspective sembla plaire à Charlotte, qui accepta. Elle prit la main que lui tendait Katie, et elles partirent en courant, suivies par Charlie.

— Les enfants ne se rendent pas compte, dit Fiona à India.

— Ce n'est pas grave. Elle a besoin de la compagnie d'enfants de son âge. C'est bien qu'elle s'amuse.

Elle suivit sa fille des yeux, et un sourire l'illumina quand elle la vit rire et crier avec ses nouveaux amis. Fiona frémit en songeant aux épreuves qu'elles avaient traversées.

— Il fait si bon, dit-elle. Venez, allons prendre l'air dans le jardin.

Elles firent quelques pas pour rejoindre la nounou, installée sur une couverture à l'ombre d'un lilas avec le bébé et le petit Peter, qui jouait aux soldats de plomb. India admira Rose et demanda comment s'était passé l'accouchement. Elle écouta le récit de Fiona en hochant la tête, puis eut un sourire approbateur quand, ayant présenté son doigt au bébé, elle sentit avec quelle vigueur il s'y accrochait.

— Vous allez recommencer à exercer la médecine ? demanda Fiona.

— Je ne sais pas encore. J'ai toujours regretté d'avoir arrêté, mais je n'arrive pas à faire de projets. L'enquête sur la mort de mon mari a été très éprouvante. Il a fallu répondre aux interrogatoires de la police, à ces importuns de journalistes... Nous n'avons pas eu un instant de paix.

— Quelle épreuve pour vous !

— Et ce n'est pas terminé, malheureusement. Mes parents sont morts tous les deux, mais j'ai une sœur qui s'est fait beaucoup de souci. Et puis, il y a la famille de Freddie. J'ai fait rapatrier sa dépouille qui sera inhumée à Longmarsh. Il restera l'enquête policière et la visite au notaire. Je veux vendre ma maison de Berkeley Square et tout ce qu'elle contient, ainsi que la propriété du pays de Galles. La tâche m'accable d'avance, mais cela doit être fait.

Fiona chercha un moyen de l'aider. Depuis le meeting du Parti travailliste où India l'avait sauvée, elle se sentait redevable.

— Je peux vous envoyer mon marchand de biens, il est honnête.

— Merci, c'est très gentil… Toute cette affaire pèse bien lourd sur mes épaules…

— Venez vous asseoir. Je vais vous servir du thé.

Fiona installa ses invités autour d'une table en fer forgé blanche sous les lilas. Une domestique la couvrit d'une nappe et apporta des assiettes, du thé, une carafe de citronnade, puis, peu de temps après, des sandwichs, un saladier rempli de fraises, des scones aux raisins secs, de la crème fraîche, de la confiture et du gâteau.

Pendant que les enfants se servaient, Joe et Fiona firent rouler la conversation sur la traversée et posèrent des questions à India et à Seamie sur les escales. Quand Katie, Charlie et Charlotte furent rassasiés et qu'ils retournèrent jouer, Fiona les suivit du regard avec un sourire.

— Ils s'entendent à merveille, commenta-t-elle. Ils viennent de se rencontrer, mais on les croirait amis depuis toujours.

Un silence suivit ses paroles, qui l'étonna. India se tourna vers elle.

— Fiona… Il faut que je vous dise quelque chose.

— Oui ?

— J'imagine quel choc cela va être pour vous, mais je ne sais pas comment vous le dire avec plus de ménagement. Charlotte est votre nièce.

Médusée, Fiona la contempla sans bien comprendre.

— Mais… comment cela ?

— C'est la fille de Sid. Notre fille, à Sid et à moi. Sid et moi étions amoureux. Nous voulions faire notre vie ensemble, mais… les circonstances ont fait que…

De saisissement, Fiona s'agrippa à Joe.

— Le sait-il ? Mon frère est-il au courant ?

Ce fut Seamie qui répondit.

— Oui, il le sait. C'est même cette nouvelle qui l'a

poussé à s'évader de prison. Il était extrêmement abattu. Il se serait résigné si une de ses amies n'avait pas deviné que Charlotte était sa fille.

— Et comment sais-tu tout cela ?

— Hum… Je l'ai un peu… aidé.

— Ça ne m'étonne pas ! s'exclama Joe.

— Et Charlotte ? Vous l'avez dit à Charlotte ?

— Non. Elle aime beaucoup Sid – Sid Baxter comme elle croit qu'il se nomme –, mais il me semble que c'est un peu tôt après ce qu'elle vient d'endurer. Je le lui dirai plus tard.

— Et toi, tu savais ? demanda Fiona en se tournant vers Joe.

— Depuis peu.

— C'était donc cela que tu me cachais. J'étais la seule à l'ignorer… Je ne comprends pas… Pourquoi ne m'as-tu rien dit ?

— J'avais donné ma parole.

Il avait obligé Ella à lui parler, expliqua-t-il, mais au prix de son silence à lui. Une promesse qui avait été fort difficile à tenir.

— Il fallait que ce soit India qui te le dise elle-même. C'était le seul moyen.

Bouleversée, Fiona tendit la main vers sa tasse.

— Par pitié, du thé…

On lui en donna, puis il fallut tout lui raconter. Leur rencontre, leur amour, et la terrible méprise qui les avait fait se perdre et avait obligé India à épouser Freddie Lytton. India leur répéta ce que Sid lui avait raconté de sa vie au Kenya, et Seamie leur fit un rapport détaillé de l'évasion. Fiona apprit des détails qu'aucun journal n'avait donnés sur l'épreuve traversée par India et Charlotte et sur leur sauvetage, mais la piste de Sid s'arrêtait au retour chez lady Wilton.

— Vous ne savez pas où il est parti ?

— Il n'a même pas dit au revoir… soupira India. Je pense qu'il m'en voulait de ne pas lui avoir parlé de Charlotte. Il n'a pas compris que c'était pour l'épargner. Il ne veut plus nous voir.

Fiona, voyant à quel point elle souffrait, éprouva une immense pitié pour elle.

— J'essaie de la persuader que ce n'est pas le cas, intervint Seamie, mais elle ne veut pas me croire. Pourtant, j'étais là quand il a compris que Charlotte était sa fille. J'ai vu son visage. Il était transfiguré. Il n'avait qu'une hâte, vous retrouver et voir Charlotte. Aurait-il risqué sa vie pour vous rejoindre s'il avait été fâché ? Cela n'a pas de sens.

— Seamie a tout à fait raison, approuva Fiona.

— Alors pourquoi est-il parti ?

— Par peur de se faire arrêter, je ne vois pas d'autre explication. Il ne savait pas que Freddie allait être interrogé. Il se croyait toujours accusé du meurtre de Gemma Dean.

— Mais il aurait laissé une lettre pour me dire au revoir, me dire où il allait.

— Il aura pris peur pour une raison que nous ignorons, il n'a pas eu le temps, dit Joe, songeur.

— C'est possible, soupira India, visiblement sans y croire.

India resta encore un peu, puis, épuisée, annonça qu'elle allait rentrer. Fiona demanda à Foster de faire atteler la voiture, puis elle appela les enfants, et dit à Katie et à Charlie de dire au revoir à leur nouvelle amie, qu'ils reverraient très bientôt.

— Je suis très contente d'avoir fait ta connaissance, Charlotte, dit-elle en s'agenouillant devant sa nièce et en lui prenant les mains. Tu es très mignonne, et je t'aime beaucoup.

Rougissant de plaisir, Charlotte lui jeta les bras autour du coup et l'embrassa. Fiona la retint contre elle et l'embrassa à son tour.

Charlie, je t'en prie, reviens, songea-t-elle en les accompagnant à la voiture. Elles ont besoin de toi.

Quand India et Charlotte furent parties, Anna fit monter les enfants pour leur sieste, et Fiona, Joe et Seamie se retrouvèrent seuls dans le vestibule.

— J'ai besoin de faire un petit somme, moi aussi, dit Seamie. Et de prendre un bain. Je suis fourbu.

— Je suis tellement contente que tu sois rentré !

— Moi aussi, très content.

Il s'arrêta au pied de l'escalier.

— Êtes-vous allés voir les Alden ? Vous leur avez annoncé ce qui est arrivé à Willa ?

— Bien sûr. Dès que nous avons reçu ton câble.

— Comment ont-ils pris la nouvelle ?

— Pas très bien, tu t'en doutes. Surtout Mme Alden. Heureusement, Albie était là.

— Ils n'ont pas eu de nouvelles ?

— Si. Albie est venu nous voir pour nous apprendre qu'ils avaient reçu une carte postale de Ceylan, et une autre de Goa. Elle disait vouloir rentrer par le nord, par Darjeeling…

— … et puis par le Népal, compléta Seamie.

— Oui, tu le savais ?

— Elle veut voir l'Everest.

Fiona lui trouva l'air si triste qu'elle voulut lui demander d'autres explications, mais il monta sans lui en laisser le temps. Elle se tourna vers Joe.

— Tu veux du thé ?

— Je ne dirais pas non à un remontant un peu plus fort.

Ils retournèrent au jardin d'hiver. Fiona aida Joe à s'installer sur le canapé et s'assit à côté de lui. Quand Foster leur eut apporté une bouteille de porto et des verres, Fiona prit la main de son mari qu'elle embrassa avec amour. Il était allé voir l'homme qui avait essayé de le tuer, il avait fait pression sur le ministre de l'Intérieur pour que justice soit rendue. Il s'était même arrangé pour qu'India Lytton lui révèle la vérité sur sa liaison avec Sid et la naissance de Charlotte.

— Tu as fait beaucoup, Joe, beaucoup, et je t'en remercie. Tu as aidé Charlie pour moi, même si tu n'éprouves pas beaucoup de sympathie pour l'homme qu'il était.

— Je voulais te rendre ton frère pour que tu n'aies plus de peine.

Les larmes qu'elle avait retenues toute la matinée jaillirent de ses yeux.

— Joe, c'est moi qui ai eu tort. Je n'aurais pas dû chercher à le mêler à notre vie. Si je t'avais écouté, Frankie Betts ne s'en serait pas pris à toi, et tu marcherais encore…

— Non… non… C'est moi qui ai mal fait. Je ne t'ai pas comprise. Je n'avais pas le droit de t'empêcher d'espérer, de l'aimer, de croire en lui.

Il la prit dans ses bras et la serra contre lui en silence.

— Tu crois qu'il reviendra ? lui demanda-t-elle.

— Oui, j'en suis sûr.

— Mais plus de cinq semaines se sont écoulées. Je n'ai pas voulu inquiéter India davantage, mais comment ne pas avoir peur pour lui ? L'Afrique est un pays dangereux. Tu as vu ce qui est arrivé à Lytton !

— Charlie se débrouillera très bien, Fi. Il connaît le

pays et il a déjà traversé tellement d'épreuves. Il reviendra, j'en suis sûr.

Il prit le visage de sa femme entre ses mains et l'embrassa.

— Ne désespère pas, chérie. Ça ne te ressemble pas. Il a besoin de toi, aide-le.

— Mais comment ?

— Mais en ayant foi en lui comme tu l'as toujours fait. En ayant foi en lui !

133

India veillait dans son salon de Berkeley Square en buvant du brandy. Il était plus de minuit, mais elle n'avait pas allumé la lampe. Par les hautes fenêtres, la lumière de la lune baignait la pièce de sa clarté argentée. Les domestiques étaient montés se coucher. Elle était seule.

Le long voyage de retour en mer l'avait fatiguée, et sa visite chez les Bristow avait été éprouvante. Pourtant, elle ne parvenait pas à dormir. Alors, elle regardait la lune et admirait sa beauté pâle et souveraine, se demandant si elle brillait sur l'Afrique, et si Sid la voyait.

Sa déception avait été immense quand elle avait compris que Fiona n'avait pas de nouvelles de lui. Depuis que Seamie lui avait révélé leur lien de parenté, elle espérait qu'il aurait contacté sa sœur pour la rassurer, au moins par un bref télégramme. Mais non. Et si c'était pour mieux l'éviter ? Comme il était dur de penser qu'il la rejetait avec une telle détermination !

Une heure sonna. Elle se prenait de haine pour cette

horloge. Elle vendrait tout, elle partirait avec Charlotte. Cet hôtel particulier contenait trop de mauvais souvenirs liés à Freddie. L'épouvantable portrait de Richard Lytton retournerait à Longmarsh, qu'il n'aurait jamais dû quitter.

J'ai été si malheureuse, ici, songea-t-elle.

Elle mettrait la maison et son contenu en vente avant la fin de la semaine. Maud l'accueillerait avec Charlotte tant qu'elle n'aurait pas décidé où aller. Elle n'avait aucun désir, mais l'envie de vivre reviendrait peu à peu, sans doute.

— Maman ?

Charlotte était à la porte, en chemise de nuit et en robe de chambre.

— Que se passe-t-il, chérie ? Tu ne dors pas ?

— Je voudrais vous demander quelque chose.

— Je t'écoute.

— Quand nous étions dans le train pour aller à Nairobi, lord Delamere a parlé de M. Baxter, et vous avez eu l'air triste en entendant son nom. Vous connaissiez M. Baxter avant que nous allions en Afrique ?

— Mais quelle question, Charlotte !

— Il faut me répondre, maman, c'est très important.

— Si je te réponds, tu retourneras te coucher ?

— Oui, c'est promis.

— Alors, eh bien… oui, je le connaissais.

Il y a longtemps ?

— Très longtemps.

— Est-ce que c'est mon vrai père ?

— Charlotte !

— Il faut bien que ce soit quelqu'un, mon père ! J'ai entendu père dans le bureau, le soir où il nous a emmenées pour nous jeter dans le piège à lions. Il disait que j'étais une bâtarde. Comme je ne savais pas ce que ça voulait dire, j'ai demandé à Mary. Elle n'a pas voulu m'expliquer et elle m'a grondée. C'est un garçon dans le bateau qui m'a dit ce que c'était. Je suis très contente de ne pas être la fille de père. Je ne l'aimais pas. Il était méchant. Maintenant, je voudrais savoir si c'est M. Baxter, mon vrai père. Il faut me le dire, maman.

— Oui, Charlotte. Oui, c'est ton vrai père.

— Vous l'aimiez ?

— Tu me poses des questions de très grande fille, dis-moi.

— Il a fallu que je sois très grande, en Afrique.

— Tu as raison. Oui, je l'aimais. Je l'aimais très fort.

— Et maintenant ?

— Je l'aime encore.

— Est-ce qu'il est gentil ?

— Très gentil.

— Mais il vous rend triste ?

— Charlotte ! Pourquoi me demandes-tu tout ça ?

— Je veux savoir ! Est-ce qu'il vous rend triste ?

India réfléchit avant de répondre.

— Non, il ne me rend pas triste. Au contraire, il me rend très heureuse quand je le vois. C'est quand je ne le vois pas que je suis triste.

— Est-ce que Seamie est le frère de M. Baxter ? C'est ce qu'il a dit.

— Oui, c'est son frère.

— Alors Seamie est mon oncle, et Mme Bristow est ma tante, et Katie, Charlie, Peter et la petite Rose sont mes cousins !

— C'est tout à fait vrai.

— Moi, je les trouve très gentils, et je les aime beaucoup.

— Tu as raison. Je les aime beaucoup aussi.

Sourcils froncés, toute à ses réflexions, Charlotte

contempla la lune un moment. Enfin, elle regarda sa mère.

— J'ai quelque chose à vous donner. C'est de la part de M. Baxter. J'ai attendu, parce que j'avais peur de vous rendre triste.

Elle plongea la main dans la poche de sa robe de chambre et en tira une enveloppe.

India étouffa un cri.

— Charlotte, mais comment as-tu eu cette lettre ?

— M. Baxter me l'a donnée en partant de chez lady Wilton, pendant que vous dormiez.

— Mais il fallait me la donner !

— Je n'étais pas sûre que c'était bien.

Elle donna un baiser à sa mère.

— Bonne nuit, maman. J'espère que la lettre de M. Baxter vous fera plaisir.

— Tu veux savoir ce qu'il y a dedans ?

— Pas tout de suite. J'ai sommeil, maintenant. C'est fatigant d'être grande.

India alluma la lampe et ouvrit l'enveloppe. Elle contenait une lettre de Sid, ainsi qu'une photographie qu'elle reconnut avec un coup au cœur. C'était elle qui la lui avait donnée. C'était Point Reyes, la propriété que Wish lui avait laissée sur la côte californienne. Le cliché avait jauni et un peu pâli, mais le paysage n'avait rien perdu de sa beauté. Elle ouvrit la lettre, les mains tremblantes.

Ma très chère India,

Quand tu liras ces mots, je serai loin, j'espère. La police m'arrêtera si je reste. Je pense avoir été vu plusieurs fois pendant que je te rejoignais chez les Wilton. Les nouvelles courent vite, ici. Les Kikuyu ne savent pas tenir leur langue, et Nairobi est très petit.

J'aurais voulu rester auprès de toi. J'aurais voulu te

voir te rétablir et faire connaissance avec notre fille, ce merveilleux et courageux petit bout de femme. Mais, si je reste, je risque de vous perdre pour toujours.

J'ai dit à qui voulait l'entendre que j'allais vers l'est. Je compte au contraire traverser l'Afrique vers l'ouest. J'espère arriver au Gabon, à Port-Gentil, et trouver un bateau. Je n'ai pas beaucoup d'argent, alors il faudra que je travaille en route. Je vais sans doute avoir besoin d'au moins un an pour arriver à destination. Le voyage sera difficile, et je n'espère pas en sortir indemne, mais j'arriverai au bout du chemin parce que, plus que tout au monde, je veux vous revoir, toi et Charlotte. Je veux vivre avec vous et vous aimer, et rattraper toutes ces tristes et difficiles années où nous avons été séparés.

Tu m'as appris ce qu'était l'amour, India, et l'espoir. Grâce à toi, je crois en l'avenir, et je crois au bonheur.

Je crois en moi, à présent. Je crois en nous. En nous trois.

Attends-moi là où le ciel touche la mer.

Rendez-vous au paradis.

Épilogue

1907

Juan Ramos, chef de gare de Point Reyes, regarda l'horloge. Il était 17 h 12. Le train allait arriver d'un instant à l'autre. Il tourna la tête vers la route du promontoire. Les rues du village étaient calmes après l'animation de la matinée. Voilà plusieurs heures que les tombereaux venant des fermes et du port étaient repartis, laissant bidons de lait et mottes de beurre, saumons, truites de mer, huîtres et crabes dans le train en partance pour San Francisco.

À l'instant où l'aiguille des minutes passait à 17 h 13, il vit la doctoresse anglaise et sa fille arriver dans leur carriole, assises bien droites sur le banc de bois.

La doctoresse était connue dans toute la région. Elle avait ouvert un cabinet sur la route du promontoire, et ne refusait ses soins à personne, même à ceux qui ne pouvaient pas payer. Les patients trop pauvres lui apportaient du beurre, du fromage, du poisson, des tortillas, des œufs ou de la sauce au piment, selon leurs moyens.

Elle était arrivée depuis un an et s'était installée dans une vieille ferme au milieu des prés, en haut de la plage de Limantour, à dix kilomètres du village, desservie par un chemin en lacet. C'était un spéculateur anglais qui avait acheté cette terre en 1900. À l'époque, on avait parlé d'un projet d'hôtel ambitieux destiné aux gens de San Francisco. On avait tiré des plans sur la comète, parlé de rénover la gare pour accueillir le flot de visiteurs fortunés qui ne manquerait pas de donner un nouvel essor au commerce et aux emplois locaux. Et puis, comme dans tant d'autres cas, les rêves ne s'étaient pas réalisés.

On racontait que la doctoresse avait racheté le terrain à un spéculateur qui avait fait faillite. On disait aussi qu'elle était riche et projetait de construire une belle maison. En attendant, elle se contentait de vivre dans le bâtiment en bois d'origine.

Les jours de semaine, elle s'occupait de ses patients tandis que sa fille fréquentait l'école du village. Les samedis et dimanches, elles restaient chez elles sans même aller à l'église. On les voyait se promener sur la plage, pique-niquer de grillades au feu de bois, explorer la Drake's Bay en canot. Mais, quel que soit le jour, quelle que soit la saison et quel que soit le temps, Juan les voyait toujours au train de l'après-midi.

La doctoresse arrêta la carriole à l'endroit habituel, et descendit avec sa fille. Elle n'attachait même plus le cheval qui attendait placidement, habitué au rituel quotidien.

— Bonsoir, docteur Baxter, bonsoir, mademoiselle Charlotte.

— Bonsoir, monsieur Ramos, répondirent la mère et la fille.

La petite se rendit directement sur le quai tandis que la doctoresse s'arrêtait pour échanger quelques mots avec le chef de gare.

— Comment vont les mains de votre mère ?

— Beaucoup mieux. Les pilules que vous lui avez données font des miracles pour son arthrite.

— Tant mieux. Surtout, qu'elle continue de les prendre.

Juan lui promit d'y veiller, puis elle alla attendre avec sa fille l'arrivée du train en provenance de San Francisco.

Depuis un an, elles venaient guetter fidèlement un voyageur qui n'arrivait pas. Elles restaient jusqu'à ce que le dernier passager soit descendu, que le chef de train donne son coup de sifflet, claque les portières, et que le train s'ébranle.

Juan lui avait demandé qui elles attendaient.

— Mon mari, M. Baxter, avait-elle répondu.

Au début, il ne s'était pas posé de questions. Il était en effet possible qu'elle soit venue préparer la maison en avance. Il avait cru à l'arrivée de M. Baxter parce que la doctoresse ne semblait pas en douter.

Mais les jours avaient passé, une année entière, et, M. Baxter ne paraissant toujours pas, on s'était mis à jaser. Certains étaient d'avis qu'il avait été tué à la guerre. D'autres qu'il l'avait abandonnée. D'autres encore que c'était un prospecteur d'or mort dans un accident. Quelqu'un tenait de source sûre qu'il était perdu en mer.

Juan, à présent, avait pitié d'elle. Il se demandait si elle n'avait pas un peu perdu la tête. Quand il voyait l'espoir s'allumer dans les yeux de la mère et de la fille à l'arrivée du train, son cœur se serrait pour elles. Et quand elles repartaient seules, leur déception faisait encore plus peine à voir.

— Demain, peut-être, disait la doctoresse avant de s'éloigner.

— Oui, demain, répondait-il.

Mais s'il avait du mal à croire à l'existence de M. Baxter, il avait encore plus de mal à ne plus y croire.

Penser qu'il ne viendrait pas, ce serait renoncer à ce qu'il y avait de plus beau, de plus sacré au monde. Ce serait cesser de croire à l'amour et à l'espérance.

Le 17 h 15 entra en gare en projetant sa vapeur. Occupé à faire signe au machiniste, à crier des ordres au porteur, puis à attraper le sac postal que lui lançait le chef de train, il oublia un instant la doctoresse et sa fille.

Il ne vit pas le voyageur exténué qui descendait d'un wagon. C'était un grand et bel homme, mais qui semblait éprouvé par la vie. Il s'appuyait à une canne, et son visage buriné et creusé lui donnait l'air plus âgé qu'il ne l'était sans doute. Il ne vit pas non plus la doctoresse pâlir. Il ne se tourna qu'en l'entendant appeler, et les vit toutes les deux courir vers l'homme et se jeter à son cou.

Il vit l'homme fermer les yeux et serrer dans ses bras la doctoresse, le vit soulever la fillette et l'embrasser. Mais il n'entendit pas les questions que sa femme lui posait, ni l'homme ajouter qu'il aurait tout le temps d'y répondre parce qu'ils avaient la vie devant eux.

Quand le chef de train descendit le sac de voyage de M. Baxter, Juan devança le porteur.

— Bonjour, monsieur, dit-il. Je vais vous le prendre.

La doctoresse fit les présentations, et Juan les accompagna à la carriole. Charlotte grimpa à l'arrière, la doctoresse à l'avant, et son mari se hissa lentement à ses côtés.

Juan monta le sac, puis les salua de la main. Alors que la carriole quittait la gare, il entendit M. Baxter dire :

— On se croirait dans ce conte de fées que tu me racontais autrefois, à Arden Street.

Et la doctoresse de répondre :

— C'est mieux que tout ce que nous imaginions, mon amour. Tu n'as pas idée de la beauté de cet endroit.

La mer, le ciel, l'air marin. Le soleil inonde la maison le matin. C'est de ce paradis que tu rêvais. C'est tout ce que tu espérais.

— Alors, notre histoire finit bien ?

La doctoresse se tourna pour sourire à sa fille, puis embrassa le voyageur fatigué, se moquant de qui pouvait les voir et les entendre.

— Oui, monsieur Baxter. Elle finit très bien.

Remerciements

Je tiens à exprimer ma gratitude au Dr Catherine Goodstein qui a bien voulu me raconter ses souvenirs de la faculté de médecine et m'expliquer les raisons qui l'ont poussée à embrasser la profession médicale. Son expérience m'a été d'une aide précieuse.

Je dois aussi beaucoup aux bibliothécaires et archivistes de la Wellcome Library, du Royal College, de la Physicians Library, du Royal Free Hospital Archives Centre et de la House of Commons Library – bibliothèques et archives toutes situées à Londres –, que je remercie pour leur compétence et leur patience. Toujours à Londres, le magnifique Science Museum m'a fourni une mine d'informations sur la médecine et les instruments médicaux du début du XXe siècle, ainsi que le Dr Harold Speert à travers ses livres sur l'histoire de l'obstétrique et de la gynécologie. Merci également à Alex Dumas d'avoir bien voulu répondre à mes questions sur l'alpinisme d'hier et d'aujourd'hui avec tant de passion et de précision.

Ma reconnaissance à mes agents Simon Lipskar et Dorie Simmonds, et à mes éditeurs Susan Watt et Peternelle Van Arsdale pour leur enthousiasme, leurs conseils, leur intelligence et leur talent. Mais, avant tout, je veux remercier ma merveilleuse famille qui m'a toujours encouragée et a toujours cru en moi.

Le rêve américain

(Pocket n° 12486)

Londres, fin du XIXe siècle. Dans le quartier populaire de Whitechapel, près des docks, la jeune Fiona travaille dur à la fabrique de thé. Les fins de mois sont difficiles pour les parents et les quatre enfants. Mais Fiona a un projet. Ouvrir une petite épicerie avec son fiancé, Joe. Pourtant, son rêve s'évanouit et son destin bascule. Elle décide alors d'embarquer pour New York où la révolution industrielle autorise les espoirs les plus fous. Sur le paquebot qui l'emmène vers le Nouveau Monde, elle se promet de revenir un jour en Angleterre, auréolée de succès…

Composition et mise en pages : FACOMPO, Lisieux

Imprimé en Espagne par
Liberdúplex
à Sant Llorenç d'Hortons (Barcelone)
en février 2012

POCKET – 12, avenue d'Italie – 75627 Paris cedex 13

N° d'impression : 27189
Dépôt légal : mai 2010
Suite du premier tirage : février 2012
S19191/03